中國現代史書籍論文資料舉要 （四）

胡平生　編著

臺灣 學生書局 印行

編 述 說 明

　　中國現代史是以中華民國及中華人民共和國為主的一部歷史，由於臺灣海峽兩岸的歷史學者對於中國現代史的起點有著不同的看法，臺灣方面多主張以1911年為起點（以1894年興中會成立及其後十七年的革命運動為其序幕、背景）；中國大陸方面多主張以1919年（五四運動）為起點（其以前為中國近代史，日本史學界大致持同樣的看法），本書係以前者為準（至於歐美史學界所謂 Modern Chinese History，是指中國近代史或現代史而言，Contemporary Chinese History，則為當代中國史，多指1949年以後的中華人民共和國史而言）。所收錄的書籍論文資料是以1996年12月及其以前出版者為限，此外，尚有如下幾個通則：

一、本書所列舉者，以專書、資料集、論文集、論文（含一般性的文章，本書中所謂的論文，即是指載於期刊上，論文集等中的單篇論文、文章而言）為主。散篇的資料、文稿（如中國大陸出版的全國各級《文史資料選輯》、《近代史資料》等所刊載者；且李永璞主編有《全國各級政協文史資料篇目索引（1960-1990）》，北京，中國文史出版社，1992；共五大冊，足資參閱）及報紙上的文章，因數量太多，過於瑣細，原則上不予舉述。又各種人物傳記專書（含辭典）中的個人專傳及書評（Book Review）亦同此，原則上也不予舉述。

二、本書所列舉者，以中、日、英文之出版品為限。

三、本書所列舉者，其出版年份，凡1949年及其以前之中國大陸及其以後臺灣之出版品，一律用民國紀年。凡中國以外國家、地區和1950年及其以後之中國大陸出版品,一律用西元紀年,俾易於辨識其為中華民國或中華人民共和國之出版品。

四、名稱過長者,當酌情簡稱之,如「中國人民政治協商會議全國委員會文史資料研究委員會」簡稱為「全國政協文史資料研究委員會」,「中國國民黨中央委員會黨史史料編纂委員會」簡稱為「國民黨黨史會」,「華東師範大學學報」簡稱為「華東師大學報」,「國立臺灣大學歷史學系學報」簡稱為「臺大歷史學系學報」等。

五、本書所列舉1950年及其以後中國大陸出版之各大學學報,均係其哲學社會科學版,而非其自然科學版;列舉時,不再註明其版別。又各專書其出版年份之後未特別註明者,均為初版或一版。

六、本書所列舉之國內外博、碩士論文,均以專書視之,以別於載於期刊、雜誌、學報上之論文。符號之使用,以《 》代表書名,以〈 〉代表論文篇名,其出處、出版年月,概用括號說明之。

七、國內外學術會議上宣讀的各論文,如未彙集成冊且正式出版者,原則上均不予舉述。

八、歐美作者的英文姓名,其姓氏一律置於其名字之後(凡華人有英文名字者亦同此),中、日作者的英文譯姓名,則其姓氏一律置於名字之前,以尊重其習慣,並求其統一。

第四冊目次

八、八年抗戰（1937 — 1945）

在中國近現代史上，有兩次中日戰爭，一為清末的甲午戰爭，一為民國時期的抗日戰爭，有人稱之為第二次中日戰爭。一九四九年及其以後的中國大陸官方和學界，大多使用「抗日戰爭」此一詞目，其所謂的「抗日戰爭史」，廣義的是指民國二十年（1931）「九一八」事變起，至三十四年（1945）八月十四日日本無條件投降為止；狹義的則是指民國二十六年（1937）「七七」事變起，至日本無條件投降為止；其所出版以「抗日戰爭史」或「抗日戰爭時期」為題的論著和資料（含期刊雜誌上發表的論文），如非在書名和篇名之後註明其起訖年份，則很很難令人遽然判定其內容範疇為廣義的，或是狹義的（按：大半係廣義的）。一九四九年以前中華民國治下的中國大陸及其以後治下的臺灣官方和學界，大多使用「八年抗戰」、「抗戰」（八年抗戰的簡稱）之詞目，其所謂的「抗戰史」、「抗戰時期」（簡稱「戰時」），等同於狹義的「抗日戰爭史」、「抗日戰爭時期」，至於「九一八」事變至「七七」事變中日全面戰爭爆發前的日本侵華行動，臺灣史學界有少數學者稱之為「抗戰前的抗戰」者。此外，以「第二次中日戰爭史」為題的論著和資料，其內容範疇則大多等同於廣義的抗日戰爭史。海峽兩岸學界則有少數人以「局部抗戰」和「全面抗戰」來區分之者。日本官方和學界大多以「日中戰爭」稱之，其「日中戰爭史」的內容範疇多為廣義的，甚至逕以「十五年日中戰史」、「十五年戰爭史」名之者。歐美以Sino－Japanese War等為題的論著和資料，其內容範疇多為狹義的「抗日戰爭史」，且多於書名或篇名後註有其起訖年份，易於辨曉。本處編者以「八年抗戰」為單元題目，顯係狹義的「抗日戰爭」。

(一)通論

目錄索引有北京俄語學院政治理論教研室編《抗日戰爭時期資料索引》(北京，學習雜志社，1957)、開封師院圖書館編印《紀念抗日戰爭勝利二十周年專題資料索引》(開封，1965)、周元正編《抗日戰爭史參考資料目錄》(成都，四川大學出版社，1985)、收錄抗日戰爭時期大後方出版的圖書資料近8000種；周元正編、李世平校《臺灣出版抗日戰爭史著作論文索引(1950－1987)》(同上，1988)，收錄臺灣出版的關於抗日戰爭的歷史文獻、檔案資料、學術著作和論文的索引6000餘條。又1991年9月創刊(由中國抗日戰爭史學會主辦，中國社會科學院近代史研究所編輯)的《抗日戰爭研究》，為季刊性質，每年出版4期，其第4期(1990年為第2期)均附有近代史研究所圖書館或其他人所編輯之前一年的抗日戰爭史論文目錄索引，可資參考，惟僅限於該年中國大陸所發表的期刊論文，且單行本的論著未予收錄是其缺陷。另如廣東省立民教館編《抗戰書目》(廣州，編者印行，民27年8月)，共收與中國抗戰有關的圖書期刊2000餘種，分抗戰理論、抗戰史實、國際形勢、戰時軍事、戰時政治、戰時社會、戰時經濟、戰時教育、戰時文藝、其他十類，每種書錄其書名、編者、發行所、出版年月等。

研究述評有中共中央黨史研究室第一研究部編(郭德宏主編)《抗日戰爭史研究述評》(北京，中共黨史出版社，1995)、楊奎松〈抗日戰爭史研究述評〉(《理論交流》1985年10期)、劉鳳翰〈抗戰史研

究與回顧〉(《近代中國》108期，民84年8月）、〈抗日戰爭史的研究
與編纂〉(載《民國以來國史研究的回顧與展望研討會論文集》下冊，臺灣大
學出版組，民81年6月）、〈抗日戰史的編纂與研究〉(《國史館館刊》復
刊第8期，民79年6月）及〈海峽兩岸對抗日戰史的研究與出版〉(載
《紀念抗戰勝利五十週年學術研討會論文集》，鳳山，陸軍軍官學校，民
84)、梁和鈞等〈抗戰史的編纂與研究〉(《中國現代史專題研究報告》11
輯，民72)、李雲漢〈對日抗戰的史料和論著〉(載《六十年來的中國近
代史研究》上冊，臺北，中央研究院近代史研究所，民78)、郭德宏〈建國
以來抗日戰爭史研究述評〉(《歷史教學》1995年11期）、黃美真等〈建
國以來抗日戰爭史研究述評〉(《民國檔案》1987年4期）、周一平〈新
中國成立後抗日戰爭史研究的發展〉(《黨史研究與教學》1995年4期）、
京中〈抗日戰爭史研究述略〉(《抗日戰爭研究》1995年增刊）、馬振犢
〈近五年來國內抗日戰史研究簡介〉(《社科信息》1995年9期）、張小
路〈近年來抗日戰爭史研究概況〉(《社會科學研究》1985年3期）、祁
建民〈中國における抗日戰爭史研究〉(《愛知論叢》50號，1991年3月）、
Peter J. Seybolt, "The Second Sino-Japanese War, 1937-1945:The
Current Status of Research and Publication in the People's Republic
of China, and Prospects and Problems for Foreign Researchers,"
(Republican China, Vol. 14, No. 2, April 1989)、俞辛焞〈中國の抗日戰爭
史觀と研究狀況〉(《國際問題》328號，1987年7月）、王章陵〈中共對
抗日戰爭史的纂改與辨正〉(《共黨問題研究》15卷8期，民78年8月）、
陳存恭〈透視最近中共扭曲抗戰史的陽謀－並報告參加紐約「七七
事變五十週年學術研討會」經過〉(《中國現代史專題研究報告》13輯，
民80)、楊開煌〈國共官方解釋「抗戰史」之心態對比〉(胡春惠主編

《紀念抗戰勝利五十周年學術討論會論文集》，香港，珠海書院亞洲研究中心，1996）、張注洪〈國外中國抗日戰爭史研究述評〉（《北京黨史研究》1995年5期）及〈美國研究中國抗日戰爭的歷史考察與成果評析〉（《中共黨史研究》1995年4期）、布村一男〈ソ連の「抗戰中國」研究について〉（《中國研究》第4號，1948年6月）、康軍編譯〈日本學者圍繞研究抗日戰爭史現實意義的爭論〉（《國外中共黨史研究動態》1992年2期）、祁建民〈日本的〝日中戰爭史〞研究評介〉（《黨史資料與研究》1995年3期）、姬田光義〈日本的中日戰爭史研究現況和教科書訴訟判決問題〉（《近代中國史研究通訊》第9期，民79年3月）、張惠才編譯〈日本學者的日中戰爭研究〉（《國外中共黨史研究動態》1995年5期）、周勇〈近期日本研究中國抗戰史動態〉（《黨史研究資料》1990年1期）、中國現代史研究會〈日中戰爭史研究について〉（《史潮》108號，1971）、池田誠〈抗日戰爭史研究の課題〉（載井上清、衛藤瀋吉編著《日中戰爭と日中關係》，東京，原書房，1988）、石島紀之〈抗日戰爭史研究の課題と方法〉（《近きに在りて》第3號，1983）、姬田光義〈日中戰爭史研究への新しい視點〉（《國際問題》328號，1987年7月）、劉鳳翰等〈抗戰建國五十年紀念－有關抗戰日文資料的評析〉（《中國現代史專題研究報告》12輯，民79）、吳文星〈論中日戰爭日文資料的認識與運用－－由陳譯「日本侵華內幕」談起〉（《近代中國》54期，民75年8月）、程慎元編譯〈日本學者齋藤道彥評述中日戰爭史研究中的一些問題〉（《中共黨史研究通訊》1992年11期）、張注洪〈抗日戰爭文獻資料與抗日戰爭史研究〉（《北京黨史研究》1994年5期）、曾景忠〈1991年抗日戰爭研究的進展〉（《近代史研究》1992年5期）、〈1992年抗日戰爭史研究回顧〉（《抗日戰爭研究》1993年2期）及〈1995年抗日戰爭史研究的進展〉（同上，1996年2期）、孔令聞等主編《還在爭論的抗戰史若干問題研究》（北京，航空航天大學出版社，1989），針對抗日戰爭史中有爭議的一些問題，如中日戰爭的性質、中國與英美的關係、中蘇關係、國共關係等，分14個專題，引用大量史料，來加以討論；徐繼良〈九十年代以來抗日戰爭史有關問題研究概述〉（《首都師大學報》1995年3期）、水羽信男〈中國における最近の研究動向－抗日戰爭（日中戰爭）〉（《歷史評論》447號，1987年7月）、德岡仁〈中國現代政治と歷史研究－抗日戰爭史研究をめぐって〉（《立命館文學》507號，1988年7月）、李松林〈近年來臺灣學者研究抗日戰爭史評介〉（《黨史研究資料》1987年7期）、曾永賢〈從日本檔案談我國抗戰史研究的方向〉（《中國現代史專題研究報告》10輯，民70）、加藤陽子撰、川島真、傅奕銘譯〈關於中日戰爭日方史料的收藏與介紹〉（《近代中國史研究通訊》21期，民85年3月）、劉鳳翰〈臺灣地區對抗日戰史之研究－兼論南京大屠殺的〝數字〞問題〉（同上，10期，民79年9月）、蘇啟明〈評中共對抗戰史的研究：以《中國抗日戰爭史稿》為例〉（《近代中國》78期，民79年8月）、邱路等〈抗日戰爭研究芻議〉（《中共黨史研究》1995年4期）、李侃〈對抗日戰爭史研究的幾點意見〉（《抗日戰爭研究》1996年3期）、吳相湘〈對日抗戰史實的研究還要努力〉（《歷史月刊》93期，民84年10月）、王檜林〈抗日戰爭史研究中的幾個問題〉（《北京師大學報》1985年4期）、王斯德等〈抗戰史研究中若干問題的探討〉（《社會科學（上海）》1985年9期）、劉庭華〈中國抗日戰爭史研究的幾個問題〉（《史學月刊》1987年3期）、昭瀛〈必須堅持抗日戰爭史研究的原則立場〉（《河南黨史研究》1987年6期）、陳寶松〈杭日戰爭時期幾個問題研究綜述〉（《高校社科情報》1993年2期）、陳文

淵〈對抗日戰爭史研究中幾個問題的探討〉(《軍事史林》1987年3期)、
羅寶軒〈近年來關于抗日戰爭史研究的主要問題綜述〉(《歷史研究》
1988年1期)、胡陽全〈近十年來抗日戰爭史幾個熱點問題研究概述〉
(《昆明社科》1995年2期)、戴孝慶〈抗戰史研究中應當強化的幾個基
本觀點〉(《重慶師院學報》1995年4期；亦載《西南師大學報》1996年3期
及《四川社科界》1996年3期)、謝本書〈關于抗日戰爭史研究中的幾
個問題〉(《雲南學術討索》1995年4期)、王文泉〈簡論抗日戰爭史研
究中的幾個問題〉(《中共黨史研究》1990年5期；《山東大學學報》1990
年3期)、姜昆陽〈關於抗戰史研究中一些提法的商榷〉(《北京黨史研
究》1995年6期)、莫岳雲〈抗日戰爭史宣傳和研究中的幾個問題〉(《探
求》1995年4期)、江英〈1992年抗日戰爭史研究新進展〉(《黨史研究
與教學》1993年4期)、劉貴福〈關于抗戰史研究的一個方法論問題〉
(《黨史博採》1992年7期)、石島紀之〈抗日戰爭史研究の今日的意義
－－今井駿氏の書評について〉(《歷史學研究》562號，1986年12月)、
雨田〈研究抗日戰爭的時代意義〉(《惠州大學學報》1995年2期)。

　　通盤性的論著，即是指以整個八年抗戰（或抗戰）、抗日戰
爭、中日戰爭十五年戰爭為題，詳述或概述其歷程的書籍和期刊論
文，這方面的論著為數不少，觀其內容多為述戰爭的經過，或間有
述及政治、外交，而極少有涵蓋及經濟、社會、教育、文化、學
術、思想等各方面者。其涵蓋面最廣的為王檜林主編的《中國抗日
戰爭全書》(太原，山西人民出版社，1995)，全書約2000頁，分為序
篇、正篇兩部分，序篇共1卷（抗戰準備卷），敘1931至1937年
史事，正篇共6卷，分為政治、軍事、外交、經濟、文教社會、人
物等卷，人物卷分共產黨人物、國民黨人物、日偽人物、其他著名

人物4項；該書係為紀念抗戰勝利五十週年，而集合中國大陸各地從事中國抗戰史研究多年的部分專家編寫而成，極具參考價值。以個人之力撰成篇幅最鉅的論著則為吳相湘《第二次中日戰爭史》(2冊，臺北，綜合月刊社，民62)，以民國初年的中日關係為背景，詳述九一八事變至日本無條件投降的史事，取材豐富，內容充實，為同類論著中的代表作。龔古今、唐培吉主編(王沛、楊衛和編寫)、《中國抗日戰爭史稿》(2冊，武漢，湖北人民出版社，1983)，係以歷史唯物主義為指南來編寫此書，內容完全側重中國共產黨在抗日戰爭中的活動，如其抗日民族統一戰線、抗日根據地的抗日鬥爭等，指稱國民黨「消極抗戰」而「積極反共」，論述不夠持平。國防部史政編譯局編《抗日戰史》(101冊，臺北，編者印行，民71)，係就該局所藏之有關檔案、資料編寫成書，於民國五十五年(1966)由國防部史政局(後改名為國防部史政編譯局)出版，但未公開發行，七十一年(1982)10月，由該局再版五百套，分送各大圖書館，始被學者公開引用。全書共101冊，分為五篇，第一篇(3 冊)为「戰前世界大勢及中日國勢概要」，第二篇 (1 冊) 為「戰爭起因」，第三篇 (5 冊) 為「全戰爭經過概要」，第四篇 (87 冊) 為「會戰及作戰」，第五篇 (3 冊) 为「受降與復員」，為同類中文論著中篇幅最鉅者，惟未引用已出版的外文資料，是其一大缺陷；又該書有英譯本－為溫哈熊譯之History of the Sino－Japanese War(1937－1945)〔Taipei: Chung Wu Publishing Co., 1971 〕，篇幅較少，計二冊10章，為代表臺灣軍方對外之官書。參考該書編纂工作的胡璞玉(Hu Pu－Yu，時任該局戰史組少將組長)亦用該書出版A Brief History of Sino－Japanese War (1937－1945) 一書 (1974

年出版），篇幅則更少，祇有溫氏譯本的三分之一左右。國防部史
政編譯局編纂《抗日戰史》（12冊，臺北，編纂者印行，民74），分為
七篇，第一扁為「緒論」，第二篇為「戰爭準備」（與第一篇合為1
冊），第三篇為「全面抗戰經過」（1冊），第四篇為「會戰及重要
作戰」（9冊），第五篇為「國際合作」，第六篇為「受降與復員」，
第七篇為「總檢討」（與第五、六篇合為1冊），與上述該局編印
出版的大部頭《抗日戰史》，均為「官書」，內容難免於「官方說
法」，且極少提及中共的抗日活動，亦有失公允。三軍大學戰史編
纂委員會編《國民革命戰役史·第四部：抗日》（5冊，臺北，國防部
史政編譯局，民83），分為六篇，第一篇為「概論」，第二篇為「初
期戰役」，第三篇為「中期作戰」，第四篇為「後期作戰」，第五
篇為「日本投降及終戰」，第六篇為「總檢討」；國防部史政局早
年尚編印出版有《中日戰爭史略》（4冊，民51）及《國民革命六大
戰史輯要：抗日戰史》（民50）等書。蔣緯國主編《國民革命戰史第
三部：抗日禦侮》（10冊，臺北，黎明文化事業公司，民67），全書計十
二章，其章名依序為「緒論」、「日中戰爭之原因」、「全面抗戰
一般情勢」、「戰爭準備」、「國家戰略」、「統帥機構與兵力」、
「野戰戰略」、「同盟合作」、「受降遣俘」、「總檢討」、「總
結論」，偏重理論，尤其是戰略方面，史事敘述較少，與前述國防
部史政（編譯）局編印的各書顯然不同。「國民革命建軍史」編纂
委員會撰述《國民革命建軍史：第三部：八年抗戰與戡亂》（2冊，
臺北，國防部史政編譯局，民82）。胡德坤《中日戰爭史，1931－
1945》（武昌，武漢大學出版社，1988），作者為武漢大學教授，係受
國家教育委員會委託編寫而成此一高等學校歷史專業專題課教材。

軍事科學院軍事歷史研究部編著《中國抗日戰爭史》(3冊，北京，解放軍出版社，1991及1994)，全書共三卷六編，第一編為「東北淪陷」，第二編為「救亡高潮」，第三編為「舉國抗戰」，第四編為「轉入相持」，第五編為「渡過難關」，第六編為「走向勝利」，各卷均附有照片、地圖及大事記。何應欽《八年抗戰之經過》(南京，陸軍總司令部，民35)，民國四十四年(1955)臺灣再版時改名為《八年抗戰》，七十一年(1982)黎明文化事業公司及七十二年國防部史政編譯局出版其增訂本時，均改名為《日軍侵華八年抗戰史》。張其昀主編、魏汝霖編纂《抗日戰史》(臺北，國防研究院、中華大典編印會聯合出版，民55)、胡璞玉編著《中日戰爭簡史》(臺北，國防部史政編譯局，民62)、三軍大學戰爭學院編《抗日戰史》(臺北，編者印行，民63)、趙曾儔《抗戰紀實》(4冊，上海，商務印書館，民36)、李禹《國魂：中國抗日戰爭紀實》(北京，中共中央黨校出版社，1995)、天棣編著《血沃中華：中國抗日戰爭紀實》(長沙，湖南文藝出版社，1995)、海外流動宣傳團編輯部編《中國抗戰史》(廣州，海外流動宣傳團駐粵總辦事處，民36)、馮子超《中國抗戰史》(上海，正氣書局，民35；臺北，文海出版社影印，民67)、李振民、趙保真主編《中國抗日戰爭史綱》(西安，西北大學出版社，1992)、朱澤甫《中國抗戰史講話》(哈爾濱，光華書店，民37年再版)、陳安仁《中華民族抗戰史》(曲江，民族文化出版社，民30；上海，商務印書館，民35)、虞奇編著《抗日戰爭簡史》(臺北，黎明文化事業公司，民65)、索紅群《中國抗日戰爭簡史》(赤峰，內蒙古科學技術出版社，1995)、蔣永敬《中國對日抗戰史》(臺北，正中書局，民81)、王平編撰《抗戰八年》(臺北，天祥出版社，民55；臺北，華粹出版社，民66)、劉大年、白介夫主編《中國復興樞紐：抗日戰爭的八年》（北京，北京出版社，1995），為《中國抗日戰爭史叢書》中的綜合性著作，全書分抗日戰爭前期（1937年7月－1938年）、抗日戰爭中期（1939年－1943年）、抗日戰爭後期（1944年－1945年8月）、及抗日戰爭時期的中國文化四個部分來編寫，每個部分各轄若干章，共十八章，全書並無注釋，對中共的抗日事迹，仍嫌著墨過多；《抗戰八年（中國現代革命運動故事之四）》（南京，江蘇人民出版社，1958）、山東省社會科學聯合會編《威武雄壯的抗戰八年》（濟南，山東人民出版社，1985）、何理《抗日戰爭史》（上海，上海人民出版社，1985）、中共中央黨史研究室第一研究部《中華民族抗日戰爭史（1931－1945）》（北京，中共黨史出版社，1995）、華北大學編《中國人民抗日戰爭史略》（北平，華北大學，1949）、艾凰《抗日戰爭》（火星出版社，1951）、王平一《抗戰小史》（臺北，正中書局，民40）、國防部編印《抗戰簡史》（臺北，民41）、馬仲廉《抗日戰爭史話》（北京，中國青年出版社，1983）、葉國章、王莉編著《抗日戰爭史話》（北京，華齡出版社，1995）、項立嶺《抗日戰爭史話》（上海，上海人民出版社，1986）、岩英《中國抗日史話》（香港，宇宙出版社，1969年再版）、高越天《抗戰史話》（重慶，獨立出版社，民30）、胡璞玉《抗戰史話》（臺北，國防部史政局，民61）、章君穀《抗戰史話》（臺北，中央文物供應社，民69）、林康《抗戰史話》（臺北，臺灣日報社，民76）、教育部大專以上學校軍訓用書編輯委員會主編《抗戰簡史》（臺北，幼獅書店，民57年3版）、徐枕《抗戰史話》（臺北，得琦資訊公司出版社，民84）、李影等編著《抗戰實錄》（北京，海洋出版社，1991）、解力夫《抗日戰爭實錄》（2冊，石家庄，河北人民出版社，1992），作者為「新華社」高層記者、中國作家協會會員，長期從事新聞工作，本書係章回體報導文學性質，共有68章，其中第49章以「千古奇冤」為標題，述皖南事變始末；中國國際戰略研究基金會編《中國人民抗日戰爭錄》（北京，中共文獻出版社，1996）、羅煥章、支紹曾《中華民族的抗日戰爭》（北京，軍事科學出版社，1987）。石島紀之《中國抗日戰爭史》（東京，青木書店，1984），其中譯本為鄭玉純、紀宏譯《中國抗日戰爭史》（長春，吉林教育出版社，1990），這是極少數的以抗戰史為書名的日本人論著，作者為日本茨城大學教授，在此書出版前十年間，他已發表過八篇有關中國抗戰史的學術性論文，作者以這八篇論文為基礎撰成此書，全書分成六部分，第一個部分為「九一八事變」，論述九一八事變的經過、一二八事變及國軍之「剿共」；第二部分為「抗日民族統一戰線之路」；論述華北分離工作、中國各界的救國運動、西安事變等；第三部分為「抗日戰爭的爆發與擴大」，論述盧溝橋事變至武漢會戰期間的抗戰史、以及中共抗日根據地的形成和概況；第四部分為「戰爭之長期化」，論述汪兆銘的叛離、國軍的冬季攻勢、抗日根據地的擴大、經濟戰爭、百團大戰、皖南事變等；第五部分為「太平洋戰爭時之抗日戰爭」，論述太平洋戰爭前期的中國戰場、國民黨統治之腐化與民眾的反動、解放區的危機與克服（如三光政策、延安整風、日本士兵反戰運動等）等；第六部分為「第二次世界大戰末期之中國戰線」，論述中國戰線之新展開（如太平洋戰局之轉換、日軍打通大陸之作戰、解放區的反攻等）、國民黨統治之危機（如美軍視察團訪問延安、民主化運動之之高揚、史迪威事件等）、抗日戰爭之勝利、戰後史之起點等；附錄有資料、別表共8種；文中均有注釋，書末列有參考文獻目錄等；全書雖篇幅不鉅，但各方面甚能顧到，是一本夠水準的論著；秦郁彥《日中戰爭史》（東京，河出書房新社，1961；東京，原書房，1979年新裝版），其新裝版內容較初版略有增補，全書分為八章，第一章述1935年之「何梅協定」；第二章述日本華北分離工作的失敗；第三章述中日戰爭中的和平工作與講和條件；第四章述1937年7月7日夜爆發的盧溝橋事件；第五章述中日戰爭及其擴大派與不擴大派的論爭；第六章述中日戰爭中各國的動向；第七章述軍事作戰概況；第八章則述戰爭前期日本海外投資的展開過程；全書有注譯，取材頗為豐富，為一頗具參考價值的學術性研究成果；惟全書在結構上接近專題論述（其第一至第五章的部分內容，係作者早年已發表之專題論文），因此，對整個戰爭過程的論述也不完整，且所引用者多為二手資料，是其缺點；書後附錄文件45則，地圖14幅，另有年表、日本陸海軍等主要職員一覽表、主要有關外交官及陸海軍人略歷、參考文獻目錄、索引等，為該書正文之外的另一項貢獻；臼井勝美《日中戰爭一和平か戰線擴大か》（東京，中央公論社，1967）、古屋哲夫《日中戰爭》（東京，岩波書店，1985）、中央大學人文科學研究所編《日中戰爭一日本、中國、アメリカ》（東京，中央大學出版部，1993）、內川芳美編《日中戰爭》（東京，平凡社，1975）、野澤豐、田中正俊編《講座中國近現代史‧第6卷：抗日戰爭》（東京，東京大學出版會，1978）、陳舜臣《中國の歷史近‧現代篇》（東京，平凡社，1986）其第7卷（冊）為《故園暗し一抗日戰爭㈠》、第8卷（冊）為《山河盡をず一抗日戰爭㈡》、第9卷（冊）為《劫波渡る一抗日戰爭》；三國一郎編《昭和史探訪一日中戰爭》（東京，番町書房，1975）、藤原彰《日中全面戰爭》(《昭和の歴史》第5卷，東京，小學館，1982)、滕原彰著、陳鵬仁譯《解讀中日全面戰爭》(臺北，水牛圖書出版公司，民85)、曉教育圖書《日中戰爭》(《昭和日本史》第3卷，東京，撰者印行，1977)、兒島襄《日中戰爭》(4冊，東京，文藝春秋，1984)、大杉一雄《日中十五年戰爭史－なぜ戰爭は長期化したか》(東京，中央公論社，1996)、黑羽清隆《日中15年戰爭》(3冊，東京，教育社，1977－79)及《十五年戰爭史序說》(東京，三省堂，1979)、藤原彰、今井清一編《十五年戰爭史》(4冊，東京，青木書店，1988－89)其第1冊為《滿洲事變》、第2冊為《日中戰爭》、第3冊為《太平洋戰爭》、第4冊為《占領と講和》；Dick Wilson, When Tigers Fight: The Story of the Sino － Japanese War, 1937 － 1945.(London: Hutchinson, 1982; New York: Viking Press, 1982)、S. W. Kirby, The War Against Japan.(5Vols., London: HMSO, 1957 － 1969)、江口圭一《中日十五年戰爭小史》(東京，青木書店，1986)；(其中譯本為陳鵬仁譯，臺北，幼獅文化事業公司，民85)，全書分為四個部分，共24章，第一個部分為九一八事變(1～6章)，第二個部分為分離華北(7～10章)，第三個部分為中日戰爭(11～16章)，第四個部分為亞洲太平洋戰爭(17～24章)，述至日本投降為止，尚有結語──十五年戰爭的加害、被害和責任；江口圭一著、楊棟樑譯《一九三一～一九四五日本十五年侵略戰爭史》(天津，天津人民出版社，1995)伊藤隆《十五年戰爭(日本の歴史30)》(東京，小學館，1976)。真子裕之《中華民國對日戰爭之研究，1937－1945》(淡江大學國際事務與戰略研究所碩士論文，民83年1月)、李守孔《八年對日抗戰之真象》(臺北，正中書局，民66)、國防部史政編譯局編印《八年抗戰史

回顧》（臺北，民84）及《抗戰建國史事研述》（同上，民63）、朱子
爽《抗戰志略》（南京，國民圖書出版社，民36年再版）、黎東方《細
說抗戰》（臺北，遠流出版事業公司，民84）、唐人《八年抗戰》（《金陵
春夢》第3集，香港，文宗出版社，1959）、高天《八年抗戰》（上海，新
中出版社，民35）、廖子東《中日八年戰爭回顧》（時事日報，民34）、
劉柏華《八年抗戰血的紀錄》（臺北，川康文物叢書第27種，民80）、
吳一心《中國之抗戰》（上海，中華書局，民37）、徐嵩齡《中國抗日
大戰記》（廣州，明正出版社，民36）、李鋆培編《我國的抗戰》（澳門，
中華書局，民37）；《我國對日抗戰史》（上海，大東書局，民37）、楊
樹標、梁敬明主編《民族的苦難，民族的驕傲－抗日戰爭史新論》
（杭州，杭州大學出版社，1995）、賈興權編著《血色年輪－中國抗戰
八年風雲紀實》（2冊，北京，中國廣播電視出版社，1995）、楊一民《黃
河在咆哮－中國抗戰》（北京，藍天出版社，1994；臺北，風雲時代出版
公司，民83），全書分為六章，其標題依序為「難忘的〝9‧18〞」、
「盧溝橋的怒火」、「持久戰」、「抗戰逆流」、「黎明前的黑暗」
及「東方破曉」；岳騫《抗日戰爭通俗演義》（8冊，臺北，黎明文化
事業公司，民71），每冊一部，第一部為「神州獅吼」、第二部為「盧
溝烽火」、第三部為「京滬喋血」、第四部為「中原鏖兵」、第五
部為「優孟衣冠」、第六部為「衡湘血戰」、第七部為「烽火關河」、
第八部為「日月重光」；日本國際政治學會太平洋戰爭原因研究部
編《太平洋戰爭への道》（7冊，東京，朝日新聞社，1962－63），其中
第3、4冊為「日中戰爭（上）（下）；歷史學研究會編《太平洋戰
爭史》（4冊，東京，青木書店，1971－72），其中第2、3冊為「日中
戰爭（1）、（2）」；嚴軍《抗日戰爭演義》（香港，香港朝陽出版社，

1972）、王金穆《中國抗戰史演義》（北京，新潮書店，1951）、胡靜編修《抗日演義》（臺北，崇武出版社，民61）、阮家新等編《神聖抗戰》（北京，中國少年兒童出版社，1987）、胡玉坤《壯麗的史詩：中國全民族抗戰》（福州，福建人民出版社，1993）、中國開封市委黨史辦公室編著《歷史不能忘記：紀念抗日戰爭勝利50周年》（抗戰志簡編，鄭州，中州古籍出版社，1995），以史科和故事，歌頌中國軍民在抗日戰爭中英勇抗戰的事跡；張開《中日大戰記》（2冊，重慶，重慶出版社，民36），以章回體述史，全書共60回；中國青年社《抗日戰爭的故事：從「七七」到「九三」》（北京，青年出版社，1951）、李石涵《從〝七七〞到〝八一五〞》（山東新華書店，1949）、蒙藏委員會編譯室編《從七七到九九》（重慶，編者印行，民34）、李伯雍等《中日戰爭實錄－從宛平盧溝橋到芷江七里橋》（北京，中國文史出版社，1995）、劉大年《抗日戰爭時代》（北京，中央文獻出版社，1996）、楊克林編著《中國抗日戰爭時期－1937～1945》（香港，三聯書店，1995）、袁旭等編著《第二次中日戰爭紀事（1931.9－1945.9）》（北京，檔案出版社，1988）、陳之中、譚劍峰編《抗日戰爭紀事（1937－1945）》（北京，解放軍出版社，1990）。蔣永敬〈對日八年抗戰之經過〉（載張玉法主編《中國現代史論集·第9輯：八年抗戰》，臺北，聯經出版事業公司，民71）、黎東方（Orient Lee），"China's Second War With Japan, 1937－1945."（《中山學術文化集刊》32集，民74年3月）、Chiang Ke－fu,"The War of Resistance to Japanese Aggression."（China Reconstructs, Vol.8, No.8, 1959）、方群〈抗戰八年〉（《中國青年》10期，1949年7月）、榮孟源〈抗日戰爭〉（《歷史教學》1953年5期）、岡田文夫〈日中戰爭について〉（《歷史評論》134、

135號，1961年10、11月）、虞奇〈悲壯的中日戰爭〉（《中國與日本》
241－246期，民70年3－8月）、耿若天〈中日戰爭史略〉（《日本研究》
271期，民76年7月）、秦保民〈八年抗戰史話〉（《暢流》46卷1期－53
卷3期，民61年8月－65年3月）、陶希聖〈抗戰簡史〉（《北方雜誌》1
卷2、3期，民35年12月、36年1月）、唐振楚〈抗戰簡史〉（載《中國
戰史論集》第2冊，民43）、張其昀〈抗戰史略〉（《中國一周》114期，
民41年6月）、羅香林〈中國對日抗戰史略〉（《廣東建設研究》1卷2期，
民35年11月）、關德衡〈八年抗戰史要〉（《中一中學刊》第3期，民74
年10月）、孫震〈抗戰八年概述〉（《四川文獻》11.12期合刊，民52年
7月）、夏琢瓊〈1937－1945年日本的侵華戰爭〉（《中學歷史教學》
1982年6期）。此外，崛場一雄《支那事變戰爭指導史》（東京，時事
通訊社，1962），雖非以中日戰爭史為書名，但其內容卻係一部「八
年抗戰史」的通論性著作；作者畢業於日本士官學校，1937年七
七事變發生時，任支那派遣軍政務主任參謀，1941年6月以後歷
任總力戰研究所所員、第二方面軍高級參謀、第五航空軍參謀長；
戰爭結束後返回日本，搜集資料，編纂中日戰爭史，此書即為其晚
年的研究成果，完稿於1948年；全書共二十章，分為五部分，第
一部分為序論（下分二章），述盧溝橋事變的本質、原因、大要等
及事變前的世界、中、日情勢；第二部分（下分五章）為中日戰爭
的第一期（1937年7月至1939年3月），作者稱其為「戰略期間」，
由事變後圖謀局部的和平解決發展到全面訴諸武力，戰事擴大；第
三部分（下分七章）為中日戰爭的第二期（1939年4月至1941年
7月），稱為「政略期間」，由於汪兆銘叛離國民政府並在南京另
立政權，使日本對華速戰速決戰略轉變為持久戰略；該部分對以汪

兆銘為中心的「和平運動」、汪政權的建立及日、汪關係等，記述甚詳；第四部分（下分三章）為中日戰爭的第四期（1941年8月至1945年8月），稱為「持久期間」，論述太平洋戰爭爆發後，中國變為大東亞戰場的一部分，以中國戰場策應大東亞戰爭，至日本敗戰無條件投降為止；第五部分（下分三章）為反省與批判，論述日本敗戰的主因，書末有跋及支那關係略年表，附錄圖表5幅；全書雖無注釋、參考書目，但引證原始資料之處甚多，撇開作者對中日戰爭的態度而論，本書算得上一部嚴正的著作；尤其是作者以其親身經歷和專業知識，論述中日戰略等方面的決策甚詳，是它引人的優點，非其他同類論著所能及者。

論文集和資料集有張玉法主編《中國現代史論集·第9輯：八年抗戰》（臺北，聯經出版事業公司，民71）、中華文化復興運動推行委員會編《中國近代現代史論集·第26編：對日抗戰》（臺北，臺灣商務印書館，民75）、中央研究院近代史研究所編印《抗戰建國史研討會論文集（1937－1945）》（2冊，臺北，民74），共收論文29篇；許倬雲、丘宏達主編《抗戰勝利的代價－抗戰勝利四十週年學術論文集》（臺北，聯經出版事業公司，民75）、軍史研究編纂委員會編《抗戰勝利四十週年論文集》（2冊，臺北，黎明文化事業公司，民75）、陸軍軍官學校文史系編印《紀念抗戰勝利五十週年回顧與前瞻學術研討會論文集》（鳳山，民84）、近代史學會主編《慶祝抗戰勝利五十週年兩岸學術研討會論文集》（2冊，臺北，聯合報系基金會，民85）、胡春惠主編《紀念抗日戰爭勝利五十周年學術討論會論文集》（香港，珠海書院亞洲研究中心，1996）、李衛東等主編《不屈的民族，偉大的勝利：吉林省紀念抗口戰爭勝利50周年學術討論會獲獎論文

集》(北京，中共黨史出版社，1995)、江蘇省歷史學會編《抗日戰爭
史事探索》(上海，上海社會科學院出版社，1988)、劉鳳翰《抗日戰史
論集－紀念抗戰五十周年》(臺北，東大圖書公司，民76)係由劉氏撰
寫已發表的11篇論文彙集成書；蔣永敬《抗戰史論》(同上，民84)，
係由蔣氏撰寫曾經發表的20篇論文彙集而成，各論文依內容性質
分隸於七章(第一章：總論、第二章：「九一八」事變、第三章：
安內攘外之波折、第四章：盧溝橋事變與全面抗戰、第五章：抗戰
初期的和戰問題、第六章：危機與轉機、第七章：中蘇同盟條約之
談判)之下；黃玉章主編《世界反法西斯戰爭中的中國抗戰（文
集）》(北京，國防大學出版社，1989)、中國現代史學會編《抗日戰爭
史論文集：中國現代史學會第四次、五次學術討論會論文選》(北
京，春秋出版社，1989)、四川省紀念抗日戰爭勝利四十周年學術討
論會論文暨史料選編輯組編《四川省紀念抗戰勝利四十周年學術討
論會論文暨史料選》(2冊，成都，四川省社會科學院出版社，1985)、
江蘇省中共黨史學會、江蘇省中國現代史學會編《抗日戰爭史新
論》(南京，南京工學院出版社，1986)，係中共江蘇省委宣傳部等單
位於1985年8月在南京召開的江蘇省紀念抗日戰爭勝利四十週年
學術討論會的論文彙編；山東省社會科學聯合會編《山東省紀念抗
日戰爭勝利四十週年論文集》(濟南，山東人民出版社，1985)，共收
優秀論文20篇；楊樹標、梁敬明主編《民族的苦難，民族的驕
傲：抗日戰爭史新論》(杭州，杭州大學出版社，1995)、中共河南省
委黨史資料徵集編纂委員會編《中華民族的壯舉——河南省紀念抗
日戰爭勝利四十周年文集》(鄭州，河南人民出版社，1986)、胡國
成、趙梅主編《戰爭與和平：紀念世界反法西斯戰爭勝利暨聯合國

成立五十週年》(北京，中國社會科學出版社，1996)、徐紅主編、軍
事科學院編《戰爭奇觀，民族壯舉：紀念抗日戰爭勝利50周年論
文集》(北京，軍事科學出版社，1995)、四川省教育委員會編《歷史
的豐碑：四川省高校紀念抗日戰爭和世界反法西斯戰爭勝利50周
年理論成果薈萃》(成都，西南財經大學出版社，1995)、中共中央黨
史研究室科研部編《紀念抗日戰爭勝利50周年學術討論會文集》(3
冊，北京，中共黨史出版社，1996)、范聖予主編、甘肅省馬克思主義
理論課協作組編《奇觀·壯舉·偉業：紀念中國抗日戰爭勝利50
周年》(蘭州，蘭州大學出版社，1995)、土默特右旗黨史辦公室、教
育局、檔案館編《青山魂：紀念抗日戰爭勝利50周年》(呼和浩特，
內蒙古人民出版社，1995)、北京市社會科學界聯合會主編《偉大的
勝利：紀念中國人民抗日戰爭勝利50周年》(北京，同心出版社，
1995)、解放軍總政治部宣傳部等編《記住這段歷史：紀念中國人
民抗日戰爭勝利50周年》(北京，解放軍出版社，1995)；James C.
Hsiung （熊玠）and Steven I. Levine, eds., China's Bitter Victory:
The War with Japan, 1937－1945.(Armonk: M. E. Sharpe, 1992)、四
川大學史學系、成都社會科學研究院編《抗日戰爭史論叢》(成都，
四川大學出版社，1985)、古屋哲夫編《日中戰爭史研究》(東京，吉
川弘文館，1984)，共收論文6篇，作者除古屋哲夫外，尚有江口圭
一、副島昭一、永井和、桂川光正、井上清，這6篇論文的題旨和
內涵，均屬1937年以前中國局部抗戰史的範疇。國民黨黨史會編
印《中華民國重要史料初編－對日抗戰時期》(26冊，臺北，民70)，
係由國民黨黨史會就該會暨總統府機要室所藏抗戰史料(即外界所
稱「大溪檔案」)選編而成，計分七編，第一編為「緒編」(3冊)、

第二編為「作戰經過」（4冊）、第三編為「戰時外交」（3冊）、第四編為「戰時建設」（4冊）、第五編為「抗戰時期中共活動真相」（4冊）、第六編為「傀儡組織」（4冊）、第七編為「戰後中國」（4冊），其中不少外界原本難得一見之珍貴史料；島田俊彥、稻葉正夫、角田順、臼井勝美、小林龍夫編《日中戰爭（1－5）》（5冊，東京，みすず書房，1964－1966，列為現代史資料之8、9、10、12、13）、戚其章主編《中日戰爭》（3冊，北京，中華書局，1981，列入中國近代史資料叢刊續編）、國防部史政編譯局編《抗戰史料叢編初輯》（4冊，臺北，編者印行，民63）、包遵彭、李定一、吳相湘編纂《中國近代史論叢・第1輯，第9冊：第二次中日戰爭》（臺北，正中書局，民45年臺初版）、鄭光昭編《抗戰叢刊》（6冊，長沙，商務印書書館，民27），共有六輯（每輯1冊）：第一輯選錄抗戰各戰場的戰地通訊和戰地特寫37篇；第二輯選錄以空戰及空戰勇士為中心的作品29篇；第三輯選錄關於東戰場、山西方面及平漢、津浦鐵路沿線抗戰史蹟的文字31篇；第四輯選錄前線作戰將領及殉國烈士的文字46篇；第五輯選錄以游擊運動為中心的文字36篇；第六輯選錄以淪陷區為描寫對象的文字33篇；各加以系統的編配，每篇附加題解，並將全篇酌分段落。上海市政協文史資料工作委員會編《上海文史資料選輯・第50、51輯──抗日風雲錄：抗日戰爭勝利四十周年紀念專輯（上）、（下）》（2冊，上海，上海人民出版社，1985）

　　其他如畫史、圖片集、大事記、辭典等有曹聚仁、舒宗僑編著《中國抗戰畫史》（上海，聯合畫報社，民36）；《中國抗戰畫史》（香港，中國現代史研究社，1969）、楊德鈞編著《抗日戰爭大畫史》（臺北，北開文化事業出版公司，民78）、傅劍華主編《抗戰建國大畫史》

（上海，中國文化信託服務社，民37）、楊克林、曹紅編著《中國抗日戰爭圖誌》（3冊，臺北，淑馨出版社，民81；日文版係王培君、蔡林海等翻譯，東京，株式會IDS，1993；又中文版另有廣東旅遊出版社，1995）、李怡編《抗日畫史》（臺北，大學圖書公司，民59）、陳紅民、李繼峰編著《抗日戰爭史（繪畫本）》（4冊，潘陽，遼寧美術出版社，1995），第1卷為「走向戰爭」，第2卷為「全民抗戰」，第3卷為「艱苦歲月」，第4卷為「勝利受降」；新華社湖南圖片社編《愛國主義的光輝篇章：紀念中國抗日戰爭勝利50周年》（長沙，湖南美術出版社，1995）、中國國際戰略基金會編輯《中國人民抗日戰爭史錄（圖集）》（北京，中央文獻出版社，1995）、李抗和主編《血淚抗日五十年（攝影集）》（6冊，臺北，鄉村出版社，民70）、近代中國出版社編《苦心孤詣堅苦卓絕：先總統蔣公領導全民抗戰建國五十週年紀念特展圖錄》（臺北，編者印行，民76）、長城出版社編輯《前事不忘，後事之師：紀念中國抗日戰爭勝利50周年掛圖》（北京，編輯者印行，1995）、人民出版社編輯部編《長城魂：紀念中國抗日戰爭勝利50周年展覽掛圖》（北京，人民出版社，1995）、中國第二歷史檔案館編《全民族的偉大勝利：紀念抗日戰爭勝利50周年圖片展》（南京，江蘇人民出版社，1995）、廖蓋隆主編《抗日戰爭寫真》（北京，人民出版社，1995）、中國國際戰略研究基金會《寫真、記錄集－中國版對日戰爭史錄》（東京，日本文獻編纂會，1995）、陳志豪等編輯《八年抗戰實錄（慶祝勝利畫刊）》（重慶，文化藝術社，民34）。劉庭華編著《中國抗日戰爭與第二次世界大戰系年要錄・統計薈萃（1931－1945）》（北京，海軍出版社，1988）、郭加復等主編《抗日戰爭大事集》（上海，上海社聯出版社，1985）、蕭瀟編《中日戰爭大事記》（上

海，今日書局，民27），記述1937年7月7日至1938年3月31日中
日戰爭大事；華美出版公司編《中國全面抗戰大事記》（2冊，上海，
編者印行，民27），其上冊從1937年7月7日至12月31日；下冊為
1938年1月1日至6月30日；陳重編《中國抗敵大事記》（上海，新
國民出版社，民27），以日記形式記1937年7月7日至1938年3月
31日抗戰初期的重要事件；白水編《中國的抗戰》（2冊，上海，密勒
氏評論報社，民27），其上冊所記為1937年7月至12月，下冊為1938
年1月至7月。松田光生編著《十五年戰爭時代日錄》（2冊，東京，
葦書房，1987）、章紹嗣、田子渝、陳金安主編《中國抗日戰爭大辭
典》（武漢，武漢出版社，1995），所涵蓋的時間範圍為1931年9月
18日至1945年9月5日，全書分為「分類目錄」、「正文」、「附
錄：大事記（1931－1945）」、「詞目音序索引」、「後記」五個部
分；其中「正文」為全書的主體，又細分為一、軍事；二、事件；
三、政府·機構·區域·四、會議·著作·文件；五、理論·政策
·策略；六、政黨·社團；七、經濟；八、文化·教育；九、新聞
·出版；十、人物；十一、遺址·舊址·紀念設施；共收詞目6371
條之多，全書篇幅更多達1242頁；劉志強主編《中國抗日戰爭大
典》（長沙，湖南出版社，1995）、劉寶主編《讓歷史告訴未來：紀念
世界反法西斯戰爭中國抗日戰爭勝利50周年知識500題》（哈爾濱，
黑龍江人民出版社，1995）、楊應彬編繪《八年抗戰史料圖解》（廣州，
聯美書店，民36）、武月星主編《中國抗日戰爭史地圖集（1931－
1945）》（北京，中國地圖出版社，1995）。又中國大陸第一種以抗日戰
爭為研究對象的學術季刊－《抗日戰爭研究》雜誌，於一九九一年
九月九一八事變六十周年時創刊。係由中國抗日戰爭史學會主辦，

中國社會科學院近代史研究所編輯。該刊物以發表專題論文為主，多為抗日戰爭時期中國政治、經濟、軍事、文化思想、社會狀況、中外關係、國際環境各方面的研究成果。撰者多為中國大陸之學者，間亦有臺灣及外國學者的論文，對推動抗日戰爭史的研究頗多貢獻。

(二)戰時軍事

以戰時軍事為題詳述或概論之的論著祇有羅煥章、高培主編《中國抗戰軍事史》(北京，北京出版社，1995)，為《中國抗日戰爭史叢書》中之一種，由中國人民解放軍軍事科學院歷史研究部集體編寫，全書共九章：第一章為東北抗戰和淞滬抗戰；第二章為長城抗戰和察綏抗戰；第三章為華北的會戰及敵後戰場的形成；第四章為華中的會戰和敵後戰場的形成；第五章為敵後戰場的發展和堅持；第六章為正面戰場鞏固防禦態勢的作戰；第七章為敵後戰場的局部反攻；第八章為豫湘桂作戰及緬北滇西反攻；第九章為中國戰場的大反攻和受降；附錄有大事記、示意圖5幅(平型關戰役、百團大戰、第三次長沙會戰、滇西作戰、及敵後軍民大反攻之示意圖)；時事問題研究會編《抗戰中的中國軍事》(民29年初版，鄭州，河南人民出版社重印再版，1981)、齊錫生〈抗戰中的軍事〉(載許倬雲、丘宏達主編《抗戰勝利的代價－抗戰勝利四十週年學術論文集》，臺北，民75)、朱瑞月編《國民革命建軍史。第三部：八年抗戰與戡亂》(2冊，臺北，國防部史政編譯局，民82)、甘介侯《抗戰中軍事外交的轉變》(上海，前進社，民27)、方秋葦《最近敵人侵華軍事形勢》(重慶，國民圖書出版社，民30)。至於與戰時軍事有關的論著和資料，茲分七個子目來一一舉述。

1.抗日戰役（含事變）

　　以抗日戰役為題的論著有國防部史政（編譯）局編纂《中華民國戰役大事紀要：抗日戰役》(臺北，編纂者印行，民51)及《抗日戰役大事紀要》(同上，民73)、榮國章等《抗日戰爭戰役戰鬥史話(紀念抗日戰爭勝利五十周年)》(北京，華齡出版社，1995)、張秉均《中國現代歷次重要戰役之研究－抗日戰役述評》(3冊，臺北，國防部史政編譯局，民67、69、70)、田昭林、彭玉龍《燃燒的土地：著名戰役錄》(中國抗日戰爭史料叢書，北京，解放軍出版社，1994)、郭雄等編《抗日戰爭時期國民黨正面戰場重要戰役介紹》(成都，四川人民出版社，1985)、吳相湘〈中國對日總體戰略及若干重要會戰〉(載薛光前主編《八年對日抗戰中之國民政府》，臺北，臺灣商務印書館，民67；亦載《傳記文學》51卷1、2期，民76年7、8月)、易越石〈抗日戰爭的幾場重大戰役〉(《明報(月刊)》139期，1977年7月)、榮章等編著《抗日十大戰役》(廣州，廣東旅遊出版社，1995)、王昕、蔡建新編著《戰爭野獸：侵華日軍十大戰役》(北京，京華出版社，1994)、賀新誠主編《血肉長城：中國抗日戰爭著名戰役紀實》(北京，世界知識出版社，1995)、吳曉哲等《氣壯山河：抗擊日寇的著名戰鬥戰役》(太原，山西教育出版社，1995)、張其昀〈抗戰中期的重大戰役〉(《中國一周》76期，民40年10月)、國民黨黨史會編《中華民國重要史料初編－對日抗戰時期，第二編：作戰經過》(4冊，臺北，編者印行，民70)。又中國問題研究出版社編輯部編著《歷史的表白－獻給抗日將士》(臺北，中國問題研究社，民85)，雖非以抗日戰役為題目，但全書內容以32個主要會戰及其重要戰鬥為主，並參酌理論界以傷亡在一千人以上作為戰爭要件之原則，從數以萬計的游擊戰中篩選出67個重要游擊戰鬥，以表格形式附於其後；國防部史政編譯局編印《八年抗戰史回顧》(臺北，民84)，同樣亦非以抗日戰役史為書名，但內容卻為29個重要抗日戰役的經過，這29個戰役依序為淞滬會戰、太原會戰、忻口會戰、徐州會戰、武漢會戰、南昌會戰、隨棗會戰、第一次長沙會戰、桂南會戰、棗宜會戰、豫南會戰、上高會戰、晉南會戰、第二次長沙會戰、第三次長沙會戰、海軍長江作戰、空軍作戰(一)、滇緬路會戰、浙贛會戰、鄂西會戰、常德會戰、緬北滇西會戰、豫中會戰、長衡會戰、桂柳會戰、豫西鄂北會戰、湘西會戰、空軍作戰(二)。另如展學習〈抗日戰爭戰役實驗及其現實意義〉(《國防大學學報》1995年8、9期)、劉益濤〈禦敵千里顯神威：毛澤東和抗日戰爭中的五次戰役〉(《湖南黨史》1995年6期)。又1995年前後，中國大陸出版了多種抗戰紀實、寫真系列、報告文學等之類的叢書，每種叢書含數冊至十餘冊不等，大多以抗戰各著名戰役為題，可讀性高，史學價值較低。其中有部分叢書經由臺灣各出版社翻印，書名略有更易，內容卻無二致，特此說明。

(1)關於盧(亦作〝蘆〞)溝橋事變(1937年7月，即七七事變，日人亦稱之為〝支那事變〞、〝北支事變〞或〝日華事變〞等)：有李雲漢《盧溝橋事變》(臺北，東大圖書公司，民76)，內容分五部分：九一八事變後之國難、西安事變與抗日決策、戰前華北情勢、由盧溝橋事變到平津淪陷、全面抗戰，為該事變研究中的代表作。李氏另撰有《盧溝橋事變發生前後》(列為政治大學三民主義研究所三民主義學術研究專刊之四，臺北，民67年5月)一書，並發表有〈盧溝橋

事變：第二次中日戰爭的開端〉（《中央研究院近代史研究所集刊》16
期，民76年6月）、〈戰爭的起源：七七盧溝橋事變的背景〉（載薛光
前主編《八年對日抗戰中之國民政府》，臺北，臺灣商務印書館，民67）、
〈中國對日抗戰的序幕：從盧溝橋事變到平津淪陷〉（《近代中國》83
期，民80年6月）及〈中國對日抗戰的序幕：從盧溝橋事件到平津淪
陷－國民政府決定應戰的過程〉（載《第二屆國際漢學會議論文集明清與
近代史組》，臺北，民75）等文。日文論著以秦郁彥《盧溝橋事件の
研究》（東京，東京大學出版會，1996）為最重要，秦氏在出版該書
前，另發表有〈盧溝橋事件から日中戰爭へ(1)－(5)〉（《千葉大學法學
論集》9卷1-4號、10卷1號，1994年8、11月、1995年1、5、7月）、
〈盧溝橋事件－七月七日夜から八日夜まで〉（《アジア研究》3卷4號，
1957年3月）及〈盧溝橋事件の再檢討：7月7日の現場〉（《政治經濟
史學》333、334號，1994年3、4月）等文。楊葉《盧溝橋事變》（石
家庄，河北人民出版社，1958）、曹增祥《盧溝橋事變》（北京，中華書
局，1959）、安井三吉《盧溝橋事件》（東京，研文出版，1993）、武
月星等編著《盧溝橋事變‧風雲篇》（北京，中國人民大學出版社，
1987）、國民黨黨史會編印《革命文獻‧106-107輯：盧溝橋事變
史料（上）（下）》（2冊，臺北，民75）、葛西純一編譯《新資料盧溝
橋事件》（東京，成祥出版社，1975）、楊健編寫《盧溝橋事變》（北京，
新華出版社，1991）、岡野篤夫《盧溝橋事件－日中開戰の實相》（東
京，旺史社，1988）、沈繼英、柳成昌《盧溝橋事變前後》（北京，人
民出版社，1986）、榮維木《炮火下的覺醒－盧溝橋事變》（桂林，廣
西師大出版社，1996）、東洋協會調查部編印《盧溝橋事件の經過概
要》（東京，1937）、劉綺菲編《盧溝橋殘陽如雪：七七事變實錄》（北

京，團結出版社，1994）、時事圖畫出版社編《盧溝橋事件畫刊》(上海，編者印行，民26)、鴻翎《轟動世界的盧溝橋事件》(出版時地不詳)、浙江省立寧波民眾教育館編印《中日戰爭的炮火響了－盧溝橋事件我們應有的認識和準備》(寧波，民26)、寺平忠輔《盧溝橋事件－日本の悲劇》(東京，讀賣新聞社，1970)、井上清、衛藤瀋吉編著《日中戰爭と日中關係－盧溝橋事變50周年日中學術討論會記錄》(東京，原書房，1988)，係1987年7月在日本京都及東京舉行的中日學術討論會之論文集，共收中日學者所宣讀的論文19篇，其中以盧溝橋事變為題的僅有兩篇；劉大年主編、中國人民抗日戰爭紀念館編《中日學者對談錄：盧溝橋事變50周年中日學術討論會文集》(北京、北京出版社，1990)、王宗仁《獅怒－盧溝橋抗戰紀實》(中國抗戰大寫真系列，北京，團結出版社，1995)、《睡獅怒醒－槍響盧溝橋》(中國抗日戰爭紀實叢書，北京，解放軍文藝出版社，1995)及《烽火驚雷－盧溝橋抗戰寫實》(臺北，日臻出版社，民84)、盧中人《盧溝橋血戰史》(上海，文萃書局，民26)、東北圖存出版社編《盧溝橋血戰紀錄》(編者印行，民26)、時事新聞刊行社編《盧溝橋大事件》(上海，編者印行，民26)、朱國定《盧溝橋》(南京，正中書匠，民26)、入江德郎等編《昭和史の證言(昭和十二年，第十一卷－盧溝橋事件、三國同盟)》(東京，木邦書籍，1985)、寺平忠輔述《盧溝橋事件の真相に就いて》(東京，日本工業俱樂部，1938)、肥沼茂《盧溝橋事件嘘と真實》(東京，叢文社，1996)、荒木和夫《盧溝橋の一發－從軍憲兵の手記》(東京，林書店，1968)、曲家源《盧溝橋事變起因考論－兼與日本有關歷史學者商榷》(北京，中國華僑出版社，1992)、王冷齋著、北京市政協文史資料研究委員會編《盧溝橋抗戰記事》(北京，時事出版社，1987)、馬仲廉編著《盧溝橋事變與華北抗戰》(北京，燕山出版社，1987)、中共中央黨校中共黨史資料室編《盧溝橋事變和平津抗戰資料選編》(北京，中共中央黨校出版社，1986)、張春祥主編《盧溝橋事變與八年抗戰》(北京，北京出版社，1990)、秦德純〈七七盧溝橋事變經過〉(《傳記文學》1卷1期，民51年6月)、安井三吉〈盧溝橋事件についての一考察－兵一名行方不明問題をめぐって〉(《東洋史研究》48卷2號，1989年9月)，其中譯文為其禕、筱群譯〈關於盧溝橋事變的一點考察－〝一名士兵失蹤〞問題〉(《國外中國近代史研究》20輯，1992年1月)、Yasui Sankichi（安井三吉），〝An Inquiry into the Incident at Lu Gou Qiao（Rokokyo）:Concerning the 〞Missing Soldier〞 Problem.〞(Toyoshi Kenkyu, Vol. 48,1989)、曲家源〈對「一士兵失蹤」的考證－盧溝橋事變起因之一〉(《近代史研究》1991年3期)、坂本夏雄〈盧溝橋事件勃發の際における牟田口廉也連隊長の戰鬥開始の決意と命令〉(《藝林》42卷1號，1993年2月)、冉茂瑜〈全國抗日戰爭的第一槍：試析盧溝橋抗戰成為全國抗戰開端的導因〉(《北京第二外國語學院學報》1993年3期)、滕谷俊雄〈20世紀に生きる－あるインラリの自傳の歷史－32－盧溝橋謎の銃擊〉(《部落》38卷1號，1986年1月)、常凱〈論盧溝橋事變的導因與全國性抗戰的準備〉(《中國人民抗日戰爭紀念館文叢》第1輯，1989)、于學仁〈評述盧溝橋事變爆發的根源〉(《東北師大學報》1985年4期)、江口圭一〈盧溝橋事件への道－十五年戰爭の視覺〉(載井上清、衛藤瀋吉編著《日中戰爭と日中關係》，東京，原書房，1988)、周希奮〈從〝柳條溝〞到〝盧溝橋〞－淺論經濟危機與日本全面侵華〉(《暨南學報》1987年3期)、曲家源〈論蘆溝橋事變的起因〉（《山西師大學報》1987年2期）、榮維木〈論蘆溝橋事變的起因〉（《北京黨史研究》1995年4期）、莊明坤等〈〝蘆溝橋事變〞起因淺析〉（《江海學刊》1987年5期）、陳在俊〈日本發動蘆溝橋事件的真相及其背景〉（載《中國現代史專題研究報告》11輯，上73）、陳昭凱〈日本軍閥發動蘆溝橋事件之陰謀及其內部動向〉（《日本研究》271期，民76年7月）、張天任〈蘆溝橋事變前後日本侵華陰謀之布局〉（《革命思想》63卷1期，民76年7月）、侯錫光〈日本對華北的軍事入侵及蘆溝橋事變真相〉（《北京社會科學》1987年3期）、坂本夏男〈蘆溝橋事件勃發についての一考察〉（《久留米工業高專研究報告》24號，1975年8月）及〈中國の歷史學者の蘆溝橋事件勃發觀についての一檢討〉（《皇學館大學人文學會論叢》23卷6號，1990年12月）、中村菊男〈蘆溝橋事件の勃發と發展〉（《法學研究（慶應大學）》33卷2號，1960年2月）、今井駿〈蘆溝橋事件の「發端」について〉（《歷史評論》444號，1987年4月）、江口圭一〈蘆溝橋事件小考──今井駿氏の所論について〉（同上，448號，1987年8月）、岡野篤夫〈蘆溝橋事件・その歷史と真實──蘆溝橋事件50周年、日中學術討論會〉（《自由》29卷10號，1987年10月）、友輝〈中國全面抗日戰爭的序幕－蘆溝橋事變紀實〉（《福建黨史月刊》1995年7期）、馬仲廉〈蘆溝橋事變〉（《軍事史林》1985年試刊號，1986年2期）、和知鷹二〈蘆溝橋への道〉（《サンテー日本》1958年1月21日號）、鄒小孟〈蘆溝橋事變始末〉（《宜春師專學報》1982年3期）、梁旭毅〈蘆溝橋事變經過簡記〉（《文物天地》1982年4期）、何騫〈二十年前的蘆溝橋事變〉（《歷史教學》1957年7期）、陳廷元〈蘆溝橋事變五十年的回顧〉（《軍史彙刊》18期，民75）、安井三吉〈關於蘆溝橋事件的幾個問題〉（載《近

百年中日關係論文集》，臺北，民80）、坂本夏男〈蘆溝橋事件に關する
こっの通說への疑問〉（《藝林》30卷3號，1981年9月）及〈蘆溝橋
事件の通說に關する一考察－「七七事變紀實」の檢討を中心とし
て〉（《皇學館論叢》18卷4號，1985年9月）、江口圭一〈蘆溝橋事件
小論－坂本夏男氏の所論をめくつて〉（《日本史研究》397號，1995年
5月）、坂本夏男〈蘆溝橋事件に關する拙論の弁明－江口圭一氏の
批判應れる〉（《藝林》45卷3號，1996年3月）及〈蘆溝橋事件におけ
る日中兩軍衝突對の－檢證〉（同上，25卷4號，1992年8月）、陳在
俊〈中日兩國全面戰爭的導火線：蘆溝橋、廊房、廣安門事件之探
討〉（載《第三屆近百年中日關係研討會論文集》下冊，民85年3月）、史
習之〈蘆溝橋事變與平津抗戰紀事（1937年7月7日－31日）〉（《北
京檔案史料》1987年2期）、陳長河、丁思澤〈蘆溝橋事變與平津陷
落〉（《北京檔案史料》1995年3期）、陳敬本〈關於蘆溝橋事變與淞滬
大會戰〉（《福建論壇》1995年5期）、蔣永敬〈從蘆溝事變到上海撤守
－據徐永昌日記的資料〉（《近代中國》93期，民82年2月）、遠藤三郎
〈蘆溝橋事件40周年記念日に思ラ〉（《日中》7卷8號，1977年6月）、
老龍頭〈蘆溝橋事變是哪一天發生的－〉（《日本（研究雜誌）》381期，
民85年9月）、劉福堂〈蘆溝橋抗戰的再認識〉（《北方論叢》1988年2
期）、榮維木〈蘆溝橋事變研究綜述〉（《抗日戰爭研究》1992年3期）、
陳在俊〈「蘆溝橋事件」日文著述的正誤〉（《近代中國》59期，民76年
6月）、溫賢美〈蘆溝橋事變是第二次世界大戰的發端〉（《爭鳴》1990
年5期）、戴德華〈第二次世界大戰肇始於宛平－為什麼蘆溝橋事變
是第二次世界大戰的發端〉（《近代中國》60期，民76年8月）、張廷栖
〈蘆溝橋事變在世界反法西斯鬥爭中的地位〉（載《抗日戰爭史事探

索》，上海，上海社會科學院出版社，1988）、王偉〈論盧溝橋事變在世界反法西斯戰爭中的地位〉（《毛澤東軍事思想研究》1995年3期）、董令儀〈盧溝橋抗戰何以成為全國抗戰的開端－紀念全國抗戰爆發五十周年〉（《山東師大學報》1987年4期）、王汝豐〈抗日戰爭的起點－盧溝橋事變〉（《北京社會科學》1987年3期）、劉映春〈〝盧溝橋事變〞是日本軍國主義者蓄意製造的〉（《當代世界》1995年7期）、杜紹敏等〈盧溝橋事變與中國全民族抗戰的實現〉（《北京師大學報》1987年4期）、東序〈盧溝橋事件與中日戰爭〉（《東方雜誌》34卷15號，民26年8月）、魏汝霖〈紀念七七盧溝橋事變談抗日戰爭〉（《戰史彙刊》13期，民70）、常凱〈試論帝國主義全面侵華戰爭的發動：盧溝橋事變前後日本侵華方針之考察〉（《檔案與歷史》1986年3期）、居之芬〈盧溝橋事變與日本侵華政策〉（《河北學刊》1987年5期）、劉天純〈日本的侵華政策和盧溝橋保衛戰〉（《中國社會科學院研究生學報》1987年4期）、徐勇〈盧溝橋事變與不擴大派〉（《日本研究》1990年3期）、蕭立輝〈盧溝橋事件初期宋哲元和談述評〉（《晉陽學刊》1996年5期）、李長生等〈二十九軍在盧溝橋事變中奮起抗戰的原因〉（《學習與研究》1985年8期）、安井三吉〈國民政府と盧溝橋事件〉（《近代（神戶大學近代發行會）》68號，1990年6月）、中國第二歷史檔案館〈盧溝橋事變後國民黨政府軍事機關長官會報第一至十五次會議〉（《民國檔案》1987年2期）及〈盧溝橋事變後國民黨政府軍政機關長官談話會記錄〉（同上，1995年2期）、秦郁彥〈盧溝橋事變與蔣中正先生的開戰決意〉（載《蔣中正先生與現代中國學術討論集》第2冊，臺北，民75）、蔣永敬〈從七七盧溝橋事變到「八七」決定全面抗戰〉（《傳記文學》57卷2期，民79年8月）、莊春賢〈淺議盧溝橋事變與贛粵邊抗日民族統一戰線的形成〉（《贛南師院學報》1994年3期）、劉蘇選編〈北大學生會聲援盧溝橋抗戰文件〉（《北京檔案史料》1987年2期）、齊福霖〈盧溝橋事變與近衛內閣〉（同上）、周彥、雷志國〈廣田外交與盧溝橋事變〉（《齊齊哈爾師院學報》1995年5期）、鑄成〈盧溝橋事件與近衛內閣〉（《國聞週報》14卷29期，民26年7月）、符滌塵〈盧溝橋事件與日本政府的態度〉（《東方雜誌》34卷15號，民26年8月）、武月星〈盧溝橋事變的國際反響〉（《北京黨史研究》1990年4期）、李鴻文〈盧溝橋事變、共產國際、蘇聯和東北抗日鬥爭〉（《東北師大學報》1994年2期）、松原真砂子〈盧溝橋事件とァメリヵ－2つの中立法の間における中國報道をめぐって〉（《社會文化史學》29號，1992年5月）、安井三吉〈盧溝橋事件・日中戰爭をめぐる岡野篤夫氏との「論爭」〉（《近きに在リて》27號，1995年5月）、郭景興、呂淑萍〈有關盧溝橋事變的地名續考〉（《抗日戰爭研究》1992年3期）、武月星、楊若荷〈盧溝橋抗戰的經驗教訓和歷史意義〉（《北京黨史研究》1991年3期）、河流〈試論盧溝橋抗戰的歷史意義〉（《黨史研究》1987年4期）、金衡〈盧溝橋抗戰的重大意義和平津淪陷的歷史教訓〉（《長白學刊》1986年4期）、張廷栖〈盧溝橋事變在歷史上的地位和作用〉（《歷史教學問題》1987年5期）、張圻福〈盧溝橋事變的歷史考察〉（《蘇州大學學報》1987年4期）、孫思白〈盧溝橋事變史二題〉（載張憲文、陳興唐、鄭會欣編《民國檔案與民國史學術討論會論文集》，北京，檔案出版社，1988）、方人也〈日本帝國主義發動盧溝橋事變前後〉（《河北師院學報》1995年2期）、呂乃澄等〈從〝盧溝橋事變〞看日本侵略者的本質〉（《歷史教學》1982年11期）、許介鱗〈從盧溝橋事變論近衛內閣的戰爭責任〉（載《抗戰建國史研討會論文集》上冊，臺北，民74）、魏汝霖〈紀念七七蘆溝橋事變談抗日戰爭〉(《華學月刊》127期，民71年7月；《戰史彙刊》13期，民71年12月)、徐真健〈日本人關於蘆溝橋事變的幾種說法〉(《中華雜誌》168期，民66年7月)、光因〈看日本人對蘆溝橋事變的說法〉(《反攻》245期，民51年8月)、陳繼平〈蘆溝橋事變第一槍之〝謎〞〉(《中華雜誌》228期，民71年7月)、魯榮林〈〝蘆溝橋事變〞第一槍初探〉(《百科知識》1987年9期)、趙延慶〈蘆溝橋事變是偶發事件嗎？〉(《世界歷史》1989年3期)及〈蘆溝橋事變偶發論的幾個論證〉(《近代史研究》1989年4期)、冀和平〈蘆溝橋抗戰對日本北進蘇聯戰略的牽制〉(《武漢大學學報》1988年6期)、俊瑞〈蘆溝橋事件並未解決〉(《自學兩周刊》2卷13期，民26)、潘念之〈蘆溝橋事件的地方解決和冀察特殊化〉(同上，2卷14期，民26)、劍琴〈蘆溝橋事變中愛國三將領〉(《文物天地》1982年4期)、遆國英〈蘆溝橋事變中的宋哲元將軍〉(《山西師大學報》1987年2期)、榮維木〈蘆溝橋事變後宋哲元放棄〝以攻為守〞的原因〉(《歷史教學》1993年2期)、殷廉〈蘆溝橋事變與張自忠〉(《民國檔案》1990年2期)、中村幸雄《諜報の總決算－蘆溝橋事件の張本人》(東京，榮光出版社，1970)、劉蘇選編〈世界紅十字會中華總會蘆溝橋事變救濟工作報告〉(《北京檔案史料》1995年3期)；安井三吉〈蘆溝橋事件のィメージ──中國の場合・日本の場合〉(《日本史研究》380號，1994年4月)、關公平〈現場で見蘆溝橋事件の回想〉(《經濟新誌》14卷7-12號、15卷1-2號，1959年7月-1960年2月)、易君左《蘆溝橋號角》(臺北，三民書局，民62)、田風等《蘆溝橋之戰》(上海，上海雜誌公司，民26)、中谷武世〈蘆溝橋の火蓋切らる〉(《文藝春秋》33卷16號，1955年8月)、王冷齋〈蘆溝橋頭的交涉〉(《縱橫》1984

年2期）、陳在俊〈盧溝橋畔的點火者－茂川秀和〉（《近代中國》42
期，民73年8月）、李守孔〈盧溝喋血－吉星文傳〉（同上，41期，民
73年6月）、馬馮〈吉星文將軍與盧溝橋戰役〉（《中原文獻》11卷8期，
民68年8月）、吉星文〈盧溝橋保衛戰回憶錄〉（《中國一周》219期，
民43年7月）、陳泰生〈盧溝橋抗戰中的北平青年〉（《學習與研究》1987
年7期）、陶希聖〈七七盧溝橋事變四十年〉（《東方雜誌》復刊11卷1
號，民66年7月）、陳廷元〈盧溝橋事變五十年的回顧〉（《戰史彙刊》
18期，民76）、魏汝霖〈紀念七七盧溝橋事變談抗日戰爭〉（《戰史彙
刊》13期，民70）、松崎昭一〈支那駐屯軍增強問題－二・二六處分
と盧溝橋事件への視角〉（《國學院雜誌》96卷2、3號，1995）、阿部
知二〈盧溝橋三十年の重い流れ〉（《展望》105號，1967年9月）、魏
汝霖〈盧溝曉月照興廢〉（《中外雜誌》32卷1期，民71年7月）、彭成
《盧溝橋》（北京，文物出版社，1979）、韓舞燕〈勿忘歷史振興中華：
盧溝橋的見證〉（《瞭望》1995年27期）、齊亘〈盧溝橋上的思緒〉（《浙
江學刊》1995年4期）、近代中國雜誌社〈抗日聖戰的起點－盧溝橋〉
（《近代中國》35期，民72年6月）、劉育鋼〈盧溝橋：全民族奮起抗戰
的起點〉（《文明建設》1995年4期）、逯耀東〈盧溝橋點燃了民族戰爭
的火炬〉（《綜合月刊》56期，民62年7月）、曾憲權編著《七七－盧溝
烽火》（上海，大成出版公司，民37）、岩英《盧溝橋戰火》（香港，宇
宙出版社，1965）、羅立斌《八年峰火戰盧溝》（南寧，廣西人民出版社，
1989）、David J.(k'un-hsi) Liu, From the Marco Polo Bridge to Pearl
Harbor:Japan's Entry into World Ⅱ.(Washington, D.C.:Public Affairs Press,
1961）、Frank Dorn, The Sino-Japanese War, 1937-1941:From Marco
Polo Bridge to Pearl Harbor.(New York: MacMillan, 1974) 、周希奮

〈從〝柳條溝〞到〝蘆溝橋〞：淺論經濟危機與日本全面侵華〉(《暨南學報》1987年3期)、范長江等《從蘆溝橋到漳河》(上海，生活書局，民27)。全國政協文史資料研究委員會編《七七事變：原國民黨將領抗日戰爭親歷記》(北京，中國文史出版社，1986)，全書分五章：第一章為七七事變和駐平部隊的抵抗，收文15篇；第二章為平津路抗敵，收文5篇；第三章為平綏路東段抗戰，收文11篇；第四章為平漢路北段抗戰，收文7篇；第五章為津浦路北段抗戰，收文7篇；附錄有「七七事變前後大事記」、「七七事變中國軍隊指揮系統表」、「七七事變日本侵略軍指揮系統判斷表」、及「附圖」6幅，內容十分豐富；《七七事變的前前後後》(北京，解放軍出版社，1987)、胡德坤《七七事變》(同上)、人民出版社編輯《七七事變五周年紀念文集》(北京，編輯者印行，1987)、楊正光、熊杰主編《紀念〝七七事變〞五十周年文集》(北京，北京燕山出版社，1987)、徐勝同〈七七事變述評〉(《益陽師專學報》1984年3期)、易顯石〈略論〝七七〞事變的起因〉(《日本研究》1985年創刊號)、邵雲瑞、崔榮俊〈〝七七事變〞起因探微〉(《南開學報》1987年4期)、胡德坤〈日本發動〝七七事變〞原因淺析〉(《日本問題》1987年4期)、高培〈簡析日本帝國主義製造七七事變發動全面侵華戰爭的原因〉(《軍事學術》1987年7期)、賈興權〈論導發七七事變的歷史必然性〉(《北京師大學報》1987年4期)、裴匡一〈〝七七〞事變絕非〝偶發〞事件〉(《黨史研究與教學》1994年6期)、胡德坤〈日本帝國主義悍然挑起〝七七〞事變〉(《外國史知識》1983年2期)、羅寶軒〈〝七七〞事變與日本發動全面侵華戰爭〉(《軍事歷史》1987年3期)、郭學虞〈細說七七事變－抗日戰爭的序幕－為紀念七七事變三十八週年而作〉(《傳記文學》

27卷1期，民64年7月）、沈雲龍〈"七七"事變五十週年感言〉（同上，51卷1期，民76年7月）、力平〈紀念"七七"事變50周年：國共合作為吾中華〉（《瞭望》26期，1987年7月）、王維禮〈論"七七"事變的意義：紀念"七七"事變50周年〉（《吉林社會科學》1987年7、8期）、石肖岩〈光復神州的輝煌起點——紀念「七七」蘆溝橋抗戰50周年〉（《紅旗》1987年13期）、秦德純〈七七事變的經過與我方的應付〉（《中華雜誌》156期，民65年7月）、林治波〈關於七七事變和七七抗戰的思考〉（《檔案史料與研究》1992年3期）、徐公喜〈"七七事變"的提法值得商榷〉（《上饒師專學報》1990年2期）、金肇野〈七七事變的前前後後〉（《新華周報》2卷2期，1949）、劉蘇〈七七事變前有關日本顛覆華北的情報〉（《北京檔案史料》1987年2～4期）、郭學虞〈細談七七事變－抗日戰爭的序幕〉（《傳記文學》27卷1期，民64年7月）、張子清〈管窺"七七"事變〉（《天津社會科學》1984年3期）、嚴靜文〈七七事變誰先開槍的問題－駁若干日本歷史學者的謬說〉（《明報》8卷7期，1973）、趙三軍、龐莉華〈"安內攘外"與"七七事變"〉（《河北大學學報》1991年1期）、王學峰、戴雄〈七七事變蔣介石對未來中日戰爭的認識〉（《中學歷史》1988年6期）、吳承昆〈近代中日關係與七七事變〉（《北京社會科學》1987年3期）、張歷歷〈從二二六事變到七七事變〉（《齊齊哈爾師院學報》1988年1期）、金衛星〈"二·二六"事件、"雙十二"事變和"七七"事變〉（《鎮江師專學報》1996年3期）、蔡德金〈從日軍的《宣傳計劃》看七七事變的真相〉（《檔案與歷史》1988年2期）、王俯民〈裕仁天皇與"七七事變"〉（《南京史志》1993年4期）、李力〈中國駐屯軍與七七事變〉（《學術研究叢刊》1992年3期）、陳小沖〈"七七事變"與臺灣人〉（《臺灣研究》1996年2期)、解學詩〈興中公司與〝七・七〞事變〉(《社會科學戰線》1987年3期)、于殿武〈七七事變與民族覺醒－論反侵略戰爭環境中的民族覺醒〉(《軍事歷史研究》1994年2期)、利丹〈〝七七〞事變前後國民黨政策的轉變〉(《華南師大學報》1988年4期)、張榮華〈國共兩黨對〝九一八〞、〝七七〞兩事變的立場〉(《華東石油學院學報》1987年3期)、宋志勇〈〝七七事變〞與日本外交〉(《南開學報》1995年5期)、陳本善〈七七事變與第二次世界大戰〉(《現代日本經濟》1987年5期)、袁昌堯〈〝七七事變〞與華盛頓體系的瓦解〉(《徐州師院學報》1991年1期)、龔德柏〈我所知道的七七事變〉(《中華雜誌》156期，民65年7月)、劉蘇選編〈七七事變中的二十九軍二十七旅〉(《北京檔案史料》1987年2期)、潘富德譯〈七七事變與華北作戰評述〉(《軍事雜誌》5卷10期，民72年7月)、庹平〈論冀察政務委員會期間的舉措〉(《歷史教學》1995年1期)、李雲漢〈七七事變的爆發與宋哲元的應付〉(《傳記文學》23卷1、2期，民62年7、8月)、徐山平等〈〝七・七〞事變至平津淪陷前的宋哲元〉(《中州學刊》1990年5期)、李雲漢《宋哲元與七七抗戰》(臺北，傳記文學出版社，民62)、鄭志廷〈宋哲元與七七抗戰〉(《河北學刊》1990年5期)、李全中〈平津淪陷後宋哲元的抗日活動〉(《傳記文學》65卷1期，民83年7月)、林治波〈〝七七事變〞後張自忠留守北平的真相〉(《史學月刊》1992年5期)及〈是臨危受命還是「逼宮」奪權－談「七七事變」後張自忠留平的歷史真相〉(《檔案史料與研究》1991年3期)、明道廣〈日本離間宋哲元與張自忠的陰謀－為紀念七七對日抗戰五十八週年而作〉(《傳記文學》67卷1期，民84年7月)、羅金聲〈〝七七事變〞中兩位著名將領的不同道路和迥異結局〉(《湖北黨校學報》1987年3期)、傅俊傑〈承接並發揚「七七抗戰」之偉大精神〉（載國防部史政編譯局編印《抗戰勝利四十週年論文集》上冊，臺北，民74）、秦英君〈〝七·七〞抗戰與傳統文化的復興〉（《史學月刊》1992年5期）、謝扶雅〈七七抗戰四十週年痛言〉（《傳記文學》31卷1期，民66年7月）、崔修武〈七七抗戰四十週年感言〉（《山東文獻》3卷1期，民66年6月）、胡希明等〈〝七七〞抗戰五十周年紀念特詩選〉（《嶺南文史》1987年1期）、李雲漢〈關於七七抗戰兩個基本問題的觀察〉（《中央月刊》14卷9期，民71年7月）、龍瑛宗〈回憶七七抗戰〉（《幼獅》391期，民74年7月）、何應欽〈七七抗戰的歷史評價〉（《近代中國》第2期，民66年6月；《中國與日本》200期，民66年8月）及〈紀念七七抗戰的時代意義〉（《中外雜誌》38卷2期，民74年8月）、劉道華〈七七抗戰的歷史意義〉（《天津師大學報》1987年3期）、劉汝明〈七七抗戰與二十九軍〉（《傳記文學》5卷1期，民53年7月）、龐莉華〈國民黨第29軍七七抗戰原因初探〉（《河北大學學報》1988年2期）、顧耕野〈西安事變與七七抗戰〉（《東北文獻》12卷3期，民71年3月）、葉潛昭〈無限感慨話〝七七〞〉（《浙江月刊》16卷7期，民73年7月）、姜漢卿〈八年抗戰話七七〉（《戰史彙刊》16期，民74）、王志超〈從紀念七七說起〉（《中華雜誌》169期，民66年8月）、徐復觀〈中國人可以不紀念七七嗎？〉（同上，120期，民62年7月）、安藤彥太郎〈「七·七」のこる〉（《ァジァ經濟旬報》796號，1970年7月）及〈「七·七」と軍國主義「世論」について〉（同上，868號，1972年7月）、井上清〈「七·七」と日本軍國主義－その現在的教訓〉（《月刊毛澤東思想》3卷8號，1970年8月）、韓永利〈七七事變暴發後美國對日縱容的原因初探〉（《武漢大學學報》1985年4期）、寶符〈紀念〝七七〞粉碎美帝扶日的陰謀〉（《世

界知識》20卷4期，1949）、薛謀洪〈認識美帝是我們一貫的敵人－
〝七七〞的十四周年〉（同上，23卷25期，1951）；王樹蔭〈試論七
七事變後日本的不擴大方針〉（《史學月刊》1994年1期）、張秉均〈抗
日戰史第一期作戰之研究－七七事變與平津作戰〉（《三軍聯合月刊》
13卷11期，民65年1月）、成城〈七七事變後的天津抗戰〉（《研究·
資料與譯文》1985年3期）、王凱捷〈〝七七〞事變後占領天津的日本
侵略軍〉（《歷史教學》1995年5期）、劉大成等編輯《〝七七〞事變前
後北京地區抗日活動》（北京，北京燕山出版社，1987）、吉元〈七七
事變後北平淪陷日期之我見〉（《北京黨史研究》1990年1期）、趙紅〈關
于北平淪陷的時間〉（《北京社會科學》1987年4期）、余子道〈論七七
事變後的廬山談話會〉（《檔案與史學》1995年3期）、鄧漢祥〈〝七·
七事變〞後廬山會議情況〉（《貴州文史資料選輯》24輯，1986年12月）、
張同樂、郭增壽〈七七事變後日軍沿平漢路的南侵與我國軍隊的抵
抗〉（《河北師大學報》1987年3期）、王也平〈七七事變後圍繞中國問
題的遠東國際關係〉（《中南民族學院學報》1984年3期）、金衛星〈七
·七事變對遠東國際關係的影響〉（《文史雜誌》1993年4期）、王正華
〈陳立夫與七七事變前後的中蘇交涉〉（《國史館館刊》復刊19期，民84
年12月）。山岡貞次郎《支那事變－その秘められた史實》（東京，
原書房，1975），全書除序章外，共分為三編八章，其第一編－即前
編（下分三章），述盧溝橋事變的爆發及其後績的糾紛過程；第二
編－即中編（下分三章），述事變的導火線與日本國際戰略的關
係；第三編－即後編（下分二章），為回顧與展望，回顧事變的原
因，及其擴大的展望，書後附「支那事變關係年表」、「索引」等；
讀賣新聞社編輯部編《支那事變實記》（16冊，東京，非凡閣，1937-

38)、平野等《支那事變の經過》（東京，誠文堂·新光堂，1938）、三宅喜二郎《支那事變の研究》（東京，外務省研修所，1986）、陸軍省新聞班編印《支那事變經過日誌》（東京，1938）、歷史教育研究會《支那事變の歷史性》（東京，四海書房，1939）、外務省情報部編印《支那事變關係公表集(昭和12-14年)》(4冊，東京，1937-1939)、外務省條約局第二課編印《支那事變關係國際法律問題》(7冊，東京，1938-1940)、立作太郎《支那事變國際法論》（東京，松華堂，1938)、今井武夫《支那事變の回想》（東京，みすず書房，1964；新版，1980)、津田元德《支那事變秘史》(大連，大阪屋號書店，1941)、崛場一雄《支那事變戰爭指導史》(2冊，東京，時事通信社，1962)，其第2冊為統計資料；山本實彥《支那事變：北支の卷》（東京，改造社，1937)、改造社編印《支那事變特輯》（東京，1937年10月)及《支那事變增刊號》（同上)、讀賣新聞社編印《支那事變寫真帖》（東京，1938)、朝日新聞社編《支那事變畫帖》（東京，愛國婦人會，1938）及《支那事變聖戰博覽會畫報》(2冊，東京，朝日新聞社，1938)，星田辰男編《支那事變戰線より歸りて》（同上，1937)、社會問題資料研究會編《支那事變に於ける支那軍の謀略宣傳文書－昭和十三年六月思想實務家會同議事錄》（京都，東洋文化社，1977)、宇都宮謙編《支那事變と無敵皇軍》(東京，東亞日日新聞社，1938)、三島康夫《支那事變の本質と見透し》(東京，實業之日本社，1939)、野依秀市《支那事變の前途は悲觀か樂觀か》(《東京，秀文閣，1939》、井本熊男《作戰日誌で綴る支那事變》(東京，芙蓉書房，1978)、日本防衛廳防衛研修所戰史室《支那事變陸軍作戰》(3冊，東京，朝雲新聞社，1975-1976)、清水盛明《支那事變の處理と國際情勢》(東京，東亞同文會，1939)、東亞連盟協會編印《支那事變解決の根本策》(東京，1940)、河相達夫《支那事變と帝國外交：河相情報部長講述集》(東京，外務省情報部，1939)、外務省情報部編印《事變と支那民眾》(東京，1937)、吉野近藏等《支那事變と華僑》(臺北，臺灣拓殖株式會社調查部，1939)、赤地農《支那事變と猶太人》(東京，政經書房，1939)、臺灣總督府外事部編印《支那事變大東亞戰爭リ伴ソ對南方施政狀況》(改訂本，臺北，1943)、清水善俊《支那事變軍票史》(1971年出版)、肥田琢司《支那事變解決論》(東京，信正社，1937)、忠勇彰顯會編印《支那事變忠勇列傳(第1-5卷)》(5冊，東京，1938-1939)、本多熊太郎《支那事變から大東亞戰爭》(東京，千倉書房，1942)、海軍省軍事普及部《支那事變に於ける帝國海軍の行動(昭和十五年)》(東京，鵬和出版，1985)、鄉土部隊史保存會編印《第三師團鄉土部隊史－支那事變並大東亞戰爭編・從軍隨筆編》(東京，1967)、熊本兵團戰史稿さん委員會《熊本兵團戰史(2)－支那事變編》(熊本日日新聞社，1965)、步兵第二連隊第三中隊戰友會編印《支那事變戰史－步兵第二連隊第三中隊》(2冊，東京，1969-1971)、井上銀晴、河野茂樹、四宮定明編《步兵第四十三聯隊－支那事變編》(1971年出版)、荒木和夫《北支憲兵と支那事變－從軍憲兵の手記》(東京，金剛出版，1977)、戶部良一《ビース・フィーラ──支那事變和平工作の群像》(東京，論創社，1991)及《支那事變和平工作史研究》(京都大學法學研究所博士論文，1989年9月)讀賣新聞社編《支那事變歌集》(東京，三省堂，1938)、大日本歌人協會編《支那事變歌集：後篇》(東京，編者印行，1941)、松村英一編《支那事變歌集：戰地篇》(東京，改造社，

1938）、向山寬夫〈西安事變から支那事變へ〉（《中央經濟》21卷5號，1972年5月）、園田次郎〈支那事變の原因と意義〉（《アジア問題講座》第2卷，1939）、杉本直治郎〈支那事變の史的使命〉（《史學研究》9卷3號，1938）、齊藤要〈支那事變の歷史的意義－特に東洋ルネサンス運としての〉（《歷史公論》66號，1938）、矢野仁一〈東洋史上より觀たる支那事變の意義〉（《歷史教育》13卷3號，1938）、土井章〈支那事變とその次への途〉（《滿鐵調查月報》17卷10號，1937）、山岡貞次郎〈支那事變の勃發と擴大(1)－(7)〉（《藝林》23卷1-5號、24卷1、2號，1972年2月－1973年3月）、戶部良一〈支那事變初期に於ける戰爭指導〉（《法學論叢》96卷3號、97卷2號，1974年12月、1975年5月）、今岡豐〈支那事變初期における政戰兩略について〉（《史學》10卷1、2號，1974年6月）、稻田正純〈戰略から觀支那事變の戰爭指導〉（載《日本外交史研究：日中關係の展開》，東京，日本國際政治學會，1961）、森松俊夫〈支那事變勃發當初における陸海軍の對支戰略〉（《政治經濟史學》168號，1980年5月）、坂本夏男〈支那事變の擴大と尾崎秀實〉（《久留米工業高專研究報告》22號，1974年8月）、赤阪幸春〈支那事變における陸軍中央部の苦悶〉（《軍事史學》11卷4號，1976年3月）、荒川久壽男〈滿洲事變及び支那事變－その外交史的一考察〉（《神道史研究》15卷5、6號，1967年12月）、今井武夫〈支那事變終末工作と大本營〉（《外交時報》1073號，1970年4月）、神田正雄〈支那事變處理の一考察〉（《支那》34卷5號，1943）、長野朗〈支那事變處理の一考察〉（《東洋》46卷2號，1943）、澁谷禮治〈支那事變の處理に關聯して〉（載《大陸文化研究》，1940）、松本洪〈支那事變の善後處置に就いて〉（《東洋文化》160、

162號，1938）、大淵仁右衛門〈支那事變の國際法の性質〉（《支那》
30卷9號，1939）、金內良輔〈支那事變と日英關係の歸趨〉（《東亞
問題》第3號，1939）、淺部－高〈支那事變と第三國の損害〉（《東亞
研究所報》26號，1944）及〈支那事變と第三國資本〉（同上，12號，
1941）、重松宣雄〈支那事變と防共體制〉（《アジア問題講座》第2卷，
1939）、三上犀江〈支那事變と新政府の承認〉（《東洋文化》160號，
1938）、安井郁〈大東亞戰爭と支那事變〉（《國際法外交雜誌》41卷8
號，1942）、木甬谷秀昭〈昭和精神史のここるみ－10－〝支那事
變〟と文學〉（《文學界》44卷3號，1990年3月）、板垣真子〈支那事
變と文學－一般文學への影響と新しぃ戰爭文學の形成〉（《國文學
（學燈社）》12卷11號，1967年9月）、桑田悅〈戰爭限定の成功と挫
折－日清戰爭と支那事變〉（《軍事文學》25號3、4號，1990年3月）。
田中香苗〈北支事變の背景とその解決〉（《善鄰協會調查月報》63號，
1937）及〈北支事變の重大性〉（《東亞》10卷8號，1937）、永野充〈北
支事變發生の一考察〉（《歷史公論》62號，1937）、久志本喜代士《北
支事變誌：銃後の護り》（東京，澁谷印刷社出版部，1937）、山本實
彥《北支事變》（東京，改造社，1937）、山岸德－〈北支事變と支那
の軍隊〉（《歷史公論》62號，1937）；〈北支事變と上海・漢口の動
向〉（《東亞》10卷8號，1937）。橘善守〈日支事變勃發の銃聲〉（《中
央公論》79卷8號，1964年8月）、武藤貞一《日支事變と次に來るモ
の》（東京，新潮社，1937）、本多熊一郎《日支事變外交觀》（東京，
千倉書房，1938）、大西齋〈日支事變と國際關係の概觀〉（《歷史教
育》13卷3、4號，1938）、夏文運《黃塵萬丈：ある中國人の證言
する日中事變秘錄》（東京，現代書房，1967）、溫宗堯《中日事變各

要點詳論》(上海，華中印書局，民28)、上村伸一《日本外交史·第
19、20卷：日華事變》(2冊，鹿兒島研究所出版會，1970)、栗原健
〈日華事變經過概要－外交政治史面よりみたる(1-3)〉《歷史教育》
6卷4-6號，1958年4-6月)、角田順〈日華事變史の回顧－陸軍側に
ついて〉(《軍事史學》7卷2號，1971年9月)、中村菊男〈日華事變の
原因と發展の由來〉(《法學研究(慶應大學)》33卷1號，1960年1月)、
秦郁彥〈日華事變における擴大派と不擴大派－日華事變初頭にお
けるぃわゆる擴大派と不擴大派の對立について〉(《國際法外交雜誌》
59卷4、5號，1960年12月、1961年1月)、高橋久志〈日華事變初期
における陸軍中樞部－不擴大派の挫折から汪兆銘工作へ〉(《近代
日本研究》第7號，1985)及〈日華事變をめぐる軍事·外交戰略の分
裂と錯誤－昭和12-13年〉(載近代外交史研究會編《變動期の日本外交
と軍事》，東京，原書房，1987)、高田萬龜子〈日華事變初期に於け
る米內光政と海軍〉(《政治經濟史學》251號，1987年3月)、播里枝
〈日華事變をめぐる日本の政策決定ー文武の指導權爭ぃを中心と
して〉(《明治大學社會科學研究所紀要》31卷1號，1992年10月)、高橋
久志〈日中戰爭の平和的解決への模索－日華事變初期における陸
軍の動向を中心にして〉(《新防衛論集》14卷2號，1986年10月)、秦
郁彥〈日華事變－和平工作者と講和條件をめぐって〉(《日本外交史
研究：昭和時代》，東京，日本國際政治學會，1960)。Aron Shai著、
閻沁恒譯〈1937年中日衝突與國際聯盟－國際聯盟一次失敗案例的
分析〉(《中華學報》3卷1期，民65)、庄司潤一郎〈日中戰爭の勃發
と近衛文麿の對應－不擴大から「對手トセス」聲明へ〉(《新防衛論
集》15卷3號，1988年1月)及〈日中戰爭の勃發と近衛文麿「國際

正義」論〉(《國際政治》91號，1989年5月)、犬丸義－〈日中戰爭勃發四十周年を迎えて〉(《歷史評論》327號，1977年7月)。小林英夫〈日本帝國主義の華北占領政策－そ展開を中心に〉(《日本史研究》146號，1974年10月)及〈華北占領政策の展開過程－乙囑託班の編成と活動を中心に〉(《駒澤大學經濟學論集》9卷3號，1977年12月)、創簫《走向盧溝橋：華北事變秘聞》(廣州，廣東旅游出版社，1995)、陳國輝編著《炮火下之華北》(上海，華光書局，民26)

(2)「八・一三」淞滬會戰（1937年8-11月）：有楊紀編著《滬戰紀實》(長沙，商務印書館，民27)、雷猷和《血濺浦江－淞滬會戰寫實》(臺北，日臻出版社，民84)及《劍嘯浦江－淞滬會戰紀實》(北京，團結出版社，1995)、國防部史政編譯局編印《抗日戰史－淞滬會戰》(3冊，臺北，民51)、上海社會科學院歷史研究所編《八一三抗戰史料選編》(上海，上海人民出版社，1986)、王叔達編輯《八一三上海抗戰史》(上海，民強出版社，民26)、董鐵魂《八一三上海抗戰光榮史（第1集）》(上海，青年出版社，民26)、湯偉康《上海抗戰－一二八・八一三》(香港，商務印書館，1995)、憾廬《上海抗戰全史（第1－2編)》(2冊，上海，宇宙風社，民26)、勃魯司《上海不宣之戰》(上海，大美印刷所，民26)、賈開基編譯《上海抗戰》(上海，復旦大學文摘社，民26)、吳相湘《八一三－全面抗戰》(上海，大成出版公司，民37)、軍史研究編纂委員會〈淞滬會戰〉(載《抗戰勝利四十週年論文集》下冊，民75)、黎東方〈淞滬會戰〉(《傳記文學》41卷2、3期，民71年8、9月)、李君山〈論「八一三淞滬戰役」－由「抵抗交涉」政策看滬戰之目的與外交之意義〉(《史繹》20期，民75年5月)、余子道〈淞滬戰役述評〉(《上海研究論叢》第5輯，1990年5月)、徐建東〈八一三上海抗戰述評〉（《遼寧大學學報》1987年2期）、羅恕人〈淞滬戰役之檢討〉（《新中國軍事月刊》第7期，民30年4月）、蔣緯國〈抗戰史話：八年抗戰是怎樣打勝的－抗日戰爭關鍵性會戰淞滬會戰與徐州會戰之檢討〉（《中央月刊》8卷6期，民65年4月）、簡笙簧〈中日淞滬會戰的歷史意義〉（《中國歷史學會史學集刊》12期，民69年5月）及〈中日"八一三"淞滬會戰的歷史意義〉（《國魂》441期，民71年8月）、郝長慶〈談"八一三"上海抗戰及其歷史意義〉（《東疆學刊》1987年1、2期）··蘇智良〈八一三淞滬戰役經過及其意義〉（《檔案與歷史》1985年1期）、黃士奎〈淞滬抗戰簡述〉（《軍事史林》1985年2期）、林治波〈關於淞滬戰役的初步研究〉（《軍學》1985年增刊2期）、唐娟治〈"八一三"淞滬抗日戰役始末〉（《中學歷史》1985年2期）、王紹齋〈八一三淞滬戰事始末〉（《傳記文學》41卷6期，民71年12月）、樓開炤〈論"八·一三"淞滬抗戰〉（《中國社會科學院研究生院學報》1986年3期）、林其昌〈"八一三"淞滬抗戰散論：紀念抗日戰爭勝利五十周年〉（《廣西師院學報》1995年2期）、馬仲廉〈論淞滬戰役〉（《軍事史林》1989年3期）、林君長〈"八一三"淞滬會戰〉（《軍事雜誌》44卷11期，民65年8月）、魏汝霖〈"八一三"淞滬會戰面面觀〉（《中外雜誌》10卷2期，民60年8月）及〈"八一三"淞滬會戰四十周年〉（《江蘇文獻》第2期，民66年8月）、張義漁等〈八一三上海抗戰大事記〉（《社會科學（上海）》1982年9期）、傅紹昌〈八一三上海抗戰〉（《歷史教學問題》1985年6期）、周鑾書、廖信春〈試論八·一三淞滬抗戰：紀念抗戰勝利40周年〉（《江西師大學報》1985年4期）及〈"八·一三"淞滬抗戰〉（《軍事歷史》1987年3期）、中國第二歷史檔案館〈"八·一三"淞滬抗戰史料選〉（《歷史檔案》1985

年2期）、長野廣生〈上海戰・1937年〉(《中國》93、94號，1971年
8、9月）、鹿地亘《上海戰役》(東京，東邦出版社，1974）、馬振犢
〈"八・一三"淞滬戰役起因辨正〉(《近代史研究》1986年6期）、裴
辛〈關於虹橋機場事件的兩則辨疑〉(《黨史研究資料》1995年9期）、
影山好一郎〈大山事件の一考察－第二次上海事變の導火線の真相
と軍令部に與えた影響〉(《軍事史學》32卷3號，1996年12月）及《上
海事變の發動と田中隆吉の謀略》(《海軍史研究》第3號，1995年4月）、
余子道〈論抗戰初期正面戰場作戰重心之轉移－與臺灣學者討論發
動淞滬會戰的戰略意圖》(《抗日戰爭研究》1992年3期）、森松俊夫《昭
和十二年八月における上海出兵をめぐる陸海軍の問題》(防衛研究
所・研究資料80RO-6H，1980）、曾振〈抗戰初期上海作戰記事》(《戰
史彙刊》第5期，民62）、黃杰編著《淞滬及豫東作戰日記》(臺北，
國防部史政編譯局，民73）及《陸軍第八軍淞滬抗日戰史》(同上，民
64）、柏如譯〈八一三前後日軍侵華謀略的演變〉(《軍事歷史研究》
1987年4期）、陸耀宗〈八一三抗戰中日寇暴行錄〉(《歷史教學問題》
1988年1期）、李惠賢〈試論八一三抗戰的必要性和必然性〉(《黨史
研究資料》1988年5期）、宋瑞珂〈憶八一三淞滬抗日戰爭〉(《社會科
學(上海)》1985年7期）、張柏亭著、黎東方註〈八一三淞滬會戰回
憶〉(《傳記文學》41卷2期，民71年8月）、木森〈血灑淞滬：一九三
七年"八・一三"淞滬抗戰紀實〉(《福建黨史月刊》1995年8期）、孟
彭興〈論八一三上海抗戰效應〉(《史林》1990年2期）、王樹蔭〈評
國民黨開闢淞滬戰場之得失》(《教學與研究》1987年1期）、馬振犢〈開
闢淞滬戰場有無"引敵南下"戰略意圖〉(《抗日戰爭研究》1994年2
期）、周溯源〈全國抗戰應以八一三事變為起點〉(《天津社會科學》

1987年3期)、莊民生〈論淞滬會戰中國民黨地方系部隊的對日參戰〉
(《上海大學學報》1995年6期)、 Laurie Barber and Lin Min, "The
Squandering of the Kuomintang New Army: An Overview of Shang-
hai Campaign, 1937."（New Zealand Journal of East Asian Studies, Vol.3, No.
1, June 1995)、孟彭興〈論中國共產黨在八一三上海抗戰中的作用〉
(《史林》1991年1期)、繆周芬、熊焱生〈評"中共破壞淞滬抗日"
論〉(《歷史教學問題》1995年6期)、古厩忠夫〈八‧一三（第二次上
海事變）と上海勞働者〉(《中國勞働運動史研究》12號，1983年11月)、
白杰〈"八一三"事變是時局轉折點〉(《爭鳴》1993年4期)及〈八
一三事變才是時局轉折點〉(《山西大學學報》1993年1期)、顧金生〈兩
次淞滬抗戰的啟示〉(《國防大學學報》1995年8、9期)、彭紅英〈張
治中與兩次淞滬抗戰〉(《石油大學學報》1996年3期)、陳祖懷〈八‧
一三淞滬抗戰意義新論〉(《史林》1994年1期)、孫乃祿〈從上海租
界秘密支援"八一三"〉(《上海灘》1992年8期)、黃道炫〈淞滬戰
役的戰略問題〉(《抗日戰爭研究》1995年2期)、余子道〈淞滬戰役的
戰略企圖和作戰方針析論－兼答馬振犢先生〉(同上)、褚家淵〈論
中日雙方在淞滬戰役中的戰略〉(《社會科學（上海）》1995年7期)、
程曉〈抗日戰爭初期中國和日本的戰略與淞滬會戰〉(《中共黨史研究》
1995年6期)、張振鵾〈淞滬抗戰：中國的主動進攻與日軍主要作戰
方向的改變：評軍科院《中國抗日戰爭史》有關"淞滬會戰"的論
斷〉(《抗日戰爭研究》1996年3期)、孟彭興、黃新田〈論"八一三"
淞滬抗戰期間蔣介石的戰略指導〉(《史林》1992年2期)、孟彭興〈蔣
介石上海抗戰決策研究〉(《軍事歷史研究》1994年1期)、陳森年譯、
邵雲鵬校〈八一三事變時期上海每日戰況〉(《檔案與歷史》1987年3

期）、宋希濂〈八一三淞滬戰役中的36師〉(《社會科學（上海）》1985
年8期)、曾振〈抗戰初期上海作戰記事〉(《戰史彙刊》第5期，民62
年12月)、吳景平〈試論上海八一三期間救亡團體的性質與作用〉
(《檔案與歷史》1985年1期)、楊記〈忍耐的收穫：1937年八一三上
海抗戰採訪〉(《新聞研究資料》13輯，1982)、王東原〈上海抗戰與
武漢會戰－「浮生簡述」之五〉(《傳記文學》49卷2期，民75年8月)、
李璜〈紀淞滬抗戰之民心士氣〉(《大成》第7期，民63年6月)、胡蘭
畦等《淞滬火線上》(漢口，生活書店，民27)、張柏亭〈八一三淞滬
戰役親歷記〉(《傳記文學》45卷2期，民73年8月)、陳鵬仁〈吳克仁
軍長殉國史實——「八一三」之役守衛松江壯烈成仁〉(《近代中國》
53期，民75年6月)。羅義俊〈八一三淞滬抗戰中的八百壯士和謝晉
元〉(《歷史教學》1984年9期)、呂漢魂、盧克彰《八百壯士》(臺北，
皇冠出版社，民65)、楊惠敏編著《八百壯士》(臺北，編著者印行，民
56)、盧瑞海《八百壯士》(臺北，金川出版社，民65)、虞任遠編撰
《八百壯士畫史》(臺北，天工書局，民65)、上海復興出版社編印《八
百孤軍抗日記》(上海，民26)、時事研究社編印《震動世界的八百
壯士》(上海，民26)、陳立人《孤獨八百士－中國孤軍營上海抗戰
紀實》(北京，團結出版社，1995)、楊慧敏述、張力行譯《八百壯士
與我》(臺北，博愛出版社，民59)、陳霆銳〈記八百壯士困守四行倉
庫〉(《江蘇文獻》28期，民72年12月)、虞瑞海〈八百孤軍守四行〉
(《軍事雜誌》44卷8期，民65年5月)、孫元良〈四行孤軍－八百壯士〉
(《傳記文學》21卷6期，民61年12月)、王潔、孫元良、張柏亭〈上海
八百孤軍紀實〉(《湖北文獻》42-45期，民66年1、4、7、10月)、丁
一〈"八百壯士"實有人數考〉(《咸寧師專學報》1994年2期)及〈英

美的綏靖政策與〝八百壯士〞〉(《湖北師院學報》1994年4期)、李長林〈謝晉元與八百壯士〉(《歷史月刊》91期，民84年8月)、上官百成撰述《八百壯士與謝晉元日記》(臺北，華欣文化事業中心，民65)、陸茂清等〈謝晉元與八百壯士之歌〉(《名人傳記》1995年8期)、朱月龍〈謝晉元抗日壯舉之評述〉(《河北大學學報》1985年4期)、姚曉天《上海的守護神：謝晉元傳》(臺北，近代中國出版社，民71)、載廣德〈四行倉庫孤軍抗日始末〉(《黃埔》1992年4期)、尹萍〈八百壯士壯志未酬－他們撤出四行倉庫以後數年的經歷比困守時還要艱苦〉(《綜合月刊》94期，民65年9月)。王關興〈略論八一三抗戰時中國軍事十大失誤〉(《軍事歷史研究》1990年3期)、蘇智良〈論八一三淞滬抗戰失利之原因〉(《檔案與歷史》1986年1期)、羅義俊〈八一三時期的上海難民工作〉(《社會科學（上海）》1982年4期)、郭予明〈〝八一三〞抗戰中的上海人民〉(《學術月刊》1958年8期)、劉璵章等《八一三抗戰中上海人民的鬥爭》(上海，上海人民出版社，1960)、鄭輝燦等〈上海八一三抗日救亡運動〉(《黨史資料與研究》1985年6期)及〈試析上海八一三抗日救亡運動的歷史特點〉(《上海師大學報》1986年1期)、吳景平〈〝八一三〞期間上海的救亡報刊〉(《上海師大學報》1985年2期)、賈善長〈〝八一三〞愛國運動〉(《文史教學》1959年2期)、曾虛白〈「八一三」憶往〉(《傳記文學》38卷1期，民70年1月)、王大中〈難忘的〝八一三〞〉(《華東石油學院學報》1987年3期)、畢方程〈紀念〝八一三〞必須擁護抗戰的真正領導者〉(《世界知識》20卷9期，1949)。

(3)南京保衛戰((1937年12月，含南京大屠殺)：有繆國亮主編《京滬杭戰役》(合肥，安徽人民出版社，1993)、李君山《為政略

殉－論抗戰初期京滬地區作戰》(臺北，臺灣大學出版委員會，民81)，
原為作者臺灣大學歷史研究所碩士論文，全書除導論、結論外，共
分三章：第一章為「淞滬之役：論其決策與過程」；第二章為「思
考於犧牲之後：滬戰之目的與檢討」；第三章為「南京戰場：保衛
戰始末及其等待」，書末附參戰部隊一覽表；作者以近似報告文學
的形式來寫嚴謹的學術性史著，為其一大特色，敘事中不乏深切的
析論；周力行〈滬寧抗日作戰回顧〉(《戰史彙刊》13期，民71年12月)、
全國政協文史資料研究委員會編《南京保衛戰：原國民黨將領抗日
戰爭親歷記》(北京，中國文史出版社，1987)、孫宅巍〈試論南京保
衛戰研究中幾個有爭議的問題〉(《民國檔案》1993年1期)、前川三郎
《真說‧南京攻防戰：生證人たちか〝叫子〞南京の實相》(東京，日
本圖書刊行社，1993)作者曾於抗戰時期任在華日軍之陸軍軍曹、分
隊長等職，該書係其採用當年進攻南京日軍主力部隊（第16師
團、第6師團、第9師團）官兵之證言，並參閱偕行社費時四年所
蒐集之貴重資料而撰成；南京戰史編集委員會編《南京戰史》(2
冊，東京，偕行社，1989及1993)、阿羅健－《南京攻略戰の真相－
生き殘リ兵士の證言》(東京，德間書店，1986)、下野一霍《南京作
戰の真相－熊本六師團戰記》(東京，東京情報社，1965)、伊佐－男
《步兵第七聯隊史‧上海－南京戰》(東京，步七戰友會，1967)、山
本勇《想い出の進軍南京‧徐州‧武漢三鎮》(東京，山九戰友會事務
所，1973)、宮部一三《風雲南京城》(東京，叢文社，1983)、畝本
正巳〈證言による『南京戰史』(1)－(11)〉(《偕行》1984年4月號－1985
年2月號)、偕行編集部〈言正言による南京戰史（最終回）〔その
總括的考察〕〉(《偕行》1985年3月號)、高楡等〈南京保衛戰紀實〉

（《南京史志》1988年6期）、孫宅巍〈試論抗戰初期的南京保衛戰〉（《江海學刊》1985年5期）、〈大陸學術界研究南京保衛戰問題述評〉（《近代中國史研究通訊》15期，民82年3月）、〈如何評價南京保衛戰－再論南京保衛戰〉（載《民國檔案與民國史學術討論會論文集》，北京，檔案出版社，1988）及〈南京保衛戰雙方兵力的研究〉（載江蘇省歷史學會編《抗日戰爭史事探索》，上海，上海社會科學院出版社，1988）、張其立〈探討1937年南京保衛戰的幾個問題〉（《南京史志》1988年4期）、島田勝己〈南京攻略戰と虐殺事件〉（《特集人物往來》1956年6月號）、李西開〈南京保衛戰紫金山戰鬥親歷記〉（《南京史志》，1983年1期）、李君山〈南京保衛戰國府的決策與執行經過〉（《歷史月刊》91期，民84年8月）、唐善理〈唐生智和南京保衛戰〉（《零陵師專學報》1994年1、2期）、孫宅巍〈評唐生智在南京保衛戰中的功過〉（《歷史檔案》1985年4期）、孟慶春〈從唐生智力主守衛南京城說起〉（《齊齊哈爾師院學報》1995年5期）、宅巍、德英〈保衛南京：唐生智蒙冤〉（《炎黃春秋》1993年7期）、張其立〈日寇對南京的空襲〉（《南京史志》1987年特刊）、高興祖〈侵華日軍進攻南京的兵力部署〉（《民國春秋》1996年1期）、笠原十九司著、苑書義、伊敏摘譯〈日本學者論南京保衛戰〉（《河北師院學報》1995年2、3期）、李吉蓀〈南京保衛戰戰略背景窺視〉（《抗日戰爭研究》1996年2期）、孫元良〈參加南京保衛戰的經過〉（《藝文誌》92期，民62年5月）、王正元〈抗戰南京保衛戰親歷見聞〉（《傳記文學》67卷4期，民84年10月）、萬式炯〈憶一〇三師參加南京保衛戰〉（《貴州文史天地》1995年6期）、唐仁鈞〈南京失守〉（《太原文藝》1980年1期）、王菡〈南京失陷之始末〉（《南京史志》1987年4期）、杭立武〈籌組南京淪陷後難民區的經過〉（《傳記文學》41卷

3期，民71年9月）。

　　又民國二十六年（1937）12月13日，日軍進占南京後展開慘
絕人寰的〝南京大屠殺〞，約三十萬的中國軍民慘遭殺害。近十餘
年來，這方面的論著和資料陸續出版和發表，為數已不少。專書
（單行本）方面有中國第二歷史檔案館、南京市檔案館《南京大屠
殺》史料編輯委員會編《侵華日軍南京大屠殺檔案》（南京，江蘇古
籍出版社，1987）、段月萍等編《侵華日軍南京大屠殺史料》（同上，
1985）、南京大屠殺史料編輯委員會《侵華日軍南京大屠殺史稿》（同
上，1987）、中央檔案館等編《南京大屠殺》（日本帝國主義侵華檔案
資料選編12，北京，中華書局，1995）、國民黨黨史會編印《革命文獻
・108、109輯：日軍在華暴行－南京大屠殺（上）（下）》（臺北，
民76）；《日中戰爭南京大殘虐事件資料集》（2冊，東京，青木書
店，1985；其第1卷為「極東國際軍事裁判關係資料編」，第2卷
為「英文資料編」）、南京事件調查研究會編譯《南京事件資料集》
（2冊，東京，青木書店，1992；其第1冊為「美國關係資料編」，
第2冊為「中國關係資料編」）、龍祥國際公司編《南京一九三七》
（臺北，萬象圖書公司，民84）、湯美如主編、章開沅編譯《南京1937
年11月至1938年5月》（香港，三聯書店，1995）、中央檔案館等編、
劉美玲等主編《南京大屠殺圖證》（長春，吉林人民出版社，1995）、
段月萍等編《侵華日軍南京大屠殺暴行照片集》（南京，江蘇古籍出版
社，1985）、「寫真集・南京大虐殺」を刊行するキリスト者の會
編《寫真集・南京大虐殺》（東京，株式會社エルビス，1995）、時事
出版社編輯部選編《悲憤・血淚：南京大屠殺親歷記》（北京，選編
者印行，1988）、曾根一夫著、陳惠堃譯《南京大屠殺親歷記》（臺

北，黎明出版事業公司，民75）、南京市文史資料研究會編、加加美光
行、姬田光義譯《證言・南京大虐殺－戰爭とはなにか》（東京，青
木書店，1984）、朱成山主編《侵華日軍南京大屠殺幸存者證言集》
（南京，南京大學出版社，1994）、小悞行男著、周曉萌譯《日本隨軍
記者見聞錄——南京大屠殺》（北京，世界知識出版社，1985）、徐志
耕《南京大屠殺——目擊者證言》（臺北，時報文化出版公司，民78）、
南京大虐殺の真相を明らかする全國連絡會編《南京大虐殺——日
本人への告發》（大阪，東方出版，1992）、土居徹也《南京大虐殺と
日本軍》（關西大學史學地理學科畢業論文，1992年度）・、小野賢二、
藤原彰、本多勝一編《南京大虐殺記錄した皇軍兵たち——第13
師團山田支隊兵士の陣中日記》（東京，大月書店，1996）及《南京大
虐殺の現場へ》（東京，朝日新聞社，1988）、曾根一夫《私記南京虐
殺》（東京，彩流社，1984）及〈續私記南京虐殺〉（同上）、東史
郎《わが南京ブラトーン・一召集兵の體驗した南京大虐殺》（東
京，青木書店，1987）、創價學會青年部反戰出版委員會《揚子江か
哭いている——熊本第六師團大陸出兵の記錄》（東京，第三文明社，
1979）、井口和起、木坂順一郎、下里正樹編集《南京事件・京都
師團關係資料集》（東京，青木書店，1989）、下里正樹編《隱された
聯隊史——「二〇i」下級士兵の見た南京事件の真相》（同上，1987）
及《續・隱された聯隊史——MG中級隊員から見た南京事件の真
相》（同上，1988）。新島淳良編《南京大虐殺》（日本中國友好協會（正
統）永福支部，1971）、郭歧《南京大屠殺》（臺北，中外圖書公司，民
70）、陸榮根編寫《南京大屠殺》（北京，新華出版社，1991）、徐志
耕主編《血祭：侵華日軍南京大屠殺實錄》（北京，中國人事出版社，

1994）、高興祖《日軍侵華暴行：南京大屠殺》（上海，上海人民出版
社，1985）、王知十、李蔭《金陵血淚——侵華日寇南京大屠殺罪
行實錄》（北方文藝出版社，1989）、藤原彰《南京大虐殺》（東京，岩
波書店，1985）及《新版·南京大虐殺》（同上，1988）、洞富雄《決
定版·南京大虐殺》（東京，現代史出版會，1982；其中譯本為毛
良鴻、朱阿根譯《南京大屠殺》，上海，上海譯文出版社，1987）
及《南京大虐殺の證明》（東京，朝日新聞社，1986）、笠原十九司《南
京大虐殺の真相》（東京，大月書店，1989）、洞富雄《南京大虐殺－
「まほるし」化工作批判》（東京，現代史出版會，1975）、富士信夫
《「南京大虐殺」はこうして作られた》（東京，展轉社，1995；東京，
古今書院，1996）、洞富雄、藤原彰、本多勝一編《南京大虐殺の研
究》（東京，晚聲社，1992）及《南京事件を考える》（東京，大月書店，
1987）、洞富雄《南京事件》（東京，新人物往來社，1972）、《日中
戰爭史資料八：南京事件Ⅰ》（東京，河出書房，1973）及《日中戰爭
史資料九：南京事件Ⅱ》（同上）、阿羅健一《聞き書（南京事件）》
（東京，圖書出版社，1987）、吉田裕《天皇の軍隊と南京事件：モラ
ひとっの日中戰爭史》（東京，青木書店，1985）、全書除序章及終章
外，計分三章：第一章為「日中戰爭の勃發と上海攻略戰」，第二
章為「南京への道」，第三章為「南京における戰爭犯罪」，全書
無注釋，但附參考文獻一覽；石坂敏保《日中戰爭と南京事件》（立
正大學文學部史學科畢業論文，1992年度）、森正孝等編《中國側史料。
日本の中國侵略－南京大屠殺，占領支配政，毒かス戰，細菌戰，
人體實驗》（東京，明石書店，1991）。南京大學歷史系編著《日本帝
國主義在南京的大屠殺》（南京，國營沙洲印刷，1979）、秦郁彥、楊

文信《南京大屠殺真相：日本教授的論述》（香港，商務印書館，1995）、テインパリー《外國人のみた日本の暴行實錄・南京大虐殺》（東京，評傳社，1982）、胡菊蓉《中外軍事法庭審判日本戰犯：關于南京大屠殺》（天津，南開大學出版社，1988）、笠原十九司《南京難民區の百日－虐殺を見た外國人》（東京，岩波書店，1995）、津田道夫《南京大虐殺と日本人の精神構造》（東京，社會評論社，1995）、日本軍侵略中國調查訪問團編《慘劇より五十年・南京大虐殺研究札記》（東京，川村一之方，1986）、「アジァ・太平洋地域の戰爭犧牲者に思いを馳せ，心に刻む會」編《南京大虐殺と原爆》（大阪，東方出版，1995）、森山康平《證言記錄三光作戰——南京虐殺から滿洲國崩壞まで》（東京，新人物往來社，1975）、森山康平著、天津市政協編譯委員會譯《南京大屠殺與三光作戰：記取歷史教訓》（成都，四川教育出版社，1984）、章開沅《南京大屠殺的歷史見證》（貝德士文獻研究系列，武漢，湖北人民出版社，1995）、相羽實《南京大虐殺における諸說の對立點とその真相－特に「百人斬の競爭」について》（立命館大學史學科碩士論文，1994）、本多勝一編《裁かれる南京大虐殺》（東京，晚聲社，1989）、曹白等著、以群編《南京的虐殺：抗戰以來報告文學選集》（上海，作家書屋，民35）・、孫宅巍《1937南京悲歌：日軍屠城記》（臺北，臺灣先智出版事業公司，民84）、東史郎《わが東京プラメーン—召集兵の見太南京大虐殺》（東京，青木書店，1996）、阿部輝郎《南京の冰雨－虐殺の構造を追って》（東京，教育書籍，1989）、大井滿《仕組まれた"南京大虐殺"：攻略作戰の全貌とマスコミ報道の怖さ》（東京，展轉社，1995）、南京事件調查研究會編《南京事件現地調查報告書》（東京，一橋大學社會部吉田研究室，1985）。至於竟有少數日本學者否認有南京大屠殺一事，其用心至為可議，這方面的專書論著如石原發言を許さない，京都集會實行委員會《南京大虐殺事件‧歷史を偽造するのは誰か？》（大阪，撰者印行，1991）、田中正明《〝南京虐殺〞の虛構》（東京，日本教文社，1984）及《南京事件の總結──虐殺否定十五の論據》（東京，謙光社，1987）、鈴木明《「南京大虐殺」のまぼろし》（東京，文藝春秋社，1973）、秦郁彥《南京事件－「虐殺」の構造》（東京，中央公論社，1986）。

　　期刊論文方面有李雲漢〈有關南京大屠殺中外史料的評述〉（載《抗戰建國史研討會論文集》上冊，臺北，中央研究院近代史研究所，民74；亦載《近代中國》62期，民76年12月）、居蜜〈有關南京大屠殺的史料〉（載許倬雲、丘宏達主編《抗戰勝利的代價－抗戰勝利四十週年學術討論集》，臺北，聯合報社，民75）、孫宅巍〈南京大屠殺問題研究述評〉（《學海》1992年6期）、高興祖〈〝南京大屠殺〞事件研究現狀和今後的課題〉（《抗日戰爭研究》1996年4期）及〈關於南京大屠殺的研究及其現實意義〉（同上，1991年2期）、陳嘉定〈日軍南京大屠殺之研究〉（載許倬雲、丘宏達主編《抗戰勝利的代價－抗戰勝利四十週年學術論文集》附錄，臺北，民75；亦載《近代中國》62期，民76年12月）、洞富雄〈南京事件と史料批判〉（《歷史評論》277、278號，1973年6、7月）、孫宅巍〈大陸學界關於南京大屠殺問題的研究〉（《日本侵華研究》13期，1993年2月）、高興祖〈抗戰初期國內外有關南京大屠殺事件的報道和著作〉（《抗日戰爭研究》1995年4期）、李松林〈日本研究南京大屠殺評述〉（《黨史研究資料》1988年2期）、范斌、劉素萍〈日本對〝南京大屠殺〞的爭論與研究〉（《黨史文匯》1995年11期）、高興祖

〈五十八年回顧：日本關于南京大屠殺事件的爭論〉（《南京大學學報》
1995 年 3 期）、呂平編譯〈日本學者評《南京大屠殺》〉（《世界史研究
動態》1984 年 2 期）、金仁芳、徐天淦〈戰後日本對〝南京大屠殺〞
的研究〉（同上，1991 年 4 期）、駱為龍〈在南京大屠殺問題上日本不
可以說〝不〞〉（《日本研究》1992 年 1 期）、孫宅巍〈日本研究南京大
屠殺問題的幾種觀點〉（《社科信息》1989 年 1 期）、笠原十九司著、宋
志勇譯〈南京事件在日本的研究〉（《國外中國近代史研究》13 輯，1989
年 9 月）、王奇生〈章開沅教授與貝德士文獻研究－南京大屠殺資料
的新發現〉（同上）、吳天威〈美國新公開的有關〝南京大屠殺〞的
檔案資料〉（同上，1995 年 2 期）、笠原十九司〈「南京大虐殺事件」
アメリカ取材記〉（《近きに在りて》20 號，1991 年 11 月）、日本共同
社〈德國檔案中的南京大屠殺〉（《日本侵華研究》第 9、10 期，1992 年
2、5 月）；〈德國檔案館中關於侵華日軍南京大屠殺的檔案資料〉
（《抗日戰爭研究》1991 年 2 期）、高興祖〈「南京大屠殺」－中國方面
的資料〉（《日本侵華研究》創刊號，1990 年 3 月）及〈關於研究南京大
屠殺事件的歷史資料〉（《黨史研究資料》1988 年 2 期）；〈南京大屠殺
資料目錄〉（同上，4、5 期，1990 年 11 月、1991 年 2 月）、遼寧省檔案
館〈滿鐵檔案中有關南京大屠殺的一組史料〉（《民國檔案》1994 年 3、
4 期）。

孫宅巍〈論南京大屠殺的背景範疇和原因〉（載《第三屆近百年中
日關係研討會論文集》下冊，臺北，中央研究院近代史研究所，民 85 年 3
月）、〈論南京大屠殺的背景和範疇〉（《民國檔案》1995 年 1 期）及〈南
京大屠殺原因探索〉（《東南文化》1995 年 3 期）、高興祖〈南京大屠
殺－日本軍國主義有預謀的恐怖政策〉（《南京社會科學》1995 年 8 期）、

孫宅巍〈南京大屠殺與日軍的預謀〉(《江海學刊》1994 年 4 期)、南京大學歷史系日本史小組〈南京大屠殺〉(《江蘇文史資料選輯》12 輯,1983 年 1 月)、高興祖〈慘絕人寰的南京大屠殺〉(《外國史知識》1982 年 10 期)、高榆等〈南京大屠殺－日本侵略者在南京的血腥罪行〉(《南京史志》1987 年－期)、中國第二歷史檔案館〈日本侵略軍製造的南京大屠殺案〉(《歷史檔案》1982 年 4 期)、宋華忠〈現代史上最黑暗的一頁－南京大屠殺述實〉(《黨史文匯》1995 年 5 期)、徐梁伯〈留下的愛國主義沉思〝南京大屠殺〞〉(《開放時代》1995 年 7、8 期)、張洪濤、張樸寬〈大屠殺,不該被遺忘的歷史:日軍南京大屠殺經過〉(《齊齊哈爾社會科學》1994 年 3 期)、段月萍〈侵華日軍南京大屠殺〉(《東方世界》1987 年 6 期)、陳在俊〈「南京大屠殺」實錄－日本軍人何以那樣殘暴〉(《近代中國》101 期,民 83 年 6 月)、高興祖〈論南京大慘案〉(《南京大學學報》1985 年 3 期)、龐士讓〈論南京大屠殺〉(《咸陽師專學報》1996 年 1 期)、Yang Daqing, 〝A Sino-Japanese Controversy: The Nanjing Atrocity as History.〞(Sino-Japanese Studies, Vol.3, No.1 Nov.1990)、藤原彰著、程慎元譯〈南京大屠殺研究〉(《國外中國近代史研究》13 輯,1989 年 9 月)、洞富雄著、趙長碧摘譯〈再論南京大屠殺事件〉(《國外社會科學情報》1982 年 9 期)、吳天威〈南京大屠殺事件之再研究〉(《抗日戰爭研究》1994 年 4 期;亦載《城市改革與發展》1995 年 7 期)、許志龍、戴玉富〈30 萬冤魂給世人的警示:〝南京大屠殺〞事件剖析〉(《國防大學學報 1995 年 8、9 期》)、〈30 萬冤魂給世人的警示－〝南京大屠殺〞事件之再剖析〉(《南昌大學學報》1995 年 3 期)、〈〝南京大屠殺〞的歷史昭示〉(《南京政治學院學報》1995 年 6 期)及〈〝南京大屠殺〞給人們的警示〉(《黨建研究》1995

年9期）、呂平編譯〈日本學者評《南京大屠殺》〉（《世界史研究動態》1984年2期）、張允然〈血腥的暴行與無情的史實－簡論侵華日軍南京大屠殺〉（《江海學刊》1985年6期）、章開沅〈讓事實說話－貝德士眼中的南京大屠殺〉（載《慶祝抗戰勝利五十週年兩岸學術研討會論文集》上冊，臺北，近代史學會，民85；亦載《抗日戰爭研究》1996年4期）及〈歷史的見證－貝德士眼中的南京大屠殺〉（《歷史月刊》95期，民84年12月）、藤原彰著、陳鵬仁譯〈南京大屠殺的真相〉（《歷史教學》1卷1、2期，民77年7、9月；亦載《日本侵華研究》第2、3期，1990年5、8月）笠原十九司〈南京事件〉（載《戰爭と民眾》，東京，1996）、東中野修道〈南京事件の真相〉（《亞細亞大學日本文化研究所紀要》第2號，1996年）、思鄉〈血仇，千載不忘（南京大屠殺）〉（《中華英烈》1987年4期）。郭傳璽〈侵華日軍在南京大屠殺的罪行不容抹煞〉（《歷史檔案》1994年1期）、鄒明德等〈南京大屠殺的歷史事實不容篡改〉（《歷史檔案》1982年4期）、孫宅巍〈30萬南京同胞被屠殺的史實豈容否定〉（《抗日戰爭研究》1991年2期）、鍾慶安〈關於1937年南京淪陷前夕人口的考證－用檔案材料駁《南京大屠殺之虛構》一書〉（《文獻和研究》1985年5期）、潘俊峰〈鐵證如山，豈容抵賴－評田中正明著《〝南京大屠殺〞之虛構》〉（《世界知識》1985年16期）、高興祖〈〝南京大屠殺〞的史實不容抹煞－評田中正明的九點質疑〉（《日本問題》1986年4期）、李松林〈日本學者田中正明篡改松井石根的《戰中日記》－兼駁田中正明的〝南京大屠殺之虛構〞論〉（《北京師院學報》1987年3期）、陳景彥〈論日本當權者否認侵華戰爭問題－兼駁《南京大屠殺之虛構》〉（《現代日本經濟》1995年21期）、駱為龍〈揭露南京大屠殺〝虛構論〞的詭辯－評日本洞富雄教授的新著

《南京大屠殺之證明》〉(《日本問題》1986年6期)、段月萍〈駁日軍南京大屠殺〝虛構論〞〉(載《抗日戰爭史事探索》,上海社會科學院出版社,1988)、井上久士著、韓鳳琴譯〈中共沒有對南京大屠殺沉默－兼駁〝南京大屠殺虛構論〞〉(《國外中共黨史研究動態》1992年2期)、吳天威〈評析日本偷襲珍珠港－反駁日本對廣島原爆及南京大屠殺的曲解〉(《日本侵華研究》第8、9期,1991年11月、1992年2月)、吉田裕〈南京大虐殺－日本軍の侵略と戰爭學習〉(《歷史學研究》531號,1984年7月)、〈十五年戰爭史研究と戰爭責任問題——南京事件を中心に〉(《一橋論叢》97卷2號,1987年2月)及〈南京事件「まぼるし」化の構圖〉(《思想の科學》1985年12月號)、謝雪橋〈對旅日愛國華僑楊啟樵教授駁斥日本〝南京大屠殺〞案否定派的介紹和補充〉(《抗日戰爭研究》1994年4期)、吳天威〈日本侵華「南京大屠殺」五十三周年〉(《傳記文學》57卷6期,民79年12月)、Wu Tien-wei(吳天威),〝Commemorating the 53 rd. Anniversary of Naking Massacre:Rebutting Mr. Shintaro Ishihara's Fallacy that the Naking Massacre Is a Chinese Lie'.〞(Chinese American Forum, January 1991)、胡華玲〈「紀念南京大屠殺」五十三週年－反駁石原慎太郎否認「南京大屠殺」之謬論〉(《日本侵華研究》第4期,1990年11月)、杜學魁〈欲哭無淚的悼念－「南京大屠殺」五十四周年在南京的追思〉(《明報(月刊)》314期,1992年2月》、陳瑋〈國強方能家安:〝南京大屠殺〞遇難同胞五十八年祭〉(《黨建》1995年8期)、李恩涵〈南京大屠殺的事實豈容抹殺－駁日人石原慎太郎之兩度狂言〉(《傳記文學》58卷4期,民80年4月)。石島紀之著、趙成材譯〈圍繞南京大屠殺的新爭論〉(《國外社會科學情報》1987年4期)、李秀石編譯〈日本國內關於〝南京大屠殺〞的新爭論〉(《世界史研究動態》1985年5期)、小月編譯〈關於侵華日軍大屠殺的論戰〉(《抗日戰爭研究》1992年4期)、金山〈日本關于〝南京大屠殺〞評價的動向〉(《史學情報》1987年1期)、君島和彥、井上久士〈「南京大虐殺」評價に關する最近の動向〉(《歷史評論》432號，1986年4月)。高崎隆治〈南京大虐殺發生の謎〉(載《昭和日本史》第3卷，東京，晚教育圖書，1977)、高興祖〈侵華日軍南京大屠殺暴行真相披露經過〉(《南京史志》1995年1、2期合刊)、F·蒂爾曼·德丁著、高興祖譯〈1937年《紐約時報》關於南京大屠殺的報導(1937年12月18日)〉(《民國檔案》1995年3期)、孫宅巍〈日本軍國主義與南京大屠殺〉(《江海學刊》1995年6期)、傅曾〈南京大屠殺與日本軍國主義〉(《近代史研究》1983年2期)、高興祖〈日軍第十六師團南京中山門外屠殺真相〉(《歷史研究》1995年4期)及〈日軍第十六團在南京的血腥暴行〉(《抗日戰爭研究》1994年4期)、加藤健〈南京事件と橫井伍長の部隊〉(《日中》2卷5號，1972年4月)、唐學峰〈南京大屠殺始於何時〉(《文史雜志》1993年5期)、李恩涵〈日軍南京大屠殺的屠殺令問題〉(《中央研究院近代史研究所集刊》18期，民78年6月)、洞富雄〈軍隊教育に培われた青年將校の精神構造－「百人斬り競爭」は「事變」であったか「語られた事實」であったか〉(《歷史評論》269號，1972年11月)、孫宅巍〈南京大屠殺與南京軍民的反抗〉(《學海》1993年2期)、劉惠恕〈對日軍南京大屠殺時中國平民及被俘軍人死難人數新考：兼駁田中正明的南京大屠殺〝虛構〞論〉(《蕪湖師專學報》1995年4期)、鍾慶安〈關於南京大屠殺中我遇難同胞總數的考證〉(《文獻和研究》1986年3期)、李恩涵〈日本軍南京大屠殺的屠殺數目問題〉(載《近百年中日關係論文集》，臺北，民80)、〈有關南京大屠殺的屠殺數目與其所涉及的戰爭國際法問題〉(《近代中國》86期，民80年12月)、〈日軍南京大屠殺及其所涉及的戰爭國際法問題〉(載林徐典編《漢學研究之回顧與前瞻》上冊，新加坡國立大學中文系，北京，中華書局，1995)、〈日軍南京大屠殺所涉及的戰爭國際法問題〉(《中央研究院近代史研究所集刊》20期，民80年6月)及〈日軍南京大屠殺的屠殺責任問題〉(《日本侵華研究》第2期，1990年5月)、笠原十九司〈論日軍南京大屠殺中的殘暴行為〉(《抗日戰爭研究》1991年2期)、林妙齡〈南京大屠殺活生生的見證〉(《時報雜誌》246期，民74年8月)、胡華玲〈南京大屠殺下的中華婦女〉(《日本侵華研究》第8期，1991年11月)、劉鳳翰〈「南京大屠殺」幾種數字的分析〉(同上，第5期，1991年2月)、中國第二歷史檔案館〈侵華日軍南京大屠殺部分遭難同胞姓名錄〉(《民國檔案》1991年3期)、陳娟〈南京慈善團體掩埋遇難同胞屍體詳情〉(《南京史志》總25期，1987年特刊)、孫宅巍〈南京大屠殺與屍體掩埋〉(《歷史月刊》31期，民79年8月)、〈關於南京大屠殺屍體處理的研究〉(《南京社會科學》1991年4期)及〈南京大屠殺與南京人口〉(同上，1990年3期)、趙洪寶〈"南京大屠殺"前後的南京人口問題〉(《民國檔案》1991年3期)、胡兆才〈南京大屠殺元凶谷壽夫罪行調查始末〉(《紫金歲月》1995年21期)；〈朝香宮是"南京大屠殺"的罪魁〉(《蘭台世界》1995年6期)；〈南京大屠殺的真正罪魁朝香宮〉(《江淮文史》1995年5期)、蘇尚堅〈南京大屠殺另一元凶家田攻的下場〉(《紫金歲月》1996年6期)、周紅〈松井石根難道不是南京大屠殺的"真正元凶"嗎？〉(《民國春秋》1995年4期)、胡曉丁、張連紅〈松井石根與"南京大屠殺"〉(《南京師大學報》1993年3期)、劉

燕軍〈松井石根與南京大屠殺的幾個問題〉(《抗日戰爭研究》1991年
2期）及〈侵華日軍南京大屠殺暴行之文化心理剖析〉(《南京社會科
學》1995年8期）、孟國祥〈侵華日軍對南京的"文化大屠殺"〉(《南
京史志》1995年6期）、孫宅巍〈試論南京大屠殺的"安全區"〉(《南
京社會科學》1992年5期）、杭立武〈籌組南京淪陷後難民區的經過〉
(《傳記文學》41卷3期，民71年8月）、劉惠恕〈南京大屠殺時期的南
京難民區國際委員會〉(《學術月刊》1995年8期）、陳春娥、詹義康
〈南京大屠殺與奧斯威辛集中營〉(《江西師大學報》1995年3期）、中
西功〈「南京大虐殺」の教訓(正、續)〉(《中國研究》25、27號，1972
年4、6月）、笠原十九司〈「南京大虐殺」に對する中國學生の意識〉
(《歷史評論》432號，1986年4月）、張其立〈旅順大屠殺與南京大屠
殺之比較〉(《南京史志》1988年2期）、洞富雄等〈「南京大虐殺」の
核心〉(《諸君》第4期，1985年4月）、藤原彰〈南京大虐殺事件の今
日的意義−洞富雄著"決定版南京大虐殺"について〉(《歷史評論》
1983年8月）。吳廣義〈南京大屠殺：劊子手的自白〉(《人物》1995
年5期）、吳永泉、楊新華〈侵華日軍自供：我們在南京大屠殺〉(《紫
金歲月》1995年5期）、段月萍〈兩訪最早披露南京大屠殺真相的記
者都亭〉(同上）；〈侵華日軍南京大屠殺暴行真相披露經過〉(同
上，1995年21期）、高興祖〈東史郎日記真實可信−讀《一個應徵
士兵的體驗·南京大屠殺》〉(《民國春秋》1995年4期）、鈴木二郎〈私
はあの"南京悲劇"を目擊した〉(《丸》1971年11月號）、本多勝一
−〈南京虐殺の生還者に聞く〉(《はこべ》1985年7月號）、南京市
檔案館編研部〈記錄南京大屠殺的威爾遜日記〉(《中國檔案》1995年
4期）、郭宗惇〈侵華日軍南京大屠殺又一見證：南京鼓樓醫院發現

威爾遜日記〉(《南京史志》1995年1、2期)、滕谷俊雄〈20世紀に生きる－あるインリの自傳の歷史－33－南京大虐殺事件〉(《部落》38卷2號，1986年2月)、謝尊、呼延如璞〈假扮和尚幸離血海－南京大屠殺的見證人鈕先銘〉(《炎黃春秋》1996年3期)、明玉〈侵華日軍製造南京大屠殺的鐵證－《1937-1938年冬天日本人在南京的暴行錄》介紹〉(《歷史檔案》1986年3期)、邵子平、百莞譯〈約翰·馬吉拍攝南京大屠殺紀錄片〉(《抗日戰爭研究》1992年4期)、劉燕軍〈對《約翰·馬吉拍攝的南京大屠殺紀錄片》一文的補充〉(同上，1993年4期)、富山秀夫〈南京事件「偕行」加登川「謝罪文」への重大疑問〉(《ゼンボウ》1985年12月號)。張春亭、殷學成〈南京大屠殺57年祭〉(《暸望》32期，1995)、劉述先〈由南京大屠イ殺引起的感想〉(《日本侵華研究》第8期，1991年1月)、姜國鎮〈南京大屠殺與日本從軍慰安婦〉(《傳記文學》60卷6期，民81年6月)。洞富雄〈南京アトロジチイー〉(《アジァ》6卷8號，1971年8月)、田中〈石頭城下的罪惡〉(《福建黨史月刊》1995年3期)、朱成山〈古城南京的厄運－侵華日軍攻占南京時暴行紀實〉(《東南文化》1995年3期)、劉潤和〈民族之道德喪亡與屹立不倒：《南京：一九三七年十一月至一九三八年五月》的啟示〉(《華中師大學報》1995年6期)、城山三郎〈南京事件と廣田弘義（上）〉(《潮》1972年10月號)、本多勝一〈南京への道①－㉕〉(《朝日ジセーナル》1984年4月13日號－10月5日號)、喬治·費區著、酈玉明譯〈南京的覆滅〉(《民國檔案》1995年3期)、周紅、黃軍〈南京大屠殺敵人罪行調查委員會〉(《南京史志》1987年特刊)、萬炳〈日本侵略者給南京人民造成的巨大損失〉(同上)；〈遠東國際軍事法庭關於日軍在南京進行大屠殺罪行的

判決〉(《日本侵華研究》第4期，1990年11月)、高原〈東京地方法院
鼓吹南京大屠殺未定論意欲何為？〉(《南京社會科學》1996年9期)、
俞允堯〈歷史的見證－南京大屠殺紀念館〉(《歷史月刊》91期，民84
年12月)、段月萍〈侵華日軍南京大屠殺遺址紀念碑〉(《抗日戰爭研
究》1994年4期)。

(4)太原會戰（1937年10-11月）：有學踐學社編《太原會戰》
（2冊，臺北，編者印行，民42）、國防部史政編譯局編印《抗日戰史
－太原會戰》（2冊，民51）、馬仲廉《太原保衛戰》(瀋陽，瀋陽出版
社，1994)、劉鳳翰〈論太原會戰及其初期戰鬥－平型關作戰〉(《中
央研究院近代史研究所集刊》15期下冊，民75年12月)、孟麗萍〈試論
太原會戰〉(《太原師專學報》1989年3期)、軍史研究編纂委員會〈太
原會戰〉(載《抗戰勝利四十週年論文集》下冊，臺北，黎明文化事業公司，
民75)、林君長〈太原會戰〉(《軍事雜誌》48卷9期，民69年6月)、
陶純《血色雄關－太原會戰紀實》(中國抗日戰爭紀實叢書，北京，解放
軍文藝出版社，1995)、張有成〈試論太原會戰的特點〉(《理論教育》
1987年12期)、薛建州、許永紅〈傅作義將軍與太原守城戰〉(《城市
研究》1989年2期)、張樹昌〈抗日戰爭中太原究竟是何時失陷的〉
(《教學與研究》1995年2期)、王家進〈八路軍在太原保衛戰中〉(《山
西革命根據地》1991年4期)、高五亭〈忻口戰役〉(《軍事史林》1985年
2期)、王振華〈忻口戰役記述〉(《山西地方志通訊》1986年4期)、張
同新〈忻口戰役評述〉(載《慶祝抗戰勝利五十週年兩岸學術研討會論文
集》上冊，臺北，近代史學會，民85)、齊健、石岩〈忻口戰役始末〉
(《中學歷史》1988年1期)、劉存善〈忻口戰役始末〉(《民國檔案》1986
年1期)及〈關於忻口戰役的時間〉(《山西大學學報》1987年2期)、

陳曉清〈衛立煌與忻口戰役〉(《學海》1992年1期)、馬仲廉〈國共兩黨軍隊協同作戰之典型一役－忻口戰役之研究〉(《抗日戰爭研究》1996年1期)、陳文秀等〈國共合作抗日的典型戰例－忻口戰役剪影〉(《黨史文匯》1985年試刊號)、齊虎日〈團結禦侮合作抗日：忻口戰役述評〉(《雁北師專學報》1990年1期)、胡全福《三晉同仇－忻口抗戰紀實》(北京，團結出版社，1995)、李默庵〈國共合作戰忻口〉(《縱橫》1995年6期)、費正、瑑忠友等〈忻口戰役與國共合作〉(《南京政治學校學刊》1985年4期)、費正〈忻口戰役與國共合作〉(載《抗日戰爭史事探索》，上海，上海社會科學院出版社，1988)、葉庚等〈試析忻口戰役中的國共合作〉(《山西師大學報》1985年4期)、陳文秀〈試論棄守忻口的緣由〉(《山西大學學報》1992年4期)、中國第二歷史檔案館〈有關忻口戰役作戰指示和各部隊戰報選〉(《民國檔案》1985年1期)、全國政協《晉綏抗戰》編寫組編《晉綏抗戰》(北京，中國文史出版社，1995)，為一資料集，共分三章，第一章為太原會戰(含天鎮戰役，平型關戰役、忻口戰役、娘子關戰役、太原保衛戰、晉西諸役)；第二章為晉南作戰(含晉南諸役、晉南會戰)；第三章為綏遠作戰。附錄則有「太原會戰大事記」、「晉西諸役大事記」、「晉南諸役大事記」、「晉南會戰(中條山戰役)大事記」、「綏遠作戰大事記」、「中日雙方指揮系統表」。

(5)徐州會戰(1938年3-5月，含臺兒莊戰役)：有國防部史政編譯局編印《抗日戰史－徐州會戰》(4冊，臺北，民56)、全國政協文史資料研究委員會編《徐州會戰：原國民黨將領抗日戰爭親歷記》(北京，文史出版社，1985)，全書分六章：第一章為概述，收文5篇；第二章為滕縣保衛戰，收文7篇；第三章為臨沂戰役，收文

8篇；第四章為臺兒莊大戰，收文19篇；第五章為血戰禹王山，收文3篇；第六章為徐州外圍戰，收文15篇；附錄有大事記、中、日軍指揮系統表、及附圖4幅；張秉均《抗日戰史第一期作戰之研究－徐州會戰》(《三軍聯合月刊》14卷12期，民66年2月）、路滔《血紅的焦土－徐州會戰紀實》(北京，團結出版社，1995）、馮治〈抗戰初期徐州會戰述略〉(《徐州師院學報》1985年3期）、軍史研究編纂委員會〈徐州會戰〉(載《抗戰勝利四十週年論文集》下冊，臺北，黎明文化事業公司，民75）、林君長〈徐州會戰〉(《軍事雜誌》47卷3期，民67年12月）、譚樹成《抗日戰史－徐州會戰》(臺北，國防部史政局，民52）、軍事委員會編《抗戰參考叢書：徐州會戰間國軍作戰經驗》(重慶，編者印行，民28）、小峀秀信《日中戰爭について一考察－徐州會戰の戰史上における意義》(立命館大學史學科碩士論文，1992）、馮治〈徐州會戰失敗的原因及其在抗日戰爭中的作用〉(《徐州師院學報》1986年1期）、張晴光〈關麟徵部與徐州會戰〉(《軍事歷史》1994年1期）、曾景忠〈蔣介石與徐州會戰〉(《近代史研究》1994年6期）、盧漢遺著〈陸軍第60軍參加徐州會戰概況〉(《雲南文史叢刊》1985年2期）、蔣建國〈抗日戰爭徐州會戰六十軍臺兒莊戰役紀要〉(《雲南文獻》21期，民80年12月）、樊松甫〈浴血徐州〉(《縱橫》1994年3期）、李占才〈鐵路抗戰準備工作與徐州會戰中的鐵路運輸〉(《徐州師院學報》1994年2期）、山東省政協文史資料研究委員會、棗莊市政協文史資料研究委員會編《臺兒莊大戰親歷記》(濟南，山東人民出版社，1988）、國史館史料處編《第二次中日戰爭各重要戰役史料彙編：臺兒莊會戰》(臺北，國史館，民73），收錄有關之史料文獻及口述記錄，書首並附相關照片及地圖等，書末附「臺兒莊之役日本檔案」、「臺兒莊會戰大事紀要」;路滔《紅土黑血－臺兒莊會戰寫實》(臺北,日臻出版社,民84)、何仲山等《血戰臺兒莊》(北京,燕山出版社,1987)、方秋葦《臺兒莊血戰記》(戰時出版社,出版時地不詳)、林之英編《臺兒莊血戰記》(上海,中外編譯社,民27)、汪芝仁編著《臺兒莊上的勝利前後》(現代出版社,民27)、王東溟、郭明泉編《臺兒莊戰役史》(濟南,山東人民出版社,1996)、林治波、趙國章《大捷－臺兒莊戰役實錄》(桂林,廣西師大出版社,1996)、吳祥順編《臺兒莊會戰》(中國革命史小叢書,北京,新華出版社,1991)、侯象麟編著《臺兒莊會戰實錄》(臺北,編著者印行,民67)、張玉法〈臺海兩岸學者對臺兒莊戰役的研究〉(《近代中國史研究通訊》16期,民82年9月)及〈兩岸學者關於臺兒莊戰役的研究〉(《文史哲》1994年1期)、章君穀〈抗戰史話:臺兒莊大捷〉(《中央月刊》6卷11期,民63年9月)、虞寶棠〈臺兒莊戰役〉(《歷史教學問題》1983年6期)、殷廉等〈臺兒莊戰役概況〉(《天津師大學報》1983年6期)、孫連仲〈臺兒莊會戰〉(《傳記文學》32卷4期,民67年1月)、黎東方〈臺兒莊之戰〉(同上)、王仲廉〈臺兒莊戰役的回憶〉(同上)、蕭自誠〈臺兒莊大捷憶往〉(《傳記文學》32卷4期,民67年1月)、侯象麟〈第二集團軍臺兒莊戰役實錄〉(同上)、何應欽〈臺兒莊戰鬥與徐州會戰〉(同上)、單化龍〈師出臺兒莊棄身為酬國〉(《縱橫》1995年5期)、張憲文、陳謙平〈簡論臺兒莊戰役〉(《歷史檔案》1984年3期)、林君長〈臺兒莊大捷〉(《軍事雜誌》47卷7期,民68年4月)、章君穀〈臺兒莊大捷〉(《中央月刊》6卷11期,民63年9月)、黃文衡〈臺兒莊大捷〉(《軍事雜誌》45卷6期,民66年3月)、黎東方〈臺兒莊之戰〉(《華岡文科學報》11期,民67年1月)、程維榮、劉咏濤〈臺兒莊大捷簡介〉(《中學歷史》1986年1期)、惜夢〈臺兒莊殲敵血戰的一幕〉(《蒙藏月報》8卷2期,民27年4月)、斛泉〈臺兒莊殲敵記〉(《東方雜誌》35卷4號,民27年2月)、崔萬秋〈日本紀錄中的臺兒莊之戰〉(《傳記文學》35卷4、5期,民68年10、11月)、姜永偉〈日本侵華的戰略方針與臺兒莊會戰〉(《山東社會科學》1993年3期)、李以劻〈國事千鈞重,頭顱一擲輕－臺兒莊會戰親身經歷〉(《黃埔》1992年3期)、徐一鳴〈回憶臺兒莊大戰〉(《棗莊師專學報》1988年1、3期)、何仲山、葉慶科〈臺兒莊大戰縱橫談〉(《中共黨史研究》1988年5期)、唐士文〈臺兒莊戰役有關事實辨正:《臺兒莊大捷縱橫談》讀後〉(同上,1989年6期)、亓長發〈臺兒莊戰役述評〉(《山東史志通訊》1985年3期)、何仲山、林治波〈臺兒莊戰役論略〉(《軍事歷史研究》1988年1期)、馬仲廉〈臺兒莊戰役述評〉(《檔案史料與研究》1993年4期)、傅玉能〈臺兒莊戰役中國民黨非嫡系部隊參戰人數和作用考辨〉(《學術論壇》1994年3期)、黃宗炎〈臺兒莊會戰和新桂系在會戰中的作用〉(《廣西社會科學》1988年1期)、中國第二歷史檔案館〈臺兒莊戰役期間李宗仁密電選〉(《歷史檔案》1984年3期)、徐金城〈臺兒莊戰役與李宗仁的軍事指揮藝術〉(《齊魯學刊》1995年5期)、郭學虞〈張自忠、李宗仁與臺兒莊大捷〉(《傳記文學》31卷5期,民66年11月)、解力夫〈李宗仁率雜牌軍血戰臺兒莊〉(《炎黃春秋》1995年7期)、盧家翔〈白崇禧與血戰臺兒莊〉(《廣西教育學院學報》1990年1期)、韋永成〈臺兒莊勝利與孫運仲將軍〉(《傳記文學》38卷3期,民70年3月)、管敘瀅〈臺兒莊大戰中的張自忠將軍〉(《棗莊師專學報》1993年1期)、楊維瓊〈60軍臺兒莊外圍之戰〉(《軍事歷史研究》1989年6期)及〈雲南各族人民共同抗日的豐碑:臺兒莊外圍之戰〉(《思想戰線》1989年

5期)、何玉菲選編〈滇軍血戰臺兒莊－抗戰時期臺兒莊大戰中龍雲
與盧漢來往密電（1938年4月-6月）〉(《雲南檔案》1995年3、4期)、
余建勛、楊炳麟〈雲南子弟兵血戰臺兒莊〉(《雲南社會科學》1985年
6期)、李佐等〈臺兒莊戰役中，第六十軍一八四師禹王山阻擊戰〉
(《雲南文史叢刊》1987年2期)、郭維城〈于學忠率東北軍浴血臺兒莊
紀實〉(《軍事史林》1994年3期)、蔣永敬〈從《徐永昌日記》看臺兒
莊大戰〉(《文史哲》1993年4期)、郭緒印〈論臺兒莊大戰中的雜牌
軍及其獲勝的政治氛圍〉(《軍事歷史研究》1993年4期)、張亞鵬〈從
臺兒莊戰役看國民黨初期抗戰〉(《中南民族學院學報》1995年4期)、
董助才〈中共在臺兒莊戰役中的地位和作用〉(《江蘇社會科學》1991
年4期；《河南黨史研究》1991年5、6期)、孫祚成、劉忠良〈共產黨
人在臺兒莊戰役中的作用〉(《聊城師院學報》1990年1期)、湯勝利〈中
國共產黨與臺兒莊大捷〉(《浙江黨史》1992年1期)、楊穎奇〈中國共
產黨與臺兒莊戰役〉(《學海》1993年4期)、章克昌〈中國共產黨與
臺兒莊大捷〉(《江西社會科學》1994年5期)、何麗萍〈中國共產黨與
臺兒莊大捷〉(《社會科學家》1995年4期)、韓信夫〈湯恩伯將軍與臺
兒莊戰役〉(載張憲文主編《民國研究》第1輯，南京大學出版社，1994)、
覃異之〈對臺兒莊戰役的一點體會〉(《軍事史林》1985年試刊號)、管
旭〈論臺兒莊大戰的〝鑑體真實〞〉(《荷澤師專學報》1989年3期)、
陳陵〈臺兒莊大捷與述勝論〉(《學海》1995年5期)、趙文林、朱思
勤〈論臺兒莊大戰詩歌〉(《棗莊師專學報》1993年1期)、劉德軍〈臺
兒莊戰役愛國主義旋律〉(《山東社會科學》1993年3期)、呂偉俊〈論
臺兒莊大戰中的愛國主義精神〉(《文史哲》1993年4期)、李蕤〈臺
兒莊前線採訪追記〉(《縱橫》1992年6期)、侯象麟〈參加臺兒莊會

戰實錄〉（《中原文獻》2卷8期，民59年8月）、劉勉玉〈八路軍對臺兒莊戰役的配合與支援〉（《南昌大學學報》1993年3期）、周木水〈臺兒莊戰役中我黨我軍的戰略配合〉（《求實》1995年9期）、郭華〈臺兒莊大捷－抗戰初期國共合作的結晶〉（《泰安師專學報》1993年2期）、韓林軒〈臺兒莊大捷與蔣李關保〉（《文史哲》1993年4期）李廷朝〈臺兒莊大捷與國共合作〉（《歷史教學》1995年1期）、張關釗〈略論臺兒莊大捷與國共合作〉（《浙江師大學報》1996年1期）、程思遠〈周恩來與臺兒莊大戰的勝利〉（《抗日戰爭研究》1994年增刊）、朱玉湘〈徐淮地區的戰略地位與臺兒莊戰役〉（《山東大學學報》1993年1期）、張立華〈試論臺兒莊戰役後國民黨最高當局增兵徐州地區的戰略意圖〉（《山東大學學報》1995年3期）、黎東方〈臺兒莊之戰四十三週年紀念〉（《大成》89期，民70年4月）、熊宗仁〈臺兒莊戰役的歷史啟示〉（《貴州社會科學》1993年5期）、馬增浦〈臺兒莊戰役的歷史見證〉（《文物天地》1995年4期）、韓泰華、朱桂雲〈臺兒莊戰役的歷史地位及影響〉（《文史哲》1993年4期）、韓信夫〈臺兒莊戰役及其在抗戰中的歷史地位〉（《近代史研究》1994年2期）、孔蘊浩〈臺兒莊戰役殲滅多少敵人〉（《黨史研究資料》1987年10期）、胡校〈論臺兒莊戰役的勝利及其原因〉（《寧波師專學報》1983年4期）、安維春〈談臺兒莊戰役勝利原因〉（《錦州師院學報》1986年3期）、張全亮〈試論臺兒莊戰役勝利的原因〉（《齊魯學刊》1985年3期）、梁文斌〈試析臺兒莊戰役勝利原因〉（《大慶師專學報》1986年3期）、姜心亮〈論臺兒莊戰役勝利的原因〉（《淮海論壇》1987年2期）、袁之舜〈應實事求是地分析臺兒莊戰役的取勝原因〉（《石油大學學報》1994年1期）、趙延慶〈臺兒莊戰役勝利原因新探－側重於一個新的視角〉（《檔案史料與研究》1994

年1期）、鄭春華、張建華〈臺兒莊戰役勝利之剖析〉（《山東教育學院學報》1987年3期）、張厚杭〈淺談臺兒莊戰役勝利的三點原因〉（《棗莊師專學報》1995年1期）、程思遠〈臺兒莊打勝仗的秘密〉（《世界知識》1985年16期）、王文泉〈臺兒莊大捷的偶然與必然〉（《山東大學學報》1993年1期）、田克深〈臺兒莊大捷在抗日戰爭中的歷史地位〉（同上）、高鳴〈客觀評價臺兒莊戰役的歷史地位〉（《江海學刊》1994年2期）、唐德剛〈臺兒莊大捷的歷史意義〉（《文史哲》1993年4期，亦載《傳記文學》62卷6期，民82年6月）、張立華〈試論臺兒莊戰役後國民黨最高當局增兵徐州地區的戰略意圖〉（《山東大學學報》1995年2期）、林治波〈臺兒莊大捷後盲目決戰誰擔其咎？〉（《軍事歷史》1994年4期）、胡忠華〈論臺兒莊戰役後社會心理的變化〉（《山東大學學報》，1993年1期）、秦郁彥〈臺兒莊戰役前後的日軍戰略〉（載《國外中國近代史研究》第7輯，1985）、徐一鳴〈臺兒莊大戰之後〉（《棗莊師專學報》1993年1期）及〈談臺兒莊大戰後日軍俘虜在貴州收容所〉（同上，1990年3期）、孔令聞〈從臺兒莊勝利到徐州失陷〉（《北京航空學院學報》1986年2期）、齊乾〈抗日戰爭中的徐州突圍〉（《淮海論壇》1988年1期）、馮治〈徐州會戰失敗的原因及其在抗日戰爭中的作用〉（《徐州師院學報》1986年1期）。又1993年4月8日至11日，山東大學歷史系在棗莊市舉辦「紀念臺兒莊大戰55周年國際學術研討會」，·共提交論文70篇，其中以徐州會戰和臺兒莊戰役為題的有52篇，其作者及篇名為：李占才〈徐州會戰中的鐵路運輸〉、曾景忠〈蔣介石與徐州會戰〉、馬振犢〈關於臺兒莊戰役背景的幾點考察〉、吳茂濱等〈略論臺兒莊大戰前後的歷史背景及其歷史地位〉、馬仲廉〈臺兒莊戰役述評〉（發表於《檔案史料與研究》

1993年4期，前已舉述）、亓長發〈臺兒莊戰役述評〉（著者曾撰有同樣題目之論文，發表於《山東史志通訊》1985年3期，前已舉述）、林治波〈臺兒莊戰役論略〉、蔣永敬〈從徐永昌日記看臺兒莊大戰〉（發表於《文史哲》1993年4期，前已舉述）、夏軍〈淮河阻擊戰是臺兒莊戰役序戰之一〉（按：該文發表於《黨史縱橫》1993年8期）、邵宇春〈淮河阻擊戰與臺兒莊大戰－第51軍淮河血戰述略〉、牟東籬〈臺兒莊戰役中中日雙方力量對比〉、解澤浦等〈臺兒莊戰役我方參戰部隊研究〉、傅玉能〈臺兒莊戰役中國民黨參戰雜牌軍人數和作用考〉、邵明緩〈臺兒莊戰役與國民黨「雜牌軍」〉、楊樹標〈臺兒莊戰役與蔣介石〉、崔本廷〈臺兒莊大戰中的李宗仁將軍〉、田酉如〈李宗仁在臺兒莊戰役中的用兵之道〉、趙永憲等〈李宗仁在臺兒莊戰役中的指揮藝術〉、陳崇鈁〈從臺兒莊大捷看李宗仁將軍的抗戰思想〉、徐方治〈新桂系的抗日主張及李宗仁在臺兒莊戰役中的作用〉、袁武振〈關麟徵部與臺兒莊戰役〉、郭維城〈于學忠率東北軍增援臺兒莊戰役紀實〉、楊穎奇〈中國共產黨與臺兒莊戰役〉（發表於《學海》1993年4期，前已舉述）、張業濱〈中國共產黨與臺兒莊戰役〉、張梅玲〈中國共產黨與臺兒莊大戰〉、郭桂英〈試論中國共產黨在臺兒莊戰役中的地位和作用〉、劉增勝〈國共合作在臺兒莊戰役中的決定性作用〉、李廷朝〈臺兒莊大捷是國共合作的一個碩果〉、張關釗〈臺兒莊大捷是國共合作抗日的一曲凱歌〉、劉德軍〈臺兒莊戰役愛國主義旋律論〉、丁嘉龍〈論臺莊保衛戰中的愛國主義精神及其啟示〉、韋健玲〈臺兒莊戰役的一些文化思考〉、張魁堂〈臺兒莊戰役是抗日民族統一戰線的勝利〉、Charles A. Laughlin（羅福林）〈臺兒莊戰役的報告文學〉、張子則〈臺兒莊戰役期間日軍在該地區的暴行〉、張注洪〈臺兒莊戰役的國際影響〉、董寶訓〈臺兒莊戰役與抗戰初期幾次會戰比較研究〉、王書君〈臺兒莊戰役與平型關戰役的比較研究〉、唐志海〈臺兒莊戰役對山東戰場的影響〉、劉庸我〈臺兒莊大捷達成武漢保衛戰的戰略目標〉、馬洪武等〈臺兒莊戰役和華中敵後抗戰〉、張立華〈臺兒莊戰役後國民黨最高當局是否企圖在徐州地區與日軍決戰〉、熊宗仁〈臺兒莊戰役的歷史啟示〉(發表於《貴州社會科學》1993年5期，前已舉述)、唐德剛〈臺兒莊大捷的歷史意義〉、韓信夫〈臺兒莊戰役及其在抗戰中的歷史地位〉(發表於《近代史研究》1994年2期，前已舉述)、韓泰華等〈略論臺兒莊戰役的歷史地位〉、高鳴〈客觀評價臺兒莊戰役的歷史地位〉、曹國華〈論臺兒莊戰役的地位與作用〉、袁之舜〈應實事求是地分析臺兒莊戰役的取勝原因〉(發表於《石油大學學報》1994年1期，前已舉述)、鮑和平〈臺兒莊大捷之原因述論〉、趙延慶〈臺兒莊戰役勝利原因新探〉(發表於《檔案史料與研究》1994年1期，前已舉述)、張厚杭〈淺談臺兒莊戰役勝利的三點原因〉及張玉法〈臺海兩岸學者對臺兒莊戰役的研究〉(增補後發表於《近代中國史研究通訊》16期，民82年9月，前已舉述)。其他徐州會戰中的戰役如臨沂戰役有王冠卿〈臨沂戰役述評〉(《山東師大學報》1995年增刊)、李鳳鳴〈龐炳勛張自忠兩將軍與臨沂大捷〉(《傳記文學》32卷6期，民67年6月)、王士元〈張龐二將軍臨沂殲敵追記〉(《山東文獻》1卷1期，民64年6月)、張長河〈張自忠與臨沂保衛戰〉(《檔案史料與研究》1995年4期)、翟昌民〈張自忠將軍與臨沂大捷〉(《天津師大學報》1990年4期)。

(6)武漢會戰（1938年6-10月）：有國防部史政局編印《抗日

戰史－武漢會戰》（10冊，臺北，民52）、劉琦等編《武漢會戰》（北京，中國文史出版社，1989）、方知今《江漢哀歌－武漢會戰紀實》（北京，團結出版社，1995）及《江漢風雷－武漢會戰寫實》（臺北，日臻出版社，民84）、李澤主編、武漢市檔案館、八路軍武漢辦事處址紀念館、武漢圖書館編纂《武漢抗戰史料選編》（武漢，編纂者印行，1985）、毛磊等編著《武漢抗戰史要》（武漢，湖北人民出版社，1985）、歐陽植梁、陳芳國主編《武漢抗戰史》（同上，1995）、全國政協文史資料研究委員會編《武漢會戰－原國民黨將領抗日戰爭親歷記》（北京，中國文史出版社，1989），全書分五章：第一章為武漢會戰，下分7節，依序為綜述（收文12篇）、南潯會戰（收文10篇）、陽新、半壁山戰役（收文8篇）、田家鎮保衛戰（收文5篇）、黃（梅）廣（濟）會戰（收文9篇）、信（陽）羅（山）戰役（收文10篇）；第二章為隨（縣）、棗（陽）會戰；收文9篇；第三章為棗（陽）宜（昌）會戰，收文16篇；第四章為反攻宜昌之戰，收文7篇；第五章為鄂西會戰，收文10篇；附錄有「武漢會戰大事記」、「隨棗會戰大事記」、「棗宜會戰大事記」、「鄂西會戰大事記」、「敵我雙方指揮系統表」及「附圖」12幅；足見其內容不僅限於武漢會戰而已；純子等《一江血水向東流－中日武漢會戰實錄》（北京，北京師大出版社，1993）、張洪濤《血祭大江：中日武漢會戰紀實》（北京，中共中央黨校出版社，1993）、張秉均〈抗日戰史第一期作戰之研究－武漢會戰〉（《三軍聯合月刊》15卷2-7期，民66年4-9月）、林君長〈轉敗為勝的關鍵－武漢會戰〉（《軍事雜誌》48卷3期，民68年12月）、筱華〈抗日初期的武漢會戰〉（《春秋》1985年3期）、張憲文〈抗日戰爭的重要轉折：武漢會戰〉（《南京史志》1985年4期）、軍

史研究編纂委員會〈武漢會戰〉(載《抗戰勝利四十週年論文集》下冊,
臺北,黎明文化事業公司,民75)、A. Kalyagin〝The Battle of
Wuhan.〞(Far Eastern Affairs, No.1,1975)、韓風〈武漢會戰述
評〉(載《抗日戰爭史事探索》,上海,上海社會科學院出版社,1988)、
復驊〈武漢會戰述評〉(《中學歷史》1986年2期)、皮明庥〈武漢會戰
評析〉(《江漢大學學報》1988年4期)、李忠東、馬曉麗〈關于武漢會
戰史研究之評議〉(《烟臺大學學報》1995年2期)、蔣緯國〈抗戰史話:
八年抗戰是怎樣打勝的-抗日戰爭關鍵性會戰武漢會戰與長沙會戰
之檢討〉(《中央月刊》8卷11期,民65年9月)、駱美玲〈試評武漢會
戰〉(《湖北大學學報》1985年4期)劉筱齡〈中日武漢會戰論述〉(載
《中華民國史專題論文集:第一屆討論會》,臺北,國史館,民81)、武文
斯〈武漢會戰在抗日戰爭中的歷史地位和作用〉(《克山師專學報》1987
年2期)、黃紅發〈論武漢會戰在抗戰初期的歷史地位和作用〉(《孝
感師專學報》1991年1期)、傅襄謨〈武漢大會戰的戰局透視〉(《蒙藏
月報》8卷4期,民27年6月)、石燕〈武漢外圍線的全面會戰〉(同上,
9卷1期,民27年9月)、鏡如〈大武漢的外圍戰(1938年10月1-10日)〉
(《東方雜誌》35卷21號,民27年11月)、張振國〈參與抗戰時期武漢
會戰紀實〉(《湖北文獻》第5-8期,民56年10月、57年1、4、7月)、
王洸〈武漢會戰造船記〉(同上,第5期,民56年10月)、章君穀〈抗
戰史話:保衛大武漢〉(《中央月刊》7卷2期,民63年12月)、閔玉亭
〈武漢保衛戰〉(《湖北方志》1987年4期)、魏宏運〈一九三八年武漢
戰役的探討〉(載《紀念抗日戰爭勝利五十周年學術討論會論文集》,香港,
1996)、敖文蔚《兵火奇觀-武漢保衛戰》(桂林,廣西師大出版社,
1995)及〈武漢保衛戰整體觀〉(《武漢大學學報》1995年4期)、江抗

美〈武漢保衛戰述評〉(《近代史研究》1985年5期)、劉鳳翰〈武漢保衛戰研究〉(載《抗戰建國史研討會論文集》上冊,臺北,中央研究院近代史研究所,民74)、周臘元等〈武漢保衛戰〉(《武漢春秋》1983年5期)、張建祥〈1938年武漢保衛戰概況〉(《歷史教學》1985年11期)、賴文樓〈武漢保衛戰及其歷史地位與作用〉(《軍事歷史》1991年4期)、劉自郢〈武漢會戰與國共軍事政治合作〉(《武漢教育學院學報》1995年4期)、楊存厚〈武漢保衛戰及國共兩黨的合作與分歧〉(《中南財政大學學報》1995年5期)、李納森〈中國共產黨與武漢會戰〉(《江漢大學學報》1995年4期)、江抗美〈中國共產黨與武漢保衛戰〉(《江漢論壇》1985年7期)、陳富安〈中國共產黨對武漢保衛戰的重要貢獻〉(《地方革命史研究》1988年5期)、夏鋼〈長江局與保衛武漢〉(同上)、潘澤忠、段澤源、蔣二明〈新四軍對武漢會戰的戰略配合〉(《理論建設》1995年4期)、潘澤忠〈新四軍對武漢會戰正面戰場的戰略配合〉(《安徽師大學報》1996年1期)、石方杰〈陳誠與武漢保衛戰〉(《江漢論壇》1995年7期)、敖文蔚〈武漢保衛戰兵略簡述〉(《地方革命史研究》1988年5期)、陳道闊〈用中國人的脊樑保衛大武漢〉(《炎黃春秋》1995年10期)、樂恕人〈大武漢保衛戰前後〉(《中外雜誌》10卷3期,民60年9月)、宋健〈武漢保衛戰中的空中戰場〉(《武漢黨史通訊》1990年2期)、卓文義〈抗戰初期武漢制空保衛戰之研究〉(《筧橋學報》第3期,民85年9月)、周臘元〈武漢大空戰〉(《武漢春秋》1984年2期)、黃文衡〈武漢空戰陳懷民勇撞敵機〉(《軍事雜誌》45卷7期,民65年4月)、徐有禮〈武漢會戰大別山北麓戰場述評〉(《河南師大學報》1988年2期)、安樹杉〈憶武漢外圍保衛戰－瑞昌戰役〉(《黃埔》1991年4期)、周啟先〈武漢會戰中的廣濟田家鎮戰役〉(《黃岡師專學報》1995年1期）、侯清堂、劉曉兵〈武漢保衛戰北線信陽之戰述評〉（《河南黨史研究》1987年5期）、王光煒〈一〇三師武漢會戰紀實〉（《貴州文史天地》1995年6期）、蘇復〈保衛大武漢〉（《文獻》第1卷，民27年10月）、何定棟〈八年抗戰保衛武漢的關鍵〉（《湖北文獻》40期，民65年7月）、高永生〈論保衛大武漢的意義〉（《武漢教育學院學報》1986年2期）、袁繼成等〈抗戰初期武漢大事記略〉（《江漢論壇》1985年7期）、季小波〈抗戰初期在武漢的日子〉（《民國春秋》1990年5期）、王建華〈從武漢抗戰評抗戰初期國民黨正面戰場〉（《研究生學報（華中師大）》1986年3期）、黎東方〈武漢空城攻守戰及其前後〉（《傳記文學》51卷2期，民76年8月）、中國第二歷史檔案館〈廣濟戰役前武漢會戰戰況史料選〉（《民國檔案》1985年2期）、畢春富〈武漢會戰期間長江歷次決堤概述〉（《歷史檔案》1994年3期）、畢春富編選〈武漢會戰長江掘口史料〉（《民國檔案》1994年3期）、孫少衡等〈武漢抗戰時期蘇聯援華之特點〉（《地方革命史研究》1989年4期）、杜達山〈少數民族與武漢抗戰〉（《中南民族學院學報》1995年5期）、孫一洲〈武漢失守以後〉（《譯報週刊》1卷4期，民27年11月）、江峽、黃華文〈日寇侵占武漢的罪行〉（《湖北社會科學》1987年8期）、皮明庥〈武漢淪陷後武漢外圍的抗戰〉（《學習與實踐》1985年10期）、外務省調查部〈武漢陷落と支那共產黨〉（《支那》30卷1期，1939年1月）、趙麗江〈略談武漢失陷後國民黨抗戰方針的變化〉（《地方革命史研究》1985年4、5期）、Stephen Mackinnon, "The Tragedy of Wuhan, 1938."（Modern Asian Studies, Vol.30, Part 4, 1996）、易卓〈武漢撤退的總檢討與第四期抗戰的展開〉（《雜誌》2卷6期，民27年11月）、黃紅發〈試論武漢會戰在抗戰初期的歷史地位和作用〉（《孝感師專學

報》1991年1期；亦載《江漢大學學報》1995年4期）、武文斯〈武漢會
戰在抗日戰爭中的歷史地位和作用〉（《克山師專學報》1987年2期）、
劉繼增〈略論武漢時期抗戰在世界反法西斯戰爭中的歷史地位〉
（《地方革命史研究》1988年5期）及〈論武漢抗戰的歷史地位〉（《湖北
財經學院學報》1985年4期）。

　　(7)長沙會戰（第一次為1939年9-10月；第二次為1941年9-10
月；第三次為1941年12-1942年1月）：有容鑑光《長沙三次會戰》
（臺北，國史館，民79）、師東兵、舒麥德《薛岳三戰長沙》（成都，四
川人民出版社，1994）、國防部史政局編《第一次長沙會戰》（臺北，
編者印行，民52）、《第二次長沙會戰》（3冊，同上，民55）及《第
三次長沙會戰》（3冊，同上，民55）、高軍《血在燒：中日長沙四次
會戰紀實》（長沙、湖南文藝出版社，1993）、第九戰區司令長官司令
部編纂組編印《長沙會戰紀實》（民29年印行，臺北，中央文物供應社
影印，民65）、任光椿《火城－長城會戰紀實》（北京，團結出版社，
1995）及《奔火大地－長沙會戰》（臺北，日臻出版社，民84）、防衛
廳防衛研修所戰史室《香港·長沙作戰》（東京，朝雲新聞社，1971）、
高軍《血在燒－中日長沙四次會戰紀實》（瀟湘戰史紀實文學，長沙，
湖南文藝出版社，1993）、皇甫昌煜〈長沙會戰評析〉（《內蒙古師大學
報》1991年3期）、容鑑光〈抗日戰役長沙三次大捷之研究〉（《近代
中國》77期，民79年6月）及《對日抗戰「長沙三次大捷」史述》（同
上，83期，民80年6月）、李恭蔚〈抗日戰史的衝突與解釋：長沙戰
役（1937-1945）〉（載《紀念抗戰勝利五十週年回顧與前瞻學術研討會論文
集》，鳳山，民84）、黎東方〈一連三次的長沙大捷〉（《傳記文學》51
卷4期，民76年10月）、先高〈慨話三次長沙會戰大捷〉（《暢流》36

卷2期，民56年9月）、鍾義均〈長沙大捷之憶〉（《中外雜誌》10卷4期，民60年10月）、張秉均〈抗日戰史第二期作戰之研究－第一次長沙會戰〉（《三軍聯合月刊》15卷12期，民67年2月）、〈抗日戰史第二期作戰之研究－第二次長沙會戰〉（同上，16卷8期，民67年10月）及〈抗日戰史第二期作戰之研究－第三次長沙會戰〉（同上，16卷9期，民67年11月）、軍史研究編纂委員會〈第一次長沙會戰〉（載《抗戰勝利四十週年論文集》下冊，臺北，黎明文化事業公司，民75）、〈第二次長沙會戰〉（同上）及〈第三次長沙會戰〉（同上）、郭旦湘〈試論長沙會戰〉（收於《中國軍事史論文集》，開封，河南大學出版社，1989）、徐暉〈三次長沙大會戰述評〉（《湖南教育學院學報》1995年4期）、皇甫昌煜〈長沙會戰評析〉（《內蒙古師大學報》1991年3期）、王建輝〈三次長沙會戰述評〉（《求索》1985年5期）、羅卓英等〈長沙會戰史料〉（《精忠導報》6卷1、2期，民31年7月）、胡養之〈長沙歷次會戰的勝敗〉（《古今談》167期，民68年4月）、謝又生〈長沙會戰三次大捷之主因及其意義〉（《廣東文獻》16卷2期，民75年6月）、鄧文儀〈長沙三捷與南岳三會〉（《湖南文獻》6卷2期，民67年4月）、林振玉〈長沙三戰話當年〉（《黃埔月刊》309期，民67年1月）、鍾啟河等〈第一次長沙會戰述評〉（《湘潭大學學報》1989年4期）、夏清海〈抗日戰爭中第一次長沙會戰〉（《長沙史志通訊》1987年4期）、章君穀〈抗戰史話：軍聲雷動－長沙第一次大捷〉（《中央月刊》7卷5期，民64年3月）、《滇軍史》編委會〈陸軍第一集團軍參加第一次長沙會戰贛北方面作戰概況〉（《雲南文史叢刊》1992年2期）、羅奇〈抗日戰爭第一次長沙會戰紀實－〝營田之戰〞三十週年話舊〉（《陸軍學術月刊》5卷51期，民58年12月）、魏汝霖〈抗日戰爭第一次長沙會戰紀實〉（《湖南

文獻》第4期，民60年4月）及〈第二次長沙會戰紀實－民國三十年九
月上旬到十月上旬〉（同上，第5期，民60年8月）、飲茶室主〈第二
次長沙會戰參戰記－暫八師出省增援的吉光片羽〉（《廣東文獻》16卷
2期，民75年6月）、薛岳〈第二次長沙會戰概述〉（《軍事與政治》2卷
2期，民30年12月）、胡定芬〈第二次長沙會戰概觀〉（《精忠導報》5
卷6期，民30年12月）、夏清海〈抗日戰爭中第二次長沙會戰〉（《長
沙史志通訊》1988年3期）、璇衍〈長沙大捷（二次）〉（《東方雜誌》38卷
21號，民30年10月）、陶任之等〈陸軍第一集團軍第五十八軍參加
第二次長沙會戰概況（1941·9·7-10·21）〉（《雲南文史叢刊》1987
年2期）、久米滋三《ある中隊長の手記－第二次長沙作戰·浙贛作
戰·河北殲滅作戰·江東地區反擊作戰その他》（東京，土佐鯨會，
1968）、精忠軍編《第三次長沙會戰俘獲敵第三師團作戰命令》（出
版時地不詳）及《第三次長沙會戰俘獲第六師團作戰命令》（同上）、
林君長〈第三次長沙會戰〉（《軍事雜誌》48卷4期，民69年1月）、黃
文衡〈第三次長沙會戰大敗日軍〉（同上，45卷8期，民65年12月）、
陳壽恒〈抗日戰爭中長沙第三次會戰大捷的經過〉（《廣東文獻》25卷
4期，民84年12月）、張生等〈抗日戰爭正面戰場的一次殲滅戰－第
三次長沙會戰〉（《軍事歷史》1994年1期）、楊正華〈浴血長沙－第三
次長沙會戰守城記〉（《縱橫》1994年2期）、陳沛〈抗戰第三次長沙
會戰：龜山之役〉（《黃埔月刊》299期，民66年3月）、《滇軍史》編
委會〈陸軍第一集團軍長沙會戰作戰概況（1941年12月24日至1942
年1月22日）〉（《雲南文史叢刊》1991年2期）、李棠〈陸軍第三十七
軍第一四〇師第三次長沙會戰作戰概要〉（《黃埔月刊》302期，民66年
6月）、武文斯〈略論第三次長沙會戰及其歷史意義〉（《遼寧大學學

報》1989年3期）、周盛盈〈第三次長沙會戰及其歷史意義〉（《湘潭師院學報》1995年4期）、淩冰〈薛岳將軍與第三次長沙大捷〉（《廣東文獻》16卷2期，民75年6月）、陳紅民〈從長沙附近作戰看抗戰相持階段的幾個特點〉（載張憲文主編《民國研究》第1輯，南京，1994）、駱志伊〈棄守長沙軍長伏法記－長沙黃沙河之戰〉（《中外雜誌》40卷1期，民75年7月）。

(8)平型關戰役和百團大戰：前者是1937年9月，共軍配合國軍在山西省北部的平型關與日軍打的一場伏擊戰；後者是1940年9月至12月，共軍大舉出動105個團，在華北戰場與日軍激戰三個半月；這是中共所極力標榜的其在抗日戰爭中兩次最重要的大捷。關於平型關戰役有李守孔〈中共攘奪抗日戰果之史實－論所謂「平型關之役」與「百團大戰」〉，（載《孫中山先生與近代中國學術討論集》第4冊，臺北，民74）、王敬力〈淺談平型關戰役〉（《佛山師專學報》1984年1期）、何予〈平型關戰鬥簡介〉（《歷史教學問題》1958年8期）、馬仲廉〈平型關戰鬥簡況〉（《黨史研究資料》1982年8期）、吳懷珠〈平型關戰役片斷〉（《星火》1959年8期）、河野牧〈平型關の戰鬥〉（《軍事史學》13卷1號，1977）、袁旭〈平型關戰鬥的評價問題〉（《近代史研究》1983年4期）、〈平型關戰鬥和〝百團大戰〞一些史實考證〉（《思想戰線》1984年12期）及〈關於平型關戰鬥和百團大戰若干史實的考訂〉（《抗日戰爭研究》1991年2期）、程玉鳳〈平型關抗日之役真相〉（《傳記文學》34卷4期，民68年4月）、宋廣仁〈「平型關大捷」的評證〉（《山西文獻》17期，民70年1月）、劉鳳翰〈論太原會戰及其初期戰鬥－平型關作戰〉（《中央研究院近代史研究所集刊》15期下冊，民75年12月）、徐臨江〈平型關戰役與平型關大捷〉（《歷史教學問題》1995

年4期）、李宗暉〈〝平型關戰役〞還是〝平型關戰鬥〞〉（《中共黨史研究》1988年3期）、張小滿〈平型關戰鬥殲敵考〉（《南都學壇》1988年1期）、周而復〈平型關大捷〉（《中華英烈》1987年4期）、宋廣仁〈「平型關大捷」的評證〉（《戰史彙刊》16期，民73）、費大強〈平型關戰役及其大捷的原因〉（《中學歷史教學參考資料》1989年3期）、楊成武〈打破日本〝皇軍〞不可戰勝的神話：憶平型關戰鬥〉（《福建黨史月刊》1995年1期）、簡笙簧〈第八路軍與平型關戰役〉（《國史館館刊》復刊第2期，民76年6月）、薛生平〈平型關大捷與八路軍戰略方針〉（《中共黨史研究》1995年3期）、孫子和〈中共在平型關抗日中擔任的角色〉（《國魂》428期，民70年7月）、劉武生〈關於平型關戰鬥殲敵人數問題〉（《紅旗》1984年8期）、金一南〈關於平型關戰鬥殲敵人數及其他〉（《黨的文獻》1994年6期）、歐陽奕〈平型關戰鬥中敵我傷亡情況的一點回憶〉（《黨史通訊》1984年8期）、楊奎松〈有關平型關戰鬥的幾個問題〉（《黨史研究資料》1995年9期）、王人廣〈也談平型關戰鬥的兩點史實〉（《抗日戰爭研究》1992年2期）、馬仲廉〈平型關大戰決策過程寫真〉（《炎黃春秋》1995年3期）、中國第二歷史檔案館〈第十八集團軍平型關戰役戰況電文選〉（《民國檔案》1995年3期）、張志志〈平型關大捷與日本的十月方略之受挫〉（《人文雜志》1993年4期）、謝偉良〈平型關伏擊戰所殲之敵非第21旅團主力之辨〉（《黨史研究資料》1985年3期）、金一南〈關於平型關戰鬥殲敵人數及其他〉（《黨的文獻》1994年6期）、《八路軍·綜述》編輯組〈平型關戰鬥和百團大戰的勝利〉（《黨史資料通訊》1987年5、6期）、商洲〈平型關戰役親歷記〉（《山西地方志通訊》1985年4期）、葉庚〈蔣、閻軍在平型關戰役中〉（《暨南學報》1987年2期）、高平等〈蔣閻軍平

型關阻擊戰失利紀實〉(《黨史文匯》1995 年 10 期)、陳文秀〈平型關
戰役中的國民黨軍隊〉(同上，1993 年 11 期)、楊勤為、陳榮勛、袁
之舜〈略論平型關戰鬥的歷史功績〉(《益陽師專學報》1985 年 3 期)。
關於百團大戰有金春明《百團大戰》(南寧，廣西人民出版社，1981)、
王政柱《百團大戰始末》(廣州，廣東人民出版社，1989)、袁旭編《百
團大戰》(中國革命史小叢書，北京，新華出版社，1991)、何理、王瑞
清、劉威編譯《百團大戰史料》(北京，人民出版社，1982)、中國人
民革命軍事博物館《百團大戰歷史文獻資料選編》編審組編《百團
大戰歷史文獻資料選編》(北京，解放軍出版社，1991)、國民革命軍
第十八集團軍(八路軍)政治部《八路軍百團大戰特輯》(延安，八
路軍軍政雜誌社，民 30)、劉強倫《大破襲－百團大戰紀實》(中國抗
戰大寫真系列，北京，團結出版社，1995)、岳思平《鏖兵華北－震驚
中外的百團大戰》(桂林，廣西師大出版社，1995)、冉淮舟、朱海燕
《百團大戰卷－北方有戰火》(中國命鬥爭報告文學叢書，北京，解放軍出
版社，1993)、石井明〈百團大戰について〉(《教養學科紀要》第 9 號，
1977 年 3 月)、唐延杰等〈百團大戰〉(《軍史資料》1989 年 4 期)、何
理譯〈日軍戰史資料中的百團大戰〉(《黨史研究資料》1981 年 9 期)、
杜木土〈華北大地起風雷，百團雄兵大破襲：八路軍發動百團大戰
紀實〉(《福建黨史月刊》1995 年 9 期)、岳思平〈敵後抗日最大的一次
戰略性進攻戰役－百團大戰〉(《歷史教學》1995 年 10 期)、季雲飛〈百
團大戰：中外戰史輝煌的一頁〉(《南京史志》1995 年 4 期)、劉強倫
〈〝抗戰史中最光榮的一頁〞：論百團大戰〉(《湖湘論壇》1995 年 4
期)、董少輝、于凱生〈論〝百團大戰〞〉(《理論探討》1995 年 5 期)、
劉鳳翰〈論「百團大戰」〉(《中央研究院近代史研究所集刊》16 期，民 76

年6月)、朱理峰〈百團大戰述評〉(《松遼學刊》1994年2期)、郭玉堂〈百團大戰淺析〉(《鄭州大學學報》1986年6期)、仲民〈百團大戰述要〉(《百科知識》1980年3期)、陳耀〈百團大戰之我見〉(《安慶師院學報》1988年2期)、李世春〈百團大戰利弊談〉(《歷史教學問題》1993年2期)、朱錫通〈關於百團大戰的探討〉(《南京大學學報》1980年4期)、王有權〈百團大戰再探討〉(《思茅師專學報》1987年12期)、胡一華〈"百團大戰"再評價〉(《臺州師專學報》1995年4期)、毛敏修〈對百團大戰的一點看法〉(《錦州師院學報》1981年2期)、羅一群〈對百團大戰的一點看法〉(《宜春師專學報》1980年2期)、傅式東〈關於百團大戰的一些情況〉(《歷史教學》1981年2期)、蔣杰〈百團大戰問題的探討〉(《近代史研究》1979年1期)、王三欣〈關於百團大戰的幾個問題〉(《黨史研究資料》1983年10期)、Lyman P. Van Slyke, "The Battle of the Hundred Regiments: Problems of Coordination and Control During the Sino-Japanese War."(Modern Asian Studies, Vol. 30, Part 4, 1996)、陳浩良〈百團大戰的由來〉(《軍事歷史》1989年4期)、森永俊夫〈百團大戰の敗北と勝利〉(《「歷史と人物」增刊》16號, 1982)、宍戶寬〈百團大戰の評價問題〉(《中國研究月報》422號, 1983)、張宏志〈澄清對百團大戰的三點批評〉(《人文雜誌》1989年3期)、裴茂榮〈關於百團大戰評價的幾點意見〉(《鞍山師專學報》1990年2期)、蔡如渭〈對百團大戰評價的一點意見〉(《教學與研究》1981年3期)、張洪祥、高德福〈關於百團大戰評價的幾點商榷〉(《南開史學》1980年2期)、金春明〈還百團大戰以本來面目〉(《遼寧大學學報》1979年6期)、山下龍三〈百團大戰とこっの路線の鬥爭〉(《ァジァ經濟旬報》742卷3號, 1968年1月)、張大鳴〈百團大戰的戰略戰術初探〉(《昌灘師專學報》1986年1期)、李立泉〈簡論百團大戰的戰略思想及其歷史意義〉(《雲夢學刊》1995年4期)、何理〈論百團大戰的戰略指導思想及歷史作用〉(《南開學報》1982年3期)、雲章譯〈關於百團大戰資料〉(《黨史研究資料》1981年10期)、張國祥〈百團大戰在山西〉(《山西革命根據地》1985年3期)、于恩書〈百團大戰為中華民族增光〉(《學術交流》1985年3期)、周小寧〈百團大戰參戰兵力究竟有多少？－與袁旭商榷〉(《軍事歷史》1992年5期)、凌晉孝〈對百團大戰中我參加部隊及殲敵數的探討〉(《揚州師院學報》1985年2期)、王人廣〈關於百團大戰戰績統計的依據問題〉(《抗日戰爭研究》1993年3期)、劉貴福〈國民政府軍隊對百團大戰的反應和策應配合〉(《抗日戰爭研究》1995年2期)、楊志超〈百團大戰戰爭觀與毛澤東軍事辯證法思想〉(《湖南師院學報》1986年增刊)、何定〈百團大戰和彭德懷〉(《北京師大學報》1985年4期)、徐健〈彭德懷與百團大戰〉(《天津師專學報》1981年4期)、索世暉〈百團大戰應充分肯定〉(《近代史研究》1980年3期)、冀燕青〈試論百團大戰對日本南進戰略的影響〉(《山西大學學報》1992年4期)、張亞東〈試論百團大戰對反法西斯戰爭的影響和作用〉(《湘潭師院學報》1986年2期)、葉立森〈百團大戰對世界反法西斯戰爭的影響〉(《世界史研究動態》1993年6期)、梁肇池〈八路軍〝百團大戰〞及其在抗日戰爭中的作用〉(《玉林師專學報》1980年1期)、杜美卿〈百團大戰在抗日戰爭中的戰略地位〉(《理論探索》1992年2期)、楊建成〈簡論百團大戰的歷史地位〉(《毛澤東軍事思想研究》1995年3期)。

(9)其他會戰、戰役：南昌會戰(1939年3月)有國防部史政編譯局編印《抗日戰史－南昌會戰》(2冊，臺北，民52)、張秉均〈抗日戰史第二期作戰之研究－南昌會戰〉(《三軍聯合月刊》15卷9、10期，民66年11、12月)、軍史研究編纂委員會〈南昌會戰〉(載《抗戰勝利四十週年論文集》下冊，臺北，黎明文化事業公司，民75)、林君長〈南昌會戰〉(《軍事雜誌》47卷5期，民68年2月)、高秋萍〈南昌會戰〉(《民國檔案》1987年2期)；〈相持階段第一戰：南昌會戰〉(《歷史知識》1987年5期)、張廣江〈南昌會戰國民黨作戰方針及部署淺析〉(《歷史教學》1993年12期)。隨棗會戰(1939年5月)有國防部史政編譯局編印《抗日戰史－隨棗會戰》(臺北，民52)、張秉均〈抗日戰史第二期作戰之研究－隨棗會戰〉(《三軍聯合月刊》15卷11期，民67年1月)、軍史研究編纂委員會〈隨棗會戰〉(載《抗戰勝利四十週年論文集》下冊，臺北，黎明文化事業公司，民75)、林君長〈隨棗會戰〉(《軍事雜誌》48卷5期，民69年2月)、黃寶賢〈一二一師參加隨棗會戰回憶〉(《貴州文史天地》1995年6期)、蔣順興、杜裕根〈李宗仁隨棗三挫敵鋒〉(《江蘇歷史檔案》1996年2期)。棗宜會戰(1940年5-6月)有國防部史政編譯局編印《抗日戰史－棗宜會戰》(臺北，民54)、張秉均〈抗日戰史第二期作戰之研究－棗宜會戰〉(《三軍聯合月刊》16卷5期，民67年7月)、軍史研究編纂委員會〈棗宜會戰〉(載《抗戰勝利四十週年論文集》下冊，臺北，黎明文化事業公司，民75)、石覺〈大時代中的小故事－棗宜會戰湖南殲寇記〉(《傳記文學》38卷4期，民70年4月)、張生〈棗宜會戰中蔣介石水淹日軍計劃的破產〉(《軍事歷史》1992年3期)、周振剛〈襄東戰役與張自忠殉國〉(《近代史研究》1990年4期)、宜昌市委黨校課題組〈棗宜會戰與宜昌失守〉(《江漢論壇》1995年7期)。上高會戰(1941年3月，上高在江西省的西北部)有國防部史政編譯局編印《抗日戰史－上高會戰》(臺北，民55）、軍史研究編纂委員會〈上高會戰〉（載《抗戰勝利四十週年論文集》下冊，臺北，民75）、孫廷簡〈上高會戰〉（《精忠導報》5卷1期，民30年5月）、羅振平〈青山依舊，浩氣長存：抗戰史上光輝的一頁－上高會戰〉（《宜春師專學報》1996年1期）、鄒耕生〈上高會戰述評〉（《江西社會科學》1995年12期）、戴佳臻〈一九四一年的上高會戰〉（同上，1995年7期；《宜春師專學報》1987年2期）、吳強〈上高會戰教訓及長沙會戰詳報〉（《雲南檔案史料》1990年3期）、廖信春〈上高會戰勝利原因淺析〉（《江西師大學報》1988年2期）。晉南會戰（1941年5月，亦稱〝中條山戰役〞）有國防部史政編譯局編印《抗日戰史－晉南會戰》（臺北，民55）、張秉均〈抗日戰史第二期作戰之研究－晉南會戰〉（《三軍聯合月刊》16卷7期，民67年9月）、軍史研究編纂委員會〈晉南會戰〉（載《抗戰勝利四十週年論文集》下冊，臺北，民75）、羊棗〈論晉南之戰〉（《時代批評》3卷72期，民30年6月）、岳騫〈中條山戰役〉（《山西文獻》22期，民72年7月）、王天從〈泛述晉南中條山抗日會戰〉（《藝文誌》161期，民68年2月）、《滇軍史》編輯部〈陸軍第三軍晉南中條山戰役概況〉（《雲南文史叢刊》1990年2期）、郭學旺、孟國祥〈中條山會戰述評〉（《近代史研究》1987年4期）、楊聖清〈關於中條山戰役研究中的幾個問題〉（《抗日戰爭研究》1996年3期）、王撰花〈中條山戰役及其失敗原因〉（《黨史文匯》1995年12期）、李茂盛〈論中條山戰役及其失敗原因〉（《山西師大學報》1987年2期）。浙贛會戰（1942年5-8月）有國防部史政編譯局編印《抗日戰史－浙贛會戰》（臺北，民55）、軍史研究編纂委員會〈浙贛會戰〉（載《抗戰勝利四十週年論文集》下冊，臺北，民75）、袁建祿《八年抗戰中之浙贛會戰經過》（《浙江月刊》9卷11期，民66年10月）、周江陵〈抗戰時期浙贛戰役述評〉(《南開史學》1988年1期)、文正再〈論浙贛會戰及其影響－兼論中國戰場戰略反攻機遇的喪失〉(《萍鄉高專學報》1995年1期)、李力、郭洪茂〈論日寇浙贛細菌戰及其後果〉(《社會科學戰線》1995年5期)、曾振〈轟炸東京與浙贛戰役〉(《戰史彙刊》第6期，民64年10月)、裴可權〈破壞浙贛鐵路牽制日軍行動〉(《浙江月刊》14卷9期，民71年9月)、秋生〈浙贛戰役之總檢討〉(《現代中國》復刊3卷1期，民31年11月)、樓子芬、袁成毅〈浙贛戰役：中國為盟軍承受的一次巨大報復〉(《浙江社會科學》1994年6期)。

桂南戰役(1939年11月－1940年2月，含崑崙關戰役)有國防部史政編譯局編印《抗日戰史－桂南會戰》(4冊，臺北，民52)、張秉均〈抗日戰史第二期作戰之研究－桂南會戰〉(《三軍聯合月刊》16卷1-3期，民68年3-5月)、軍史研究編纂委員會〈桂南會戰〉(載《抗戰勝利四十週年論文集》下冊，臺北，民75)、胡春惠〈對中日桂南會戰的評價與反思〉(載《慶祝抗戰勝利五十週年兩岸學術研討會論文集》上冊，臺北，近代史學會，民85)、陳家驤〈徐庭瑤與桂南會戰〉(《戰史彙刊》16期，民73)、林君長〈桂南會戰－崑崙關之反攻〉(《軍事雜誌》47卷2期，民67年11月)、陳啟棟〈桂南戰役的歷史地位〉(《社會科學家》1988年2期)、鹿地亘《我らは七人＝桂南戰爭出動記》(東京，中央公論社，1947)、鹿地亘著、王曉秋等譯〈向桂南崑崙關挺進(1939年9月-1940年3月)〉(《學術論壇》1986年6期)、邱子靜〈桂南會戰中的崑崙關殲滅戰〉(《戰史彙刊》18期，民75)、蘇維中〈抗日戰爭崑崙關之役紀要〉(同上)、王曉華〈崑崙關戰役述評〉(《史學月刊》1994年2期)、楊占城〈崑崙關鏖戰〉(《福建黨史月刊》1995年3期)、呂器〈雄關漫漫：憶抗戰時期崑崙關之役〉(《嶺南文史》1988年1期）、第五軍參謀處編印《崑崙關戰役紀要》（民29年印行）、李誠毅〈浴血崑崙關－雞聲馬蹄錄之三〉（《春秋》5卷6期，民55年12月）、黃旭初〈崑崙關血戰記〉（《廣西文獻》第2期，民67年9月）、章君毅〈血戰崑崙關〉（《中央月刊》7卷6期，民64年4月）、韋善仕〈崑崙關戰役的經過及其意義〉（《學術論壇》1984年6期）。常德會戰（1943年11-12）有國防部史政編譯局編印《抗日戰史－常德會戰》（2冊，臺北，民57）、周詢《抗日時期常德會戰》（北京，中國文史出版社，1991）、劉自動《喋血常德》（萬象週刊社，出版時地不詳）、張曉然《八千男兒血－中日常德血戰紀實》（長沙，湖南文藝出版社，1993）、龍佑雲主編、常德電視臺編《孤城血拼：常德會戰始末》（北京，中國廣播電視出版社，1993）、顧尚德〈抗日戰爭中常德會戰之檢討〉（《三軍聯合月刊》10卷4期，民61年5月）、黃鐵瑚〈記常德保衛戰的片斷〉（《湖南文獻》6卷1期，民67年1月）、軍史研究編纂委員會〈常德會戰〉（載《抗戰勝利四十週年論文集》下冊，臺北，民75）、孫少艾〈開羅會議後第一大捷－常德會戰論略〉（《安慶師院學報》1996年3期）、徐偉民〈開羅會議後另一個大捷－常德會戰論略〉（同上）、胡養之〈常德會戰親歷記〉（《藝文誌》91期，民62年4月；《湖南文獻》5卷2期，民66年7月）、鄭梓湘〈參加常德保衛戰的回憶〉（《藝文誌》91期，民62年4月）、胡公望〈常德會戰追憶〉（《春秋》18卷1期，民62年1月）、徐浩然編《常德抗日血戰史》（香港，同記印刷製盒公司，1951；臺北，文海出版社影印，民63）、羅雲家〈光耀史冊的常德會戰〉（《藝文誌》111期，民63年12月；《湖南文獻》6卷2期，民67年4月）、毛申先〈常德會戰述評〉（《遼寧師大學報》1988年4期）、龍子〈常德保衛戰考辨〉（《武陵學刊》1995年2期）、張岳蒂〈抗戰時期國民黨軍隊的常德保衛戰〉(《湖南黨史通訊》1985 年 8 期)、姚紹華〈常德大會戰結束敵軍四萬遭殲滅(1943 年 12 月)〉(《新中華(復刊)》2 卷 2 期,民 33 年 2 月)、鄭立、范毅〈常德會戰在抗日戰爭史上的地位〉(《武陵學刊》1995 年 2 期)。長衡會戰(1944 年 6-8 月)有國防部史政編譯局編印《抗日戰史－長衡會戰》(臺北,民 55)、軍史研究編纂委員會〈長衡會戰〉(載《抗戰勝利四十週年論文集》下冊,臺北,民 75)、柯育芳〈論長衡會戰第二階段戰役－從長衡會戰結束時間的角度考察〉(《抗日戰爭研究》1996 年 4 期)、黃鐵瑚〈長衡會戰中的一介走卒－八年抗戰往事憶述之一章〉(《藝文誌》226 期,民 73 年 7 月)、王正元〈長衡會戰和偷越衡陽－我在侍從室的一段親聞親歷〉(《民國春秋》1990 年 4 期)、倪渭卿〈長沙淪陷與張德能之死〉(《傳記文學》62 卷 3 期,民 83 年 3 月)、楊正華〈血戰衡陽四十七天〉(《縱橫》1991 年 6 期)、林君長〈衡陽血戰四十七天〉(《軍事雜誌》46 卷 10 期,民 67 年 7 月)、黃鏘《衡陽抗戰四十八天》(臺北,撰者印行,民 62;原連載於《黃埔月刊》307-317 期,民 66 年 11 月－67 年 9 月)、白天霖《抗日聖戰中的衡陽保衛戰》(臺北,天工書局,民 73)及〈衡陽保衛戰戰鬥經過概要〉(《近代中國》42 期,民 73 年 8 月)、近代中國雜誌社資料室〈〝衡陽保衛戰〞史料選輯〉(同上)、鍾啟河〈1944 年的衡陽保衛戰述評〉(《湘潭大學學報》1990 年 4 期)、臧肖俠〈浴血奮戰守衡陽－抗日衡陽保衛戰之追憶〉(《近代中國》42 期,民 73 年 8 月)、葛先才〈衡陽孤軍抗戰史實〉(《中華雜誌》217 期,民 70 年 8 月;亦載《湖北文獻》62 期,民 71 年 1 月)、錢江潮〈〝衡陽孤軍抗戰史實〞補正〉(《湖北文獻》62 期,民 71 年 1 月)、劉野舟〈衡陽保衛戰四十週年憶往〉(《藝文誌》227 期,民 73 年 8 月)、彭厚

文〈衡陽保衛戰述論〉(《湖北大學學報》1994年2期)、李守孔〈民國
三十三年日本打通中國大陸作戰之背景－美國戰略之歧見與衡陽保
衛戰〉(《近代中國》42期，民73年8月)、容鑑光〈對日抗戰「衡陽血
戰四十七日」之研究〉(《近代中國》78期，民79年8月)、蕭公聞〈衡
陽保衛戰的孤城奮戰精神〉(《衡陽師專學報》1995年4期)、張和平《落
日孤城－中日衡陽會戰(衡陽保衛戰)紀實》(長沙，湖南文藝出版社，
1993)、秦保民《孤城喋血記》(臺北，新萬象月刊社，民67)、胡養
之〈方先覺與衡陽保衛戰〉(《藝文誌》89期，民62年2月；亦載《湖北
文獻》3卷2期，民64年6月)、趙日升〈日本戰史所載〝衡陽戰役〞〉
(《湖北文獻》62期，民71年1月)、唐正一〈八年抗戰憶衡陽〉(《湖南
文獻》8卷4期，民69年10月)、蔣順興、范崇山〈衡陽戰役與蔣介石〉
(《蘇州大學學報》1987年1期)、石柏林《從長沙大火到衡陽失陷－國
民黨抗戰內幕》(長沙，湖南人民出版社，1989)。桂柳會戰(1944年
9-12月)有國防部史政編譯局編印《抗日戰史－桂柳作戰》(臺北，
民57)、軍史研究編纂委員會〈桂柳會戰〉(載《抗戰勝利四十週年論
文集》下冊，臺北，黎明文化事業公司，民75)、黃宗炎〈1944年桂柳
會戰述評〉(《廣西社會科學》1987年3期)、梁家駒〈桂林保衛戰－並
悼殉國英雄闞維雍將軍〉(《廣西文獻》第4期，民68年4月)、徐啟明
〈桂林西江墟戰役〉(同上，第1期，民67年5月)、駿河久雄、真鍋茂
《桂林攻略戰－ある下士官の記錄》(東京，土佐鯨會，1973)、重野
編《桂林血戰實錄》民34年10月印行)、曹光哲〈桂寧抗戰述評〉
(《廣西黨校學報》1988年2期)。湘西會戰(1945年4-5月)有國防部
史政編譯局編印《抗日戰史－湘西會戰》(臺北，民55)、軍史研究
編纂委員會〈湘西會戰〉(載《抗戰勝利四十週年論文集》下冊，臺北，

民75）、林君長〈湘西會戰〉（《軍事雜誌》48卷8期，民69年5月）、黃宣仁〈抗日戰爭中中國國民黨戰場的最後一次戰役：湘西會戰〉（《湖南黨史月刊》1988年8期）、吳傳儀〈湘西會戰重要戰役簡介〉（《懷化師專學報》1995年3期）、羅玉明〈湘西會戰與芷江洽降〉（同上）。

　　至於滇緬作戰（1942-1945年）：專書有國防部史政編譯局編印《抗日戰史－緬北及滇西之作戰》（3冊，臺北，民57）、王曉華《遠征頌：中國遠征軍、駐印軍抗戰紀實－熱點戰爭檔案揭密》（北京，中國檔案出版社，1995）、戴孝慶等主編《中國遠征軍入緬抗戰紀實》（重慶，西南師大出版社，1992）、田玄《鐵血遠征——中國遠征軍印緬抗戰》（桂林，廣西師大出版社，1994）、張家德《中國抗日遠征史第一卷：保衛滇緬路》（昆明，雲南人民出版社，1994）、羅曼《藍鷹兵團：中國遠征軍緬印血戰記》（臺北，星光出版社，民63）、何鐵華、孫克剛編撰《印緬遠征畫史》（上海，時代圖書公印，民36）、古風編著《中國遠征軍》（臺南，王家出版社，民59）、時廣東、冀伯祥《中國遠征軍史》（重慶，重慶出版社，1994）、周文林《中國遠征軍》（昆明，雲南人民出版社，1992）、張承鈞、衛道然主編《中國遠征軍，1943-1945》（北京，中國經濟出版社，1994）、徐康明《中國遠征軍戰史》（北京，軍事科學出版社，1995）、郭紹儀編著《青年遠征軍志略》（臺北，幼獅文化事業公司，民76）、邱中岳著、邱峻天編輯《遠征～第一篇：義援英緬》（臺北，撰者印行，民80）、鄧賢《大國之魂》（北京，人民文學出版社，1991，為敘述緬甸戰役之紀實文學）；趙學淵《緬戰回憶錄》（臺北，撰者印行，民49）、羅古《印緬之征戰》（南京，讀者之友社，民34）、張仁仲《印緬隨軍記（華文版）》（東京，華光社，民35）、裴克著、陳翰伯譯《緬北行》（重慶，美國新聞

處，民34）、謝永炎《戰火燃燒的緬甸》（成都，今日新聞社，民31）、
孫克剛《緬甸蕩寇誌》（上海，時代圖書公司印行，民35）、日本防衛
廳防衛研究所戰史室編纂、天津市政協編譯委員會譯校《緬甸作
戰》（2冊，北京，中華書局，1987）、國防部史政編譯局編纂《緬北遠
征作戰》（臺北，編纂者印行，民52）、實踐學社編印《緬甸戰役阿哈
布攻勢持久之研究》（出版時地不詳）、國防部史政編譯局編印《抗
日戰史－滇緬路之作戰》（臺北，民55）、劉琦等編《遠征印緬抗戰》
（北京，中國文史出版社，1990）；《反攻緬甸：抗戰期間中國遠征軍
揚威異域的輝煌戰史》（香港，現代出版社，1970）、李夢培編著《國
軍遠征緬甸》（上海，大成出版公司，民37）、孫克剛《中國軍魂：孫
立人將軍緬甸作戰實錄》（民35年初版；臺北，臺灣學生書局，民82年3
版）、吳林衛《緬邊三年苦戰錄》（香港，亞洲出版社，1954）、戴廣
德《緬甸之戰：隨孫立人劉放吾將軍遠征紀實》（合肥，黃山書社，
1995）、楊大鎮《中國遠征軍印支征戰紀實》（北京，華僑出版社，
1990））、吳致皋《滇西作戰實錄》（重慶，中央訓練團，民31；臺北，
文星書店影印，民51）、方國瑜《抗日戰爭滇西戰事篇》（昆明，雲南
大學出版社，1994）、鍾強編《龍陵戰史：對日抗戰滇西反攻作戰》
（臺北，國防部史政編譯局，民66）、黃杰《滇西作戰日記》（同上，民
71）。期刊論文有張家德〈日本發動滇緬路戰爭〉（《雲南文史叢刊》
1988年3期）、張建昌〈國軍抗戰最光榮的一役：滇緬之戰〉（《中外
雜誌》26卷4-6期，民68年10-12月）、王正〈滇緬抗戰〉（《中學歷史教
學參考》1995年11期）、曾振〈我抗戰期間滇緬路作戰之評論〉（《戰
史彙刊》14期，民71）、軍史研究編纂委員會〈緬北與滇西作戰〉（載
《抗戰勝利四十週年論文集》下冊，臺北，民75）、郭亞非〈緬北－滇西

抗戰在世界反法西斯戰爭中的地位〉(《雲南師大學報》1995年4期)、
黃光漢〈中國遠征軍滇緬戰場抗日作戰評析〉(《國防大學學報》)1995
年8、9期合刊)、崔劍〈中國遠征軍入緬抗戰述評〉(《揚州師院學報》
1987年4期)、蔣曉鍾〈中國遠征軍對日作戰的勝利〉(《安徽黨史研
究》1990年4期)、李健〈論緬甸保衛戰中的中國遠征軍〉(《四川師院
學報》1989年1期)、伊俊鵬〈中國遠征軍第一次入緬抗日述評〉(《承
德師專學報》1989年4期)、皮海峰、榮先喬〈試論中國遠征軍赴緬作
戰的歷史作用〉(《荊門大學學報》1991年3期)、趙勇〈日本對緬甸的
侵略與緬甸抗日戰爭〉(《昆明師專學報》1996年1期)、吳木生〈試論
中國遠征軍赴緬抗日的作用〉(《南開史學》1987年1期)、張珉〈論中
國遠征軍入緬對日作戰〉(《遼松學刊》1989年1期)、張金基〈對中國
遠征軍入緬作戰的探討〉(《雲南文史叢刊》1995年1期)、黎牧〈中國
遠征軍入緬作戰概況〉(《歷史知識》1987年3期)、馬先彥、付宏〈中
國遠征軍赴緬抗戰幾個問題的探討〉(《貴州文史叢刊》1995年4期)、
陳聰、江波〈中國遠征軍在緬甸戰役〉(《成都黨史》1995年6期)、戴
孝慶〈略論中國遠征軍入緬作戰〉(《探索》1991年3期)及〈試論中
國遠征軍入緬抗戰及在反法西斯戰爭中的地位和作用〉(《重慶師院學
報》1996年3期)、培蓮〈中國遠征軍入緬之戰〉(《百科知識》1992年
8期)、李安慶〈略述中國遠征軍的兩次緬甸戰役〉(《歷史檔案》1985
年3期)、蕭木〈兩次入緬作戰之我見〉(《文史雜志》1992年4期)、
中國第二歷史檔案館〈中國遠征軍緬甸作戰未刊文電〉(《民國檔案》
1992年2期)、鄒德安〈中國遠征軍第五軍緬甸抗日作戰回憶〉(《雲
南文史叢刊》1992年2期)、蔣元、貴天〈異域平寇衛國家－遠征軍三
十八師作戰紀實〉(《黃埔》1991年5、6期)、虞寶棠〈中國遠征軍始

末〉(《上海師大學報》1985年2期)、羅洪彰〈知識青年抗日遠征軍史略〉(《中國青運》1990年4期)、尹駿〈遠征軍的震撼〉(《中外雜誌》39卷5期，民75年5月)、黃世相〈略論中國遠征軍在世界反法西斯戰爭中的貢獻與作用〉(《江西社科學》1988年6期)、張從恒〈略論抗戰時期中國遠征軍的功績〉(《上饒師專學報》1987年4期)、史向輝〈評述抗日戰爭時期的中國遠征軍〉(《吉林師院學報》1996年1期)、周志明〈衛立煌與中國遠征軍〉(《中華英烈》1989年1期)、羅再啟〈慷慨悲歌話遠征〉(《文史天地》1996年1期)、馮嘉琳〈中國軍隊入緬抗日簡述〉(《歷史教學》1988年3期)、吳圳義〈抗戰後期中國軍隊入緬參戰問題〉(載《孫中山先生與近代中國學術討論集》第4冊，臺北，民74；亦載《近代中國》77期，民79年6月)、尹駿〈國軍遠征緬甸記〉(《中外雜誌》24卷6期、25卷1期，民67年12月、68年1月)、劉建章、李珍〈國軍印緬血戰記〉(同上，30卷3、4期，民70年9、10月)、羅曼〈國軍遠征印緬史話〉(《藝文誌》172期，民69年1月)、許瑜芳〈國軍遠征緬甸的一段珍貴的歷程〉(同上，165期，民68年6月)、王楚英〈緬甸戰役親歷記〉(《民國檔案》1992年2期)、褚問鵑〈羅卓英揚威域外－從東戰場到印緬〉(《中外雜誌》16卷6期、17卷1期，民63年12月、64年1月)、尹駿〈喋血緬甸揚國威〉(《中央月刊》13卷8期，民70年6月)、李如初〈遠征緬甸的回憶〉(《湖南文獻》10卷2期，民71年4月)、張葛天〈國軍援緬戰役的檢討〉(《戰史彙刊》20期，民77)及〈緬甸征戰瑣憶〉(《中外雜誌》38卷1期，民74年7月)、戴孝慶、徐興旺〈血戰東吁：記中國遠征軍入緬抗日第一仗〉(《廣西黨校學報》1990年2期)、羅曼〈緬北首戰揚軍威〉(《藝文誌》155期，民67年8月)、尹駿〈緬甸仁安羌油田血戰大捷記－記中國遠征軍名

震全球解救英軍之役〉(《傳記文學》41卷6期，民71年12月)及〈仁安
羌油田血戰救英軍〉(《藝文誌》168期，民68年9月)、陳洪綱〈抗日
戰史－緬甸仁安羌解圍戰鬥〉(《陸軍學術月刊》8卷82期，民61年7月)、
張家德〈中國遠征軍在仁安羌解圍之戰〉(《研究集刊》1988年2期)、
劉偉民〈劉放吾將軍與緬甸仁安羌大捷〉(上海，上海書店，1995)、
孫蔚民〈遠征緬甸救英軍記〉(《中外雜誌》34卷6期、35卷1期，民72
年12月、73年1月)、陳洪綱〈抗日戰史－奇襲瓦魯班〉(《陸軍學術
月刊》8卷78期，民61年3月)、羅曼〈密支那夜戰的經驗教訓〉(《黃
埔月刊》278期，民64年6月)、陳文雲、徐波平〈中國遠征軍入緬參
戰典型戰役史：密支那戰役始末〉(《駐馬店師專學報》1990年3期)、
胡英杰〈遠征之戰〉(《雲南文史叢刊》1987年3期)、胡朝剛〈中國遠
征軍在滇西戰場〉(《中學歷史教學參考》1996年9期)、何玉菲選編〈中
國遠征軍出征及滇西淪陷(1942年3月-6月)〉(《雲南檔案》1995年5期)、
樂恕人〈「中國入緬遠征軍」的敗退〉(《傳記文學》40卷4期，民71年
4月)、徐蘭、俞群策〈中國遠征軍首期滇緬會戰失利初探〉(《鹽城
師專學報》1993年2期)、陸安〈略析中國遠征軍入緬初戰失利之原
因〉(《連雲港教育學院學報》1994年4期)、陳洪綱〈抗日戰史－馳援
緬甸作戰及轉進印度紀實〉(《陸軍學術月刊》9卷88期，民62年1月)、
韓希白、汪雄範〈略論中國遠征軍和駐印軍〉(《上海大學學報》1986
年3、4期合刊)、尹駿〈中國遠征軍參加德里盟軍閱兵大典紀實〉(《傳
記文學》39卷4期，民79年10月)、張家德〈遠征軍第五軍主力艱險
撤退始末〉(《雲南方志》1989年4期)、費雲章〈抗日戰爭中的滇西戰
役〉(《楚雄師專學報》1991年1期)、劉強〈滇西抗戰－中日對生命線
的爭奪〉(《創造》1995年3期)、李明等選編〈滇西抗戰〉(《雲南檔案

史料》1989年4期)、孫代興〈滇西抗日戰爭述略〉(《雲南社會科學》
1985年5期)、謝本書、吳顯明〈論滇西抗戰〉(《近代史研究》1991年
1期)、范同壽〈試論滇西抗戰〉(《貴州社會科學》1994年5期)、吳
顯明〈滇西抗戰述略〉(《雲南文史叢刊》1988年3期)、陳瑞安〈參與
滇西抗日戰爭紀要〉(同上,1986年3期)、張曉瓊、李根〈滇西抗戰
在抗日戰爭中的地位和作用〉(《雲南社會科學》1995年4期)、高整軍
〈滇西抗戰與相持階段的國民黨抗戰〉(《思想戰線(雲南大學哲學社會
科學學報)》1995年4期)、高翠蓮〈雲南邊疆各族人民與滇西抗戰〉
(《中央民族大學學報》1996年3期)、金凱〈滇西抗戰中的雲南邊疆各
族人民〉(《雲南民族學院學報》1995年2期)、王文成〈滇西抗戰中的
邊疆民族關係〉(《雲南學術探索》1995年5期)、潘先林〈雲南地方政
府與滇西抗戰〉(同上)、王文成〈滇西抗戰與雲南龍潞邊區土司制
度的延續〉(《抗日戰爭研究》1994年2期)、潘先林〈滇西抗戰中的龍
雲與蔣介石〉(《思想戰線》1995年4期)、孫代興〈中國人民抗日戰爭
史上的光輝篇章:滇西抗戰的偉大勝利〉(《研究集刊》1985年2期)、
寸守德〈抗日戰爭時期騰衝的淪陷與光復〉(同上,1985年1期)、方
天〈騰衝之戰〉(《雲南文史叢刊》1987年3期)、侯松亭〈圍攻騰衝的
慘烈戰鬥〉(同上,1986年3期)、程杰〈騰衝殲擊日寇記〉(同上)、
關儒〈關漢騫與騰衝殲滅戰〉(《中外雜誌》32卷6期、36卷1期,民71
年12月、72年1月)、楊納福〈抗日戰爭中騰衝反攻作戰之回憶〉(《戰
史彙刊》17期,民74)、馬仲廉〈滇西反攻戰役述評〉(《抗日戰爭研究》
1995年1期)、廖光大〈雲南怒江以西的反攻戰:紀念抗日戰爭勝利
四十周年〉(《雲南師大學報》1985年6期)、魏家駿〈滇西反攻戰役是
抗日戰爭中的傑出戰例〉(《雲南社會科學》1985年6期)、黃杰〈強渡

怒江鏖戰滇緬－抗日戰爭中反攻滇西戰役經過〉(《藝文誌》187期，民70年4月)及〈白刃交兮寶刀折－淞滬與滇西戰役的回憶〉(《中央月刊》9卷9期，民66年7月)、沈儀永〈慨話遠征軍滇西反攻〉(《暢流》36卷7期，民56年11月)、張建昌〈滇西反攻日寇作戰憶述〉(《戰史彙刊》第8期，民66)、申慶璧〈怒江西岸松山攻克紀略〉(《雲南文獻》第2期，民61年12月)、王光煒〈回憶松山之戰〉(《雲南文史叢刊》1986年3期)、謝本書〈慘烈的松山戰役〉(《文史雜誌》1996年4期)、張金輝〈抗戰中的滇西松山大戰〉(《南中》1994年1期)、王剛〈中國駐印軍緬甸戰役的追憶〉(《雲南文史叢刊》1991年2期)、蕭本〈兩次入緬作戰之我見〉(《文史雜志》1992年4期)、詹方瑤〈太平洋戰爭中的緬甸戰局〉(《鄭州大學學報》1987年5期)、尹駿〈遠征軍印度揚威記〉(《藝文誌》169期，民68年10月)、王建朗〈中國駐軍與緬北反攻戰〉(《軍事歷史研究》1986年1期)、姚鵬飛〈中國駐印軍反攻緬甸史〉(《春秋》24卷1-6期、25卷1期，民65年1-7月)、中國第二歷史檔案館〈中國駐印軍反攻侵緬日軍作戰經過史料〉(《歷史檔案》1985年2期)、丁作韶〈孫立人將軍反攻緬甸的教訓〉(《反攻半月刊》38期，民40年6月)、姚盛齋〈抗日戰爭緬北反攻作戰述評〉(《陸軍學術月刊》15卷168、169期，民68年9、10月)、張天周〈略論打通中印公路興緬甸戰場大反攻〉(《天中學刊》1996年2期)、鄒德安〈中國遠征軍第五軍穿越緬北絕地野人山親歷記〉(《雲南文史叢刊》1993年3期)、何福祥《野人山餘生記》(臺北，聯邦出版公司，民73)、林君長〈反攻緬北－大戰野人山〉(《軍事雜誌》47卷1期，民67年10月)、許瑜芳〈橫越野人山〉(《藝文誌》180期，民69年9月)、方世鳳〈盟國在防守緬甸戰役中的合作與矛盾－紀念中國遠征軍出國作戰50周年〉

《民國檔案》1992年2期）、朱寰、程舒偉〈二戰時期第一次緬甸戰役與中美英三國戰略述評〉（《思想戰線（雲南大學哲學社會科學學報）》1995年4期）、陶文釗〈中國戰場、緬甸戰役與盟軍戰略的轉移－寫于太平洋戰爭爆發50周年前夕〉（《抗日戰爭研究》1991年2期）、顧瑩蕙〈反攻緬甸與中英美三角關係〉（《蘇州大學學報》1989年2、3期）、張力、陳廷湘〈中國軍隊入緬作戰與盟國戰略的複雜關係〉（《近代史研究》1989年2期）、Chi Hsi-sheng（齊錫生），"The Burma Campaign and General Stilwell's Approach to China."（《美國研究》13卷3期，民72年9月）、黃文衡〈打通中印公路滇緬國軍會師芒友〉（《軍事雜誌》45卷4期，民66年1月）、陳本昌〈滇越泰緬戰時往事〉（《中外雜誌》27卷3期，民69年3月）、葉東書〈印緬戰場迫降敵陣的故事〉（《新聞天地》14期，民35年7月）、齊武〈戴安瀾揚威緬甸〉（《浙江月刊》8卷4期，民65年4月）、李相敏〈戴安瀾與緬甸戰役〉（《福建師大學報》1986年2期）、程大方〈抗日戰爭時期的戴安瀾將軍〉（《安徽大學學報》1988年4期）、謝青〈戴安瀾將軍在援緬作戰中的光輝戰績〉（《安徽史學》1988年12期）、屈德騫〈中國遠征軍師長戴安瀾魂繫緬甸〉（《炎黃春秋》1995年7期）；有關戴安瀾的資料集則以安徽省政協文史資料研究委員會編《戴安瀾將軍》（合肥，安徽人民出版社，1985）最為重要，收錄有關戴氏的傳略、年表、遺作、日記、照片及其親朋故舊的回憶錄。林君長〈國軍裝甲兵遠征緬甸〉（《陸軍學術月刊》14卷150期，民67年3月）、吳行中〈中國駐印軍收復密支那之戰〉（《文史天地》1996年1期）、諸葛賢〈印緬戰場森地地區步戰砲協同作戰之經驗教訓〉（《陸軍學術月刊》12卷126期，民65年3月）。

此外如國防部史政編譯局編印《抗日戰史－豫南會戰》（2冊，

臺北，民54）、張秉均〈抗日戰史第二期作戰之研究－豫南會戰〉（《三
軍聯合月刊》16卷6期，民67年8月）、李新榮〈試論抗戰時期的豫南
戰役〉（《鄭州大學學報》1995年4期）。國防部史政編譯局編印《抗日
戰史－豫西鄂北會戰》（臺北，民55）、王仲廉、黃潤生〈抗戰末期
豫西鄂北會戰－西峽口之役〉（《中華雜誌》229期，民71年8月）、于
祖忠〈西峽口戰役的小故事〉（《中華雜誌》229期，民71年8月）、申
鎖欽〈西峽抗戰勝利述略〉（《中州今古》1995年4期）、軍史研究編纂
委員會〈豫西鄂北會戰〉（載《抗戰勝利四十週年論文集》下冊，臺北，
民75）。國防部史政編譯局編印《抗日戰史－豫中會戰》（6冊，臺
北，民56）、軍史研究編纂委員會〈豫中會戰〉（載《抗戰勝利四十週
年論文集》下冊，臺北，民75）、王天從〈泛述豫中抗日洛陽大戰之役〉
（《藝文誌》162期，民68年3月）、鍾啟河〈試論日本發動豫湘桂戰役
的原因〉（《湘潭大學學報》1985年4期）、耿玉發〈豫湘桂戰役述略〉
（《歷史教學》1989年7期）、劉馥、李薇〈論豫湘桂戰役對抗戰後期中
國的影響〉（《遼寧師大學報》1995年4期）、李剛〈豫湘桂會戰之黔南
作戰〉（《抗日戰爭研究》1996年4期）、熊宗仁〈黔南之戰與中國正面
戰場形勢的轉折〉（《貴州社會科學》1996年3期）及〈日軍〝一號作戰〞
與中國軍隊的〝黔南大捷〞〉（《北京檔案史料》1992年2期）、孫平〈試
論日軍從黔南撤退之原因〉（《黔南民族師專學報》1994年2期）、劉貴
福〈論豫湘桂戰役國民黨軍隊失敗原因〉（《遼寧師大學報》1993年2
期）、陳摯〈國民黨軍豫湘桂戰役敗因探析〉（《軍事歷史》1992年6
期）、韋勤〈試析豫湘桂戰役的失敗對抗戰後期國民黨政權之影響〉
（《軍事歷史研究》1988年2期）、陳子季〈豫湘桂作戰與世界反法西斯
戰爭〉（《信陽師院學報》1994年3期）、范崇山〈豫湘桂戰役和蔣介石〉

（《北京檔案史料》1992年3期）、防衛廳防衛研修所戰史室《廣西の會戰－一號作戰(3)》（東京，朝雲新聞社，1969）、郭予慶〈1944年河南戰役及國民黨軍隊大潰敗原因初探〉（《中州學刊》1984年5期）、賀明洲〈試析國民黨軍隊在河南戰役中的潰退〉（《河南黨史研究》1990年3期）、防衛廳防衛研修所戰史室《河南の會戰－一號作戰(1)》（東京，朝雲新聞社，1967），其中譯本為天津市政協編譯委員會譯《一號作戰之一：河南會戰》（2冊，北京，中華書局，1982）。陳謙平〈豫東會戰述論〉（載《抗日戰爭史事探索》，上海，上海社會科學院出版社，1988）、宴勛甫等〈記豫東戰役及黃河決堤〉（《黃河史志資料》1983年2期）、魯岩〈蔣介石扒花園口黃河大堤概述〉（《中州今古》1983年4期）、程玉鳳〈抗戰初期黃河決口的經過〉（《藝文誌》180期，民69年9月）、陳慰儒〈黃河花園口掘堤經過〉（《黃河史志資料》1983年2期）、宋希濂〈花園口決堤的回憶〉（同上）、蘇冠軍〈1938年黃河花園口扒口情況介紹〉（同上）、朱振民〈爆破黃河鐵橋及花園口決堤執行記〉（同上）、熊元煜〈國民黨軍新八師破壞黃河鐵橋及花園口決堤情形記錄〉（《黃河史志資料》1986年1期）、林觀海〈1938年黃河決口的真相〉（《鄭州大學學報》1989年3期）、胡臣友〈花園口黃河決堤真相〉（《民國春秋》1990年3期）、徐友春〈抗日戰爭初期黃河決口真相淺析〉（《江海學刊》1984年5期）、符治孫〈抗戰期間黃河決口紀實〉（《戰史彙刊》14期，民71年12月）、魏汝霖〈抗戰期間黃河決口紀實〉（《中原文獻》4卷3期，民61年3月）及〈抗戰時期黃河決口真相〉（《中外雜誌》26卷4期，民68年10月）、張殿興〈黃河花園口掘堤事件〉（《歷史教學》1996年4期）、陸茂清〈花園口決堤內幕〉（《海上文壇》1994年12期）、馬振犢〈花園口決堤之戰略價值應予肯定〉（《抗日戰爭史通訊》1993年1期）、陳傳海等〈花園口掘堤事件再評價〉（《商丘師專學報》1987年4期）；〈花園口決口後河南黃泛區實況〉（《黃河史志資料》1983年1期）。國防部史政編譯局編印《抗日戰史－鄂西會戰》（2冊，臺北，民55）、軍史研究編纂委員會〈鄂西會戰〉（載《抗戰勝利四十週年論文集》下冊，臺北，民75）、陳彰勇〈鄂西會戰〉（《湖北方志》1987年4期）。國防部史政編譯局編印《抗日戰史－平綏鐵路沿線之作戰》（臺北，民51）、張秉均〈抗日戰史第一期作戰之研究－平綏鐵路東段之作戰〉（《三軍聯合月刊》13卷12期，民65年2月）、高平、劉福斌〈晉綏軍與侵華日軍的首次交戰－天鎮阻擊戰紀實〉（《黨史文匯》1995年6期）、張秉均〈抗日戰史第一期作戰之研究－晉北作戰〉（《三軍聯合月刊》14卷2期，民65年4月）、王天從〈泛述晉北抗日戰爭〉（《藝文誌》160期，民68年1月）、孟慶華〈抗戰史上壯歌一曲：晉西保衛戰後記〉（《文史研究》1995年1、2期）、謝蔭明、陳靜〈北京抗戰史研究概述〉（《北京黨史研究》1995年4期）、林君長〈抗戰初期的平津作戰〉（《軍事雜誌》48卷11期，民69年8月）、馬仲廉〈試論平津之戰〉（載張春祥主編《蘆溝橋事變與八年抗戰》，北京，北京出版社，1990）。國防部史政編譯局編印〈抗日戰史－平漢鐵路沿線之作戰〉（臺北，民51）、《抗日戰史－津浦鐵路北段沿線之作戰》（同上）、《抗日戰史－垣原運河間黃河兩岸之會戰》（2冊，同上，民56）、《抗日戰史－閩粵邊區之作戰》（2冊，同上，民52）、《抗日戰史－湘粵贛邊之作戰》（臺北，國防部史政編譯局，民55）、《抗日戰史－魯蘇遊擊戰》（同上）、《抗日戰史－冀察遊擊戰》（同上）《抗日戰史－晉綏遊擊戰》（3冊，民57）及《抗日戰史－各地遊擊戰》（5冊，同上）。蕭久保〈關於抗戰初期的九江戰役〉（《九江師專學報》1990

年3期)、彭守忠〈論贛北抗戰的地位和作用〉(《求實》1995年12期)、田春〈抗日戰爭初期的德安之戰〉(《江西師大學報》1985年3期)、蔣文瀾〈德安萬家嶺之戰〉(《爭鳴》1985年4期)、王需民〈試論抗戰初期德安境內的萬家嶺大捷〉(《求實》1995年4期)、郭代習〈萬家嶺戰役述評〉(《抗日戰爭研究》1996年2期)、李鳳鳴〈津浦路北段的滄州之戰〉(《河北平津文獻》第9期,民72年2月)、劉繼堂〈津浦路北段抗戰概述〉(《黨史博採》1995年6期)、士鍥〈津浦路南段阻擊戰〉(《江淮文史》1995年4期)、崔海明〈正太戰役〉(《山西地方志通訊》1985年5期)、賈天運〈洛陽保衛戰述略〉(《抗日戰爭研究》1992年4期)及〈簡論洛陽保衛戰〉(《河洛春秋》1991年3期)、趙可〈靈寶戰役述評〉(《抗日戰爭研究》1996年4期)、杜秀梅、劉守森〈血戰滑縣城〉(《中州今古》1992年1期)、馬仲廉〈南口戰役述論〉(《抗日戰爭研究》1992年4期)、邱錦〈試論南口戰役〉(《北京黨史研究》1990年4期)、武月星〈南口之戰〉(《北京檔案史料》1987年3期)、史習之〈南口,張家口戰役紀事(1937年7月下旬至8月31日)〉(同上)、武月星〈南口戰役的歷史意義和經驗教訓〉(《北京黨史研究》1992年5期)、李天明〈李曾伯收復襄陽之役〉(《中華文化復興月刊》18卷3期,民74年3月)、范長江等《西北戰雲》(大眾出版社,民27)、厲春鵬《呼倫貝爾抗戰史話》(海拉爾,內蒙古文化出版社,1990)、胡淑英、李秉剛主編《遼寧抗日風雲錄》(潘陽,遼寧人民出版社,1991)、中共黑龍江省委黨史研究室編《黑龍江抗日烽火》(長春,吉林大學出版社,1995)、中共林口縣委員會、林口縣人民政府編《林口抗日烽火》(牡丹江,黑龍江民族出版社,1995)、張國柱〈抗戰初期察省戰役紀實〉(《察哈爾文獻》9、10期,民70年7月、71年2月)、王殿臣〈五原大捷述論〉(《實踐》1995年9期)、劉熹亭、尹仁甫〈五原大捷與綏西戰局〉(《西北論衡》8卷6、7期，民29年4月)、張永華〈論我黨與五原大捷〉(《內蒙古大學學報》1995年4期)、高雲山〈包頭殲敵戰〉(《西北論衡》8卷6、7期，民29年4月)、張聚長、王龍勝選編〈第八戰區包頭戰役文電選〉(《北京檔案史料》1990年1-3期)、王龍勝選編〈第八戰區綏西戰役文電選〉(同上，1991年2期)、高雲山〈綏西血戰三月〉(《西北論衡》8卷10、11期，民29年6月)、徐公達等《魯南會戰記》(長沙，中國戰史出版社，民28)、隋永誚〈嶗山鏖戰記〉(《山東文獻》10卷3期，民73年12月)、趙書堂〈高芳先將軍嶗山抗戰紀實〉(〈同上，4卷2-4期，民67年9、12月、68年3月〉、余求校〈試述三次湘北大捷〉(《黨史研究》1986年6期)、楊克凱《湘北大捷》(正中書局，出版時地不詳)、黃國英《湘北勝利記》(中國國民外交協會，出版時地不詳)；《湘北會戰》(香港，天文臺半週評論社，1940)、陳和坤編纂《湘北之戰》(青年出版社，民28)、防衛廳防衛研修所戰史室《湖南の會戰－一號作戰(2)》(東京，朝雲新聞社，1968)、全國政協《湖南四大會戰》編寫組編《湖南四大會戰：原國民黨將領抗日戰爭親歷記》(北京，中國文史出版社，1995)、蕭棟樑〈抗日戰爭末期湖南會戰略評〉(《益陽師專學報》1986年1期)、范忠程〈湖南抗戰述論〉(《抗日戰爭研究》1996年4期)、蕭棟樑、余應彬《湖南抗日戰爭史》(長沙，湖南教育出版社，1995)、余求校〈評抗日戰爭時期國民黨軍在湖南的抗戰〉(《武陵學刊》1995年4期)、陳士聰等〈日寇在花園口登陸的前前後後〉(《北方論叢》1981年4期)、中共湖南省委黨史工作委員會編《三湘抗日紀實》(長沙，湖南師大出版社，1995)、姬田光義《「三光作戰」とは何たづたのか：中國人の見た日本の戰爭》(東京，岩波書店，1995)、神吉晴夫編《三光－日本人の中國における戰爭犯罪の告白》(東京，光文社，1957)、中國歸還者聯絡會編、李亞一譯《三光：日本戰犯侵華罪行自述》(北京，世界知識出版社，1990)、或文〈不能忘記的歷史悲劇：簡述日軍侵華的〝三光〞暴行〉(《黨史縱橫》1995年11期)、森山康平《證言紀錄：三光作戰》(東京，新人物往來社，1975)、李恩涵〈抗戰期間日軍在華北的「三光作戰」暴行〉(載《中華民國史專題論文集：第三屆討論會》，臺北，國史館，民85)、〈抗日戰爭期間日軍對晉東、冀西、冀中的「三光作戰」〉(《中央研究院近代史研究所集刊》22期下冊，民82年6月)、〈日軍在山東的「掃蕩戰」與「三光作戰」(1937-1945)〉(同上，24期下冊，民84年6月)及〈日軍對晉東南、冀南、魯西的「三光作戰」〉(載《第三屆近百年中日關係研討會論文集》下冊，臺北，民85)、張其昀〈抗戰中期的重大戰役〉(《中國一周》76期，民40年10月)、石覺〈抗戰期中鄂北攻勢作戰〉(《廣西文獻》15期，民71年1月)及〈簡述民國二十八年冬鄂北攻勢〉(《傳記文學》39卷4期，民70年4月)、全國政協《閩浙贛抗戰》編寫組編《閩浙贛抗戰：原國民黨將領抗日戰爭親歷記》(北京，中國文史出版社，1994)、張深澤〈抗戰期中粵北第一次大捷牛背脊丹竹坑之役回憶〉(《廣東文獻》5卷3期，民64年12月)、青韜〈抗戰述聞－粵北大捷〉(同上，1卷4期，民60年12月)、廣東省委黨校曾慶榴、陳陽〈揭開廣東人民抗日戰爭史的第一頁－南澳戰役始末〉(《嶺南文史》1987年1期)、藍造〈惠廣戰役的若干問題〉(《廣東黨史》1991年1期)、孟國祥〈也談惠廣戰役的若干問題〉(《廣東黨史》1991年3期)、雷鐸等《南粵之劍：粵海抗戰實錄》(中國抗日戰爭紀實叢書，北京，解放軍文藝出版社，

1995）、歐大軍〈試述瓊崖抗戰的國際意義〉（《嶺南學刊》1990年1期）、魯兵、徐兵〈瓊崖抗戰的歷史豐碑〉（《新東方》1995年4期）、韋經照〈毛澤東軍事思想在瓊崖抗日戰爭中的運用〉（《海南師院學報》1995年3期）、譚寧〈瓊崖抗日烽火〉（《特區展望》1995年5期）、丘岳宋等編《海南抗戰紀要》（臺北，海南抗戰三十周年紀念會，民60）、符泰光〈海南堅持孤島抗戰原因探討〉（《通什教育學院等報》1986年1期）、丘岳宋〈我在海南抗日的回憶〉（《臺灣風物》15卷5期，民54年12月）、林貴杰〈我在海南島參加抗日〉（《中央月刊》9卷9期，民66年7月）、石山〈海南島失陷之意義及其將來〉（《東方雜誌》36卷9號，民28年5月）、曹英哲〈橋頭馬面關戰役回顧〉（載《紀念抗日戰爭勝利五十周年學術討論會論文集》，香港，1996）、中共江蘇省委黨史工作委員會編《江蘇抗戰風雲錄》（南京，江蘇人民出版社，1995）、江蘇檔案館編《江蘇抗戰：江蘇抗日戰爭圖片集》（北京，檔案出版社，1987）、姜志良〈江蘇敵後抗戰〉（《江蘇歷史檔案》1995年3期）、樓子芳主編《浙江抗日戰爭史》（杭州，杭州大學出版社，1995）、王梓良編《浙西抗戰紀略》（臺北，中國文獻社，民55）、侯暢〈浙西對日抗戰與遊擊戰〉（《東方雜誌》復刊8卷2號，民63年8月）、金普森〈論浙江省區的抗戰〉（載《慶祝抗戰勝利五十週年兩岸學術研討會論文集》下冊，臺北，近代史學會，民85）、陳友益〈湖州抗戰紀略〉（《湖州師專學報》1995年3期）、康裕震等編《血魂：湖北抗戰紀實》（北京，人民出版社，1996）、桑島節郎《華北戰紀》（東京，圖書出版社，1978）、防衛廳防衛研修所戰史室《北支の治安戰》（2冊，東京，朝雲新聞社，1971）、宮崎清隆《支那派遣軍かく戰えリ－北支電擊作戰の卷》（東京，大光社，1966）、杜玉芝、張國祥〈毛澤東與華北抗戰〉（《晉陽學刊》1993年

6期）、郭春梅〈犧盟會與華北抗日戰爭〉（《東南文化》1995年3期）、陳清〈衛立煌在華北抗戰中與八路軍的合作〉（《民國檔案》1995年4期）、申曉雲〈日本在華北的五次〝治化強化運動〞及其失敗〉（《檔案史料與研究》1994年3期）、王國華〈從檔案史料看日偽的五次強化治安運動〉（《北京檔案史料》1987年3期）、趙家鼎選編《日偽第五次強化治安運動》（同上）、李德明〈論抗日戰爭時期華北日軍軍事進攻重點的轉移〉（《西北大學學報》1995年2期）、Michael Lindsay, The Unknown War: North China 1937-1945.(London: Bergstrom & Boyle Books Ltd., 1977）、馬增浦〈從國民黨華北抗戰失利看其戰略的失誤〉（《黨史研究資料》1995年9期）、佐佐木春隆《華中作戰》（東京，圖書出版社，1987），作者1940年畢業於日本士官學校，派赴中國作戰，歷任第40師團（匿名「鯨」）步兵236聯隊之小隊長、聯隊旗手、中隊長、步兵砲隊長、大隊長，轉戰華中、華南；本書主要述浙贛作戰、江北江南殲滅作戰、湘桂作戰、赤山島作戰至攻占衡陽為止；森金千秋《華中戰紀》（同上，1976）及《華中第一線》（東京，叢文社，1977）、松島博《華中從軍日記》（東京，石崎書店，1958）、畠山英教《暗雲逆卷く中支戰線》（東京，星雲社，1981）、明石岩雄〈日本軍の中國南部侵略──呂集團作戰について－日中戰爭論，ノートそのュ〉（《奈良史學》12號，1994年12月）、黃振位〈論華南抗戰的歷史地位〉（《廣東社會科學》1995年4期）、范長江《淮河大戰之前後》（江聲書社，民27）、袁偉〈老河口保衛戰〉（《黨史天地》1995年6期）、何兆麟、何弘〈曲溝之戰〉（《中州今古》1995年1期）、陳康等主編《肥西抗日史料選編：紀念「七七」事變五十周年專輯》（安徽省肥西縣印刷，1987）、中共定遠縣委黨史辦公室等編《定遠抗日烽火》（北京，方志出版社，1995）、中共蚌埠市委黨史辦公室編《烽火抗戰：蚌埠抗日戰爭史料選》（合肥，安徽大學出版社，1995）、中共銅陵市委黨史工作委員會辦公室編《抗日戰爭時期資料》2冊，合肥，安徽人民出版社，1995）、劉清〈簡論高山鋪戰役的戰略意義：兼及此役的作戰經驗〉（《黃岡師專學報》1996年3期）、葛德茂〈長興之役與泗安之戰〉（《浙江師院學報》1985年1期）、陳友益〈湖州抗戰紀略〉（《湖州師專學報》1995年3期）、屋野博《芷江最前戰》（東京，叢文社，1985）、佐滕鐵章《召集兵——中國‧芷江作戰の記錄》（東京，潮出版社，1972）、楊伯濤〈雪峰山會戰親歷記〉（《黃埔》1991年4期）、曾凡華《最後一戰－中日雪峰山會戰紀實》（長沙，湖南文藝出版社，1993）、滿延炎〈陳家河桃子溪戰鬥〉（《湖南黨史通訊》1985年11期）、侯興福〈攻克廣南〉（《雲南黨史通訊》1987年3期）、劉志周〈國民黨62師在淅川的抗日活動〉（《中州今古》1990年5期）、羅晴濤〈血戰桂子山〉（《南京史志》1985年4期）、《滇軍史》編委會〈陸軍六十軍南陽新排市阻擊戰概況（1938年9月23日至10月6日）〉（《雲南文史叢刊》1993年1期）、〈五十八軍在寧崗、永新、遂川地區作戰概況（1945年1月12日至3月13日）〉（同上）及〈第六十軍第一八三師挺進贛北安義、永修敵後地區作戰概況（1939年7月5日至9月13日）〉（同上，1991年1期）、尹業香〈國民黨一二八師鄂中抗戰興衰論〉（《荊州師專學報》1988年4期）、徐一鳴〈一〇二師血戰碭山〉（《貴州文史叢刊》1995年4期）、王茀林編、張其中指導《陸軍第六十四軍抗戰戡亂經過紀要》（臺北，出版處不詳，民71）、曹于恩〈捐軀赴國難，視死忽如歸－1941年福清對日戰場紀實》（《福建黨史月刊》1995年5期）、林君長〈桂柳反攻》（《軍事雜誌》47卷8期，民68年5月）、丁昌周〈浙南突圍記〉(《浙江月刊》6卷8-12期，民63年8-12月)、馬登潮〈50年前的一場洗劫：寧紹戰役述略〉(《浙江檔案》1991年4期)、袁冰西〈滕縣喋血記－國民黨第二十二集團軍抗擊日軍戰鬥紀實〉(《中州今古》1991年6期)、張放〈滕縣浴血記〉(《中央月刊》8卷7期，民65年5月)、朱志林、曹金龍〈粉碎日軍「九碻圍攻」戰役對打贏高技術局部戰爭的啟示〉(《國防大學學報》1995年8期)、戚厚杰〈國民黨敵後游擊戰爭初探〉(《軍事歷史研究》1990年1期)、張宏志《中國抗日游擊戰爭史》(西安，陝西人民出版社，1995)及〈論中國抗日游擊戰爭的歷史啟示和地位〉(《國防大學學報》1995年8期)、王廷科〈抗日游擊戰爭創造了歷史的奇迹〉(《歷史知識》1987年4期)、夏洪躍〈論具有戰略意義的抗日游擊戰爭〉(《遼寧師大學報》1989年4期)、袁興華〈抗日游擊戰對未來作戰的啟迪〉(《國防大學學報》1995年8期)、張宏志〈論中國抗日游擊戰的歷史特點和地位〉(同上)、李浩泉〈析抗日游擊戰的地位作用及高技術條件下的游擊作戰問題〉(同上)、劉赤〈評抗日戰爭時期國民黨的敵後游擊戰〉(《廣州師院學報》1992年4期)、趙萬鈞〈抗戰時期國共敵後游擊戰之比較研究〉(《河北學刊》1995年2期)、雷祥健、張寶善、孟勁帆〈抗戰時期國共兩黨敵後游擊戰爭之比較研究〉(《黨史研究與教學》1996年6期)、璞玉霍〈周恩來與敵後抗日游擊戰爭〉(同上，1993年1期)、趙萬鈞〈國共兩黨領導的兩種敵後抗日游擊戰〉(《黨史文匯》1994年10期)、漢口軍特務部編印《支那抗日游擊戰ノ諸問題》(漢口，1939)、趙立彬〈中國敵後游擊戰與世界其它反法西斯游擊戰的比較〉(《中山大學學報》1995年3期)、李鴻文〈東北抗日游擊戰爭的戰略地位及其歷史意義〉(《東北師大學報》1987年3期)、溫永錄〈淺議東北抗日

游擊戰爭的作用〉(《龍江黨史》1992年5期)、李長海〈試論東北抗日
游擊戰爭的歷史地位及作用〉(《呼蘭師專學報》1993年3期)、韓學平、
周麗芝〈對東北抗日游擊戰爭後期失利原因的幾點認識〉(《學術交
流》1994年3期)、程鵬〈試論抗戰初期東南地區的游擊戰爭〉(《黨
史文苑》1993年2期)、張克恭〈晉南三角地帶抗日遊擊戰的回憶〉(《山
西文獻》11期,民67年1月)、龔希光〈關于華北抗戰初期〝運動游
擊戰〞提法的考察〉(《黨的文獻》1992年5期)、黃存林〈毛澤東與華
北抗日游擊戰爭〉(《河北師院學報》1995年2期)、勞披〈國民黨軍隊
在華北敵後游擊戰爭的失敗〉(《黨史文匯》1995年9期)、劉清揚、陳
北鷗《保衛華北的游擊戰》(漢口,生活書店,民27)、大公報館編印
《西北游擊戰》(重慶,民29)、重慶市檔案館〈晉綏游擊戰一般經
過〉(《檔案史料與研究》1991年2、4期)、孔佑國〈回顧浙境國軍游
擊戰〉(《浙江月刊》14卷2期,民71年2月)、侯暢〈抗戰回憶—〝八
一三〞與浙西游擊戰〉(《中外雜誌》18卷2期,民64年8月)、〈抗戰
初期的浙西游擊戰〉(《藝文誌》第2期,民54年11月)及〈浙西對日
抗戰與游擊戰〉(《東方雜誌》復刊8卷2號,民63年8月)、馮白駒、曾
生等〈廣東人民抗日游擊戰爭回憶〉(廣州,華南人民出版社,1951)、
李先良〈勞山仙境憶游擊〉(《中外雜誌》20卷2、3期,民65年8、9月)、
張儒和〈魯西游擊與反游擊〉(同上,33卷5期,民72年5月)、李先
良〈魯東游擊夜行軍—八年抗戰魯東歷險記〉(同上,24卷5期,民67
年11月)、王天從〈游擊黃氾,陷敵泥淖—憶述苑塞抗日之役〉(《藝
文誌》120期,民64年9月)、柳際明〈宜當戰區對日交通阻塞戰〉(《戰
史彙刊》第2期,民59)、歐陽戈《江陰游擊漫記》(上海,建社,民28)、
惠颺、徐新、丁書吉〈蘇北抗日戰爭和解放戰爭時期開展上海游擊

戰的幾點體會〉(《新四軍史料研究集刊》1994年1、2期)。

2.戰區和戰場

　　全面抗戰爆發後,國民政府軍事委員會重頒國軍戰鬥序列,分劃戰區(第1-8,共八個戰區,後續有增設),派定司令長官,以便於全面抗戰之實施。民國三十年(1941)十二月,太平洋戰爭爆發,中國正式對日宣戰,次年年初,盟軍成立中國戰區,由蔣中正擔任最高統帥,與盟國並肩作戰。又中國大陸史學家把中國抗日戰場區分為國民黨正面戰場和中共敵後(解放區)戰場,以強調中共的抗日鬥爭;此外論述抗日戰爭在各地進行的情形,諸如以華北戰場(或北方戰場)、華中戰場、江西戰場、敵後戰場、山西抗戰史等為題的論著亦多有之。關於這方面有王振德《第二次世界大戰中的中國戰場》(北京,社會科學文獻出版社,1991)、伍宗華等編《世界反法西斯戰爭中國戰場史長編(上冊)》(成都,四川大學出版社,1985),全書包括四個部分,其一為中國反法西斯戰爭的序幕,其二為中國反法西斯戰場的開闢,其三為華東、華北保衛戰、華北敵後抗日根據地的建立,其四為武漢戰役、華中、華南抗日游擊戰爭的開展;劉約克編纂《第二次世界大戰中國戰區戰史》(臺北,國防部史政局,民59)、景敏《二次大戰中國戰區統帥部內幕紀實》(蘭州,甘肅人民出版社,1993)、張其昀〈中國戰區統帥部的成立〉(《中國一周》80期,民40年11月)、李仲元〈中國戰區轄區及其演變〉(《抗日戰爭研究》1995年1期)、馬亮寬〈論中國戰區的歷史價值〉(《民國檔案》1994年3期)、阮家新〈試論中國戰場和中國戰區:紀念抗日戰爭勝利40周年〉(《黨史通訊》1985年9期)、李世俊〈論二次大戰時的中國戰場〉(《蘭州大學學報》1987年3期)、徐任英〈中國戰場是反抗日本法西斯的主戰場〉(《江海縱橫》1995年6期)、管廷輝〈中國戰場－世界反法西斯戰爭在東方的主戰場〉(《阜新社會科學》1995年5期)、聶月岩〈中國戰場在世界反法西斯戰爭中的地位和作用〉(《社會科學輯刊》1991年5期)、閔傳超〈論中國戰場在二戰中的歷史地位〉(《安慶師院等報》1996年1期)、鄭德平〈論中國戰場在第二次世界大戰中的地位與作用〉(《遼寧大學學報》1996年3期)、王振德〈中國戰場在第二次世界大戰中的地位和作用〉(《黨史研究》1985年4期)及〈中國抗日戰場與第二次世界大戰〉(《世界歷史》1984年5期)、劉庭華〈中國抗日戰場是亞太地區反法西斯戰爭的主戰場〉(《江西社會科學》1985年4期)、宋學文、邱平〈試論中國戰場在反法西斯戰爭中的作用和貢獻〉(《蘇州大學學報》1988年3期)、施文魁、王振德〈1939-1942年中國抗日戰場的國際地位〉(《瀋陽師院學報》1989年2期)、屈學俊〈論中國抗日戰場的特點及歷史地位〉(《毛澤東思想研究》1985年3期)、胡德坤〈中國戰場與日本的北進、南進政策〉(《世界歷史》1982年6期)、孫少艾〈日本的北進南進策略與中國戰場〉(《安慶師院學報》1995年4期)、夏寧和〈日本的北進南進策略與中國戰場的關係〉(《延安大學學報》1993年3期)、袁鴻林〈關于第二次世界大戰時期中國戰場的若干問題〉(同上，1987年4期)、侯成德〈二戰期間大國關係中的中國戰場〉(《世界歷史》1996年1期)、沈永興〈論第二次大戰中中國戰場的幾個問題〉(《中國社會科學院研究生院學報》1995年4期)、袁鴻林〈關於太平洋戰爭前夕中國戰場的若干問題－與胡德坤同志商榷〉(《世界歷史》1986年5期)、胡德坤〈也談太平洋戰爭前夕中國戰場的若干問題－答袁鴻林同志〉(同上)、蔣邦新

〈太平洋戰爭與中國抗日戰場〉(《南京社會科學》1995年8期)、左雙文〈中國戰場開闢及其戰略地位評析〉(《湘潭師院學報》1995年4期)、高存國〈阻止日軍北進的中國戰場〉(《歷史教學》1996年7期)、陸家希、葛萍〈關于亨利。米歇耳對中國抗日戰場的評析的思考〉(《華中理工大學學報》1995年3期)、秦郁彥〈中國戰場の日本捕虜〉(《社會科學（拓殖大學）》1卷1號，1993年4月)、石島紀之〈第二次大戰末期の中國戰線〉(《歷史學研究》別冊特集，1979年10月，其中譯文為彤宇譯，載《國外中國近代史研究》第1輯，1980年12月)。中國第二歷史檔案館編《抗日戰爭正面戰場》(2冊，南京，江蘇古籍出版社，1987)、陳小功《抗日戰爭中的國民黨戰場》(北京，解放軍出版社，1987)，全書分為三章，第一章為從七七事變到武漢失守(1937年7月-1938年10月)、第二章為在戰略相持階段中（1938年11月－1945年8月)、第三章為日本宣布投降以後（1945年8月-9月)、張憲文主編《抗日戰爭的正面戰場》(鄭州，河南人民出版社，1987)、李隆基〈抗日戰爭正面戰場研究述評〉(《抗日戰爭研究》1992年3期)、馬振犢《慘勝－抗日戰爭正面戰場寫真》(南寧，廣西師大出版社，1993)及〈評述近五年來大陸學界對於抗日戰爭正面（國民黨）戰場之研究〉(《近代中國史研究通訊》16期，民82年9月)、黃濟人《哀軍－國民黨正面戰場大紀實》(長沙，湖南出版社，1994)，取《老子》第69章所云：「抗兵相若，哀者勝矣」之義－即哀兵必勝為書名，作者係四川省作家協會副主席、重慶作家協會主席、國家一級作家、全國人大代表，該書為長篇報告文學性質，並無太大的參考價值；張洪濤、張樸實《燃燒的太陽－國民黨正面戰場紀實》(北京，團結出版社，1995)、郭雄〈抗日戰爭時期國民黨正面戰場綜述〉(《黨史研究資料》1985年7期）、秦英軍〈試析抗戰時期的國民黨戰場〉（《史學月刊》1985年3期）、李巽和〈抗日戰爭時期國民黨戰場評述〉（《南京師大學報》1985年1期）、張慶瑰〈論抗日戰爭時期國民黨正面戰場〉（《瀋陽師院學報》1986年1期）、劉庭華〈抗日戰爭時期的國民黨正面戰場〉（《歷史教學》1986年7期）、耿易、姚守中〈抗日戰爭時期的國民黨戰場〉（《杭州師院學報》1985年4期）、何理〈抗日戰爭時期中國正面戰場初探〉（《南開學報》1985年4期）、李鳳斌〈略論抗日戰爭中的國民黨戰場〉（《陰山學刊》1995年3期）、沈軍〈對抗日時期國民黨戰場的三點分析〉（《教學與研究》1992年5期）、夏茂粹〈寫在抗戰正面戰場之背後－一篇被檢扣的報導及其他〉（《民國檔案》1995年1期）、蔡德金〈抗戰時期正面戰場敵我雙方兵力配置〉（《研究·資料與譯文》1985年3、4期）、胡宗新〈論抗日戰爭時期國民黨正面戰場的作用〉（《蘭州大學學報》1987年2期）、李友仁〈試論抗日戰爭時期正面戰場的作用〉（《中國人民警官大學學報》1985年4期）、周偉文〈抗日戰爭國民黨戰場的地位和作用研究概述〉（《歷史教學》1986年10期）、克藻〈按照事物的本來面貌認識事物－評國民黨戰場在相持階段的地位和作用〉（《淮北煤礦師院學報》1990年4期）、羅煥章〈關於中國抗日戰爭正面和敵後戰場地位的變化〉（《抗日戰爭研究》1996年3期）、孫遠方〈抗戰時期正面戰場與敵後戰場的關係〉（《濱州師專學報》1993年1-3期）、劉五書〈論抗日戰爭正面戰場的戰略反攻〉（《抗日戰爭研究》1995年3期）、余子道〈中國正面戰場對日戰略的演變〉（《歷史研究》1988年5期）、張曄〈怎樣看待抗戰初期的國民黨戰場〉（《新時期》1980年3期）、黃春〈論抗戰初期的國民黨戰場〉（《貴州師大學報》1996年1期）、俞國〈淺論抗戰初期的國民黨戰場〉（《揚州教育學院學報》1988年1期）、李長海〈評抗戰初期國民黨正面戰場〉（《東疆學刊》1993年4期；亦載《佳木斯師專學報》1993年2期）、袁旭、李興仁〈論抗戰初期的正面戰場〉（《近代史研究》1985年4期）、周杏坤〈抗戰勝利是國共合作的結果：評抗戰時期的國民黨正面戰場〉（《湖北社會科學》1988年7期）、趙世亮等《霧都沉沉：抗戰期間的國民黨正面戰場》（太原，山西教育出版社，1995）、蘇冀魯《國民黨：1937－慘烈悲壯的抗日戰爭正面戰場》（北京，國防大學出版社，1993）、馬振犢《血染輝煌——抗戰正面戰場寫實》（桂林，廣西師大出版社，1994）及《慘勝：抗戰正面戰場大寫意》（同上，1993）、李分建〈抗戰初期毛澤東論正面戰場〉（《信陽師院學報》1994年3期）、高華德〈論抗戰初期的國民黨戰場〉（《齊魯學刊》1985年4期）、劉漢杰〈抗戰初期之正面戰場〉（《雲南教育學院學報》1985年3期）、吳漢城〈對抗戰初期國民黨戰場的淺議〉（《華僑大學學報》1986年1期）、黃春〈論抗戰初期的國民黨戰場〉（《貴州師大學報》1996年1期）、陳先初〈重評抗戰初期正面戰場的得失〉（《湖南師大學報》1993年3期）、余子道〈中國正面戰場初期的作戰方向問題〉（《軍事歷史研究》1987年4期）、彭敦文〈論抗戰初期國民黨正面戰場的軍事戰略〉（《貴州文史叢刊》1988年1期）、譚繼和、徐學初、周永章〈抗戰初期國民黨戰場的抗戰與敗退問題探析〉（《近代史研究》1987年3期）、王建華〈從武漢抗戰評抗戰初期國民黨正面戰場〉（《華中師大研究生學報》1986年3期）、賈立臣〈抗戰初期國民黨戰場的作用探微〉（《大慶師專學報》1985年4期）、張學福〈試論抗戰初期國民黨戰場對日作戰的作用－紀念中國人民抗日戰爭勝利四十周年〉（《寧夏大學學報》1985年4期）、姜心亮〈論抗戰初期正面戰場的作用〉（《淮海論壇》1988

年2期）、陳君靜〈略論抗戰初期正面戰場的地位和作用〉（《寧波師院學報》1995年4期）、郭奎霞、楊杰〈抗戰初期國民黨正面戰場及作用〉（《齊齊哈爾師院學報》1995年5期）、勘湖〈淺談抗戰初期國民黨正面戰場的作用〉（《黨政幹部論壇》1988年3期）、郭晶〈論抗戰初期國民黨正面戰場的作用〉（《五邑大學學報》1995年2期）、胡宗新〈試論抗日戰爭時期國民黨正面戰場的作用〉（《蘭州大學學報》1987年2期）、張炳蘭、王連生〈抗戰防禦階段國民黨正面戰場的形成與作用〉（《南都學壇》1996年5期）、余方平〈試論抗戰第一階段國民黨戰場失敗的原因〉（《固原師專學報》1988年4期）、方山〈國民黨戰場1939年冬季攻勢簡論〉（《空軍政治學院學報》1987年增刊3期）、馮春明〈評1939年後的國民黨戰場〉（《南京師大學報》1988年3期）、溫銳、蘇盾〈重評1944年中國抗日戰爭的正面戰場〉（《抗日戰爭研究》1996年4期）、熊宗仁〈黔南之戰與中國正面戰場形勢的轉折〉（《貴州社會科學》1996年3期）、何華國〈抗日戰爭中國民黨戰場潰敗的原因〉（《湘潭大學學報》1985年1期）、陳昌熾等〈抗日戰爭中國民黨正面戰場大潰退原因初探〉（《雲南師大學報》1984年3期）、楊聖清〈研究抗戰正面戰場要堅持馬克思主義的分析方法〉（《北京黨史研究》1996年1期）、戚厚杰〈抗戰時期國民黨戰場後方勤務述評〉（《軍事歷史研究》1991年1期）。嚴志才、袁繼賢〈抗日戰爭時期國共兩個戰場配合作戰論析〉（《東北師大學報》1995年4期）、張設華〈日軍＂一號作戰＂與國共兩黨戰場〉（《武陵學刊》1996年2期）、張波〈抗日戰爭中兩個戰場形成的原因及相互關係〉（《吉林師院學報》1987年3期）、徐燄〈抗日戰爭中兩個戰場的形成及其相互關係〉（《近代史研究》1986年4期）、劉大桂〈抗日戰爭兩個戰場的成因及地位作用〉（《毛澤東軍事思想研究》1995年3期)、陳立旭〈論抗日戰爭的兩個戰場〉(《求索》1996年4期)、鄭志廷〈論中國抗日戰爭中的兩個戰場〉(《河北大學學報》1996年4期)、傅吉慶〈論中國抗日戰爭的兩個戰場〉(《中共黨史研究》1995年5期)、高德福、仇寶山〈論抗日戰爭中的兩個戰場〉(《天津社會科學》1988年6期)、柳茂坤〈中國全民族抗戰中兩個戰場〉(《軍事歷史研究》1988年2期)、王檜林〈一個戰爭、兩個戰場、三種政權－抗日戰爭時期的中國總格局〉(《黨史文匯》1995年5期)、阮家新〈關於抗日戰爭兩個戰場的再探討〉(《抗日戰爭研究》1991年增刊)、陳榮華〈中國抗日戰爭兩個戰場問題述論〉(《江西社會科學》1995年9期)、徐京城等〈試論抗日戰爭戰略防禦階段兩個戰場的合作及其作用〉(《大慶師專學報》1985年4期)、劉庭華〈簡論抗日戰爭中的兩個戰場〉(《軍學》1985年增刊2期)及〈略論抗日戰爭中兩個戰場的不同歷史地位〉(《黨史資料與研究》1985年5期)、王沛〈抗日戰爭初期的兩個戰場〉(《黨史通訊》1985年8期)、胡玉海〈試論抗戰期間的兩個戰場的戰略配合〉(《遼寧大學學報》1989年6期)、劉鳳翰〈正面戰場與敵後戰場之分析〉(《載《紀念抗戰勝利五十周年學術討論會論文集》,香港,珠海書院亞洲研究中心,1996》、杜菊輝〈抗戰中正面戰場與敵後戰場的比較〉(《益陽師專學報》1995年1期)、戴騰榮〈試論正面戰場和敵後戰場在抗戰中的地位和作用〉(《龍岩師專學報》1996年1期)、羅煥章〈關于中國抗日戰爭正面和敵後戰場地位的變化〉(《抗日戰爭研究》1996年3期)、祖雷、張衛軍〈簡論抗日戰爭中兩個戰場的相互關係〉(《濟寧師專學報1995年2期》)、陳登貴〈試論抗日戰爭時期兩個戰場的相互關係〉(《學術研究》1995年4期)、徐剛〈抗戰初期兩個戰場的相互關係〉(《中等城市經濟》1995年4期)、徐承倫〈抗日的兩個戰場在安徽〉(《學術界》1995年5期)。胡德坤〈中國抗戰與日本在太平洋戰場的失敗〉(《百科知識》1989年4、5期)。范德偉〈中緬印戰場是中國抗日戰爭的第三個戰場〉(《抗日戰爭研究》1996年3期)、姜德昌〈中緬戰場及其歷史地位〉(《東北師大學報》1995年4期)、周鑾書、廖信春〈評抗日戰爭中的緬甸戰場〉(《江西師大學報》1990年4期)、苑魯〈試論中緬戰場在第二次世界大戰中地位和作用的演變〉(《天府新論》1995年2期)、李安華〈緬甸戰場盟軍意圖之分歧〉(《文史雜志》1994年3期)、謝本書〈滇西抗戰與中緬戰場〉(《檔案史料與研究》1994年3期)、韓信夫〈試論國民黨抗日游擊戰場〉(《民國檔案》1990年3期)、常家樹〈國共兩黨敵後游擊戰場對比研究〉(《社會科學輯刊》1996年3期)、劉鳳翰〈論抗戰期間國軍游擊隊與敵後戰場〉(《近代中國》90期,民81年8月)、王新松〈試論我黨領導的敵後戰場的形成:紀念抗日戰爭勝利利五十周年〉(《馬列主義教學研究》1985年3期)、婁平〈抗日戰爭時期開闢敵後戰場是特殊戰略進攻〉(《南開學報》1991年5期)、魏宏運〈關于抗日戰爭時期敵後戰場的幾個問題〉(《歷史檔案》1985年3期;《山西財專學報》1991年2期)、趙社民〈試論敵後解放區戰場的歷史作用〉(《洛陽師專學報》1988年4期)、李惠〈敵後解放區戰場在奪取抗日戰爭勝利中決定性作用〉(《黨史研究》1987年5期)、邊吉〈全國抗戰的中堅力量:敵後解放區戰場在全國抗戰中的作用與貢獻〉(《黨史縱橫》1995年8期)、鄒建民〈簡論敵後抗日戰場的歷史地位和作用〉(《理論探索》1995年6期)、朱德《論解放區戰場》(北京,解放軍出版社,1984)、王琪主編《砥柱中流－抗戰中的解放區戰場》(桂林,廣西師大出版社,1996)、費雲東〈從檔案史料看敵後戰場－紀念抗日戰爭勝利四十周年〉(《檔案學通訊》1985年

4 期）、戴雨田〈抗戰初期的華北戰場〉(《理論探討》1988 年 5 期）、James Bertram, North China Front.(London: MacMillan and Co., Limited, 1939；其中譯本為林淡秋等譯《華北前線》，譯報圖書部，民 28）、楊世劍〈周恩來與華北抗日敵後戰場的開闢〉(《南開學報》1992 年 2 期）、楊令德《活躍的北戰場》(塞風出版社，民 29）、童志強〈誰真抗戰歷史自有評說：華中敵後戰場軍事鬥爭概述〉(《黨史文苑》1995 年 5 期）及〈抗日戰爭初期津浦路南段正面戰場述略〉(《安徽史學》1985 年 4 期）、劉勉玉〈抗日戰爭中的江西戰場〉(《南昌大學學報》1995 年 3 期）、李國強〈論抗日戰爭中的江西正面戰場〉(《江西社會科學》1995 年 7 期）、謝店明〈略論抗日戰爭中的江西正面戰場〉(《贛南師院學報》1994 年 1 期）、史習培等〈福建抗日正面戰場探析〉(《福建論壇》1987 年 5 期）、徐震秋〈抗日戰爭時期安徽正面戰場述論〉(《安徽史學》1995 年 1 期）、陳德輝〈血肉築成的長城：抗日戰爭中的安徽戰場〉(《江淮文史》1995 年 4 期）、賀明洲〈關於抗戰時期河南正面戰場〉(《河南黨史研究》1988 年 4、5 期）、劉承斌、李芒環〈試論抗戰相持階段的河南正面戰場〉(《河洛春秋》1995 年 4 期）、張文杰〈試論河南戰場在全國抗戰中的戰略地位〉(《河南黨史研究》1986 年 4 期）、張曉輝〈論抗日戰爭中的廣東國民黨戰場〉(《暨南學報》1996 年 4 期）、梁山等〈抗日戰爭時期的廣東正面戰場〉(《中山大學學報》1988 年 3 期）、劉建平〈血肉澆鑄的歷史－湖南正面戰場抗敵紀實〉(《湖南黨史》1995 年 5 期）、石柏林〈略論湖南戰場在抗日戰爭中的地位、作用及影響〉(《抗日戰爭研究》1996 年 2 期）及〈湖南戰場與重慶政府對日戰略的演變〉(《湘潭大學學報》1987 年 3 期）、馮宇蘇〈抗日戰爭時期浙江的正面戰場〉(《浙江學刊》1994 年 6 期）、陳鶴錦〈江蘇敵後戰場在中國抗日戰爭中的戰略地位〉(《群眾》1995年8期)、John Garver 著、王靜譯〈新疆戰場〉(《國外中國近代史研究》20輯，1992)，為作者Chinese-Soviet Relations, 1937～1945：The Diplomacy of Chinese Nationalism (New York: Oxford University Press, 1988)一書的第6章；張業賞〈論國民黨軍在山東敵後戰場的地位和作用〉(《抗日戰爭研究》1996年1期)及〈國民黨在山東敵後戰場的地位和作用〉(《山東社會科學》1995年2期)、李志新〈抗日戰爭時期的綏遠戰場述評〉(《陰山學刊》1990年4期)、黃燁〈抗日戰爭中的國民黨〝綏西戰場〞〉(《檔案史料與研究》1991年4期)、曾景忠〈試論中國抗日戰爭的西線戰場〉(《歷史研究》1996年2期)、吳國安、葉楠〈1944年滇緬公路戰場試析〉(《學習月刊》1985年10期)、張宏志〈論反法西斯戰爭的特殊戰場〉(《人文雜誌》1995年4期)。房列曙、胡啟生〈抗戰時期國民政府戰區劃分的演變〉(《抗日戰爭研究》1995年1期)、戚厚杰〈對《抗戰時期國民政府戰區劃分的演變》一文的補正〉(同上，1996年1期)、田江〈抗日戰爭時期全國各戰區簡介〉(《軍事歷史研究》1989年3期)、汪維範、韓希白〈抗戰時期的國民黨戰區簡介〉(《歷史教學問題》1986年2期)、原馥庭〈第二戰區－屏障西南西北抗戰基地〉(《山西文獻》46期，民84年7月)、李鳳行〈抗戰珍聞：第二戰區的組織戰〉(同上，36期，民79年7月)、孫安武〈抗戰時期第二戰區的戰地總動員委員會〉(《軍事歷史》1995年1期)、楊懷豐〈第二戰區司令部與陝西宜川縣〉(《文史研究》1989年1期)、雒春普〈閻錫山與第二戰區的〝冬季攻勢〞〉(《抗日戰爭研究》1994年2期)、在上海日本大館特別調查班編印《第三戰區糧食管理情況》(上海，1943)、李占才編著《江淮血：第五戰區抗戰紀實》(北京，中國檔案出版社，1995）、胡健國〈抗戰時期鄂北第五戰區軍糧供需（民國三十年十月至三十二年九月）〉（《中華民國史專題論文集：第三屆討論會》，臺北，民85）、鄧宜紅〈蔣介石與第五戰區：兼論《李宗仁回憶錄》中的幾處失實〉（《民國檔案》1996年2期）、戚厚杰、王曉華編著《黃河魂：第一、二、八戰區抗戰紀實》（北京，中國檔案出版社，1995）、王曉華、王少華編著《東方祭：第三、四、七戰區抗戰紀實》（同上）、王少華編著《楚天雲：第六、九戰區抗戰紀實》（同上）、張玉法〈抗戰時期的蘇魯戰區〉（載《慶祝抗戰勝利五十週年兩岸學術研討會論文集》下冊，臺北，民85）、韓信夫〈第一戰區豫北游擊區－兼論國民黨抗日游擊戰場〉（同上）、王敏銓《山東南部游擊地區の組織》（東京，東亞研究所，1941）、趙天樂〈抗戰兩年來的游擊區〉（《東方雜誌》36卷14號，民28年7月）。

3.海、空軍及其作戰

方明《仇天恨海——海空抗戰紀實》（北京，團結出版版，1995）及《咆哮海天－海空抗戰寫實》（臺北，日臻出版社，民84）、海軍總司令部編譯處編印《海軍抗戰事蹟彙編》（重慶，民30；臺北，國民黨黨史會影印，民65，書名略去「彙編」二字）全書分為「海軍抗戰紀事」、「論述」、「艦隊事蹟」、「砲隊戰蹟」、「雷隊戰蹟」五大部分，書後列有「海軍分段封鎖長江發揮敵後佈雷游擊工作成績卓著員兵姓名一覽表」，附陣亡官兵照片110張，及「海軍現有及抗戰損失艦艇噸位比較一覽表」；海軍總司令部編印《海軍抗日戰史》2冊，臺北，民83），全書分為十五章：第一章為概說，第二章為戰前中國海軍之概況，第三章為戰前日本海軍之概況，第四章為中日海軍戰力之比較，第五章為日本海軍侵華行動，第六章為中國海軍全面動員及戰時編組成立，第七章為長江諸戰役，第八章為沿海諸戰役，第九章為佈雷作戰，第十章為海軍陸戰隊作戰，第十一章為抗戰時期中國海軍之教育，第十二章為抗戰時期海軍製雷工作，第十三章為抗戰勝利辦理接收日本海軍之經過，第十四章為戰後海軍之整建，第十五章為篇後；上下冊合計約2800頁，可謂洋洋大觀，然各章內容雜亂無章，且該書性質，既非史料集，亦非嚴謹的學術著作，實用價值不高；王家儉〈海軍對於抗日戰爭之貢獻〉(《海軍學術月刊》21卷7期，民76年7月)及〈海軍對於抗日的貢獻,(《中國近六十年來(1926-1986)之憂患與建設》國際學術會議論文)，香港，珠海書院，1986)、莊義芳〈海軍與抗戰〉(載國防部史政編譯局編印《抗戰勝利四十週年論文集》上冊，臺北，黎明文化事業公司，民75；亦載《海軍學術月刊》21卷7期，民76年7月)、高曉星〈評中國海軍的抗日作戰〉(《軍事歷史研究》1990年4期)、史滇生〈中國海軍抗戰述評〉(同上，1987年4期)、中國第二歷史檔案館〈國民黨政府海軍抗戰紀事〉(《民國檔案》1986年1期)、(日本)防衛廳防衛研修所戰史室《中國方面海軍作戰》(2冊，東京，朝雲新聞社，1974及1978)、徐起〈中國海軍對抗戰陸戰場支援作戰探析〉(《國防大學學報》1995年8、9期)、蘇小東〈抗日戰爭中中國海軍的戰略戰術〉(《抗日戰爭研究》1996年1期)、韓真〈抗戰時期中國海軍的布雷作戰〉(《文史雜誌》1990年4期)、胡海波〈抗戰中的中國海軍雷戰探析〉(《軍事歷史》1995年3期)、劉育鋼〈江陰：中國海軍構築的血肉長城〉(《福建黨史月刊》1995年6期)、李安慶〈抗戰中的江陰封江戰役〉(《歷史教學問題》1985年6期)、王德中〈江陰要塞的整建和江陰要塞保衛戰〉(《檔案史料與研究》1994年3期)、劉宏謀〈細說江陰封鎖線〉(《傳記文學》51卷2期,民76年8月)、黃潤生〈封鎖長江日艦脫逃瑣記〉(同上)、劉傳標〈國民黨駐閩海軍抗戰情況探討〉(《福建黨史月刊》1990年12期)、蘇小東〈抗戰時期的中國東北海軍〉(《軍事歷史》1995年4期)、何忍〈血戰大魚山島〉(《足跡》1994年6期)、韓祥麟〈海軍在抗戰期間的長江防守作戰〉(載《紀念抗戰勝利五十週年回顧與前瞻學術研討會論文集》,鳳山,民84)、孫挺信《中日長江大決戰》(成都,成都出版社,1991;臺北,風雲時代出版公司,民82)、廖方楠〈中山艦血戰金口目擊記〉(《武漢春秋》1984年1期)、老冠祥〈中山艦被炸及艦長薩師俊殉國經過〉(載《紀念抗日戰爭勝利五十周年學術討論會論文集》,香港,珠海書院亞洲研究中心,1996)、深堀道義〈中國海軍の對日作戰計畫〉(《海軍史研究》第2號,1992年3月)、張力〈從「四海」到「一家」:國民政府統一海軍的再嘗試:1937-1948〉(《中央研究院近代史研究所集刊》26期,民85年12月)、楊元忠〈借艦參戰與中國海軍重建〉(《傳記文學》44卷4期,民73年4月)、陳振夫〈抗戰期間服役海軍〉(同上,37卷1、2期,民69年7、8月)、胥世明〈抗日戰爭中的中國海軍〉(《中國國情國力》1995年8期)、陳書麟〈抗日戰爭時期的國民黨海軍〉(《艦船知識》1986年3期)、劍誠等〈抗戰時期閩系海軍發動的振興運動與《海軍整建》、《海軍建設》〉(《黨史資料與研究》1987年3期)、馬幼垣〈抗戰期間未能來華的外購艦〉(《中央研究院近代史研究所集刊》26期,民85年12月)、王德中〈抗戰初期的侵華日本艦隊〉(《歷史大觀園》1992年8期)、吉田召彥〈海南島攻略作戰と海軍の南進意圖〉(《軍事史學》27卷4號,1992年3月)、太田弘毅〈戰前海南島における日本海軍の統治組織〉(《アヅア文化》第7號，1982年10月）。

　　空軍總司令部情報署編纂《空軍抗日戰史紀要初稿》(11冊，臺
北，編纂者印行，民45)，原名《空軍抗日戰史》(7冊)，由航空委
員會於抗戰勝利前編成，內容為民國三十年(1941)12月底以前部
分，其民國三十一年至三十四年八月部分(4冊)，由空軍總司令
部情報署於民國三十九年至四十五年一月編成出版，書名改為《空
軍抗日戰史紀要初稿》，全書分四章：第一章為「戰爭原因」，第
二章為「中日兩國空軍狀況」，第三章為「空軍作戰計劃」，第四
章為「空軍戰鬥經過」，實際上全書以「戰鬥經過」為主體；吳亮
夫《空軍抗戰紀略》(南京，戰爭叢刊社，民26)、劉毅夫《空軍抗戰
史話》(3冊，臺北，國防部，民55)、南京市政協文史資料研究委員
會編《藍天碧血揚國威：中國空軍抗戰史料》(北京，中國文史出版
社，1990)、劉維開〈空軍與抗戰〉(載《抗戰勝利四十週年論文集》上
冊，臺北，黎明文化事業公司，民74)、卓文義〈中國空軍對日抗戰初
期重要空戰經過探討〉(載《紀念抗戰勝利五十週年回顧與前瞻學術研討會
論文集》，鳳山，民84)、林成西、許蓉生《國民黨空軍抗戰實錄》(北
京，中國檔案出版社，1994)、元江〈抗戰時期中國空軍作戰的若干問
題〉(《軍事歷史研究》1988年1期)、李泰之〈抗戰初期空軍作戰對八
年抗戰全程戰略之影響〉(《空軍學術月刊》297期，民70年8月)、史
會來〈抗日戰爭時期的侵華日本空軍〉(《黨史研究資料》1985年12期)、
屈新儒、張可〈中國空軍抗戰敘論〉(《軍事歷史》1995年4期)、吳信
忠、宋兆山〈論抗日戰爭中的中國空軍〉(《軍事歷史研究》1986年1
期)、柴俊青、張春生〈略論抗日戰爭時期的中國空軍〉(《殷都學刊》
1992年3期)、李嘯雲《空軍概略》(2冊，長沙，商務印書館，民27)、

徐同鄴〈抗戰兩年來的空軍〉(《東方雜誌》36卷14號、民28年7月)及〈侵華四年之日本空軍〉(同上，38卷18號，民30年9月)、劉祥鋒〈抗戰初期空軍戰列部隊兵力問題(民國二十六年)〉(載《中華民國史專題論文集：第三屆討論會》，臺北，國史館，民85)及《抗戰時期空軍的人事運作》(東海大學歷史研究所碩士論文，民83年6月)、王樹蔭〈國民黨對日空戰問題初探〉(《北京師院學報》1988年3期)、徐禮祥等〈淺析太平洋戰爭戰略反攻階段中國戰場爭奪制空權的鬥爭〉(《空軍政治學院學報》1987年3期增刊)、唐學鋒〈臺灣研究中國空軍抗戰史簡述〉(《抗日戰爭研究》1993年4期)、董棟、江羽翔〈抗戰時期中國空中戰場述評〉(《民國檔案》1993年3期)、王德中〈抗戰初期的華北空中戰場〉(同上，1995年2期)及〈對八一四空戰戰績的商榷〉(同上，1994年3期)、傅鏡暉〈八一四筧橋空戰辨訛〉(《歷史月刊》91期，民84年8月)、周玉華〈"八一四"大捷經過及其戰略涵義〉(《軍事雜誌》50卷11期，民71年8月)、〈八一四空戰對抗戰全程之影響〉(《三軍大學學術月刊》137期，民70年8月)及〈"八一四"空戰大捷對抗日戰爭的貢獻〉(《空軍學術月刊》297期，民70年8月)、李宗培〈"八一四"首開空戰勝利紀錄〉(《藝文誌》167期，民68年8月)、劉毅夫〈"八一四"空戰追憶〉(《國魂》405期，民68年8月)、張光明〈八一四空戰經過見證〉(《傳記文學》67卷3期，民84年9月)、張安汶〈八一四空戰〉(《軍事史林》1985年2期)、魏大銘〈八一四空軍大捷與情報作業〉(《傳記文學》39卷2期，民70年8月)、高曉星〈八一四空戰史實考證〉(《抗日戰爭研究》1992年1期)、忻平〈抗戰史上的首次空中大捷〉(《歷史教學問題》1985年6期)、劉毅夫〈紀念八一四空軍勝利節—"筧橋英烈戰"影片故事的正誤〉(《傳記文學》31卷3期，民66年9

月）、呂澤仁〈評筧橋英烈傳并述空戰史實〉（《明報（月刊）》144期，1977年12月）、宅巍、德英〈壯烈的南京空戰〉（《民國春秋》1994年6期）、周臘元〈武漢大空戰〉（《西北民族學院學報》1984年2期）、卓文義〈抗戰初期武漢制空保衛戰之研究〉（載《中華民國史專題論文集：第三屆討論會》，臺北，民85）、龔業悌〈"二·一八"空戰回憶〉（《抗日戰爭研究》1995年增刊）、蔣文瀾〈南昌空軍抗戰史〉（《南昌職技師院學報》1989年2期）、王德中〈蘭州空戰大捷〉（《歷史大觀園》1992年5期）、孫繼虎〈抗日戰爭時期的蘭州空戰述論〉（《西北師大學報》1995年3期）、伊蘭《中日空軍大戰記》（上海，出版年份不詳）、陳漢忠〈中國空軍首次轟炸日本紀實〉（《南京史志》1995年5期）、陳維廉〈人道遠征－抗戰時期空軍遠征日本紀事〉（《歷史月刊》76期，民83年5月）、唐學鋒〈中國空軍遠征日本始末〉（《文史雜誌》1991年6期）、斛泉〈我空軍遠征敵國紀詳〉（《東方雜誌》35卷9號，民27年5月）、劉敬坤〈錢大鈞參與策劃中國空軍遠征日本〉（《民國春秋》1994年6期）、鄭光詔〈記空軍第五大隊出擊南京〉（《東方雜誌》41卷9號，民34年5月）、任貴祥〈抗日戰爭時期華僑航空救國運動與對日空戰〉（1991年5期）、胡復生〈中國空降兵對侵華日軍作戰簡述〉（《軍事史林》1992年2期）、郁勃〈宋美齡與中國抗日空軍〉（《黃埔》1992年3期）、李繼唐〈抗戰初期的空軍志願隊〉（《中外雜誌》38卷3期，民74年9月）、杜前位〈四十年前中國空軍留美紀趣〉（同上，35卷3、4期，民73年3、4月）、張儒和〈抗戰期中的航空偵察班〉（同上，32卷5期，民71年11月）、鄭梓湘〈抗戰時期粵籍空軍的一頁珍貴史〉（《廣東文獻》4卷4期，民64年2月）、張勁〈抗戰中的航空運輸〉（《民國檔案》1995年2期）、林國忠〈中日戰爭時期貴州省における飛行場建設〉(《中國研究月報》586號，1996年12月)、空軍高射砲兵司令部編印《防空抗日戰史》(臺北，民42)，全書分為五篇，第一篇為「緒論」，第二篇為「第一期之作戰(民26年7月～27年12月)」，第三篇為「第二期之作戰(民28年－30年)」，第四篇為「第三期之作戰(民31年－抗戰勝利)」，第五篇為「作戰檢討」，另附重要作戰地圖50幅，內容詳細而豐富；貴陽防空學校編印《抗戰中地上房空部隊之戰績》(民29年出版)、張明凱〈抗戰時期的地面防空〉(載《抗戰建國史研討會論文集》下冊，臺北，中央研究院近代史研究所，民74)、趙冠球〈抗戰中的防空〉(載《抗戰勝利四十週年論文集》上冊，臺北，黎明文化事業公司，民75)、王惠民〈四十年前話防空〉(《傳記文學》39卷2期，民70年8月)、張裕良《抗戰與防空》(長沙，商務印書館，民27)、唐守榮主編《抗戰時期重慶的防空》(重慶，重慶出版社，1995)、《滇軍史》編委會〈抗日戰爭時期的雲南防空〉(《雲南文史叢刊》1993年4期)、鄧孔德〈抗戰初期的貴州防空〉(《貴州社會科學》1995年5期)。此外，值得一提的高曉星、時平編著《民國空軍的航跡》(北京，海潮出版社，1992)一書，對民國時期中國空軍的發展過程和作戰情況，從孫中山倡導〝航空救國〞，民初空軍創建到國民政府的空軍抗日戰爭勝利後，參加國共內戰撤出大陸為止，作了系統的敘述，其中包括著名的〝八一四〞空戰、奇襲臺灣、遠征日本和蘇聯、美國空軍志願隊援華、參加抗日空戰等情況，也包括為抗擊日本侵略，中國航空機構、航空學校、航空工廠設置變動的情況，甚具參考價值。

4.戰略和戰術

有蔣緯國〈中日戰爭之戰略評析〉(《中華戰略學刊》第3期，民70年9月)、沈錫堂〈抗戰時期中國軍事戰略之研究〉(《淡江學報》25期，民76年1月)、丁曉強〈中國抗日戰爭的戰略問題〉(《浙江學刊》1996年6期)、宋長志〈抗日戰爭之政略與戰略〉(《近代中國》60期，民76年8月)、李智舜〈抗日戰爭戰略方針的形成及其啟示〉(《國防大學學報》1995年8期)、鹿地亘〈戰略から見た中日戰爭〉(《中國研究》第5號，1948年9月)、Lawence K. Rosinger, "Politics and Strategy of China's Mobile War." (Pacific Affairs, Vol. 12, 1939)、王立言〈抗日戰爭初期我國家戰略研究〉(《軍事雜誌》51卷4期，民72年1月)、林彼得《抗日戰爭初期我國家戰略研究》(東海大學歷史研究所碩士論文，民69年6月)、吳逸志編著《抗戰五年我軍戰見戰法之研究》(出版地不詳，民31)、王驊書〈用人民的利益觀評判國共不同的抗戰方略〉(《鹽城師專學報》1996年4期)、蒲術昌〈抗戰第一階段國共兩黨的軍事戰略初探〉(《中山大學研究生學刊》1987年1期)、王樹蔭〈抗日戰爭初期國共兩黨軍事戰略比較研究〉(《北京師院學報》1990年6期)、杜君〈簡論抗戰時期國共兩黨對日作戰的戰略方針及其不同點〉(《長白學刊》1995年2期)、費正、李作民〈論抗日戰爭時期國共兩黨的戰略指導方針及其相互關係〉(《民國檔案》1991年2期)、黃道炫〈國共兩黨持久戰略思想之比較研究〉(《抗日戰爭研究》1996年3期)、陳瑜〈抗日戰爭初期國共兩黨持久抗戰思想的比較〉(《湛江師院學報》1996年1期)、陳睦富〈試論國共兩黨持久抗戰理論〉(《咸寧師專學報》1996年1期)、岳思平〈國共兩黨持久戰略方針之比較〉(《軍事歷史》1992年4期）、沈家善〈國共兩黨抗日持久戰略的比較〉（《黨史研究資料》1995年7、8期合刊）、錢湘泓〈論國共兩黨抗日持久戰略的基本差異〉（《南京政治學院學報》1992年6期）、劉振軍〈抗日戰爭時期國共兩黨的持久戰略及其區別〉（《遼寧教育學院學報》1992年2期）、劉雪明〈國共兩黨抗日持久戰略方針比較的研究〉（《求實》1995年9期）、熊曦、路揚〈關於持久制勝抗戰方針的哲學思考〉（《武漢教育學院學報》1995年4期）。吳相湘〈中國對日總體戰略及若干重要會戰〉（載薛光前主編《八年對日抗戰中之國民政府》，臺北，臺灣商務印書館，民67）及〈中國戰術戰略的總分析－抗日戰爭為什麼得到最後勝利？〉（《明報（月刊）》139期，1977年7月）、王斯德等〈中國抗日戰爭與世界主要大國的戰略演變〉（《社會科學戰線》1985年3期）、余子道〈中國正面戰場對日戰略的演變〉（載《民國檔案與民國史學術討論會論文集》，北京，檔案出版社，1988）、何理〈抗戰戰略及戰爭格局的形成〉（同上）、王家典〈論國民政府抗戰前期的戰略得失〉（載《抗日戰爭史事探索》，上海，上海社會科學院出版社，1988）、李智舜〈抗日戰爭戰略方針的形成及其啟示〉（《國防大學學報》1995年8、9期）、張世均〈試論中國抗戰對「先歐後亞」戰略實施的支援〉（《重慶教育學院學報》1995年3期）、張曉峰〈國共兩黨對「先歐後亞」戰略方針的分歧〉（《中共黨史研究》1996年1期）、高培〈試論日本侵華戰爭的軍事戰略〉（《軍事歷史》1993年4期）、史國英〈三年來日我兩軍戰略戰術之總檢討〉（《東方雜誌》37卷12號，民29年6月）、劉振漢〈論中原大會戰與第三期抗戰的戰略〉（同上，35卷12號，民27年6月）、蔣立峰〈日本侵華戰爭的軍事戰略分析〉（《抗日戰爭研究》1991年2期）、李繼華〈關於抗日戰爭的戰略層次與階段劃分〉（同上，

1995年3期)、徐勇〈日本侵華既定戰略進攻方向考察〉(同上，1996年3期)、蘇振申〈七七至太平洋戰爭前日本對華戰略之演變〉(《文藝復興》112期，民69年5月)、邱浩等〈七七事變前後日本侵華戰略的演變〉(《南開史學》1987年1期)、李良志、史會來〈七七事變後日本侵華戰略的變化〉(《北京檔案史料》1996年3期)、史國英〈中日戰爭兩年來日軍慣用之戰略戰術〉(《東方雜誌》36卷15號，民28年8月)、任眾〈試論太平洋戰爭爆發前日本帝國主義的戰略轉變〉(《北方論叢》1980年2期)、徐勇《征服之夢－日本侵華戰略》(桂林，廣西師大出版社，1993)、李昌華〈日本帝國主義全面侵華戰爭的戰略方針演變〉(《軍事史林》1987年3期)、張紅軍、曲愛軍〈日軍的第二次戰略進攻與抗日戰爭的階段劃分〉(《齊魯學刊》1989年3期)、丁則勤〈日本帝國主義在太平洋戰爭爆發後的侵華政策和戰略〉(《軍事歷史研究》1989年2期)、時廣東〈動亂中的同盟：論珍珠港事件後中美戰略關係形成〉(《重慶師院學報》1993年2期)、何桂全〈太平洋戰爭期間美國對華軍事戰略〉(《史林》1994年2期)、劉小奇〈中國抗日戰爭對德日意軍事外交戰略的影響〉(《湘潭師院學報》1995年4期)、經盛鴻〈中國地理與抗日軍事戰略：紀念抗日戰爭勝利50周年〉(《南京師大學報》1995年2期)、韓信夫〈國民政府抗戰的戰略思想論綱〉(《軍事史林》1989年4期)、王建明〈抗戰初期國民黨軍事戰略方針述評〉(《復旦學報》1985年4期)、金普森〈論國民黨的抗日軍事戰略〉(載《民國檔案與民國史學術討論會論文集》，北京，檔案出版社，1988)。李光大《先總統蔣公「對日抗戰」戰略指導之研究》(臺灣師大三民主義研究所碩士論文，民73)、蔡憲昌〈先總統蔣公「抗日」戰略之研究〉(《嘉義農專學報》17期，民77年4月)、陳式平〈蔣委員長

抗戰初期之戰略指導〉(《中華軍史學會會刊》創刊號，民84)、蔣緯國
〈領袖在抗日戰爭十四年中之戰略指導〉(《三軍大學學術月刊》81期，
民65年12月)、高天倫〈對領袖八年抗戰初期戰略指導之體認〉(《軍
事雜誌》52卷2期，民72年11月)、陳津華〈對領袖蔣公抗日作戰戰
略思想之體識〉(同上，50卷9期，民71年6月)、盧振江〈先總統蔣
公抗戰運用偉大戰略成功因素之闡述〉(《三軍聯合月刊》20卷11期，
民72年1月)、于翰臣〈蔣總統抗日大戰略之研究〉(《黃埔月刊》300
期，民66年4月)及〈蔣總統抗日謀略之研究〉(《黃埔學報》10期，民
66年4月)、張柏亭〈蔣總統抗戰決心與戰略指導〉(《中央月刊》8卷
1期，民64年10月)、陳在俊〈蔣中正先生抗日戰爭的持久戰略〉(《軍
事史評論》第3期，民85年6月)、胡再德〈蔣介石的消極抗戰策略剖
析〉(《上海教育學院學報》1995年3期)、李雲漢主編《蔣委員長中正
抗戰方策手稿彙輯》(3冊，臺北，國民黨黨史會，民81)。房衛青〈抗
戰初期國民黨戰略防禦方向的錯誤選擇〉(《東岳論叢》1995年4期)、
張宏志《抗日戰爭的戰略防禦》(北京，軍事學院出版社，1985)、吳
偉華〈抗戰初期國民政府戰略防禦方向變化原因探討〉(《南京政治學
院學報》1994年3期)、王樹蔭《國民黨何時確立西南為戰略大後方》
(《史學月刊》1989年2期)、張皓、張福記〈論西南大後方抗戰戰略
地位的確定〉(《山東師大學報》1995年4期)、李東朗〈國民黨對日持
久消耗戰略方針剖析〉(《北京大學研究生學刊》1989年2、3期)、劉國
新〈國民黨抗日持久戰略的形成〉(《未定稿》1989年2期)、柳國慶
〈抗戰初期國民黨持久消耗戰略〉(《紹興師專學報》1993年1期)、王
樹蔭〈抗日戰爭初期國民黨的持久戰略初探〉(《史學月刊》1987年4
期)、龍光堯〈國民黨抗日持久消耗戰思想評析〉(《黔東南民族師專

學報》1992年1期）、范崇山等〈試論抗戰初期國民黨的持久抗戰思
想〉（《揚州師院學報》1987年4期）、蔣永敬〈對日抗戰的持久戰略〉
（《中國論壇》6卷7期，民67年7月；亦載氏著《革命與抗戰史事》，臺北，
臺灣商務印書館，民68）、陳在俊＜中日全面戰爭「持久戰」的研析
＞（載《中華民國史專題論文集：第三屆討論會》，臺北，國史館，民85）、
仇寶山＜試論抗日戰爭戰略相持階段的特點＞（《歷史教學》1992年
12期）、何東＜抗日相持階段淺談＞（《教學與研究》1985年4期）、
隆武華〈論抗日戰爭戰略相持階段的到來－與傳統觀點的商榷〉
（《中共黨史研究》1989年1期）、孟國祥〈試述中國共產黨對相持階段
到來的認識－兼與隆武華商榷〉（同上，1991年2期）、田江〈關於
抗日戰爭戰略相持階段起點問題再探討〉（《軍事歷史研究》1991年2
期）、于長治〈抗日相持階段終結時間辨析〉（《毛澤東軍事思想研究》
1995年3期）、鄢朝敏〈戰爭史上的奇觀，驚天動地的偉業：簡述敵
後相持階段在抗日戰爭中的歷史功績〉（《昆明師專學報》1985年4期）、
舒舜元〈關於抗日戰爭相持階段問題辨析〉（《江西社會科學》1994年
5期）、郭玉堂〈中國抗日戰爭有個戰略反攻階段〉（《開封師專學報》
1991年3期）、張成德〈抗日戰爭實際上沒有戰略反攻階段〉（《毛澤
東軍事思想研究》1995年3期）、黃愛軍〈對抗日戰爭是否存在戰略反
攻階段的再思考〉（《龍岩師專學報》1996年1期）、張宏志編著《抗日
戰爭的戰略相持》（北京，國防大學出版社，1990）、《抗日戰爭的戰
略反攻》（同上）及〈論抗日戰爭的戰略反攻〉（《人文雜誌》1990年2
期）、賀新城〈論中國抗戰的戰略反攻〉（《中共黨史研究》1995年5期）、
趙文軍〈關於抗日戰爭戰略反攻何時開始問題的討論情況〉（《黨史
研究》1986年2期）、王檜林〈抗日戰爭有無戰略反攻階段問題〉（《抗

日戰爭研究》1993年1期）、程乃勝〈抗日戰爭不存在戰略反攻階段〉
（《安徽史學》1986年4期）、楊靜一〈略論中國戰場配合作戰式的戰
略反攻〉（《吉安師專學報》1996年4期）、黃燁〈論抗日戰爭的戰略反
攻階段：兼與程乃勝商榷〉（《內蒙古師大學報》1988年1期）、謝忠厚
〈對中國抗日戰爭反攻階段之管見〉（《河北學刊》1987年6期）。高天
倫〈抗戰中期之作戰指導〉（《中華軍史學會會刊》創刊號，民84）、杜
文芳〈抗戰後期之作戰指導〉（同上）、曹光哲〈新桂系焦土抗戰論
述評〉（《廣西社會科學》1987年3期）、趙德教〈焦土抗戰口號提出時
間辨〉（《鄭州大學學報》1985年3期）。蔣永敬〈日本南進與中國抗戰
之危機與轉機(載《抗戰建國史研討會論文集》上冊，臺北，中央研究院近
代史研究所，民74）、余子道〈中國抗戰與日本的南進政策〉（《江海
學刊》1995年2期）、姚鴻〈論中國抗日戰爭對日本實施「南進」戰
略的影響〉（《教學與研究》1996年2期）、仇寶山〈試論日本的〝南
進〞方針與太平洋戰爭的爆發〉（《南開史學》1991年1期）。陳侗譯
〈二次大戰中期日本在太平洋的戰略〉（《軍事雜誌》27卷9期，民48年
6月）、林風譯〈二次大戰中臺灣海空戰之戰略形成〉（同上，33期，
民42年3月）、傅應川〈抗戰時期國軍「游擊戰配合正規戰」之戰略
涵義〉（載《中華民國史專題論文集：第三屆討論會》，臺北，民85）、湯
瑞蘭〈《抗日戰爭的戰略問題》學習札記〉（《哈爾濱師專學報》1995年
3期）、孫世民〈試論《抗日游擊戰爭的戰略問題》的哲學意蘊〉（《東
岳論叢》1993年6期）、杜文芳〈抗戰勝利五十週年術略回顧〉（《軍事
史評論》第3期，民85年6月）。

5. 國際軍事援華（含中外軍事合作）

有王正華《抗戰時期外國對華軍事援助》（臺北，環球書局，民
76）、傅寶真〈外國駐華軍事顧問組織與抗戰之關係〉（載《中華民
國史專題論文集：第三屆討論會》，臺北，民85）、蘇啟明《抗戰時期的
美國對華軍援》（《近代中國》64期，民77年4月）、劉狆霄等編撰《第
二次世界大戰中美軍援華內幕》（成都，四川人民出版社，1994）、沈
慶林〈評介抗日戰爭時期美國的對華援助〉（《黨史研究資料》1995年
4期）、李華強、吳春英〈美援與中國抗戰〉（《齊齊哈爾師院學報》1989
年4期）、王正華〈抗戰時期德國蘇聯與美國對華軍火輸入〉（載《抗
戰勝利四十週年論文集》上冊，臺北，民75）、張培麟〈英美在抗戰中
對我物資軍火援助用意安在？〉（《新史學通訊》1951年9期）、國防部
史政局編印《第二次世界大戰中美軍事合作紀要》（臺北，民51）、
國防部史政編譯局編印《中美軍事合作抗日紀要》（臺北，民74）、
陳一梅《中美戰時軍事合作之研究——中美特種技術合作所之分析
（1941～1946）》（中國文化大學中美關係研究所碩士論文，民73年6月）、
賴淑卿〈抗戰時期「中美特種技術合作所」成立的經過〉（載《中華
民國史專題論文集：第三屆討論會》，臺北，國史館，民85）、裴可權〈抗
日戰爭中「中美特種技術合作所」的貢獻〉（《傳記文學》38卷6期，民
70年6月）、潘志明〈中美特殊技術合作所雄村訓練班概述〉（《安徽
黨史研究》1990年4期）、張海麟〈太平洋戰爭時期中美之間的戰略
合作與分歧〉（《軍事歷史》1993年1期）、王建朗〈試析1942～1944
年間美國對華軍事戰略的演變〉（載《中美關係史論文集》第2輯，重慶，
重慶出版社，1985）、李建軍〈抗戰時期美國要求中國軍隊指揮權的

原因淺析〉(《貴州大學學報》1995年2期)、王建朗〈抗日戰爭時期中美軍事關係資料〉(《空軍政治學院學報》1987年3期增刊)、郭榮趙《中美戰時合作的悲劇》(臺北,中國研究中心,民68)及〈珍珠港事變前美國援華的真相(1940－1941.12)〉(載《史學論集》,臺北,華崗出版社,民66)、William George Grieve, Belated Endeavor: The American Military Mission to China, 1941-1942.(Ph. D. Dissertation, University of Illinois-Urbana-Champaign, 1979)、Michael. Schaller, The U. S. Crusade in China, 1938-1945.(New York: Columbia University Press, 1979),其中譯本為邁克爾・沙勒著、郭濟祖譯《美國十字軍在中國,1938～1945》(北京,商務印書館,1982)、Oliver J. Caldwell, A Secret War: Americans in China, 1944-1945.(Carbondale and Edwardsville, Illanois: Southern Illanois University Press, 1972)、姜宜君《1938至1942年關於中美財政軍事援助方案之探討》(政治大學外交研究所碩士論文,民84)、陳立文〈宋子文與戰時美國財軍援華〉(《中國歷史學會史學集刊》22期,民79年7月)、李淑姿〈抗戰時期美國對華軍事援助—以租借法案為中心的探討(1941～1945)〉(《中華軍史學會會刊》創刊號,民84)、蔣相澤〈美國的援華抗日〉(《學術研究》1987年4期)、任東來〈評美國對華軍事〝租借〞援助〉(載《中美關係史論文集》第2輯)及〈略論美援與中美抗日同盟〉(《抗日戰爭研究》1996年2期)、Robert Gillen Smith, History of the Attempt of United States Medical Department to Improve the Effectiveness of the Chinese Army Medical Service, 1941～1945. (Ph. D. Dissertation, Columbia University, 1950)、沈慶林〈國際援華的驅動者和橋樑－保衛中國同盟〉(《黨史研究資料》1995年11期)、A. F. M. Shamsur Rahman,

United States Economic and Military Assistance Policy Toward China During World War II and Its Aftermath,(Ph. D. Dissertation, University of Kanasa, 1988)、 Gordon K. Pickler, United States Aid to the Chinese Nationalist Air Force, 1931 ～ 1949.（Ph. D. Dissertation, The Florida State University, 1971）、魚佩舟編《美國飛虎隊援華抗戰紀實》(董慶，西南師大出版社，1993)、紅翼、孟力〈"飛虎隊"中的"中國虎"〉(《縱橫》1992年6期)、沈慶林〈陳納德和美國空軍援華抗日活動〉(《黨史研究資料》1993年3期)、王德中〈﹁飛虎隊﹂與陳納德〉(《軍事史林》1993年5期)、隆。海佛曼著、彭啟峰譯《飛虎隊：陳納德在中國》(臺北，星光出版社，民85) 、 Robert Lee Scott, Jr., Flying Tiger-Chennault of China.(Carder City, N.Y.: Doubleday & Company, Inc., 1959)、Anna Chennault（Mrs. Clairs Lee Chennault）, Chennault and the Flying Tigers.（New York: Paul S. Eriksson, Inc., 1963），作者為陳納德的女兒；Daniel Ford、Paul Salmon, "One Hundred Hawks for China."（Air & Space／Smithsonian, Vol. 3, No.1, 1988）、劉妮玲〈陳納德與飛虎隊〉(載《抗戰勝利四十週年論文集》上冊，臺北，民75)、陳香梅《陳納德與飛虎隊》(北京，學林出版社，1988)、魏惟儀〈陳納德與飛虎隊〉(《中外雜誌》37卷5期，民74年5月)、李安慶〈陳納德與﹁飛虎隊﹂〉(《人物》1986年2期)、姜長英〈美國流氓陳納德及其空運隊〉(《航空知識》3卷3期，1966)、王曉華〈陳納德航空隊對中國抗戰的貢獻〉(《民國春秋》1995年6期)、陳納德(Claire L. Chennault)著、陳香梅譯《陳納德將軍與中國》(臺北，傳記文學出版社，民67)，為陳納德回憶錄(Way of a Fight, New York, 1947)之中譯本；李湘敏〈陳納德與中國抗戰〉(《福建師大學報》1990年3期)、 Martha Byrd,

"Chennault and China, 1937～1945."(Valley Forge Journal, Vol. 4, No.3, 1989）、殷相國〈飛虎將軍陳納德與中國抗日戰爭〉《社會科學戰線》1993年5期）、Boyd Heber Bauer, General Claire Lee Chennault and China, 1937-1958: A Study of Chennault, His Relationship with China, and Selected Issues in Sino-American Relations.(Ph. D. Dissertation, The American University, 1973）、金光耀〈試論陳納德的空中戰略〉（《近代史研究》1988年5期）、Robert Hotz, ed., Way of a Fighter: The Memoirs of Claire Lee Chennault, Major General U. S. Army.(New York: Putnam, 1949）、陳香梅〈陳納德將軍的幾段趣事〉（《傳記文學》5卷2期，民53年8月）、重慶市檔案館〈陪都各界慰送陳納德將軍史料一組〉（《檔案史料與研究》1992年3期）、葉公超〈陳納德將軍悼詞〉（《傳記文學》22卷3期，民62年3月）、馬沈〈新四軍五師與美國十四航空隊〉（《近代史研究》1995年4期）、William Labussiere（Cerry Beauchamp Tr.), "The Truth About the 14th Squadron（Foreign Volunteers in China)."(American Aviation Historical Society Journal, Vol. 32, No.4, 1987）、Wanda Cornelius and Short Thayne, Ding Hao: America's Air Wer in China, 1937-1945.(Gretna: Pilican Pub. C., 1980）、中國第二歷史檔案館〈中國空軍美志願大隊戰史紀要〉《民國檔案》1985年1期）、王德中〈B-29 "超級空中堡壘" 在中國〉（《歷史大觀園》1992年2期）、牟永剛〈震顫東京的芷江飛虎－遠東最大的盟軍機群參戰大曝光〉（《傳記文學》1995年4期）、馬毓福〈抗日戰爭期間的中美空軍混合團〉（《軍事歷史》1996年3期）、空軍總司令部編印《美軍在華空軍紀實：空軍顧問組》(臺北，民70）、顧學稼、姚波〈美國在華空軍與中國的抗日戰爭(1941年8月～1945年3月)》《美

國研究》1989年4期）、王庭岳〈到解放區去的特殊之行：一批美國飛行人員在敵後根據地〉(《黨史研究與教學》1992年3期）、張竹溪譯〈美國陸軍空運隊在中國〉(《新聞天地》13期、民35年6月）、M. E. Miles, A Different Kind of war, the Little Known Story of the Combined Guerrilla Forces Created in China by the US Navy and the Chinese During World War II.（New York: Doubleday and Co., 1967）、王建朗選編〈抗日戰爭時期中美軍事關係資料㈠〉(《軍事歷史研究》1986年1期）、魏大銘〈偵空情報對中英中美軍事合作的貢獻〉(《傳記文學》39卷5期，民70年11月）、陳邦襲〈抗日來華助戰的洋人：中美合作打擊敵寇〉(《中外雜誌》57卷1期，民84年1月）、邱子靜〈對日抗戰末期中美合作辦理後勤之回憶〉(《戰史彙刊》20期，民78）、王德華〈略述國民黨空軍、蘇聯空軍志願隊和中美混合空軍聯隊〉(《軍事史林》1987年3期）、劉志清〈蘇德戰爭爆發前蘇聯對中國抗日戰爭的援助〉(《甘肅社會科學》1992年2期）、夏祿敏〈蘇對華軍援內幕〉(《縱橫》1994年3期）、Joseph E. Thach,"Soviet Military Assistance to Nationalist China, 1923-1941."（Military Review, Vol. 57, No. 8-9, August & September 1977）、李嘉谷〈抗日戰爭時期蘇聯對中國的軍事援助〉(《歷史教學》1990年10期）、〈評蘇聯著作中有關蘇聯援華抗日軍火物資的統計〉(《抗日戰爭研究》1994年2期）、〈抗日戰爭時期蘇聯對華貸款與軍火物資援助〉(《近代史研究》1988年3期）及〈抗戰時期蘇聯援華飛機等軍火物資數量問題的探討〉(同上，1993年6期）、孔慶泰〈太平洋戰爭爆發前蘇聯對華軍事援助述略〉(《歷史檔案》1991年1期）、趙蔚〈淺論抗日戰爭前期蘇聯對華的軍事援助〉(《國際共產主義運動》1988年5期）、陳英昊、胡充寒〈抗

戰初期蘇聯援華政策的幾個問題〉(《文史哲》1991年5期)、中國第
二歷史檔案館〈中國軍事代表團與蘇聯商談援華抗日械彈記錄稿〉
(《民國檔案》1987年3期)、陳瑜〈關於抗戰時期蘇、美對中國的軍
事援助問題〉(《臨沂教育學院學報》1993年2期)、Yu. V. Chudodcyev,
ed., Soviet Volunteers in China, 1925-1945.(Moscow: Progress Publishers,
1980.)、唐學鋒〈關於蘇聯志願飛行員援華的幾個問題〉(《檔案史料
與研究》1991年3期)、孫寶根〈蘇聯志願飛行員與中國抗戰〉(同上,
1990年2期)、雁翎、正雄〈抗戰初期蘇聯空軍在芷江印象記〉(《軍
事歷史》1995年1期)、杜賓斯基著、吳能摘譯〈參加中國抗日戰爭
的蘇聯志願飛行人員〉(《蘇俄問題研究資料》1986年5期)、吳鼎臣〈長
空碧血的凝友誼:和蘇聯空軍並肩抗擊日軍親歷記〉(《文史通訊》
1987年3期)、王正華〈抗戰前期的蘇聯空軍志願隊〉(載《中華民國
專題論文集:第二屆討論會》,臺北,國史館,民82)、張玉蓀〈抗戰期
間接待蘇俄空軍援華人員的回憶〉(《傳記文學》52卷4、5期、53卷2
期,民77年4、5、8月)、王真〈抗戰時期的在華蘇聯軍事顧問〉(《抗
日戰爭研究》1992年3期)、Y. Chudodeyev, " Soviet Military Advis-
ers in China (1937-1942). "(Far Eastern Affairs, No. 26, 1991),中
譯文為尤・維・秋達耶夫著、謝春耶譯〈蘇聯軍事顧問在中國
(1937～1942)〉(《龍江黨史》1996年2期)、杜賓斯基著、吳能摘譯
〈抗日戰爭期間蘇聯駐華軍事顧問的活動〉(《蘇聯問題研究資料》1987
年1期)、史平〈試評共產國際、蘇聯在中國的軍事顧問工作－抗日
戰爭時期(下)〉(《內江師專學報》1990年1期)、梁文濤〈論蘇聯參加
對日作戰的首要條件〉(《黔南民族師專學報》1994年1期)、朱釗良等
〈試評蘇聯出兵東北〉(《黨史通訊》1984年12期)、鄧興華〈對蘇聯出

兵中國東北之我見〉(《軍事史林》1989年5期)、劉士田〈關於蘇聯出兵中國東北的幾個問題:與鄧興華同志商榷〉(同上,1990年1期)、宿忠顯〈評析第二次世界大戰末期的蘇聯出兵中國東北〉(《黨史研究資料》1995年7、8期合刊)、張宗海〈也談1945年蘇聯出兵中國東北〉(《龍江社會科學》1996年3期)、劉小藝《蘇聯紅軍出兵東北》(北京,世界知識出版社,1993)、許晨《血祭關東—蘇聯紅軍出兵東北紀實》(濟南,山東友誼書社,1993)、劉建武〈蘇聯出兵東北與國共爭奪東北的鬥爭〉(《中共黨史研究》1990年增刊)、喬憲金〈蘇聯出兵東北及對東北解放戰爭的貢獻〉(《龍江黨史》1995年3、4期)、于耀洲〈蘇聯出兵東北對國共兩黨爭奪東北的影響〉(《史學集刊》1996年1期)、沈志華〈蘇聯出兵中國東北:目標和結果〉(《歷史研究》1994年5期)、邊集〈應當正確評價蘇聯出兵東北和林彪在歷史上的表現〉(《黨史通訊》1985年2期)、馬維頤、胡鳳斌〈蘇聯紅軍出兵東北的戰略特點及意義〉(《北方文物》1995年3期)、中山隆志《滿洲—1945.8-9:ソ連軍進攻と日本軍》(東京,國書刊行會,1994)、周霖〈蘇軍出兵中國東北對中共「向北發展・向南防禦」戰略方針的影響〉(《中國青年政治學院學報》1994年4期)、賈玉彬〈蘇聯遠東軍出兵我國東北的歷史意義〉(《撫順社會科學》1995年9期)、孫曉、陳志斌《東方的落日:蘇聯緊急出兵中國》(北京,北京師大出版社,1993)、陳維新〈中國人民抗日戰爭的最後勝利與蘇聯對日作戰〉(《青海師大學報》1985年3期)、陳英吳〈蘇聯對日戰爭條件評析〉(《蘇州歷史學會論文選》,1983)、孫若怡〈抗戰初期法國對華軍售、軍事合作、過境運輸及其困境之探討—抗戰期間中法關係補遺之一〉(載《國父建黨革命一百周年學術討論集》,第3冊,臺北,近代中國出版社,民

84年3月）、傅應川〈德國駐華軍事顧問對我國抗日作戰影響之研究〉（載《國父建黨革命一百周年學術討論集》第3冊，臺北，民84）、馬振犢〈德國軍事總顧問與中國抗日戰爭〉（《檔案與史學》1995年3期）及〈中日戰爭期間的德國軍事顧問〉（《歷史月刊》96期，民85年1月）、Paul J. Fu（傅寶真），"The German Military Advisers Participation in the Sino-Japanese Conflict and Their Recall in 1938."（《東海學報》26卷，民74年6月）、張水木〈抗戰初期在華德國軍事顧問團之撤離〉（《中國歷史學會史學集刊》第3期，民63年6月）、周惠民〈德國軍事顧問撤出中國始末〉（載《慶祝抗戰勝利五十週年兩岸學術研討會論文集》上冊，臺北，近代史學會，民85）、馬振犢〈德國軍火與中國抗日戰爭〉（同上）、樓絳雲〈抗日戰爭中的英軍代表團〉（《文史通訊》1987年3期）、吳洽民〈抗日戰爭期間接受英美援助軍艦述略〉（《傳記文學》67卷2期，民84年8月）、Martin H. Brice, The Royal Navy and the Sino-Japanese Incident 1937-41.（Spepperton, 1973）、Malcolm H. Murfett, "An Old Fashioned Form of Protectionism: The Role Played by British Naval Power in China from 1860-1941."（American Neptune, Vol. 50, No.3, Summer 1990）、張洪祥〈華北抗日戰場上的朝鮮義勇軍〉（《南開學報》1995年5期）、文正一、池寬容〈回顧中國抗日戰爭時期的朝鮮義勇軍〉（《軍事歷史》1995年4期）、李東赫〈白川義則大將事件始末之我見〉（《延邊大學學報》1994年4期）。伊勝利〈世界各國的支援是中國取得抗戰勝利的重要條件〉（《理論討探》1995年3期）。

6. 毒氣戰和細菌戰

　　日軍在華進行毒氣戰、細菌戰之暴行有紀道庄、李錄主編《侵華日軍的毒氣戰》(北京，北京出版社，1995)、中央檔案館、中國第二歷史檔案館、吉林省社會科學院編《細菌戰與毒氣戰》(日本帝國主義侵華檔案資料選編5，北京，中華書局，1989)、齋田道彥〈日本軍毒がス作戰日誌初稿－一九三七、三八年を中心に〉(載中央大學人文科學研究所編《日中戰爭－日本・中國・アメリカ》，東京，中央大學出版部，1993)、〈日本軍毒がス作戰日記初稿補遺4：一九四〇を中心に〉(《人文研究紀要》26號，1996) 及〈日本軍による毒がス作戰のいくつカの事例〉(《季刊中國》27號，1991年冬季號)、竹前榮治〈毒がス、細菌兵器は使ねていた〉(《世界》1985年9月號)、紀道庄主編《侵華日軍的毒氣戰》(北京，北京出版社，1995)、聞慧斌〈侵華日軍使用毒氣彈〉(《民國春秋》1995年1期)、畢春富〈侵華日軍的毒氣作戰〉(《歷史月刊》91期，民84年8月) 及〈南昌會戰中日軍使用毒氣述評〉(同上，86期，民84年3月)、李力〈關於日軍大舉進攻武漢期間實行的毒氣戰〉(《社會科學戰線》1992年2期) 及〈日軍在武漢戰役期間實行的毒氣戰〉(《近代史資料》82號，1992年1月)、村上初一著、徐勇譯〈日本曾在大久野島製造毒氣用於侵略戰爭〉(《抗日戰爭研究》1996年2期)、吉見義明著、潘岩、畢春富譯〈化學戰備忘錄－日軍在中國使用了毒氣彈〉(同上)、山邊悠喜子、宮崎教四郎監譯《日本の中國侵略と毒がス兵器》(東京，明石書店，1995)、俞辛〈侵華戰爭時期日軍的化學毒氣戰〉(《日本研究》1985年3期)、閔大洪〈日本侵略軍在侵華戰爭中使用毒氣的一些情況〉(《歷史教學》1985

年6期）、高曉燕〈第二次世界大戰時期日本化學戰的準備〉（《社會科學戰線》1995年5期）、藤井志津枝〈第二次中日戰爭期間日本發展生物化學戰重要人物之研究〉（《政治大學學報》71期上冊，民84年1月）、〈第二次中日戰爭期間日本生物化學戰部隊組織之研究〉（《近代中國》100、101期，民83年4、6月）及〈戰後日本生化部隊如何逃避東京大審〉（《政治大學學報》72期上冊，民85年5月）、孫桂娟〈略論侵華日軍與化學武器〉（《北方文物》1995年3期）、李力〈關於日軍大舉進攻武漢期間實行的毒氣戰〉（《社會科學戰線》1992年2期）、畢春富〈侵華日軍武漢會戰期間化學戰實施概況〉（《民國檔案》1991年4期）、李力剛〈日軍侵華戰爭中進行化學戰探微〉（《軍事歷史》1995年1期）、武月星〈侵華日軍的化學戰〉（《北京黨史研究》1995年6期）、車潤豐〈日軍侵華之生化戰〉（《近代中國》116期，民85年12月）、七三一部隊國際シンボジゥム實行委員會編《日本軍の細菌戰・毒がス戰：日本の中國侵略と戰爭犯罪》（東京，明石書店，1996）、Sheldon H. Harris, Factories of Death: Japanese Biological Warfare 1932-1945 and American Cover-up.(London: Routledge, 1994)、韓曉、王一汀撰文、于紅等譯《侵華日軍細菌部隊罪證圖片集：漢英文對照》（哈爾濱，黑龍江人民出版社，1991）、郭成周等〈侵華日軍的細菌戰〉（《軍事史林》1992年6期）、杜長印〈侵華日軍細菌戰述略〉（《山東師大學報》1996年增刊）、王昌榮〈日軍在山東的「白大褂部隊」：日本帝國主義在山東的細菌戰罪行〉（《山東醫科大學學報》1996年1期）、李力、郭洪茂〈論日寇浙贛細菌戰及其後果〉（《社會科學戰線》1995年5期）、徐紹全〈日本侵略者在浙江的細菌戰述略〉（《寧波師院學報》1985年3期）、黃可泰、吳元章主編《慘絕人寰的細菌戰：

1940年寧波鼠疫史實》（南京，南京大學出版社，1994）、沙東迅〈侵
華日軍波字8604部隊在粵實施細菌戰的罪行〉（《廣東史志》1996年1
期）、〈南石冤魂：侵華日軍在粵秘密進行細菌戰的罪行〉（《廣東黨
史》1995年3期）、〈揭開罪惡的黑幕：侵華日軍在粵細菌戰曝光〉
（《黨史文匯》1995年11期）及〈侵華日軍在粵進行細菌戰之概況〉（《抗
日戰爭研究》1996年2期）、張磊〈絕不允許慘絕人寰的悲劇重演——
《揭開「8064」之謎》序言〉（《廣東社會科學》1996年1期）、高興祖
〈一個日本士兵的懺悔:再揭日軍南京1644細菌部隊的黑幕〉（《江蘇
歷史檔案》1996年2期）、盧江〈日軍南京榮字第一六四四細菌戰部
隊暴行〉（《南京史志》1986年5期）、高興祖〈日軍在南京細菌部隊
的罪行〉（《江蘇歷史檔案》1995年4期）、吉永春子〈「石井細菌部隊」
被驗者の證言〉（《諸君》1982年9月號）、常石敬一〈米新資料によ
り石井細菌戰部隊を追ラ〉（載《增刊歷史と人物》，1984）及〈ハル
ビンからフォート・チトリツケまで——細菌兵器開發と科學者の
戰爭協力〉（《歷史學研究》534號，1984年10月）、高興祖〈侵華日軍
細菌戰和用活人實驗的罪行〉（《民國春秋》1992年6期）、王瑞珍等
〈日本帝國主義實驗和使用細菌武器的暴行〉（《黨史研究資料》1985年
6期）、繆寄虎譯〈日本在華實驗細菌戰〉（《中華雜誌》162期，民66
年1月）、王宇樞譯〈蘇俄戰史所記日本在華實驗細菌戰〉（同上）、
陳嘉驥〈日本在東北的細菌戰實驗〉（同上，241期，民72年8月）、
森正孝、權川良谷編《中國侵略と七三一部隊の細菌戰－日本軍の
細菌攻擊は中國人民に何をもたらした》（東京，明石書店，1995）、
Peter Williams & David Wallace, Unit 731: Japan's Army's Secret
Biological Warfare in War II. (New York: The Free Press, 1989)，其中

譯本為彼德・威廉斯、大衛・瓦雷斯著、吳天威譯《七三一部隊－第二次世界大戰中的日本細菌戰》（臺北，國史館，民81）、高興祖〈日本軍部和第731細菌部隊〉（《民國春秋》1993年6期）、Han Xiao, "A Compilation of the Fascist Atrocities Committed by Unit 731 of the Japanese Army."（In The Making of A Chinese City: History and Historiography in Harbin, Armonk, N. Y.: M. E. Sharpe, 1995）、森村誠一《惡魔の飽食——「關東軍細菌戰部隊」恐怕の全貌》（東京，光文社，1982）、《續・惡魔の飽食——「關東軍細菌戰部隊」謎の戰後史》（同上）、《「惡魔の飽食」ノート》（東京，晚聲社，1982）、《ノーモア「惡魔の飽食」》（同上，1984）及《裁かれた七三一部隊》（同上，1990）；森村誠一著、關成和、徐明懇譯《魔鬼的盛宴：侵華日軍731部隊罪證紀實（第一、二、三部）》（3冊，哈爾濱，黑龍江人民出版社，1991）、森村誠一著、許榮林譯《日本細菌作戰部隊－關東軍第七三一部隊內幕》（臺北，臺灣商務印書館，民74）、小林英夫、兒島俊郎編・解說、林道生譯《七三一細菌部隊・中國新資料》（東京，不二出版，1995）、常石敬一《七三一部隊：生物兵器犯罪の真實》（東京，講談社，1995）、秋山浩《特殊部隊七三一》（東京，三一書房，1983）、屋憲太郎〈731部隊——細菌戰と化學戰〉（《歷史學研究》531號，1984年7月）、戰爭犧牲者を心に刻む會編《七三一部隊》（大阪，東方出版，1994）、瀧谷二郎《殺戮工廠731部隊》（東京，新森書房，1989）、常石敬一《消えた細菌戰部隊——關東軍第731部隊》（東京，海鳴社，1989）、郡司陽子《証言七三一石井部隊——今、初めて明かす女子隊員の記錄》（東京，德間書店，1982）、遼寧省檔案館編《罪惡的〝七三一〞〝一〇〇〞：侵華日軍細菌部隊檔案資料選編》(瀋陽，遼寧民族出版社，1995)、蔡德金〈日軍〝七三一〞部隊細菌戰罪行展在日本和美國展出引起強烈反響〉(《抗日戰爭研究》1995年4期)；〈對"七三一部隊"自編自演"鼠疫災禍的研究"(同上，1996年3期)、澤昌利原著、鞠冬生編譯〈魔鬼的罪證－侵華日軍七三一部隊的有關材料〉(《黨史文匯》1992年2期)、松村高夫〈「七三一部隊」の實驗報告書〉(《歷史學研究》538號，1985年2月)、吳天威〈淺評美國對日軍〝七三一〞細菌部隊的研究〉(《中共黨史研究》1995年4期)、松村高夫著、李冬梅譯、齊福霖校〈1984年以來關於731部隊的研究狀況〉(載《國外中國近代史研究》25輯，1994年10月)、陳世昌〈被隱藏的歷史真相－日本七三一部隊以人體做細菌實驗的恐怖〉(《歷史月刊》87期，民84年4月)、韓曉〈侵華日軍第七三一部隊罪證考〉(載《近百年中日關係論文集》，臺北，民81)、姜興林〈從日軍七三一部隊看日本帝國主義的侵華罪行〉(《黑河學刊》1995年5期)、渡邊俊彥〈七三一部隊と永田鐵山〉(載《日中戰爭－日本・中國・アメリカ》，東京，中央大學出版部，1993)、北上典夫等〈關東軍特殊秘密七三一部隊による非人道的犯罪〉(《日中》2卷12號，1972年11月)、侵華日軍第七三一部隊罪證陳列館編《侵華日軍細菌部隊罪證圖片集》(哈爾濱，黑龍江人民出版社，1991)、韓曉、金成民編《日軍七三一部隊罪行見證（第一部）》(同上，1995)、王景義〈不要忘記"731"的罪行〉(《綏化師專學報》1995年3期)、許介鱗〈在中國的日本化學細菌戰部隊〉(《中華雜誌》254-256期，民73年9-11月)、趙煥林、張秀春、王忠祥〈罪惡的日本細菌部隊〉(《中國檔案》1995年5期)、李隆庚〈侵華日軍細菌部隊的暴行〉(《歷史知識》1987年2期)、遼寧省檔案館〈有關調查侵華日軍細菌部隊的檔案資料〉(《民國檔案》1995年3期)、姜書益〈由蘇聯軍事法庭之審判紀錄談日本細菌部隊〉(載《史政學術講演專輯》,臺北,國防部史政編譯局,民78)及〈抗戰期間日軍在華之細菌作戰—由蘇聯軍事法庭之審判紀錄談起〉(《近代中國》59期,民76年6月)、解學詩〈東北淪陷鼠疫流行與日軍細菌謀略〉(載《慶祝抗戰勝利五十週年海峽兩岸學術研討會論文集》下冊,臺北,民85)、方酣〈哈爾濱郊外的日寇細菌殺人工場〉(《新觀察》2卷12期,1951)、程吉思〈日本關東軍細菌部隊牡丹江支隊始末〉(《牡丹江師院學報》1984年4期)、曹志勃〈隱匿的魔鬼—齊齊哈爾516部隊〉(《齊齊哈爾師院學報》1995年5期)、佟振宇等〈初訪日本關東軍第731部隊遺址〉(《哈爾濱史志叢刊》1983年1期)、何萬明、于東升〈侵華日軍731細菌部隊孫吳支隊罪證遺址調查〉(《黑河學刊》1991年3期)。

7. 其 他

如萬仁元、方慶秋主編、中國第二歷史檔案館編《國民黨軍機密作戰日記》(3冊,北京,中國檔案出版社,1995),主要記載1939年1月至1945年12月國軍對日作戰和國共磨擦衝突作戰的情況,全書分為七個部分,依序為「軍委會委員長天水行營等機密作戰日記」、「第一第二戰區機密作戰日記」、「第三、四戰區機密作戰日記」、「第五戰區機密作戰日記」、「第七、九戰區機密作戰日記」、「魯蘇、冀察戰區機密作戰日記」、「第十、第十二戰區機密作戰日記」,均係南京之中國第二歷史檔案館所藏的珍貴資料。秦郁彥〈日中戰爭の軍事的展開〉(載《太平洋戰爭への道》第4卷,東京,朝日新聞社,1963)、徐同鄴〈抗戰四年來的軍事與政治〉(《東方雜誌》38卷13號，民30年7月）、劉鳳翰〈抗戰前期國軍之擴展與演變——陸軍部份（1937年7月－1941年8月）〉（載《中華民國建國八十年學術討論集》第1冊，臺北，近代中國出版社，民81）、范英〈國軍與抗戰〉（載《抗戰勝利四十週年學術論文集》上冊，臺北，黎明文化事業公司，民75）、劉鳳翰〈陸軍與初期抗戰〉（同上）、吳子俊〈政工與抗戰〉（同上）、張蒼《抗日時期組織戰之研究（1937～1945）》（政治作戰學校政治研究所碩士論文，民64）、張公量〈抗戰中的軍隊政治工作〉（《東方雜誌》37卷16號，民29年8月）、張佐華《抗戰軍隊中的政治工作》（漢口，上海雜誌公司，民27）、莫岳雲〈國共合作的南岳游擊幹部訓練班〉（《黨史天地》1995年12期）、曾長秋〈國民黨南岳軍事會議〉（《湖南黨史月刊》1992年4期）、夏鶴、焦新志〈抗戰時期我軍主力部隊的發展與新時期預備役部隊質量建設〉（《國防大學學報》1995年8、9期）、房兵〈抗戰期間中國裝甲兵部隊的發展及其啟示〉（同上）、曹志成〈抗日軍隊的行動自由權與抗日戰爭的制勝權：兼論毛澤東軍事自由觀及其未來應用〉（同上）、歐陽兆標〈抗日戰爭後勤保障的基本經驗〉（同上）、重慶市檔案館〈軍需與抗戰前途（1938年）〉（《檔案史料與研究》1994年3期）、龔澤琪〈抗戰時期國共兩黨圍繞軍隊待遇問題的鬥爭〉（《軍事經濟研究》1992年7期）、王公度〈初探國民黨軍隊在抗戰相持階段中的作用〉（《臺州師專學報》1988年2期）、郭代習〈論抗戰時期國民黨軍隊的痼疾及其影響〉（《黨史研究與教學》1995年4期）、張瑞德〈抗戰時期國軍各階層成員出身背景及素質的分析〉（《抗日戰爭研究》1993年3期）、〈抗戰時期國軍的參謀人員〉（《中央研究院近代史研究所集刊》24期下冊，民84年6月）、〈抗戰時期陸軍的教育與訓練〉（載《中華民國建國八十年學術討論集》第

1冊，臺北，民81）、〈抗戰時期陸軍的人事管理〉（同上，21期，民
81年6月）及《抗戰時期的國軍人事》（臺北，中央研究院近代史研究所，
民82）、 Chang Jui-te（張瑞德）， "Nationalist Army Officers
During the Sino-Jupanese War, 1937-1945."（Modern Asian Studies,
Vol.30, No.4, 1996）、張白衣〈中國戰時軍事參謀本部論〉（《東方雜誌》
36卷10號，民28年5月）、容鑑光〈抗戰中之兵力動員〉（載《抗戰勝
利四十週年論文集》，臺北，民75）、徐乃力〈好男應當兵：對日抗戰
時期(1937-1945)中國的軍事人力動員〉（載《孫中山先生與近代中國學
術討論集》第4冊，臺北，，民74）及〈抗戰時期國軍兵員的補充與素
質的變化〉（《抗日戰爭研究》1992年3期）、何志浩《抗戰期間兵員補
充實錄》（臺北，聯勤出版社，民47）、王志昆〈抗戰期間兵員徵補述
略〉（《檔案史料與研究》1990年1期）、阮雋釗〈青年軍史話：一寸山
河一寸血，十年青年十萬軍〉（《中外雜誌》34卷2期，民72年8月）、
田仲軒〈抗戰時期的青年軍〉（同上，33卷3期，民72年3月）、熊壁
中〈也談青年軍〉（同上，34卷2期，民72年8月）、楊萬良〈也談青
年軍〉（同上，38卷6期，民74年12月）、王國軍、朱理峰〈抗戰後期
國民黨發動的青年學生從軍運動與組建青年軍〉（《松遼學刊》1990年
2期）、曹伯一等〈青年軍成立的歷史意義與成就〉（《中國現代史專題
研究報告》12輯，民79）、曹伯一〈青年軍之歷史意義〉（《近代中國》
53期，民75年6月）、陳存恭〈青年軍的徵集與編組〉（同上）、李守
孔〈青年軍之教育與訓練〉（同上）、劉鳳翰〈青年遠征軍之任務與
作戰〉（同上）、林武彥〈青年軍之復員與預備幹部制度〉（同上）、
陳曼玲〈戰時婦女動員與女青年從軍運動〉（同上）、陳三井〈臺籍
青年軍之研究〉（同上）、林武彥〈抗戰末期知識青年從軍運動的組

織設計〉（《復興崗學報》29期，民72年6月）、〈抗戰末期知識青年從軍運動的組織動力〉（同上，28期，民71年12月）、〈抗戰末期青年軍的組織領導〉（同上，32期，民73年12月）及《群眾戰例案之研究：抗戰末期的知識青年從軍運動》（政治作戰學校政治研究所碩士論文，民68）、周開慶〈抗戰期中四川知識青年從軍運動之展開〉（《四川文獻》96期，民59年8月）、柯惠玲〈戰時役政改革的嘗試－以青年軍為例的研究〉（《中華軍史學會會刊》創刊號，民84）、陳曼玲〈抗戰與知識青年從軍運動〉（載《抗戰勝利四十週年論文集》上冊，臺北，民75）、張明凱〈抗戰中的軍事訓練〉（同上）、王國強〈抗戰中的兵工生產〉（同上）、陳文幹《抗戰軍事與新聞動員》（中山文化教育館，民27）、楊虎《抗戰與軍事常識》（長沙，商務印書館，民27）、相運霞〈抗戰時期群眾武裝發展和壯大的歷史意義——紀念抗戰勝利四十周年〉（《淮陰師專學報》1985年2期）。劉鳳翰〈整編陸軍抗日禦侮〉（《近代中國》47期，民74年6月）、楊玉文〈抗日戰爭時期中國陸軍的四十個集團軍〉（《縱橫》1996年9～12期）、中華民國新民會中央指導部編印《抗日游擊隊概要》（南京，民28）、國防部史政編譯局編印《抗日戰史——各地游擊隊》（5冊，臺北，民57）、趙捷民〈冀東游擊隊活動的實況〉（《東方雜誌》36卷16號，民28年8月）、張廣太〈抗日戰爭中的"鐵道游擊隊"〉（《黨史文匯》1995年8期）、蕭高、王龍彪〈南岳游幹班的創立及地位〉（《懷化師尊學報》1995年4期）、梁懷茂〈對日抗戰時期軍隊社會工作之研究〉（《復興崗學報》37期，民76年6月）、劉家英〈日本侵華戰爭的特點〉（《雲南社會科學》1990年3期）、高平平〈國民黨一二期抗戰的比較研究〉（《軍事歷史研究》1994年4期；亦載《史學月刊》1995年2期）、耿成寬、韋顯文《抗日戰爭時期的侵華日軍》(北京，春秋出版社，1987)、本多勝一《中國の日本軍》(東京，創樹社，1972)、李惠等編著《侵華日軍序列沿革》(北京，解放軍出版社，1987)、劉華〈侵華日軍的兵力部署及師旅團編制〉(《南都學刊》1989年3期)、高培、俞辛焞等〈關於日軍編制和軍銜譯名問題的討論〉(《抗日戰爭研究》1994年1期)、高曉星、周啟乾、趙延慶〈關於日軍編制和軍銜譯名問題的討論（續）〉(同上，1995年2期)、劉鳳翰〈抗戰勝利前後日本侵華軍隊的分析與研究：〉1945年7月-10月〉》(載《第三屆近百年中日關係研討會論文集》下冊，臺北，民85)、郭惠芳，周寶義〈日本侵華擴軍備戰評析〉(《國防大學學報》1995年8、9期)、初卓〈淺析侵華日軍的"以戰養戰"〉(《社會科學輯刊》1995年5期)、劉鳳翰〈抗戰期間冀察兩省國共日偽兵力的消長〉(載中央研究院近代史研究所編《近代中國區域史研討會論文集》下冊，臺北，民75)、芶吉堂《中國陸軍第三方面軍抗戰紀實》(民36年印行；臺北，文星書店影印，民51)；〈川軍抗戰史小輯〉(《四川檔案史料》1985年3期)、四川省政協文史資料研究委員會、四川省人民政府參事室編《川軍抗戰親歷記》(成都，四川人民出版社，1985)、華生〈川軍參加抗日戰鬥序列概述〉(《四川文獻》65期，民57年1月)、鄒吉川〈試析抗日戰爭時期的四川軍隊〉(《南充師院學報》1985年2期)、溫賢美〈劉湘率軍出川抗戰經過及其作用和影響〉(《社會科學研究》1994年2期)、戴高翔〈劉湘出川抗戰記〉(《戰史彙刊》16期，民73)、馬宣偉、溫賢美《川軍出川抗戰紀事》(成都，四川社會科學院出版社，1986)、海燕、鶴琴編《川軍抗戰集》(中央圖書公司，民27)、孫震〈駐川各軍出川參加抗戰概況〉(《四川文獻》52、53期，民55年12月、56年1月)、高敦復〈論原西北軍在抗日戰爭中的分化〉(《清華大學學報》1995年

3期）、謝本書〈1937～1945年的雲南與滇軍抗戰〉（載《民國檔案與民國史學討論會論文集》，北京，檔案出版社，1988）、戴傳薪〈抗戰中的第二十三集團軍〉（《四川文獻》，11、12期，民52年7、8月）、黃嘉謨〈第五路軍與初期抗戰〉（《廣西文獻》72期，民85年4月）、張曙東〈國民革命軍第三軍抗日史略〉（《研究集刊》1989年2期）、王弗林編著《陸軍第六十四軍抗戰戡亂經過紀要》（臺北，編著者印行，民71）、國防部情報局編印《忠義救國軍志》（臺北，民51）、孫挺信《國民黨敵後抗日游擊軍》（成都，西南交通大學出版社，1993）、潘榮、蕭前〈抗日戰爭中的敵後國民黨軍〉（《近代史研究》1986年4期）、蔡如今〈略論抗日戰爭時期的國民黨敵後武裝〉（《黨史資料與研究》1987年6期）、戴維·保爾森（David M. Paulson）著、王靜、劉桂軍譯〈中日戰爭中的國民黨游擊隊：山東的"頑固派"〉（《國外中國近代史研究》21輯，1992年12月）、何志浩《抗戰期間兵員徵補實錄》（臺北，聯勤出版社，民47）、容鑑光〈抗戰時期的兵役制度〉（《近代中國》60期，民76年8月）、陳奇雷《抗戰時期社會動員理論之研究：以兵役政策為中心》（政治作戰學校政治研究所碩士論文，民80年6月）、劉朗泉〈現行免緩役制度評述〉（《東方雜誌》37卷7號，民29年4月）、戴高翔〈抗戰時期之四川役政〉（《兵役與動員》174期，民59年3月；亦載《四川文獻》11、12期，民52年7月）、周開慶〈抗戰期中四川役政概況及應徵壯丁人數〉（《四川文獻》95期，民59年7月）、程在倫〈抗戰時期國民政府在四川役政失敗的原因〉（《檔案史料與研究》1994年4期）、余曙光〈陶行知與抗戰時期的志願兵運動〉（《文史雜誌》1993年3期）、劉鳳翰〈全面動員，浴血抗日〉（載《浴火風雲、勝利光華——抗戰勝利暨臺灣光復五十週年專輯》，民84年10月）、張力〈足食與足兵：戰時陝西省的軍事動員〉(載《慶祝抗戰勝利五十週年兩岸學術研討會論文集》下冊，臺北，近代史學會，民85)、黃嘉謨〈抗戰初期與廣西動員〉(《廣西文獻》70期，民84年10月)。齊錫生著、徐有威、徐雲根譯〈抗戰時期國民黨各軍事集團之間的關係〉(《軍事歷史研究》1994年4期)、陳長河〈抗日戰爭時期的國民政府軍事委員會後方勤務部〉(《檔案史料與研究》1992年3期)、〈抗戰時期的後方勤務部〉(《軍事歷史研究》1991年4期)及〈抗戰時期國民政府的兵站組織〉(《歷史檔案》1993年3期)、歐陽兆標〈抗日戰爭後勤保障的基本經驗〉(《國防大學學報》1995年8期)、吳國安〈抗戰中期福建軍民保衛海岸控制權的鬥爭論析〉(《福建黨史月刊》1990年5期)、鄭復龍〈福建沿海軍民武裝抗日述評〉(同上，1995年5期)、中共福建省委黨史研究室編《福建抗戰紀事》(廈門，鷺江出版社，1995)、高炳康〈閩海抗日戰爭〉(《福州師專學報》1990年3期)、樓子芳《論抗戰時期的臺灣義勇總隊》(載《慶祝抗戰勝利五十週年兩岸學術研討會論文集》下冊，臺北，民85)及〈略論臺灣義勇隊的抗日活動〉(《抗日戰爭研究》1993年4期)、張畢來〈國共合作抗敵記——回憶臺灣義勇隊的誕生〉(《臺聲》1985年5期)、呂芳上〈臺灣革命同盟會與臺灣光復運動(1940～1945)〉(《中國現代史專題研究報告》第3輯，民62)及〈抗戰時期在大陸的臺灣抗日團體及其活動〉(《近代中國》49期，民47年10月)、林真〈臺灣義勇隊的籌組及在福建的活動〉(《臺灣研究集刊》1991年4期)、徐魯航〈七七事變後臺灣同胞抗日鬥爭的幾個特點〉(《汕頭大學學報》1992年3期)、劉鳳翰〈抗戰期間臺籍日本兵問題之研究〉(載《中華民國史專題論文集：第三屆討論會》，臺北，國史館，民85)、王繩果〈太平洋戰爭期間美軍攻臺計畫分析〉(同上)、鄭麗珍〈海南島的臺灣兵

（1937～1945）〉（《臺灣風物》46卷3期，民85年9月）、祥子〈在國民黨軍隊中的廣東青年抗日先鋒隊〉（《歷史大觀園》1992年11期）、陳昆滿〈湖北抗戰在世界反法西斯運動中的地位和作用〉（《湖北社會科學》1995年8期）、鄒達開〈湖北抗戰的歷史地位和經驗〉（《軍事歷史》1992年1期）、河南抗戰史略編寫組編《河南抗戰史略》（鄭州，河南人民出版社，1985）、申志誠主編《河南抗日戰爭紀事》（同上，1995）、陳傳海等編《日軍禍豫資料選編》（鄭州，河南人民出版社，1986）、賈天運、祁勝利編著《豫西抗日鬥爭史話》（鄭州，中州古籍出版社，1995）、申澤田等主編《豫北抗日將士浴血記》（鄭州，河南人民出版社，1995）、韓亮《宛西禦倭鴻憶記》（臺北，奮鬥出版社，民57）、王兆良〈第二次中日戰爭中日軍對中國山東的侵略〉（載《近百年中日關係論文集》，臺北，民80）、中共濟南市委宣傳部等編《濟南抗戰風雲錄》（濟南濟南出版社，1995）、中共鄒平縣委黨史資料徵集委員會、鄒平縣檔案局編《鄒長抗日烽火錄：紀念抗日戰爭勝利50周年》（濟南，黃河出版社，1995）、山東省政協文史資料委員會等編《悲壯之役：記1938年滕縣抗日保戰》（濟南，山東人民出版社，1992）、張國祥《山西抗日戰爭史》（2冊，太原，山西人民出版社，1992）、山西文史資料編輯部編《山西抗日五大戰役》（太原，山西高校聯合出版社，1992）、牛崇輝、郭翠香〈簡論共產黨領導的山西抗戰〉（《理論探索》1995年5期）；《內蒙古文史資料》第25輯－綏遠抗戰（呼和浩特，內蒙古人民出版社，1986）、梁星亮〈抗戰時期陝西軍民抗日救國鬥爭紀略〉（《西北大學學報》1996年3期）、中共陝西省委黨史研究室編《陝西軍民抗戰紀事》（西安，陝西人民出版社，1995）、朱培民〈抗日戰爭在新疆〉（《抗日戰爭研究》1996年4期）·

高新生、張玉鳳〈抗戰時期新疆培訓特種兵始末〉(《新疆大學學報》1996年4期);〈抗日烽火中的上海女兵〉(《上海灘》1995年7期)、黃選能〈鎮江人民浴血奮戰保衛家園:紀念抗戰勝利五十周年〉(《鎮江學刊》1995年5期)、鎮江市地方志辦公室編著《鎮江抗日史話》(南京,江蘇古籍出版社,1995)、廣東省中共黨史學會編《廣東抗戰史研究》(廣州,廣東人民出版社,1987)、廣州市人民政府參事室編印《廣州八年抗戰記-廣州地區八年抗日戰爭史料專輯》(廣州,1987)、郎敏路、唐景積主編《廣西抗戰紀實》(南寧、廣西人民出版社,1995)、梁學乾〈廣西軍事與抗戰的貢獻〉(《廣西文獻》71期,民85年1月)、孫代興、吳寶璋主編《雲南抗日戰爭史》(昆明、雲南大學出版社,1995)、中共雲南省委黨史研究室編《雲南全民抗戰》(同上)、全國政協《粵桂滇黔抗戰》編寫組編《粵桂滇黔抗戰:原國民黨特領抗日戰爭親歷記》(北京,中國文史出版社,1995)、全國政協《晉綏抗戰》編寫組編《晉綏抗戰:原國民黨將領抗日戰爭親歷記》(北京,中國文史出版社,1995)、吳瑞林《鏖戰齊魯:抗日戰爭回憶錄》(蘭州,金城出版社,1995)、全國政協《中原抗戰》編寫組編《中原抗戰:原國民黨將領抗日戰爭親歷記》(北京,中國文史出版社,1995)、劉剛等《抗戰在淮北(第1輯)》(北京,長征出版社,1995)、羅傳勛主編《重慶抗戰大事記》(重慶抗戰叢書,重慶,重慶出版社,1995)、唐潤明主編《抗戰時期重慶的軍事》(同上)、徐州市關心下一代工作委員會等編《銘恨-徐州軍民抗戰錄》(北京,中國大百科全書出版社,1995)、廣州市政協文史資料委員會編《廣州文史資料選輯·第48輯-廣州抗戰紀實》(廣州,廣東人民出版社,1995)、沈怡〈抗戰初期廣州四郊軍事工程〉(《傳記文學》27卷4期,民64年10月）、邳州市政協文史資料委員會編《浴血邳州》（大世界出版有限公司，1995）、賀大霖主編《襄西抗日烽火》（武漢，湖北人民出版社，1995）、中共文水縣委黨史研究室編《文水抗日風雲錄》（北京，中共黨史出版社，1995）、強宗勤、張新法編著《血肉築起新長城：新樂人民抗日鬥爭紀實》（同上）、榮大為主編、李萍、魯曉帆等著《北京地區抗日鬥爭事跡選》（北京，中國人民公安大學出版社，1995）、梁湘漢、趙庚奇編著《北京地區抗戰史料》（北京，紫禁城出版社，1986）、中共呂梁地委黨史研究室編《呂梁抗日豐碑》（北京，中共黨史出版社，1995）、西南師大歷史系、重慶市檔案館編《重慶大轟炸：1938-1943》（重慶，重慶出版社，1992）、前田哲男著、李泓、黃鶯譯《重慶大轟炸》（成都，成都科技大學出版社，1989）、吳國輝〈日寇轟炸重慶紀略〉（《福建黨史月刊》1995年2期）、蘇雨辰〈重慶轟炸－日寇罪行錄〉（《重慶黨史研究資料》1995年2期）、陳紀瀅〈重慶大轟炸（「重慶時代的大公報」之三）〉（《傳記文學》24卷4、5期，民63年4、5月）、溫賢美〈日機對重慶的〝戰略轟炸〞和重慶的反空襲鬥爭〉（《天府新論》1994年4期）、楊光彥、潘洵〈論抗戰時期重慶反空襲鬥爭的地位和作用〉（《西南師大學報》1995年3期）及〈抗戰時期日機空襲重慶和重慶反空襲鬥爭述論〉（載《慶祝抗戰勝利五十週年兩岸學術研討會論文集》上冊，臺北，民85）、陳長河〈重慶空襲緊急救濟聯合辦事處（陪都空襲救護委員會）組織概述〉（《檔案史料與研究》1994年1期）、林川〈重慶大隧道慘案實錄〉（《大江南北》1995年4期）、譚枚華、張廷益〈日本帝國主義侵華期間對四川各地的慘重轟炸〉（《四川黨史》1995年3期）、沈德海〈從日機對貴州的轟炸看日本侵略者的暴行〉（《貴陽黨史》1995年4期）、丁芝珍〈日本的侵華政

策與貴陽的『二四』轟炸看日本侵略者的暴行〉(《貴州史學叢刊》1986
年2期)、沈德海〈從"二四"轟炸看日本侵略者的暴行〉(《貴州文
史叢刊》1995年5期)、張珮文〈罪證如山，不容抵賴－日機轟炸貴
陽罪行採訪記〉(同上，1995年4期)、李祥琨〈日寇飛機濫炸莒南劉
莊集血案〉(《山東文獻》22卷2期，民85年9月)、沈祥龍〈五十多年
前日機轟炸廣州之慘狀〉(《嶺南文史》1995年3期)、趙建中〈日機對
中國非軍事目標的轟炸〉(《民國春秋》1994年4期)、董興林〈日本帝
國主義 "戰略轟炸"思想的形成與實踐〉(《山東師大學報》1995年
增刊)。國防部編印《日軍在中國方面之作戰紀錄（第1-3卷）》(臺
北，民45)、柳風《血祭太陽旗：百萬日軍亡命中國》(香港，利文出
版社，1995)、馬步升編著《燃燒的太陽旗：侵華日軍秘聞》(北京，
國際文化出版公司，1995)、馬一虹編著《血戰亞細亞：日本軍閥實
錄》(瀋陽，瀋陽出版社，1995)、彭王龍〈日本侵華戰爭中的三個謎〉
(《軍事歷史》1994年3期)、波多野澄雄〈「大東亞戰爭」の時代－日
中戰爭から日米英戰爭へ〉(東京，朝日新聞社，1988)、岡本健三〈杭
州灣敵前上陸に參加しこ－兵隊，日中戰爭を語る〉(《中國》93號，
1971年8月)、燎原〈談日軍第一次占領福州的原因〉(《福建論壇》1994
年5期)、盧荻〈日軍兩次登陸雷州半島時間考釋〉(《廣東黨史通訊》
1987年5期)、劉樹國〈第二次侵桂日軍番號及經由路線〉(《廣西地
方志》1994年5期)、吳玉林譯〈日軍第三大隊（中國駐屯軍第一聯
隊）戰鬥詳報〉(《北京檔案史料》1992年1-3期)、 Lincoln Li, The
Japanese Army in North China 1937-1941: Problems of Political and
Economic Control.(London: Oxford University Press, 1975)、Michael
Lindsay, The Unknown War: North China 1937-1945.(London:

Bergstrom & Boyle, 1975）、李德民〈論抗日戰爭時期華北日軍軍事進攻重點的轉移〉(《西北大學學報》1995年2期）、佟冬等主編、中央檔案館等編《河本大作與山西日軍"殘留"》(北京，中華書局，1995）、野々山秀美《第十三師團湘桂作戰記－大陸轉戰譜》(東京，原書房，1971）、魚住孝義《ある患者收容隊員の死－湘桂作戰參加廣部隊－軍醫の記錄》(東京，春風堂，1977）、李作民〈評1939年冬季攻勢兼論國民黨抗日政策的轉折〉(《民國檔案》1995年1期）、史國英〈1939年日軍在華慘敗之剖視〉(《東方雜誌》37卷3號，民29年2月）、徐乃力〈一九四四年日本"一號作戰"攻勢對中國形勢的影響〉(載《近百年中日關係論文集》，臺北，民80）、張設華〈日軍「一號作戰」與國共兩黨戰場〉(《武陵學刊》1996年2期）、吳相湘〈抗戰時期日軍攻川計畫〉(《四川文獻》143期，民63）、許錫揮〈侵華日軍兩次攻川計畫〉(《廣州師院學報》1991年2期）、張軍〈日本"四川作戰計畫"為什麼破產？〉(《文史雜志》1996年4期）、防衛廳防衛研修所戰史室《昭和十七、十八年の支那派遣軍》(東京，朝雲新聞社，1972）及《昭和二十年の支那派遣軍(1、2)》(2冊，同上，1971-73），其中譯本為天津市政協編譯委員會譯《昭和二十(1945)年的中國派遣軍》(2冊，北京，中華書局，1982）；海福三千雄《步兵第百四聯隊小史－大陸轉戰譜》(東京，原書房，1971）、兒島俊郎〈南部粵漢打通作戰における衛生關係部隊－第20軍「業務譯報」の紹介〉(《三田學會雜誌》85卷2號，1992年7月）。今井清一、野澤豐〈軍部の制霸と日中戰爭》(《岩波講座日本歷史》第20卷，東京，岩波書店，1963）、初卓〈侵華日軍的"以戰養戰"〉(《社會科學輯刊》1995年5期）、岳恩平〈抗日戰爭時期日本侵華陸軍實力簡析〉(《黨史研究資料》1988

年3期)、劉華〈侵華日軍的兵力部署及師旅團編制〉(《南都學刊》1989
年8期)、劉鳳翰〈抗戰期間臺灣日軍活動〉(載《慶祝抗戰勝利五十周
年兩岸學術研討會論文集》下冊,臺北,近代史學會,民85)、姜克夫編
著《民國軍事史略稿‧第3卷:日本侵華和全民抗戰》(2冊,北京,
中華書局,1991)、蕭學信〈略述抗戰初期的全民抗戰〉(《廈門大學學
報》1985年4期)、孫學筠〈抗戰初期國共雙方在軍事上的協同作戰〉
(《上海師大學報》1988年2期)、劉會軍〈論抗戰時期軍統特務與日偽
的鬥殺〉(《社會科學探索》1994年2期)、王杉〈抗日戰爭時期日本在
華特務情報網的設置〉(《西北大學學報》1996年3期)、逢復主編《侵
華日軍間諜特務活動記實》(北京,北京出版社,1993)、王振坤、張
穎《日特禍華史:日本帝國主義侵華謀略活動史實(第1部)》(北京,
群眾出版社,1988)、經盛鴻〈震動京城的抗戰初期南京日諜案〉(《南
京史志》1989年3期)、梅汝琅〈抗戰時期情報通信話滄桑〉(《傳記文
學》65卷1期,民83年7月)、鈕先銘〈抗戰時期中國情報戰溯憶〉(同
上,27卷6期,民64年12月)、陳恭澍《抗戰後期反間活動(《英雄
無名》第4部)》(臺北,傳記文學出版社,民75)、王德中〈論我國抗
戰 " 國防中心區 " 的選擇與形成〉(《民國檔案》1995年1期)、Lyle
Stephenson Powell, A Surgeon in Wartime China. (Lawrence, Kansas:
University of Kansas Press, 1946)、汪熙〈太平洋戰爭與中國〉(《復
旦學報》1992年4期)、陳絳〈論太平洋戰爭對中國的影響〉(《軍事歷
史研究》1992年4期)、小柴典居《死鬥天寶山:日中戰爭深發掘》(東
京,叢文社,1994)、日中共同學術平和調查團日本側編集委員會編
《ソ滿國境虎頭要塞:第二次大戰「最後」の激戰地》(東京,青木書
店,1995)。

(三)戰時政治

　　以戰時政治為題的有時事問題研究會編《抗戰中的中國政治》（民29年初版；鄭州，河南人民出版社重印再版，1981）、Lawrence Kaelter Rosinger, China's Wartime Politics 1937-1944.(Princeton, N. J. :Princeton University Press, 1945）、蔣煥文編撰《戰時政治建設》（重慶，國民圖書出版社，民31）、郎裕憲〈抗戰時期的政治建設〉(《歷史教學》1卷2期，民77年9月；亦載《近代中國》78期，民79年8月）、馬起華《抗戰時期的政治建設》（臺北，近代中國出版社，民75）及〈抗戰時期的政治建設〉(《近代中國》35期，民72年6月）、童正敏《戰時政治體制之研究》(中國文化學院政治研究所碩士論文，民57）、Douglas Robertson Reynolds, The Chinese Industrial Cooperative Movement and the Political Polarization of Wartime China, 1938-1945.(Ph D. Dissertation, Columbia University, 1975）、馬起華〈中國國民黨與抗戰時期的政治發展〉(《政治文化》創刊號，民74年4月）、楊群〈抗戰前期中國政治發展的民主化趨勢〉(《抗日戰爭研究》1992年3期）；《戰時政治建設》（重慶，國民圖書出版社，民31）、臼井勝美〈日中戰爭の政治的展開（1937-1941）〉(載日本國際政治學會編《太平洋戰爭への道》第4卷，東京，朝日新聞社，1963）、魏斐德〈抗戰時期的政治恐怖〉(載《國父建黨革命一百周年學術討論集》第3冊，臺北，民84）、蕭莉〈論抗戰時期中國政治力量重組的因素〉(《廣東教育學院學報》1996年2期）、寧靜〈抗日救亡與中國政治進步〉(《江海學刊》1996年6期）、滿元剛〈抗戰政治動員對現代戰爭政治動員的啟示〉

（《國防大學學報》1995年8期）。以戰時國民政府為題的有薛光前主編《八年對日抗戰中之國民政府（1937年至1945年）》（臺北，臺灣商務印書館，民67）、張明楚、張同新等《在歷史的漩流中：抗戰時期的國民政府》（桂林，廣西師大出版社，1996）、張同新《陪都風雨：重慶時期的國民政府》（哈爾濱，黑龍江人民出版社，1993），為作者編寫於1988年出版之《蔣汪合作的國民政府》一書的續篇，全書分六章：第一章為走向大西南；第二章為艱難歲月；第三章為兩大陣線形成後的中國政局；第四章為待機西南；第五章為走向勝利的坎坷之路；第六章為從頂峰上跌落下來；其第六章之第三節以「大江東去」為標題，其第三節之第三小節則以「一江春水別渝州」為標題，即以1945年5月還都南京為全書之結束；張弓等主編《國民政府重慶陪都史》（重慶，西南部大出版社，1993）、顧樂觀主編《中國重慶抗戰陪都史：國際學術研討會論文集》（北京，華文出版社，1995）、楊耀健、李宗杰等編《陪都人物己事》（重慶，重慶出版社，1995）、馮開文主編《陪都遺址尋蹤》（同上）、中國人民抗日戰爭紀念館編《抗戰時期遷都重慶的國民政府》（1992）、重慶市檔案館〈國民政府明定重慶為陪都史料一組〉（《檔案史料與研究》1989年1期）、張水木〈以歷史觀點論國民政府領導中國對日抗戰之歷史地位〉（《近代中國》61期，民76年10月）、李雲漢〈抗戰初期國民政府的體制與政策（1937-1938）〉（《珠海學報》16期，1988年10月）、石柏林〈論抗戰時期國民政府的戰時政治體制〉（《抗日戰爭研究》1994年1期）、張勝男〈抗日戰爭時期國民政府的戰時建制〉（《內蒙古師大學報》1995年4期）、陳之邁〈抗戰兩年來的政制〉（《東方雜誌》36卷14號，民28年7月）、陳瑞雲〈抗日戰爭中國民政府政治制度發展

的兩種趨向〉(《吉林大學社會科學學報》1986 年 3 期)、何廉原著、謝
鐘璉譯〈抗戰初期政府機構的變更〉(《民國檔案》1987 年 1 期)、張公
量〈戰時政治機構的演進〉(《東方雜誌》37 卷 5 號,民 29 年 3 月)、張
白衣〈中國戰時政治參謀本部論〉(同上,36 卷 8 號,民 28 年 4 月)、
曾立〈國民政府何時定重慶為陪都〉(《重慶社會科學》1985 年 3 期)、
東亞研究所《重慶政權の政情》(東京,1943)、楊光彥主編《重慶
國民政府》(重慶,重慶出版社,1995)、楊光彥、張國鏞〈關於重慶
國民政府的幾個問題〉(《史學月刊》1996 年 1 期)、中村常三〈大東
亞戰勃發と重慶政府〉(《外交時報》101 卷 4 號,1942)、石濱知行《重
慶戰時體制論》(東京,中央公論社,1942)、東亞研究所編印《重慶
政權の政情》(東京,1973)、萬和特別調查室編印《重慶政權ノ概
貌》(東京,1944)、大東亞省總務局總務課編印《重慶政權の內情》
(東京,1944)、宮森喜久二《重慶抗戰力の概觀》(東京,東亞研究會,
1941)、小池毅(室鐵平)《重慶抗戰力調查日記》(東京,人文閣,
1943)、谷水真澄《重慶論》(東京,日本青年外交協會,1944)。趙授
承編著《遷都重慶》(上海,大成出版公司,民 31)、唐潤明〈四川抗
日根據地的策定與國民政府遷都重慶〉(《檔案史料與研究》1992 年 4
期)、陸大鉞〈試論抗戰時期重慶成為國民政府戰時首都的原因〉
(《重慶社會科學》1992 年 2 期)、溫賢美〈國民政府遷都重慶的原因和
經過〉(《文史雜誌》1992 年 4 期)、唐潤明〈試論國民政府遷都對重慶
的影響〉(《重慶師院學報》1991 年 4 期)、張明凱〈從抗日戰爭談首都
遷建問題〉(《國史館館刊》復刊第 2 期,民 76 年 6 月)、林建曾〈國民
政府西南大後方基地戰略思想的產生及其結果〉(《貴州社會科學》
1995 年 4 期)、李峻〈論抗戰初期國民政府的民眾動員〉(《南京社會

科學》1995年12期)、趙慧峰、許華劍〈抗戰時期國民黨中央政府的
職權與功能〉(《煙臺師院學報》1990年2期)、樂嘉慶〈論抗戰時期國
民黨政府權力結構的運行〉(《學術論壇》1991年5期)及〈論抗戰時期
國民黨政府權力結構的變化〉(《軍事歷史研究》1990年4期)、張從恆
〈關於抗戰初期的國民黨政府〉(《江西大學學報》1984年3期)、李雲
漢〈張岳軍與抗戰初期之政府決策(1937～1940)〉(《中國現代史專
題研究報告》15輯,民82年4月;亦載《近代中國》89期,民81年6月)、
李良玉〈抗戰時期國民黨政府政策的變化〉(《民國春秋》1989年4期)、
何仲山〈國民政府的抗戰準備〉(《宣傳手冊》1995年11期)、王安平
〈略論抗日戰爭初期國民政府的國防政府作用〉(《四川師院學報》1992
年1期)、吳建國〈國民黨政府抗戰初期"不屈服不擴大"方針述
評〉(《西南民族學院學報》1992年4期)、潘雅琴〈試論南京國民黨政
府轉向抗日的原因〉(《錦州師專學報》1987年4期)、趙德教〈"焦
土抗戰"口號提出時間辨〉(《鄭州大學學報》1985年3期)、曹光哲
〈新桂系"焦土抗戰"論述評〉(《廣西社會科學》1987年3期)、言
均君〈抗戰後國民政府遲不對日宣戰原因淺析〉(《江西社會科學》1990
年3期)、董長貴〈論抗戰前期國民黨政府只應戰不宣戰的策略〉(《松
遼學刊(四平師院學報)》1996年3期)、胡哲峰〈"1943年打敗日本
"口號提出的前前後後〉(《黨史文匯》1995年11期)、俞歌春、史習
培〈抗戰初期國民政府抗日復臺策略論析〉(《福建師大學報》1996年
3期)、石島紀之〈國民黨政府的"統一化"政策和抗日戰爭〉(載
《民國檔案與民國史學術討論會論文集》,北京,檔案出版社,1988)、薛
德樞、張欣〈略論抗戰初期國民政府民主政治趨勢問題〉(《石油大學
學報》1996年4期)、劉維開〈國防最高委員會的組織與人事初探〉(載

胡春惠主編《紀念抗日戰爭勝利五十周年學術討論會論文集》，香港，
1996）；《國防最高委員會常務會議紀錄》（共9冊，臺北，國民黨黨史
會，民84-85）、聞黎明〈國防參議會簡論〉（《抗日戰爭研究》1995年1
期）、中國第二歷史檔案館整理《國民政府經濟部公報（1938、12-
1947、12）》（15冊，南京，南京出版社，1994）、陳長河〈國民黨政
府社會部組織概況〉（《民國檔案》1991年3期）、蔡葩〈憶述抗戰以來
之外交部〉（《傳記文學》64卷2、3期，民83年2、3月）、重慶市檔案
館〈抗戰時期遷都重慶之資源委員會〉（《檔案史料與研究》1989年1
期）、陳杏年〈資源委員會在抗戰中的作用〉（《黨史文匯》1994年9期）
及〈再論資源委員會在抗日戰爭中的作用〉（《史學月刊》1994年5期）、
劉國武〈抗戰期間資源委員會的經營管理〉（《衡陽師專學報》1995年
5期）、薛月順〈資源委員會的人才培訓－以電業為例〉（《國史館館
刊》復刊15期，民82年12月）、崔瑩〈抗戰初期的國民政府軍事委員
會政治部第三廳〉（《歷史檔案》1989年3期）、謝增壽〈論國民政府軍
委政治部第三廳的起落：為紀念抗日戰爭爆發五十週年而作〉（《南
充師院學報》1987年3期）、《近代中國》資料室〈抗戰時期軍事委員
會運輸統制局創設史料選輯〉（《近代中國》71期，民78年6月）、王沐
雲〈抗戰時期國民政府軍訓部〉（《縱橫》1994年4期）、武燕軍〈抗
戰時期國民政府的國際宣傳處〉（《歷史檔案》1990年2期）及〈抗戰時
期的國際宣傳處〉（《民國檔案》1990年2期）、張希哲〈記抗戰時期中
央設計局的人與事〉（《傳記文學》27卷4期，民64年10月）、李安慶、
孫文範〈抗戰後期的中國戰時生產局〉（《社會科學戰線》1989年1期）、
林美莉〈戰時生產局的成立與活動－以租借法案的配合為中心〉
（《國史館館刊》復刊15期，民82年12月）、趙洪寶〈透視抗戰時期招

商局的作用〉(《史學月刊》1994年3期)、重慶市檔案館〈抗戰時期國民黨政府與日本當局秘密接觸史料選〉(《檔案史料與研究》1991年1-3期)、松原真沙子〈ジョン、サーヴィスの見た抗日戰期の國民政府－地方勢力についての報告を中心として〉(《現代中國》46號,1990年8月)、鈴木岩行〈馬寅初の重慶國民政府批判に關する一試論〉(載《中國國民政府史の研究》,東京,汲古書院,1986)、曾瑞炎〈抗戰時期國民政府的僑務工作〉(《抗日戰爭研究》1994年1期)、林真〈抗戰時期福建僑務工作及其特點〉(《歷史檔案》1996年1期)、徐飛〈"青訓班":抗戰初期政治角逐的戰場〉(《中國青年研究》1994年4期)、今崛誠二〈日中戰爭の階段における國共兩政權のナシヨナズムについて〉(《史學研究》110號,1971年4月)。

以戰時國民黨為題的有Lloyd E. Eastman, Seeds of Destruction: Nationalist China in War and Revolution, 1937-1949.(Stanford, California: Stanford University Press, 1984),其中譯本為易勞逸著、王建朗、王賢知譯《蔣介石與蔣經國》(北京,中國青年出版社,1990)。易勞逸(Lloyd E. Eastman)著、曾景忠譯、劉存寬校〈中日戰爭時期的國民黨中國(1937-1945)〉(《檔案史料與研究》1994年2-4期)、中國第二歷史檔案館整理《中國國民黨中央黨務公報(1937年7月～1947年12月)》(17冊,中華民國史檔案資料影印叢書,南京,1994)、崔月華〈抗日戰爭中的國民黨、蔣介石〉(《瀋陽師院學報》1989年4期)、Ch'i Hsi-sheng(齊錫生),Nationalist China at War: Military Defeats and Political Collapse, 1937-1945.(Ann Arbor: University of Michigan Press, 1982)、王賢知〈抗戰期間國民黨組織建設與組織發展的幾個問題〉(《近代史研究》1990年2期)、中國國民黨中央執行委員會

宣傳部《抗戰六年來之黨務》(民32年印行；臺北國民黨黨史會影印，民65)、李雲漢〈抗戰期間的黨政關係（1937-1945)〉(載《慶祝抗戰勝利五十週年兩岸學術研討會論文集》上冊，臺北，近代史學會，民85)、劉維開〈戰時黨政軍統一指揮機構的設置與發展〉《中華民國史專題論文集：第三屆討論會》，臺北，民85)、味岡徹〈國民黨「訓政」と抗日戰爭〉(載《日中戰爭－日本・中國・アメリカ》，東京，中央大學出版部，1993)、陳瑞雲〈抗日戰爭時期國民黨的訓政〉(載《民國檔案與民國史學術討論會論文集》，北京，檔案出版社，1988)、汪家聖〈論抗日戰爭時期國民黨的黨治體制〉《山東社會科學》1995年3期)、張光宇〈抗戰時期國民黨戰時體制的嬗變〉《廣西社會科學》1995年6期)、陳廷湘〈論抗戰時期國民黨的政制建設〉(《抗日戰爭研究》1992年2期)、李安華〈略論國民黨的抗戰政策〉(《文史雜誌》1995年5期)、楊穎奇〈抗戰初期國民黨抗日反共兩面政策評析〉《學海》1994年5期)、宋偉明〈評抗戰時期國民黨政策的兩面性及我黨處理國共關係的指導方針〉(《益陽師專學報》1995年4期)、須立〈析抗戰時期國民黨既聯共又反共的兩面政策〉《安徽史學》1985年5期)、李瑗〈抗戰時期國民黨兩面性政策探源〉(《北京黨史研究》1994年4期)、張同新〈太平洋戰爭爆發後國民黨對內政策的調整〉(《檔案史料與研究》1994年2期)、林祥庚〈國民黨民主派對國共合作抗日的歷史貢獻〉(《福建論壇》1995年5期)、馬起華〈中國國民黨如何領導八年抗戰〉(《近代中國》47期，民74年6月)、江于夫〈武漢失守到太平洋戰爭前國民黨抗戰問題再探〉(《史學月刊》1992年3期)、何雲庵、時廣東〈國民黨《抗戰建國綱領》評析〉(《西南民族學院學報》1995年5期)、張勁〈國民黨《抗戰建國綱領》述評〉(《信陽師院學報》1993年2期)、

李隆基〈論國民黨《抗戰建國綱領》〉(《瀋陽師院學報》1986年2期)、
黃埔出版社編印《抗戰建國綱領釋義》(黃埔叢書第4輯第8種，重慶，
民29)、于耀洲、王春英〈試分析國共兩黨的抗戰綱領〉(《齊齊哈爾
師院學報》1995年5期)、張士杰〈抗戰初期國民黨對青年的統治淺
析〉(《青年運動學刊》1987年2期)、王維禮〈關於評價抗日戰爭時期
國民黨的若干問題〉(《中共黨史研究》1990年5期)、曹仲彬、周曉晶
〈抗日戰爭時期的國民黨不宜稱謂"反動派"〉(《長白學刊》1991年
1期)、張永勝編譯〈日一學者認為國民黨始終是抗戰的中心〉(《國
外中共黨史研究動態》1995年6期)、萬里霜〈如何評價國民黨在抗日
戰爭中的歷史作用〉(《廣西大學學報》1995年3期)、杜柳新〈淺評國
民黨在抗日戰爭中的政治軍事地位和作用〉(《松遼學刊(四平師院學
報)1996年2期》)、李茂盛等〈論抗戰時期國民黨政治態度的歷史
轉變〉(《山西師大學報》1988年1期)、龔和平〈關於國民黨當局從國
內戰爭到抗日民族戰爭的轉變〉(《武漢大學學報》1990年6期)、王劍
秋〈試論國民黨各派對抗日的不同態度〉(《上海師大學報》1986年3
期)、吳景平〈試析國民黨轉向抗日的經濟原因〉(《中共黨史研究》
1988年1期)，劉景修〈抗戰時期國民黨對外宣傳紀事〉(《檔案史料
與研究》1990年1-3期)、劉景修、張釗〈抗日戰爭時期國民黨的對
外宣傳〉(同上，1989年1期)、張玉法〈抗戰期間中國國民黨在山東
的黨務活動〉(載《國父建黨革命一百周年學術討論集》第3冊，民84)、
陳存恭、鄧德濂〈抗戰時期中國國民黨的海外黨務〉(載《紀念抗日
戰爭勝利五十週年學術討論會論文集》，臺北，民85年3月)、逯耀東〈第
六次全國代表大會〉(《中華學報》4卷1期，民66年1月)、王良卿〈派
系政治與國民黨第六次全國代表大會－以第六屆中央執行、監察委

員選舉為中心的探討〉(《國史館館刊》復刊21期,民85年12月)、林泉〈中國國民黨臨時全國代表大會之初步研究〉(載《中華民國史專題論文集:第一屆討論會》,臺北,國史館,民81)、張同新〈試析國民黨臨時全國代表大會〉(載《民國檔案與民國史學術討論會論文集》,北京,檔案出版社,1988)、林泉〈中國國民黨臨時全國代表大會與抗戰建國〉(載《國父建黨革命一百周年學術討論集》第3冊,臺北,民84)、李雲漢主編、林泉編輯《中國國民黨臨時全國代表大會史料專輯》(臺北,國民黨黨史會,民80)。與國民黨關係密切的三民主義青年團(1938年7月9日成立,由蔣中正兼團長。至1947年9月12日併入國民黨,計有九年多的歷史)有朱高影《三民主義青年團之研究(1938-1947)》(臺灣師大歷史研究所碩士論文,民81)、王良卿《三民主義青年團與中國國民黨關係之研究(1938-1947)》(政治大學歷史研究所碩士論文,民85年4月)、周淑真《三青團始末》(南昌,江西人民出版社,1996)、蔡行濤〈抗戰時期的三民主義青年團〉(《臺北工專學報》21期,民77年3月)、王培智〈抗日戰爭時期的三民主義青年團〉(《青年運動學刊》1987年2期)、運公〈關於三民主義青年團〉(《東方雜誌》35卷13號,民27年7月)、賈維〈三青團的成立與中共的對策〉(《近代史研究》1995年2期)及〈國民黨與三青團的關係及其矛盾之由來〉(同上,1996年4期)、蔣永敬〈三民主義青年團與抗戰建國〉(《中國現代史專題研究報告》15輯,民82年4月)、馬烈〈試析蔣介石成立三青團的原始動機〉(《民國檔案》1996年4期)、樊中原《抗戰時期三民主義青年團在大專院校活動之研究》(政治大學三民主義研究所碩士論文,民75)、張平〈三青團記述疏誤選析〉(《方志研究》1994年3期)、陳進金〈三民主義青年團在湖北(民國27-37年)〉(《國史館館刊》復刊21期，民85年12月）、關照祺主編《三民主義青年團在廣東》（臺北，民77）、馬烈〈三青團與蔣經國〉（《江蘇教育學院學報》1996年4期）、王連弟〈抗戰初期中共對"三青團"的主張與原則〉（《中國青年研究》1995年4期）、賈維〈三青團的結束與黨團合併〉（《近代史研究》1996年1期）。其他與黨團有關的有重慶市檔案館〈抗戰時期綦江戰幹團慘案史料五件〉（《檔案史料與研究》1989年1期）、曹步一〈國民黨戰幹團"綦江慘案"概況〉（《重慶黨史研究資料》1989年1期）、侯鳴皋〈抗日戰爭期間的勵志社〉（《傳記文學》68卷6期，民85年6月）、陳存恭、李國成〈抗日戰爭勝利前夕國共兩黨的政治決策〉（載胡春惠主編《近代中國與亞洲學術討論會論文集》，香港，1995年6月）、任貴祥〈抗日戰爭時期國共兩黨僑務政策比較研究〉（《開放時代》1995年7、8期）。

　　戰時之其他黨派及其互動關係有吳偉榮〈試論抗戰時期的中國青年黨〉（《民國檔案》1991年1期）、趙德教、李永芳〈試論青年黨在抗日戰爭時期的政治活動〉（《鄭州大學學報》1991年4期）、《民主潮》資料室〈抗戰建國中之中國青年黨〉（《民主潮》524-526期，民72年11-12月）、Edmund S.K. Fung（馮兆基），"The Alter Native of Loyal Opposition: The Chinese Youth Party and Chinese Democracy, 1937-1949."（Modern China, Vol. 17, No.2, 1991）、吳秋林《抗戰前後的「民主黨派」》（政治作戰學校政治研究所碩士論文，民75）、楊卒平〈試論抗日戰爭時期的民主黨派〉（《山東師大學報》1995年增刊）、周淑真〈論民主黨派對抗日戰爭的貢獻〉（《北京黨史研究》1996年9期）、余宜潔〈我國各民主黨派的抗日建國主張略述〉（《理論建設》1995年4期）、宋春〈我國民主黨派在抗日戰爭中的地位和作用〉（《吉

林大學社會科學學報》1987年5期）、陳向東〈論民主黨派在抗日戰爭
中的作用及貢獻〉（《黨史資料與研究》1995年2期）、鄭延澤、孟彩雲
〈論民主黨派在抗戰期間的重要作用〉（《殷都學刊》1995年4期）、朱
興義〈淺析抗日戰爭時期民主黨派的歷史作用〉（《長春師院學報》1986
年1期）、劉顯才〈中國各民主黨派在抗日戰爭中的貢獻〉（《廣西大
學學報》1986年1期）、田武恩〈試述我國民主黨派對抗日戰爭的歷
史貢獻〉（《史學月刊》1986年1期）、李永琦〈中國民主黨派對抗日
戰爭勝利的歷史貢獻〉（《福建黨史月刊》1990年12期）、閉青〈我國
各民主政黨對抗日戰爭的貢獻述評〉（《廣東民族學院學報》1991年3
期）、嵩樺〈愛國民主黨派在抗日鬥爭中的貢獻〉（《惠州大學學報》
1995年2期）、翟海莉〈試述民主黨派在抗日戰爭中的貢獻〉（《青海
社會科學》1995年增刊）、李燕奇〈同仇敵愾，共赴國難－抗日戰爭
時期民主黨派和愛國民主人士在北平的活動〉（《北京黨史研究》1995
年3期）、李玉榮〈民主黨派在抗戰中的地位和作用〉（《山東師大學
報》1996年5期）、徐文生〈中國民主黨派在抗日民族統一戰線中的
貢獻〉（《四川社科界》1995年5期）、徐世杰、吳耀東〈民主黨派是中
共倡導的抗日救亡運動的重要組織者宣傳者和參與者〉（《理論探討》
1996年3期）、張秋炯〈試述抗戰時期共產黨與民主黨派合作關係的
發展〉（《黨史研究與教學》1992年1期）、李玉榮〈抗戰時期中國共產
黨對民主黨派的統戰工作〉（《聊城師院學報》1990年2期）、王國洪〈抗
日戰爭時期中國共產黨對民主黨派的爭取、團結與合作〉（《煙臺師院
學報》1995年3期）、徐曉林〈共產黨與民主黨派在抗戰相持階段合
作問題探討〉（《中南民族學院學報》1990年1期）、沈炎〈中國民主黨
派史研究之管見〉（《瀋陽師院學報》1986年4期）、陳志遠〈試論我國

民主黨派的政治綱領及其發展〉(《南開學報》1986年5期)、徐秀英〈略談中國農工民主黨在抗日戰爭中的地位與作用〉(《瀋陽師院學報》1989年3期)、黃偉〈中國各愛國民主黨派與抗日民族統一戰線〉(《江蘇教育學院學報》1995年3期)、平野正《中國民主同盟の研究》(東京,研文出版,1983)、張曉芳《中國民主同盟之研究(民國28-民國38)》(臺灣師大歷史研究所碩士論文,民80年6月)、曹健民等編寫《中國民主同盟歷史研究・民主革命時期》(北京,中國人民大學出版社,1994)、中國民主同盟中央文史委員會編《中國民主同盟五十年》(北京,文物出版社,1994)及《中國民主同盟歷史文獻,1941-1949》(北京,文史資料出版社,1983)、趙錫驊《民盟史話:1941-1949》(北京,中國社會科學出版社,1992)、陶玉霞、趙淑梅、張鳳娟〈試析民盟產生的歷史原因〉(《長白論叢》1996年6期)、范新海〈民主同盟的成立及其對抗日戰爭的貢獻〉(《溫州師院學報》1989年1期)、王榮剛〈論民主革命時期的中國民主同盟〉(《社會科學(上海)》1984年4期)、呂偉俊、李運武〈新民主主義革命時期的中國民主同盟〉(《齊魯學刊》1981年3期)、金恒杰〈一頁失敗的歷史・一頁歷史的希望－中國民主同盟的歷史回顧〉(《當代》13期,民76年4月)、Yu Zhuoyun, "The China Democratic League and Chairman Shih Liang." (Issues & Studies〔Taiwan〕, Vol. 20, No.5, 1984)、Mary C. Mazur, "Intellectual Activism in China During the 1940s: Wu Han in the United Front and the Democratic League."(The China Quarterly, No.133, 1993)、平野正〈民主同盟論〉(《西南學院大學學術研究所紀要》15號,1979年11月)、Ting Chen Yueh-hung, The Intellectuals and the Chinese Revolution: A Study of the Chinese Democratic League and Its Components, 1939-1949.(Ph. D. Dissertation, New York University, 1978）、文摘社《中國民主同盟言論集》(時事研究社，民34）、中國民主同盟總部《民主同盟文獻》(民35年）、民意月刊社編印《和平民主統一建國之路：中國民主同盟重要文獻(1)》(香港，1946）、光明出版社編印《中國民主同盟的性質與任務》(廣州，1950）、林恩蔚、溫淑華〈從中國民主同盟主要綱領的變化看其性質的轉變〉(《天津教育學院學報》1986年4期）、韓慧珂〈論民盟在抗日戰爭中的特殊作用〉(《湖州師專學報》1995年4期）、Anthony Joseph Shaheen, The China Democratic League and Chinese Politics, 1939-1947.(Ph. D. Dissertation, University of Michigan-Ann Arbor, 1977）、川崎正雄〈民主同盟の社會的基礎〉(《新中國》11號，1947年3月）及〈民主同盟論〉(《中國評論》2卷2號，1947年2月）、Melville T. Kennedy, Jr., " The Chinese Democratic League. " (Harvard Papers on China, No. 7, 1953）、梁琴、洪傳玉〈中國民主同盟及其有關黨派的抗戰建國觀論略〉(《江漢論壇》1995年9期）、平野正〈中國民主同盟についての斷章〉(《國際文化論集（西南學院大學）》7卷2號，1993年2月）、王覺源〈中國民主同盟內幕〉(《中外雜誌》26卷1-3期，民68年7-9月）、市川健二郎〈東南アジア華僑と中國民主同盟(1940年代)〉(《大正大學研究紀要》78號，1993）、查寧〈試論民盟在抗日民族統一戰線中的地位與作用〉(《廣東社會科學》1994年3期）、金偉青〈中國民主同盟與中間道路評析〉(《浙江學刊》1987年2期）、李仲英〈中國民主同盟與中國共產黨〉(《求索》1986年5期）、劉志〈抗戰時期民盟在昆明的主要活動〉(《雲南文史叢刊》1990年4期）、張巨成〈中國民主同盟在雲南（1941-1945年)〉(《思想戰線》1994年6期）、張執一

《抗戰中的政黨和派別》(重慶,讀書生活出版社,民28)、文化教育研究會編印《各抗日黨派的宣傳活動》(民30年印行)、馬烈〈抗戰初期中國各黨派合作的形成〉(《江蘇教育學院學報》1995年3期)及〈簡論抗日戰爭時期的黨派合作〉(《民國檔案》1995年3期)、盧國慶《抗戰初期的黨派合作》(政治作戰學校政治研究所碩士論文,民73年6月)、康杰〈抗戰時期愛國黨派、團體的作用〉(載《抗日戰爭史事探索》,上海,上海社會科學院出版社,1988)、鄧啟〈抗戰時期的在野黨〉(《傳記文學》68卷3期,民85年3月)、廖大偉〈試談抗戰初期中間黨派的一致擁蔣及其原因〉(《歷史教學問題》1986年3期)、黃敏〈中間黨派與抗戰時期的民主憲政運動〉(《惠州大學學報》1996年3期)、廖大偉〈論抗戰時期中間黨派政治態度的轉變〉(《安徽史學》1987年3、4期)、彭秀珍〈試述抗戰時期我國中間黨派的政治態度與貢獻〉(《湘潭大學學報》1986年2期)、陸永棣〈中間黨派在抗戰中的政治主張及其影響〉(《華南師大學報》1987年4期)、羅淑惠〈中間黨派在抗日戰爭中的地位和作用〉(《西南師大學報》1989年1期)、宋連勝、呂雅範〈試論中間黨派在抗日戰爭中的作用及其特點〉(《長白學刊》1987年3期)、顧關林〈論中間派的歷史性轉折〉(《近代史研究》1986年3期)、劉光明〈武漢抗戰時期的中間派〉(《地方革命史研究》1988年6期)、江峽等〈論抗日時期我黨對中間派的政策〉(《華中師大學報》1988年2期)、徐世華〈論皖南事變前後中共對中間派的策略〉(《西北師大學報》1989年3期)、閻麗娟〈試論中間勢力在抗日戰爭中的作用〉(《河北師院學報》1995年4期)、卜穗文〈抗日戰爭時期中間勢力的特點和中共的政策〉(《學術研究》1995年4期)、苗青〈我黨在抗日戰爭時期"爭取中間勢力"的方針〉(《延邊大學學報》1995年3期)、孫金

偉〈抗日戰爭時期的中間勢力初探〉(《河南大學學報》1994年4期)、
楊蘊成〈論抗戰時期中間力量的憲政綱領及民主運動目標的演變〉
(《四川教育學院學報》1995年2期)、曹學恩〈試論中間力量在抗日戰
爭中的地位作用〉(《陝西師大學報》1989年2期)、姜平、高華〈救國
會派在八年抗戰中的抗日民主運動〉(《南京大學學報》1985年4期)、
Merle Goldman, "Writer's Criticism of the Party in 1942." (The China
Quarterly, No.17, 1964)。

關於「戰時國會」－國民參政會，有國民參政會史料編委員會
《國民參政會史料》(臺北，國民參政會在臺歷屆參政員聯誼會，民51)、
四川大學馬列教研室編《國民參政會資料》(成都，四川人民出版社，
1984)、周勇主編《國民參政會》(重慶，重慶出版社，1995)、莊焜
明《國民參政會－對日抗戰時中央最高民意機關之初步研究》(中國
文化學院史學研究所碩士論文，民60年5月)、吳永芳《國民參政會之
研究》(政治大學歷史研究所碩士論文，民72年6月)、孟廣涵主編《國
民參政會紀實》(3冊，重慶，重慶出版社，1985-1987)及《國民參政會
紀實續編》(同上，1987)、王雲五〈國民參政會躬歷記〉(《傳記文學》
6卷6期、7卷1-3期，民54年6-9月)、徐乃力〈中國的戰時國會：國
民參政會〉(載薛光前主編《八年對日抗戰中之國民政府》，臺北，臺灣商
務印書館，民67)、阮毅成〈戰時議會：國民參政會〉(《大成》117期，
民72年8月)、陳明欽等〈國民參政會淺析（1938年7月6日到1947年
5月20日）〉(《西南師院學報》1984年1期)、陳瑞雲〈國民參政會述略〉
(《史學集刊》1984年3期)、沈雲龍〈國民參政會之由來及其成果〉(《傳
記文學》35卷2期，民68年8月)、樹葉〈有關首屆國民參政會的一件
史實〉(《黨史研究資料》1990年9期)、陳木杉〈汪精衛與第一屆國民

參政會關係探討〉（載《中華民國史專題論文集：第二屆討論會》，臺北，國史館，民82）、志剛等《論國民參政會》（求知出版社，民30）、阮毅成〈第一屆國民參政會側記〉（《傳記文學》35卷2期，民68年8月）、彭進來《國民參政會與民主憲政之發展》（臺灣大學三民主義研究所碩士論文，民82年6月）、黃邦印《國民參政會功能之研究（民國二十七年至三十四年）》（政治作戰學校政治研究所碩士論文，民73年6月）、莊焜明〈國民參政會之組織及其對憲政之貢獻〉（《新埔學報》第2期，民65年3月）、藍綢〈國民參政會對民主憲政的貢獻〉（《中國憲政》20卷7期，民74年7月）、陸立之〈重慶〝國民參政會〞的內幕〉（《炎黃春秋》1995年2期）、龍方成〈略論抗日戰爭時期國民參政會的歷史作用〉（《學術論壇》1995年4期）、梁華棟、孫遠方〈論國民參政會初期的積極作用〉（《東岳論叢》1988年4期）、章紅〈國民參政會述論〉（《抗日戰爭研究》1996年3期）、王新生〈國民參政會在抗日戰爭中的作用〉（《河南師大學報》1995年4期）、呂開金〈試析國民參政會在抗日戰爭中的地位和作用〉（《四川社科界》1996年3期）、趙慧峰〈國民參政會與抗日戰爭〉（《煙臺師院學報》1995年4期）、曹海科〈國民參政會參政員結構分析〉（《重慶社會科學》1993年1期）、傳記文學資料室〈國民參政會歷屆參政員姓名索引〉（《傳記文學》35卷2期，民68年8月）、杜裕根、蔣順興〈華僑參政員的抗日救國鬥爭〉（《民國春秋》1995年6期）、李純青〈婦女參政員的責任〉（《東方雜誌》35卷15號，民27年8月）、李安〈河南省籍國民參政員名錄〉（《中原文獻》7卷8期，民64年8月）、鄭秀卿〈國民參政會之川籍參政員〉（《四川文獻》第6期，民52年2月）、李振英〈國民參政會與廣西參政員〉（《廣西文獻》20期，民72年4月）、浦薛鳳〈國民參政會中民主統一運動之研究〉(《傳記文學》33卷2期，民67年8月)、李璜、陶百川〈國民參政會與中國現代化〉(載《蔣中正先生與現代中國學術研討會論文集》第3冊，臺北，民75)、劉景修〈國民參政會反對汪精衛對日妥協投降的鬥爭〉(《歷史知識》1987年2期)及〈國民參政會上的國共鬥爭〉(《黨史研究》1987年7期；亦載《重慶社會科學》1987年2期)、Lawrance N. Shyu（徐乃力), China's "Wartime Parliament": The People's Political Council, 1938-1945. (Ph. D. Dissertation, Columbia University, 1972)、張毛毛〈國民參政會與中國共產黨爭取民主政治的鬥爭〉(《近代史研究》1986年2期)、李冬春、周保華〈中國共產黨人與抗戰時期的國民參政會〉(《山東社會科學》1992年2期)、周勇〈抗戰時期的國民參政會與陝甘寧邊區參議會〉(載《民國檔案與民國史學術討論會論文集》，北京，檔案出版社，1988)、華生〈國民參政會川康建設視察團〉(《四川文獻》143、144期，民63年7、8月)、錢公來〈國民參政會經驗談〉(《中國一周》572期，民50年4月)。聞黎明〈王世杰與國民參政會(1938-1944)〉(《抗日戰爭研究》1993年3期)、阮毅成〈第一屆國民參政會側記〉(《傳記文學》35卷2期，民68年8月)、梁華棟〈董必武與抗日戰爭時期的國民參政會〉(《中共黨史研究》1993年4期)。

關於抗戰時期國民政府實行之新縣制有周紹英〈抗戰時期國民黨新縣制述評〉(《重慶師院學報》1995年3期)、阮毅成編著《地方自治與新縣制》(臺北，聯經出版事業公司，民67)、王惠中〈實施新縣制的基本問題〉(《東方雜誌》39卷9號，民32年7月)、李宗黃《新縣制之理論與實際》(重慶，中華書局，民33)、張鴻鈞〈新縣制之縣等問題〉(《現代讀物》25卷1期，民29年1月)、粟顯運《新縣制的實施》(重慶，國民圖書出版社，民30)、張俊顯《新縣制之研究》(臺北，正

中書局，民77），係作者政治大學三民主義研究所之碩士論文（民
70）；忻平〈論新縣制〉（《抗日戰爭研究》1991年2期）、高應篤〈抗
戰時期新縣制的推行—兼談陝西政風〉（《陝西文獻》49期，民71年4
月）及〈抗戰初期的縣制改革〉（《中外雜誌》25卷6期，民68年6月）、
張益民〈國民黨新縣制實施簡論〉（《史學月刊》1986年5期）、汪振國
〈新縣制實施後幾個重要問題的研討〉（載張金鑑等編《中國地方行政討
論集》第1集，重慶，中央政治學校畢業生指導部，民33）、坂井田夕起子
〈抗日戰爭時期におけふ河南省の新縣制—抗戰體制構築と國民政
府の縣政〉（《史學研究》213號，1996年8月）。

他如Lo Jiu-jung（羅久蓉），The Development of the Concept
of the State in Modern Chinese History: With Particular Reference to
the Sino-Japanese War 1937-1945. (Ph. D. Disseration, Oxford University,
1992)；王永祥〈論抗戰時期國統區的中央權力結構和運行機制〉
（《河北學刊》1995年5期）、中國國民黨中央執行委員會訓練委員會編
印《抗戰以來中央各種會議宣言及重要決策彙編》（2冊，重慶，民
32）、李守孔〈抗戰期間中央政府之職權與功能〉（《近代中國》60期，
民76年8月）、何廉原著、謝鐘璉〈抗戰初期政府機構的變更〉（《傳
記文學》41卷1期，民71年7月）、中國國民黨中央執行委員會宣傳部
編《抗戰六年來之內政》（民32年印行；臺北，國民黨黨史會影印，民
65；與《抗戰六年來的宣傳戰》等合冊）、李世俊〈試論抗日戰爭時期
的民主改革〉（《探索》1987年3期）、阮毅成〈抗戰中的地方行政機
構〉（《東方雜誌》35卷5號，民27年3月）、張公量〈戰時地方行政機
構的改進〉（同上，37卷10號，民29年5月）、市隱〈抗戰建國中的地
方行政〉（《東方雜誌》35卷10號，民27年5月）、薩師炯〈戰時省制之

演變及其今後之改造〉(同上，40卷9號，民33年5月)及〈省制問題
之再檢討〉(同上，40卷19號，民33年10月)、蕭文哲〈戰區各省政
府設置行署之檢討〉(同上，38卷17號，民30年8月)、蕭文航〈我國
現代市制之過去與將來〉(《東方雜誌》37卷6號，民29年3月)、李德
培〈現行縣長任用制度述論〉(同上，38卷22號，民30年11月)、王
世勇〈抗戰時期國統區籌辦〝地方自治〞淺析〉(《史學月刊》1995年
4期)、張玉法〈抗戰時期山東省的行政督察專員〉(載《抗戰建國史
研討會論文集》下冊，臺北，中央研究院近代史研究所，民74)、劉道元
〈抗戰期間山東省政變遷〉(《中山學術文化集刊》27集，民70年11月)、
秦富平〈論抗戰時期山西基層政權的嬗變〉(《學術論叢》1995年5期)、
黃蘭英〈《浙江省戰時政治綱領》述評〉(《浙江學刊》1994年4期)、
蔡德鄰整理〈抗戰時期浙江省政府遷移麗水地區及其對駐地的影
響〉(《浙江方志》1993年3期)、劉君〈簡論西康建省〉(載《民國檔案
與民國史學討論會論文集》，北京，檔案出版社，1988)、賀覺非〈西康
建省之前夕〉(《東方雜誌》36卷4號，民28年2月)、黃華煜《西康建
省對川藏影響之研究》(政治大學邊政研究所碩士論文，民64)、陳亦榮
〈抗戰時期劉文輝治康初探〉(載《中華民國史專題論文集：第三屆討論
會》，臺北，國史館，民85)、王國宇〈抗戰初期張治中治湘論略〉(《求
索》1995年4期)、李世宇〈張治中治湘與長沙大火〉(《貴州文史叢刊》
1995年5期)、毛森〈長沙大火與國共和談──我所知道張治中的兩
件事〉(《傳記文學》58卷6期，民80年6月)、楊德才〈焦土抗戰與長
沙大火〉(《歷史月刊》91期，民84年8月)、鶴峪〈焦土抗戰與長沙大
火〉(《東方雜誌》35卷4號，民27年12月)、胡秀勤、張雪梅〈抗戰時
期的長沙大火〉(《文史雜誌》1995年4期)、江君漢〈長沙大火〉(載

《抗日戰爭史事探索》，上海社會科學院出版社，1988）、朱沛蓮〈長沙大火追憶〉（《國史館館刊》復刊第7期，民78年12月）、何智霖〈長沙大火相關史料試析〉（同上，第5期，民77年12月）、彭洪志〈關於長沙大火的一點訂正〉（《革命文物》1979年5期）、吳荻舟〈周恩來同志在長沙大火中〉（《戰地增刊》1978年1期）、吳德華〈試論抗日戰爭時期湖北的三種政權及其特點〉（《湖北社會科學》1988年1期）、陳中平〈抗日時期武漢淪陷區的敵偽政經設施〉（《湖北文獻》第7期，民57年4月）、易勞逸（Lloyd E. Eastman）〈地方政治和中央政府：雲南與重慶〉（載薛光前編《八年對日抗戰中之國民政府》，臺北，臺灣商務印書館，民67）、楊維真〈從合作到決裂－抗戰時期雲南與中央關係的演變〉（載《慶祝抗戰勝利五十週年兩岸學術研討會論文集》下冊，民85）、申曉雲〈抗戰時期新桂系治皖〉（同上）、張愛民〈抗戰期間桂系與CC系在安徽的矛盾鬥爭〉（《安徽史學》1993年3期）、臺灣總督府外事部編印《事變後に於ける廣東省政概況》（臺北，1940）、趙洪寶〈吳忠信主政新疆芻議〉（《喀什師專學報》1993年3期）、蔡錦松〈吳忠信主新始末〉（《新疆社會科學》1987年1期）、李英奇〈十年來新疆的政治建設〉（《新新疆（月刊）》創刊號，民32年4月）、香島明雄〈新疆政變－國民政府の對應（1942-1943年）〉（《京都產業大學論集》12卷1號，1982年11月）、何智霖〈張群入主川政經緯（1938-1940）〉（載《中華民國史專題論文集：第二屆討論會》，臺北，國史館，民82）、張大軍〈民國三十三年的伊寧事變〉（《新時代》1卷3期，民50年3月）、陳力《伊寧事變紀略》（改造出版社，民37）、中田吉信〈伊寧事變の性格と中國共產黨との關係〉（《近代中國》23號，1993年1月）及〈伊寧事變と新疆の民族運動〉（《東洋學報》51卷3號，1968年12月）、

L. Benson, The Ili Rebellion ; The Moslem Challenge to Chinese Authority in Xingjiang, 1944-1949.（New York : East Gate Sharpe, 1990）、David . D. Wang（王大剛），Under the Soviet Shadow : The Yili Rebellion on 1944-1949 in Xingjiang. （Ph. D. Dissertation, University of Tasmania [Australia], 1993）、Chen Tuan-sheng（錢端升）， "Wartime Local Government in China."（Pacific Affairs, Vol. 14, No.4, 1943）、蔣旨昂《戰時的鄉村社區政治》（上海，商務印書館，民35）。日高一宇〈日中戰爭下の抗日宣傳〉（《北九州工業高專研究報告》29號，1996年1月）、鄭士榮《抗戰前後中央文化宣傳方略之研究（1928-1945）－中國國民黨中央宣傳部功能之分析》（臺灣大學三民主義研究所碩士論文，民76）、陳順枝《抗戰時期宣傳政策之研究》（政治作戰學校政治研究所碩士論文，民74）、張明凱〈抗日戰爭中的宣戰問題〉（《傳記文學》41卷1、2期，民71年7、8月）、陳雁翬〈抗戰中期中國對日本宣戰始末〉（《文史雜志》1996年3期）、方世敏〈"自衛抗戰聲明"析〉（《湘潭大學學報》1991年4期）、陳奇雷《抗戰時期社會動員理論之研究－以兵役政策為例》（政治作戰學校政治研究所碩士論文，民80）、小野田攝子〈蔣介石政權における近代化政策とドイッ極東政策（II）〉（《政治經濟史學》345號，1995年3月）、趙淑英〈抗戰時期的兩面政權〉（《檔案史料與研究》1991年2期）、徐舒映〈論抗日戰爭時期的民主憲政運動〉（《山東醫科大學學報》1995年2期）、李光一〈論抗日戰爭時期的民主憲政運動〉（《南開學報》1994年4期）、王世容〈抗戰時期國統區的第一次民主憲政運動〉（《檔案史料與研究》1990年3期）、馬起華〈抗戰時期的憲政運動〉（《近代中國》19期，民69年10月）、吳澤炎〈抗戰期中的憲政運動〉（《東方雜誌》37卷2號，民29年1月）、姜平〈1939-1940年的中國民主憲政運動述評〉（載《民國檔案與民國史學學術討論會論文集》，北京，檔案出版社，1988）、桑學成〈抗日戰爭時期國民黨統治區民主憲政運動述略〉（《黨史研究》1985年6期）、鄭會欣〈抗戰後期國統區的民主憲政運動〉（《江西師大學報》1986年2期）、王玉祥〈張君勱與抗戰時期的民主憲政運動探析〉（《歷史檔案》1996年2期）、黃柳玲〈抗日戰爭時期婦女憲政運動的回顧〉（《重慶黨史資料研究》1990年3期）、吳明剛〈抗日戰爭與中國民主運動的發展〉（《福建黨史月刊》1995年10期）、安京〈論抗日民主運動的歷史作用〉（《馬克思主義研究》1995年4期）、周弘然〈從抗戰到行憲期中的民主運動〉（《幼獅學誌》3卷2期，民53年4月）、劉雲久《國民黨統治區的民主運動》（哈爾濱，黑龍江人民出版社，1986）、喬寶泰〈國防最高委員會憲政實施協進會修改憲草意見初探〉（載胡春惠主編《紀念抗日戰爭勝利五十周年學術討論會論文集》，香港，1996）、賀凌虛〈抗戰時期的彈劾制度〉（《國父建黨革命一百周年學術討論集》第3冊，臺北，民84；亦載《近代中國》113期，民85年6月）、陳高傭《抗戰與保甲運動》（長沙，商務印書館，民27）、朱博能〈論現行保甲制度〉（《東方雜誌》38卷22號，民30年11月）、重慶市檔案館〈國民大會代表選舉總事務所工作報告（1939年）〉（《社會科學戰線》1995年2期）、陳盛清〈論省市臨時參議會〉（《東方雜誌》35卷23號，民27年12月）及〈論縣市參議會〉（同上，38卷22號，民30年11月）、平子〈抗戰期中之四川省級民意機構〉（《四川文獻》36期，民54年8月）、華生〈抗戰期中四川縣市以下民意機關之建立〉（同上，45期，民55年5月）、春明〈重慶市第二屆臨參會成立經過〉（同上，72期，民57年8月）、陳瑞雲〈抗日戰爭時期兩種政權建設之比較〉（《中共黨史研究》1993年4期）、潘望喜〈試析蔣介石特務政治在全民族抗戰中的客觀影響〉（《南京政治學院學報》1993年3、4期）、重慶市檔案館〈國家總動員會議三十三年度施政計劃（1943年10月）〉（《檔案史料與研究》1993年1期）及〈軍統局渝特區1939年度工作總報告〉（同上）、梅嶙高〈抗戰時期人才之訓練、培養〉（《人事行政》75期，民73年5月）、李永強〈試論抗日戰爭中的地方實力派〉（《成都黨史》1995年4、5期合刊）、林素蘭〈評抗戰時期的地方實力派〉（《杭州大學學報》1995年4期）、郭緒印〈略論際關係史中的國民黨地方實力派〉（《上海師大學報》1992年3期）、方敏〈地方實力派在抗日戰爭中的積極作用〉（《首都師大學報》1996年4期）、王續添〈試論抗戰時期地方實力派與蔣介石集團的矛盾鬥爭〉（《近代史研究》1990年6期）、〈簡析抗戰時期地方實力派與共產黨和民主勢力的聯合〉（《革命春秋》1990年2期）及〈略論抗戰時期蔣桂之間的矛盾鬥爭〉（《學術論壇》1990年1期）、趙萬鈞、紀青〈抗日戰爭中的桂系〉（《史學月刊》1990年6期）、劉景華〈抗戰時期的西北諸馬〉（《青海社會科學》1995年增刊）、Elizabeth J. Perry, Rebels and Revolutionaries in North China, 1845-1945. (Stanford, Calif.: Stanford University Press, 1980)、唐潤明〈試論蔣介石與四川抗日根據地的策定〉（《歷史檔案》1994年4期）、高素明〈贛南建設運動〉（《東方雜誌》38卷7號，民30年4月）、李明賢〈抗日戰爭時期國民精神總動員運動述評〉（《軍事歷史研究》1993年4期）、劉慶旻〈國民精神總動員述評〉（《檔案史料與研究》1993年4期）、桂新秋〈試評 "國民精神總動員" 運動〉（《湘潭大學學報》1987年增刊）、郭學旺、李世達〈國民精神總動員運動芻議〉（《青海社會科學》1988年2期）、游如龍〈當前中國國民精神總動員之理論與實施〉（《東方雜誌》37卷8號，民29年4月）、羅廷光〈國民精神總動員與中學公民訓練〉（《教育雜誌》29卷11號，民28年11月）、李守孔〈全面抗戰與國民精神總動員〉（《中央月刊》14卷9期，民71年7月）、三民主義青年團編《國民精神總動員運動》（中央團部印行，民30）、沈順利《抗戰時期民族精神的激發及其作為－國民精神總動員之研究》（政治作戰學校政治研究所碩士論文，民75）、劉慶旻〈略評蔣介石與國民精神總動員〉（《龍江社會科學》1993年6期）、公論社《論精神總動員》（譯報圖書部，民28）、譚達先〈抗日戰爭時期國統區政治諷刺歌謠〉（《民間文學》1965年5期）、張蒼《抗日時期組織戰之研究（1937-1945）》（政治作戰學校政治研究所碩士論文，民64年8月）、陳順之《抗戰時期宣傳政策之研究》（同上，民74）、日高一宇〈日中戰爭下の抗日宣傳〉（《北九州工業高專研究報告》29號，1996年1月）、張希哲〈記抗戰時期中央設計局的人與事〉（《傳記文學》27卷4期，民64年10月）、侯德礎〈抗戰時期川康禁毒考評〉（《檔案史料與研究》1991年2期）、衛惠林〈戰後中國民族政策與邊疆建設〉（《民族學研究所集刊》第4期，民33年10月）、陳德馨《抗戰時期西康彞務問題之研究（1937至1945）》（臺灣師大歷史研究所碩士論文，民79）、朱德新〈略論日偽保甲制度在冀東的推行〉（《河北學刊》1993年2期）、張濟順〈淪陷時期的上海保甲制度〉（《歷史研究》1996年1期）、陳三井〈抗戰初期上海對變局的肆應〉（載《慶祝抗戰勝利五十周年兩岸學術研討會論文集》下冊，臺北，近代史學會，民85）、傅清沛〈抗戰時期日本侵略者對青島的殖民統治與掠奪〉（《山東社會科學》1995年5期）、姜繼永〈日本火燒安徽臨時省會〉（《志苑》1995年3期）、劉文麟〈我對抗戰爆發後國內活動的一點看法〉（《河南財經學院學報》1986年2期）、潘望喜〈狗咬狗的另一面－試析蔣介石特務政治在全民族抗戰中的客觀影響〉(《南京政治學院學報》1993年3・4期)。

　　至於抗戰時期傀儡政權、偽組織的研究，迄今仍以汪精衛主持的偽「國民政府」(即「汪政權」，1940-1945)為主，這方面的論著和資料也較多，其他如北平之「中華民國臨時政府(1937-1940)」、南京之「中華民國維新政府(1938-1940)等傀儡政權及各地之治安維持會(如「北平臨時治安維持會」、「天津地方治安維持會」等)、從事奴化中國人民之團體(如「新民會」、「興亞會」、「大民會」等)的研究，則甚少。關於汪偽國民政府有中國第二歷史檔案館編印《汪偽國民政府公報》(15冊，南京，江蘇古籍出版社，1991)，內容為第1號(民29年4月1日發行)至789號(民34年4月30日)，為研究汪政權不可或缺之珍貴資料；中國第二歷史檔案館編《汪偽政府行政院會議錄》(31冊，北京，檔案出版社，1992)，第1冊為總目錄，第2至31冊為民29年4月1日第1次會議至34年8月14日第263次會議，亦為極珍貴之原始資料；朱子家(即金雄白)《汪政權的開場與收場》(5冊，香港，春秋雜誌社，1960-1961；其第6冊，民75年由臺北之古楓出版社翻印出版)，作者係記者出身，曾親身參與汪政權，雖非其極重要的人物，但現身說法，縷述汪政權始末及汪政權人物，鉅細靡遺，足資參考，惟其難免感情用事，對汪政權偏袒、同情之處，不一而足；陶菊隱等《汪政權雜錄》(澳門，大地出版社，1963)、古龍《滄桑閑話汪政權》(香港，湘濤出版社，1970)、邵銘煌《汪偽政權之建立與覆亡》(中國文化大學史學研究所博士論文，民79年6月)，曾參閱「大溪檔案」(總統府機要室檔案)及國防部史政編譯局所藏之檔案等，為臺灣學界此類論著中最詳細、最具代表性者；復旦大學歷史系中國現代史研究室編《汪精衛漢奸政權的興亡：汪偽政權史研究論集》（上海，復旦大學出版社，1987）、蔡德金《歷史的怪胎：汪精衛國民政府》（桂林，廣西師大出版社，1993）、蔡德金、李惠賢編《汪精衛偽國民政府紀事》（北京，中國社會科學出版社，1982）、黃美真、張雲編《汪精衛國民政府成立：汪偽政權資料選編》（2冊，上海，上海人民出版社，1984）、萬仁元主編《汪精衛與汪偽政府》（2冊，北京，商務印書館，1994）、黃美真編《偽廷幽影錄－對汪偽政權的回憶紀實》（北京，中國文史出版社，1991）、新武漢社編印《國民政府要覽（昭和17年版）》（漢口，1942）、國際宣傳局編印《中華民國國民政府概覽》（南京，民29）、中央電訊社出版委員會編印《國府戰時體制》（南京，民33）、宣傳部編印《國府還都紀念實錄》（南京，民30）、《國府還都第二年國民政府施政概況》（南京，民31）、《國民政府現況》（同上）及《國民政府三年來施政概況》（南京，民32）、伍澄宇《國民政府政綱之理論與實施》（上海，政治月刊社，民32）、張魯山《國民政府政綱釋義》（南京，中國大民會，民29）、東亞研究所編印《新國民政府の政治的地位》（東京，1941）、吳學誠《汪偽政權與日本關係之研究》（中國文化大學日本研究所碩士論文，民69年7月）、中保與作《汪兆銘と新中央政府》（東京，宮越太陽堂書房，1939）、唐戌中《汪偽組織剖視》（南平，總員出版社，民32）、張南軒編《汪逆偽組織的真面目》（九龍，時先出版社，1940），收有張南軒〈汪逆偽組織的估計〉、陶希聖〈新政權，是什麼？〉等文章5篇；多田部隊鐵道部編印《新中央政權樹立二關スル汪兆銘聲明》（油印本，1939）、日本內閣情報部《支那新中央政府成立の經緯》（1940年印行）、堀內干城《支那新政權樹立に就いて》(東京，東亞同文會，1939)、夏盛元〈試論抗戰時期的汪偽政權〉(《紹興師專學報》1985年3期)、胡愈之〈汪逆偽組織的解剖〉(《戰旗》85、86期，民29年5月；亦載《新軍》2卷5、6期，民29年5月)、利谷信義〈「東亞新秩序」と「大アジア主義」の交錯－汪政權の成立とその思想的背景〉(載《日本法とアジア》，東京，勁草書房，1970)、李茂盛、王秦偉〈論南京偽國民政府出現的歷史原因〉(《山西師大學報》1989年1期)、楊宗仁〈汪精衛偽國民政府成立經過〉(《南京史志》1987年4期)、張殿興〈汪偽政權登臺的前前後後〉(《洛陽師專學報》1987年3期)、周道純〈汪精衛袍笏登場時的鑼鼓：日軍"南京廣播電臺"在汪偽政權出籠前後的喧鬧〉(《南京史志》1985年6期)、梨本祐平〈汪兆銘偽政權的成立為何一再延期：日松岡外相與軍方的摩擦〉(《研究·資料與譯文》1986年3期)、何紹綠〈汪精衛國民政府的建立和基本特徵〉(《零陵師專學報》1987年2期)、吳德華〈汪偽政權是地道的漢奸賣國傀儡政權〉(《武漢大學學報》1987年4期)、李鍔，The Late Career of Wang Ching-wei, With Special Reference to His National Government's Cooperation With Japan, 1938-1945.(香港大學歷史研究所碩士論文，1967)、高正之〈汪政權之成立與日本之關係〉(《思想與時代》131、132期，民54年6、7月)、沈德海〈汪偽政權的建立及其罪惡活動〉(《貴州師大學報》1986年2期)、吳澤炎〈南京傀儡組織成立〉(《東方雜誌》37卷8號，民29年4月)、東序〈各國不承認南京傀儡組織〉(同上，37卷9號，民29年5月)、蔡德金著、任常毅譯〈汪精衛南京國民政府研究概略〉(《中國研究月報》576號，1996年2月)、巴雷特（David P. Barrett）〈汪精衛政府在意識形態方面的三大支柱：清鄉運動、新國民運動與大東亞戰爭〉(載《近百年中日關係論文集》，臺北，民80)、巴雷特著、徐雲根、徐有威譯人〈關於汪偽政權的英文檔案資料〉(《檔案與史學》1995年1期)、石源華〈汪偽國民政府〝接收〞上海租界始末〉(《上海研究論叢》1988年1期)、邵銘煌〈汪精衛政權參加日本大東亞戰爭之經緯－從同甘苦到共生死〉(載《中華民國史專題論文集：第一屆討論會》，臺北，國史館，民81年12月)、武錦蓮〈汪偽政權的〝新國民運動〞部析〉(《上海師院學報》1983年3期)、小口五郎〈汪政權下の東亞聯盟運動〉(《外交時報》98卷1期，1941)、石源華〈論日本對華新政策下的日汪關係〉(《歷史研究》1996年2期)、余子道、劉其奎、曹振威編《汪精衛國民政府「清鄉」運動》(上海，上海人民出版社，1985)、劉維諭《汪精衛政權之清鄉運動》(東海大學歷史研究所碩士論文，民85年6月)、佟冬等主編、中央檔案館等編《日汪的清鄉》(日本帝國主義侵華檔案資料選編13，北京，中華書局，1995)、賀揚靈編述《汪逆〝清鄉〞陰謀之分析》(浙西民族文化館，民31)及《反〝清鄉〞的戰術》(浙江省政府浙西行署秘書處，民31)、吳雪晴〈日偽的〞清鄉〞及其失敗〉(載《抗日戰爭史事探索》，上海，上海社會科學院出版社，1988)、余子道〈日偽在淪陷區的〝清鄉〞活動〉(《近代史研究》1982年2期)、小口五郎、小田原《國民政府の清鄉工作》(東京，東亞研究會，1942)、沈秋農〈論抗戰時期蘇常太地區的〝清鄉〞與〝反清鄉〞鬥爭〉(《民國檔案》1995年1期)、臼井勝美〈段‧汪兩政權に就ての若干の資料〉(《歷史學研究》220號，1958年6月)、李少華輯《汪偽政權對英美宣戰及有關史料選輯》(《國史館館刊》復刊第7期，民78年12月)、邵銘煌〈抗戰勝利與汪精衛政權之覆亡〉(載胡春惠主編《紀念抗日戰爭勝利五十週年兩岸學術討論會論文集》，香港，珠海書院亞洲研究中心，1996年3月）、張雲〈汪偽政權的覆滅與漢奸的審判〉（《檔案與歷史》1986年2期）、馮敏〈汪偽文官考試制度述略〉（《民國檔案》1993年2期）、陳鋼〈汪偽中央儲備銀行簡介〉（同上，1993年3期）、吳名譯、董國英校〈汪偽中央儲備銀行日志〉（《檔案與歷史》1987年3期）、戴建兵〈汪偽中央儲備銀行及偽中儲券〉（《中國錢幣》1995年3期）、馬嘯天、汪曼雲《汪偽特工內幕：知情人談知情事》（鄭州，河南人民出版社，1986）、黃美真、姜義華、石源華《汪偽「七十六號」特工總部》（上海，上海人民出版社，1985）、晴氣慶胤《上海テロ工作76號》（東京，每日新聞社，1980），其中譯本為朱阿根、孫志民、毛良鴻譯《滬西〝七十六號〞特工內幕》（上海，上海譯文出版社，1985）、蔡德金、尚岳編《魔窟：汪偽特工總部七十六號》（北京，中國文史出版社，1986）、劉曉寧〈汪偽特工總部南京區簡介〉（《民國檔案》1991年4期）、古廐忠夫〈汪精衛政權はカイライではなかフか〉（載《日本近代史の虛像と實像(3)》，東京，大月書店，1989）及〈對華新政策と汪精衛政權－軍配組合から商統總會へ〉（載中村政則等編《戰時華中の物資動員と軍票》，多賀出版社，1994）、李勤〈試析汪偽戰時經濟體制〉（《華中師大學報》1992年2期）、姚福申、葉翠娣、辛曙民〈汪偽新聞界大事記〉（《新聞研究資料》48、49輯，1989及1990）。

　　其他與汪偽政權相關的論著和資料（如綜述抗戰時期偽政權、汪精衛之叛國始末、汪偽政權成立的經過及該政權重要人物等）有費正、李作民、張家驤《抗戰時期的偽政權》（鄭州，河南人民出版社，1993）、國民黨黨史會編印《中華民國重要史料初編－對日抗戰時期，第六編：傀儡組織》（臺北，民70）、中華民國外交問題研究會編印《日本製造偽組織與國聯的制裁侵略》(中日外交史料叢編之5，臺北，民55)、孫存武、田樹茂〈日本侵占中國時期的傀儡政權〉(《黨史文匯》1995年9期)、王仰清等〈日本在華傀儡政權述要〉(《歷史教學問題》1983年2期)、F. W. Mote, Japanese Sponsored Governments in China, 1937-1945: An Annotated Biblography. (Stanford, Calif.: Stanford University Press, 1954)、安井三吉〈日本帝國主義とカイライ政權〉(《講座中國近現代史》第6卷，東京，東京大學出版會，1978)、伊勝利〈日偽政權的建立及其演變〉(《理論探討》1988年1期)、重慶市檔案館〈傀儡組織的內幕及其現狀〉(《檔案史料與研究》1992年4期)、李超英《偽組織政治經濟概況》(重慶，商務印書館，民33)、由黎《怎樣對付偽組織》(重慶，中山文化教育館，民27)、國民政府軍事委員會軍令部第二廳第三處編印《偽組織一覽》(出版時地不詳)、黃美真等〈抗日戰爭時期三個漢奸政權及其主要頭目〉(《人物》1984年3期)。梁文斌〈1931年日本人入侵中國後相繼建立的幾個傀儡政權〉(《大慶師專學報》1990年2期)、黃美真著、土田哲夫譯〈中國における傀儡政權研究の狀況〉(《日本史研究》328號，1989年12月)、中國第二歷史檔案館〈抗戰時期南北兩偽政權合流檔案選〉(《歷史檔案》1983年2期)、史會來、夏潮〈介紹淪陷區的幾個偽組織〉(《黨史研究資料》1996年4期)、上海市檔案館編《日偽上海市政府》(北京，檔案出版社，1986)、李繼星〈抗戰時期的北平偽警察機構〉(《中國人民警官大學學報》1989年3期)、Lin Han-Sheng(林漢生)，" A New Look at Chinese Nationalist 'Appeasers'. " (In Alvin D. Coox and Hilary Conroy, eds., China and Japan, Santa Barbara, Calif.: ABC-Clio Press, 1978)。李白沙等編《汪精衛與偽滿秘聞》(臺北，普全文化公司，民83）、高良佐《漢奸汪精衛》（重慶，求是出版社，民28）、王雲高《汪精衛叛國前後》（北京，華僑出版社，1991）、張慶軍、劉冰《陷阱：汪精衛叛國探秘》（北京，中國檔案出版社，1995）；《關於汪精衛叛國》（新新出版社，民28）、黃美真、張雲《汪精衛集團叛國投敵記》（鄭州，河南人民出版社，1987）及編《汪精衛集團投敵：汪偽政權資料選編》（上海，上海人民出版社，1984）、龔德柏《汪精衛降敵賣國密史》（三重，大立書店，民59）、古龍編《汪精衛賣國秘史》（臺北，文翔圖書公司，民65）、錢俊瑞《汪精衛賣國的理論與實踐》（民29年印行）、第二戰區司令長官司令部政治部編《汪逆賣國醜史》（黃河書店，民29）、王偉編《汪精衛賣國陰謀》（西安，民與出版社，民28）、中央組織部編《汪精衛叛黨降敵之剖析》（重慶，編者印行，民28）、王造時等《汪精衛怎樣出賣中國》（吉安，前方文化社，民29）、大剛報編輯部編《汪精衛叛國（主和陰謀總暴露）》（大剛報社，民28）、陶希聖《汪記舞臺內幕》（上饒，戰地圖書出版社，民29）、正論出版社編印《國人皆曰－漢奸汪精衛（第1-10輯）》（重慶，民28-29）及《國人皆曰漢奸汪精衛（痛斥偽組織特輯）》（重慶，民29）、山中德雄《和平は賣國は》（東京，不二出版，1990）、犬養健著、任常毅譯《誘降汪精衛秘錄》（南京，江蘇古籍出版社，1987）、黃維逸《風流奸雄——汪精衛》（北京，中國社會出版社，1995）、陳瑞雲《倒戈傀儡－汪精衛的領袖夢》（臺北，日臻出版社，民84）、段麟郊等編著《照妖鏡下的汪精衛》（重慶，獨立出版社，民28）、戚承先編《如此的汪精衛》（同上）、青葦編《汪精衛與日本》（民28年8月印行）、丁賢俊、聞少華〈一個投降派的典型－汪精衛〉（《歷史研究》1976年4期）、蔡德金〈汪精衛集團叛國投敵的前前後後〉（《近代史研究》1983

年2期)、黃美真等〈抗戰時期汪精衛集團的投敵〉(《復旦學報》1982年6期)、樂恕人〈和平運動與汪派投敵〉(《中外雜誌》10卷4期,民60年10月)、裴可權〈汪逆精衛降敵經過記詳〉(《傳記文學》33卷6期,民67年12月)、唐德剛〈高宗武探路汪精衛投敵始末〉(同上,66卷2期,民84年2月)、蔡德金〈高宗武對日交涉與汪精衛集團叛國投敵〉(《湖北大學學報》1995年4期)、邵銘煌〈高宗武對日謀和活動〉(載中央研究院近代史研究所編印《近代中國歷史人物論文集》,臺北,民82年6月)、朱開來〈謎樣人物高宗武〉(《中外雜誌》44卷2、3期,民77年8、9月)、周谷〈高宗武笑談當年事〉(《傳記文學》66卷4期,民84年4月)、沈立行〈高宗武在漢奸道路上的反覆〉(同上,65卷6期,民83年12月)、唐德剛〈從高宗武之死談到抗戰初期幾件重要史料〉(同上)、陳昌祖著、薛紀國譯〈參與汪偽「和平運動」始末－汪精衛妻弟陳昌祖回憶錄〉(《傳記文學》66卷2、4期,民84年2、4月)、陸寶千〈論汪兆銘之叛國事件〉(中央研究院近代史研究所編印《抗戰建國史研討會論文集(1937-1945)》下冊,民74年12月)、史鋒〈汪精衛賣國記〉(《學習與批判》1975年12期、1976年1、2期)、戚承樓〈革命與資本－讀《汪精衛賣國》有感〉(同上,1976年7期)、唐德剛〈走火入魔的日本現代文明——「汪精衛投敵始末」之二〉(《傳記文學》66卷3期,民84年3月)、〈使中國全土「滿洲化」的和戰經緯——「汪精衛投敵始末」之三〉(同上,66卷4期,民84年4月)、〈從通敵到出走的曲曲折折(上)——「汪精衛投敵始末」之四〉(同上,66卷5期,民84年5月)及〈從通敵到出走的曲曲折折(下)——「汪精衛投敵始末」之五〉(同上,66卷6期,民84年6月)、蔣永敬〈汪精衛從「和平」運動到投日——「王世杰日記」中的史事與人物之四〉(《傳記文學》62卷2期,民82年2月)、石小平〈抗日戰爭時期汪精衛集團叛國投敵原因初探〉(《寶雞文理學院學報》1996年2期)、沈家善〈汪精衛叛國投敵原因探討〉(《杭州大學學報》1982年2期)、柳蘊琪〈汪精衛通敵賣國原因初探〉(《貴州大學學報》1985年3期)、吳德華〈論賣國賊汪精衛叛國投敵的原因〉(《武漢大學學報》1985年6期)、章克昌〈試論汪精衛通敵賣國之原因〉(《江西農業大學學報》1986年哲社專輯)、蘇宗轍〈汪精衛叛國投敵原因再探〉(《民國檔案》1993年3期)、梁士剛〈試析汪精衛叛逃的原因〉(《歷史教學》1989年6期)、蔡德金〈從周佛海日記看汪精衛叛逃內幕〉(《革命史資料(上海)》1986年2期)、葉崗〈汪精衛到底為何從重慶出走〉(《抗日戰爭研究》1994年3期)、王士花〈也談汪精衛為何從重慶出走-與葉崗同志商榷〉(同上,1996年2期)、劉華明〈汪精衛叛國出逃探微〉(《民國檔案》1993年2期)、溫賢美〈汪精衛叛逃降日的經過及其下場〉(《文史雜誌》1994年2期)、宋越倫〈從日方資料看汪精衛叛國經過〉(《華學月刊》53期,民65年5月)及〈從犬養健供詞看汪逆叛國真相〉(同上,91期,民68年7月)、陳紀瀅〈汪兆銘叛國與大公報建言〉(《傳記文學》24卷1-3期,民63年1-3月)、胡菊容〈汪精衛叛逃經過〉(《南京史志》1988年1期)、伊原澤周〈近衛內閣と汪精衛の重慶脫出〉(《東洋文化學科年報(追手門學院大學文學部)》第4號,1989年11月)、青地晨〈汪兆銘脫出事件〉(《知性》3卷7號,1956年6月)、屈武〈汪精衛逃離重慶的時間應為1938年12月〉(《人物》1982年2期)、蔡德金〈汪精衛叛逃與龍雲〉(《檔案與歷史》1988年1期)及〈汪精衛脫逃與蔣介石的處置〉(載《紀念抗日戰爭勝利五十周年學術討論會論文集》,香港,珠海書院亞洲研究中心,1996年3月;亦載《江蘇歷史檔

案》1996年3期）、朱榮庭〈略論汪精衛投敵叛國與蔣介石之對策〉
（《桂海論叢》1994年2期）、判澤純太〈汪兆銘の重慶脱出と日本の對
應〉（《政治經濟史學》183號，1981年8月）、胡菊容〈汪精衛的 "艷
電" 及各方聲討〉（《南京史志》1987年4期）、璞君〈國府明令通緝汪
兆銘〉（《東方雜誌》36卷13號，民28年7月）、伊原澤周〈汪精衛與近
衛首相－河内的滯留與苦惱〉（載《近百年中日關係論文集》，臺北，民
80）、彭澤周〈汪精衛近衛首相－汪精衛滯留河内的猶豫與苦惱〉
（《傳記文學》58卷4期，民80年4月）、少石編《河内血案－行刺汪精
衛始末》（北京，檔案出版社，1988）、陳恭澍《河内汪案始末－「英
雄無名」第二部》（臺北，傳記文學出版社，民72）、張劍衷編著《刺
汪内幕》（長春，吉林文史出版社，1986）、譚天河〈河内刺汪誤中副
車質疑〉（《學術研究》1992年3期）、姜君宸〈論汪兆銘叛國案〉（《國
民公論》1卷5、6期，民28年1月）、岡田酉次〈汪精衛政府成立前後
的日汪勾結内幕〉（《國外中國近代史研究》11輯，1988）、史鋒〈汪精
衛賣國記〉（《學習與批判》1975年12期、1976年1、2期）、張學俊〈汪
精衛集團的民族投降主義理論〉（《唐都學刊》1994年1期）、陳戎杰
〈汪精衛降日賣國的 "東亞聯盟" 理論剖析〉（《抗日戰爭研究》1994年
3期）、史潮〈試論汪精衛集團投降主義理論之發展〉（《湖北大學學
報》1995年4期）、羅正楷〈抗日戰爭時期蔣介石集團與汪精衛集團
的關係〉（《教學與研究》1986年5期）、劉松茂〈論抗戰時期 "汪吳
合作"的醞釀及破產的原因〉（《北京師大學報》1993年訪問學者專輯）。
森永優子《日中戰爭期の「和平」運動》（早稻田大學文學研究所碩士
論文，1976）、黃友嵐《抗日戰爭時期的「和平」運動》（北京，解放
軍出版社，1988）、森永優子《日中戰爭期の「和平」運動》（早稻田

大學文學研究所碩士論文，1976）、何之編《「和平」運動及其反響》（上海，上海雜誌社，民27）、譯叢編譯委員會《到中日全面和平之路》（南京，中日文化協和會出版組，民31）、西義顯《悲劇の證人：日華和平工作秘史》（東京，文獻社，1962），其中譯本為汪常毅譯《日華"和平工作"秘史》（南京，江蘇古籍出版社，1990）、衛藤瀋吉〈對華和平工作史〉（日本外政協會編《太平洋戰爭終結論》，東京，東大出版會，1958）、胡蘭成〈中國のここる─戰事中の日華和平運動について〉（《文藝春秋》30卷11號，1952）、藤井昇三〈日中戰爭中の和平工作と中國の對應──日中關係史の一側面〉（《外務省調查月報》9卷7號，1968）、伊藤隆、鳥海靖〈日中和平工作に關する史料(1)──松本藏次關係文書から〉（《東京大學教養學部人文科學研究所紀要》66號，1978）、鮑家麟〈二次大戰期間中日和平的努力(1939-1944)〉（載《中華民國建國八十年學術討論集》第2冊，臺北，民81）、史會來〈抗戰時期日本誘降蔣介石的"桐工作"〉（《求是學刊》1985年6期）、今井武夫〈「桐工作」について〉（《みすず》206號，1977年4月）、島田俊彥〈日華事變における和平工作──とくに「桐工作」及ひ「松岡‧錢永銘工作」について〉（《武藏大學人文學會雜誌》3卷1、2期，1971年6、10月）、耿玉發〈淺析日本誘降蔣介石的"桐工作"〉（《歷史教學》1989年5期）、張婉英〈日本"桐工作"計劃破產始末〉（《檔案史料與研究》1996年4期）、馬中智〈日本誘降閻錫山未遂原因初探〉（《渭南師專學報》1993年2期）、藤井志津枝〈日本對閻錫山的誘和活動〉（《國史館館刊》復刊14期，民82年6月）、〈日本對「宋子良」的誘和活動〉（同上，15期，民82年12月）及〈日本對華「誘和」與其參謀本部〉（載胡春惠主編《紀念抗戰勝利五十週年學術討論會論文集，香港，1996》、安慶瀋〈抗戰時期日本對中國求和經過〉(《反攻》269期，民53)、海野芳郎〈日中戰爭初期の和平努力－－主として第三國の動き〉(《軍事史學》第9號，1967)、劉傑〈「和平工作」への道－船津工作に至る日本の中國政策〉(《日本歷史》) 508號，1990年9月)、島田俊彥〈「船津工作」など〉(《國際政治》47號，1972年12月)、華東新華書店編印《抗戰以來敵寇誘降與國民黨反動派妥協投降活動的一筆總賬》(上海，1949)、劉守仁〈日本對國民黨政府誘降的幾個問題〉(載《抗日戰爭史事探索》，上海社會科學院出版社，1988)、森美千代〈日中戰爭下の張資平－－「和平運動」への參加過程〉(《野草》56號，1995年8月)、John Hunter Boyle, China and Japan at War 1937-1945: The Poltics of Collaboration. (Stanford, Calif.: Stanford University Press, 1972)，係就其1968年Stanford大學博士論文——Japan's Pupper Regimes in China, 1937～1940.改寫而成；其中譯本為約翰·亨特·博伊爾著、陳體芳等譯、鄭文華校《中日戰爭時期的通敵內幕(1937-1945)》(北京，商務印書館，1978)，除探討汪精衛求和及汪政權之史事外，亦述及其他之傀儡政權；作者在該書出版前尚發表有 "The Road to Sino-Japanese Collaboration: The Background to the Defection of Wang Ching-wei. "(Monumenta Nipponica, Vol. 25, Nos. 3-4, Sep.-Dec. 1970)；Gerald E. Bunker, The Peace Conspiracy: Wang Ching-Wei and the China War, 1937-1941.(Cambridge, Mass. : Harvard University Press, 1972)專述汪氏謀和之經過，但至汪政權成立即戛然而止，令讀者未能盡興。 Lin Han-sheng（林漢生），Wang Ching-wei and Japanese Peace Efforts. (Ph. D. Dissertation, Pennsylvania State University, 1967)及 "Wang Ching-wei

and Chinese Collaboration. ”(Peace and Change, Vol.1, No.1, Fall 1972)、
佐藤吉治郎編《和平工作の實相と汪精衛工作》(臺北，臺灣新聞社印
刷部印刷，1940)、導報叢書編印部編《汪精衛的求和運動及其他》
(上海，導報館圖書部，民28)、國魂書店編譯部編著《汪逆賣國求和
之前因後果》(成都，國魂書店，民28)、汪兆銘述、林佰生編《汪主
席和平運動言論集》(上海，中華日報館，民28)、土屋光芳〈汪精衛
の「和平運動」と「大亞洲主義」〉(《政經論叢（明治大學政治經濟研究
所 ）》61卷2號，1992年12月) 及〈汪精衛と「和平運動」－高宗武の
視點から 〉(同上，57卷1・2號，1988年8月)、何之編《 “和平
” 運動及其反響》(上海，上海雜誌社，民27)、Tong T. K. （唐德
剛 ），“ Japan's Seduction for Peace with China During Wartime:
The First Phase-the Story of Gao Zongwu. ”(載中央研究院近代史研
究所編印《第三屆近百年中日關係研討會論文集》下冊，臺北，民85年3
月)、陳鵬仁〈影佐禎昭與抗戰時日本的對汪精衛工作〉(《近代中國》
95、97期，民82年6、10月) 及〈影佐禎昭與汪精衛〉(《中國文化大
學政治研究所學報》第2期，民82年1月)、土屋光芳〈汪精衛と「政
權樹立の運動」〉(《政經論叢（明治大學政治經濟研究所 ）》57卷5・6號，
1989年3月)、孟端星〈汪精衛與〝重光堂會談〞〉(《華中師大學報》
1992年2期) 及〈 “重光堂會談”的一個細節〉(《昭通師專學報》1991
年1期)、趙金康、張殿興〈高宗武和陶希聖叛汪原因探析〉(《河南
大學學報》1994年2期)、聞少華〈高宗武、陶希聖脫離汪偽事件述
論〉(《蘇州大學學報》1987年3期)、蔡德金〈陶希聖脫離汪精衛漢奸
集團始末〉(《民國春秋》1989年4期)、甘介侯〈汪倭密約的背景〉(《閩
政月刊》6卷2期，民29年4月)、汪大義編《汪日密約》(遂溪，嶺南出

版社，民29）、青年社編印《汪精衛賣國密約》（民34年印行）、蕭然編《汪逆精衛賣國密約》（紹興，抗戰建國社，民29）；《汪精衛賣國密約》（西安，新中國文化出版社，民29）、中央秘書處文化驛站總管理處編《汪逆賣國條約》（重慶，編者印行，民29）、粟顯運《日汪密約的解剖》（重慶，國民圖書出版社，民29）、第三戰區司令長官司令部政治部編《日汪密約的大揭露》（上饒，編者印行，民29）、石火出版社編印《日汪密約之暴露》（桂林，民29）、重慶邦交討論會《駁斥日汪偽約》（重慶，撰者印行，民30）、陶希聖《日汪協約十論》（上饒，戰地圖書出版社，民30）、沙大仁《"二十一條"與"日汪密約"之比較研究》（九龍，時先出版社，1940）、郭民編纂《汪日秘密協定》（香港，申萱出版社，1940）、國民精神總動員會編《照妖鏡下之敵汪密約》（編者印行，出版年份不詳）；《汪逆賣國密約》（重慶，時事新報，民29）、餘姚縣動員委員會抗建出版社編印《汪逆賣國密約》（餘姚，民29）、國民黨中央宣傳部編印《汪逆賣國之鐵證》（重慶，民29）、軍事委員會委員長桂林行營政治部編印《汪精衛賣國陰謀之總暴露》（桂林，民29）、中央宣傳部編《汪逆賣國陰謀之大暴露》（重慶，中央秘書處文化驛站總管理處，民29）、僑務委員會華僑動員社編印《漢奸汪精衛賣國陰謀總暴露》（重慶，民29）、福建省軍管區政治部第三科編印《倭汪陰謀總暴露》（民29年印行）、國民黨福建省執行委員會編印《汪逆賣國鐵證》（民29年印行）、第二戰區司令長官司令部政治部編《汪精衛賣國罪案》（黃河書店，民29）、鄧初民〈論"日汪條約"〉（《中蘇文化》7卷6期，民29年12月）；〈汪逆與敵簽訂賣國協定全文〉（《戰地》4卷6、7期，民29年2月）；〈汪逆急望於日方者與敵答覆汪逆全文〉（同上）；〈汪逆賣國條約及其附件〉(《閩政月刊》7卷4期，民29年12月）、周好〈《汪日密約》與日本亡華野心〉(《湛江師院學報》1993年2期）、陶希聖〈揭發「日汪密約」的幕後〉(《自由談》13卷1期，民51年1月）、徐達人編《汪精衛是什麼東西（第2輯）》(遂溪，嶺南出版社，民28）、廖毅甫編《汪精衛是什麼東西（第2輯）》(同上）、徐達人著、張光宇漫畫《汪精衛罵汪兆銘：恭摹雙照樓墨寶》(同上）、曹翰、魯風《興亞建國理論的根據》(興建月刊社，民29）、興亞建國運動本部《興建第一年》(民29年印行）、興亞建國運動本部結束委員會《興建運動》(民30年印行）、嚴軍光等著、在上海日本總領事館特別調查班譯編《興亞建國運動の理論と主張》(上海，1942）、Tao Pao Chia-lin（鮑家麟），The Role of Wang Ching-wei During the Sino-Japanese War.（Ph. D. Dissertation, Indiana University, 1971）、汪兆銘《汪精衛先生關於和平運動之重要言論》(北平，中華民國臨時政府行政委員會情報處，民28）、南華日報社《汪精衛先生重要建議》(香港，撰者印行，1939）、田中香苗、村上剛《汪兆銘と新支那》(東京，日本青年外交協會，1940）、山中峰太郎《新中國の大指導者汪精衛》(東京，潮文閣，1942）、汪兆銘著、外交問題研究會編譯《汪主席聲明集》(東京，日本國際協會，1941）、汪兆銘《汪主席訪日言論集》(上海特別市政府秘書處，民30）；〈汪精衛赴日記〉(《政治月刊》2卷1期，民30年7月）、〈汪精衛三度訪日特輯〉(同上，5卷1期，民32年1月）、朱寶琴〈藏本事件與汪精衛的媚日外交〉(《民國春秋》1994年4期）、蔡德金〈重光葵關於同汪精衛會談情況的報告（1942年2月2日）〉(《檔案與歷史》1988年3期）；〈汪精衛與近衛文麿談話錄〉(同上，1988年4期）、彭澤周〈汪精衛與近衛首相〉(《傳記文學》58卷4期，民80

年4月）、馬庚存〈汪僞青島會議述評〉（《青島師專學報》1992年2期）、
中嶋萬藏〈青島會議－汪政權との關係〉（載《高原千里》，東京，ら
くだ會本部，1973）、史明操〈敵汪關係的演變〉（《群衆週刊》8卷6、
7期，民32年4月）、土屋光芳〈汪精衛の日中關係のイナージ：友
好か？毅對か？〉（《政經論叢（明治大學政治經濟研究所）》64卷3、4號，
1996年3月》、石源華〈論日本對華新政策下的日汪關係〉（載《慶祝
抗戰勝利五十週年兩岸學術研討會論文集》上冊，臺北，近代史學會，民
85；亦載《歷史研究》1996年2期）及〈汪僞時期的〝東亞聯盟運動〞〉
（《近代史研究》1984年6期）、伊東昭雄〈〝大アジア主義〞と〝三民
主義〞－汪精衛傀儡政權下の諸問題について〉（《橫濱市立大學論叢》
40卷人文科學系列第1號，1990年3月）、劉其奎〈汪僞〝大亞洲主義〞
述論〉（《江海學刊》1987年4期）、張慶軍、戚如高〈簡論汪僞集團的
文化宣傳〉（《民國檔案》1990年3期）、蔡德金〈抗戰時期汪精衛的
「和平主義」〉（載《慶祝抗戰勝利五十週年兩岸學術研討會論文集》上冊，
臺北，近代史學會，民85）、李德明〈汪精衛的僞〝三民主義〞〉（《重
慶師院學報》1988年3期）、土屋光芳〈汪精衛の民主政治論について
の一考察〉（《政經論叢（明治大學政治經濟研究所）》63卷1號，1995年2
月）、陳木杉《從函電史料觀抗戰時期的蔣汪關係》（臺北，臺灣學生
書局，民84）、張雲〈〝蔣汪合流〞說質疑〉（《空軍政治學院學報》
1989年1期）、Cai Dejin（蔡德金），〔Lloyd E. Eastman Trans.〕
"Relations Between Chiang Kai-shek and Wang Ching Wei During the
War Against Japan: A Examination of Some Problems."（Republican
China, Vol. 14, No.2, 1989）、蔡德金〈試論抗戰時期蔣汪關係的幾個
問題〉（載《民國檔案與民國史學術討論會論文集》，北京，檔案出版社，

1988）、杉森久英〈人われを漢奸と呼ふ〉－汪兆名傳〉(《諸君》24卷2-10號，1992）、朝日新聞社東亞問題調查會《中國國民黨と汪兆銘コース》(東京，撰者印行，1939)、陳木杉《從函電史料觀抗戰時期汪精衛集團治粵梗概》(臺北，臺灣學生書局，民85)、陳予歡〈汪偽廣東政權要員名錄〉(《羊城今古》1992年3期）。中國國民黨中央執行委員會宣傳部編印《和平反共建國文獻》(2冊，國民政府還都週年紀念冊，南京，民30)、劉永耀等〈汪偽蘇北行營梗概〉(《江蘇地方志》1987年3期）、李勤〈試析汪偽戰時經濟體制〉(《華中師大學報》1992年2期）、張根福〈論汪偽戰時經濟統制〉(《江海學刊》1996年3期）、王喜光〈日偽漢奸政權南京自治委員會〉(《南京史志》1987年3期）、劉鳳翰〈日軍侵華期間偽軍的興起與蛻變〉(《國史館館刊》復刊18期，民84年6月）、英夫〈關於偽軍問題〉(《群眾》4卷9期，民29年3月）、國民政府軍事委員會政治部編印《敵寇編組偽軍的陰謀》(重慶，民30)、李文昌〈華北偽軍初探〉(《北京檔案史料》1996年3期）、顧瑩惠、吉文燦〈汪偽和平軍述論〉(《蘇州大學學報》1992年4期）、石源華〈汪偽和平救國軍的建立、發展和消亡〉(《軍事歷史研究》1987年1期）、張紹甫〈我所知道的汪偽海軍──「細說汪偽」之六〉(《傳記文學》63卷3期，民82年9月）、范長琛〈汪偽警衛三師起義前後〉(《南京史志》1991年6期）、姜志良〈江蘇的偽軍〉(《江蘇地方志》1990年4期）、馬場毅〈山東省の傀儡軍について〉(《社會科學討究》39卷3號，1994年3月）、李鐵虎〈華北偽〝治安軍〞序列沿革〉(《軍事史林》1989年5期）、李寅〈偽〝治安軍〞（華北綏靖軍）團級序列沿革〉(《北京檔案史料》1991年1期）、李傳根〈汪偽空軍揚州起義〉(《文物天地》1983年2期）、于飛等〈迷途知返：汪偽空軍揚州起義〉(《革命史資料》1983 年 12 輯 ）、歐陽如華〈汪偽飛機"建國號"起義記〉（《星火燎原》1983 年 1 期 ）、張克明〈汪偽政權查禁抗日救亡歌曲簡記〉（《新文化史料》1994 年 1 期 ）。鄭蓉〈頭號漢奸汪精衛之死〉（《福建黨史月刊》1995 年 10 期 ）、李影、子江〈汪精衛死因之謎〉（《炎黃春秋》1993 年 6 期 ）、王覺源〈汪精衛死事之謎〉（《中外雜誌》42 卷 3 期，民 76 年 9 月 ）、聞少華〈汪精衛是日本人害死的嗎？〉（《江漢論壇》1990 年 10 期 ）、蔡德金〈汪精衛死亡の真相〉（《歷史評論》458 號，1988 年 6 月 ）、長弓告〈奸雄汪精衛死亡之謎〉（《黨史縱覽》1996 年 6 期 ）、蔡德金、李安慶〈大漢奸汪精衛斃命真相〉（《南京史志》1985 年 6 期 ）、胡耐安〈汪精衛生前身後識小錄〉（《傳記文學》23 卷 3 期，民 62 年 9 月 ）。趙志邦〈汪偽第一夫人陳璧君〉（《傳記文學》52 卷 5 期，民 77 年 5 月 ）、程舒仲編著《汪精衛與陳璧君》（長春，吉林文史出版社，1988 ）、田中忠夫〈汪兆銘と陳璧君〉（《中央公論》55 年 7 號，1940 ）、朱庸齋〈汪精衛與陳璧君〉（《文史集萃》第 2 輯，1983 ）、玉覺源〈陳璧君的末路〉（《中外雜誌》38 卷 2 期，民 74 年 8 月 ）；其他有關汪精衛的論著和資料已在「早期的國共關係」中舉述，可參閱之，此處不再贅列。何卓玫編《汪精衛集團沉浮記》（成都，四川人民出版社，1989 ），係根據朱子家（金雄白）所著《汪政權的開場與收場》（前已舉述，可參閱之）一書改編而成；黃美真主編《汪偽十漢奸》（上海，上海人民出版社，1986 ），敘述汪精衛、陳公博、周佛海、褚民誼、陳璧君、羅君強、王克敏、王揖唐、梁鴻志、李士群十個汪偽政權主要人物的生平活動和經歷；董識圖〈汪精衛等巨奸的丑史簡介〉（《社會科學論壇》1985 年 2 期 ）、華東七省市政協文史工作協作會議編《汪偽群奸禍國紀實》（北京，中國文史出版社，1993 ）；汪偽政權第二號人物陳

公博，撰有《陳公博自傳（第1輯）》（香港，南國出版社，1957）、
《八年來的回憶：陳公博自白書》（上海，光復出版社，民35）、《陳
公博先生文集》（2冊，香港，遠東圖書公司，1967）、《寒風集》（上
海，地方行政社，民33）、《苦笑錄》─陳公博回憶錄（1925～1936）
（李鍔、汪瑞炯、趙令揚編註，香港大學亞洲研究中心，1980）及與周佛海
共著《陳公博周佛海回憶錄合編》（香港，春秋出版社，1967）、聞少
華《陳公博傳》（北京，東方出版社，1994）、「國民黨」宣傳部編《中
華民國政府赴日答禮專使陳公博先生言論集》（南京，中央書報發行
所，民29）、蔡德金《汪偽二號人物陳公博》（鄭州，河南人民出版社，
1993）、張順良《陳公博在北伐前後的政治活動》（政治大學歷史研究
所碩士論文，民80）、 Lee Ngok and Waung Sui-King, "Chiang Kai-
Shek, Ch'en Kung-Po and the Communists, 1925 ～ 1926." （Asian
Thought and Society, Vol. 3, No. 7, 1978）、楊波、李穎〈勾結、爭鬥、
死對頭──蔣介石與陳公博〉（載程舒偉、雷慶主編《蔣介石的人際世
界》，長春，吉林人民出版社，1994）、王克文〈陳公博為什麼追隨汪
精衛投敵─民國時期政治忠誠觀念的個案研究〉（《抗日戰爭研究》
1992年2期）、蔡德金〈也談陳公博為何追隨汪精衛投敵：與王克文
先生商榷〉（同上，1993年2期）、吳相湘〈陳公博甘願為汪精衛死〉
（《傳記文學》41卷6期，民71年12月）、林光灝〈陳公博玩火自焚〉（《中
外雜誌》19卷4期，民65年4月）、陳祖康〈陳公博一段秘辛〉（同上，
19卷5期，民65年5月）、小川哲雄著、陳鵬仁譯〈陳公博亡命記〉（同
上，40卷2期，民75年8月）、小川哲雄《日中終戰史話──南京國
民政府主席陳公博の日本亡命》（東京，原書房，1985）、孫培雲〈陳
公博亡命日本記〉（《縱橫》1991年3期）、孫鐵齋譯〈陳公博亡命日

本記〉(《傳記文學》29卷1～3期，民75年7-9月)、經盛鴻〈巨奸陳公博伏法記〉(《民國春秋》1992年1期)、陳永階〈淺析陳公博、周佛海的蛻變〉(《廣東黨史》1996年4期)、蘇維初著、張士義、劉德喜譯〈陳公博－一個有馬克思主義傾向的國民黨理論家〉(《國外中國近代史研究》14輯，1989年10月)、石源華〈陳公博の生涯－その思想にすけろ發展と轉換〉(《中國研究月報》532號，1992年6月)、山田花尾里〈漢奸裁判と陳公博研究に關する史料紹介〉(《信大史學》20號，1995年11月)、上海時事出版社編印《陳逆公博罪行錄(附自白書)》(上海，民35)。周佛海則除前述與陳公博書合編為一冊之回憶錄外，尚撰有《往矣集》(周黎庵編，上海，平報社，民31；上海，古今出版社，民32；香港，合眾出版社翻印，1955)、《逃出了赤都武漢》(上海，大同書局，民16)、《苦學與奮鬥(周佛海先生自傳之兩章)》(中報社編印，民31)、《周佛海日記》(香港，創墾出版社，1955)、《大漢奸周佛海日記》(臺中，藍燈文化事業公司，民63)；周佛海著、蔡德金編注《周佛海日記》(2冊，北京，中國社會科學出版社，1986)。鹿島宗二郎(吉田東祐)譯著《周佛海日記：中日戰爭の裏面史》(東京，建民社，1953)、公安部檔案館編注《周佛海獄中日記－1947年1月－9月》(北京，中國文史出版社，1991)、聞少華《周佛海評傳》(武漢，武漢出版社，1990)、蔡德金《朝秦暮楚的周佛海》(鄭州，河南人民出版社，1992)、Lin Han-sheng(林漢生)，"Chou Fohai: The Diplomacy of Survival."(In Richard D. Bruns and Edward M. Bennett, eds., Diplomats in Crisis: United States-Chinese-Japanese Relations, 1919-1941, Santa Barbara, Calif.: ABC-Clio Press, 1974)、Susan H. Marsh, "Chou Fo-hai: The Making of a Collaborator."(In A. Iriye, ed., The

Chinese and the Japanese: Essays in Political and Cultural Interactions, Princeton University Press, 1980）、馬振犢〈再論抗戰後期周佛海思想變化〉(《學海》1994年4期）、竹之內安巳〈中國共產黨の成立と周佛海〉(《地域研究（鹿兒島經濟大學）》2卷2號，1972年12月）、羅剛〈評周佛海對三民主義的研究〉(《學宗》1卷4期，民49年12月）、劉啟琮〈周佛海的悲劇〉(《中外雜誌》21卷2期，民66年2月）、王安之〈軍統局策反周佛海的經過——「細說汪偽」之四〉(《傳記文學》63卷2期，民82年8月）、王立、鄭瑞峰〈不分黑白的用人之道——蔣介石與周佛海〉(載程舒偉、雷廢主編《蔣介石的人際世界》，長春，吉林人民出版社，1994）；其他人物如陸茂清〈大漢奸褚民誼的末日〉(《傳記文學》1995年4期）、褚民誼《褚民誼先生論文集》(中華日報叢書之3，出版時地不詳）、周山《江偽特工李士群》(北京，中國社會科學出版社，1996）、唐德剛〈李士群為「通共」被殺的種種瓜葛——兼答上海胡實聲先生問〉(《傳記文學》67卷5期，民84年11月）；《世紀之履－李默庵回憶錄》(北京，中國文史出版社，1995）、陳桂根〈北洋軍閥汪偽漢奸齊燮元印象補述〉(《傳記文學》69卷5期，民85年11月）、橫山銕三《「繆斌工作」成ラズ－蔣介石，大戰終結承の秘策とその史實》(東京，展轉社，1992）、田村真作《繆斌工作》(東京，三榮出版社，1953）、Yoij Akashi, "A Botched Peace Effort: The Miao Pin Kosaku', 1944-1945."(In Alvin D. Coox and Hilary Conroy, eds., China and Japan, Santa Barbara, Calif.: ABC-Clio Press, 1978）、路哲〈繆斌的所謂"新民主義"〉(《南京大學學報》1985年1期）、馮覺非〈他為汪精衛政權留下珍貴紀錄：報壇怪傑金雄白的政海浮沉〉(《明報（月刊）》365期，1996年5月）。

其他的傀儡政權、偽組織等有榮國章〈日本侵略者扶植的北平偽政權〉(《北京黨史研究》1990年4期)、李安慶〈日本帝國主義在北平的偽政權簡介〉(《中學歷史》1984年6期)及〈日本帝國主義在北平的偽政權〉(載《抗日戰爭史事探索》,上海,上海社會科學院出版社,1988)、劉其奎〈抗戰時期華北偽政權的建立及覆亡〉(《革命史資料(上海)1986年1期》)、姚洪卓〈略論華北的偽政權〉(《歷史檔案》1996年2期)、陳志遠、喬多福〈抗日戰爭時期日本對天津偽政權的控制〉(《南開史學》1986年1期)、中華民國臨時政府行政委員會情報處編印《中華民國臨時政府二週年紀念》(北平,民28)、《郅治先聲》(同上)及《建設近代國家》(同上)、徐立剛〈偽臨時政府與偽維新政府關係演變淺析〉(《民國檔案》1996年3期);「中華民國臨時政府」的首腦人物王克敏,則有遲礫〈王克敏其人〉(《北京檔案史料》1986年1期)、王春南〈大漢奸王克敏生平紀析〉(《學海》1995年2期)、李鐵虎〈北平偽臨時政府轄境政區沿革述略〉(《北京檔案史料》1987年3期)及〈偽華北政委會轄境政區沿革述略〉(同上,1990年1期);《新生華北》(北平,民30),為「華北政務委員會」成立後出版,包括該委員會組織系統圖及「新民會」組織表等;華北政務委員會編印《華北政務委員會二週年施政紀要》(北平,民31)及《華北政務委員會三週年施政紀要》(北平,民32)、趙紅〈北平淪陷初期的地方維持會〉(《北京檔案史料》,1987年2期)、北京市檔案館編《日偽北京新民會》(北京,光明日報出版社,1989)、曾業英〈略論日偽新民會〉(《近代史研究》1992年1期)、成田貢《中華民國新民會大觀》(東京,公論社,1940)、安藤紀三郎述、中華民國新民會編輯《新民會之使命與現狀》(北平,編輯者印行,民30)、中央電訊出版委員會

編印《新民會與新國民運動》(南京，民33)、新民會中央指導部編
印《新民會年報》(北平，民28)、《新民會會務須知》(同上，改訂
再版) 及《新民會工作大綱》(同上，民27)、宋介《新民會大綱說
明》(北平，新民會中央指導部，民27)、中華民國新民會中央指導部
《新民會工作大綱》(北平，民27年印行) 及《新民會會務須知》(同
上)、中華民國新民會出版部《新民會講演集 (第1輯)》(新民叢編
第3輯，北京，民27)、堀井弘一郎〈新民會と華北占領政策 (上、
中、下)〉(《中國研究月報》47卷1-3號，1993年1-3月)、李慎兆〈偽
新民會和新民主義漢奸理論〉(《北京檔案史料》1986年4期)、八卷佳
子〈中華民國新民會の成立と初期工作狀況〉(載《1930年代中國の研
究》，東京，アジア經濟研究所，1975)、雲章〈日寇卵翼下的新民會
及其活動〉(《黨史研究資料》1981年8期)、唐志勇〈日偽〝新民會〞
始末〉(《山東師大學報》1994年3期)、中華民國新民會中央總會《新
民會ノ本質卜會國家體制》(北平，民32年印行)、李學詩〈日偽中
華民國新民會中央機構及其職員〉(《北京檔案史料》1991年2期)、青
島治安維持會編印《青島治安維持會行政紀要彙編》(民28年印行)。
維新政府概史編纂委員會編《中華民國維新政府概史》(南京，行政
院，民29)、蔡德金〈偽中華民國維新政府始末概況〉(《研究‧資料
與譯文》1984年1期) 及〈偽中華民國維新政府始末〉(《傳記文學》65
卷4期，民83年10月)、史湘〈中華民國維新政府是怎樣出籠的〉(《南
京史志》1987年4期)、堀井弘一郎〈中華民國維新政府の成立過程
(上、下)〉(《中國研究月報》49卷4、5號，1995年4、5月)、陳存仁
〈維新政府的一臺戲〉(《傳記文學》65卷5期，民83年5月)、中華民國
維新政府行政院宣傳局《中華民國維新政府成立初週紀念冊》(南

京，民28年印行）、《中華民國維新政府成立初週紀念論文集》（同上）、《中華民國維新政府成立後重要宣言集》（同上）、《維新播音演講第一集》（同上）及《維新政府之現況》（同上）、大民會總本部宣傳部編印《維新政府週年紀念集》（南京，民28）、大民會宣傳部編印《維新政府概況》（南京，民28）、伍澄宇《維新政綱原論》（目錄頁題本書為《維新政府政綱之理論與實踐》，南京，陽明學會，民28）、張桐編《維新政府政綱淺釋》（南京，大民會宣傳部，民28）、中國第二歷史檔案館編《汪偽國民政府公報》（15冊，南京，江蘇古籍出版社，1991），其附錄為維新政府之《政府公報》；〈偽中華民國維新政府組織機構〉（《研究·資料與譯文》1984年1期）、維新政府編印《維新政府職員錄》（南京，民29）、中國通信社調查部編印《維新政府諸機關の行政機構》（上海，1938）、中華民國維新政府司法行政部總務司第二科編印《司法狀況》（南京，民29）、興亞院華中連絡部經濟第三局編印《中華民國維新政府財政概史》（1938年印行）；維新政府的首腦「行政院長」梁鴻志有向山寬夫〈梁鴻志大人の生涯〉（《中央經濟》19卷4號，1970年4月）、胡菊容〈華中維新政府主要報紙發行簡介〉（《江海學刊》1983年3期）；佐藤三郎〈興亞會に關する一考察〉（《山形大學紀要（人文科學）》第4號，1951年8月）、大民會特刊編纂委員會《大民會初週紀念特刊》（南京，大民會總本部，民28）、大民會宣傳部《大民會播音演講集·第5輯：28年7月至9月總本部南京放送》（同上）、施泉平選編〈日偽時期大民會史料選〉（《檔案與歷史》1988年4期）、張桐編《大民會與新中國》（南京，大民會宣傳部，民28）、趙如珩述《中國大民會的過去及將來》（南京，中國大民會，民29）。史會來、夏潮〈論淪陷區殖民社會的亞權

力結構——漢奸幫會〉(《學術交流》1996 年 3 期）、森久男〈德王け日本の傀儡であつたのか〉(《現代中國》69號，1995 年 7 月）。

　　至於與傀儡政權、偽組織有關的漢奸問題及戰後之審判漢奸等有王克文〈八股「漢奸」論亟須重新檢討－史學界逐漸打破國共政治禁忌〉(《明報月刊》365 期，1996 年 5 月）、羅久蓉〈忠奸之辨與漢奸的迷思〉(同上）及〈歷史情境與抗戰時期「漢奸」的形成－以一九四一年鄭州維持會為主要案例的探討〉(《中央研究院近代史研究所集刊》24期下冊，民84年6月）、唐崇慈《漢奸問題》(重慶，中山文化教育館，民27）、王廷連〈抗戰時期的安徽漢奸政權〉(《黨史縱覽》1995年5期）、潘健〈析抗戰時期福建的漢奸政權組織〉(《福建師大學報》1995年4期）、邢建榕、錢玉莉〈三個做了漢奸的海上聞人〉(《傳記文學》55卷5期，民78年11月）、李亞平〈抗日戰爭時期漢奸集團產生原因初探〉(載《紀念抗日戰爭和世界反法西斯戰爭勝利四十周年論文選輯》，陝西省中央黨史學會，1985）、大同出版公司編《漢奸醜史》(第1-4輯，南京，編者印行，民34）、光明出版社煽印《漢奸百丑圖》(南京，民34）及《女漢奸臉譜》(同上）；《漢奸秘聞》(上海，中興出版社，民35）、童振華《怎樣清除漢奸》(廣州，黑白叢書社，民26）、蔡力行《偵查漢奸的方法》(同上）、郭沫若《如何消滅漢奸》(救亡文化出版社，民27）、傅于琛《漢奸的產生和撲滅》(上海，雜誌公司，民26）、獨立出版社編印《鋤奸論》(重慶，民28）、丸田孝志〈抗日戰爭期における中國共產黨の鋤奸政策〉(《史學研究》199號，1993年2月）、陳青生〈抗戰時期漢奸文學浮沉〉(《中文自修》1993年10期）、孟國祥、程堂發〈懲治漢奸工作概述〉(《民國檔案》1994年2期）、海童編《日本間諜與漢奸》(金華，正義社，民28；其增訂版，民

29）、第盾編《間諜‧漢奸‧俘虜》(上海，明明書局，出版年份不詳)、楊天石〈抗戰勝利後漢奸審判〉(《歷史月刊》104期，民85年9月)、冰瑩等《漢奸現形記》(戰時出版社，出版年份不詳)、王曉華等編《國共抗戰大肅奸》(北京，中國檔案出版社，1995)、完顏紹元《大肅奸》(上海，上海遠東出版社，1995)、益井康一《漢奸裁判史》(東京，みすず書房，1977)、曾彥修〈國民黨審奸真相〉(《群眾》12卷10期，民35年9月)、孫江林、芮利《蔣介石與漢奸審判內幕》(石家莊，河北人民出版社，1994)、羅久蓉〈抗戰勝利後中共懲審漢奸初探〉(《中央研究院近代史研究所集刊》23期下冊，民83年6月)、張文捷主編《黑色檔案：抗日巨奸收場記》(北京，中國廣播電視出版社，1995)、陳清等《倀鬼窮途：漢奸賣國賊的可恥下場》(太原，山西教育出版社，1995)、胡邦寧〈玩火自焚罪有應得：日本戰犯和中國漢奸的可恥下場〉(《黨史天地》1995年2期)、王春南〈巨奸王蔭泰與華北偽政權〉(《學海》1996年4期)、張洪祥〈大漢奸殷汝耕伏法前後〉(《北京檔案史料》1991年4期)、朱金元、陳祖恩《汪偽受審紀實》(杭州，浙江人民出版社，1988)、南京市檔案館編《審訊汪偽漢奸筆錄》(2冊，南京，江蘇古籍出版社，1992)、雪舟子〈汪偽政權十大漢奸的下場〉(《炎黃春秋》1993年10期)、徐文祺〈陳璧君及汪偽要犯被囚記〉(《傳記文學》43卷5期，民72年11月)、「第三戰區金廈漢奸案件處理委員會編《閩臺漢奸罪行紀實》(廈門，江聲出版社，民36)、益井康一〈聖人と漢奸－魯迅‧周作人兄弟（「大東亞共榮圈」の戰後)〉(《諸君》9卷8號，1977年8月)、李偉〈漢奸胡蘭成隱匿溫州始末〉(《傳記文學》69卷4期，民85年10月)。張翼鵬〈參與北平查捕漢奸登記逆產回憶〉(《傳記文學》65卷1期，民83年7月)。

(四)戰時外交

以戰時外交或戰時國際關係為題的有劉傑《日中戰爭下の外交》(東京，吉川弘文館，1995)、國民黨黨史會編印《中華民國重要史料初編－對日抗戰時期·第三編：戰時外交》(3冊，臺北，民74)、王曾才〈戰時外交〉(《近代中國》60期，民76年8月)及〈抗戰時期的外交〉(《歷史教學》1卷2期，民77年9月)、陶文釗〈影響戰時中國外交的若干因素〉(《近代史研究》1995年4期)、曹學恩〈試論國民黨政府的抗戰外交〉(《陝西師大學報》1995年4期)、國民黨中央宣傳部編印《抗戰六年來之外交》(民32年印行；臺北，國民黨黨史會影印，民65)、汪建豐〈評抗戰時期國民政府外交的得失〉(《湖州師專學報》1995年3期)、王建朗〈二戰爆發前國民政府外交綜論〉(《歷史研究》1995年4期)、張圻福〈盧溝橋事變與國民政府外交〉(《安徽史學》1995年2期)、日本國際政治學會《太平洋戰爭への道－開戰外交(1-7，別卷)》(8冊，東京，朝日新聞社，1962-63)、陳立文《宋子文與戰時外交》(臺北，國史館，民80)、董霖《顧維鈞與戰時外交》(臺北，傳記文學出版社，民67)、余偉雄〈王寵惠與抗戰時期之外交〉(載胡春惠主編《紀念抗日戰爭勝利五十周年學術討論會論文集》，香港，1996)、孫其明〈試評抗日戰爭時期國民黨政府的外交政策〉(《黨史資料與研究》1985年4期)、栗國旗〈抗日戰爭時期國民黨政府外交政策的特點〉(《慶陽師專學報》1995年4期)、陶文釗、楊奎松、王建朗《抗日戰爭時期中國對外關係》(北京，中共黨史出版社，1995)，全書共十二章，上起於盧溝橋事件，下迄於對日受降問題之交涉，以國民政府為主軸來論述戰時中國外交，立論較為公允，突破了以往中國大陸同類出版物均從負面來評論國民政府外交的窠臼，是為其特色，引用資料也十分豐富；王建朗〈抗戰時期中外關係概論〉（載《民國檔案與民國史學術討論會論文集》，北京，檔案出版社，1988）、閻沁恆〈抗戰初期美國駐華武官對中外關係的報告〉《現代中國軍事史評論》第1期，民76年8月）、郭大鈞〈抗戰時期的國際關係與中國國際地位的提高〉（《北京師大學報》1995年4期）、洪育沂《一九三一～一九三九年國際關係簡史》（北京，三聯書店，1980）、石島紀之〈中國の抗戰體制と對外關係〉（載《戰爭と民眾（講座世界史8）》，東京，東京大學出版會，1996）、樊仲雲《抗戰與國際形勢》（長沙，商務印書館，民27）、賓符《中國抗戰與國際形勢》（上海，光明書局，民27）、陳裕清〈抗戰初期的一般國際形勢〉（《近代中國》第3期，民66年9月）、郭沫若、金仲華《國際形勢與抗戰前途》（漢口，自強出版社，民27）、鮑家麟〈列強對中國抗戰的態度（1937-1939）〉（《臺大歷史學系學報》第6期，民68年12月）、國民出版社編輯《外人心目中之中日戰局》（金華，編輯者印行，民28）、楊雲若〈抗戰時期的國際關係〉（《教學與研究》1995年4-6期）、齊世榮〈中國抗日戰爭與國際關係（1931-1945）〉（《世界歷史》1987年4期）及〈中國の抗日戰爭と國際關係〉（載井上清、衛藤瀋吉編《日中戰爭と日中關係》，東京，原書房，1988）、鈴木隆史〈日中戰爭をめぐ國際關係〉（同上）、陳德鵬〈中國抗日戰爭國際地位研究的現狀與問題〉（《安徽史學》1995年2期）、郭榮趙〈抗戰期間我國爭取國際地位平等之經過〉（《海外學人》89期，民68年12月）、王真〈抗日戰爭與中國的國際地位〉（《抗日戰爭研究》1995年增刊）、張宏志〈論中國抗戰的國際地位〉（《人文雜誌》1992年1期）、李道豫〈也論中國抗戰的國際地位〉（同上，1992年5期）、趙毓坤

〈第二次世界大戰時期中國國際地位之淺見〉(《黨史縱覽》1996年2期)、賈玉珍〈抗日戰爭與中國的國際地位〉(《內蒙古民族學院學報》1995年3期)、植田捷雄〈中國の國際的地位－太平洋戰爭中から中華人民共和國の成立に至る時期〉(《共產圈問題》10卷6號, 1966年6月)、殷麗萍〈抗戰時期中國國際地位的提高及其原因〉(《江西師大學報》1995年3期)、張方高〈論中華民族舉世矚目的政治大國國際地位的確定：紀念抗日戰爭勝利50周年〉(《瀋陽師院學報》1995年3期)、徐德榮、何冬梅〈二戰時期中國的大國地位評價〉(《社科信息》1995年12期)、趙志輝〈試論二戰期間中國的大國地位問題〉(《淮北煤師院學報》1995年3期)、于群〈第二次世界大戰與中國大國地位之爭〉(《東北師大學報》1995年4期)、蘇浩〈第二次世界大戰對中國國際地位的影響〉(《歷史教學》1996年4期)、龔達、李淑霞〈抗日戰爭爆發前後國際形勢的探討〉(《昭烏達蒙族師專學報》1990年4期)、陳裕清〈抗戰初期的一般國際形勢〉(《近代中國》第3期, 民66年9月)、具島兼三郎《中日戰爭と國際情勢》(東京, 實業之日本社, 1948) 及〈國際情勢と中國抗戰の過程〉(《中國評論》1卷3號, 1946年10月)、齊世榮〈中國人民抗日戰爭的國際環境和世界意義〉(《求是》1995年14期)、王安平〈世界反法西斯同盟的形成與中國抗日戰爭〉(《文史雜誌》1995年4期)、加藤公一〈アジア太平洋戰爭末期の中國論爭〉(《アメリカ研究》17號, 1994年8月)、日本國際政治學會《日中戰爭と國際的對應》(東京, 撰者印行, 1972)、敬玉堂、王銘浩〈30年代的遠東國際關係與中國抗日戰爭〉(《山東社會科學》1995年6期)、王也平〈〝七七〞事變後圍繞中國問題的遠東國際關係(1937.7-1939.9)〉(《中南民族學院學報》1984年3期)、王建朗《抗

戰初期的遠東國際關係》(臺北，東大圖書公司，民85)。中國與國際
聯盟(或聯合國)有蔣永敬〈抗戰初期的外交與國聯及德使之調停〉
(《中國歷史學會史學集刊》第5期，民62年5月)、張力〈抗戰前期國聯
在華防疫事業〉(載《中華民國史專題論文集：第三屆討論會》，臺北，國
史館，民85)、李朝津〈抗戰時期中國對聯合國成立的態度〉(載《慶
祝抗戰勝利五十週年兩岸學術研討會論文集》上冊，臺北，近代史學會，民
85)、林徵祁〈先總統蔣公與聯合國之創立〉(載《中華民國歷史與文
化討論集》第2冊，臺北，民73)、顧瑩惠〈中國與美英蘇發起成立聯
合國〉(《民國春秋》1994年6期)、宗成康〈論中國與聯合國的創建〉
(《民國檔案》1995年4期)、劉秀華〈中國與聯合國的創建〉(《世界歷
史》1996年3期)、耿立強〈艱難的大國之路：中國人民對創建聯合
國的貢獻〉(《文史雜誌》1995年5期)。以中國與歐美國家關係為題
的僅有王建朗《抗日戰爭初期歐美主要國家對華政策》(中國社會科
學院研究生院歷史學博士論文，1991年7月)。

　　戰時中德外交或關係有張水木〈對日抗戰期間的中德關係〉
(《近代中國》35期，民72年6月)及〈從北伐到抗戰時期之中德關係〉
(載《中華民國歷史與文化討論集》第2冊，臺北，民73)、吳景平〈抗戰
初期的中德關係〉(《民國春秋》1995年2期)、程天放〈抗戰初期之中
德關係〉(《傳記文學》7卷1期，民54年7月)、吳首天〈抗戰初期中德
關係的變化〉(載《抗日戰爭史事探索》，上海，上海社會科學院出版社，
1988)、易精豪〈從〝蜜月〞到斷交－抗日戰爭爆發前後中德關係
的演變〉(《中共黨史研究》1995年5期)、徐旭陽〈抗日戰爭爆發前後
中德關係的演變〉(《湖北師院學報》1995年5期)、張北海〈1933-1941
年的中德關係〉(《歷史研究》1995年2期)、陶鵬飛〈從「我將再起」

憶抗戰前後的中德關係〉（《傳記文學》50卷1期，民76年1月）、梁星亮〈簡論全國抗戰爆發後德國的對華政策〉（《西北大學學報》1992年2期）、陳方孟〈論中日戰爭初期德國的對華政策〉（《抗日戰爭研究》1996年2期）、方世敏〈中日戰爭爆發前後中德關係走向述評〉（《湘潭大學學報》1993年3期）、黃勝林〈華北事變到淞滬會戰間的中德關係〉（《檔案史料與研究》1993年4期）、小野田攝子〈蔣介石政權における近代化政策とドイツ極東政策(II)〉（《政治經濟史學》345號，1995年3月）、張水木〈德國對中國抗日戰爭之調停〉（載《抗戰建國史研討會論文集》上冊，臺北，民74）、楊玉文、楊玉生〈中日戰爭初期納粹德國〝調停〞活動內幕及其結局〉（《近代史研究》1988年1期）、段培龍譯〈抗戰初期德國居中調停之經過〉（《傳記文學》43卷4期，民72年10月）、James T.C. Liu, "German Mediation in the Sino-Japanes War, 1937-38." (Far Eastern Quarterly, Vol.8, No.2, Feb. 1949)、李廣起〈1937年底德國調停中日戰爭的利益所在〉（《南開學報》1992年3期）、小野田攝子〈蔣介石政權とドイツ和平調停－1937年10月－1938年1月〉（《政治經濟史學》354、355、357號，1995-1996）、三宅正樹〈トラウトマン工作の性格と史料－日中戰爭とドイツ外交〉（《國際政治》47號，1972）、蔡德金、楊立憲〈抗戰初期德使陶德曼調停初探〉（《傳記文學》53卷4期，民77年10月）、戴宗芬〈抗戰初期陶德曼〝調停〞之始末〉（《江漢論壇》1995年9期）、朱美琴〈抗戰初期陶德曼〝調停〞始末〉（《南通師專學報》1985年4期）、張北根〈陶德曼〝調停〞新探〉（《北京檔案史料》1993年2期）、劉昭豪〈重評陶德曼調停〉（《湘潭大學學報》1989年2期）、王建朗〈陶德曼調停中一些問題的再探討〉（《中共黨史研究》1989年4期）、中國第二歷史檔案館〈桂永清、陳介等為德國調停中日戰爭及承認汪偽事致蔣介石密電一組（1940年10月-1941年10月）〉（《民國檔案》1989年4期）、曾巍〈國民政府與德國斷交原因淺析〉（《復旦學報》1994年4期）、金森誠也〈ドイツ人の中戰爭觀〉（《國際關係研究（國際文化編）》10卷3號，1990年2月）。戰時中法外交或關係有陳三井〈抗戰初期中法交涉初探（1937-1941）〉（載《抗戰建國史研討會論文集》上冊，臺北，民74）、吳景平〈抗戰時期急轉直下的中法關係〉（《民國春秋》1995年6期）、李建高〈抗戰時期在假道越南運輸問題上法國政策的演變〉（《求索》1992年2期）、吳圳義〈從假道越南運輸問題看抗日時期的中法關係〉（《近代中國》40期，民73年4月）、鄭會欣〈從南鎮、敘昆鐵路的談判與修築看抗戰初期的中法經濟合作〉（載《慶祝抗戰勝利五十週年兩岸學術研討會論文集》上冊，臺北，民85）、謝康〈抗戰初期法文報對中、日兩國的評論〉（《現代學苑》5卷2期，民57年2月）、黃天邁〈抗戰初期孫科洽商法援經過〉（《傳記文學》52卷5期，民77年5月）、蔣永敬〈抗戰期間中法在越南的關係〉（《中國現代史專題研究報告》第1輯，民60）、趙文亮、婁先革〈試析法國敗降對中國抗戰的影響〉（《河南師大學報》1996年3期）。戰時中意外交或關係有圭德·薩馬拉尼著、馬振犢譯〈日本侵華與中意關係〉（《民國檔案》1993年4期）、中國第二歷史檔案館〈1937年國民政府聘請意大利高等顧問斯坦法尼訪華的有關史料〉（《民國檔案》1995年1、2期）、馬振犢〈蔣介石與意大利特使斯坦法尼會談紀要〉（同上，1994年3期）。戰時中英外交或關係有徐藍《英國與中日戰爭，1931-1941》（北京，北京師大出版社，1991）、杭立武《國民政府時代之中英關係（1927-1950年）》（臺北，臺灣商務印書館，民72）、邱霖〈抗日戰爭初期的中英關係（1937.7～1939.

9）〉（《史學月刊》1994年5期）、李安世《太平洋戰爭時期的中英關係》（北京，中國社會科學出版社，1994）、吳景平〈抗戰時期的中英關係〉（《民國春秋》1996年3期）、張水木〈對日抗戰時期的中英關係〉（《近代中國》37期，民72年10月）、林雅青《抗戰時期中英外交關係之研究(1937-1941)》（中國文化大學史學研究所碩士論文，民85年6月）、陳謙平〈太平洋戰爭爆發後的中英關係：宋子文訪英個案研究〉（載《慶祝抗戰勝利五十週年兩岸學術研討會論文集》上冊，臺北，近代史學會，民85）及〈第二次世界大戰期間中國的一次外努力—宋子文1943年訪英述評〉（《南京大學學報》1995年4期）、Bradford A. Lee, Britain and the Sino-Japanese War, 1937～1939: A study in the Dilemmas of British Decline. (Stanford, CA: Stanford University press, 1973)、具島兼三郎〈日中戰爭とイギリス〉（載《日中戰爭と國際的對應》，東京，日本國際政治學會，1972）、益田寶〈イギリスの戰後對中政策構想1942～1945年（一）〉（《法學論叢》133號，1993年6月）：黃鳳志〈論1937-1939年英國對華政策〉（《湘潭師院學報》1992年2期）、Joseph Michael Boyle, British Foreign Policy During the Tientsin Crisis, 1939-1941.(Ph. D. Dissertation, University of Minnesota, 1941）、戴長征〈英美對華政策與獨立自主的中國抗戰〉（《九江師專學報》1996年4期）、李安世〈中英美在反對日本法西斯國際統一戰線中的分岐與鬥爭〉（《外交學院學報》1996年1期）、黨慶蘭〈跨越國界的抗戰——再論中國抗日戰爭與美英東方戰線〉（《青海師大學報》1996年3期）、邱霖〈抗日戰爭初期的中英關係(1937.7-1939.9)〉（《史學月刊》1994年5期）、劉景泉〈抗日戰爭時期英國對華政策的演變〉（《歷史教學》1987年7期）及〈1939年「天津事件」前後英日在華的矛盾衝突〉（《南開學報》1987年4期)、薩本仁〈太平洋戰爭前十年間英國對中日戰爭的態度和政策〉(《抗日戰爭研究》1994年2期)、陳永剛〈不協調的同盟－1942-1945年中英關係考察〉(同上,1995年增刊)、錢進〈抗戰時期的中英科學合作館〉(《民國檔案》1991年3期)、劉新力〈重慶國民政府與英國政府關於香港問題的交涉〉(《近代史研究》1994年4期)、李愛陽〈太平洋戰爭時期的香港問題〉(《丹東師專學報》1996年4期)、陶文釗〈太平洋戰爭中的香港問題〉(《歷史研究》1994年5期)、劉存寬〈太平洋戰爭時期中英關於香港問題的交涉〉(《文史精華》1996年11期)及〈1942年關於香港新界問題的中英交涉〉(《抗日戰爭研究》1991年1期)、莫世祥〈盟友和對手:香港對日作戰中的中英關係〉(《近代史研究》1996年4期)、陳立文〈抗戰時期中國對收復緬甸之外交努力〉(載《中華民國史專題論文集:第一屆討論會》,臺北,國史館,民81)、吳圳義〈中英對收復緬甸問題的歧見－自緬甸淪陷至開羅會議〉(載《抗戰建國史研討會論文集》上冊,臺北,中央研究院近代史研究所,民74)、〈從緬甸戰場看抗戰中期的中英關係〉(載《中華民國歷史與文化討論集》第2冊,臺北,民73)及〈英國暫時封閉滇緬公路之始末〉(《政大歷史學報》第1期,民72年3月)、彭玉龍〈中英在緬甸作戰中的合作與矛盾〉(《軍事歷史》1994年5期)、張新軍〈論抗戰初期英國民眾援華的幾個問題〉(《寧夏大學學報》1995年4期)、獨立出版社資料室編《中國訪英團實錄》(重慶,獨立出版社,民33)、Philip Richardson, Plucking the China Brand From the Burning: Britain's Economic Assistance to China and Sir Otto Niemeyer's Mission, 1940 ～1942." (The China Quarterly, No. 125, 1991),其中譯文為菲利普・理查森著、劉學俠、雷先進譯〈「拯救危難中的中國」——1940—

—1942年英國對華經濟援助和奧托·尼邁耶爵士的使命〉《國外中國近代史研究》21輯，1992年12月）、益田實〈極東におけるイキリスの宥和外交——對日中關係めぐる議論と對應，1933-1939年〉（《法學論叢（京都大學）》103卷1、4號，1991年10月、1992年1月）、楊光彥、吳勇〈試析中美英〝共戰〞關係的形成及其性質〉（《檔案史料研究》1995年4期）、莫世祥〈盟友與對手－香港對日作戰中的中英關係〉（載胡春惠主編《紀念抗戰勝利五十周年學術討論會論文集》，香港，珠海書院亞洲研究中心，1996年；亦載《近代史研究》1996年4期）、重慶市檔案館袁友貴選編〈交通部向英國洽購滇緬公路車輛史料一組（1938-1939年）〉（同上，1995年3期）、重慶市檔案館唐昌倫選編〈關於中英平衡基金借款史料一組（1939年）〉（同上，1995年4期）、時廣東〈動亂中的同盟－珍珠港事件後中美英戰略關係的形成〉（《重慶師院學報》1993年4期）、韓永利〈英美首腦決策與日本發動全面侵華戰爭〉（《武漢大學學報》1993年3期）、中國近代經濟史資料叢刊編輯委員會編《帝國主義與中國海關·第15編：1938年英日關於中國海關的非法協定》（北京，科學出版社，1965）、蔡紅金《圍繞中國海關問題的國際動向（1937～1941）——以英、日勢力的對局為中心》（政治大學歷史研究所碩士論文，民85年6月）、Erances Cummings Brown, Anglo-American Cooperation in China, 1937-1941.（Ph. D. Dissertation, Cornell University, 1975）、Nicholas R. Clifford, Retreat from China: British Policy in the Far East, 1937-1941.（Seattle: University of Washington Press,: 1967）、Li Shian, "Britain's China Policy and the Communists, 1942 to 1946: The Role of Ambassador Sir Horace Seymour."（Modern Asian Studies, Vol. 26, Part 1, 1992）、

Aron Shai, Britain and China, 1941-47.（Oxford: St. Antony's, 1984）及
The Origins of the War in the East: Britain, China and Japan, 1937-
1939.（London: Croom Helm, 1976）、董志勇〈抗日戰爭期間英國對西
藏的侵略〉（《抗日戰爭研究》1994年1期）、吳景平譯〈美國外交檔案
中有關中美英三國交涉西藏問題的史料選譯〉（同上）、陳謙平
〈1943年中英關於西藏問題的交涉〉（《歷史研究》1996年4期）、（英）
埃德溫‧賴德著、黃豔嫦譯〈嶺南"英軍服務團"創立經過〉（《縱
橫》1991年6期）、張新軍〈論抗戰初期英國民眾援華的幾個問題〉
（《寧夏大學學報》1995年4期）。

　　戰時中日外交或關係有彭念祖《蘆溝橋事變當時之中日關係》
（中國文化大學日本研究所碩士論文，民77）、漢波〈抗日戰爭與中日關
係〉（《日本研究》138期，民66年7月）、曹振威《侵略與自衛－全面
抗戰時的中日關係》（桂林，廣西師大出版社，1994）、孫其明〈試論
抗日戰爭時期中日蘇三國關係的演變〉（《黨史縱橫》1995年4期）、中
央大學人文科學研究所編《日中戰爭：日本‧中國‧アメリカ》（東
京，中央大學出版部，1993）、朱渭仁〈抗戰中期至太平洋戰起前後：
中、日、美三角關係揭秘〉（《新萬象》18期，民66年8月）、黃國文
《抗戰時期我國對日外交謀略（1937-1945）》（政治作戰學校政治研究
所碩士論文，民65）、邵毓麟〈抗戰前後敵我若干重要策略之檢討〉
（《中國現代史專題研究報告》第4輯，民63）、洪大璘〈關於抗日戰爭和
中日關係有待進一步研究的幾個理論問題〉（《理論內參》1985年11
期）、任垠蒼、楊增碩〈論國民黨在抗日戰爭初期的對日政策〉（《青
年論壇》1986年5期）、蔡德金〈全面抗戰爆發後日本對華外交企圖
及其失敗〉（載《近百年中日關係論文集》，臺北，民80）、王建朗〈失

敗的外交紀錄－抗戰初期的日本外交綜論〉(《近代史研究》1992 年 1
期)、蔡德金〈如何評價蘆溝橋事變爆發後蔣介石的對日交涉〉(《抗
日戰爭研究》1996 年 3 期)、具島兼三郎〈日中關係と國際情勢－日露
戰爭から太平洋戰爭まで〉(《日本外交史研究：日中關係の展開》,東
京,日本國際政治學會,1961)、中華民國外交問題研究會編印《中日
外交史料叢編㈣——蘆溝橋事變前後的中日外交關係》(臺北,民
55)、石原道博〈支那事變以來日支關係の諸研究〉(《歷史學研究》8
卷 6 號,1938)、王敬之〈百年回顧,百年前瞻——從抗戰「慘勝」
檢討中日關係〉(載胡春惠主編《紀念抗戰勝利五十周年學術討論會論文
集》,香港,1996)、郭大鈞〈抗戰初期國民黨政府對日政策述評〉
(載《民國檔案與民國史學術討論會論文集》,北京,檔案出版社,1988)、
李秀芳、鄭志廷〈抗戰時期日本內閣的更替及其侵華政策的演變〉
(《長沙水電師院學報》1994 年 2 期)、胡德坤〈中國抗戰與日本對華政
策的演變(1941～1945)〉(《世界歷史》1985 年 6 期)、古屋哲夫〈日
中戰爭にいたる對中國政策の展開とその構造〉(載氏編《日中戰爭史
研究》,東京,吉川弘文館,1984)、張鋼杰〈1836～1945 年日本對
華政策述略〉(《史學月刊》1986 年 4 期)、梁星亮〈從華北事變到八
一三中日雙方政策的演變〉(《西北大學學報》1988 年 4 期)、鄭允恭〈漢
口陷落後日本的對華政策〉(《東方雜誌》35 卷 23 號,民 27 年 12 月)、
丁則勤〈抗日戰爭相持階段前期的日本侵華政策〉(《北京大學學報》
1988 年 6 期)、張鋼杰〈關於抗日戰爭時期國民黨政府對日政策的幾
個問題〉(《河南師大學報》1988 年 1 期)、劉昭豪等〈抗日戰爭時期日
本帝國主義的侵華策略〉(《湘潭大學學報》1986 年 2 期)、李雪枝〈抗
日戰爭時期日本侵華政策的演變〉(《江西師大學報》1995 年 4 期)、張

健民等〈抗日戰爭初期日本侵華政策的幾個問題〉(《百家論壇》1987年4期)、丁則勤〈日本帝國主義在全面侵華戰爭的初期的兩手政策〉(《北京大學學報》1979年1期)、齊彪〈從七七事變到武漢失陷日本對國民政府謀略的演變〉(《黨史研究資料》1995年7、8期合刊)、郭大鈞〈從九一八到八一三國民黨政府對日政策的演變〉(《歷史研究》1984年6期)、張鋼杰〈關于抗日戰爭時期國民黨政府對日政策的幾個問題〉(《河南師大學報》1988年1期)、沈紹根〈試析抗日戰爭時期制約蔣介石國民政府對日政策的幾個因素〉(《湘潭師院學報》1995年4期)、張貴珍、錢文亮〈國民黨政府對日政策轉變原因述論〉(《山西大學學報》1992年3期)、楊志文〈抗日戰爭中國民黨對日、對中共政策變遷淺析〉(《黨史研究與教學》1996年5期)、王樹芹〈抗日戰爭初期國民黨政府同日本談判述評〉(《山東師大學報》1991年增刊)、范龍堂〈抗日戰爭初期國民黨政府的對日妥協與秘談〉(《南都學壇》1990年4期)、重慶市檔案館〈抗戰時期國民黨政府與日本當局秘密接觸史料選〉(《檔案史料與研究》1992年1期)、森松俊夫〈昭和15年・支那事變年內解決の努力－日、國、共三者の相剋〉(《軍事史學》25卷3・4號，1990年3月)、胡獻〈簡評陶德曼〝調停〞期間蔣介石的對日立場〉(《抗日戰爭研究》1994年3期)、董興林〈抗戰初期蔣介石對日媾和的企圖及其原因〉(《山東師大學報》1996年增刊)、加藤陽子〈平沼內閣期におけるもう一つの潮流對蔣和平構想の渦〉(原朗編《近代日本の經濟と政治》東京，山川出版社，1986)、鳥居明〈小磯內閣の對重慶和平工作——1945年3月を中心に〉(載高木誠一郎、石井明編《中國の政治と國際關係》，東京，東京大學出版會，1984)、趙國鋒〈淺談蔣介石沒有公開投降日本的原因〉(《南都學壇》1992年4期)、劉宗

仁〈抗戰時期日蔣關係述要〉(《唯實》1996年8、9期合刊)、鹿錫俊
〈中日戰爭時期日本對蔣政策的演變〉(《近代史研究》1991年4期)、
周為號〈透視所謂"以德報怨"－抗戰結束前後蔣介石對日政策初
探〉(《鹽城黨校學報》1991年1期)、沈予〈論抗日戰爭期間日蔣的〝和
平交涉〞〉(《歷史研究》1993年2期)、陳智杰〈日蔣〝和平〞運動之
演化與日本〝和平〞政策〉(《南通師專學報》1996年4期)、李紅喜、
劉夕海、周冰編著《日蔣和談秘檔》(臺北,風雲時代出版公司,民
85)、鄭基譯〈1938年宇垣一成－孔祥熙〝和平交涉〞實錄〉(《檔
案與歷史》1989年4期)、金美寧〈抗戰時期孔祥熙與日本宇垣一成
間的秘密和談〉(《西北大學學報》1993年1期)、邵銘煌〈孔祥熙與抗
戰初期的謀和試探〉(載《慶祝抗戰勝利五十週年兩岸學術研討會論文集》
上冊,臺北,民85)、彭澤周〈中日戰爭初期的和談〉(《傳記文學》54
卷3期,民78年3月)、楊天石〈孔祥熙與抗戰期間的中日秘密交涉〉
(載《紀念抗日戰爭勝利五十周年學術討論會論文集》,香港,珠海書院亞洲
研究中心,1996)及〈抗戰前期日本〝民間人士〞和蔣介石集團的秘
密談判〉(《歷史研究》1990年1期)、楊雨青〈抗戰前期的日蔣秘密談
判〉(《民國春秋》1991年3期)、李紅喜等〈硝煙掩護:日蔣和談秘檔
大曝光》(北京,京華出版社,1994)及《日蔣和談秘檔－香港密約》
(臺北,風雲時代出版公司,民84)、章伯鋒〈關于抗日戰爭時期蔣
介石反動集團的幾次妥協投降活動(《近代史研究》1979年2期)、梁敬
錞 "Inside Story of a Japanese Peace Overture to China During the
Second World War, a personal Memior."(《崇基學報》12卷1、2期,
1974)、沈飛德、王真編譯〈中日之間一次流產的秘密和談－姜豪先
生〝姜豪路線〞始末〉(《檔案與史學》1995年2期)、王光輝〈試論近

衛第一次內閣的對華誘降外交〉(《遼寧大學學報》1989年4期）、史會
來〈試論日本誘降政策的破產〉(《求是學刊》1991年4期）、劉守仁
〈日寇誘降蔣介石集團未遂之原因〉(《唯實》1990年2期）、魏陽、沈
仁安〈日本侵華戰爭期間的誘降策略及其失敗原因〉(《世界歷史》1988
年6期）、柳茂坤〈論抗戰初期日本的三次政治誘降活動〉(《檔案史
料與研究》1994年2期）、紀兵〈對"政治誘降為主，軍事打擊為輔"
的質疑〉(《重慶教育學院學報》1990年2期）、宋志勇〈終戰前後にお
ける中國の對日政策〉(《史苑》54卷1號，1993年12月）、今井清一
〈戰時下日本の中國論〉(《近きに在りて》16號；1989年11月）、鹿錫
俊〈從"東亞新秩序"到"廣義的東亞新秩序"：論日本戰時外交的
一次螺旋式轉折，1937・9－1940・1〉《思與言》34卷4期，民
85年12月)、陳鵬仁〈近衛文麿與中日戰爭〉(載《慶祝抗戰勝利五十
週年兩岸學術研討會論文集》上冊，臺北，民85）、李吉奎〈第一次近衛
聲明之發表及其作用〉(同上)、孫淑華〈試析近衛對華三聲明〉(《日
本研究》1991年4期）、柴田紳一〈昭和19年近衛文麿中國派遣構想〉
(《國學院大學日文文化研究所紀要》74號，1994年9月）、中華民國外交
問題研究會編印《中日外交史料叢編（六）——抗戰時期封鎖與禁
運事件》(臺北，民56）、孫軍〈日本在第二次世界大戰中何以始終
未向中國宣戰？〉(《軍事歷史》1992年3期）。

　　戰時中韓外交或關係有邵毓麟〈戰時中韓外交與韓國政潮〉《傳
記文學》34卷3期，民68年3月）、徐相文〈抗戰時期中國國民黨政府
對在華韓國獨立運動之資助〉(《近代中國》91期，民81年10月）、石
源華〈論抗日戰爭期間國民政府的援朝政策〉(《抗日戰爭研究》1994
年2期）、楊副軍〈流亡重慶的韓國獨立運動各黨派之關係〉(同上)、

方永春、呂秀一〈中國對在華大韓民國臨時政府的援助〉(《近代史研究》1994年3期)、王庭岳等〈在華朝鮮人抗日援華鬥爭述略〉(《中央民族學院學報》1990年4期)。中印外交或關係有、張維克、劉靖北〈析1942年蔣介石對印度的訪問〉(《聊城師院學報》1992年4期)、張連紅〈蔣介石1942年訪問印度〉(《民國春秋》1992年2期)、楊允元〈蔣公訪印與印度獨立〉(《珠海學報》16期,1988年10月)、吳俊才〈蔣中正先生訪印與印度獨立〉(載《蔣中正先生與現代中國學術討論集》第4冊,臺北,民75)、巴塔查亞〈蔣中正先生對印度獨立之貢獻〉(同上)、陳謙平〈1942年蔣介石訪印與調停英印關係的失敗〉(《南京大學學報》1991年3期)、胡春惠〈中華民國對韓、印、越三國獨立運動之貢獻〉(《中華民國歷史與文化討論集》第2冊,民73年6月)、任鳴皋〈崇高的友情珍貴的援助:記印度援華醫療隊〉(《外國史知識》1982年11期)及〈印度人民支援中國抗日戰爭的活動〉(《抗日戰爭研究》1995年增刊)。鐵維英〈抗日戰爭時期中東穆斯林的援華活動〉(《阿拉伯世界》1991年2期)、伊凡娜・巴凱紹娃著、陳廣嗣譯〈抗日戰爭時期(1937-1944)的捷中關係〉(《國外中國近代史研究》17輯,北京,1990)。

戰時中蘇外交或關係有香島明雄《中ソ外交史研究,1937－1946》(東京,世界思想社,1990)及〈中日戰爭と中ソ提攜〉(《京都產業大學論集》10卷1號,1980年10月)、上別府親志《第2次大戰中の中ソ關係》(東京,外務省國際資料委員會,1962)、具島兼三郎〈中日戰爭時代の中ソ關係〉(《法政研究(九州大學)》17卷1-4號合併號,1950年3月)、John W. Garver, Chinese-Soviet Relations, 1937-1945: The Diplomacy of Chinese Nationalism.(New York: Oxford University Press,

1988）、王真《動盪中的同盟：抗戰時期的中蘇關係》(桂林、廣西師大出版社，1993)、陳小瓊〈抗日戰爭時期的中蘇關係〉(《江西社會科學》1989年3期)、柳敏和〈抗日戰爭時期的中蘇關係〉(《河北師院學報》1995年4期)、高沃龍〈中國抗日戰爭期間的中蘇關係〉(《世界史研究動態》1990年3期)、李嘉谷《合作與衝突：1931～1945年的中蘇關係》(桂林，廣西師大出版社，1996)、夏洪躍譯〈有關抗戰期間中蘇關係的幾份文件〉(《民國檔案》1991年1期)及〈抗日戰爭時期有關中蘇關係的幾份文獻〉(《黨史研究資料》1990年2期)、楊欣〈試評抗日戰爭時期蘇聯的對華政策〉(《漢中師院學報》1996年2期)、朱敏彥〈試評抗日戰爭時期蘇聯對華政策〉(《民國檔案》1990年4期)及〈簡評抗戰勝利前蘇聯對華政策〉(《史學月刊》1988年6期)、黃世相〈略評二戰期間的蘇聯對華政策〉(《江西師大學報》1993年1期)、劉以順〈略論抗日戰爭時期蘇聯的對華政策〉(《安徽黨史研究》1991年5期)、顧瑩惠〈抗戰時期蘇聯的對華政策〉(載《抗日戰爭史事探索》，上海，上海社會科學院出版社，1988)、孫玉玲、蔣之林〈抗戰時期共產國際和蘇聯對華特殊政策〉(《駐馬店師專學報》1993年4期)、周尚文、盛昊雲〈國家安全利益是制訂對外戰略的基本－評抗日戰爭時期的蘇聯對華政策〉(《華東師大學報》1995年6期)、張慶瑰、徐銀燕〈簡評抗戰時期斯大林對華政策〉(《瀋陽師院學報》1990年2期)、廖蓋隆〈抗日戰爭後期和解放戰爭時期蘇聯與中國革命的關係〉(《中共黨史研究》1990年增刊)、A. M.列多夫斯基著、王真、王家人譯、劉佐漢校〈抗日戰爭結束前後的美蘇對華政策〉(《國外中國近代史研究》13輯，1989年9月)、鄧家倍〈評抗戰初期蘇聯對華政策〉(《國際共產主義運動》1988年5期)、李嘉谷〈1937年中蘇互不侵犯條約簽訂經過〉(《民國春秋》1992年5期)、李守先《中蘇互不侵犯條約與日蘇中立協定之研究》(臺灣大學政治研究所碩士論文，民69年6月)、張世敏〈日本侵華十五年間蘇聯對華外交一瞥〉(《黨史文匯》1996年1期)、杜賓斯基著、吳能摘譯〈抗日戰爭爆發前後的蘇中關係〉(《蘇聯問題研究資料》1986年1期)、王真譯〈抗戰初期中蘇關係文件選譯〉(《歷史檔案《1995年3、4期》及〈蘇聯外交檔案中有關中蘇關係史料選譯(1937年)〉(《檔案史料與研究》1995年1期)、陳偉譯、任東來校〈美國學者論抗日戰爭時期的中蘇關係及其深遠影響〉(《黨史研究資料》1990年4期)、徐世和〈抗戰時期的中蘇關係述略〉(《青海民族學院學報》1995年4期)、徐平中〈抗日戰爭時期的中蘇關係述評〉(《湘潭大學學報》1987年2期)、吳景平〈抗戰時期跌宕曲折的中蘇關係〉(《民國春秋》1996年4期)、安德烈·列道夫斯基著、王靜譯〈抗戰時期的中蘇關係〉(《黨史研究資料》1992年10期)、李嘉谷〈中蘇關係史研究二題〉(《抗日戰爭研究》1995年1期)、楊德慧〈抗日戰爭前期國民黨政府與蘇聯的關係〉(《史學論叢》1987年2期)、王林濤〈略論抗戰初期中蘇蜜月般關係－蘇聯援華抗日述評〉(《浙江學刊》1995年4期)、杜賓斯基〈抗日戰爭中期的蘇中關係(1940－1941)〉(《蘇聯問題研究資料》1989年5期)、王家福〈二戰時期遠東中蘇美關係的戰略演化〉(《史學集刊》1995年2期)、楊雲若〈蘇德戰爭和太平洋戰爭前後中蘇美關係的演變〉(《中共黨史研究》1988年6期)、列多夫斯基著、郭興仁譯〈1937-1949年間的蘇聯與中國－一位蘇聯駐華外交官的回憶錄〉(《抗日戰爭研究》1992年4期)、卡比察(M.S. Kapilsa)著、趙承先、忻鼎明譯《中蘇關係(1931-1945)》(北京，知識出版社，1957)、王立新〈試論1931-1945年蘇聯對華政策中的兩重性〉

（《江蘇社會科學》1996年1期）、鄭春苗〈論抗戰爆發後國民黨政府對蘇政策的調整及其與反共的關係〉（《史學用刊》1985年4期）、王真〈孫科與戰時國民政府的對蘇關係〉（《近代史研究》1993年5期）、〈孫科與抗戰初期的中蘇關係〉（《史學月刊》1996年4期）及〈抗戰初期中蘇在蘇聯參戰問題上的分歧〉（《歷史研究》1994年6期）、姜春暉〈抗戰時期蘇聯對華政策中的民族利己主義和強權政治〉（《國際關係學院學報》1996年3期）、具島兼三郎〈中ソ同盟論〉（《法學志林》48卷1號，1950年5月）、寶暉、劉蓉蓉〈中蘇同盟和雅爾塔體系〉（《黨史研究資料》1995年7期）、中國第二歷史檔案館〈駐蘇大使蔣廷黻與蘇聯外交官會談記錄（1936年11月-1937年10月）〉（《民國檔案》1989年4期）及〈蔣廷黻關於蘇聯概況、外交政策及中蘇關係問題致外交部報告〉（同上，1989年1期）、陳慈蓉〈抗戰初期蘇聯對華外交與軍援〉（載《中華民國史專題論文集：第三屆討論會》，臺北，國史館，民85）、魏宏運〈抗日戰爭中蘇聯對中國的援助〉（《歷史教學》1954年12月）、杜賓斯基〈抗日戰爭時期蘇聯對中國的援助〉（《國外中國近代史研究》11輯，1988）、王真〈論抗戰初期蘇聯援華政策的性質〉（《中共黨史研究》1993年5期）、李淑霞〈抗日戰爭時期蘇聯援華的實質〉（《昭烏達蒙族師專學報》1995年3期）及〈抗日戰爭時期中蘇兩國的相互援助〉（同上，1996年1期）、楊天德〈在抗戰初期蘇聯究竟對我國有哪些援助？〉（《新史學通訊》1952年4期）、劉志青〈蘇聯戰爭爆發前蘇聯對中國抗日戰爭的援助〉（《甘肅社會科學》1992年2期）、孫寶根〈試析抗戰時期蘇聯對華貸款的次數和總數〉（《檔案史料與研究》1992年1期）、劉建德〈抗日戰爭時期的蘇聯援華借款到底是多少〉（《教學與研究》1986年4期）、李嘉谷〈關於抗日戰爭時期蘇聯援華貸款問題〉

（《近代史研究》1992年3期）、〈抗戰時期蘇聯的三筆易貨援華貸款〉（《民國春秋》1987年5期）及〈抗日戰爭時期蘇聯對華貸款與軍火物資援助〉（《近代史研究》1988年2期）、中國第二歷史檔案館供稿、李嘉谷、馮敏整理〈抗戰時期三個蘇聯對華信用借款條約〉（《近代史資料》89號，1996）、陳延琪〈關於中蘇協議合辦獨山子油礦的談判〉（《新疆大學學報》1995年2期）、張愛民〈1933－1943年間新疆局勢的演變與蘇聯的關係〉（《新疆師大學報》1994年1期）、黃建華〈迪化和談前有關新疆問題的中蘇交涉〉（《西北史地》1996年1期）、張大軍〈伊寧事變後蘇聯攫取塔城、阿山、烏蘇、精河的經過〉（《新時代》1卷6期，民50年6月）、王真〈抗戰期間中蘇關係惡化原因初探〉（《歷史研究》1990年4期）、廖蓋隆〈共產國際、蘇聯和中國抗日戰爭〉（《革命春秋》1989年3期）、王廷科〈蘇聯與中國抗日戰爭〉（《文史雜志》1987年4期）、徐萬民〈抗日戰爭期間中國對蘇聯的物資援助〉（《蘇聯問題研究資料》1990年4期）、鍾家棟〈一九四一年的中國與蘇日中立條約〉（《檔案與歷史》1987年3期）、馬林〈論蘇日中立條約締結的主要原因〉（《寧夏教育學院學報》1988年1期）、王亞兵〈對1941年《蘇日中立條約》的再評價〉（《蘇聯問題的研究資料》1988年5期）、重慶市檔案館〈蔣介石論《蘇日中立條約》〉（《檔案史料與研究》1993年2期）、王真《蘇日中立條約》與戰時中國〉（《民國檔案》1995年3期）、孫長泉〈試析《蘇日中立條約》及其對中國敵後抗戰的影響〉（《大慶師專玄報1990年3期》）、陸文培〈試論《蘇日中立條約》對中國抗戰的影響〉（《社會科學戰線》1994年1期；亦載《軍事歷史》1994年3期）、馬丁、宋培基《蘇日中立條約》對中國抗日戰爭的影響〉（《紹興師專學報》1994年3期）、岩村三千夫〈日ソ「中立」と重慶政權〉（《蒙古》108號，1941）、烏傳袞〈我國抗日戰爭結束前後美蘇兩國在中國問題上的鬥爭與妥協〉（《蘇聯問題研究資料》1988年5期）、雷溫（Steven I. Levine）, " The Soviet Union Role in U. S.-China Relations: The 1940s. "（《美國研究》13卷3期，民72年9月）、John W. Garrer 著、谷世寧譯〈蔣介石要求蘇聯參加中國抗日戰爭〉（《南京大學學報》1988年3期）、香島明雄〈ソ連對日參戰問題と中國〉（《京都產業大學論集》8卷1號，1978年9月）、高向遠〈蘇聯在中國抗日戰爭中的作用淺析〉（《蘇聯歷史問題》1986年2期）、吳景平〈關於1945年中蘇會談的若干史實〉（《檔案史料與研究》1995年3期）及〈美國與1945年的中蘇會談（《歷史研究》1990年1期）、A・列多夫斯基著、溫耀平譯〈1945年蘇中莫斯科談判〉（《蘇聯問題研究資料》1989年1期）、張慶瑰〈簡評抗戰時期斯大林對華政策〉（《瀋陽師院學報》1990年2期）、謝・列・齊赫文斯基著、婁杰、左鳳榮整理〈1937～1939年蔣介石同斯大林、伏羅希格夫的通信〉（《民國檔案》1996年3期）。王秀琦編著《中蘇友好同盟條約的締結及廢止》（臺北，編著者印行，民62）及《中蘇友好同盟條約的締結及廢止》（政治大學外交研究所碩士論文，民72）、梁敬錞〈一九四五年中蘇友好同盟條約簽訂始末〉（《華岡學報》10期，民64年10月）、〈中蘇友好同盟條約之簽訂與其影響〉（《傳記文學》24卷4期，民63年4期）及〈一九四五年中蘇友好同盟條約之簽訂及其內幕真相〉（載薛光前主編《八年對日抗戰中之國民政府》，臺北，臺灣商務印書館，民67）、梁敬錞著、招嘉熾譯〈1945年中蘇友好同盟條約內幕〉（《國外中國近代史研究》10輯，1988年4月）、梁敬錞著、阮家新譯〈1945年中蘇友好同盟條約談判內幕〉（《軍事史林》1988年4期）、顧瑩惠〈《中蘇友好同盟條約》簽訂前後〉（《民國春秋》

1989年1期）、王靜〈強權政治下的悲劇：1945年《中蘇友好同盟條約》簽訂的內幕〉(《文史精華》1996年9、10期)、蔣永敬〈從《王世杰日記》看中蘇盟約的簽訂〉(《傳記文學》56卷6期，民79年6月）及〈宋子文、史達林中蘇條約談判紀實〉(同上，53卷4－6期、54卷1期，民77年10－12月‧78年1月）、蔣君章〈宋子文莫斯科談判追記〉(《中國一周》100期，民41年3月)〉、郭德權〈「中蘇友好同盟條約」簽訂經過〉(同上，35卷2期，民68年8月）、郭秋光〈抗戰後期國民政府對蘇政策與《中蘇友好同盟條約》的簽訂〉(《抗日戰爭研究》1995年增刊）、陳立文〈中蘇友好同盟條約簽訂之背景、經過及其檢討〉(載《中華民國建國八十年學術討論集》第2冊，臺北，民81）、楊兆敏〈《中蘇友好同盟條約》與近代中國東北問題〉(《社會科學輯刊》1995年2期）、劉存寬〈雅爾塔協定與1945年中蘇條約〉(《史學集刊》1991年1期）及〈重新評價1945年《中蘇友好同盟條約》〉(《抗日戰爭研究》1995年增刊）、劉喜發〈《中蘇友好同盟》評析〉(《社會科學戰線》1996年3期）、潘志平〈關于1945年中蘇友好同盟條約的評價〉(《世界史研究動態》1985年9期）、侯德鄰〈評《中蘇友好同盟條約》〉(《中共黨史研究》1990年增刊）、吳其玉〈評中蘇同盟條約〉(《東方雜誌》41卷23號，民34年12月）、陳立文〈再論中蘇友好同盟條約〉(載《國父建黨革命一百周年學術討論集》第3冊，臺北，民84）、翁仲二〈再談1945年的《中蘇友好同盟條約》〉(《河南黨史研究》1991年3期）、淡江大學編印《中蘇友好同盟條約之回顧研討會論文集》(臺北，民83年4月）、魏新生〈評1945年〝中蘇聯條約〞〉(《史學月刊》1989年2期）、薛慶超〈評1945年的《中蘇條約》：兼與翁仲二同志商榷〉(《河南黨史研究》1990年6期）、王大剛〈新疆問題與1945年中蘇友好條約〉(《中國邊政》122期,民82年12月)、王文穆〈關於我黨同意簽訂《中蘇條約》的幾點認識〉(《黨史縱橫》1989年5期)、陳立文〈從東北接收看中蘇友好同盟條約〉(載《慶祝抗戰勝利五十週年兩岸學術研討會論文集》上冊,臺北,民85)、沈雲龍〈三個中俄友好同盟條約的歷史教訓〉(《傳記文學》36卷4期,民69年4月)。

　　戰時中美外交或關係有 Wesley M. Bagby, The Eagle-Dragon Alliance: America's Relations with China in World War II.(Newark, London and Toronto: Associated University Press, 1992)、勞國昇《二次大戰期間的中美關係》(香港珠海書院文史研究所碩士論文,1977);《中美關係文件彙編:1940－1976》(香港,七十年代月刊社,1977)、瑞德(John G. Reid)等編、徵信新聞報編譯《一九四三年中美外交關係》(4冊,臺北,編譯者印行,民51)、美國國務院編、聯合報社譯《一九四三年中美外交關係文件》(臺北,譯者印行,民52)、游維真《1937－1941年中美外交關係》(中國文化大學史學研究所碩士論文,民85年6月)、張圻福等〈論抗戰前期國民政府對美依存關係的形成〉(《國民檔案》1993年1期)、七十年代月刊社編印《中美關係文件彙編:1940－1976》(香港,1977)、任東來〈通向中美抗日同盟－1941年中美關係述評〉(《南京大學學報》1992年1期)、劉光炎〈太平洋大戰前後中美關係史料補遺〉(《銘傳學報》第4期,民56年3月)、吳松枝《抗戰時期中美外交關係的研究(1937-1945)》(臺灣大學政治研究所碩士論文,民53)、梁敬錞《抗戰後期之中美關係－美亞文件進一步的檢討》(臺北,國防研究院,民59)、費士(Herbert Feis)撰、梅寅生譯《誰之過?中美戰時外交關係探源－自珍珠港到馬歇爾調處》(新竹,楓城出版社,民70)、李榮秋《珍珠港事變到雅爾達協定

期間的美國對華關係〉（臺北，東吳大學中國學術著作獎助委員會，民67）
及〈珍珠港事變到緬甸淪陷期間的美國對華關係〉（《中國現代史專題
研究報告》第2輯，民61）、王建輝〈最毒辣的敵人，還是共同抗日的
盟友？－試論珍珠港事件以後至抗戰勝利前夕的中美關係〉（《青海
社會科學》1985年5期）、劉喜發〈走上結盟之路－淺析盧溝橋事變
至太平洋戰爭爆發前的中美關係〉（《長白學刊》1995年4期）、楊雲若
〈蘇德戰爭和太平洋戰爭前後中美關係的演變〉（《中共黨史研究》1988
年6期）、唐培吉、王偉〈抗日戰爭時期的中美關係〉（載《民國檔案
與民國史學術討論會論文集》，北京，檔案出版社，1988），蔣秀中〈抗
日戰爭時期的中美關係〉（載江蘇省歷史學會編《抗日戰爭史事探索》，
上海，上海社會科學院出版社，1988）、朱貴生〈抗日戰爭時期的中美
關係〉（《世界歷史》1995年4期）、胡秀勤〈淺論抗日戰爭時期的中美
關係〉（《歷史教學》1986年10期；《長沙水電師院學報》1986年1期）、
張勝男〈抗日戰爭時期中美關係的演變〉（《內蒙古大學學報》1995年4
期）、徐報喜〈學術界對抗日戰爭時期中美關係的研究〉（《吉林師院
學報》1995年7期）、章百家〈抗日戰爭時期中美關係史研究述評〉
（《抗日戰爭研究》1995年增刊）、陶文釗〈抗日戰爭時期中美關係研究
綜述〉（《世界史研究動態》1990年6期）及〈戰時中美關係的若干問題〉
（《美國研究》1995年3期）、張莉紅〈毛澤東與抗戰時期的中美關係〉
（《成都黨史》1994年1期）、山極晃〈大戰中の米華關係〉（載《日本帝
國主義の歷史と現代－歷史學研究別冊》，東京，青木書店，1960）、毛里
和子〈第二次大戰中の中米關係についての－資料〉（《國際問題》180
號，1975年3月）、山極晃著、宮毅譯〈第二次世界大戰中的中美關
係－戰後日美關係的前提之一〉（《國外中國近代史研究》第3輯，1982

年6月）、麻玉林〈太平洋戰爭後的中美關係：從史迪威、魏德邁和赤家爾制在華活動談起〉（《社會科學探索》1995年4期）、卡特科娃著、王真譯、劉佐漢校〈太平洋戰爭時期的中美關係（1941年12月－1945年9月）〉（《國外中國近代史研究》10輯，1988年4月），吳景平〈宋子文與太平洋戰爭爆發前後的中美關係〉（《民國春秋》1995年4期）、魏良才〈抗戰期間的中美關係〉（《近代中國》60期，民76年8月）、鄧著之〈抗日戰爭時期中美與中蘇關係〉（《九江師專學報》1995年3期）、吳志清〈一九四一年中日美三國權力關係〉（《行政學報（中興大學公共行政系）》第2期，民59年6月）、朱坤泉〈抗戰時期中國〝四強〞之路與中美關係〉（《江蘇社會科學》1992年1期）及〈抗戰時期毛澤東論中美關係〉（《蘇州大學學報》1993年3期）、Phee Tong－chin, Sino－American Relations From 1942 Through 1949. (Ph.D. Dissertation, Clark University，1967)、連若雲〈1940年宋子文何以赴美求援〉（《炎黃春秋》1995年8期）、吳景平〈抗戰時期中美租借關係述評〉（《歷史研究》1995年4期）、李本京〈抗戰時期的中美財經關係〉（《近代中國》38期，民72年12月）、魏良才〈從戰時中美關係著作看歷史的客觀性〉（《中華軍史學會會刊》創刊號，民84）、Chang Tsan-kuo, The Press and China Policy: The Illusion of Sino-American Relations 1940-1984〉.（Norwood: Alex Publishing Corporation, 1993）、Paul A. Varg, The Clos-ing of the Door: Sino-American Relations 1936-1946.（East Lansing: Michigan State University Press, 1973）、Margaret B. Denning, The Sino-American Alliance in World War II: Cooperation and Dispute Among Nationalists, Communists, and Americans.（Berne: P. Lang, 1986）、Herbert Feis, The China Tangle: The American Effort in China From

Pearl Harbor to the Marshall Mission.（Princeton, N. J.: Princeton University Press, 1953），其中譯本為赫伯特‧菲斯著、林海、呂浦、曾學白譯《中國的糾葛：從珍珠港事變到馬歇爾使華美國在中國的努力》（北京，北京大學出版社，1989）、金光耀〈試論太平洋戰爭初期國民政府的對美外交〉（《檔案與歷史》1989年4期）、 Allan Griffith, “ The Diplomacy of Forgiveness. ”（Sino-American Relations, Vol.15, No. 1, 1989）、朱坤泉〈論抗戰之初國民黨政府的對美外交〉（《蘇州大學學報》1992年2期）、任東來《爭吵不休的伙伴－美援與中美抗日同盟》（桂林，廣西師大出版社，1996）、〈抗戰期間美援與中美外交研究〉（《蘭州學刊》1991年1、2期）及〈國民黨政府爭取美援的外交與皖南事變〉（《安徽史學》1992年1期）、胡光麃〈抗戰期間中美交往經過〉（《傳記文學》40卷3期，民71年3月）、宣野座伸治《一九四一年美日交涉中中國問題之重要性》（淡江大學美國研究所碩士論文，民77）、李祥麟〈珍珠港事變前美日交涉之中國問題〉（《社會科學論叢》第5期，民43年10月）、中央大學人文科學研究所編《日中戰爭：日本，中國，アメリカ》（東京，中央大學出版部，1993）、平塚柾緒編著《日中戰爭：日、米、中報道カメラマンの記錄》（東京，翔泳社，1995）、朱聽昌〈日本全面侵華與美國態度〉（《蘇州大學學報》1989年2、3期）。陳蜀光《抗戰期間美國對華政策之研究（1937-1945）》（政治大學東亞研究所碩士論文，民63）、董修明《第二次世界大戰期間美國對華政策》（政治大學外交研究所博士論文，民46）、汪淇主編《從中立到結盟：抗戰時期美國對華政策》（桂林，廣西師大出版社，1996）、周應紹〈抗日戰爭期間美國的對華政策〉（《思想戰線》1986年1期）、吳鋒〈抗戰時期美國的對華政策〉（《中學歷史教學參考》1996

年7期）、金劍華〈抗戰時期美國對華政策〉(《寧夏社會科學》1996年3期）、王作坤〈略論抗日戰爭時期美國對華政策〉(《齊魯學刊》1986年1期）、馮春明〈試論抗日戰爭時期美國的對華政策〉(《民國檔案》1986年3期）、陳昌熾、黃永金〈略論抗日戰爭時期的美國對華政策〉(《雲南師大學報》1986年2期）、陳九如、蘇全有、劉海文〈抗日戰爭中美國"援華制日"政策的演變〉(《河南師大學報》1996年3期）、周良彥〈由史潘尼教授之美國外交政策論美國1940年後對華政策〉(《東吳政治社會學報》第3期，民68年12月）、王邦憲〈太平洋戰爭時期美國對華政策的演變〉(《復旦學報》1983年4期）、小堀訓男〈第2次大戰時における米國の對中政策轉換の研究(2)、(3)〉(《政治學論集（駒澤大學法學部)》37號，1993年3月；47號，1993年3月）、A. Ledovsky, "japanese Aggression Against Chind and U.S. Policies." (Far Eastern Affairs, No. 6, 1981）、徐小明〈論析〝七七事變〞後美國對華對日政策〉(《杭州大學學報》1995年4期）、李慶餘〈抗戰初期的美國對華政策〉(載《抗日戰爭史事探索》，上海，上海社會科學院出版社，1988）、張勇〈抗日戰爭前期美國對華政策述評〉(《清華大學學報》1996年1期）、王建朗〈艱難的起步：1938年美國對華政策透視〉(《抗日戰爭研究》1992年2期）、胡之信〈1937-1941美國對華政策的演變及其原因〉(《求是學刊》1981年4期）及〈1941-1945美國對華政策的演變及其原因〉(《杭州大學學報》1983年3期）、李曄〈1941－1945年美國政策的演變及原因〉(《吉林師院學報》1992年4期）、辜宗秀、何德遠〈1937年至1941年美國對華政策〉(《咸寧師專學報》1996年4期）、郭金梅〈論抗日戰爭時期美國對華政策〉(《內蒙古林業學院學報》1994年1期）、王淇、吳榮宣〈評抗日戰爭時期美國的對華政策〉(《黨史通訊》1983年20、21期）、吳韞山、侯衛正〈太平洋戰爭爆發後美國的對華政策〉（《西南民族學院學報》1987年8期）、吳敏先〈抗日戰爭時期美國對華政策的演變〉（《東北師大學報》1990年1期）、張慶瑰、曹軍〈論抗日戰爭時期美國對華政策〉（《瀋陽師院學報》1995年3期）、陳璐〈試論抗日戰爭時期美國對華政策的變化〉（《惠州大學學報》1995年2期）、李林宇〈抗日戰爭時期美國對華政策的演變〉（《黨史研究教學》1995年5期）、許放〈試論抗日戰爭時期美國政府對華政策上的分歧〉（《北京鋼鐵學院學報》1987年2期）、鄒宇雷〈抗戰期間美國對華政策的兩面性〉（《雲南學術探索》1995年4期）、趙鴻昌、姜桂石〈應從世界全局的高度評價抗日戰爭時期的美國對華政策〉（《史學集刊》1995年1期）、胡大澤、蕭世明〈從美國的全球戰略看它在抗戰前後的對華政策〉（《青海社會科學》1991年5期）、張附孫〈抗日戰爭前期美國對華政策簡述〉（《雲南教育學院學報》1986年1期）、William Pace Head; America's China Sojourn : United States Foreign Policy and Its Effects on Sino-American Relations, 1942-1948.（Ph. D. Dissertation, The Florida State University. 1980）、Dan C. Sanford , The United States in Nationalist China Foreign Policy: The Using and the Keeping of An Ally.（Ph. D. Dissertaion, University of Denver, 1972）、趙巧霞〈"一項不幸的政策"的必然選擇－抗戰後期美國對華政策淺析〉（《文史雜志》1989年6期）、李精華〈抗戰前期美國對華政策之演變〉（《北方論叢》1995年2期）、李國維《一九四三－一九四四年美對華政策之研究》（中國文化學院政治研究所碩士論文，民67）、范之江《由九一八事變到珍珠港事變美國對華政策》（中國文化學院中美關係研究所碩士論文，民67）、顧瑩惠〈抗日戰爭時期美蘇對華政策與國共關係〉(《東南文化》1995年3期)、何迪、曹建林、翟衛華〈抗日戰爭後期美國對華政策的演變〉(《近代史研究》1981年4期)、李緒基〈試論抗日戰爭後期的美國對華政策〉(《學術論文集》1980年1期)、辜慶志〈"助蔣內戰"還是"扶蔣溶共"：評赫爾利辭職後的美國對華政策〉(《滁州師專學報》1987年1期)、王建輝〈抗戰勝利前夕美國對華政策的轉折－與項立嶺同志商榷〉(《世界歷史》1982年3期)及〈抗戰勝利前美國對華政策轉折的歷史必然性〉(《上海師大學報》1985年2期)、李培輝〈淺談抗戰後期美國對華政策的兩條路線之爭〉(《黨史博採》1996年2期)、張重珩〈夢幻與現實－抗日戰爭勝利前後美國對華政策失敗的根本原因〉(《社會主義研究》1996年專輯)、齋藤勝彌〈第二次世界大戰末期のアメリカの中國政策－對ソ強硬政策との關連で〉(載《日中戰爭と國際的對應》，東京，日本國際政治學會，1972)、林炫向《美國的對華政策與中共的反應(1944-1950)》(臺灣大學政治研究所碩士論文，民85年1月)、松葉秀文〈太平洋戰爭直後・米國の中國政策史－中國共產黨評價の問題〉(《甲南法學》9卷4號，1969年3月)、章百家〈抗日戰爭時期國共兩黨的對美政策〉(《歷史研究》1987年3期)、周道華〈抗戰時期美國對華政策演變與國共關係〉(《黨史研究與教學》1996年1期)、田金星〈租借物資與美國對華政策〉(《上海社會科學院學術季刊》1993年1期)、陳宗堯《美國對華政策》(政治大學外交研究所碩士論文，民47)、John S. Service, The Amerasia Papers: Some Problems for the History of US- China Relations(Center for Chinese Studies, University of California-Berkeley , 1971)其中譯本為約翰・斯圖爾特・謝偉思著、王益、王昭明譯、馬德麟、楊雲若校《美國對華政策(1944-1945)：美亞文件和中美關係史之若干問題》

（北京，中國社會科學出版社，1989）、王前〈抗戰後期美國對華政策的演變〉（載《抗日戰爭史事探索》，上海，上海社會科學院出版社，1988）、梁明致譯〈十年來美國對華政策的錯誤〉（《東方雜誌》44卷6期，民37）、劉芝堂〈第二次世界大戰中美國實用主義對華政策的特點〉（《齊魯學刊》1992年1期）、詹聰裕《開羅會議到雅爾達協定期間美國對華態度的轉變》（中國文化大學中美關係研究所碩士論文，民73年6月）、洪嘉麗《七七事變後至珍珠港事變前美國遠東政策分析（1937-1941）》（臺灣大學政治研究所碩士論文，民65）、李祥麟〈珍珠港事變前美日交涉中之中國問題〉（《社會科學論叢》第5期，民43年10月）、孔慶泰〈太平洋戰爭爆發前美英助日侵華和蘇聯援華抗日〉（載《民國檔案與民國史學術討論會論文集》，北京，檔案出版社，1988）、李建軍〈抗戰時期美國要求中國軍隊指揮權的原因淺析〉（《貴州大學學報》1995年2期）、艾遜〈抗戰時期美國在中英香港問題交涉中作用之新見〉（《史學情報》1987年1期）、吳景平〈美國與1945年的中蘇會談〉（《歷史研究》1990年1期）、田北亮介〈日中戰爭とアメリカ極東外交－反日・反フアッシヨ政策の形成をめぐって〉（《法學論叢》81卷3、5號，1967年6、8月）、張緒心〈太平洋關係學會與美國戰時中國政策－麥克倫委員會聽證會證辭述評〉（載《中華民國建國史討論集》第4冊，臺北，民70）、鄧澤宏〈美國對華調處政策和第三條道路的興衰〉（《黨史研究資料》1991年9期）、周盛盈〈抗戰後期美國對華的壓蔣聯共政策述評〉（《湘潭師院學報》1992年2期）、岳蘇明〈抗戰末期美國對華政策抉擇失誤的歷史反思〉（《長沙水電師院學報》1995年3期）、馬越已紀男《太平洋戰爭末期のアメリカの中國政策》（慶應大學法學研究所碩士論文，1978）、陸祥正、黎有忠〈論美國對華

政策對中國抗戰的影響〉(《徐州教育學院學報》1989年3期)、林詩輝
《蔣總統對美外交政策(1943.11-1945.8)》(中國文化大學中美關係研究所
碩士論文，民65年6月)、刁良舉、韓勝朝〈抗戰時期蔣美合作與衝
突〉(《南都學壇》1995年5期)、關紹紀〈美國政府與國民黨的三次反
共高潮〉(《煙臺大學學報》1996年2期)、韓東屏〈聯合政府與美國對
華政策〉(《河北大學學報》1994年2期)、 Liu Xiaoyuan, A Partner-
ship for Disorder: China, The United States, and Their Policies for the
Postwar Disposition of the Japanese Empire, 1941-1945.(New York:
Columbia University Press, 1996)、王光銀〈論抗戰時期國民黨政府對
美國的政策〉(《杭州師院學報》1991年1期)、張小路〈抗日戰爭時期
國民政府對美政策剖析〉(《史學月刊》1990年5期)、朱坤泉〈抗日戰
爭前期蔣介石政府〝苦撐待變〞對美政策初探〉(《檔案史料與研究》
1992年1期)及〈重慶國民政府與1941年的美日談判〉(《史學月刊》
1993年3期)、譙大俊〈日美談判與中國問題〉(《西南師大學報》1991
年2期)、陳孝華〈太平洋戰爭初期國民黨政府對美政策〉(《福建師
大學報》1989年1期)、秦興洪〈略論1944年美國的扶蔣聯共政策〉
(《廣州師院學報》1993年2期)、川崎一郎〈中共と國府のアメリカ政
策〉(《國際時評》15號，1966年7月)、安藤正士〈第二次大戰終了前
後のアジアーとくにアメリカの對中國政策中心として〉(《歷史教
育》12卷2號，1964年2期)、李冰〈抗日戰爭後期美蔣關係中的一
場風波〉(《黨史研究資料》1986年5期)、任東來〈美國對華"租借"
援助與美蔣矛盾(1942－1944)(《歷史教學》1985年12期)〉、朱坤
泉〈1942-1943年宋美齡訪美與抗戰後期的中美關係〉(《抗日戰爭研
究》1996年3期)、陳平譯〈蔣夫人一九四三年訪美之行〉(《傳記文

學》67卷1期，民84年7月）、吳圳義〈蔣夫人訪美的外交意義（1942
－1943）〉（載《蔣中正先生與現代中國學術討論集》第4冊，臺北，民75）
及〈蔣夫人訪美演講之宣傳功能〉（《珠海學報》16期，1988年10月）、
石之瑜〈美國媒體如何報導蔣夫人訪美行－一九四三年二月二十
日〉（《近代中國》116期，民85年12月）及〈從蔣夫人宋美齡女士對美
外交論中國的地位〉（同上，113期，民85年6月）、Julia Fukuda
Cosgrove, United States Economic Foreign Ploicy Toward China, 1943
－1946. (Ph. D. Dissertotion, Washington University, 1980)、何品〈1937-
1941年美國對華貸款研究〉（《檔案史料與研究》1995年3期）、任東來
〈圍繞美國貸款展開的中美外交（1939－1940）〉（《南京大學學報》1990
年5、6期）、劉達永〈抗日戰爭時期中美《借款協定》與中國的國際
地位〉（《安慶師院學報》1996年2期）、任東來〈被遺忘的危機：1944
年中美兩國在談判貸款和在華美軍開支問題上的爭吵〉（《抗日戰爭研
究》1995年1期）、史國綱〈中美商業借款的檢討〉（《東方雜誌》37卷
18號，民29年9月）、張輝強〈1938年12月中美桐油貸款與美國遠
東政策的轉變〉（《中山大學研究生學刊（文科）》1984年2期）、任東來
〈中美"桐油貸款"外交始末〉（《復旦學報，1993年1期》）、劉筱齡〈抗
戰時期中美桐油借款之研究〉（《國史館館刊》復刊14期，民82年6月）
及〈抗戰時期中美華錫借款的成立與運用〉（同上，19期，民84年12
月）、劉達永〈從《摩根索日記》看《華錫借款合約》〉（《四川師大
學報》1994年2期）及〈《中美租借協定》之〝防衛用品〞供應安裝探〉
（《天府新論》1996年6期）、任東來〈1942年中美五億美元借款始末〉
（《美國研究參考資料》1992年5期）、吳景平〈宋子文與抗戰時期中美
五億美元借款交涉〉（天府新論，1990年4期）、伯非譯〈一九四二年

五億元中美借款的內幕〉(《經濟周報》4卷20期,民36年5月)、劉呂紅〈從"五億美元"借款的使用看國民黨政府的腐敗〉(《四川師大學報》1996年3期)、陳立文〈宋子文與戰時美國財經援華〉(《中國歷史學會史學集刊》22期,民79年7月)、田金星〈租借物資與美國對華政策〉(《學術季刊》1993年1期)、何思瞇編《抗戰時期美國援華史料》(臺北,國史館,民83),其時間斷限為1942-1949年,係依據國史館藏《經濟部檔案》、《交通部檔案》、《資源委員會檔案》,中央研究院近代史研究所藏《經濟部檔案》,及相關之文獻資料彙編而成。內容包括美國專家技術援華、美國對華易貨借款,五億元信用借款、租借法案物資借款、剩餘物資與發電機借款、清理中美戰時帳目等,書末並錄有當時之相關論著54篇;郭榮趙〈珍珠港事變前美國援華的真相〉(收入中華學術院編《史學論集(中華學術與現代文化叢書第3冊)》,臺北,華岡出版社,民66)、柯偉林(William C. Kirby)〈民國時期中外經濟合作一例:美國戰時生產顧問團援華(1944-1946)〉(〈載《民國檔案與民國史學術討論會論文集》,北京,檔案出版社,1988)、程玉鳳、程玉凰編《資源委員會技術人員赴美實習史料》(臺北,國史館,民77)、程玉凰〈資源委員會培訓人才的探討-從「孫運璿日記」看赴美實習情形(民國三十一年)〉(《國史館館刊》復刊第9期,民80年6月)、任東來〈抗戰期間美援與中美外交研究〉(《蘭州學刊》1991年1、2期)、蔣偉國〈抗戰後期美國外交官對華態度分歧初析〉(《歷史教學問題》1992年12期)、劉達永〈中美《平準基金協定》的簽訂與美國對華態度的變化〉(《貴州師大學報》1995年3期)、任東來〈1940蔣介石擬向美國出租臺灣海南的文件與說明〉(《民國檔案》1995年1期)、Tsou Tang(鄒儻),America's Failure in China,

1941-1950.（Chicago, Illinois: University of Chicago Press, 1963），為現代
中美關係史論著中的代表作，全書600餘頁，分為四部十三章，從
1899年美方宣布「門戶開放政策」述起，至中共介入韓戰為止，主
題置於1941年，美國參戰與國民政府共抗日本，調停國共鬥爭，
以及韓戰使中共成為一大強權三方面，引用不少美國檔案、文件及
中外文論著資料，內容詳瞻，論析也不乏深入而獨到之處；Feng
Chi-jen（馮啟人）， "The Impact of Wartime Soviet-American
Collabortion on the Political Development in China."（載《抗戰建國史
研討會論文集》上冊，臺北，74）、Liu Xiaoyuan, "Sino — American
Diplomacy Over Korea During World War Ⅱ."（The Journal of American
East Asian Relations, Vol. 11, No.2, 1992）、伊斯雷耳・愛滋斯坦著、楊
立義譯〈回憶美國對中國抗日戰爭的報道〉（《新聞記者》1985年9期）、
Tsang Kuo-jen, China's Propaganda in the United States During World
War II.（Ph. D. Dissertation, North Texas State University, 1982）、Ken-
neth S. Chern, Dilemma in China: America's Ploicy Debate, 1945.
（Hamden, Conn. : Archon Books, 1980）、Michael Robert Schaller, The
United States and China, 1938 — 1945.（Ph. D. Dissertation, University
of Michigan — Ann Arbor, 1974），1979年該博士論文由Columbia大
學出版，易名為 The U. S. Crusade in China, 1938 ~ 1945，其中
譯本為邁克爾・沙勒著、郭濟祖譯《美國十字軍在中國，1938~
1945》（北京，商務印書館，1982）；Gregory Thomas Markey. The
United States in China, 1941 — 1944: The Perspective Form the State
Department.（ph. D. Dissertation, Georgetown University, 1985）、羅久
華〈胡適大使與中美關係（1938-1942）〉（載《國父建黨革命一百周年學

術討論集》第3冊，臺北，民84）、周洪鈞〈《西行漫記》與中美關係〉（《復旦學報》1985年1期）、蔡黛雲〈太平洋戰爭期間中美矛盾的根源〉（《湘潭大學學報》1995年2期）、Gregory Smith Prince, Jr., The American Foreign Service in China, 1935～1941: A Case Study of Political Reporting.（Ph. D. Dissertation, Yale University, 1973）。

　　至於美國總統羅斯福（Franklin D. Roosevelt）、副總統華萊士（Henry A. Wallace）特使及大使赫爾利（Patrick J. Hurley）、高斯（Clarence E. Gauss）等人與戰時中國的關係有George M. Elsey, Roosevelt and China, the White House Story: The President and U. S. Aid to China 1944.（Wilton Michael Glazier, 1979）、Richard L. Manser, Roosevelt and China: From Cairo to Yalta.（Ph D. Dissertation, Temple University, 1986）、郭榮趙編譯《蔣委員長與羅斯福總統戰時通訊》（臺北，中國研究中心，民67）、羅伯特·達萊克著、伊偉等譯《羅斯福與美國對外關係（1932－1943）》（北京，商務印書館，1984）、羅斯福等著、鈕先鐘、劉宏謀譯《羅、邱、史秘函匯編》2冊，（臺北，黎明文化服務中心，民63）、吳八駿《羅斯福對華政策》（中國文化學院史學研究所碩士論文，民53）、瀧田賢治〈F. D. ルーズベルの中國政策－第2次大戰期を中心として〉（《一橋研究》30號，1975年12月）、李士崇〈羅斯福與戰時中國（1933-1945）〉（《社會科學學報（成功大學）》第4期，民80年12月）、戴志先〈羅斯福時期的中美關係〉（《湖南師院學報》1983年3期）、劉世杰〈羅斯福"幹掉"蔣介石的計畫〉（《歷史大觀園》1992年6期）、沃爾多·海因里希斯〈羅斯福、杜魯門總統的對華政策觀點〉（《國外中國近代史研究》第6輯，1984）、張慶熹〈試論羅斯福政府的太平洋政策〉（《河北師大學報》1981年3

期）、達萊（Robert Dallek）著、王傳明等譯《羅斯福與美國對外政策，1932～1945》）(北京，商務印書館，1984)、關紹紀〈羅斯福國共聯合政府的構想與華萊士使華－兼析赫爾利與華萊士使華政策的異同〉(《山東大學學報》1996年1期)。李榮秋〈一九四四年美國副總統華萊士訪華的任務〉(《近代中國》39期，民73年2月)、林徵祁〈華萊士訪華之行〉(載《孫中山先生與近代中國學術討論集》第3冊，臺北，民74)、盧淑真《美國副總統亨利・華萊士訪華使命之研究》(輔仁大學歷史研究所碩士論文，民72年6月)、羅伯特・菲斯著、林海譯〈華萊士使華前後〉(《國外中國近代史研究》第8輯，1985年12月)、L. Edward and Frederick H. Schapsmeier, Prophet in Politics: Henry A. Wallace and the War Years, 1940～1965. (Ames, Iowa: Iowa State University Press, 1971)。李本京〈勇者的畫像－評析赫爾利將軍的出使中國〉(《近代中國》40期，民73年4月)、吳國霞《赫爾利將軍使華之研究：1944-1945年》(輔仁大學歷史研究所碩士論文，民76)、Peter Tanguy DeGroot, Myth and Reality in American Policy Toward China: Patrick J. Hurley's Missions, 1944-1945.(Ph D. Dissertation, Kent State University, 1974)、Robert Thomas Smith, Alone in China: Patrick J. Hurley's Attempt to Unify China, 1944-1945.(ph.D.Disseriation, University of Oklahoma, 1966)、Barbara E. Mulch, A Chinese Puzzle: Patrick J. Hurley and the Foreign Survice Officer Controversy. (Ph D. Dissertation, University of Kansas, 1972)、朴淳鐘《アメリカの中國政策－第二次世界大戰末期のPatrick J. Hurley を中心として》(慶應大學法學研究所碩士論文，1976)；《從赫爾利到馬歇爾》(香港，大千印刷出版社，1946)、牛軍《從赫爾利到馬歇爾－美國調處國共矛盾

始末》(福州，福建人民出版社，1988)、項立嶺〈赫爾利和羅斯福對華政策〉(載中國美國史研究會編《美國史論文集(1981-1983)》，北京，三聯書店，1983)及《轉折的一年－赫爾利使華與美國對華政策》(重慶，重慶出版社，1988)、牛軍〈赫利使華與抗戰勝利前後的美國對華政策〉(《黨史研究》1985年4期)、吳國霞〈赫爾利將軍使華之研究(1944－1945)〉(《軍事史評論》創刊號，民83年6月)、邢建榕〈美國首任特使赫爾利使華揭秘〉(《民國春秋》1992年3期)、布海特(Pussell D. Buhite)著、武竸時譯〈赫爾利將軍與中國〉(《近代中國》38、39期，民72年12月、73年2月)、著者另有同名之單行本，係由淡江大學出版部民73年出版；Russell D. Buhite, Patrick J. Hurley and American Foreign Policy. (Ithaca, N. Y.: Cornell University Press, 1972)及Patrick J. Hurley and China. (Taipei, Taiwan: Tamking University Press, 1984)、菲斯(Herbert Feis)〈赫爾利在中國((《國外中國近代史研究》第9輯，1988)、王建輝〈赫爾利是哪一條對華路線的代表：與何邊等同志商榷〉(《湖北大學學報》1986年1期)、楊立憲〈赫爾利調停與戰時中美關係的轉折〉(《北京師大學報》1987年1期)及〈試論赫爾利調停與戰時中美關係的轉折〉(《研究‧資料與譯文》1986年5期)、梁敬錞〈赫爾利調停國共之經過(初稿)〉(《傳記文學》26卷4、5期，民64年4、5月)、Liang Chin－tung(梁敬錞),"Patrick Hurley, the China Mediator."(《中央研究院近代史研究所集刊》第6期，民66年6月)、陳新銘〈抗戰時期國共代表之會商與赫爾利之斡旋〉(《復興岡學報》25期，民70年6月)、林忠勝〈赫爾利使華與戰時國共商談〉(《東吳文史學報》10號，民81年3月)、牛軍〈赫爾利與一九四五年前後的國共談判〉(《近代史研究》1986年1期)、王真〈赫爾利接受中共五點建議析疑〉（同上，1988年2期）、陶文釗〈對《赫爾利接受中共五點建議析疑》的商榷〉（同上，1989年6期）及〈赫爾利使華與美國政府扶蔣反共政策的確定〉（《近代史研究》1987年2期）、何繼良〈抗戰後期赫爾利在華活動評述〉（《承德師專學報》1990年2期）、魏良才〈赫爾利與戰時中美關係〉（載《國父建黨革命一百周年學術討論集》第3冊，民84）、Don Lohbeck, Patrick J. Hurley.（Chicago: H. Regnery, 1956）、辜慶志〈"助蔣內戰"還是「扶蔣溶共」——評赫爾利辭職後的美國對華政策〉（《滁州師專學報》1987年2期）。應廣輝《高斯使華之研究》（輔仁大學歷史研究所碩士論文，民79）、James Larry Durrence, Ambassador Clarence E. Gauss and United States Relations with China, 1941-1944.（Ph D. Dissertation, University of Georgia, 1971）、蔣耘〈高思與美國對華政策〉（《國民檔案》1990年2期）。陳立文《居里兩度訪華與戰時中美外交關係之研究》（中國文化大學史學研究所碩士論文，民72）及〈居里（Lauchlin Currie）兩度訪華在戰時中美外交上之意義〉（《中國歷史學會史學集刊》16期，民73年7月）、梁敬錞〈中國東北宜為「日俄緩衝國」之謬議－一九四二年居里與蔣委員長談話披露〉（《傳記文學》40卷6期，民71年6月）、關紹紀〈柯里使華對抗戰前期國共關係的影響〉（《東岳論叢》1995年4期）。吳景平、章紅、何品譯〈美國外交檔案中有關納爾遜使華的史料選譯〉（《抗日戰爭研究》1994年4期）、張國鏞、陳一容〈納爾遜及其使華述略〉（同上）、中國第二歷史檔案館〈蔣介石與納爾遜會談記錄，1944年9月19日〉（《民國檔案》1987年3期）。黃天成《約翰・司徒華・謝偉志對華政策之研究》（輔仁大學歷史研究所碩士論文，民72年6月）。Russell D. Buhite, Nelson T. Johnson and American Policy Toward China, 1925-1941.（

East Lansing: Michigan State University Press, 1968）、Joseph W. Eshrick, ed, Lost Chance in China: the World War Ⅱ Despatches of John S. Service.（New York: Random House, 1974）。

　　關於戰時中美關係中的史迪威（Joseph W. Stilwell）及使戰時中美關係陷於谷底的「史迪威事件」有 Barbara W. Tuchman, Stilwell and the American Experience in China, 1911-1945.（New York: The MacMillam Co., 1970；其中譯本為巴巴拉·塔奇曼著、陸增平譯、王祖通校《史迪威與美國在華經驗(1911－1945)》，北京，商務印書館，1984）、Charles F. Romanus and Riley Sunderland, Stillwell's Mission to China.（Washington, D. C.: Office of the Chief of Military History, Department of the Army, 1953）、Stilwell's Commander Problems.（Same pub, 1956）及 Time Runs Out in C B I（China、Burma、India ）(Same pub.，1959）Joseph W. Stilwell 原著、駱伯鴻譯《史迪威日記》(上海，海光出版社，民37)、Theodore H. White, Arr. And ed. Stilwell Papers.（New york ：Schocken Books, 1948）、瞿同祖編譯《史迪威資料》(北京，中華書局，1978)、邵宗海〈史迪威將軍擔任駐華武官時期對地方軍系與中共之觀察 〉(《現代中國軍事史評論》第1期，民76年8月)、呂新安《從史迪威到赫爾利－二戰中美國對華政策的失敗》(外交學院〔北京〕文學碩士論文，1993)、Riley Sunderland and Charles F. Romanus, eds., Stilwell's Personal File: China, Burma, India, 1942-1944.（Wilmington, Del.:Scholarly Resources Inc., 1976）、Liang Chin-tung(梁敬錞)，General Stilwell in China, 1942-1944: the Full Story.(New York: St. John's University Press, 1972)、王受之《史迪威使命》(重慶，重慶出版社，1986)、楊耀健《史迪威與中國》(北京，中國青年出版社，

1991）、張家德、李發菊〈試論史迪威對滇緬國際戰場的貢獻〉（《昆明社科》1995年2期）、張曙東〈滇緬戰場與史迪威〉（《雲南民族學院學報》1995年2期）、王曉華〈印緬戰場上的〝四星連長〞－記中國駐印軍總指揮史迪威〉（《民國春秋》1995年2期）、齊錫生" The Burma Campaign and General Stilwell's Approach to China."（《美國研究》13卷3期，民72年9月）、陳堯聖〈蒙巴頓與史迪威〉（《傳記文學》46卷5期，民74年5月）、楊德慧〈抗戰時期在中國的史迪威〉（《思想戰線》1993年6期）、李振華〈史迪威與中國抗日戰爭〉（《中山大學研究生學刊》1990年1期）、傅尚文〈史迪威與中國抗戰〉（《歷史教學》1985年10期）、李達人〈二次大戰期間史迪威對中國之危害及爾後世局之影響〉（《中興評論》29卷9期，民71年9月）、于偉峰〈抗日戰爭中的史迪威與蔣介石〉（《黨史博採》1996年2期）、許廣芬〈史迪威與蔣介石〉（《國際人才交流》1995年1期）、胡秀勤〈略論太平洋戰爭時期史迪威與蔣介石的關係〉（《文史雜誌》1995年6期）、胡秀勤、陳莉〈試論史迪威與蔣介石的關係〉（《武漢教育院學報》1988年2期）、王朝柱〈史迪威介入蔣宋孔的內爭〉（《紅岩春秋》1995年5期）、寇煒材〈抗日戰爭時期史迪威為何倚重共產黨〉（《理論導刊》1995年9期）、劉建德〈談史迪威與中國共產黨的聯繫及其態度〉（《學習與探索》1990年6期）、徐魯航〈史迪威與1942－1944年的國共關係〉（《天津師大學報》1984年6期）、史會來、劉建德〈論史迪威與美國對華政策〉（《求是學刊》1990年2期）、王曉華〈試析史迪威與陳納德的個性及對中國戰場的影響〉（《民國檔案》1994年4期）、曾武英撰稿、朱沛蓮前言併註〈史迪威與曾錫珪的交往和友誼〉（《傳記文學》69卷2期，民85年8月）、李亞平〈史迪威、陳納德之爭與抗戰時期美國對華政策〉

（《陝西師大學報》1995年4期）、嚴四光〈史迪威陳納德齟齬與美國對
華政策〉(載《中美關係史論文集》第2輯，重慶出版社，1985)、王真〈史、
陳矛盾及其對戰場中美關係的影響〉(《遼寧師大學報》1996年3期）；
梁敬錞《史迪威事件》(臺北，臺灣商務印書館，民60）及〈史迪威事
件（概述)〉(《傳記文學》19卷2期，民60年8月）、何正芳〈關於"史
迪威事件"〉(《思想戰線(雲南大學哲學社會科學學報)》1995年4期）、
陳敬之〈談史迪威事件〉(《藝文誌》26、27、29期，民56年11、12月、
57年2月）、馮春龍〈略論史迪威事件〉(《揚州師院學報》1991年1期）、
虞寶棠〈"史迪威事件"剖析〉(載《民國檔案與民國史學術討論會論文
集》，北京，檔案出版社，1988）、張玉霞〈史迪威事件新探〉(《河南
社會科學》1995年6期）、魏楚雄〈論"史迪威事件"及其原因〉(《近
代史研究》1985年1期）、周志強〈試析"史迪威事件"的根本原因〉
(《中國現代史(中國人民大學書報資料中心複印報刊資料)》1990年3期）、
張令澳〈史迪威事件憶往〉(《浙江月刊》21卷11期，民78年11月）、
曾哲、李平〈史迪威事件及其影響〉(《江漢論壇》1996年7期）、唐德
剛〈從美國檔案中看史迪威事件〉(《中國現代史專題研究報告》第1輯，
民60）、傅寶真〈從李曼與史迪威事件看軍事顧問在戰時盟邦所引
起的爭議之比較分析〉(載《慶祝抗戰勝利五十週年兩岸學術研討會論文
集》上冊，臺北，近代史學會，民85）、王綱領〈從史迪威文件日記看
史迪威事件〉(同上）、斯彥譯〈謝偉思談史迪威事件〉(《黨史研究資
料》1986年11期）、邁克爾·沙勒（Michael Schaller）著、王泓譯
〈美國新聞界眼中的史迪威事件〉(《檔案史料與研究》1994年1期）、
徐魯航〈馬歇爾與"史迪威事件"〉(《天津師大學報》1994年6期）、
熊宗仁〈何應欽與"史迪威事件"〉(《貴州社會科學》1990年10期）、

陳國清〈蔣介石三驅史迪威述論〉(《歷史教學》1993年7期）、楊立憲
〈試論史迪威事件與蔣美之間的矛盾〉(《檔案與歷史》1988年3期）、
Zhang Qifu and Gu Yinghui, "On the Stilwell Incident and the Con-
tradiction Between the United States and Jiang Jieshi." (Republican
China, Vol. 14, No. 2, April 1989）、張圻福、顧瑩惠〈論史迪威事件與
美蔣矛盾〉(載《民國檔案與民國史學術討論會論文集》，北京，檔案出版
社，1988）、鞠景奇〈評史迪威與蔣介石的矛盾〉(《江海學刊》1989年
3期）、吳行中〈蔣介石與史迪威的矛盾〉(《文史天地》1996年1期）、
徐暢〈試論史迪威與蔣介石的矛盾〉(《淮北煤師院學報》1990年4期）、
伊勝利、張巨清〈論抗戰後期史迪威與蔣介石的矛盾〉(《理論探討》
1988年5期）、劉建德〈論史迪威與蔣介石的矛盾與衝突〉(《黨史研
究資料》1988年4期）、Wu Shouqi and Wu Jing, "Some Remarks on
Joseph Stilwell's Relations With Jiang Jieshi". (Republican China, Vol.
14, No. 2, April 1989）、馮雲章〈史迪威‧蔣介石‧羅斯福〉(《書林》
1987年3期）、王建華、楊軍〈從史迪威來華職責權限之爭看美蔣
的不同企圖〉(《蘇州大學學報》1990年2期）、臧具林、吳運啟〈史
（迪威）蔣矛盾與中美關係〉(《信陽師院學報》1991年1期）、梁敬錞
〈史迪威調回始末〉(《傳記文學》19卷3期，民60年9月）、李學文、謝
鵬〈試析蔣介石要求召回史迪威的根本原因〉(《史學月刊》1988年1
期）、Wei Liang-tsai（魏良才），"A Wrong Man in the Wrong
Place: An Assessment of the Failures of General Joseph W. Stilwell in
China."(《美國研究》11卷2、3期合刊，民70年6-9月）、薛光前〈「史
迪威在華任職」失敗之教訓－梁敬錞英文本「史迪威事件」再版感
言〉(《傳記文學》21卷5期，民61年11月）、程雪川〈試論史迪威來華

使命失敗的原因〉(《貴州大學學報》1987年4期)、李湘灣《史迪威使華任務失敗之研究》(淡江大學美國研究所碩士論文，民81)、藍東興〈中美關係與史迪威的命運〉(《文史天地》1996年1期)、李湘敏〈從"史迪威事件"看蔣介石的消極抗戰〉(《福建師大學報》1996年1期)、羅志田〈從史迪威事件看第二次世界大戰中美國與中國國民黨政府的矛盾〉(《四川大學學報》1984年4期)、鄭緯民〈"史迪威事件"的歷史教訓〉(《自由青年》46卷5期，民60年11月)、顧林摘譯、陸鏡生校〈關于史迪威的資料二則〉(《歷史教學》1986年3期)、黃天邁〈史迪威陰魂不散－身後被炒冷飯〉(《中外雜誌》58卷3期，民84年9月)、吳榮宣〈試析史迪威與赫爾利的更迭〉(《教學與研究》1986年2期)。1944年11月，史迪威離華返回美國，接其盟軍中國戰區最高統帥部參謀長遺職的是魏德邁(Albert C. Wedemeyer)將軍，中美關係乃漸有起色，關於魏氏與戰時中國有魏氏自己所撰 " Relations with Wartime China: A Reminiscence ".(Asian Affairs, Vol.4, No.3, Jan.1977)及 Wedemeyer Reports. (New York: Holt, 1958)，其中譯本為程之行等譯《魏德邁報告》(全譯本，高雄，臺灣光復書局，民48)、林秀美《魏德邁將軍與中國》(淡江大學美國研究所碩士論文，民77)、黃春森《魏德邁與中國：1944-1947》(中國文化大學中美關係研究所碩士論文，民78)、《近代中國》資料室〈魏德邁將軍任職中國戰區盟軍統帥部參謀長檔案選錄〉(《近代中國》67期，民77年10月)、林秀美〈魏德邁將軍任職中國戰區始末〉(同上)及〈魏德邁調查團與中國〉(同上，69期，民78年2月)。、Keith E. Eiler著、王曉寒等譯《魏德邁論戰與和平》(臺北，正中書局，民78)、范漢杰〈美國特使魏德邁西北之行〉(《縱橫》1996年10期)。

關於 1943 年 10 月舉行的開羅（Cairo）會議有梁敬錞《開羅會議》（臺北，臺灣商務印書館，民 62）、〈開羅會議之背景〉（《中央研究院近代史研究所集刊》第 3 期上冊，民 61 年 7 月；亦載《傳記文學》21 卷 2 期，民 61 年 8 月）、〈開羅會議之策劃〉（《傳記文學》22 卷 1 期，民 62 年 1 月）、〈開羅會議的檢討〉（《問題與研究》10 卷 5 期，民 60）、〈中美關係起落之分水嶺－《開羅會議》第八章〝結論〞〉（同上，22 卷 4 期，民 62 年 4 月）及《開羅會議與中國》（香港，亞洲出版社，1962）、張其昀《開羅會議紀實》（臺北，中國新聞出版公司，民 41）、Ronald Ian Heiferman, The Cairo Conference: A Turning Point in Sino — American Relations. (New York: New York University press, 1990)、張桂芳編撰《開羅會議－光復臺澎及維持日本天皇制之經過》（臺北，編撰者印行，民 70）、湯成錦〈開羅會議前後〉（《傳記文學》23 卷 3 期，民 62 年 9 月）、陶文釗〈開羅會議是美國對華政策的轉折點嗎？〉（《歷史研究》1995 年 6 期）、牛軍〈開羅會議與戰時中美關係〉（《抗日戰爭研究》1995 年增刊）、洪桂己〈從開羅會議到臺灣光復〉（載《孫中山先生與近代中國學術討論集》第 4 冊，臺北，民 74；亦載《近代中國》73 期，民 78 年 10 月）、鄭心雄〈蔣中正先生出席開羅會議暨分訪菲韓對國民革命影響之研究〉（載《蔣中正先生與現代中國學術討論集》第 4 冊，臺北，民 75）、李華〈蔣介石與開羅會議〉（《社會科學戰線》1995 年 2 期）。殷燕軍〈カイロ會談の中國國民政府の對日賠償政策〉（《一橋論叢》111 卷 2 號，1994 年 2 月）、James Bejamin Dressler, Anglo-American Rivalry at the Cairo and Teheran Conferences, 1943.(Ph D. Dissertation, Middle Tennessee State University, 1983)、Keith Sainsbury, The Turning Point, Roosevelt, Stalin, Churchill, and Chiang Kai-shek, 1943:

the Moscow, Cairo and Teheran Conference.（Oxford University Press, 1985）。

1945年2月之雅爾達（Yalta）會議及其損害中國主權至鉅的秘密協定有聯合報譯《雅爾達會議紀錄全文》（臺北，聯合報社，民44）、上海人民出版社編印《德黑蘭、雅爾塔、波茨坦會議紀錄摘編》（上海，1974）、薩納柯耶夫、崔布列夫斯基編、北京外國語學院俄語專業、德語專業1971屆工農兵學員譯《德黑蘭、雅爾塔、波茨坦會議文件集》（北京，三聯書店，1973）、熊啟志《蘇聯談判策略：雅爾達會議個案研究》（政治作戰學校政治研究所碩士論文，民74）、王貴正〈雅爾塔會議與大國政治〉（《東北師大學報》1995年4期）、波羅原著、姚崧齡譯〈雅爾達會議鑄成的錯誤〉（《傳記文學》24卷1、2期，民63年1、2月）、Zubok Vladislav, "To Hell with Yalta-Stalin Opts for a New Status Ouo."（Cold War International History Project Bulletin, No.6-7, Winter 1995-96）、Cregg B. Walker, Franklin D. Roosevelt as Summit Negotiator at Teheran, 1943 and Yalta, 1945.（Ph D. Dissertation, University of Kansas,1983）、黃邦和〈雅爾塔的秘密交易〉（《世界史研究動態》1980年8期）、梁敬錞〈雅爾達秘密協定始末〉（《華岡學報》第9期，民63年10月）、郭榮趙《美國雅爾達密約與中國－檢討以雅爾達密約為中心的美國對華政策》（臺北，水牛出版社，民56）、謝付記《一九四五年雅爾達密約之研究》（臺灣大學政治研究所碩士論文，民61年6月）、劉華、楊菲蓉〈"雅爾塔秘密協定"新論〉（《學術研究》1995年4期）、張宏毅〈雅爾塔秘密協定與美蘇對中國政策〉（《世界史研究動態》1982年2期）、鄧公玄〈由雅爾達密件所得的教訓〉（《中國一周》257期，民44年2月）、黃正銘〈雅爾達的錯誤及其教訓〉（同

上）、陳玄茹〈不祥的雅爾達協定〉（同上）、McGeorge Bundy,
"The Test of Yalta".(Foreign Affairs, Vol. 27, No. 4, July 1949)、Emily
Yaung, The Impact of the Yalta Agreement on China's Domestic
Politics, 1945-1946.(Ph D. Dissertation, Kent State University, 1979)、王
真〈蔣介石刺探雅爾塔協定〉（《縱橫》1994年3期）、閻文濱〈蔣介
石何時得悉雅爾塔協定〉（《民國春秋》1992年6期）、顧德欣〈評羅斯
福的雅爾塔之行〉（《歷史教學》1987年6期）、譚聖安〈從雅爾塔看羅
斯福〉（《世界史研究動態》1981年6期）、趙泉鈞、朱凌雲〈從「雅爾
塔協定」看美蘇對華政策〉（《中共黨史研究》1990年增刊）、楊建英〈從
雅爾塔秘密協定和中蘇友好同盟條約看國際主義與愛國主義的關
係〉（同上）、葉志麟〈中國抗日戰爭與雅爾塔協定〉（《杭州師院學報》
1987年4期）、李杰〈從雅爾塔協定看蘇聯對華關係的演變〉〉（《國際
共運》1985年6期）、潘朝英〈雅爾達協定之法律觀〉（《民主評論》4
卷4、5期，民41年9月）、麟譯〈雅爾達秘密協定的蠡測〉（《世界月
刊》1卷7、8期，民36年3、4月）、張之毅、王德仁〈關于雅爾塔會
議若干學術爭論問題析疑〉（《外交學院學報》1993年2期）、李緒基〈雅
爾塔會議是"互信互讓"的協商會晤嗎？〉（《聊城師院學報》1987年2
期）、王真〈雅爾塔協定與美蘇戰略格局〉（《世界歷史》1987年3期）、
Sergei Luzianin, "The Yalta Conference and Mongolia in Interna-
tional Law Before and During the Second World War. "(Far Eastern
Affairs, No.6, 1995)、包遵彭〈雅爾達密約與"二二二"青年愛國護
權運動〉（《幼獅》2卷2期，民43年2月）、高惜冰〈雅爾達秘密協定
與東北〉（《東北文獻》4卷3、4期，民63年2、5月）、山極晃〈セル
タ協定と中ソ友好同盟條約〉（《共產主義と國際政治》24、26、27號，

1982）、Viacheslav Zimonin, "Teheran-Yalta-Potsdam: Soviet En-
try into the War with Japan."（Far Eastern Affairs, No.2, 1994）、王貴
正編譯〈雅爾塔協定與1945年中蘇條約〉（《世界史研究動態》1989年
12期）、王庭科〈"雅爾塔格局"對蘇聯、斯大林與中國革命關係的
影響〉（《中共黨史研究》1990年增刊）、李道華〈雅爾塔會議與重慶談
判〉（《南充師院學報》1988年2期）、華慶昭《從雅爾塔到板門店》（北
京，中國社會科學出版社，1992）、包遵彭〈雅爾達密約與「二二二」
青年愛國護權運動〉（《幼獅》2卷2期，民43年2月）、趙子琳《雅爾
達會議有關歐洲部分之研究》（中國文化大學政治研究所碩士論文，民
71）。

　　戰時不平等條約之廢除及平等新約的簽訂有王世杰、胡慶育編
著《中國不平等條約之廢除》（臺北，蔣總統對中國及世界之貢獻叢書編
纂委員會，民56）、錢泰《中國不平等條約之緣起及其廢除之經過》
（臺北，國防研究院，民50）、于能模《廢除不平等條約之經過》（臺北，
臺灣商務印書館，民40）、林泉編《抗戰期間廢除不平等條約史料》（臺
北，正中書局，民72）、葉祖灝《廢除不平等條約》（同上，民56）、
包遵彭、李定一、吳相湘合編《中國近代史論叢‧第2輯第1冊：
不平等條約與平等新約》（臺北，正中書局，民48）、丁懋時〈我
國廢除不平等條約的經過〉（載《孫中山先生與近代中國學術討論集》第
3冊，臺北，民74）、錢泰〈廢除不平等條約之經過〉（《文星》3卷4期，
民48年2月）、張道行〈綜論我國不平等條約之締結與廢除〉（《法商
學報》第5期，民58年9月）、胡光麃〈不平等條約的締結廢止及其影
響〉（《傳記文學》34卷5、6期，民68年5、6月）、林泉〈從不平等到
平等－為紀念美、英兩國宣佈廢除在華不平等條約四十週年而作〉

（同上，40卷2、3期，民71年2、3月）、臼井勝美著、陳鵬仁譯〈中國之廢除不平等條約〉（《國史館館刊》復刊第9、11期，民79年12月、80年12月）、韓渝輝〈中國是怎樣得以在抗戰時期實現廢約的？〉（《近代史研究》1986年5期）、閻沁恒〈不平等條約的廢除對社會建設之意義〉（《近代中國》48期，民74年8月）、陳立文〈抗戰時期中國廢除不平等條約之努力〉（載《中華民國史專題論文集：第三屆討論會》，臺北，國史館，民85）、譚輔之〈廢除不平等條約論〉（《建設研究月刊》8卷3期，民31年11月）、王彥民〈廢除不平等條約與抗日戰爭〉（《安徽史學》1994年4期）、劉秉麟〈廢除不平等條約與中國經濟上新紀元〉（《東方雜誌》39卷3號，民32年3月）、丘宏達〈戰時司法改革與不平等的廢除及中國國際地位的提高〉（載許倬雲、丘宏達編《抗戰勝的利代價－抗戰勝利四十週年學術論文集》，臺北，聯經出版事業公司，民75）、張附孫〈一九四三年初幾個中外不平等條約的廢除〉（《雲南教育學院學報》1987年2期）、李世安〈1943年中英廢除不平等條約的談判和香港問題〉（《歷史研究》1993年5期）、黃正銘〈我國廢除治外法權的經過〉（《出版月刊》10期，民55年3月）、Li Shian, "The Extraterrioriality Negotiations of 1943 and the New Territories."（Modern Asian Studies, Vol.30, Part 3, July1996）、Chan K. C., "The Abrogation of British Extraterriality in China, 1942-1943: A Study of Anglo-American-Chinese Relations."（Modern Asian Studies, Vol.2, Part 2, April 1977）、張其昀〈平等新約的訂立〉（《中國一周》81期，民40年11月）、林泉〈中美‧中英新約之簽訂與內容之研究（1942-1943）〉（《新埔學報》10期，民76年4月）、〈中美、中英新約之研究（1942-1943）〉（載《抗戰建國史研討會論文集》上冊，臺北，中央研究院近代史研究所，民74）及〈中美・中英新約之簽訂與內容之研究－為紀念新約簽訂五十週年而作〉（《近代中國》97、98期，民82年10、12月）、賴德炎選編〈「中美・中英平等新約簽訂經過」史料選輯〉（同上）、梁惠錦〈中美、中英平等新約簽訂之經過〉（《國史館館刊》復刊11期，民80年12月）、張道藩〈中英美平等新約與遠東和平〉（《東方雜誌》39卷1號，民32年3月）、徐有威〈中美平等新約談判述評〉（《抗日戰爭研究》1994年2期）、吳景平譯〈美國外交檔案中關於中美平等新約會談的史料選譯〉（《檔案史料與研究》1993年4期、1994年1期）、朱坤泉〈1943年〝中美平等新約〞新論〉（同上，1995年2期）、王淇〈一九四三年"中美新約"簽訂的歷史背景及其意義評析〉（《中共黨史研究》1989年4期）、齊福霖〈1943年"中美新約"述評〉（《北京檔案史料》1992年4期）、郭學旺〈抗戰時期美國自願放棄在華特權的真相〉（《河北學刊》1995年3期）、任東來〈美國在華治外法權的放棄（1942－1943）〉（《美國研究》1991年1期）、閻沁恒〈中英平等新約簽訂的意義〉（《近代中國》37期，民72年10月）、關國煊〈由「中英平等新約」到「中（共）英聯合聲明」〉（《傳記文學》46卷3期，民74年3月）、Chan K. C., "Abolition of British Extraterritoriality in China 1942－43: A study to Anglo－American－Chinese Relations."（Modern Asian studies, Vol. 11, Part. 2, Appril, 1977）其中譯文為馮鵬江譯〈英國在華治外法權之廢除（1942－1943）〉（收入張玉法主編《中國現代史論集・第9輯》，臺北，聯經出版事業公司，民71）；張道行《中國抗戰與國際條約》（重慶，獨立出版社，民29）、王彥民〈廢除不平等條約與抗日戰爭〉（《安徽史學》1994年4期）、Chen Yin-Ching, Treaties and Agreements Between the Republic of China and Other

Powers, 1929-1954.(Together with Certain International Documents Affecting the Interests of the Republic of China, Washington, D. C.: Public American Publishing Service, 1957）、姚淇清〈我國不平等條約與國際法之研究〉（《中華民國建國史討論集》第4冊，民70）。

其他如重慶市檔案館〈抗戰期間各國駐華使節略歷〉（《檔案史料與研究》1993年2期）、劉明鋼〈德意日三國同盟條約的簽訂對中國局勢的影響〉（《武漢教育學院學報》1991年1期）、A. M.杜賓斯基著、馬貴凡譯〈反希特勒聯盟與中國（1943-1944）〉（《黨史研究資料》1993年2期）、外務省情報部第三課編印《歐洲戰爭と抗日支那》（東京，1940）、林戢〈“美新東南分處事件”歷史背景的研究〉（《福建黨史月刊》1990年3期）、徐藍〈布魯塞爾會議與中日戰爭〉（《民國檔案》1990年1期）、徐廣文〈中國與舊金山會議〉（《荷澤師專學報》1989年3期）、鄧野〈舊金山會議中國代表團組成問題〉（《歷史研究》1994年3期）、許湘濤〈一九四五年莫斯科外長會議關於中國部份〉（《問題與研究》16卷5期，民66年2月）、左雙文〈抗戰後期中國反對”臺灣國際共管記”的一場嚴正鬥爭〉（《中共黨史研究》1996年2期）、山口開治〈西沙、南沙諸島の領有問題－第2次大戰まで歷史の經緯（1）〉（《國士館大學政經論叢》82號，1992年12月）、朱學範〈在烽火歲月裏－爭取國際工人援華抗戰紀事〉（《抗日戰爭研究》1995年增刊）、張注洪〈關於國際友人與中國抗戰之研究〉（同上，1996年3期）、崔志鷹、潘光、江之成〈旅滬外僑及國際友人對上海抗日鬥爭的支援〉（《社會科學（上海）》1995年8期）、Arthur Clegg, Aid China 1937 －1949: A Memoir of a Forgotten Campaign, (Beijing: New World Press, 1989）、Athur N. Young, China and the Helping Hand, 1937-1945.

（Cambridge, Mass.:Harvard University Press, 1963）、阿瑟‧N. 楊格〈1941
－ 1945 年外國對中國的援助〉（《國外中國近代史研究》11、 12 輯，
1988）、Bdley F. Smith, The War's Long Shadow: The Second World
War and It's After-math: China, Russia, Britain, America.（New York:
Simon and Schuster, 1986）、中國第二歷史檔案館〈重慶國民政府安置
逃亡猶太人計劃籌議始末〉（《歷史檔案》1993 年 3 期）。

(五)戰時經濟

　　有中國抗日戰爭史學會、中國人民抗日戰爭紀念館編（清慶瑞
主編）《抗戰時期的經濟》（北京，北京出版社，1995），書後並附有
「抗日戰爭時期的中國經濟統計資料選錄」。時事問題研究會編印
《抗戰中的中國經濟》（抗戰書店，民29；中國現代史資料編委會翻印，
1957）、張錫昌、陳文川等《戰時的中國經濟》（桂林，科學書店，民
32）、譚熙鴻主編《十年來之中國經濟（1936-1945）》（3冊，臺北，
文海出版社影印，民63）、關吉玉編《五十年來中國經濟》（瀋陽，經
濟研究社遼瀋分社，民36）、朱玉湘〈抗日戰爭與中國經濟〉（《文史哲》
1995 年 5 期）、黃逸平、李娟〈抗日戰爭時期經濟研究述評〉（《抗日
戰爭研究》1993 年 1 期）、朱通九《戰時經濟問題》（上海，世界書局，
民29）、陳禾章、沈春雷、張韻華編《中國戰時經濟誌》（同上，民
30）、千家駒《中國戰時經濟講話》（上海，開明書店，民28）、姜慶
湘《中國戰時經濟教程》（桂林，科學書店，民32）、張白衣〈中國經
濟參謀本部論〉（《東方雜誌》36 卷 6 號，民 28 年 3 月）、董文中編《中
國戰時經濟特輯（續編）》（上海，中外出版社，民29）、興亞院華中
連絡部編印《支那の戰時經濟》（1940 年印行）、何東〈抗日戰爭時

期國民黨統治區的經濟〉(《教學與研究》1988年6期)、孔經緯〈關於抗日戰爭時期的國民黨統治區經濟〉(《中國經濟史研究》1989年2期)、李凱〈抗日戰爭時期國統區經濟之初探〉(《延安大學學報》1996年1期)、翁文灝《抗戰以來的經濟》(重慶,勝利出版社,民31)、許滌新〈抗戰以來兩個階段底中國經濟〉(《理論與現實》1卷4期,民29年2月)、大東亞戰爭兩周年特刊編輯委員會《大東亞戰爭二周年中國經濟進展概況》(上海,新聞報館發行科,民32)、許滌新〈抗戰以來兩個階級底中國經濟〉(《理論與現實》1卷4期,民29年2月)、陸仰淵〈抗戰期間國民政府時經濟體制〉(《安徽史學》1995年3期)、譚振民編著《戰時統制經濟》(重慶,正中書局,民29)、東亞研究所編《支那占領地の經濟發展》(1944年初版;東京,原書房,1984年再版)、土屋清〈國府的經濟建設〉(《敵偽研究》第4期,民30年2月)、陳禾章、沈春雷編著《中國戰時經濟建設》(上海,世界書局,民29)、高叔康《戰時經濟建設》(長沙,文史叢書編輯部,民30)、菊池一隆〈重慶政權の戰時經濟建設〉(載《地域と民眾－歷史學研究別冊特集》,東京,青木書店,1981)、中國第二歷史檔案館〈國民黨政府經濟部關於戰時經濟的工作報告〉(《民國檔案》1989年3、4期、1990年1期)、余水大〈抗日時期國統區經濟的興衰〉(《蘇州大學學報》1990年2期)、樊伯歐〈抗日戰爭時期國民政府經濟統制政策研究〉(《廣州師院學報》1993年1期)、張素民著、中國文化建設協會編《抗戰與經濟統制》(長沙,商務印書館,民27)、朱秀琴〈淺談抗戰期間國民黨政府的經濟統制〉(《南開學報》1985年5期)、傅志明〈抗戰時期國民黨政府統制經濟芻論〉(《四川師大學報》1988年4期)、何東〈抗日戰爭時期國民黨統治區的經濟〉(《教學與研究》1988年6期)、姜鐸〈略論抗戰時期國民黨經濟的作用〉(《江海學刊》1988年1期)、南京大學農林院農經系編印《經濟統計（1936年6月－1946年4月）》(南京，成都；臺北，天一出版社影印出版， 民73)、中國聯合準備銀行總行編印《中外經濟統計資料匯編（1940年1月-1944年12月）》(臺北，天一出版社影印，民73)、劉殿君《抗日戰爭時期國民黨政府經濟統制考評》(吉林大學歷史研究所碩士論文，1990)及〈評抗戰時期國民政府經濟統制〉(《南開經濟研究》1996年3期)、陳友琴〈我國抗戰時期之經濟統制〉(《社會科學》1卷20期，民26年12月)、李平生《烽火映方舟—抗戰時期大後方經濟》(桂林，廣西師大出版社，1996)、周勇〈抗日戰爭與大後方經濟中心〉(《重慶黨史研究資料》1995年4期)、王曉成〈抗戰時期後方經濟新論〉(《四川大學學報》1996年3期)、增田米治《重慶政府戰時經濟政策史》(東京，ダイセモンド社，1943)、魏宏運〈抗戰初期國民政府經濟政策透視〉(載《民國檔案與民國史學術討論會論文集》，北京，檔案出版社，1988)、楊齊福〈抗戰時期國民政府經濟政策述評〉(《淮陰師專學報》1995年2期)、余信紅〈抗戰初期國民黨經濟政策研究〉(《天府新論》1995年5期)、何剛〈抗戰時期國民黨戰時經濟政策述評〉(《黃淮學刊》1996年1期)、虞寶棠〈國民政府戰時經濟統制政策析論〉(《史林》1995年2期)、馬哲民〈論我國戰時經濟之本質〉(《大學》2卷7期，民32)、哲明〈論我國戰時經濟之發展〉(同上，2卷11、12期，民32)、鄭竹園〈日本侵華戰爭對中國經濟的影響〉(載《抗戰勝利的代價－抗戰勝利四十週年學術論文集》，臺北，聯經出版事業公司，民75)、魏永理〈不應忘記日本侵華戰爭給中國經濟造成的巨大損失〉(《蘭州大學學報》1995年3期)、滿洲國經濟部金融司編印《重慶政權の戰時財政經濟》(新京〔長春〕1941)、劉秋菫等

《抗日戰爭時期國民政府財政經濟戰略措施研究》成都，西南財經大學出版社，1988)、韓渝輝〈略論抗戰時期國民黨政府在經濟上的戰略調整〉(《重慶社會科學》1987年5、6期)、重慶市檔案館編《抗日戰爭時期國民政府經濟法規》(2冊，北京，檔案出版社，1992)、沈春雷、盛慕傑、陳禾章編《中國戰時經濟法規彙編》(上海，世界書局，民30)、外務省調查局編印《重慶政府の戰時財政法令》(東京，1942)、侯繼明〈1937年至1945年中國的經濟發展與政府財政〉(載薛光前主編《八年對日抗戰中之國民政府》，臺北，臺灣商務印書館，民67)、陸民仁〈抗戰時期的經濟與財政〉(《近代中國》35期，民72年6月；亦載《歷史教學》1卷2期，民77年9月)、王澄琳、汪洋權〈抗日戰爭時期國民黨政府的經濟來源〉(《檔案史料與研究》1992年3期)及〈抗戰時期國民黨政府的經濟來源〉(《大連教育學院學報》1989年1期)、汪洋權〈抗戰時期國民黨政府的經濟來源〉(《樂山師專學報》1993年1期)、呂明灼〈抗日戰爭時期日本侵華的經濟戰〉(《齊魯學刊》1991年5期)、劉燿燊〈中日經濟戰〉(曲江，新建設出版社，民30)、木村增太郎〈中日經濟戰〉(載獨立出版社編印《中日貨幣戰》，重慶，民28)、何適〈中倭經濟戰之檢討〉(《戰地黨政月刊》1卷3期，民30年11月)、周萌〈論敵我經濟鬥爭〉(《民族半月刊》第3期，民29年12月)、陳文川〈敵我經濟戰〉(《建設研究》7卷5、6期，民31年8月)、重慶市檔案館〈抗戰時期對敵經濟戰史料選輯〉(《檔案史料與研究》1991年4期)、劉萬錚〈抗戰時期日本帝國主義對中國經濟金融的掠奪─二戰結束日本投降五十周年的回顧〉(《銀行與經濟》1995年11期)、王瑩先、徐永昭〈日本在中國淪陷區經濟掠奪的特點〉(《江漢論壇》1996年11期)、中央調查統計局特種經濟調查處編印《抗戰第五年之倭寇經濟侵略》(重慶，民32)、江口圭一著、王玉平、唐克俊譯〈抗日戰爭時期的鴉片侵略〉(《國外中國近代史研究》20、21輯，1992)、鄭素一〈日偽"出荷糧"的掠奪本質〉(《汕頭大學學報》1995年3期)、聶家華〈略論抗日戰爭時期日本對華經濟侵略中的"以戰養戰"政策〉(《山東農業大學學報》1995年1期)及〈試論日本對華經濟侵略中的"以戰養戰"政策及其破產〉(《臨沂師專學報》1995年4期)、徐英萍《戰時財政之研究》(政治大學財政研究所碩士論文，民73年1月)、黎東方〈中國抗戰時之財政〉(載《孫中山先生與近代中國學術討論集》第4冊，臺北，民74)、鄒宗伊〈我國之戰時財政〉(載銀行學會編《民國經濟史》，臺北，學海出版社，民59)、朱契〈抗戰兩年來的財政〉(《東方雜誌》36卷14號，民28年7月)及〈抗戰進入第四年財政之展望〉(同上，38卷8號，民30年4月)、凌維素〈四年來我國財政之總檢討及其展望〉(《廣東省銀行季刊》1卷2期，民30年6月)、鄔志陶〈中國戰時中央財政〉(《經濟彙報》5卷1、2期合刊，民31年1月)、侯坤宏《抗戰時期的中央財政與地方財政》(政治大學歷史研究所博士論文，民85年12月)、經濟部金融司編《重慶政權の戰時財政經濟》(新京，經濟部協會，1941)、侯繼明、殷乃平〈中國的雙元經濟、戰時財政、與經濟發展（1927－1945）〉(載《蔣中正先生與現代中國學術研討會論為集》第3冊，臺北，民75)、崔敬伯〈戰後中國財政問題〉(《四川經濟季刊》1卷4期，民33年9月)、張素民〈中國戰時財政方案〉(《東方雜誌》34卷18、19號，民26年10月)、佳駒〈兩年我國戰時財政的檢討〉(同上，36卷15號，民28年8月)、朱偰〈中國戰時財政之過去及其展望〉(同上，34卷22、23、24號合刊，民26年12月)及〈戰時財政籌款方法之比較〉(《東方雜誌》37卷11號，民29年6月)、許滌新

〈論戰時財政政策〉（《群眾週刊》5卷6期，民29年5月）、張天澤〈中國戰時應採的財政政策〉（載胡適、蔡元培、王雲五編《張菊先生七十生日紀念論文集》，上海，開明書店，民29）、劉滌源〈通貨膨脹與戰時財政〉（《東方雜誌》38卷7號，民30年7月）、國民黨中央執行委員會宣傳部編《抗戰六年來之財政金融》（民32年印行；臺北，國民黨黨史會影印，民65）、在南京日本大使館情報部編印《重慶政權，財政金融：昭和8年6月調查》（南京，1942）、朱堅真〈抗戰時期國民黨政府的財政金融政策及經濟統制措施〉（《教學與研究》1989年2、3期）、財政部秘書處編《十年來之財務行政》（重慶，中央信託局印製處，民32）、財政部參事廳編《十年來之財務法制》（同上）、財政部人事處編《十年來之財務人事》（同上）、羅敦偉《中國戰時財政金融政策》（重慶，財政評論出版社，民33）、張白衣〈國民政府抗戰時代財政述評〉（《財政評論》16卷2期，民36年2月）、歸鑒明〈中國戰時財政政策論〉（《大學》2卷1期，民32）、張白衣〈中國戰時財政政策改革論〉（《東方雜誌》37卷23號，民29年12月）、陳友琴〈戰時財政之研究〉（《社會科學》2卷1期，民27年1月）、鄭會欣、劉冰〈抗戰初期國民政府財政金融政策述論〉（載《民國檔案與民國史學術討論文集》，北京，檔案出版社，1988）、Arthur N. Young, China's Wartime Finance and Inflation, 1937-1949.（Cambridge, Mass.: Harvard University Press, 1965）、中國第二歷史檔案館〈抗戰初期楊格提出關於中國財政金融的建議〉（《民國檔案》1985年2期）、張鴻石〈1936-1946年中國學術界的戰時財政主張〉（《河北學刊》1996年3期）、金天錫〈戰時財政的新改革〉（《東方雜誌》41卷18號，民34年9月）、丁孝智〈孔祥熙戰時財政政策及其評價〉（《西北師大學報》1996年2期）、蔣永敬〈孔

祥熙與戰時財政－法幣政策與田賦徵實〉(《近代中國》51期，民75年
2月)、楊斌〈孔祥熙與戰時財政金融政策〉(載張憲文主編《民國研究》
第3輯，1996年1月)、黃肇珩等〈孔祥熙先生與抗戰時期的財政金
融〉(《近代中國》13期，民68年10月)、中國第二歷史檔案館〈孔祥
熙關於1937-1939年財政實況的密報〉(《民國檔案》1993年1期)及
〈國民黨政府抗戰建國綱領財政金融實施方案〉(同上，1987年1期)、
侯繼明、殷乃平〈中國的雙元經濟、戰時財政、與經濟發展(1927
－1945)〉(載《蔣中正先生與現代中國學術討論集》第3冊，臺北，民75)、
張兆茹、張怡梅〈抗戰時期國民政府的財金政策研究〉(《河北師大學
報》1996年3期)、孔祥熙〈抗戰四年來的財政與金融〉(收入劉振東
編《孔庸之先生演講集》，臺北，文海出版社影印，民61)及〈戰時財政
與金融〉(同上)、李宇平〈從租稅國家走向企業國家－抗戰時期「中
國農民經濟研究會」對財政改革的建言〉(載中央研究院近代史研究所
編印《中國現代化論文集》，民80年3月)、金天錫〈戰時財政的新改
革〉(《東方雜誌》41卷18號，民34年9月)、鄭林寬〈抗戰期中我國金
融政策的分析及本省對戰時金融應有的設施〉(《閩政與公餘》13期，
民27年1月)、卓遵宏〈抗戰初期國民政府的金融措施〉(《近代中國》
65期，民77年6月)、財政評論社《戰時金融法規彙編》(香港，撰者
印行，1940)、菊池一隆〈重慶政府の戰時金融－「四聯總處」を中
心に〉(載《中國國民政府史の研究》，東京，汲古書院，1986)、許滌新
〈論戰時金融政策〉(《群眾週刊》5卷7期，民29年5月)、外務省調查
部編印《重慶政府の金融・為替政策》(東京，1942)、東京銀行集
會所編印《國民政府の戰時金融對策》(東京，1939)、于彤〈日本
統治下的金融業〉(《民國檔案》1995年1期)、三宅儀明《戰後支那の

金融及び弊制》(上海社中國通信社調查，1938)、劉大鈞〈戰時貨幣金融政策之檢討〉(《東方雜誌》35卷4號，民27年2月)、周憲文、孫禮榆《抗戰與財政金融》(長沙，商務印書館，民27)、谷春帆〈抗戰三年來之金融－是不是有助於物資轉移？〉(《西南實業通訊》2卷2期，民29年8月)、鄒宗伊《中國戰時金融管制》(重慶，財政評論社，民32)、黃憲章〈我國戰時金融之指導原理〉(《大學》2卷7期，民32)、魏宏運〈重視抗戰時期金融史的研究－讀《四聯總處史料》〉(《抗日戰爭研究》1994年3期)、陳建智〈抗日戰爭時期國民政府對日偽的貨幣金融戰〉(《近代史研究》1987年2期)、重慶市檔案館〈抗戰時期貨幣金融戰史料選輯〉(《檔案史料與研究》1990年1-4期)、馮都〈中日金融大戰〉(《廣西黨史》1995年6期)、戴建兵《金錢與戰爭－抗戰時期的貨幣》(桂林，廣西師大出版社，1996)、林美莉《抗戰時期的貨幣戰爭》(臺灣師大歷史研究所博士論文，民84年6月；民85年由該所出版)、吳斐丹〈中日貨幣戰爭的檢討〉(《東方雜誌》37卷24號，民29年12月，亦載(《時代精神》4卷3期，民30年1月)、奚石人〈中日貨幣戰的歷史觀〉(《時代中國》5卷4、5期合刊，民31年5月)、石磊〈抗戰初期的中日貨幣戰〉(《檔案與史學》1995年4期)、戴建兵〈抗戰時期的中日貨幣戰〉(《黨史文匯》1995年1期)、吳半農〈貨幣戰的新形勢和新策略〉(《戰地知識》1卷6期，民28年9月)、施建生〈中國貨幣戰之現階段〉(《東方雜誌》36卷13號，民28年7月)、趙鼎元〈貨幣戰白熱化下之法幣地位〉(《浙光》7卷17號，民30年1月)、越智元治〈支那貨幣問題の展開〉(《一橋論叢》11卷4號，1943年4月)及〈新支那幣制と法幣〉(《東亞經濟研究》23卷5號，1939年9月)、中國通信社調查部編《戰後支那の金融及び幣制》(上海，編者印行，1938)、劉大鈞《非常時期貨幣問題》（重慶，獨立出版社，民29）、樊伯歡〈抗日戰爭時期國民政府增幣政策研究〉（《廣州師院學報》1991年3期）、楊樹人〈三十四、三十五年貨幣政策的教訓〉（《中國經濟》第2期，民39年11月）、丘斌存〈抗戰中毫券與法幣並用之理論與實踐〉（《廣東經濟建設》第8期，民27年4月）、龍大均〈抗戰兩年來的法幣〉（《東方雜誌》36卷14號，民28年7月）、劉其奎〈日軍在華偽造法幣事件的內幕〉（《民國春秋》1989年4期）、繆明揚〈抗戰時期四聯總處對法幣流通的調控〉（《檔案史料與研究》1994年2期）、史亦聞〈日本推行「華興券」計劃之檢討〉（《東方雜誌》37卷7號，民28年9月）、龔家麟〈論華興券之發行前途及對策（同上，36卷21、22號，民28年11月）、華永正〈軍票－日軍公開掠奪的罪證〉（《江淮文史》1996年1期）、趙學禹〈抗日戰爭時期日寇的貨幣侵略〉（《武漢大學學報》1989年2期）、岩武照彥《近代中國通貨統一史－十五年戰爭期における通貨鬥爭》（2冊，東京，みすず書房，1990）及〈近代中國通貨統一史－十五年戰爭期における通貨鬥爭について〉（《成城大學經濟研究所年報》地5號，1992年4月）、宮下忠雄《支那戰時通貨問題一斑》（東京，日本評論社，1943）、Chou Shun-hsin（周舜辛），The Chinese Inflation, 1937-1949.（New York: Columbia University Press, 1963）、桑野仁《戰時通貨工作史論－日中通貨戰の分析》（東京，法政大學出版局，1965）、史怡中，" Wartime Inflation: The Chinese Case. "（《銘傳學報》17期，民69年3月）、董廷之〈抗日戰爭時期國民黨統治區的通貨膨脹〉（《中共黨史研究》1989年2期）、李學昌〈試論抗戰時期國民黨政府的通貨膨脹〉（《華東師大學報》1987年1期）、許慧君〈評國民黨政府的通貨膨脹〉（《中央財政金融學院學報》1987年4期）、郭傅璽〈抗日戰爭時期通貨膨脹述評〉(《歷史檔案》1990年3期)、Chang Kia－Ngau（張嘉璈），The Inflation Spiral：The Experience in China, 1939－1950.(cambridge: The Massachusetts Institlogy Press 1958; 其中譯本為張公權（即張嘉璈）著、楊志信譯《中國通貨膨脹史（1937－1949)》,北京，文史資料出版社，1986)、賈興權〈抗戰期間通貨膨脹政策對中國社會的影響〉(《中國經濟史研究》1993年1期、岩武照彥《近代中國通貨統一史－十五年戰爭期における通貨鬥爭》（2冊，東京，みすず書房，1990)、林維英著、東亞研究所譯《支那戰時通貨政策》(東京，東亞研究所，1941)、中央銀行經濟研究處編《戰時各地物價統計》(重慶，編者印行，民30)、楊蔚編《戰時物價特輯》(重慶，中央銀行經濟研究處，民31)、方顯庭《中國戰時物價與生產》(上海，商務印書館，民35)、壽進文《抗日戰爭時期國民黨統治區的物價問題》(上海，上海人民出版社，1953)、東亞研究所編印《重慶政權下に於ける物價問題：大東亞戰開始より現在に至る》(東京，1942)、褚一飛〈戰時物價統制問題〉(《財政評論》4卷3期，民29年10月)、沈中臨〈戰時物價統制實施之探討〉(《新政治月刊》1卷5期，民28年3月)、許道夫〈戰時物價統制政策之檢討〉(《現代讀物》3卷10期，民27年5月)、邵介編《戰時物價統制》(永安，中央日報經濟叢書，民30)、余天錫〈戰時物價的高漲與其對策〉(《財政評論》4卷5期，民29年11月)、陳振東〈抗日戰爭時期國統區的物價管理〉(《四川大學學報》1988年4期)、文萍〈抗日戰爭時期國統區的物價統計工作〉(《四川大學學報》1990年3期)、饒榮春〈我國戰時物價問題總檢討〉(《經濟彙報》7卷9期，民32年5月)、中央銀行經濟研究處編印《物價問題叢刊目錄》(重慶，民30)、陳城〈物價問題與吾國戰時穩定物價之方策〉(《東方雜誌》38卷5號,民30年3月)、劉滌源〈我國戰時物價問題〉(同上,36卷13、17號,民28年8、9月)、蔡次薛〈我國現階段的物價問題〉(同上,36卷13號,民28年7月)、張秀麗、封學軍〈1940-1942年國共糧食政策比較分析〉(《延安大學學報》1995年2期)、徐堪〈抗戰時期糧政紀要〉(《四川文獻》11、12期合刊,民52年7月)、國民黨黨史會編印《革命文獻·110－113輯:抗戰建國史料－糧政方面(一)－(四)》(4冊,臺北,民76－77)、沈宗瀚〈抗戰時期的糧食生產與分配〉(載《八年抗日戰爭中之國民政府》,臺北,民67)、王洪峻編著《抗戰時期國統區的糧食價格》(成都,四川省社會科學院出版社,1985)、侯坤宏《抗戰時期糧食供求問題之研究》(政治大學歷史研究所碩士論文,民77年6月)及〈抗戰時期糧食增產的成效〉(《國史館館刊》復刊第7期,民78年12月)、東亞研究所編譯《抗戰支那の食糧問題》(東京,編譯者印行,1942)、大東亞省總務局總務課編印《支那の食糧問題》(東京,1944)、東亞經濟懇談會編印《支那の食糧事情》(東京,1942)、陸大鉞〈抗戰時期國統區的糧食問題及國民黨政府的戰時糧食政策〉(《民國檔案》1989年4期)、金普森、李分建〈論抗日戰爭時期國民政府的糧食管理政策〉(《抗日戰爭研究》1996年2期)、黃霖生〈戰時糧食公賣之具體方案〉(《東方雜誌》38卷4號,民30年2月)及〈抗戰三年來之糧食行政〉(同上,37卷14號,民29年7月)、林文益〈抗日戰爭時期淪陷區的配給制度〉(《雲南財貿學院學報》1987年4期)、興亞院政務部編印《中華民國土地利用統計》(東京,1940)、金德群〈抗戰時期國民黨的土地政策〉(《民國檔案》1988年4期)、王膺唐、張震〈國民黨政府抗戰時期土地政策試析〉(載《抗日戰爭史事探索》,上海,上海社會科學院出版社，1988）、蕭錚〈抗戰初期土地改革運動〉（《傳記文學》34卷1期，民68年1月）、〈抗戰中期土地行政與金融機構之籌設〉（同上，34卷2期，民68年2月）及〈抗戰後期之土地改革與黨政革新運動〉（同上，34卷3期，民68年3月）、田中恭子〈中國の農村革命（1942－1945）－減租、清算、土地改革〉（《アジア經濟》1983年9月號）、侯坤宏〈抗戰時期田賦徵實的實施與成效〉（《國史館館刊》復刊第4期，民77年6月）、陸民仁〈抗戰時期田賦徵實制度：實施及評估〉（載《中華民國歷史與文化討論集》第4冊，臺北，民73）及〈抗戰時期的田賦徵實制度〉（《近代中國》83期，民80年6月）、國民黨黨史會編印《革命文獻·114－117輯：抗戰建國史料－田賦徵實（一）－（四）》（4冊，臺北，民77－78）、崔國華、王蔭碩〈抗日戰爭時期國民政府田賦收歸中央並改徵實物〉（載《民國檔案與民國史學術討論會論文集》，北京，檔案出版社，1988）、劉仲麟〈也談1942年田賦徵實的稅率與稅負問題：兼與朱玉湘同志商榷〉（《近代史研究》1987年4期）、崔國華〈論抗戰時期國民政府田賦改徵實物的意義〉（《天府新論》1988年3期）、田文彬〈田賦改徵實物問題〉（《東方雜誌》38卷7號，民30年4月）、方銘竹〈田賦怎樣才能改徵實物〉（《地方建設》第1期，民30）、孫美莉、傅元朔〈評抗日戰爭時期國民黨政府的田賦徵實〉（《農業經濟問題》1986年3期）、朱玉湘〈再談抗戰時期國統區的田賦徵實問題〉（《近代史研究》1988年6期）、李宇平〈從租稅國家走向企業國家——抗戰後期「中國農民經濟研究會」對國民政府田賦徵實政策的評論〉（載《中國現代化論文集》，臺北，中央研究院近代史研究所，民80年3月）、蕭一平、郭德宏〈抗日戰爭時期的減租減息〉（同上，1981年4期）、李宏略〈論抗戰期間的減租問題〉（《金融經濟月刊》2卷2期，民27年

8月)、劉富書、劉冰〈抗戰期間國民政府的賦稅政策〉(載《抗日戰爭史事探索》,上海,上海社會科學院出版社,1988)、楊承厚〈戰時我國中央稅務機關之概況〉(《經濟彙報》5卷1、2期合刊,民31年1月)、周嵐〈抗戰期間國民政府賦稅政策述略〉(《民國檔案》1991年1期)、匡球《中國抗戰時期稅制概要》(北京,中國財經出版社,1988)、蔡次薛〈我國戰時稅制的改進〉(《東方雜誌》38卷17號,民30年8月)、朱契〈戰時租稅亟應改進芻議〉(同上,37卷10號,民29年10月)、劉不同〈推行戰時租稅制問題之商榷〉(同上,35卷17號,民27年9月)、殷錫琪〈創辦戰時所得稅之研究〉(同上,35卷7號,民27年4月)、蕭承祿〈我國現行遺產稅制之檢討〉(《東方雜誌》38卷8號,民30年4月)、鍾淦恩〈論我國之遺產稅制〉(《經濟彙報》5卷8期,民31年4月)、財政部直接稅處編《八年來之直接稅》(重慶,中央信託局印製處,民32)、財政部稅務署編《十年來之貨物稅》(同上)、久保亨〈抗戰時期中國的關稅貿易問題〉(載《民國檔案與民國史學術討論會文集》,北京,檔案出版社,1998)、財政部關務署編《十年來之關稅》(重慶,中央信託局印製處,民32)、財政部海關總稅務司編《十年來之海關》(同上)、財政部緝私署編《十年來之緝私》(同上)、何思瞇編《抗戰時期專賣史料》(臺北,國史館,民81)、財政部專賣事業司編印《二年來之專賣事業》(重慶,中央信託局印製處,民32)、陳宏鐸〈現階段之專賣事業與今後政策之商榷〉(《東方雜誌》39卷4號,民32年4月)、何思瞇《抗戰時期的專賣事業(1941-1945)》(政治大學歷史研究所博士論文,民82)及〈抗戰時期國民政府之食鹽專賣制度〉(《中華民國史專題論文集:第二屆討論會》,臺北,國史館,民82)、何素花《抗戰時期國營煤礦業的發展》(臺灣大學歷史研究所碩士論文,民79）及〈抗戰時期國營煤礦事業之經營、研究與管理〉（《聯合學報》第7期，民79年11月）、袁潤芳摘編〈抗戰初期國民黨政府經濟部〝官商合辦事業〞概況〉（《民國檔案》1988年1、2期）、東亞研究所編《戰時の中國銀行業動態》（東京，編者印行，1940）、黃立人〈四聯總處的產生、發展和衰亡〉（《中國經濟史研究》1991年2期）及〈論抗日戰爭時期的四聯總處〉（載《民國檔案與民國史學術討論會論文集》，北京，檔案出版社，1988）、董長芝〈論中央銀行在抗日戰爭中的作用〉（同上）、李一翔〈略論抗戰時期後方銀行資本與產業資本的溶合趨勢〉（《南開經濟研究》1993年1期）、郭樹人〈抗戰兩年來的銀行〉（《東方雜誌》36卷14號，民28年7月）、簡笙簧〈抗戰期中的走私問題（民國28-30年）〉（《中國歷史學會史學集刊》11期，民68年5月）、林美莉〈抗戰時期國民政府對走私貿易的應對措施〉（《史原》18期，民80年6月）、唐凌〈抗戰時期的特礦走私〉（《近代史研究》1995年3期）、王磊〈抗戰時期國民政府內債研究〉（《中國經濟史研究》1993年4期）、董長芝〈國民黨政府在抗戰期間舉借外債考評〉（《遼寧師大學報》1987年5期）、賈小玫〈抗日戰爭時期國民黨政府的外債〉（《理論導刊》1996年2期）、林家鑲〈我國戰時公債政策之理論與實際〉（《經濟科學》第3、4期合刊，民32年2月）、趙興勝〈抗戰時期國民政府國內公債政策研究〉（載張憲文主編《民國研究》第3輯，1996年1月）、洪葭管〈戰時外匯政策的演變〉（《中國金融》1989年3期）、汪戎〈1938－1941年國民政府的外匯管制〉（《中國近代經濟史研究資料（9），上海社會科學院出版社，1987》）、施建生〈抗戰三年來的我國外匯政策〉（《東方雜誌》37卷14號，民29年7月）、閔天培〈抗戰三年來之外匯〉（同上）、龔家麟〈當前外匯黑市之措施方策及其問題〉（同上，36卷20號，民

28年10月）及〈外匯黑市平準之貶低及其檢討〉（《東方雜誌》36卷16、17號，民28年8、9月）、朱偰〈我國運用外匯平準基金之新階段〉（同上，38卷5號，民30年3月）、黃如桐〈抗戰時期國民黨政府外匯政策概述及其評價〉（《近代史研究》1987年4期）、謝兆澄〈抗戰期內之鹽政〉（《東方雜誌》35卷9號，民27年5月）、財政部鹽政司編《十年來之鹽政》（重慶，中央信託局印製處，民32）、劉德仁、薛培〈抗戰時期國民黨政統治區鹽務芻議〉（《中南民族學院學報》1991年1期）、鍾春翔〈抗戰初期搶運沿海存鹽述論〉（《抗日戰爭研究》1996年3期）、中國合作事業協會編印《抗戰以來之合作運動》（民35年出版）、菊池一隆〈抗日戰爭時期の中國工業合作運動〉（《歷史學研究》485號，1980）、林蘭芳〈抗戰時期工業合作運動理論基礎之形成〉（《立法院院聞》24卷6期，民85）、賈付軍、張炳蘭〈抗戰時期"工業合作運動"述論〉（《南都學壇》1994年4期）、侯德礎〈論抗日戰爭時期的"工合"運動〉（《四川師院學報》1983年4期）、朱敏彥〈抗戰時期的"工合"運動〉（《近代史研究》1989年4期）〈抗戰時期"工合"運動的歷史作用〉（《上海師大學報》1995年3期）及〈抗日戰爭時期的工業合作社運動始末〉（《歷史教學》1990年6期）、馬玉萍〈"工合"之路〉（《黨史文匯》1994年10期）、謝榮斌、張全省〈試論抗日戰爭時期中國共產黨與"工合"運動的關係〉（《寶雞文理學院學報》1996年1期）、Douglas Robertson Reynold, The Chinese Industrial Cooperative Movemant and the Political Polarization of Wartime china, 1938 － 1945.（Ph. D. Disseration, Columbia University, 1975）、朱敏彥〈宋慶齡與抗戰時期的"工合"運動〉（《上海師大學報》1991年3期）、菊池一隆〈抗日戰爭期の華僑と中國工業合作運動〉(《歷史評論》549號，1996年1月）及〈游擊區の中國工業合作運動〉（載《中嶋敏先生古稀記念論集》上卷，東京，汲古書院，1980)、張法祖〈抗戰後的工業合作運動〉（《東方雜誌》37卷15號，民29年8月)、何俊〈一年來的工業合作運動〉（同上，36卷18號，民28年9月)、熊永榮〈論抗戰前期國統區民族工業發展原因〉（《史學集刊》1987年3期)、林蘭芳《資源委員會的特種礦產統制（1936－1949)》（政治大學歷史研究所碩士論文，民78年6月）及〈資源委員會的特種礦產統制與各地之反應〉（《國史館館刊》復刊第7期，民78年12月)、王宗榮等〈略論抗日戰爭時期資源委員會對工業的壟斷〉（《北京師大學報》1987年4期)、程麟蓀〈論資源委員會的特礦統制活動〉（載《民國檔案與民國史學術討論會論文集》，北京，檔案出版社，1988)、王衛星〈資源委員會戰時重工業建設的資金來源〉（《東南文化》1996年2期）及〈資源委員會對戰時重工業廠礦的管理與經營〉（《學海》1996年2期)、石島紀之〈國民黨政權の對日抗戰力－重工業建設を中心に〉（《講座中國近代史》第6卷，東京大學出版會，1978)、莊焜明《林繼庸與戰時中國工業》（嘉義，明東出版社，民85)、作者另有同名的論文，發表於《中華民國史專題論文集：第三屆討論會》，（臺北，國史館，民85)、吳太昌〈抗戰時期國民黨國家資本在工礦業的壟斷地位及其與民營資本比較〉（《中國經濟史研究》1987年3期)、吳奇寒〈抗戰建國與工業化〉（《大學》2卷1期，民32)、李紫翔〈我國戰時工業生產的回顧與前瞻〉（《四川經濟季刊》2卷3期，民34年7月)、石西民〈抗戰以來的中國工業〉（《理論與現實季刊》1卷4期，民29年2月)、謝紹康〈抗戰以來民族工業的變化〉（《經濟科學》第2期，民31年4月)、曾昭掄〈戰時的中國工業〉（《雲南大學學報》第2期，民34年10月)、楊智《抗戰與民族工業》（長沙，商務印書館，民27）、于彤〈抗戰時期中國工業損失狀況部分統計〉（《歷史檔案》1990年2期）、侯德礎〈抗戰時期大後方工業的發展與衰落〉（《四川師大學報》1994年4期）、楊吉興〈抗戰前期大後方民族工業發展原因及啟示〉（《懷化師專學報》1995年3期）、王德中〈抗日戰爭時期的航空工業〉（《軍事歷史》1994年3期）、重慶市檔案館〈戰時我國火柴工業及火柴專賣之概況（1944年12月）〉（《檔案史料與研究》1994年3期）、何思眯〈抗戰後期的火柴工業與專賣之實施(民國三十至三十四年)〉（《國史館館刊》復刊18期，民84年6月）、董長芝〈中國抗戰時期後方工礦業的開發與作用述評〉（《遼寧師大學報》1990年3期）、中國第二歷史檔案館〈1942年前日本在華工礦業資產之調產統計〉（《民國檔案》1991年2期）、黃立人〈論抗戰時期的大後方工業科技〉（《抗日戰爭研究》1996年1期）、陸大鉞〈抗戰時期大後方的兵器工業〉（《中國經濟史研究》1993年1期）、王紫雲〈抗戰時期兵工業的發展〉（《中華軍史學會會刊》創刊號，民84）、張有高〈抗戰時期中國最大的兵工廠簡介〉（《民國檔案》1993年2期）、重慶市檔案館王榮弟選編〈抗戰時期我國造船業概況及今後發展計劃（1943年）〉（《檔案史料與研究》1995年4期）、王翔〈日本侵華戰爭中國絲綢業的中斷〉（《抗日戰爭研究》1993年4期）。唐凌〈抗戰時期國民政府的礦業政策〉（同上）、孔莊泰〈抗戰期間中國石油工業的建立〉（《歷史檔案》1989年4期）、王繼洲〈抗日戰爭與中國近代石油工業〉（《石油大學學報》1996年3期）、張法祖〈活躍在經濟抗戰線上的造紙工業〉（《東方雜誌》37卷22號，民29年11月）、侯坤宏〈抗戰時期的中國桐油事業〉（載《近代中國農村經濟史論文集》，臺北，民78）、張法祖〈抗戰後我國採金事業的猛進〉（《東方雜誌》37卷11號，民29年6月）、林建曾〈一次異常的工業化空間傳動－抗戰時期廠礦內遷的客觀作用〉（《抗日戰爭研究》1996年3期）、陸仰淵〈抗戰期間工廠內遷對後方經濟的影響〉（載《抗日戰爭史事探索》，上海，上海社會科學院出版社，1988）、吳曉晴，顧寧〈抗日戰爭時期民族工業的內遷〉（同上）、劉國武〈抗戰時期內遷民族工業的歷史作用〉（《衡陽師專學報》1993年3期）、溫賢美〈抗日戰爭時期工廠內遷與大後方工業的發展〉（《天府新論》1992年3期）、虞寶棠〈抗戰前期的企業西遷與大後方工業的發展〉（《南京理工大學學報》1994年4期）、曾長秋〈抗戰時期沿海工廠內遷及其對內地經濟的影響〉（《湖南教育學院學報》1995年4期）、孫子文〈抗戰史上艱辛的一頁－民營工廠內遷述評〉（《鄭州大學學報》1992年3期）、劉方健〈抗日戰爭時期我國沿海廠礦的大規模內遷〉（《重慶社會科學》1985年4期）、劉曉霞〈民族工業在抗日戰爭時期的內遷與貢獻〉（《山東經濟》1987年3期）、黃立人〈抗日戰爭時期工廠內遷的考察〉（《歷史研究》1994年4期）、戚厚杰、王德中〈抗日戰爭時期兵器的內遷〉（《軍事歷史研究》1993年2期）、黃立人、張有高〈抗日戰爭時期中國兵器工業內遷初論〉（《歷史檔案》1991年2期）、王德中〈抗日戰爭時期中國兵工企業的內遷〉（《軍事歷史》1992年6期）、王衛星〈資源委員會與抗戰初期的工廠內遷〉（《學海》1994年1期）、曹敏〈抗戰時期企業遷陝概況及對陝西經濟發展的作用〉（《西北大學學報》1990年4期）、莊焜明〈資源委員會與抗戰時期民營廠礦之內遷〉（載《中華民國史專題論文集：第一屆討論會》，臺北，民81）及〈抗戰時期中國工廠內遷之發動〉（《近代中國》107期，民83）、羅曉東〈抗日時期大工業內遷對西南經濟的影響〉（《貴州教育學院學報》1995年3期）、康景星〈抗日戰爭時期遷黔工業及其特點〉(《貴州文史叢刊》1993年2期)、楊世秀〈抗戰時期內遷工廠對四川經濟發展的作用〉(《成都黨史》1995年4、5期合刊)、林繼庸〈抗戰期中民營廠礦遷川簡述〉(《四川文獻》62期,民56年10月)、吳雲輯〈抗戰期間遷渝的工商企業〉(《重慶黨史研究資料》1995年2期)、張曉輝〈抗戰初期遷港的上海工商企業〉(《檔案與史學》1995年4期)、重慶市檔案館〈抗戰七年來經濟部中央工業試驗所工業技術之進步〉(《檔案史料與研究》1992年2期)及〈抗戰時期我國造紙業概況〉(同上,1992年3期)、張元和〈記抗戰時的西北火柴廠〉(《山西文獻》26期,民74年7月)、王翔〈日本侵華戰爭對中國絲綢業的摧殘〉(《抗日戰爭研究》1993年4期)、邱松慶〈簡論抗戰時期大後方農業生產及其發展的原因〉(《黨史研究與教學》1996年2期)、王聿均〈抗戰時期中農所的發展和貢獻〉(載《近代中國農村經濟史論文集》,臺北,民78)、國民黨史會編印《革命文獻‧102－105輯:抗戰建國史料－農林建設(一)－(四)》(4冊,臺北,民74－75)、曹茂良〈中國戰時農業政策〉(《大學》2卷1期,民32)、董健飛〈抗戰兩年來的農政〉(《東方雜誌》36卷14號,民28年7月)、許滌新〈抗戰期中的農產問題〉(同上,34卷20、21號合訂冊,民26年11月)、許性初《抗戰與農村經濟》(長沙,商務印書館,民27)、東亞研究所編印《支那農業基礎統計資料》(2冊,東京,1940-1943)、在上海日本總領事館特別調查班編印《戰時支那農業建設の諸問題》(上海,1939)、王聿均〈抗戰時期後方之農業建設〉(《近代中國》60期,民76年8月)、吳偉榮〈論抗戰期間後方農業的發展〉(《近代史研究》1995年1期)及〈論抗戰時期後方農村的土地問題〉(《檔案史料與研究》1995年3期)、馬福英〈抗日戰爭時期的農業互助合作運動〉(《河北師院學報》1983年2期)、張仁濟〈抗戰期間的農村服務生產救濟和麻作改良〉(《傳記文學》29卷4期，民65年10月)、淺田喬二〈日本帝國主義による中國農業資源の收奪過程(1937-1941)〉(《駒澤大學經濟學部研究紀要》36號，1978年3月)、興亞院華中連絡部編印《中國米》(1941年印行)、重慶市檔案館〈抗戰時期敵對我棉花資源的掠奪〉(《檔案史料與研究》1993年4期)、忻介六〈抗戰期中之白蠟蟲事業〉(《東方雜誌》37卷3號，民29年2月)、丁日初、沈祖煒〈論抗日戰爭時期的國家資本〉(《國民檔案》1986年4期)、清慶瑞等〈抗日戰爭時期國民黨官僚資本的膨脹〉(《教學與研究》1990年3期)、李雲榮〈試述抗日戰爭時期民族資產階級的經濟地位〉(《歷史教學》1990年5期)、尾崎庄太郎〈中國の抗戰建國と民族諸資本の動向〉(《中國研究》第1號，1947年7月)、鈴木茂〈戰時日本の對中國投資と政府出資法人〉(《經濟論叢(京都大學)》116卷1・2號，117卷5・6號，1975年8月、1976年6月)、羅志平《兩次世界大戰期間美國在華企業投資研究》(中國文化大學史學研究所博士論文，民83年6月)、程麟蓀〈論抗日戰爭時期資源委員會的企業活動及其歷史作用〉(《中國近代經濟史研究資料(5)》，上海社會科學院出版，1985)、Lloyd E. Eastman, "Facts of An Ambivalent Relationship: Smuggling, Puppets and Atrocities During the War, 1937－1945"(In Akira Iriye, ed. The Chinese and Japanese, : Essays in Political and Cultural Interactions, Princeton, N. J. : Princeton University Press, 1980)、龔家麟〈我國戰後對外貿易的剖析〉(《東方雜誌》35卷20號，民27年10月)、、馮治〈抗戰時期國民政府對外貿易管制述評〉(《近代史研究》1988年6期)、陳壽琦〈太平洋戰爭與我國對敵貿易戰〉(《貿易月刊》3卷7期，民31年2月)、楊玉林〈抗日戰爭時期國民黨政府與蘇聯的易貨貿易〉(《學習與探索》1992年3期)、馮治〈戰時貿易管制〉(載江蘇省歷史學會編《抗日戰爭史事探索》,上海,上海社會科學院出版社,1988)、魏友棐〈抗戰中之國際貿易〉(《東方雜誌》34卷22－24號合刊,民26年12月)、劉朗泉〈兩年半來國民政府對外貿易政策的回顧〉(同上,37卷4號,民29年2月)、Roymond L. Lee, China's Forign Trade Relations and Industrialization , 1940-1956.（Ph. D. Dissertation, New York University, 1982)、魏友棐〈英美在華貿易損失與對日制裁〉(同上,36卷4號,民28年2月)、William Wei-lin Tsai, China's Foreign Exchange Position and Export Trade to the United States, 1937-1948.（Ph. D. Dissertation, University of Washington, 1952)、財政部貿易委員會編《六年來之貿易》(重慶,中央信託局製印處,民32)、簡笙簧〈抗戰期中的走私問題(民國28-30年)〉(《中國歷史學會史學集刊》11期,民68年5月)、張國鏞〈關於中國戰時生產局的幾個問題〉(《近代史研究》1992年4期)、李安慶、孫文範〈抗戰後期的中國戰時生產局〉(《社會科學戰線》1989年1期)、林美莉〈戰時生產局的成立與活動－以租借法案的配合為中心〉(《國史館館刊》復刊15期,民82年12月)、陳杏年〈再論資源委員會在抗日戰爭中的作用〉(《史學月刊》1994年5期)、趙洪寶〈透視抗戰時期招商局的作用〉(同上,1994年3期)、劉心怡《我國戰時運輸之探討》(2冊,臺北,交通部交通研究所,民57)及《戰時運輸》(同上,民55)、唐凌〈抗戰時期的特礦運輸路線及價格〉(《廣西師大學報》1996年3期)、凌鴻勛編《對日抗戰八年交通大事記》(臺北,交通部運輸計劃聯繫組,民52)、國民黨黨史會編印《戰時交通》(臺北,民65)、李占才、張勁《超載－抗戰與交通》(桂林，廣西師大出版社，1996）、龔學遂《中國戰時交通史》（上海，商務印書館，民36）、龔澤琪〈抗日戰爭時期大後方的戰時交通建設與軍事運輸〉（《黨史研究與教學》1995年3期）、侯家駒〈抗戰期間我國交通建設〉（載《抗戰建國史研討會論文集，1937-1945》上冊，臺北，民74）、董長芝〈抗戰時期大後方的交通建設〉（《抗日戰爭研究》1993年1期）、孫蒓侯〈抗戰期中之兩大交通建設〉（《東方雜誌》37卷2號，民29年2月）、王伯群〈抗戰建國與西南交通〉（同上，35卷16號，民27年8月）、凌鴻勛〈中國對日抗戰八年的交通艱苦建設〉（載薛光前者編《八年對日抗戰中之國民政府》，臺北，臺灣商務印書館，民67），譚子濃〈抗戰兩年來的交通〉）（《東方雜誌》36卷14號，民28年7月）、陳仕才〈抗戰時期的西南交通運輸線〉（《黨史研究資料》1995年11期）、嚴生一〈抗戰與我國邊疆之交通〉（《邊政公論》3卷3期，民33年3月）、李占才〈張嘉璈與抗戰交通〉（《民國檔案》199年1期）、薛光前〈抗戰時期從事交通工作的回憶──六十述往之一章〉（《傳記文學》20卷2-4期，民61年2-4月）、賈興權〈抗戰期間我國的交通運輸事業〉（《黨史研究資料》1988年1期）、徐萬民《戰爭生命線－國際交通與八年抗戰》（桂林，廣西師大出版社，1996）、楊志國〈抗戰時期中國國際運輸線開闢的過程及其作用〉（《公路交通編史研究》1988年3期）、周仁灝〈抗戰時期幾條國際運輸線簡介〉（《歷史教學》1987年6期）、陳嘉庚〈抗戰與運輸〉（《民潮》1卷1期，民30年8月）、張公權《抗戰前後中國鐵路建設的奮鬥》（臺北，傳記文學出版社，民60）、施曼華《鐵路與八年抗戰》（臺北，正揚出版社，民70）、李占才〈抗戰中的中國鐵路運輸〉（《抗日戰爭研究》1994年1期）、祝曙光〈抗日戰爭時期的中國鐵路運輸〉（《軍事歷史》1993年4期）；〈我國抗日戰爭時期的鐵路〉(《交通建設》33卷6期，民73年6月）、吳朋聰〈戰時鐵路橋樑軌道之修護〉(《中山學報》1卷7期，民30）、吳相湘〈凌鴻勛趕築抗戰需要的鐵路〉(《傳記文學》43卷6期，民72年12月)`、李占才〈鐵路抗戰準備工作與徐州會戰中的鐵路運輸〉(《徐州師院學報》1994年2期）、簡笙簧〈抗戰時期東南交通幹道－浙贛鐵路〉(載《抗戰建國史研討會論文集》上冊，臺北，民74)及《粵漢鐵路全線通車與抗戰的關係》(臺北，臺灣商務印書館，民69；撰者另有與此同名之論文，發表於《史學彙刊》第9期，民67年10月）、李國華〈新汴鐵路始末〉(《史學集刊》1994年2期）、李群慶〈被遺忘的滇緬鐵路〉(《雲南文史叢刊》1989年2期）、那紹彬、趙守仁〈抗戰前南京國民政府公路建設及其軍事性質述論〉(《社會科學輯刊》1994年2期）、賈興權〈抗戰期間我國公路運輸〉(《公路交通編史研究》1987年4期）、施曼華《抗日戰爭時期西南西北的國際公路》(臺北，正揚出版社，民72）、劉桂英《大異域－埋藏50年打通中緬公路的悲慘史實》(臺北，歐瑞文化出版公司，民84）、吳志虹、夏強疆選編〈抗戰時期滇緬公路沿線部分地區經濟調查〉(《雲南檔案史料》1994年3期）、吳圳義〈滇緬公路與中國抗日戰爭(1937-1942)〉(載《紀念抗日戰爭勝利五十周年學術討論會論文集》，香港，珠海書院亞洲研究中心，1996）、趙勇〈紀念反法西斯戰爭勝利五十周年：滇緬路－二次世界大戰遠東交通大動脈〉(《昆明師專學報》1995年2期）、楊鉅廷〈抗日烽火中的唯一國際通道滇緬公路〉(《公路交通編史研究》1986年2期)及〈從滇緬公路的快速修通看人民群眾的抗日熱忱及其歷史作用〉(《公路交通史研究》1984年6期）、李慕邦〈滇緬公路開放見聞〉(《雲南文史叢刊》1986年3期）、郭黛雲〈美國的《租借法案》與打通滇緬公路的鬥爭〉(《嘉應大學學報》1995年3期）、

朱振明〈抗日戰爭時期的滇緬公路〉(《雲南社會科學》1982年4期)、
鄭樂英〈抗戰時期滇緬公路運輸史上的幾個問題－與朱振明同志商
榷〉(《經濟問題探索》1983年1期;《公路交通編史研究》1984年3期)、
李瑩〈略述滇緬公路在抗日戰爭中的歷史作用〉(《雲南師大學報》1986
年6期)、Leslie Anders, The Ledo Road: General Joseph W. Stilwell's
Highway to China.(Norman: University of Oklahoma Press, 1965)、Tillman
Durdin著、杜若譯〈史迪威公路與皮克將軍〉(《東方雜誌》41卷9號,
民34年5月)、徐康明〈滇緬戰場上中印公路的修築〉(《抗日戰爭研
究》1995年1期)、孫子和〈抗戰期間西藏阻築康印公路事件〉(載《抗
戰建國史討論會論文集》上冊,臺北,民74)、王洸編撰《抗戰時期水
運紀要》(臺北,編撰者印行,民54)、夏強疆、吳志虹選編〈抗戰時
期西南水陸聯運線的查勘及試航檔案史料選編〉(《雲南檔案史料》
1993年3、4期)、張勁〈航運與抗戰〉(《信陽師院學報》1995年4期)、
賈興權〈抗戰期間我國航運〉(《公路交通編史研究》1988年1期);〈我
國抗日戰爭時期的航空〉(《交通建設》33卷1期,民73年1月)、張勁
〈抗戰中的航空運輸〉(《民國檔案》1995年2期)、楊繼康〈我國民運
航空之今昔〉(《東方雜誌》37卷6號,民29年3月)、葉健青〈中國航
空公司的創辦－中華民航的開端(民國十八年至三十五年)〉(《中華
民國史專題論文集:第一屆討論會》,臺北,國史館,民81)、簡笙簧《西
北中蘇航線的經營－民國28年至38年》(臺北,國史館,民73)、〈中
蘇哈阿航線經營之研究〉(載《中華民國歷史與文化討論集》第4冊,民
73)及〈抗戰期間西北渝哈、渝迪航空線的經營〉(《中國歷史學會史
學集刊》15期,民72年5月)、薛光前〈抗戰時期推行新驛運制度之
經過〉(《華岡文科學報》第4期,民56年12月)、吳志敏〈抗日戰爭時

期的驛運〉(《公路交通編史研究》1984年增刊)、陳紅民〈抗日戰爭時期的驛運事業〉(載《慶祝抗戰勝利五十週年兩岸學術研討會論文集》下冊,臺北,近代史學會,民85)、楊斌〈抗戰時期國民政府驛運事業〉(《民國檔案》1995年4期)、樊琪〈抗戰時期的驛運奇跡〉(《中外雜誌》12卷1期,民61年7月)、顧文棟〈抗日戰爭時期國民黨辦驛運的失敗〉(《貴州文史叢刊》1985年1期)、廖德修《抗戰時期國民政府的郵政事業》(政治大學歷史研究所碩士論文,民81)及〈戰時淪陷區郵政的維持與戰後接收概況〉(《近代中國》90期,民81年8月)、交通部郵政總局《抗戰軍郵史》(2冊,臺北,撰者印行,民65)、袁風華〈抗戰時期國民黨政府軍郵簡介〉(《民國檔案》1990年2期)、王庭樑等編《戰時電信》(臺北,交通部交通研究所,民57)、王衛星〈國防設計委員會與中國抗戰的經濟準備〉(《南京社會科學》1995年10期)、重慶市檔案館〈交通部二十七年度工作報告〉(《檔案史料與研究》1992年1期)及〈財政部第二期戰時行政計劃(1939年)〉(同上,1993年3期)、中國第二歷史檔案館〈財政部視察李如霖關於開發康藏邊區經濟的報告〉(《民國檔案》1993年3期)、〈交通銀行關於民生實業公司1942年度動態調查報告〉(同上,1991年4期)及〈民生實業股份有限公司1942年度概況〉(同上,1993年3期)、黃河選編《中中交農四行聯合辦事總處第三三八次理事會議紀錄》(《雲南檔案史料》1993年3期)、重慶市檔案館、重慶市人民銀行金融研究所編《四聯總處史料》(北京,檔案出版社,1992)、黃立人〈四聯總處的產生、發展和衰亡〉(《中國經濟史研究》1991年2期)、重慶市檔案館文明選編〈郵政儲金匯業局抗戰以來之工作報告(1940年3月31日)〉(《檔案史料與研究》1995年4期)、楊斌〈抗戰時期國民政府儲蓄政策述評〉(《江西社會

科學》1995年12期)、鄭永明〈抗戰前期大後方的郵政儲匯事業概述〉
(《檔案史料與研究》1995年4期)、重慶市檔案館〈中國工業合作協會
工作報告（1942年7月－1943年10月）〉（同上，1993年1期)、重
慶市檔案館周曉選編〈中國國際救濟委員會第二年度報告書(1944
年4月17日）〉（同上，1995年3期)、上海市檔案館張海選編〈中國
旅行社蘇錫常杭金分社戰時情況報告（1937-1939年）〉(《檔案與史
學》1995年3期)、謝國興〈1940年代中國農政機構之專技人員〉（載
《抗戰建國史研討會論文集》上冊，臺北，民74）、孔祥徵〈略談民族工
業家在抗日戰爭中的貢獻〉(《武漢大學學報》1987年4期)、柯偉林
（William C. Kirby）〈中國戰後計劃－中國、美國與戰後經濟策略
（1941－1948）〉（載《孫中山先生與近代中國學術討論集》第4冊，臺北，
民74）。

甘于黎〈抗戰前期國民黨地方財政收入狀況述略〉(《中國社會經
濟史研究》1989年3期)、尹文敬〈中國戰時地方財政〉(《經濟彙報》5
卷1、2期合刊，民31年1月)、朱偰〈如何逐漸推行財政收支系統法
－抗戰時期之地方財政應如何調整〉(《財政評論》1卷3期，民28年3
月）、任敏華〈抗戰以來四川之財政〉(《四川經濟季刊》1卷1期，民
32年12月）及〈三十三年四川之財政〉（同上，2卷2期，民34年4月)、
許餞儂《最近四川財政論》（重慶，中央政治學校研究部，民27）、華
生〈抗戰初期之四川財政〉(《四川文獻》20期，民53年4月)、侯坤宏
〈抗戰後期四川省田賦徵實政策之研究〉(《近代中國》51期，民75年2
月）、侯德礎〈抗戰時期四川田賦徵實述評〉(《四川師大學報》1988
年4期)、周開慶〈抗戰期間川省糧政概況與徵實數額〉(《四川文獻》
98期，民59年10月)、王聿均〈抗戰期間川康的經濟發展〉（載《中

華民國歷史與文化討論集》第4冊，民73；亦載《近代中國》47期，民74年
6月）、蔣輔義〈略論抗戰時期的四川經濟〉（《南充師院學報》1988年
4期）、陳筑山〈抗戰建國中四川經濟建設之動向〉（《現代讀物》5卷
8、9期）民29年9月）、侯德礎〈試論抗戰時期四川農業的艱難發展〉
（《四川師大學報》1987年6期）、董時進〈抗戰以來四川之農業〉（《四
川經濟季刊》1卷1期，民32年2月）、謝放〈抗戰時期四川小農經濟與
社會變遷〉（載《慶祝抗戰勝利五十週年兩岸學術研討會論文集》下冊，臺
北，民85）、在上海日本大使館特別調查班編印《四川省小作制度：
四川省農村經濟調查報告第7號》（上海，1943）、山本真〈抗日戰
爭時期國民政府の〝扶植自耕農〞政策－四川省北碚管理局の例を
中心にして〉（《史潮》新40號，1996年11月）、陸養浩〈經濟抗戰中
四川蠶絲業的地位〉（《現代讀物》4卷9、10期，民28年10月）、陳慈
玉〈抗戰時期的四川蠶桑業〉（《中央研究院近代史研究所集刊》16期，
民76年6月）、劉子建〈抗戰時期四川工業的興衰〉（《天府新論》1994
年6期）、李紫翔〈抗戰以來四川之工業〉（《四川經濟季刊》1卷1期，
民32年12月）、志賀木子〈抗戰期の後方製鐵業をめぐつて－四川
省を中心に〉（《近きに在りて》27號，1995年5月）、林繼庸〈抗戰民
營廠礦遷川簡述〉（《四川文獻》62期，民56年10月）、赤松子〈林繼
庸與遷川工廠〉（《醒獅》1卷6期，民52年6月）、魏永康〈〝節約建
國儲蓄券〞在四川及自貢地區推行發放紀實〉（《中國錢幣》1992年1
期）、朱沛蓮〈抗戰時期湘川運輸概況〉（《國史館館刊》復刊12期，民
81年6月）、洪喜美〈抗戰時期四川之驛運〉（同上，第6期，民78年
6月）、侯德礎〈抗戰時期四川內河航運鳥瞰〉（《四川師大學報》1990
年3期）、張勁〈抗戰時的川江航運〉（《四川師院學報》1996年1期）、

重慶市檔案館〈川康興業（特種）股份有限公司史料選〉（《檔案史料與研究》1993年2、3期）、樂山市檔案館〈四川省商會成立史料（1943年10月）〉（同上，1993年1期）、劉丙吉〈論抗戰以來的四川商情與物價〉（《四川經濟季刊》1卷2期，民33年3月）、汪蔭元〈四川戰時物價與各級人民之購買力〉（同上，2卷3期，民34年6月）及〈四川戰時農工問題〉（同上，1卷3期，民33年6月）、在上海日本大使館特別調查班編印《四川省主要糧食の運銷：四川省農業經濟調查報告（第5號）》（上海，1943）、張憲秋〈抗戰期間國府規劃三峽建壩之努力〉（《傳記文學》64卷6期，民83年6月）、平漢鐵路管理局調查班《重慶經濟調查》（2冊，東京，生活社，1940）、韓渝輝主編《抗戰時期重慶的經濟》（重慶，重慶出版社，1995）、陸大鉞、唐潤明編著《抗戰時期重慶的兵器工業》（同上）、王學敏〈從抗戰時期重慶民族工業的興衰看中國民族資本的歷史命運〉（《教學與研究》1990年2期）、鍾鐵〈抗戰時期陪都重慶消費市場興衰之原因探析〉（《檔案史料與研究》1995年1期）、張有高〈抗戰時期重慶的民營鋼鐵機器工業〉（《民國檔案》1992年3期）、唐潤明〈抗戰時期重慶工業發展芻論〉（《重慶師院學報》1989年3期）。林建曾〈抗戰時期貴州社會經濟的發展〉（《貴州文史叢刊》1995年5期）及〈抗戰時期貴州農業的發展及其特點〉（《貴州社會科學》1996年3期）、孔玲〈抗戰時期〝貴州農業改進所〞對貴州農業經濟開發的推動作用〉（《貴州社會科學》1995年3期）、姚繼虞、鄭秩威〈四十七年前的貴州郵政〝特約小包〞案〉（《貴州文史叢刊》1990年1期）、亦陶〈抗戰初期貴州初級市場的調查〉（同上，1990年2期）、張蘊賢〈抗戰時期貴州的煤礦公司〉（同上，1987年1期）、李德芳〈抗日戰爭時期的貴州工業〉（《貴州財經學院學報》1984年3

期）、賀益文〈黔北榨蠶事業的過去和現在〉（《東方雜誌》38卷6號，
民30年3月）、梁家貴〈論抗戰時期的貴陽商業〉（《貴陽黨史》1995年
4期）、張玉龍〈抗戰時期貴陽城市功能結構變化芻議〉（同上）。
菊池一隆〈雲南省の戰時經濟建設－軍閥龍雲と蔣介石〉（載野口鐵
郎編《中國史における中央政治と地方政治》，東京，1986）、楊德慧〈雲
南經濟在抗戰時期的新發展〉（《雲南學術探索》1995年5期）、范莉瓊
〈抗日戰爭時期內地經濟、文化南遷對雲南的影響〉（《思想戰線》1990
年4期）、雷加明〈抗日戰爭時期的雲南金融〉（《雲南金融》1987年9
期）及〈1937至1949年雲南金融的繁榮與衰落〉（載雲南省經濟研究
所編《雲南近代經濟史文集》，1988年2月）、楊壽川〈抗戰時期的雲
南礦業〉（《雲南社會科學》1995年6期）、謝本書〈〝工合〞的一種典
型－雲南麗江的〝工合〞運動〉（《雲南文史叢刊》1995年2期）、王樹
槐〈抗戰時期雲南的蠶絲業〉（載《抗戰建國史研討會論文集》下冊，臺
北，民74）、王延峰〈戰時雲南外貿的對比分析〉（《研究集刊》1989
年2期）、張笑春〈抗日戰爭時期雲南交通的開發〉（《雲南文史叢刊》
1992年1期）、丁耀〈抗日戰爭中雲南郵政的兩件事〉（同上）、陸靭
〈抗日戰爭中的雲南馬幫運輸〉（《抗日戰爭研究》1995年1期）、馬興
東〈抗戰期間滇西回民築路驛運紀實〉（《雲南文史叢刊》1991年1期）、
馬廷壁〈抗日戰爭時期雲南驛運紀實〉（《公路交通編史研究》1987年
4期）、羅雯錦〈抗戰時期昆明的金融〉（《雲南文獻》22期，民81年12
月）、石島紀之〈抗日戰爭時期の中國の工業勞動者－昆明の一國
營工場について〉（《政經學會雜誌（茨城大學）》61號，1993年6月）。
周章森〈抗日戰爭時期日偽對浙江的經濟掠奪〉（《浙江學刊》1994年
1期）、王瑞珍〈強盜的惡行－日本侵華時對浙江的經濟掠奪〉（《浙

江黨史》1992年4期）、馮寧甦〈論日本侵華期間對浙江蠶絲的控制和掠奪〉（同上，1995年4期）、中支建設資料整備委員會《浙江省米價變動の研究》（南京，中支建設資料整備事務所，1941）、李守藩〈浙江省於抗戰期中之糧食增產〉（《浙江月刊》18卷6期，民75年6月）、沈士模〈浙江戰時糧食管理問題〉（《勝利週刊》16期，民28年2月）、黃蘭英〈"浙江省戰時物產調整處"述評〉（《浙江學刊》1996年6期）、徐定水〈抗戰初期溫州工商業發展的獨特道路〉（同上，1987年6期）、滿鐵上海事務所調查室編印《嘉興米市慣行概況：米行ヲ中心トシラ》（上海，1942）、興亞院政務部編印《寧波地區實態調查書》（1941年印行）、章均立〈浙東抗幣簡論〉（《東南文化》1995年3期）、林剛〈抗戰中江蘇淪陷區人民的反經濟侵略鬥爭〉（《學海》1995年4期）、笹川裕史〈日中戰爭前後の中國におけ農村土地行政と地域社會——江蘇省を中心に〉（《アジア研究》43卷1號，1996年9月）、陳慈玉〈戰時淪陷下無錫地區的製絲業，1938-1943〉（《中央研究院經濟研究所經濟論文》14卷1期，民75年3月）、滿鐵上海事務所編印《米：無錫米市場を中心として》（上海，1939）、社會經濟調查所編印《無錫米市調查》（東京，生活社，1940）、滿鐵事務所調查室編印《無錫ノ米業關係工人慣行；無錫米市慣行調查ノ補遺（其ノ1）》（上海，1942）及《無錫米市合股例：無錫米市慣行調查'補遺（其ノ2）》（同上）、嚴學熙〈日本對南通大生企業的掠奪〉（載《抗日戰爭史事探索》，上海社會科學院出版社，1988）、周德華〈日侵略者對吳江的糧食掠奪〉（《江蘇歷史檔案》1995年4期）、劉平〈抗日戰爭時期贛南的"工合"運動〉（《江西大學學報》1985年3期）、陳榮華〈抗日戰爭時期江西經濟問題初探〉（載張憲文主編《民國研究》第3輯，1996年1月）、社會經濟調查所《江西糧食調查》（東京，1940）、何友良〈抗戰時期江西糧食徵供情況考察〉（《抗日戰爭研究》1993年2期）、江西省農業院農業經濟科《江西米穀運銷調查》（東京，生活社，1940）、劉東方〈抗戰時期的安徽驛運〉（同上，1993年1期）、唐錫強〈抗戰時期日偽對安徽的經濟掠奪〉（《安徽史學》1994年4期）、中支建設資料整備委員會《安徽北部經濟事情》（南京，中支建設資料整備事務所，1940）、滿鐵上海事務所編印《米：安徽の米》（上海，1940）、社會經濟調查所《蕪湖米市調查》（東京，生活社，1940）、山東省陸軍特務機關編印《山東省農業概況》（1941年印行）、北京大學附設農村經濟研究所編印《山東農業と養畜》（北京，1942）、張喜英〈日本帝國主義對山東農業的掠奪〉（《荷澤師專學報》1993年1期）、厲慧〈抗戰時期日本對山東的經濟侵略〉（《山東師大學報》1994年6期）、張守富、馬福霞〈抗日戰爭時期日本對山東的經濟掠奪〉（《發展論壇》1995年6期）、日支問題研究會編印《山東開發の現狀及其將來》（東京，1940）、陳慈玉〈中日戰爭期間日本對山東煤礦的統制〉（載《第三屆近百年中日關係研討會論文集》下冊，臺北，中央研究院近代史研究所，民85）、東亞研究所編印《山東省の食糧問題》（東京，1940）、北京大學農學院中國農村經濟研究所編印《山西農業と自然》（北京，民30）、內田知行〈山西省日本軍占領地區におけるアヘン管理政策〉（《東洋研究》112號，1994年8月）、林強〈抗戰時期福建省經濟政策初探〉（《黨史研究與教學》1991年5期）、陳秀夔〈福建省戰時財政述要〉（《東方雜誌》37卷12號，民29年6月）、陳希孟〈最近福建省的經濟建設〉（同上，3卷7號，民28年4月）、李國祁〈福建對外海關貿易分析（1912-1939）〉（載《抗戰建國史研討會論文集》下冊，臺北，中央研究院近代史研究所，民74）、李元健〈簡述抗戰時期的連城〝工合〞運動〉（《福建黨史月刊》1991年1期）、楊振亞〈評國民黨在龍岩縣的＂土地改革＂（1941～1947））〉（《南京大學學報》1989年3期）、陳勝鄰〈論日軍侵粵對廣東經濟之影響〉（載《慶祝抗戰勝利五十週年兩岸學術研討會論文集》下冊，民85）、張曉暉〈論抗戰戰略相持階段廣東的對敵經濟反封鎖〉（《暨南學報》1994年4期）、黃菊艷〈日本侵略者對廣東的經濟掠奪與經濟統制〉（《廣東社會科學》1996年4期）、興亞院廣東派遣員事務所編印《廣東食糧問題》（廣州，1942）、徐震洲〈廣東省抗戰期間物價管制的檢討〉（《南華學報》1卷1期，民35）、朱灼林〈抗日戰爭時期廣東省銀行德慶鄉村服務團〉（《西江黨史研究》總58期，1991）、伍禎立〈論西江前線的金融戰〉（《西江前線》第8期，民30年6月）、張曉輝〈抗戰前期的粵港貿易線〉（《廣東社會科學》1995年5期）、陳憲章〈兩年來廣州的金融〉（《珠海學報》第1集，民37年5月）、潘宗武〈抗戰期間的廣西建設研究會〉（《廣西文獻》第4期，民68年4月）、汪頂勝〈抗戰中期蔣、桂財政紛爭之一瞥〉（《歷史教學》1986年12期）、雷國珍〈論抗戰初期湖南的經濟抗戰〉（《湖湘論壇》1995年3期）、傅志明〈抗戰時期企業遷湘概況及對湘南經濟發展之影響〉（《長沙水電師院學報》1987年2期）、朱沛蓮〈抗戰時期之湖南鹽務〉（《湖南文獻》4卷2期，民65年4月）及〈抗戰時期湖南之硝礦〉（同上，5卷1期，民66年1月）、蕭棟梁〈抗戰時期的湖南工礦業〉（《求索》1992年2期）、平漢鐵路管理局經濟調查班《長沙經濟調》（查東京，生活社，1940）、徐凱希〈抗戰時期鄂棉的產銷及特點〉（《湖北方志》1990年3期）、李嚴成〈盧作孚與宜昌大搶運〉（《民國春秋》1996年4期）、李國忠、蔣樹林〈略述日軍對河南的經

濟掠奪〉(《河南黨史研究》1987年5期)、劉世永〈日本侵略者對河南
淪陷區的經濟掠奪〉(《河南大學學報》1988年1期)、朱光彩〈抗戰期
間至勝利後河南水利建設簡述〉(《中原文獻》11卷2期,民68年2月)、
孫子文〈1942－1943年國民黨政府救濟豫災述評〉(《許昌師專學報》
1993年2期)、重慶市檔案館〈豫陝綏寧走私現狀報告書(1939年)〉
(《檔案史料與研究》1995年2期)、吳福環〈抗日戰爭時期新疆的經濟
建設和社會發展〉(《齊齊哈爾師院學報》1995年5期)、彭吉元〈十年
來新疆之財政金融〉(《新新疆(月刊)》創刊號,民32年4月)、李溥霖
〈十年來新疆之經濟建設〉(同上)、倪立保〈抗日戰爭時期的新疆
國際交通線〉(《新疆師大學報》1996年2期)、屈秉基〈抗日戰爭時期
的陝西金融業〉(《陝西財政學院學報》1984年2期)、岳瓏〈抗日時期
的陝西工業〉(《西北大學學報》1989年2期)、王樹槐〈抗戰前後的西
京電廠〉(《國史館館刊》復刊20期,民85年6月)、陳湘坤〈陝北戰前
戰後之商業〉(《陝行彙刊》6卷1期,民31年1月)、孫世珍〈抗日戰爭
時期的陝西公路交通〉(《公路交通編史研究》1986年2期)、田霞〈陝
西公路運輸在抗戰中的作用〉(《抗日戰爭研究》1994年1期)、蔣致潔
〈略論抗戰時期甘肅的工業建設〉(《蘭州學刊》1988年4期)、李世軍
〈抗戰三年的甘肅建設〉(《國貨與實業》1卷2期,民30年2月)、孟非
〈抗戰時期的甘肅貿易〉(《社會科學(甘肅)》1987年6期)、熊德元〈蘭
州五年來(1935－1939)之物價〉(《甘肅科學教育館學報》第2期,民
30年5月)、柴玉英〈抗戰時期蘭州工業發展的概況〉(《西北師院學
報》1987年3期)、徐世華〈抗戰時期隴東工業和手工業〉(同上,1988
年增刊)、力生〈寧夏礦業之過去與現在〉(《新西北月刊》7卷10、11
期合刊,民33年11月)、曉波〈戰時寧夏工業概況〉(同上)、倫祥

文〈抗日戰爭期間日本侵占海南島及其經濟掠奪〉(《歷史教學》1992
年2期）、江口圭一〈日中戰爭期海南島のアヘン生產〉(《愛知大學
國際問題研究所紀要》97號，1992年9月）、蘇雲峰〈從南洋經驗到臺
灣經驗－關於一九四五年以前的海南農業改革〉(載《近代中國農村經
濟史論文集》，臺北，中央研究院近代史研究所，民78）、外務省通商局
編印《海南島農業調查報告》(1940年印行）。靳繼唐〈長江沿岸淪
陷都市經濟情形〉(《東方雜誌》36卷12號，民28年6月）。湯心儀〈上
海之戰時經濟〉(載周開慶編《民國經濟史》，臺北，華文書局，民56)及
〈上海之金融市場〉(載王季深編《戰時上海經濟》第1輯，上海，上海經
濟研究所，民34）、戰地黨政委員會機要組〈太平洋戰爭前之上海金
融界〉(《經濟月報》第5期，民31年3月）、寒芷《戰時上海の金融》
（東京，東亞研究所，1942）、單冠初〈抗戰時期國民政府與日偽在上
海的金融戰〉(《抗日戰爭研究》1994年3期）、盧豫冬〈上海民族工業
的浩劫〉(《東方雜誌》37卷1號，民29年6月）、成豪〈戰時上海躉物
售價指數〉(同上，35卷8號，民27年4月）、王克文著、徐有威、浦
建興譯〈通敵者與資本家：戰時上海〝物資統制〞的一個側面〉
(《檔案與史學》1996年2期）、黃漢民〈抗戰時期上海企業公司的興起
與蛻變〉(《學術月刊》1994年10期）、袁燮銘〈上海孤島與大後方的
貿易〉(《抗日戰爭研究》1994年3期）、古廄忠夫〈日中戰爭と上海民
族資本〉(載《傳統的經濟社會の歷史的展開》下卷，東京，時潮社，
1983）、葛自振編《民國廿九年上半期上海之經濟與商業》(上海，
中國商報館，民29）、中國經濟研究所〈十年來之上海批發物價指數〉
(《經濟評論》1卷1期，民36年4月）、任榮〈汪偽統治時期的上海房地
產業〉(《民國檔案》1994年3期）、潘君祥〈1937-1945年期間上海商

業企業的圖存活動－以永安公司和協大祥綢布店為例〉(《近代中國》第5輯，上海社會科學院出版社，1995年6月）、孫果達〈抗戰初期上海民營工廠的內遷〉(《近代史研究》1985年4期）、吳相湘〈上海工廠內遷〉(《傳記文學》46卷3期，民74年3月）、鄭青〈上海中國國貨公司在戰時後方〉(《檔案與歷史》1987年3期）、社會經濟調查所《上海米市調查》(東京，生活社，1940）、滿鐵上海事務所編印《米：上海米市場調查》(上海，1940）、近藤鶩《上海地區最近の經濟事情》(1942年印行）、上海日本商工會議所編印《上海經濟提要》(上海，1940）、杉村廣藏《支那‧上海の經濟的諸相》(東京，岩波書店，1942）、滿鐵上海事務所調查室編印《歐洲戰亂卜上海經濟界》(上海，1939）、榮國章〈抗戰時期日本侵略者在北平的經濟掠奪和壓榨〉(《北京社會科學》1991年3期）、曹必宏編寫〈1935～1943年日本在北平地區重要企業一覽〉(《北京檔案史料》1990年4期）、周俊旗〈簡論抗日戰爭時期天津城市經濟功能的轉向〉(《天津社會科學》1989年4期）、陳中平〈抗日時期武漢淪陷區的敵偽財經設施〉(《湖北文獻》第7期，民57）。王聿均〈抗戰時期西北經濟開發問題〉(載《中華民國建國史討論集》第4冊，民70）、羅家倫等《西北建設考察團報告》(臺北，中華民國史料研究中心影印，民57）、陳正卿、趙剛〈抗戰時期國民黨政府西北投資活動述論〉(《歷史檔案》1989年1期）、高平叔〈西北工業建設現況及其前途〉(《經濟建設季刊》1卷4期，民32年4月）、王致中〈抗日戰爭時期的西北城市工業〉(《蘭州學刊》1989年3期）、菊池一隆〈西北區工業合作運動關係者に對するインタビュー：抗日戰爭時期，國共內戰期，そして現在〉(《アジア經濟》33卷5號，1992年5月）、李宗植〈西北工合運動述略〉(《西北大學學報》1983年3期）、

蔣孝廉〈發展戰時西北羊毛業之研究〉(《西北角》6卷3、4期合刊，民
31年10月）、王化南〈抗戰建國期中西北養羊事業之重要性〉(《西
北論衡》8卷3、4期，民29年2月）、劉興朝〈抗戰時期之西北林業〉
（同上，9卷8期，民30年8月）、沈社榮〈抗戰時期的西北建設問題〉
(《固原師專學報》1995年4期）、趙效沂〈營建西北驛站的故事〉(《傳
記文學》27卷6期，民64年12月）、洪喜美〈抗戰時期西北之驛運〉(《國
史館館刊》復刊第8期，民79年6月）、王龍耿〈偽蒙疆時期（1937－
1945）經濟的殖民地化〉(《內蒙古社會科學》1988年2期）、江口圭一
編著《資料：日中戰爭期阿片政策－蒙疆政權を中心に》(東京，岩
波書店，1985）、康民〈抗戰時期的絲綢之路〉(《天水學刊》1991年4
期）、陝西省銀行經濟研究室編印《抗戰六年來西安物價專刊：廿
六年六月至卅一年十二月》(民32年序）、王銳〈抗日戰爭的基本經
驗及其對發展黑河經濟的借鑒指導作用〉(《黑河學刊》1995年6期）、
郭靜洲〈華北、華中地區的中日貨幣戰〉(《東南文化》1995年3期）、
日本商工會議所編印《北中支及ビ蒙疆ニ於クル物價趨勢》(東京，
1941）及《北中支に於ける輸入配給統制》(同上）、王士花〈日本
侵華戰爭時期對華北工礦資源的掠奪〉(《抗日戰爭研究》1993年1期）、
陳慈玉〈戰時日本對華北煤礦的統制（1937-1945）－以太原集團
和膠濟集團為例〉(《中央研究院近代史研究所集刊》24期下冊，民84年6
月）、居之芬主編《日本對華北經濟的掠奪和統制：華北淪陷區資
料選編》(北京，北京出版社，1995）、曾業英〈日本對華北淪陷區的
金融控制與掠奪〉(《抗日戰爭研究》1994年1期）、居之芬〈抗戰時期
日本對華北經濟的統制和掠奪〉(《黨史文匯》1995年2期）、開田龜夫
《北支五省に於ける食糧問題》(東京，興亞院，1940）、興亞院華北

連絡部政務局調查所編印《華北各地二於ケル糧穀取引機構ノ調查》
（東京，1940）、馬黎元〈戰時華北農作物生產及日偽對糧食之掠奪〉
（《社會科學雜誌》10卷1期，民37年6月）、佟哲暉〈戰時華北礦業〉（同
上）、中村隆英《戰時日本の華北經濟支配》（東京，山川出版社，
1983）、張利民〈論日本對華北經濟方針的制定〉（《歷史教學》1996
年9期）、汪馥蓀〈戰時華北工業資本就業與生產〉（《社會科學雜誌》
9卷2期，民36年12月）；〈華北に於ける通貨竝物價の現況〉（《調
查月報》2卷5號，1941年5月）、山口正吾〈北支に於ける貨幣と價
格〉（《滿洲評論》16卷19號，1939年5月）、高橋泰藏〈北支物價の特
殊性と法幣ルートへの依存關係〉（《一橋論叢》5卷1號，1940年1月）；
〈北支の通貨問題〉（《新國策》4卷9號，1940年3月）；〈北支貨幣制
度の問題－中國聯合準備銀行の成立まて〉（《東亞商工經濟》2卷3號，
1938年3月）、二宮丁三〈中國聯合準備銀行の設立及び其の業績
（一）〉（《東亞經濟研究》23卷2號，1939年3月）、山崎廣明〈戰時下
における在華北日本紡績會社の經營動向に關する覺書〉（《社會科學
研究》28卷4、5號，1977年3月）、陳慈玉〈戰時日本對華北煤礦的
統制〉（《中央研究院近代史研究所集刊》24期下冊，民84年6月）、王士
花〈日偽華北交通股份有限公司及其交通統制〉（《歷史研究》1996年
3期）、姚賢鎬〈戰時華北對外貿易結構的變動〉（《經濟評論》3卷15、
16期，民37年7月）、汪馥蓀〈戰時華北工業生產指數〉（同上，2卷
14期，民37年1月）、東亞研究所編印《北支農村に於ける慣行概說》
（東京，1944）、滿鐵調查部《北支那の農業と經濟》（2冊，東京，
1943）、興亞院華北連絡部編印《北支の農具事情に關る調查》（1942
年印行）、華北產業科學研究所、華北農事試驗場編印《北支の農

具に關する調查》(1942年印行)、興亞院華北連絡部編印《北支棉
作經營調查》(1941年印行)、村上捨己《北支農業經營論：特に棉
花生產と合作社の問題を中心として》(東京，日光書院，1942)、八
卷佳子〈華北における為民合作社運動〉(《第三文明》171號，1975年
5月)、岡田勝美《北支開發の諸問題》(油印本，1938)、東亞研究
所編印《經濟に關する支那慣行調查報告書：特に北支における小
作制度》(東京，1943)、郭靜洲〈華北、華中地區的中日貨幣戰〉(《東
南文化》1995年3期)。吉田政治〈中支の通貨對策〉(《國策研究會週
報》4卷15號，1942年4月)、三好四郎〈日本軍占領下における華
中秈稻地區農村實態調查報告〉(《愛知大學國際問題研究所紀要》29
號，1960年3月)、滿鐵上海事務所編印《中支占領地區農業經濟概
觀》(上海，1938)、興亞院華中連絡部編印《中支重要國防資源食
糧作物調查報告書》(1940年印行)、中村政則、高村直助、小林英
夫編著《戰時華中の物資動員と軍票》(東京，多賀出版，1994)、袁
愈佺〈日寇加強掠奪華中戰略物資炮製"商統會"經過〉(《檔案與歷
史》1986年4期)、中支那振興株式會社調查部編印《中支に於ける
土產物收買機構の現狀》(東京，1942)、黃美真〈華中振興公司：
抗日時期日本控制華中淪陷區產業的壟斷機構〉(載《慶祝抗戰勝利五
十週年海峽兩岸學術研討會論文集》下冊，臺北，近代史學會，民85)、陳
鐵健、王士花〈抗日戰爭時期日偽在華中華南的金融統制〉(同
上)、土屋計左右〈中南支に於ける軍票の引揚に就いて〉(《國策研
究會週報》5卷14號，1943年4月)、興亞院政務部編印《重慶政府の
西南經濟建設狀況》(1940年印行)、在上海日本總領事館特別調查
班編印《西南支那經濟建設の諸問題》(上海，1939)、何一民〈抗

戰時期〝西進運動〞與西南城市的發展〉(《成都黨史》1995年6期)、
周天豹《抗日戰爭時期西南經濟發展概述》(重慶,西南師大出版社,
1988)、黃立人〈抗日戰爭時期國民黨政府開發西南的歷史考評〉
(《雲南教育學院學報》1985年4期)、黃立人、周天豹〈抗戰時期國民
黨政府開發西南的歷史評考〉(《歷史檔案》1986年2、3期)、何一民
〈抗戰時期西南的經濟發展與人口變動〉(載《慶祝抗戰勝利五十週年海
峽兩岸學術研討會論文集》下冊,臺北,民85)、唐凌〈論抗戰時期西南
礦業生產布局的形成〉(《玉林師專學報》1994年2期)、初明〈抗戰期
間西南後方冶金工業簡述〉(《民國檔案》1988年2期)、徐朝鑒主編
《抗戰時期西南的金融》(重慶,西南師大出版社,1994)、黃泓〈抗戰
時期開發西南農業的歷史考察〉(《開發研究》1986年5期)、王成祖
〈抗戰期中推進西南墾荒之商榷〉(《東方雜誌》35卷15號,民27年8
月)、王文萱編著《戰時移墾邊疆問題》(重慶,正中書局,民28)、
高村直助〈日中戰爭と在華紡〉(載井上清、衛藤瀋吉編著《日中戰爭と
日中關係》,東京,原書房,1988)、薛毅〈抗戰時期的英商福公司〉
(《抗日戰爭研究》1993年1期)、白吉爾(Marie-Claire Bergére)〈中國的
民族企業與中日戰爭:榮家申新紡織廠〉(載《民國檔案與民國史學術
討論會論文集》,北京,檔案出版社,1988)、陳運澤等〈〝永久黃化
工集團〞在抗日戰爭中的貢獻〉(《歷史教學》1992年2期)、方志炎、
宇業金〈抗日戰爭年代的〝淮北地方銀號〞〉(《淮北煤師院學報》1985
年2期)、王洪恩、曲傳林〈日本帝國主義殖民統治時期的大連福昌
華工株式會社〉(《遼寧師大學報》1986年6期)、林滿紅〈臺灣與東北
間的貿易(1932-1940)〉(《中央研究院近代史研究所集刊》24期下冊,民
84)。又國民黨黨史會編印《中華民國重要史料初編-對日抗戰時

期·第四編：戰時建設》(4冊,臺北,民70),內容亦多與戰時經濟
相關。

㈥戰時社會

有許倬雲〈戰前與戰時社會的比較〉(載《抗戰勝利的代價－抗戰
勝利四十週年學術論文集》,臺北,聯經出版事業公司,民75)、史滇生
〈抗日戰爭和中國社會的近代化〉(《安徽史學》1995年2期)、張靜如
〈抗日戰爭與中國社會現代化〉(《北京師大學報》1995年4期)、安川
浩司《抗日戰爭期に於ける中國社會について》(立命館大學史學科碩
士論文,1993)、郭行洲〈抗日戰爭與中國社會進步〉(《蕪湖師專學
報》1995年4期)、何理、冷亞南〈抗日戰爭與中國社會進步：國防
大學教授何理少將訪談錄〉(《當代世界與社會主義》1995年3期)、謝
寶生〈略論二戰時期關于中國社會性質問題的論戰〉(《上饒師專學報》
1985年3期)、沈謙芳〈抗日戰爭與中國社會的變革：彭明教授訪談
錄〉(《探索與爭鳴》1995年6期)、國民黨黨史會編印《革命文獻,第
96－101輯：抗戰建國史料－社會建設(一)－(六)》(6冊,臺北,
民73);《抗戰中的社會問題》(戰時綜合叢書,重慶,獨立出版社,民
27)、陳端志《抗戰與社會問題》(長沙,商務印書館,民27)、呂士
朋〈抗戰時期的社會情勢〉(《近代中國》60期,民76年8月)及〈抗戰
時期的社會動員〉(載《慶祝抗戰勝利五十週年兩岸學術研討會論文集》下
冊,臺北,近代史學會,民85)、李長貴〈抗戰時期的社會運動〉(《近
代中國》35期,民72年6月)、池田誠編《抗日戰爭と中國民眾－中
國ナショナリズムと民主主義》(東京,法律文化社,1987;其中譯本為
篤良譯《抗日戰爭與中國民眾》,北京,求實出版社,1989)、現代史學

會編《季刊現代史6-日中戰爭の全面擴大と民眾動員の展開37-38》
（東京，現代史の會，1975）、楊中〈戲曲作品與抗日戰爭中的民眾動
員〉（《當代電大》1992年4期）、中國國民黨浙江省執行委員會訓練部
編印《五年來之浙江省民運概略》（2冊，杭州，民28）、貫井美都子
〈太平洋戰爭下における中國人強制連行と抵抗〉（《歷史評論》217
號，1968年9月）、張天任〈抗戰時期的新生活運動（1937-1945）〉
（《近代中國》48期，民74年8月）、何思眯〈新生活運動促進總會婦女
指導委員會之研究(民國二十五年至三十四年)〉（《國史館館刊》復刊
第9期，民79年12月）。陳嬈、李玲〈眾志成城，牢不可破：各階級
在抗日戰爭中的表現〉（《佳木斯師專學報》1996年1期）、王建吾〈論
民族資產階級在抗日戰爭中的歷史地位〉（《河南社會科學》1995年4
期）、聞黎明〈1944年：中國社會的歷史性轉捩：兼論民族工商業
者〝問政〞的原因〉（《近代史研究》1995年4期）、李玉榮〈試述抗日
戰爭時期民族資產階級的經濟地位〉（《歷史教學》1990年5期）、小倉
芳彥《抗日戰下の中國知識人》（東京，筑摩書房，1987）、王金鋙《抗
戰時期的中國知識分子》（北京，中國社會科學出版社，1996）、李侃
〈抗日戰爭與知識分子〉（《抗日戰爭研究》1993年1期）、劉惠璇〈抗
戰時期知識份子的困境－以西南聯大師生為主體的研究〉（《警專學
報》1卷3期，民79年6月）、魏繼昆〈論國統區抗日知識分子在抗戰
理論上的貢獻〉（《社會科學戰線》1996年6期）、周維生〈試論抗戰時
期知識分子的愛國特點和作用：紀念抗日戰爭勝利五十周年〉（《廣
西教育學院學報》1996年3、4期）、水羽信男〈抗日知識人の對國民
黨認識に關する覺書－抗日をめぐる內外政策を中心として〉（《廣
島大學東洋史研究室報告》第6號，1984年9月）、朱文長〈抗戰時期之

民心士氣與知識分子〉(載《抗戰勝利的代價－抗戰勝利四十週年學術論文集》，臺北，民75） John Israel, Random Notes on Wartime China Intellectuals.(Republican China, Vol.9, No.3, April 1984) 、 Fu Po-shek, Passivity, Resistance and Collaboration: Intellectual Choices in Occupied Shanghai, 1937-1945.(Stanford, Calif.: Stanford University Press, 1993），作者將淪陷時期的上海知識分子分成「消極」、「抗日」、「通敵」三種類型，分別加以析論，足以反映出當時上海在某個方面的實相；聶祖海〈抗戰時期革命知識分子在湘西的歷史作用〉(《吉首大學學報》1987年2期）、張遐民〈綏遠文人抗日記〉(《綏遠文獻》創刊號，民66年12月）、王奇生《留學與救國－抗戰時期海外學人群像》(桂林，廣西師大出版社，1996）、杉本雅子〈抗戰時期の文學者〉(《中國文化論叢》(帝塚山大學中國文化研究會印行) 第1號，1992年3月）、Edward Mansfield Gunn, Jr. "Chinese Writers Under Japanese Occupation （1937-1945）" （Report on Research in Progress, Columbia University, Sept. 1976) 、 王峰《抗戰與青年》(抗戰研究社，民27）、李相久〈試論青年在抗日救亡運動中的作用〉《青年論叢》1995年2期）、國民黨黨史會編印《革命文獻·第62、63輯：抗戰時期之青年活動》(臺北，民62）、共青團中央、陝西等青運史研究室《抗日戰爭時期青年運動專題論文集》(延吉，延邊大學出版社，1988）、王河〈抗日戰爭初期的青年救國團〉(《青年運動學刊》1987年2期）、劉曉寧〈抗日民族統一戰線的產物：第五戰區抗日青年學生軍團〉(同上）、程昭星〈鮮為人知的「中華青年抗日除奸團」〉(《文史雜誌》1992年4期）、劉西淼〈抗日初期的舞陽縣青年救國會〉(《許昌師專學報》1986年2期）、王勝軍〈抗戰初期的武漢青年救國團〉(《青運史研究》1983年3期）、徐永昭、劉重陽編《武漢青年抗日救亡史》（武漢，武漢工業大學出版社，1990）、黃啟後〈抗日戰爭時期雲南青年運動述略〉（《昆明師專學報》1995年2期）、中共臺山縣委黨史辦公室編《抗戰烽火中的臺山青年－抗日戰爭時期臺山青年運動史資料選輯》（1987年印行）、金東和、金永柱〈試論東北朝鮮族青年在抗日鬥爭中的歷史作用〉（《延邊大學學報》1988年3期）、孫宅巍〈抗戰初期南京青年的英勇鬥爭〉（《青年運動學刊》1987年2期）、朱寶琴〈上海青年學生的一場反汪除奸鬥爭（同上）〉、中共上海市委黨史資料研究委員會編《抗日戰爭時期上海學生運動史》（上海，上海翻譯出版社，1991）、姚蒸民〈陪都學生運動之回顧〉（《四川文獻》124期，民61年12月）、民役部編印《學生從軍紀實》（民34年印行）、飯沼博一〈日中戰爭期における學生運動の一事例・春川常綠會事件〉（《東洋史訪》第1號，1995年3月）、石盧〈廣西學生軍在安徽抗日活動述略〉（《安徽省委黨校學報》1988年1期）、周聖亮〈廣西學生軍黨支部與安徽敵後抗日運動〉（《理論建設》1995年3期）、王奇生〈抗戰期間留學生群像初探〉（《《近代史研究》1989年4期》）、孫越〈留日女學生的抗戰活動〉（《山西師大學報》1995年3期）、羅登義〈戰時大學生的營養問題〉（《東方雜誌》39卷2號，民32年3月）、全國婦聯會編《抗日烽火中的搖籃——紀念中國戰時兒童保育會文選》（北京，中國婦女出版社，1991），全書分為紀念戰時兒童保育會50周年、發起與籌辦、戰時兒童保育會的成立、宣傳與募捐、搶救與運送難童、建院與保育、深情的回憶、附錄八個單元，共收錄相關文章65篇；中國第二歷史檔案館張海梅選編〈戰時兒童保育會史料一組〉（《民國檔案》1996年4期）、曹蓉〈中國戰時兒童保育會：鮮為人知的

統一戰線實體〉(《文史雜志》1996年4期)、楊小毅〈戰時兒童保育
會〉(《武漢春秋》1984年2期)、王孟梅〈抗戰時期的兒童保育〉(《雲
林技術學院學報》第1期,民81)、彭慧〈戰時兒童保育問題〉(《東方
雜誌》35卷3號,民27年2月)、陸傳籍〈戰時兒童的養護問題〉(同
上,36卷1號,民28年1月)〈淪陷區域內的兒童之搶救和教育問題〉
(同上,36卷7號,民28年4月)、〈辦理戰時兒童保育院的幾個實際
問題〉(同上,36卷13號,民28年7月)及〈怎樣辦理戰時兒童保育院〉
(《東方雜誌》35卷19號,民27年10月)、黃薔薇〈戰時難童保育之具
體方案〉(同上,36卷22號,民28年11月)、梁惠錦〈戰時兒童保育
會(民國二十七年三月至三十四年九月)〉(《中華民國史專題論文集:
第一屆討論會,臺北,國史館,民81》及〈抗戰時期的廣東兒童教養院〉
(《中華民國史專題論文集:第二屆討論會》,同上,民82)、賀凌虛〈抗
戰期間的廣東兒童教養院〉(《近代中國》98期,民82年12月)、林宛
文〈兒童保育在廣東〉(《東方雜誌》35卷11號,民27年6月)、陳家璋
〈記陪都重慶全國兒童福利展覽會——謹以此文紀念谷正綱先生逝
世週年〉(《傳記文學》65卷6期,民83年12月)、陳德賢〈抗日戰爭中
的中國婦女〉(《寧夏大學學報》1996年1期)、暢引婷〈婦女在抗日戰
爭中的地位和作用〉(《山西師大學報》1995年3期)、劉巨才〈抗日戰
爭時期中國婦女的偉大作用〉(《婦女史研究論叢》1995年3期)、徐萬
發〈論婦女在抗日戰爭中的歷史作用〉(《西藏民族學院學報》1995年3
期)、笠原十九司〈中國女性にとつての日中十五年戰爭〉(《季刊中
國》26號,1991年秋季號),其中譯文為〈日中戰爭十五年與中國女
性〉(《抗日戰爭研究》1993年4期)、曾苑〈抗戰期中婦女生活的改善〉
(《東方雜誌》35卷13號,民27年7月)、周亞平〈抗日戰爭與中國婦女

的新覺醒〉(《湖南師大學報》1995年5期)、苟翠屏〈《新華日報》與
國統區婦女爭取和平民主的鬥爭〉(《西南師大學報》1994年3期)、文
宣〈八年來的中國婦女運動〉(《民主周刊》2卷2期,民34年7月)、志
芳〈戰時的婦女生產工作〉(《東方雜誌》36卷3號,民28年2月)、王
孟梅《抗戰時期的婦女工作》(東海大學歷史研究所碩士論文,民78年12
月)、呂芳上〈抗戰時期的婦運工作〉(《東海歷史學報》第1期,民66
年4月)、梁惠錦〈抗戰時期的婦女組織〉(《國史館館刊》復刊第2期,
民76年6月)及〈抗戰時期的婦女工作幹部訓練〉(同上,第3期,民
76年12月)、武錦蓮〈抗戰前期的「婦指會」及其活動〉(《上海師大
學報》1989年2期)、毛曉敏、唐洪英〈抗日時期全國婦女界廬山談
話會〉(《歷史知識》1986年2期)、陳庭珍編《抗戰以來婦女問題言
論集》(民34年初版;臺北,國民黨黨史會影印,民65)、、呂芳上〈婦
女與抗戰的歷史研究〉(《近代中國》107期,民84年6月)及〈抗戰時
期的女權辯論〉(《近代中國婦女史研究》第2期,民83年6月)、Alice
Renouf, A Comparative Study of Economic, Political and Social Role
of the Chinese Women in Chungking and Yenan During the Sino-Japa-
nese War. (Ph. D. Dissertation, University of Colorado, 1977)、何為〈抗
戰時期重慶婦女民主憲政運動〉(《重慶黨史研究資料》1986年4期)、
尚明軒〈宋慶齡與抗戰時期的婦女運動〉(《抗日戰爭研究》1995年4
期)、全相洙〈圖們地區婦女在抗日鬥爭中的作用和貢獻〉(《革命春
秋》1992年3期)、袁杰彬〈抗日戰爭時期的華中婦女〉(載馬洪武、
陳鶴錦主編《紅旗十月滿天飛》,南京,江蘇人民出版社,1990)、詹永
媛、李繼東〈抗戰時期廣西的婦女運動〉(《廣西社會科學》1993年2
期)、梧州市中共黨史學會〈抗戰中的梧州婦女〉(《廣西黨史》1995

年6期）、周桂花〈論東江婦女在抗戰中的歷史作用〉（《廣東社會科學》1995年6期）、廣東婦女運動歷史資料編纂委員會編《抗日戰爭時期的廣東婦女運動》（廣州，廣東人民出版社，1985）、張寶裕〈抗日戰爭時期新疆的婦女運動〉（《新疆大學學報》1988年2期）、汪盛富〈抗戰時期鄂東婦女的抗敵鬥爭〉（《黃岡師專學報》1993年3期）、李曉晨〈華北農村婦女對抗戰的貢獻〉（《河北師院學報》1995年4期）、濱田麻天〈女性作家における淪陷期上海の日常と矛盾〉（《野草》52號，1993年8月）、惲逸群《抗戰與農民》（大時代出版社，民26）、何友良〈略論中國農民與抗日戰爭〉（《抗日戰爭研究》1995年增刊）、榮孝民〈論農民在抗日戰爭中的地位和作用〉（《山東醫科大學學報》1989年2期）、張秀麗〈農民在抗戰中的貢獻〉（《北京黨史研究》1995年5期）、易勞逸〈農民、農稅與國民政府（1937～1945）〉（載《中華民國建國史討論集》第4冊，臺北，民70）、魏宏運〈抗戰第一年的華北農民〉（《抗日戰爭研究》1993年1期）、朱德新〈試論抗戰時期的冀東農民〉（《中山大學學報》1995年3期）、〈三四十年代冀東農民的政治參與意識〉（《歷史教學》1994年4期）及〈日偽對冀東農民的精神侵略〉（《抗日戰爭研究》1995年3期）、陳慈玉〈戰時日本煤業統制下的華北礦工〉（載《中華民國史專題 論文集：第三屆討論會》，臺北，民85）、何天義主編《日本刺刀下的中國勞工》（4冊，北京，新華出版社，1995）、王佩璉〈日本軍國主義鐵蹄下的中國勞工〉（《瞭望》1995年33期）、趙寧、賈雪紅〈日本關東軍的對蘇戰略與苦難的中國勞工〉（《北方文物》1995年3期）、姚國平〈抗日戰爭時期南口工廠的工人民兵活動〉（《北京黨史研究》1995年5期）、黃美真〈淪陷時期的上海工運〉（《歷史研究》1994年4期）、饒景英〈上海淪陷時期〝偽工會〞述評〉（《史林》1994年4期）、朱敏彥〈抗戰時期〝工會〞運動的歷史作用〉（《上海師大學報》1995年3期）、宮韻史〈1937年-1945年間國民黨統治區工人階級狀況〉（《歷史研究》1960年3期）、齊武《抗日戰爭時期的中國工人運動史稿》（北京，人民出版社，1986）、居之芬〈抗日戰爭中華北勞工的傷亡人數〉（《津圖學刊》1995年3期）及〈抗日戰爭時期日本〉及〈抗日戰爭時期日本對華北淪陷區勞工的劫掠、和摧殘〉（《中共黨史研究》1994年4期）、黃淑君《抗戰時期重慶工人運動史》（重慶，內部發行，1995）、侯坤宏〈由緝私到暴動：民國三十三年四川江油縣中壩鎮「三二八」事件〉（載《慶祝抗戰勝利五十週年兩岸學術研討會論文集》下冊，臺北，近代史學會，民85）、賴光臨〈抗戰時期軍事記者的角色與地位〉（載《抗戰建國史研討會論文集，1937－1945》下冊，臺北，中央研究院近代史研究所，民74）、麥金農（Stephen R. Mackinnen）〈美國記者與戰時中國（1937－1945）〉（載《民國檔案與民國史學術討論會論文集》，北京，檔案出版社，1988）、Chen Yung-fa（陳永發），〝The Wartime Bandits and Their Local Rivals: Bandits and Secret Societies〞（In Select Papers from the Centet for Far Eastern Studies, No.3, 1978-1979, The University of Chicago, 1979）、三谷孝〈抗日戰爭中的紅槍會〉（載南開大學歷史系中國近現代史教研室編《中外學者論抗日根據地史國際學術討論會論文集》，北京，檔案出版社，1993）、同友〈略論抗戰前後太湖土匪的分化和演變〉（《江蘇教育學院學報》1995年3期）、喬培華〈日軍對天門會的懷柔政策及其破產〉（《史學月刊》1992年1期）及〈冀魯豫抗日根據地與天門會〉（《歷史教學》1992年7期）、三谷孝〈天門會再考－現代中國民間結社の一考察〉（《社會學研究》（一橋大學）34號，1995年12月）、俞洒章《抗日戰爭時期澄西地區的大刀會》(北京，中國社會出版社，1995)、蔣順興〈一九四五年春江南先天道群眾暴動〉(載《抗日戰爭史事探索》，上海，上海社會科學院出版社，1988)、馬烈〈抗日戰爭中的宗教界〉(同上)、查時傑〈抗戰時期的基督教會(1937-1945)〉(載《中華民國建國八十年學術論集》第3冊，臺北，民81)、孟曙初〈抗日戰爭時期傳教士活動述評〉(《求索》1990年2期)、 Timothy Brook, "Toward Independence: Christianity in China Under the Japanese Occupation, 1937-1945."(In Daniel H. Bays, ed., Christianity in China: From the Eighteenth Century to Present, Stanford University Press, 1996)、中國第二歷史檔案館藏、孫永鑫等選編〈抗戰初期佛教徒參加抗日救亡活動史料選〉(《民國檔案》1996年3、4期)、顧衛民〈國難與中國基督徒〉(《史林》1995年2期)、何明棟〈抗日戰爭中的中國佛教徒〉(《江西社會科學》1995年7期)、馬彥瑞〈回族在中國抗日戰爭中的貢獻〉(《回族研究》1996年2期)、霍維洮〈回族與抗戰〉(《寧夏社會科學》1995年5期)、東錫紅〈愛國主義精神特徵與回族民族凝聚力的雙重印證－回族抗日救亡行為的深層剖析〉(同上)、麻健敏〈回族全面投身抗戰及其歷史意義〉(《福建論壇》1995年4期)、丹楊〈抗日戰爭前後的回族青年運動〉(《回族研究》1995年3期)、哈寶信〈上海回族抗日救亡運動述略〉(同上，1995年4期)、答根益〈湖南回族人民抗日救亡鬥爭述略〉(《民族論壇》1991年1期)、謝生忠等〈海固回民1938～1941年三次起義始末〉(《寧夏大學學報》1981年1期)、馬鐵軍〈河北丘縣回民抗日述略〉(《回族研究》1993年1期)、李松茂〈全面研究回民抗日的歷史〉(同上，1991年2期)、彭清洲、沈桂萍〈湘西各族人民的抗日救亡鬥爭〉(《中南民族學院學報》1993年3期)、劉世彬

〈水族人民英勇抗日的歷史意義〉(《黔南民族師專學報》1995年2期）、
李鶴群〈黔南事變與水族人民的抗日鬥爭〉(同上，1985年2期）、程
昭星〈"黔南事變"中貴州黔南地區少數民族的抗敵鬥爭〉(《貴州民
族研究》1985年4期）、張才良〈"黔南事變"中各族人民抗敵鬥爭的
歷史特點〉(《貴州師大學報》1989年2期）、孫日錕〈黔南事變始末〉
(《貴州文史叢刊》1985年3期）、楊敏〈中共在"黔南事變"中的鮮明
立場〉(《黔南民族師專學報》1995年2期）、何長風〈"黔東事變"述
論〉(《貴州民族研究》1986年4期）、石中光〈抗戰時期黔東湘西民變
述詳〉(《懷化師專學報》1996年2期）、李道生〈怒江各族民眾對抗戰
的支援〉(《民族工作》1995年8期）、朱德普〈滇西各族人民在抗日戰
爭中的巨大貢獻〉(《中南民族學院學報》1995年5期）、唐蓓〈略述藏
族人民對抗日戰爭的貢獻〉(《西北民族學院學報》1995年3期）、袁曉
文、陶利輝〈四川藏族對抗日戰爭的貢獻〉(《西南民族學院學報》1995
年5期）、朱揚桂、高新生〈新疆各族人民在抗日戰爭中的貢獻〉(《新
疆大學學報》1985年5期）、寺島英明〈戰間期新疆の少數民族問題─
─盛世才時代を中心に〉(《社會文化史學》20號，1983年9月）、袁林
〈雲南各族人民在抗日戰爭中的貢獻〉(《中央民族學院學報》1992年2
期）、朱德普〈滇西各族人民在抗日戰爭中的巨大貢獻〉(《中南民族
學院學報》1995年5期）、畢清〈抗日戰爭時期海南島各族人民的抗
日戰爭〉(《廣東民族學院學報》1995年2期）、劉美崧〈海南各族人民
的抗日救亡鬥爭〉(《中南民族學院學報》1995年6期）、段超〈土家族
人民在抗日戰爭中的貢獻〉(同上）、汪梅琪〈抗戰時期少數民族的
英勇鬥爭〉(《近代史研究》1988年3期）、于世清、龔文友〈我國少數
民族對抗戰的貢獻〉(《南通學刊》1995年3期）、張月桂〈少數民族在

抗日戰爭中的貢獻〉(《奮進》1995年5期)、王戰英〈我國少數民族的抗日戰爭勝利的貢獻〉(《淮海文匯》1995年7期)、烏爾希葉夫〈我國少數民族在抗日戰爭中的貢獻〉(《內蒙古社會科學》1985年5期)、于清〈黃河在怒吼：少數民族在抗日戰爭中〉(《黨史縱橫》1995年8期)、李資源〈中國少數民族對世界反法西斯戰爭的特殊貢獻〉(《黨史天地》1995年11期)及〈抗戰時期我國少數民族的抗日鬥爭〉(《中南民族學院學報》1985年4期)、古清堯〈黑龍江以南沿江少數民族的抗日業績〉(《中央民族大學學報》1996年1期)及〈抗日戰爭中的滿族人民〉(《滿族研究》1995年3期)、程昭星〈抗戰中的黎族人民〉(《民族研究》1995年5期)、呂芳上〈另一種"偽組織"：抗戰時期婚姻與家庭問題初探〉(《近代中國婦女史研究》第3期，民84年8月)、陳清敏〈抗戰時期社會救濟的行政規定與措施〉(《中華民國史專題論文集：第二屆討論會》，臺北，民82)、張秉輝《抗戰與救濟事業》(長沙，商務印書館，民27)、馮敏〈抗戰時期難童救濟教養工作概述〉(《民國檔案》1995年3期)、莊焜明〈抗戰時期我國難民難童之救濟〉(《新埔學報》第3期，民67年4月)、孫艷魁〈試論抗戰期間國民政府的難民救濟工作〉(《抗日戰爭研究》1993年1期)、野澤豐〈日中戰爭のなか難民問題〉(《歷史評論》269號，1972年11月)、劉敬坤〈抗戰史研究中一個被忽略的課題－我國抗戰時人口西遷與難民問題〉(《民國春秋》1995年4期)、蘇華〈抗戰時期難童的異常心理問題〉(《民國檔案》1995年3期)、陳佩蘭〈由戰區難童的教養談到中國兒童保育的實際〉(《教育雜誌》30卷1號，民29年1月)、孫艷魁《苦難的人流－抗戰時期的難民》(桂林，廣西師大出版社，1994)及〈試論抗日戰爭時期難民西遷的社會影響〉(《廣東社會科學》1994年5期)及〈抗日戰爭時期難民墾荒問題述略〉(《民國檔案》1995年2期)、符滌塵〈抗戰中救濟難民問題〉(《東方雜誌》35卷24號，民27年12月)、孫艷魁〈抗戰初武漢難民救濟芻議〉(《江漢論壇》1996年6期)及〈抗戰時期難民群體初探〉(《民國檔案1991年2期》)、林真〈抗戰時期福建的臺灣難民問題〉(《臺灣研究集刊》1994年2期)、李正華〈湘桂敗退與西南難民潮〉(《歷史教學》1994年4期)、劉君、冉光榮〈抗戰時期四川〝民變〞初析〉(《檔案史料與研究》1990年4期)、聶祖海〈試論抗戰時期湘民民變的主要特點〉(《吉首大學學報》1985年4期)、熊宗仁〈抗日戰爭時期貴州農村的抗暴鬥爭〉(《貴州史料叢刊》1986年2期)、王懿之〈四十年代初基諾族起義的特點和意義〉(《思想戰線》1987年5期)、李光一等〈抗戰時期河南國統區的〝水、旱、蝗、湯〞〉(《商丘師專學報》1987年2期)、孫子文〈1942－1943年國民政府救濟豫災述評〉(《許昌師專學報》1993年2期)、王采薇《四川禁烟問題之研究(1937-1945)》(中山大學中山學術研究所碩士論文，民71)、華生〈抗戰期中四川同胞節約獻金盛況〉(《四川文獻》78期，民58年2月)、陳鐵夫〈抗戰期中重慶市總工會之改組〉(同上，68期，民57年4月)、三谷孝〈抗日戰爭中の「中國農村」派について〉(載小林弘二編《中國農村變革再考》，東京，アジア經濟研究所，1987)、田中雄一郎《抗日戰下の中國農村》(立命館大學史學科碩士論文，1992)、中國農村經濟研究會編印《抗戰中的中國農村動態》(桂林，民28)、張力〈江西農村服務事業(1934-1945)〉(載《抗戰建國史研討會論文集》下冊，民74)、張麗〈抗日戰爭時期香港的內地難民問題〉(《抗日戰爭研究》1994年4期)、笹川裕史〈日中戰爭前後の中國における農村土地行政地域社會－江蘇省を中心に〉(《アジア研究》43卷1號，1996年9月)、農山《戰時鄉村建設論》(上饒，戰地圖書出版社，民31)、薛暮橋等《抗戰與鄉村工作》(漢口，生活書店，民27)、Joshua A. Fogel. "Japanese Travellers in Wartime China."(載《第三屆近百年中日關係研討會論文集》上冊，民85年3月)、呂芳上〈抗戰時期的遷徙運動－以人口文教事業及工廠內遷為例的探討〉(載《紀念抗日戰爭勝利五十周年學術討論會論文集》，香港，珠海書院亞洲研究中心，1996)、馮祖貽〈抗戰期間內遷人口對西南社會經濟的影響〉(同上；亦載《慶祝抗戰勝利五十週年海峽兩岸學術研討會論文集》下冊，臺北，近代史學會，民85)、陳達〈從戰時西南人口研究談中國人口問題〉(《社會建設月刊》1卷3期，民34年6月)、林建曾〈抗戰時期社會經濟的發展〉(《貴州文史叢刊》1995年5期)、陳存仁〈抗戰時代生活史〉(《春秋》19卷4期，民62年10月)、劉以鬯〈從抗戰時期作家生活之困苦看社會對作家的責任〉(《明報(月刊)》13卷6期，1978年6月)、馬秋帆〈抗戰二年來的鄉村建設運動〉(《現代讀物》4卷8期，民28年8月)、Frederic Wakeman, Jr., The Shanghai Badlands: Wartime Terrorism and Urban Crime, 1937-1941.(New : Columbia University Press 1996)、朱德新〈鄉村基層行政人員的實際職能：三四十年代冀東村落社會透視〉(《民國檔案》1994年4期)、陶希聖〈戰時重慶生活〉(《自由談》13卷11期，民51年11月)，賴世昌〈重慶生活〉(《中外雜誌》17卷6期，民64年6月)、李田林〈戰時陪都文酒之會及其它〉(《傳記文學》20卷3期，民61年3月)、廖篤瓊〈抗戰時期的重慶星五聚餐會〉(《西南師大學報》1989年3期)、陳逢申《抗戰時期重慶的社會變遷》(中國文化大學史學研究所碩士論文，民85年6月)、辛培林〈論日本殖民統治時期的東北社會形態〉(《龍江社會科學》1995年4期)、馬霽虹〈淪陷時期日本帝國主義在東北建立的"集團部落"〉(《北方文物》1995年3期)、江沛〈三四十年代的災荒與華北農村社會〉(《北京檔案史料》1992年2期)、周章森〈三四十年代杭州的自然災害和救災救荒〉(《杭州大學學報》1992年4期)、陳清晨〈去年華北的大水災及其影響〉(《東方雜誌》37卷7號,民29年4月)、雷震中〈抗日戰爭中的西安易俗社〉(《當代戲劇》1993年4期)、白淑蘭、趙家鼐編〈中國紅十字會的創立及抗戰前後的工作〉(《北京檔案史料》1993年4期)、李筑寧、李麗〈戰火照耀下的紅十字會－抗戰時期的中國紅十字總會救護總隊〉(《貴陽黨史》1995年4期)、潘永玉、王玉先〈抗戰初期宛屬平津同學會概述〉(《南都學壇》1987年1期)、郝德元〈抗戰中的輔仁校友會〉(《燕都》1986年5期)。

　　至於海外華僑與抗戰之關係的論著和資料所在多有,如曾瑞炎《華僑與抗日戰爭》(成都,四川大學出版社,1988)、黃小堅、趙紅英、叢月芬《海外僑胞與抗日戰爭》(北京,北京出版社,1995)、姜愛鳳〈愛國華僑與中國抗戰〉(《黨史博採》1995年12期)、蔡仁龍、郭梁主編《華僑抗日救國史料選輯》(福州,中共福建省委黨史工作委員會、中國華僑歷史學會,1987)、裴耀鼎〈華僑與抗日戰爭〉(《杭州師院學報》1996年1期)、蔡如今〈海外華僑與抗日戰爭〉(《黨史資料與研究》1987年4期)、李國梁等〈華僑與抗日戰爭〉(《福建黨史通訊》1987年1期)、陳孔宣〈華僑與中國抗戰〉(《理論建設》1995年4期)、林雲谷《抗戰與華僑》(重慶,中山文化教育館,民27)、林少川〈赤子的奉獻:海外僑胞與祖國抗戰〉(《半月談》1995年12期)、袁素蓮〈海外華僑與中國抗戰〉(《齊魯學刊》1993年5期)、劉侃〈近年來有關華僑與抗日戰爭的研究概況〉(《華僑華人歷史研究》1988年4期)、曾瑞炎〈華僑與抗日戰爭研究述評〉(同上，1990年2期)、任貴祥〈華僑支援祖國抗戰研究成果點評〉(《抗日戰爭研究》1996年3期)及《華夏向心力－華僑對祖國抗戰的支援》(桂林，廣西師大出版社，1995)、吳映萍〈華僑在抗日戰爭中的歷史地位〉(《惠州大學學報》1995年2期)、楊洪範〈海外華僑對抗戰的貢獻〉(《社會科學輯刊》1986年6期)、馬仁〈論華僑對抗日戰爭的貢獻〉(《理論學刊》1995年5期)、賴海泉〈愛國華僑在祖國抗戰中的貢獻〉(《黨史研究》1986年1期)、簡慕蘭〈華僑對祖國抗日戰爭的貢獻〉(《廣東教育學院學報》1985年4期)、黃慰慈、許肖生《華僑對祖國抗戰的貢獻》(廣州，廣東人民出版社，1991)及〈華僑對祖國抗戰的貢獻〉(《近代史研究》1984年2期)、韓森〈華僑在抗日戰爭中的貢獻〉(《歷史檔案》1987年4期)、吳澤等〈華僑對抗日戰爭的偉大貢獻〉(《歷史教學問題》1985年6期)、吳鳳琴〈試述華僑在抗戰中的貢獻〉(《佳木斯師專學報》1995年3期)、沈敏華〈論華僑在抗日戰爭中的貢獻〉(《湖州師專學報》1995年3期)、黃英湖〈華僑對祖國抗日戰爭的貢獻〉(《福建論壇》1995年4期)、王佩璉〈華僑對抗日戰爭的巨大貢獻〉(《首都師大學報》1995年4期)、韋俊世、李榮華〈簡論華僑在抗戰中的重要貢獻〉(《杭州大學學報》1996年1期)、洪絲絲〈華僑在抗日戰爭中的貢獻〉(《華僑歷史學會通訊》1985年3期)、陳萬安等〈華僑在抗日戰爭中的貢獻〉(《廣州研究》1985年4期)、譚克繩、吳韞山〈略述華僑對祖國抗日戰爭的貢獻〉(載《民國檔案與民國史學術討論會論文集》，北京，檔案出版社，1988)、夏成林〈海外華僑對祖國抗戰的貢獻〉(《中學歷史教學參考》1996年11期)、尹尚忠〈海外華僑在抗日戰爭中的作用及其重大貢獻〉(《龍江黨史》1995年3、4期)、任永祥〈僑胞在抗日戰爭中的貢

獻和作用〉（《遼寧師大學報》1994年3期）、曹晉杰、王世誼〈試述海
外華僑對抗日戰爭的貢獻〉（《江蘇社會科學》1995年5期）、鄭應洽〈論
海外華僑對抗日戰爭的特殊作用與貢獻〉（《暨南學報》1995年4期）、
丁身尊〈華僑為抗日戰爭作出巨大貢獻〉（《華夏》1987年6期）、曾
瑞炎〈抗日戰爭時期海外華僑作出的歷史貢獻〉（《四川大學學報》1984
年2期）、章小朝〈論華僑在抗戰中的歷史貢獻〉（《浙江師大學報》1996
年4期）、羅韜、羅小威〈華胄遍天下，熱血沃中華：試評華僑在抗
日戰爭中的重大貢獻〉（《韶關大學學報》1996年3期）、馬玉卿〈赤子
心：華僑在祖國抗日戰爭中〉（《黨史縱橫》1995年8期）、任安祥〈海
外赤子在抗日戰爭中的奉獻〉（《瞭望》1995年39期）、洪新發〈海外
赤子抗日救國的壯舉永垂青史：論華僑在抗日戰爭中的重大貢獻〉
（《重慶教育學院學報》1995年3期）、余全有、胡煥平〈華僑對祖國抗
戰的作用〉（《天中學刊》1996年1期）、黃慰慈等〈華僑在抗日戰爭中
的作用〉（《學術研究》1985年4期）、任貴祥〈華僑對祖國抗戰經濟的
貢獻〉（《近代史研究》1987年5期）、曾瑞炎〈華僑與抗戰時期的經濟〉
（《黨史研究資料》1995年7、8期合刊）、蔣順興〈華僑為抗戰慷慨解
囊〉（《民國春秋》1995年4期）、李雲峰、王杉〈抗日戰爭中華僑在政
治上的貢獻〉（《西北大學學報》1995年3期）、杜裕根、蔣順興〈華僑
抗日救國史實新證〉（《東南文化》1995年2期）、陶季邑〈抗日戰爭對
海外華僑的影響〉（《貴州大學學報》1996年3期）、閻允生、李夢紅〈論
華僑在抗日戰爭勝利中的重大貢獻〉（《石油大學學報》1995年4期）、
曾瑞炎〈辛亥革命和抗日戰爭期間華僑愛國運動比較研究〉（《四川
大學學報》1992年2期）、〈九一八七七華僑抗日救亡運動述略〉（《黨
史研究與教學》1990年3期）及〈太平洋戰爭爆發後華僑的抗日鬥爭〉

（《文史雜志》1987年4期）、袁素蓮〈海外華僑參加抗日救亡運動的原因〉（《東方論壇》1995年3期）及〈試論海外華僑抗日救亡鬥爭的特點〉（《山東社會科學》1995年2期）、任學嶺、李智曄〈華僑抗日救亡運動的特點〉（《延安大學學報》1995年3期）、曾瑞炎〈華僑抗日救國運動的特點及其地位〉（《檔案史料與研究》1991年1期）、周勇〈抗日戰爭時期華僑的愛國救亡活動〉（《理論導刊》1995年9期）、陳文敬〈論抗日戰爭時期華僑的愛國主義精神〉（《福建黨史月刊》1995年11期）、楊淑珍〈簡論華僑的抗日愛國精神〉（《西南師大學報》1995年3期）、沈靜園〈試論華僑在抗戰時期的愛國主義〉（《蘇州大學學報》1984年5期）、黃慰慈等〈抗日戰爭中的華僑青年〉（《暨南學報》1984年3期）、全國政協文史資料研究委員會華僑組編《崢嶸歲月：華僑青年回國參加抗戰紀實》（北京，中國文史出版社，1988）、許肖生等〈抗日戰爭時期華僑的籌賑運動〉（《華僑歷史學會通訊》1985年3期）、伍國基〈抗日戰爭中僑胞捐輸助戰之盛況〉（《暨南學報》1985年3期）、蔣順興〈華僑為抗戰慷慨解囊〉（《民國春秋》1995年4期）、楊建成〈從愛國捐款數額論海外僑胞對抗戰的貢獻〉（《中華軍史學會會刊》創刊號，民84）、鍾鐵〈論抗戰時期華僑對西南後方的經濟開發〉（《華人華僑歷史研究》1992年4期）及〈抗戰時期華僑在延安和重慶投資的比較〉（《八桂僑史》1993年4期）、曾瑞炎〈華僑與西南抗戰〉（《西南師大學報》1992年2期）、任貴祥〈華僑對華南抗日鬥爭的貢獻〉（《黨史研究與教學》1988年5期）、盧寧〈海外華僑與華南抗日游擊戰爭〉（《東南亞研究》1995年3期）及〈海外華僑對華南抗日游擊戰爭的歷史作用〉（《廣東社會科學》1995年4期）、任貴祥〈抗日戰爭時期華僑航空救國運動與對日空戰〉（《軍事歷史研究》1991年5期）、陳文敬〈華僑〝航空救國〞建功勛〉(《福建黨史月刊》1995年6期)、蔡仁龍等〈抗日民族統一戰線與華僑抗日〉(《南洋問題》1986年1期)、袁鋒〈抗日民族統一戰線與愛國華僑:紀念抗日戰爭勝利五十周年〉(《中央民族大學學報》1995年5期)、吳得民〈華僑和港臺人民的抗日救國運動〉(《成都黨史》1995年4、5期合刊)、余炎光〈香港市民對祖國抗戰的支援－香港淪陷前概況之分析〉(載胡春惠主編《紀念抗日戰爭勝利五十周年學術討論會論文集》,香港,1996)、黃慰慈〈華僑和港澳同胞對東江人民抗日戰爭的貢獻〉(《哲學社會科學通訊》1983年3期)、鄭偉靈〈滿懷壯志赴國難:華僑和香港愛國青年參加新編大隊抗日記略〉(《廣東黨史》1995年6期)、陳民〈南洋華僑與祖國的抗日戰爭〉(《歷史教學》1985年1期)、劉雪河〈南洋華僑對祖國抗戰的貢獻〉(《嶺南文史》1995年3期)、郭戈奇〈南僑在抗日戰爭中的歷史功績:紀念抗日戰爭勝利50周年〉(《四川文物》1995年4期)、郭梁〈抗日救亡運動與南洋華僑社會〉(《南洋問題》1985年4期)、任貴祥〈抗戰時期的東南亞華僑文化救亡運動〉(同上,1986年3期)、Akashi Yoyi (明石陽至),The Nanyang Chinese National Salvation Movement, 1937-1941. (Lawrennce: The University of Kansas, Center for East Asian Studies, 1970)、市川健二郎〈日中戰爭と東南アジア華僑〉(載《日中戰爭と國際的對應》,東京,日本國際政治學會,1972)、孔永松、洪卜仁〈東南亞華僑在祖國抗戰與反對日本法西斯戰爭中的作用〉(《廈門大學學報》1987年4期)、吳新奇、左雙文〈東南亞華僑對祖國抗戰的貢獻〉(《東南亞研究》1995年3期)、林金枝〈兩次世界大戰期間東南亞華僑匯款及其作用〉(《近代史研究》1988年3期)、秦欽峙〈抗日戰爭時期的南洋華僑機工〉(《雲南社會科學》1989年4期)、秦欽峙、湯家麟《南僑機工回國抗日史》(昆明，雲南人民出版社，1989)、陳憲光〈〝南僑機工回國服務團〞研究中的一段史實〉(《華僑大學學報》1996年2期)、吳行賜〈論抗日戰爭前期南洋華僑抗日救亡運動的特點〉(《學術研究》1982年6期)、江榕惠〈東南亞閩籍華僑對抗日戰爭的貢獻〉(《福建論壇》1995年5期)、任貴祥〈抗日戰爭時期東南亞華僑文藝救亡運動〉(《抗戰文藝研究》1987年4期)、孫慧榮〈抗日戰爭時期東南亞華僑的抵制日貨運動〉(《華僑華人歷史研究》1988年2期)、木心〈南洋華僑回國抗日機工調查紀實〉(《雲南文史叢刊》1991年2期)、曾瑞炎〈南洋華僑籌賑祖國難民總會〉(《黨史研究資料》1989年12期)、袁素蓮〈南洋華僑的抗日救亡運動〉(《棗莊師專學報》1995年1期)、廖楚強〈南洋客家華僑與抗日戰爭〉(《華人之聲》1995年5期)、陳愛玉〈陳嘉庚與南洋華僑抗日 救亡組織〉(《福州大學學報》1995年2期)、張奕善〈二次大戰期間中國特遣隊在馬來亞的敵後活動(1942-1945)〉(收於氏著《東南亞史研究論集》，臺北，臺灣學生書局，民65)、許肖生〈馬來西亞華僑對祖國抗戰的貢獻〉(《華南師院學報》1984年4期)、許雲樵、蔡史君編〈新馬華人抗日史料1937-1945〉(新加坡，文史出版私人公司，1984)、鍾南安《關於抗日戰爭前期星馬華僑的抗日救亡運動》(《暨南學報》1986年3期)、李恩涵〈新馬華人抗日救亡運動(1937-1945)〉(《南洋學報》40卷1、2期，1985)、古鴻廷〈兩次大戰期間星馬華僑反日意識成長之探討〉(收於中央研究院中山人文社會科學研究所編印《中國海洋發展史論文集》第3輯，民84)、孫儒〈星馬華僑的抗日救亡話劇運動〉(收於《華僑論文集》第3輯，廣州，廣東華僑歷史學會，1984)、堀本尚彥〈シンガポール華人の抗日運動をめぐる研究動向〉(《近きに在りて》22號，1992年11

月）、黃露夏〈論新加坡、馬來亞閩籍華僑的愛國抗日活動〉(《福建論壇》1995年4期)、劉子政〈沙撈越華僑支持祖國抗日戰爭史事述略〉(《抗日戰爭研究》1993年1期)及〈砂勞越華人抗日活動與籌賑會〉(收於李南林等編《砂勞越華族史論集》，古晉，砂勞越第一省華人社團總會史學組，1985)、劉伯奎《抗日時期砂勞越華僑機工回國服務實錄》(新加坡，長夏出版社，1983)、鄭偉靈〈泰國華僑的抗日救亡運動〉(《黨史資料通訊》1987年5、6期)、泰國歸僑聯誼會《湄江風雲》編委會編《湄江風雲：泰國華僑抗日愛國活動回憶錄》(北京，中共黨史出版社，1993)、鄭國華主編《鐵血雄風：泰國華僑抗日實錄》(曼谷，泰國黃埔校友會，1991)、馬興惠〈緬甸華僑救護隊回國抗戰紀實〉(《華僑歷史》1986年3期)、歷史系78級世界現代史研究組〈抗日戰爭中的緬甸華僑〉(《西南師院學報》1982年2期)、楊明卿〈菲律賓僑團在支持祖國抗日救亡運動中的作用〉(《南洋問題》1984年4期)、梁上宛〈菲律賓華僑抗日鬥爭歷史概述〉(《華僑歷史學會通訊》1985年3期)、張存武〈菲律賓華僑抗日活動，1928－1945〉(載《第三屆近百年中日關係研討會論文集》，臺北，民85年3月)、鄭鶴飛〈菲律賓華僑青年抗日殉難烈士紀念〉(《中菲文化論集》第2冊，民49年5月)、鄭玉山〈抗日旌旗到江南：菲僑救國義勇隊回國參戰記〉(《福建論壇》1984年2期)、曾梅生主編《菲島華僑抗日風雲》(廈門，鷺江出版社，1991)、郭建〈與祖國共命運：憶菲律賓華僑慰勞團〉(《福建黨史通訊》1985年8期)、余炎光〈香港市民對祖國抗戰的支援－香港淪陷前概況之分析〉(載《紀念抗戰五十周年學術討論會論文集》，香港，珠海書院亞洲研究中心，1996)、張志強〈全歐華僑抗日救國聯合會〉(《黨史研究資料》1985年3期)、方積根〈抗日戰爭中的非洲華僑〉

（《華僑歷史學會通訊》1985年3期）、劉新鄰〈抗日戰爭中的非州華僑〉（《嶺南文史》1995年3期）、謝國富〈抗日戰爭期間的新西蘭華僑〉（《華僑華人歷史研究》1992年2期）、陳昌福〈〝七・七〞事變後的旅日華僑〉（《上海師大學報》1988年4期）、羅晃潮〈抗戰時期日本華僑的反日愛國鬥爭〉（《八桂僑史》1993年2期）、津田幸一〈長崎華僑と日中戰爭－〝國民黨事件〞を中心に〉（《東洋史論》第9號，1996年10月）、出口晴久〈日中戰爭期における神戶華僑の實況と動向〉（同上）、沈立新〈旅美華僑的抗日救亡運動〉（《史學月刊》1984年2期；亦載《華僑歷史學會通訊》1984年2期）、許肖生〈略談美國華僑抗日救亡的三大運動〉（《華南師大學報》1985年2期）、黃慰慈等〈美國華僑對祖國抗戰的貢獻〉（《福建論壇》1984年6期）、黃美華等〈美國華僑與祖國的抗戰〉（《廣州師院學報》1985年3期）、沈毅〈抗日戰爭中的加拿大華僑〉（《遼寧大學學報》1990年1期）及〈加拿大華僑對祖國抗日戰爭的支援〉（《歷史知識》1986年4期）、莫秀萍〈臺山旅美華僑對祖國抗日戰爭的研究概況〉（《廣東教育學院學報》1988年4期）、李存章〈廣東（梅州籍）華僑在抗日戰爭中的貢獻〉（《廣東史志》1995年3期）、黃綺文〈海外潮僑與祖國抗戰〉（《汕頭大學學報》1995年3期）、熊蔚霞、鄭甫弘〈抗日戰爭時期閩粵僑鄉的僑眷生活〉（《南洋問題研究》1992年4期）、鄭會俠〈略論潮陽華僑對抗日戰爭和解放戰爭的貢獻〉（《廣東黨史通訊》1989年4期）、林金枝〈閩籍華僑對祖國抗日戰爭的貢獻〉（《南洋問題》1986年4期）、〈福建華僑在祖國抗日戰爭中的貢獻〉（《歷史教學》1987年1期）及〈福建華僑與東南亞人民共同反對日本的鬥爭〉（《南洋問題》1987年2期）、曹敏華〈福建華僑對祖國抗日戰爭的貢獻〉（《理論學習月刊》1989年6、7期）、陳文敬〈抗日戰爭時期晉江華僑的愛國主義精神〉(同上,1995年8期)、余賢龍〈抗日戰爭中的福清華僑〉(《福建黨史月刊》1995年11期)、韓啟元〈瓊崖華僑在抗日戰爭中的貢獻〉(《財政研究資料》1985年增刊4期)、林炯如〈南僑總會與中國抗戰〉(《華東師大學報》1985年4期)、童家洲〈南僑總會對祖國抗戰的貢獻〉(《福建學刊》1995年5期)、曾瑞炎〈華僑機工與大後方抗戰〉(《黨史研究資料》1995年4期)、秦欽峙、湯家麟《南僑機工回國抗日史》(昆明,雲南人民出版社,1989)、菊池一隆〈抗日戰爭期の華僑と中國工業合作運動〉(《歷史評論》549號,1996年1月)、石彤〈抗戰中的華僑婦女〉(《華僑華人歷史研究》1988年4期)、蔣紅彬〈華僑婦女在祖國抗戰中的貢獻〉(《廣西師大學報》1995年3期)、楊安、張旺清〈論《新華日報》在動員華僑抗日救國中的作用〉(《華中師大學報》1992年2期)、曾瑞炎〈毛澤東與華僑抗日救國運動〉(《文史雜志》1995年4期)。

(七)戰時教育

有吳俊升〈戰時中國教育〉(載薛光前主編《八年對日抗戰中之國民政府》,臺北,臺灣商務印書館,民67)、劉遐齡〈戰時中國的教育〉(載許倬雲、丘宏達編《抗戰勝利的代價－抗戰勝利四十週年學術論文集》,臺北,聯經出版事業公司,民75)及〈抗戰時期我國教育概況〉(《近代中國》72期,民78年8月)、國民黨黨史會編印《革命文獻·第58輯:抗戰時期之教育》(臺北,民61)、國民黨中央執行委員會宣傳部《抗戰六年來之教育》(民32年印行,臺北,國民黨黨史會影印,民65)、郭有守編著《抗戰四周年之中國教育》(香港,龍門書店影印,1966)、重慶市檔案館〈抗戰三年來教育概況史料選(1942年2月)〉(《檔案史料與研究》1994年1期）、王文新〈抗戰以來我國教育學術研究之一斑〉（《教育雜誌》31卷9號，民30年9月）、莊澤宣〈抗戰十年來中國學校教育總檢討〉（《中華教育界》新編號1卷1期，民36年1月）及〈抗戰以來之我國教育〉（《新中華》復刊1卷8期，民32年8月）、李劍萍〈抗戰時期的教育〉（《青島大學師範學院學報》1995年1期）、汪家正〈抗戰期間教育設施的總清算〉（《東方雜誌》42卷17號，民35）、王鳳喈《抗戰復員十年中我國教育之檢討》（臺北，中華文化出版事業委員會，民44）、王安平〈抗日戰爭時期的國民政府教育〉（《四川師院學報》1996年1期）、陳東原〈一九三七年以來之中國教育〉（《教育通訊》2卷9期，民36年1月）、時事問題研究會《抗戰中的中國教育與文化》（延安，撰者印行，民29；中國現代史資料編輯委員會影印，1957，易名為《抗戰中的中國文化教育》）、戴知賢、李良志主編《抗戰時期的文化教育》（北京，北京出版社，1995）、中華教育界雜誌社《抗戰十年來中國教育總檢討》（原載《中華教育界雜誌》復刊1卷1・2期；香港，龍門書店影印出版，1966）、生活教育社《戰時教育論著》（上海，生活書店，民27）、國民黨黨史會編印《戰時教育方針》（臺北，民65），係影印版，其內容為國民黨抗戰建國綱領（庚）教育、戰時各級教育實施方案綱要、各級教育實施方案、教育部戰區中小學教師服務團工作概況（1941）、戰時教育方針（陳立夫，1940）、戰時教育方針：中央訓練團黨政訓練班講演錄（陳立夫，1940）、陳立夫〈抗戰期間的教育行政〉（《教學與研究》第7期，民74年6月）及《戰時教育行政的回憶》（原載《東方雜誌》復刊6卷4・5號，民61年10・11月；臺北，臺灣商務印書館，民62）、陳杏年〈抗戰時期國民政府的教育政策〉（《山西師大學報》1995年3期）及〈抗戰時期國民政府的教育政策論略〉

《徐州師院學報》1995年2期)、梁尚勇〈抗戰時期之教育政策〉(載《中華民國建國八十年學術討論集》第3冊,民81,亦載《近代中國》84期,民80年8月)、笹島恒輔〈中華民國における戰時教育特令〉(《東洋教育史研究》第4號,1980年11月)、李文奎〈試談抗戰教育的時代特點及其現實意義〉(《山東師大學報》1995年4期)、李公樸《抗戰教育的理論與實踐》(漢口,讀書生活出版社,民27)、袁哲《抗戰與教育》(長沙,商務印書館,民26年12月)、潘國琪〈抗日戰爭國民黨統治區的教育述評〉(《浙江社會科學》1995年4期)、朱匯森〈抗戰時期產生的新教育機構〉(《國史館館刊》復刊第2期,民76年6月)、顧嶽中編著《戰時的新型教育機關》(抗戰建國小叢書,重慶,獨立出版社,民27)及〈抗戰建國中我國的一般教育概況〉(《教育雜誌》29卷11號,民28年11月)、嚴元章〈抗戰教育的領域〉(《教育研究》20卷4期,民26年12月)、林本〈抗戰教育商榷〉(同上,21卷1期,民27年1月)、張騰霄〈全民抗戰和全民教育-為紀念抗日戰爭勝利50周年而作〉(《教育研究》1995年6期)、Hu Kuo-tai(胡國臺),"Disputes on the Question of Wartime Education and the Formation of an Educational Policy for the Guomindang in the War."(Republican China, Vol.14, No.1, Nov. 1988)、胡國臺〈抗戰時期教育經費與高等教育品質:1937-1945〉(《中央研究院近代史研究所集刊》19期,民79年6月)、王安平〈日本入侵給中國教育造成的損失〉(《歷史大觀園》1992年9期)、夏軍〈略論抗日戰爭時期我國教育文化事業的損失〉(《徐州師院學報》1995年2期)、孟立軍〈抗戰時期教育中心內移及其對民族教育的影響〉(《中南民族學院學報》1995年6期)。查良錚等編著《抗戰以來之高等教育》(香港,龍門書店,1966)、國民黨黨史會編印《革命文獻·第

60輯：抗戰時期之高等教育》（臺北，民61）；《教育雜誌特輯－抗戰以來的高等教育》（即《教育雜誌》31卷1號，民30年1月）、顧嶽中〈抗戰建國中我國高等教育概況〉（《教育雜誌》29卷9號，民28年9月）、房列曙〈論抗戰時期中國高等教育〉（《抗日戰爭研究》1995年增刊）、宋晞〈略論抗日戰爭時期的高等教育〉（《近代中國》60期，民76年8月）、張憲文〈抗日戰爭時期中國高等教育評析〉（載《慶祝抗戰勝利五十週年海峽兩岸學術研討會論文集》上冊，臺北，民85）、莊焜明《抗戰時期中國高等教育之研究》（中國文化學院史學研究所博士論文，民68）、〈抗戰時期中國高等教育的興革〉（載《抗戰建國史研討會論文集》上冊，臺北，民74）及〈抗戰時期我國高等教育政策之確立〉（《近代中國》第7期，民67年9月）、李金強〈抗戰時期高等教育發展述論〉（載胡春惠主編《紀念抗日戰爭勝利五十周年學術討論會論文集》，香港，1996年3月）、曾祥和〈蔣中正先生與日抗戰期間的高等教育〉（載《蔣中正先生與現代中國學術討論集》第3冊，臺北，民75）、李建勛〈抗戰後吾國高等教育之態勢及其改進〉（《西北師範學院學術季刊》第1期，民31年3月）、Hu Kuo-tai（胡國臺），Politics and High Education in China: The Control and Development Polictics of Gumindang, 1937-1945.（Ph. D. Dissertation, Griffith University, 1987）、孫曉樓〈當前改進我國高等教育之商榷〉（《教育雜誌》29卷7號，民28年7月）、鍾魯齊〈長期抗戰與吾國高等教育幾個當前的問題〉（同上，28卷2號，民27年2月）、王義〈戰時高等教育之改革〉（同上，27卷11、12號，民26年12月）、張世葆〈侵華日軍對中國高等教育的摧殘〉（《中南民族學院學報》1995年6期）、William P. Fenn, The Effect of the Japanese Invasion on Higher Education in China.（Kowloon：China Institute of Pacific Relations, 1940)、吳景宏〈戰時高等教育問題論戰的總檢討〉(《教育雜誌》30卷1號,民29年1月)、歐元懷〈抗戰十年來的中國大學教育〉(《中華教育界》1卷1期,民36年1月)、國民黨黨史會編印《革命文獻·第61輯:抗戰時期之中等教育》(臺北,民71)、朱有瓛〈抗戰時期我國之中等教育〉(《學藝》17卷9期,民36年9月)、李之鷗〈抗戰十年來中國的中學教育〉(《中華教育界》1卷5期,民36年5月)、邊理庭〈抗戰以來我國中等教育的實況〉(《教育雜誌》29卷7號,民28年7月)、章育才〈抗戰時期的中學教育〉(同上,29卷1號,民28年1月)、應觀〈抗戰四年來之中學教育〉(同上,31卷10號,民30年10月)、金以恭〈戰時中學教育〉(同上,28卷1號,民27年1月)、廖世承〈戰時中學教育各學程綱要舉例〉(《教育雜誌》28卷2號,民27年2月)、潘湛鈞〈抗戰期間的高中史地教育〉(同上)、溫肇相〈戰時中學的圖畫教育〉(同上,28卷6號,民27年6月)、阮真〈抗戰時期的中學國文教學〉(同上,27卷11、12號合刊,民26年12月)、陸德音〈抗戰時期小學教育實施方案〉(《教育雜誌》28卷3期,民27年3月)、葛承訓〈戰時的小學課程〉(同上,28卷1號,民27年1月)、吳鼎〈抗戰時期小學課程及教材之研究〉(同上,28卷5號,民27年5月)及〈抗戰期中小學應有之普教工作〉(同上,28卷4號,民27年4月)、溫肇桐〈戰時小學美術教學問題〉(《教育雜誌》28卷3號,民27年3月)、祝志學〈長期抗戰中小學教育實施問題〉(同上,28卷12號,民27年12月)、聶若山〈戰時小學訓育問題〉(同上,28卷9號,民27年9月)、丁鳴九〈鄉村小學抗戰教育實施方案〉(同上,29卷5號,28年5月)、陳俠〈戰時小學教育的經驗〉(同上,29卷7號,民28年7月)、葉松坡〈抗戰建國與小學師資的訓練〉(《教育雜誌》29

卷8號，民28年8月）、沈光烈〈抗戰時期的鄉村小學〉（同上，27卷11、12號合刊，民26年12月）、楊晉豪〈抗戰時期小學國語教材問題〉（同上）、鄧慶偉〈抗戰時期國統區師範教育述論〉（《安慶師院學報》1996年4期；亦載《四川師大學報》1996年2期）、廖世承〈抗戰十年來中國的初級師範教育〉（《國民教育指導月刊》5卷4期，民36年4月）、環惜吾〈抗戰建國中師範教育應有之動向與設施〉（《教育雜誌》28卷9號，民27年9月）、林清芬編《抗戰時期我國留學教育史料(一)(二)(三)》（3冊，臺北，國史館，民84-85）、王春南〈抗戰時期中國留學教育〉（《南京大學學報》1993年4期）、林子勛〈抗戰期間的留學教育〉（《中外雜誌》38卷6期，民74年12月）、李建興〈抗戰時期的社會教育〉（《近代中國》54期，民75年8月）、鍾靈秀〈抗戰兩年來的社會教育〉（《教育雜誌》29卷8號，民28年8月）、陳禮江〈抗戰以來中國社會教育的實況〉（同上，29卷6號，民28年6月）及〈中國社會教育今後之動向〉（同上，31卷6號，民30年6月）、顧嶽中〈抗戰建國中我國社會教育及邊疆教育概況〉（《教育雜誌》29卷12號，民28年12月）及〈抗戰建國中我國普通教育概況〉（同上，29卷10號，民28年10月）、何清儒〈抗戰期中的職業教育〉（同上，27卷11、12號合刊，民26年12月）、鍾道贊〈抗戰以來吾國職業教育的實況〉（同上，29卷4號，民28年4月）、毛仁學〈抗戰中的職業教育〉（《教育雜誌》31卷2號，民30年2月）、楊衛玉〈現階段職業教育的使命與動向〉（同上，30卷11號，民29年11月）、林維新〈長期抗戰與華僑教育〉（同上，29卷8號，民28年8月）、錢雲清〈戰時婦女教育〉（同上，28卷5號，民27年5月）、周尚〈戰時救護教育〉（《教育雜誌》28卷5號，民27年5月）、高時良〈戰時民眾教育方案〉（同上，28卷12號，民27年12月）、鍾靈秀〈三年來我國實施民眾補習教育掃除文盲的總檢討〉(同上，30卷4號，民29年4月)、孫銘勳〈戰時兒童教育不平衡的發展〉(同上，29卷10號，民28年10月)、陸傳籍〈淪陷區域內的兒童之搶救和教育問題〉(《東方雜誌》36卷7號，民28年4月)、董仁堅〈戰爭中的新興兒童教育－街童教育〉(《教育雜誌》，29卷1號，民28年1月)、吳鼎〈抗戰建國中之難童教育〉(同上)、陳碧雲〈難民與難民教育問題〉(《教育雜誌》28卷11號，民27年11月)、何清儒〈戰時難民教育〉(同上，28卷1號，民27年1月)及〈難民生產教育〉(同上，28卷4號，民27年4月)、李季谷〈抗戰建國中的歷史教育〉(同上，30卷8號，民29年8月)、錢穆等編《抗戰時期的歷史教育》(香港，龍門書店，1966)、曾景忠〈從抗日戰爭史知識競賽看歷史教學〉(《歷史教學》1996年5期)、宋晞〈抗戰時期的大學歷史教學與史學研究〉(載《中華民國史專題論文集：第二屆討論會》，臺北，國史館，民83)、潘澄侯〈兩年來的中國電影教育〉(《教育通訊》2卷14期，民28年4月)、趙軍先〈抗日戰爭時期中國三種不同的文化教育〉(《延安大學學報》1995年3期)、穆木天〈抗戰建國中的國文教學上的幾個問題〉(《新動向半月刊》1卷8、9期，民27年10月)、徐韞知〈戰時理工教育〉(《教育雜誌》28卷3號，民27年3月)、王伯群〈現階段的公民教育〉(《東方雜誌》36卷16號，民28年8月)、王立中〈抗戰時期國民黨統治區的政治教育〉(《檔案史料與研究》1993年3期)、溫賢美〈論我國抗日戰爭時期的國防教育〉(《人才與現代化》1990年3期)、陳宗南〈論中國戰時工業教育〉(《中山學報》1卷7期，民31)、王枚〈教育戰與抗戰建國〉(《協大教育季刊》第1期，民29)、陳立夫〈大後方的戰時教育措施〉(《實踐》745期，民74年7月)、宗亮東〈戰時邊疆教育的新政

策〉(《教育雜誌》31卷6號,民30年6月)、梁甌第〈十年來的我國邊
疆教育〉(《學藝》17卷1期,民36年1月)、曹樹勛〈抗戰十年來的邊
疆教育〉(《新中華》復刊1卷1期,民36年1月)、蔣偉國〈抗戰時期
平教會的農民抗戰教育〉(《民國檔案》1996年1期)、王覺源編《戰時
全國各大學鳥瞰》(重慶,獨立出版社,民30)。甘肅省政府教育廳編
印《抗戰時期之甘肅教育》(蘭州,民28)、鄭通和〈抗戰時期之甘
肅教育〉(《傳記文學》40卷3期,民71年3月)及〈二十八年度甘肅教
育之設施〉(《教育雜誌》30卷5號,民29年5月)、簡媚媚《抗戰時期
內蒙古教育之研究》(《政治大學邊政研究所碩士論文,民74年6月》、熊
明雋〈抗日戰爭時期雲南的文化教育》(《雲南文史叢刊》1995年3期)、
王捷三〈抗戰以來之陝西教育〉(《教育雜誌》31卷8號,民30年8月)、
韓孟鈞〈抗戰以來之西康省教育〉(同上,31卷7號,民30年7月)、
李梅〈戰時的寧夏教育〉(《西北論衡》9卷10期,民30年10月)、王星
舟〈兩年來之寧夏教育〉(《新西北月刊》7卷10、11期合刊,民33年11
月)及〈論寧夏教育之建設〉(《寧夏教育》1卷2期,民33年2月)、劉
清泰〈一年來之寧夏社會教育〉(同上)、哈雜岐〈抗日戰爭時期的
陝西回族教育〉(《回族研究》1995年3期)、田嘉谷編著《抗戰教育在
陝北》(漢口,明日出版社,民27)、王朝暉〈淺談抗戰時期的湘西〝邊
民教育〞〉(《民族論壇》1990年8期)、段世琳〈抗日時期的臨滄邊地
文化教育〉(《雲南師大學報》1995年4期)、劉道元〈抗日時期山東教
育行政〉(《中山學術文化集刊》30集,民72年11月)、王裕凱、袁英弁
〈抗戰三年來之貴州教育〉(《教育雜誌》3卷10號,民29年10月)、歐
元懷〈一年來之貴州教育〉(同上,31卷7號,民30年7月)、安永新
等〈抗日戰爭時期的貴州教育〉(《貴州文史叢刊》1987年2期)、歐元

懷〈三年來貴州教育改進之趨勢〉(《東方雜誌》39卷11號，民32年8月)、丁重宣〈福建戰時普通教育的設施〉(《教育雜誌》29卷8號，民28年8月)及〈福建戰時民眾教育的設施〉(同上，29卷12號，民28年12月)、君梅等〈抗戰期間福建省教育大事記〉(《教育與文化》1卷2期，民35年1月)、鄭貞文〈抗戰以來的福建教育〉(《教育雜誌》31卷9號，民30年9月)、黃麟書〈抗戰以來的廣東教育〉(同上，31卷7號，民30年7月)、雷沛鴻〈廣西省教育現況與檢討〉(同上，30卷9號，民29年9月)、楊衛玉〈廣西職業教育的輪廓〉(《教育雜誌》30卷7號，民29年7月)、程時煃〈抗戰以來江西省教育〉(同上，31卷7號，民30年7月)、楊衛玉〈江西職業教育之現況〉(同上，30卷8號，民29年8月)、江應澄〈東北之偽教育〉(同上，30卷7號，民29年7月)、趙捷民〈冀東淪陷區奴化教育的實況〉(《教育雜誌》30卷1號，民29年1月)、國府種武〈〔太平洋戰爭下〕北京・廣東の教育〉(《法政大學文學部紀要》15號，1970年3月)、懷襄〈抗戰初期之四川教育〉(《四川文獻》21期，民53年5月)、郭有守〈抗戰以來的四川教育〉(《教育雜誌》31卷7號，民30年7月)、李定開《抗戰時期重慶的教育》(重慶，重慶出版社，1995)、汪煥章〈抗日時期的寧波教育〉(《寧波同鄉》21、22期，民55年8、10月)、宋晞〈論抗戰期間大學播遷與西南地區高等教育之發展〉(《珠海學報》16期，1988年10月)、劉明香《抗戰時期西南地區高等教育之研究》(臺灣大學三民主義研究所碩士論文，民77年5月)、李舜傑《抗戰時期貴州的高等教育》(臺灣師大歷史研究所碩士論文，民81年6月)、祿旭〈試論抗日戰爭時期的貴州高等教育〉(《貴州大學學報》1995年2期)、院毅成〈浙江省戰時的高等教育〉(《浙江月刊》13卷2期，民70年2月)、黃立懋〈浙江省戰時高等教育補述〉(同上，13卷5期，民70年5月)、李鐵虎〈抗戰時期北平高等院校的興衰〉(《北京黨史研究》1995年4期)、經盛鴻〈抗戰間期淪陷的高校內遷〉(《南京師大學報》1989年2期)及〈抗戰期間全國高校內遷述評〉(載《民國檔案與民國史學術討論會論文集》，北京，檔案出版社，1988)、徐國利〈抗戰時期高校內遷概述〉(《天津師大學報》1996年1期)、余子俠〈抗戰時期高校內遷及其歷史意義〉(《近代史研究》1995年6期)、莊焜明〈以抗戰最高戰略探討我國戰時大專院校之內遷〉(載簡牘學會編輯部主編《張曉峰先生八秩榮慶論文集－《簡牘學報》第8期，民68年11月)、夏軍〈抗日戰爭時期的高校內遷及其對我國高等教育事業的影響〉(《揚州師院學報》1994年4期)、西南地區政協文史資料協作會議編《抗戰時期內遷西南的高等院校》(貴陽，貴州民族出版社，1988)、姚蒸民〈抗戰時期川境之大專院校〉(《四川文獻》109期，民60年9月)、易社強 (John Israel)〈西南聯大：以保持為至上價值〉(載《八年對日抗戰中之國民政府》，臺北，臺灣商務印書館，民67)、"Studying Lianda： The Observer as Participant." (Republican China, Vol. 15, No. 2, 1990)、"When is the Fiftieth Anniversary of Lianda： Observations on the Semicentennial of an Eminent University." (Republican China, Vol. 17, No. 1, 1991)及"Chungking and Kunming: Hsi-nan Lienta's Response to Government Educational Policy and Party Control." (載《抗戰建國史研討會論文集》上冊，民74)、張起鈞〈西南聯大的背景〉(《文藝復興》132期，民71年5月)；《學府紀聞：國立西南聯合大學》(臺北，南京出版公司，民70)、李鍾湘〈國立西南聯合大學始末記〉(《傳記文學》39卷2-4期，民70年2-4月)、楊正愷《西南聯大的研究》(政治大學歷史研究所碩士論文，民82

年6月）、西南聯合大學北京校友會校史編輯委員會編《國立西南聯合大學校史資料》（北京，北京大學出版社，1986）及《笳吹弦誦在春城：回憶西南聯大》（昆明，雲南人民出版社，1986）、雲南省政協文史資料研究委員會編《雲南文史資料選輯。第34輯：西南聯大建校五十週年紀念專輯》（昆明，雲南人民出版社，1988）、西南聯合大學北京校友會編《笳吹弦誦情彌切：國立西南聯合大學五十周年紀念文集》（北京，中國文史出版社，1988）及《國立西南聯合大學校史：1937至1946年的北大、清華、南開》（北京，北京大學出版社，1996）、謝本書〈西南聯大－近代教育史上的明珠〉《雲南師大學報》1988年增刊）、吳寶璋〈西南聯大的傳統及歷史地位〉（同上）、熊朝雋〈西南聯大在艱苦中育才〉（同上）、楊立德〈西南聯合大學對抗戰救國的貢獻〉（《雲南師大學報》1995年4期）、黃海燕〈抗戰中西南聯大民主運動述論〉（《遼寧師大學報》1995年4期）及〈淺論西南聯大〝民主堡壘〞成因〉（同上，1993年2期）、謝本書〈西南聯大的民主精神－西南聯大研究之二〉《雲南師大學報》1991年5期）、楊立德〈三民主義教育在西南聯大－評陳雪屏向常委會的報告〉（同上，1993年5期）、熊朝雋〈西南聯大的社團及其活動〉（《雲南文史叢刊》1993年2期）、阮雋釗〈國立西南聯合大學的社團組織〉（《湖南文獻》14卷4期，民75年10月）、謝本書〈西南聯大的科學精神－西南聯大的研究之三〉（《雲南師大學報》1992年2期）、楊立德〈從校訓看西南聯大的個性〉（同上，1990年4期）、袁國友〈西南聯大教師群體試析〉（同上，1989年4期）及〈西南聯大教師群體論析－紀念西南聯大五十周年〉（《研究集刊》1988年2期）、聞黎明〈論抗日戰爭時期教授群體轉變的幾個因素－以國立西南聯合大學為例的個案研究〉（《近代史研

究》1994年5期）、楊集成〈西南聯大對雲南的影響〉（《雲南文獻》22
期，民81年12月）、劉惠璇〈抗戰時期知識分子的困境－以西南聯
大師生為主體的研究〉（《警專學報》第3期，民79年6月）、謝泳〈西
南聯大知識份子群的形成與衰落〉（《二十一世紀》38期，1996年12月）
及〈敘永級學生的命運－關于西南聯大的個案研究〉（《東方》1995年
6期）、查良錚〈抗戰以來的西南聯大〉（《教育雜誌》31卷1號，民30
年1月）、翟國瑾〈野玫瑰演出前後－西南聯大生活散記之一〉（《中
外雜誌》34卷2、3期，民72年8、9月）、查良釗〈憶西南聯大〉（《傳
記文學》42卷1、2期，民72年1、2月）、吳大猷〈大學的特色與風格：
從抗戰前北大清華南開暨抗戰期間西南聯大的學術成就談到目前臺
灣大學教育的隱憂〉（同上，46卷3期，民74年3月）、江彝定、陳省
身、易君博、黃達河等〈懷談在昆明的西南聯大〉（《雲南文獻》17期，
民76年12月）、車銘、林毓杉、符開甲〈戰爭烽火中誕生的西南聯
合大學〉（載《抗戰時期內遷西南的高等院校》，貴州民族出版社，1988）、
劉克光〈西南聯大在雲南〉（《研究集刊》1989年1期）、陽體明〈西南
聯大師範學院的辦學特點〉（《雲南師大學報》1986年1期）、張映庚〈普
通話在西南聯大師範學院〉（同上）、吳大猷〈抗戰期中的西南聯合
大學物理系〉（《傳記文學》49卷2期，民75年8月）、葉上芃〈關於西
南聯大機械系的補正〉（同上，39卷6期，民70年12月）、趙捷民〈憶
西南聯大的幾位文史教授〉（《雲南師大學報》1986年1期）、馬逢華〈記
西南聯大的幾位教授〉（《傳記文學》52卷6期，民77年6月）、王瑤〈關
於西南聯大和聞一多、朱自清兩位先生的一些事〉（《雲南師大學報》
1986年4期）、李凌〈聯大八年〉（《雲南社會科學》1989年1期）、吳
紀〈八年來的西南聯合大學〉（《民主周刊》2卷14期，民34年11月）、

陳述元〈母校西南聯大建校紀念〉(《雲南師大學報》1989 年 2 期)、彭
國濤〈回憶西南聯大敘永分校〉(同上,1990 年 3 期)、蕭松、馬句
〈回憶西南聯大同學參加青年軍和北大青年軍參加學運的情況〉(《青
運史研究》1981 年 1 期)、梅貽琦〈抗戰期中之清華〉(《教育通訊》2 卷
23 期,民 28 年 6 月)及〈三談抗戰期中之清華〉(《傳記文學》5 卷 3 期,
民 53 年 9 月)、周法高〈記昆明北大文科研究所〉(同上,42 卷 1、2
期,民 72 年 1、2 月)、朱育和、陳兆玲主編《日軍鐵蹄下的清華園》
(北京,清華大學出版社,1995)、梅貽琦〈抗戰期中清華〉(《教育通訊》
2 卷 2 期,民 28 年 2 月)、梅貽寶〈燕京大學成都復校始末記〉(《傳記
文學》44 卷 2、3 期,民 73 年 2、3 月)、石人〈1940－1945 年南京中
央大學的師生抗日愛國活動部分紀實〉(《南京大學學報》1992 年 1 期)、
羅家倫〈炸彈中長大的中央大學〉(《教育雜誌》31 卷 1 號,民 30 年 1 月)、
閻鴻聲〈顧孟餘軼事－沙坪霸中央大學雜記〉(《中外雜誌》38 卷 5 期,
民 74 年 11 月)、王成聖〈沙坪之憶(記抗戰中的中大)〉(《中外雜誌》
10 卷 1 期,民 60 年 7 月)、魯傳鼎〈中大四年〉(同上,20 卷 3 期,民 65
年 9 月)、丁維棟〈舊事依稀憶沙坪〉(同上,20 卷 1 期,民 65 年 7 月)、
葉華〈抗戰以來的中大農林植物研究所〉(《教育雜誌》31 卷 4 號,民 30
年 4 月)、劉敬坤〈長途跋涉的中央大學畜牧場〉(《民國春秋》1992 年
5 期)、余一心〈抗戰以來的中山大學〉(《教育雜誌》31 卷 1 號,民 30
年 1 月)、張江明等〈中山大學在坪石時期(1940－1945)的學生
運動〉(《中山大學學報》1989 年 4 期)、梅海〈活躍的中山大學戰地服
務團〉(同上,1986 年 1 期)、東北大學〈抗戰以來的東北大學〉(《教
育雜誌》31 卷 1 號,民 30 年 1 月)、李季洛〈四川三台時期東北大學後
去同學的東北問題研究社、學習社知之錄〉(《青年論叢》1994 年 1

期）、章玲苓、張勤宜〈還我河山，誓雪國恥：記1931～1945年交大抗日救亡民主運動〉(《上海檔案》1996年3期)、曹伯恒〈抗戰時期的齊魯大學〉(《山東文獻》10卷1期，民73年6月)、楊懋春〈齊魯大學校史㈣－抗戰期間的齊魯大學〉(同上)、王大空〈齊魯四年〉(同上，9卷4期，民73年3月)、劉世傳〈抗戰以來的齊魯大學〉(《教育雜誌》31卷1號，民30年1月)、姚耀宇〈華西壩齊大時代生活憶趣〉(《山東文獻》10卷1期，民73年6月)、羅自貞〈齊魯雜憶〉(同上)、謝英才〈抗戰時期苦讀於巴山蜀水間的齊魯子弟〉(《山東文獻》4卷1期；民67年6月)、褚承志〈私立齊魯大學的畢業生〉(同上，8卷2-4期，民71年9、12月、72年3月)、張綜〈抗日戰爭中的河南大學〉(《河南大學學報》1985年3期)、王錫璋〈憶河南大學抗戰前後的救亡活動〉(《河南黨史研究》1987年5期)、楊恒源〈抗日戰爭時期的東吳大學〉(《蘇州大學學報》1988年4期)、孫祥治〈抗戰以來的浙江大學〉(《教育雜誌》31卷1號，民30年1月)、謝思蕭〈抗戰中的浙大女生〉(《中外雜誌》7卷2期，民59年2月)、程融鉅〈抗日戰爭勝利前夕大後方學生運動新高漲的標志－談1945年浙大學生發表《國是宣言》的重要意義〉(《杭州師院學報》1985年1期)、中共貴州省遵義地委黨史工作委員會辦公室《黔北風雲：活躍在抗戰大後方的浙大學生運動》(杭州，浙江大學出版社，1987)、王星拱〈抗戰以來的武漢大學〉(《教育雜誌》31卷1號，民30年1月)、任健我〈抗戰以來的武漢大學〉(同上，31卷10號，民30年10月)、邵明甫〈抗戰以來的四川大學〉(《教育雜誌》31卷1號，民30年1月)、吳榕藩〈抗戰以來的暨南大學〉(同上)、秦軍〈廣西大學的今昔〉(同上)、吳南軒〈抗戰以來的復旦大學〉(同上)、歐元懷〈抗戰期間大夏大學的苦鬥〉(同上，29卷

4號，民28年4月）、王裕凱〈抗戰以來的大夏大學〉(《教育雜誌》31卷1號，民30年1月）、光華大學〈抗戰以來的光華大學〉（同上）、金石〈抗戰以來的金陵大學〉（同上）、華西大學〈抗戰以來的華西大學〉（同上）、馬敏〈抗戰期間教會大學的西遷——以華中大學和湘雅醫學院為例〉(載《慶祝抗戰勝利五十週年海峽兩岸學術研討會論文集》上冊，臺北，民85；亦載《華中師大學報》1996年2期）、華中大學〈抗戰以來的華中大學〉(《教育雜誌》31卷1號，民30年1月）、嶺南大學〈抗戰以來的嶺南大學〉（同上）、廣州大學〈抗戰以來的廣州大學〉（同上）、周振訓〈抗戰以來的中華大學〉（同上）、胡依〈抗戰以來的廈門大學〉(《教育雜誌》31卷1號，30年1月）、孫敦恒〈薩本棟與抗戰時期的廈門大學〉(《抗日戰爭研究》1993年2期）、黃新憲〈抗戰時期的福建協和大學師生〉(《福建論壇》1995年4期）、金雲銘〈回憶抗戰時期的協和大學〉(《福建地方志通訊》1985年4期）、林景潤〈抗戰以來的福建協和學院〉(《教育雜誌》31卷1號，民30年1月）、楊萬良〈記國立西南師範－抗戰期中後方國校師資的搖籃〉(《中外雜誌》34卷4期，民72年10月）、尹雪曼〈回首當年西北聯大〉（同上，7卷2期，民59年2月）、賴景瑚〈西北工學院與西北大學－抗戰期間兼長西北兩大學的回憶〉(《傳記文學》8卷5期，民55年5月）及〈一個最愉快的回憶－抗戰期間接長西北大學的經過和感想〉(同上，15卷6期，民58年12月）、西北大學校史編寫組編《西北大學校史稿：解放前部分》(西安，西北大學出版社，1987）、黃新究〈抗戰時期的華南女子文理學院師生〉(《福建黨史》1995年10期）；〈私立華南女子文理學院遷校南平以後活動概況〉(《教育雜誌》31卷3號，民30年3月）、國師〈抗戰以來的國立師範學院〉(《教育雜誌》31卷7號，民30

年7月）、江學廬〈抗戰以來的江蘇醫學院〉（同上，31卷1號，民30年1月）、林礦如〈抗戰以來的廣東省立文理學院〉（同上）、高踐四〈抗戰以來的江蘇省立教育學院〉（同上）、南子通〈抗戰以來的南通學院〉（同上）、夏思祖〈顧祝同將軍與戰時江蘇學院〉（《近代中國》65期，民76年6月）、盧室〈抗戰以來的國立藝專〉（《教育雜誌》31卷1號，民30年1月）、虞復〈抗戰以來的上海美專〉（同上）、曾濟寬〈抗戰以來的西北技專〉（同上）、周厚樞〈抗戰以來的西北醫學院〉（《教育雜誌》31卷4號，民30年4月）、靈萬〈抗戰以來的國立西北工學院〉（同上，31卷7號，民30年7月）、秋泓〈抗戰以來的武昌藝專〉（同上，31卷2號，民30年2月）、周厚樞〈抗戰以來的國立中央技藝專科學校〉（同上）、李書田〈國立西康技藝專科學校之創設及其使命〉（同上）、胡清林〈論抗日戰爭中的國立西康技藝專科學校〉（《中國科技史料》15卷3期，1994年9月）、無錫國專〈抗戰以來的吳錫國專〉（《教育雜誌》31卷5號，民30年5月）、武振綱〈抗戰以來的川至醫專〉（同上）、何神州〈抗戰期中之私立北平民國學院〉（同上，31卷11號，民30年11月）、楊漢馳〈抗戰初期的海師生活〉（《海州文獻》1卷1期，民68年6月）、楊軍〈抗戰時期雲南大中學校的進步壁報〉（《雲南文史叢刊》1995年3期）、重慶社會大學育才學校校史研究會編《大後方青年運動參考資料－重慶社會大學》（重慶，重慶出版社，1984）、姜良任〈抗戰時期的陸軍大學〉（《中外雜誌》25卷2期，民68年2月）、張瑞德〈抗戰時期的陸軍大學－師資與課程的分析〉（載《中華民國史專題論文集：第二屆討論會》，臺北，國史館，民82）、楊學房、朱秉一主編《陸軍大學沿革史》（臺北，三軍大學出版社，民79）。李蒸〈抗戰期間大學教育之方式〉（《教育雜誌》28卷9號，民27年9月)、莊焜明〈論抗戰時期中國大專院校導師制之創行〉(《近代中國》83期,民80年6月)、陳東原〈現時我國大學各科之分佈〉(《教育雜誌》31卷8號,民30年8月)、雷天一〈抗戰時期的省立衡山鄉村師範〉(《湖南師院學報》1984年3期)、綦朝思〈抗戰時期國立貴州師範辦學特點〉(《貴州文史叢刊》1989年2期)、謝晉顧整理〈定安中學抗戰期間辦學概況〉(《海南史志》1995年2期)、趙有章〈抗戰時期河南淪陷區學校播遷宛西的原因及作用〉(《南都學壇》19ジ96年1期)、李鐵虎〈日偽統治時期北平中等學校一瞥〉(《北京黨史研究》1996年4期)、劉道元〈抗戰初期山東中等學校之遷移〉(《中山學術文化集刊》32集,民74年3月)、〈抗戰後期在阜陽設立六校〉(《山東文獻》10卷3期,民73年12月)及〈抗戰期間教育廳資送青年前往後方〉(同上,10卷2期,民73年9月)、胡國臺〈國共校園鬥爭-1937-1949〉(《歷史月刊》44期,民80年9月)、張神根〈國統區"戰時當作平時看"辦學方針新論〉(《學術月刊》1993年7期)、Hu Kuo-tai(胡國臺), "The Struggle Between the Kuomintang and the Chinese Communist Party on Campus During the War of Resistance:1937-1945." (The China Quarterly, No. 118, June 1989)、張友仁〈十年來專科以上學校教職員之待遇〉(《教育通訊》3卷11期,民36年12月)、于正生〈記抗戰時期學生貸金〉(《東方雜誌》復刊10卷3期,民65年9月)、笹島恒輔〈戰時中,戰後(1937年-1949年)の中國(民政府治下)の體育とスポーツ〉(《體育研究所紀要》15卷1號,1975年12月)、重慶市體育運動委員會編《抗戰時期陪都體育史料》(重慶,重慶出版社,1989)、鍾淑芬〈抗戰期間陪都體育功效之研究(紀念抗戰勝利五十週年)〉(《臺北商專學報》46期,民85年6月)、趙軍先〈抗日戰爭時期中國三種不

同的文化教育〉(《延安大學學報》1995年3期)、鈴木健一〈日中戰時
中國の「戰時讀物」について－社會科教育的性格を中心に〉(載
《アジア教育史研究》，1991年3月)、王聿均〈抗戰前後朱家驊對教
育的貢獻〉(《珠海學報》16期，1988年10月)。Edward Gulick, Teaching
in Wartime China： A Photo-Memoir, 1937-1939.（Amherst： Univer-
sity of Massachusetts Press, 1995）。至於日偽刻意推行的奴化中國人
的教育有歐陽杰〈日本侵華過程中的奴化教育述評：紀念中國抗日
戰爭勝利五十周年〉(《吉安師專學報》1995年3期)、沙蘭芳〈淪陷區
的奴化教育和反奴化教育鬥爭〉(載《抗日戰爭史事探索》，上海社會科
學院出版社，1988)及〈日偽在南京推行奴化教育〉(《江蘇歷史檔案》
1995年4期)、李朝〈偽滿時期〝東三省〞實施的〝奴化〞教育〉(《農
墾師專學報》1995年3期)、王穎〈偽滿殖民教育方針的演變及其影
響〉(《社會科學輯刊》1995年6期)、胡小淳〈剖析日本帝國主義在我
國東北的殖民奴化教育〉(《南京政治學院學報》1990年1期)、齊紅深
〈日本帝國主義在我國東北推行殖民教育的本質特徵〉(《教育評論》
1996年1期)、尉常榮〈略述日本帝國主義在撫順推行的日人教育〉
(《撫順社會科學》1994年2、3期)、金明蘭〈奴化教育與殖民統治〉(《佳
本斯教育學院學報》1996年1期)、經盛鴻〈日偽對我國關內地區教育
侵略述評〉(《南京師大學報》1988年1期)。其他如大柴衛〈太平洋戰
爭中在支邦人學校狀況〉(《姬路工業大學研究報告》第6號，1957年2
月)。

(八)戰時法制和司法

　　有薩師炯〈中國立法程序之平時與戰時〉(《東方雜誌》40卷14號，

民33年7月）、陳之邁〈戰時立法問題〉（《新經濟》2卷3期，民38年7月）、鄭連勝《我國戰時憲政體制之研究》（政治作戰學校政治研究所碩士論文，民69）、言西早〈戰時憲法概論〉（載《國父百年誕辰紀念論文專輯－臺灣大學學生集體創作》，民54年11月）、喬寶泰〈國防最高委員會憲政實施協進會修改憲草意見初探〉（載胡春惠主編《紀念抗日戰爭勝利五十周年學術研討會論文集》，香港，1996）、陳盛清〈抗戰期內的司法〉（《東方雜誌》35卷8號，民27年4月）、洪鈞培〈抗戰中司法行政之檢討〉（《中央週刊》1卷9期，民28年10月）、劉舫西〈中國戰時之司法行政〉（《時事類編特刊》59期，民30年1月）、陳後〈戰後中國行政法與法治〉（《軍事與政治》4卷4期，民32年4月）、夏道泰〈抗戰時期中國的司法改革〉（載《蔣中正先生與現代中國學術討論集》第3冊，民75）、丘宏達〈戰時司法改革與不平等條約的廢除及中國國際地位的提高〉（載許倬雲、丘宏達編《抗戰勝利的代價－抗戰勝利四十週年學術論文集》，臺北，聯經出版事業公司，民75）、陳盛清〈戰時的刑事訴訟〉（《東方雜誌》38卷18號，民30年9月）及〈戰時的民事訴訟〉（同上，38卷17號，民30年9月）、橫山宏〈抗日戰爭までの中國勞働立法ノート〉（《現代中國》28號，1954年5月）、吳顧毓〈修訂戶籍法之商榷〉（《東方雜誌》38卷19號，民30年10月）、蕭文哲〈改進西康司法之商榷〉（同上，35卷6號，民27年3月）、劉達人〈中日戰爭中幾個國際法問題〉（同上，36卷21、22號，民28年11月）、汪馥炎《抗戰與國際公法》（長沙，商務印書館，民27）、田文彬〈抗戰期中我國所得稅法應有之改革〉（《東方雜誌》35卷10號，民27年5月）。

(九)戰時學術文化和思想

　　學術方面有國民黨黨史會編印《革命文獻·第59輯：抗戰時期之學術》（臺北，民61）、謝幼偉《中國戰時學術》（南京，正中書局，民35）、賀麟〈抗戰建國與學術建國〉（《新動向半月刊》1卷3期，民27年7月）、楊慧清〈抗戰時期儒學研究論略〉（《史學月刊》1995年4期）、閻樹聲〈抗日戰爭與科學技術〉（《人文雜誌》1995年4期）、張鳳琦〈略論抗戰時期中外科學技術交流〉（《抗日戰爭研究》1995年2期）、張瑾、張新華〈抗日戰爭時期大後方科技進步述評〉（同上，1993年4期）、何一民〈抗戰時期重慶科技發展述略〉（《西南師大學報》1996年1期）、程雨辰主編《抗戰時期重慶的科學技術》（重慶，重慶出版社，1995）、宋洪憲〈抗戰時期貴州的科學技術〉（《貴州文史叢刊》1996年3期）、道朗〈交響樂的一個〝音符〞：李約瑟對中國大後方的科學考察〉（《玉林師專學報》1996年6期）、胡升華、〈李約瑟與戰時中國科學〉（《科學》1994年6期）、徐廷明、周星〈李約瑟與中英科學合作〉（《海南大學學報》1995年4期）及〈李約瑟與中英科學合作館〉（《西南師大學報》1996年1期）、郭湛波〈抗戰期間中國邏輯的演變〉（《新思潮月刊》1卷1期，民35年8月）、小宮義孝〈抗戰前後の中國の科學とその將來〉（《思想》275號，1947年3月）、任鴻雋〈抗戰後的科學〉（《東方雜誌》37卷12號，民29年6月）、盧于道〈抗戰中自然科學界的活動〉（《讀書月報》1卷2期，民28年3月）、劉廣定〈中國戰時（1937-1945）的化學研究〉（載《第四屆科學史研討會彙刊》，臺北，民85年12月）、趙喜順〈抗戰時期的四川社會學〉（《西南民族學院學報》1995年5期）、嚴建〈抗日戰爭時期雲南社會學活動四題〉（《思想戰線》1990年3期）、譚勤為〈抗戰期內我國科學出版物〉（《東方雜誌》39卷1號，民32年3月）、蔣俊〈抗日戰爭與愛國主義史學〉(《史學史研究》1995年2期)、臧嶸〈抗日戰爭時期歷史教科書的特點與啟示〉(《課程·教材·教法》1995年11期)、郭沫若〈戰時中國歷史研究〉(《中國學術季刊》第1期，民35年8月)。文學有劉心皇編《抗戰時期的文學》(臺北，國立編譯館，民84)、阪口直樹《十五年戰爭期の中國文學：國民黨文化潮流の視角から》(東京，研文出版，1996)及〈中國抗日時期文學の構圖－國民黨系文化潮流の視角から〉(《同志社外國文學研究)》74號，1996年3月)、服部隆造〈抗日戰爭時の中國文學〉(《天理大學學報》1卷4號，1950年5月)、家永三郎〈15年戰爭と文學〉(《歷史學研究》457號，1978)、平凡社《中國の革命と文學·第5、6冊：抗戰期文學》(東京，撰者印行，1971-72)、秦賢次編《抗戰時期文學史料》(臺北，文訊月刊雜誌社，民76)、李瑞騰《抗戰文學概論》(同上)、蘇光文編著《抗戰文學紀程》(重慶，西南師大出版社，1986)、蘇雪林等《抗戰時期文學回憶錄》(同上，文訊月刊雜誌社，民76)、孫進增〈左翼文學向抗戰文學的歷史轉換：論〝兩個口號〞及其論爭的本質和意義〉(《抗戰文藝研究》1988年2期)、李玉明〈抗戰文學新論〉(《山東社會科學》1992年2期)、鐵鋒〈抗戰時期文學的多維性與特點〉(《吉林大學學報》1993年2期)、杉野要吉著、張泉譯〈直面歷史：抗戰時期的中日文學糾葛〉(《北京社會科學》1996年2期)、靜閣〈抗戰四年來的文學〉(《新建設》2卷6、7期，民30年7月)、王平陵〈七年來的中國抗戰文學〉(《文訊月刊》第7·8期，民73年2月)、蘇光文〈抗戰文學簡論〉(《西南師院學報》1984年3期)、李延〈抗戰文學研究在臺灣〉(《上海師大學報》1994年2期)、曹鐵娟〈多色彩的抗戰文學〉(《思茅師專學報》1996年1期)、華林、宋豫〈抗戰文學的藝術風格與藝術形式〉(《語文函授》

1994年1期）、陶德宗〈對中國現代文學中一個重要史實的思辯：抗戰文學初潮新探〉（《佳木斯教育學院學報》1992年4期）、龍瑛宗〈崎嶇的文學路：抗戰文壇的回顧〉（《文訊月刊》第7、8期，民73年2月）、胡秋原〈抗戰與抗戰文學〉（《中華雜誌》18卷20期，民69年7月）、王聿均〈抗戰時期文學之演變〉（載《抗戰建國史研討會論文集》下冊，臺北，中央研究院近代史研究所，民74）、朱德發〈關于抗戰文學研究的幾點思考〉（《齊魯學刊》1988年2期）、徐迺翔〈抗戰時期文學的研究現狀和展望〉（《抗戰文藝研究》1985年3期）及〈漫談抗戰時期文學的研究〉（《文學研究參考》1986年3期）、曾鎮南〈抗戰文學的歷史地位與現實啟示〉（《求是》1995年8期）、白櫻〈戰時中國的文學與戲劇〉（《中行雜誌》1卷1期，民28年9月）、平獻明〈日本侵華戰爭中的文學〉（《日本研究》1993年4期）、陶德宗〈抗戰文學初潮探源〉（《中文自學指導》1992年5期）、周玉山〈抗戰時期的＂文學＂保衛戰〉（《幼獅月刊》355期，民71年7月）、秦賢次〈抗戰時期文學期刊目錄初編：民國二十六年七月至三十四年十二月〉（《文訊月刊》第7‧8期，民73年2月）、蘇光文〈論抗戰文學的歷史地位〉（《西南師大學報》1995年3期）、吳秀明、周保欣〈歷史追憶中的多層次掘進－論近年國內＂反法西斯主題＂的抗戰文學創作〉（《文藝研究》1995年5期）、殷白〈世界反法西斯鬥爭中的中國抗戰文學〉（《新文化史料》1995年4期）及〈世界反法西斯最早的中國抗戰文學－《世界反法西斯新文學書系》中國卷序言〉（《中流》1995年4期）、王立明〈對中蘇兩國反法西斯戰爭文學的思索〉（《瀋陽師院學報》1992年1期）、王新蘭〈迂動曲折的潛流與洶湧澎湃的洪濤－記中國抗日文學之兩翼的發展態勢〉（《甘肅社會科學》1995年2期）、王瑤〈抗戰前期的文學〉（《語文學習》

1958年3期）、程麻〈抗戰文苑中的文學翻譯之花〉(《江西大學學報》
1992年2期）、柳岸〈抗戰時期外國文學翻譯淺論〉(《重慶師院學報》
1984年1期）、何茂正等〈抗戰時期蘇俄文學在中國〉(《抗戰文藝研
究》1986年1期）、蘇光文〈大後方文學概論〉(《西南民族學院學報》1995
年2期）及〈國統區抗戰文學〝右傾〞論再認識－關於一個文學結論
的思考〉(《抗戰文藝研究》1983年3期）、華岳〈中國抗戰時期淪陷區
文學研究述評〉(《社會科學輯刊》1996年1期）、程麻〈抗戰時期文學
時空論〉(《學習與探索》1994年6期）及〈國統區諷刺文學現象述評〉
（同上，1992年2期）、聞黎明〈抗日戰爭時期的文學藝術作品〉(《抗
日戰爭研究》1995年增刊）、繆寄虎〈整理抗戰史料重為抗戰文學〉(《中
華雜誌》216期，民70年7月）、文天行《國統區抗戰文學運動史稿》
（成都，四川教育出版社，1988）、〈永遠的輝煌：抗戰時期大後方文
學運動巡禮〉(《天府新論》1995年6期）及〈抗戰時期國統區文學運動
概述〉(《抗戰文藝研究》1983年4期）、徐乃翔〈抗戰時期文學發展的
幾個特點〉（同上）、羅蓀〈值得紀念的抗戰文學運動〉（同上）、羅蓀〈值
得紀念的抗戰文學運動〉（同上）、尹鴻祿〈論抗戰時期的報告文學〉
（《蘇州大學學報》1993年1期）、史莽〈簡論抗戰文學中的報告文學〉
（《文藝理論與批評》1996年1期）、尹鴻祿〈文學的報告化到報告的文
學化：論抗戰時期報告文學藝術的嬗變與發展〉(《抗戰文藝研究》
1988年2期）、王耀輝〈略論抗戰和解放戰爭時期的報告文學創作〉
（《華僑大學學報》1988年2期）、李斌〈抗戰報告文學藝術論〉(《學海》
1995年5期）、郝勝道〈光明與黑暗交替時期社會生活的真實記錄：
國統區報告文學簡論〉(《信陽師院學報》1991年4期）、李先鋒〈〝戰
時的文壇上演了最活躍的角色〞：論抗日戰爭時期的報告文學創

作〉(《聊城師院學報》1989年1期）、李斌〈論抗戰報告文學的新啟蒙內涵〉(《學術研究》1995年4期）、章紹嗣〈抗戰初期的武漢報告文學〉(《中南民族學院學報》1985年4期）、劉錫誠〈抗日戰爭和解放戰爭時期的民間文學運動〉(《新文學史料》1992年3期）、Hung Chang-tai（洪長泰），"New Wine in Old Bottles：The Use of Folk Litera-ture in the War of Resistance Against Japan."（Chinese Studies, Vol. 8, No. 1, Part 2 1990）、章紹嗣〈抗戰時期的通俗文學運動和創作〉(《中南民族學院學報》1995年1期）、殷國明、王平〈中國抗戰流亡文學簡論〉(《學術研究》1995年5期）、劉心皇《抗戰時期淪陷區文學史》(臺北，成文出版社，民69）及《抗戰時期淪陷區的地下文學》(臺北，正中書局，民74年臺初版）、小野忍〈中國現代文學の發展－抗戰前後の長篇小說〉(《中國研究》第9號，1949年9月）、韋麗華〈抗戰文學中的"女性形象簡論"〉(《山東師大學報》1996年2期）、喬以鋼〈從面向女性自我到面向廣濶社會：三四十年代中國婦女文學的嬗變〉(《天津社會科學》1993年6期）、李德友〈《七月》與抗戰文學〉(《徐州師院學報》1996年2期）、阪口直樹〈中國抗戰時期文學と"民族"(1)(2)(3)－"國民黨系"作家の再評價をめぐって〉(《外國文學研究（同志社大學）》55、58、60號，1990年1、12月、1991年10月）、姜志軍〈論文學創作在抗日戰爭中的作用：紀念中國抗日戰爭勝利五十周年〉(《佳木斯師專學報》1996年1期）、王建中〈略論抗戰時期的革命文學創作〉(《社會科學輯?》1995年5期）、蔡宗雋、呂宗正〈李輝英和他的抗戰文學創作〉(《社會科學戰線》1995年5期）、吳中杰〈語絲派與抗戰文學〉(《魯迅研究月刊》1996年3期）、夏爵蓉〈抗戰時期少數民族作家文學的審美特徵〉(《民族文學研究》1994年1期）、王新

蘭〈抗戰時期海峽兩岸抗日文學的比較〉(《蘭州大學學報》1995年2
期)、張振奎〈抗戰時期的嶺南文學〉(《淮南大學學報》1985年4期)、
鄧國偉〈中國抗戰文學史上重要的一頁－抗戰初期廣州文學活動的
一個輪廓〉(《學術研究》1995年5期)、黃玄〈東北淪陷期文學概論
(二)(1939-1943)〉(《東北現代文學史料》1983年6期)、張玲〈東北淪
陷時期文學淺談〉(《日本研究》1993年4期)、馮為群〈論文學期刊
對東北淪陷時期文學的促進作用〉(《學術研究叢刊》1992年4期)、金
訓敏〈昨日的黃花〝囚徒〞的悲歌：東北淪陷區新文學再認識〉
(《吉林大學社會科學學報》1993年2期)、紀剛〈抗戰時期的東北文學
活動〉(《東北文獻》27卷1、2期，民85年12月)、鐵峰〈淪陷時期的
東北文學〉(《文學評論叢刊》23輯，1985年2月)、申殿和〈論東北淪
陷時期的文學思潮〉(《牡丹江師院學報》1991年1期)、黃萬華〈關于
東北淪陷時期文學答鐵峰〉(《文學評論》1992年3期)、岡田英樹〈東
北淪陷區文學をめぐる論爭－文學法廷から文學研究へ〉(《立命館言
語文化研究》3卷5號，1992年3月)、靳家林〈東北淪陷區文學研究の
歷史と現狀〉(《未名》12號，1994年3月)、游友其〈東北、華北淪陷
區女性文學的審美畸變〉(《寧德師專學報》1995年1期)、逢增玉〈東
北淪陷時期的鄉土文學與關內鄉土文學〉(《中國現代文學研究叢刊》
1992年4期)及逢增玉、張樹武〈淪陷時東北作家與五四作家對日本
化文學的態度〉(《日本研究》1993年4期)、鐵峰〈強者的歌吟－東北
抗日愛國文學〉(《北方論叢》1995年5期)、黃嫣梨〈東北流亡文學〉
(《河南大學學報》1993年5期)、季剛〈敵偽時期東北文壇剪影〉(《東
北文獻》7卷3期，民66年2月)、魯海等〈華北淪陷區文學概觀〉(《抗
戰文藝研究》1985年3期)、錢鋒〈武漢淪陷時期的文學〉(同上)、阪

口直樹〈中國抗戰時期文學と"民族"（6）－武漢における「民族主義文學運動」の展開〉（《同志社外國文學研究》71號，1995年3月）、魏華齡〈抗日戰爭時期桂林文化城的文學活動〉（《抗戰文藝研究》，1985年1期）、陽曉儒〈抗戰時期的桂林文學－讀《桂林抗戰文學史》〉（《中國圖書評論》1994年6期）、黃萬機〈抗戰期間貴陽地區的文學活動概況〉（《抗戰文藝研究》1985年3期）、龍敏、沈風〈在烽火中誕生和成長的山西抗戰文學〉（《學術論叢》1995年5期）、羅仕安〈風雲時代的戰歌：抗戰時期的湖南文學〉（《懷化師事學報》1995年4期）、柳書琴《戰爭與文壇－日據末期臺灣的文學活動（1937-1945・8）》（臺灣大學歷史研究所碩士論文，民83）、陳青生《抗戰時期的上海文學》（上海，上海人民出版社，1995）、柯靈〈上海淪陷時期戲劇文學管窺〉（《上海師院學報》1982年2期）、楊幼生〈"孤島"文學雜談〉（《藝譚》1981年1期）、蔣星煜〈孤島文學論略〉（《上海師大學報》1993年1期）、盧豫冬〈"孤島"文學之回顧〉（《新文學史料》1993年2期）、尤其〈"孤島"與上海淪陷區女性文學管窺〉（《寧德師專學報》1995年2期）、曉霖〈抗戰時上海文學與戰時中國文學〉（《上海文化》1995年6期）、Edward Mansfield Gunn, Jr., Chinese Literature in Shanghai and Peking(1937-45),(Ph D. Disseration, Columbia University, 1978) 及 Unwelcome Muse：Chinese Literature in Shanghai and Peking, 1937-1945,(New York：Columbia University Press, 1980)係其博士論文加以修訂易名而出版者；、潘頌德〈上海淪陷時期女作家創作述評〉（《綏化師專學報》1992年1期）、唐弢〈四十年代中期的上海文學〉（《文學評論》1981年3期）、上海社會科學院文學研究所現代文學研究室、上海圖書館特藏部文獻組編《上海"孤島"時期文學報刊編目》

（上海，上海社會科學院出版社，1986）、上海社會科學院文學研究所編
《上海“孤島”文學回憶錄》（同上，1985）。陳青生〈抗戰時期漢奸
文學浮沉〉（《中文自修》1993年10期）及〈從〝和平文學〞到〝大東
亞文學〞：抗戰時期漢奸文學標幟的流變〉（《上海文論》1992年1期）、
馮為群〈是漢奸文學還是抗日文學〉（《佳木斯師事學報》1992年2期）。

　　文藝及文藝活動有藍海《中國抗戰文藝史》（現代出版社，民
36）、武湖〈一個篳路藍縷的現代文學史著－從《中國抗戰文藝史》
的兩個版本看歷史價值和現實意義〉（《徐州師院學報》1995年2期）、
陳紀瀅〈抗戰文藝瑣記〉（《近代中國》47期，民74年6月）、朱介凡
〈泛論抗戰文藝〉（《文訊月刊》第7‧8期，民73年2月）、秦賢次編《抗
戰時期文藝大事記：民國二十六年七月至三十四年十二月》（同
上）、鍾雷〈抗戰時期文藝的戰鬥精神－從抗戰文藝談起〉（《中央月
刊》11卷9期，民68年7月）、陳紀瀅〈抗戰時期文藝的戰鬥精神－
憶戰時作品：朗誦詩、話劇、音樂、小型油印報〉（同上）、李長冬
〈抗戰時期文藝的戰鬥精神－抗戰時期文藝政策的訂立〉（同上）、
王夢齡〈抗戰時期文藝的戰鬥精神－抗戰精神與抗戰劇的一點回
顧〉（同上）、胡一貫〈抗戰時期文藝的戰鬥精神－我思抗戰文藝〉
（同上）、王集叢〈抗戰時期文藝的戰鬥精神（續）－文藝抗戰在江
西〉（《中央月刊》11卷10期，民68年8月）、馮放民〈抗戰時期文藝的
戰鬥精神〉（續）－文藝精神與生活（同上）、唐紹華〈抗戰時期文
藝的戰鬥精神（續）－文藝是希望的象徵〉（同上）、方向〈抗戰時
期文藝的戰鬥精神（續）－抗戰‧木刻與我〉（同上）、趙友培〈抗
戰時期文藝的戰鬥精神（續）－抗戰時期的文藝鬥士〉（同上）、陶
希聖〈抗戰時期文藝的戰鬥精神（續）－抗戰時期的憂患哲學與戰

鬥意志〉(同上)、王集叢〈抗戰時期中的文藝動態：我的回憶〉(《文訊月刊》第7‧8期，民73年2月)、趙友培〈抗戰時期的文藝工作〉(同上)、魏紹徵〈抗戰時期的文藝戰鬥活動〉(同上)、陳紀瀅〈抗戰以前及抗戰時期中國文藝發展述要〉(《近代中國》41期，民73年6月)、尚鉞〈抗戰文藝任務的新發展〉(《民主周刊》1卷4、5期，民34年1月)、石雅娟、吳京波〈中國抗戰文藝活動紀事〉(《新文化史料》1995年4-6期)、李世暉〈略論抗日文藝運動的幾個階段〉(《中共黨史研究》1990年6期)、王鮮園〈抗戰文藝鳥瞰〉(《時代精神》4卷3期，民30年6月)、舒舒〈抗戰以來文藝發展的情形〉(《國文月刊》14、15期，民31年8、9月)、李繼凱〈多維的世界和審美的透視：關于抗戰文藝的一點思考〉(《延安大學學報》1989年1期)、王大明、文天行、廖全京編《抗戰文藝報刊篇目彙編》(成都，四川省社會科學院出版社，1984)、四川省社會科學院文學研究所抗戰文藝研究室編《抗戰文藝報刊篇目彙編續編》(同上)、《抗戰文藝研究》編委會編《抗戰文藝研究（二）》(同上，1988)、陽翰笙〈關於抗戰文藝〉(《抗戰文藝研究》1983年4期)、葛一虹〈對抗戰文藝研究中幾個問題的看法〉(同上)、陳白塵〈抗戰文藝與抗戰戲劇〉(同上)、戈寶權〈抗戰文藝的國際交往與黨對抗戰文藝的領導〉(同上)、梁永年〈略論抗戰時期國統區的文藝論爭〉(《上海廣播電視（文科月刊）》1985年5期)、文天行〈抗戰初期國統區文藝大眾化問題討論淺見〉(《學術論壇》1983年1期)及《周恩來與國統區抗戰文藝》(成都，四川省社會科學院出版社，1985)、史彥〈抗戰初期國統區通俗文藝創作潮〉(《抗戰文藝研究》1988年2期)、黃俊英〈抗戰時期文藝界的國際交往〉(《重慶師院學報》1984年4期)、江惠之〈關於〝抗戰文藝的分期問題〞〉

（同上，1984年2期）、夷風〈抗戰與文藝〉（《大學》2卷2期，民32）、孫怒潮〈抗戰文藝的檢討與展望〉（《大學月刊》2卷7期，民32年7月）、陳紀瀅〈抗戰第二期文藝之回顧〉（《新政治月刊》3卷3期，民29年1月）、章紹嗣、尹鴻祿〈新時期抗戰文藝研究述評〉（《社會科學研究》1991年2期）、張強〈國民黨抗戰時期的文藝政策〉（《民國檔案》1991年2期）、蘇光文〈抗戰文藝的一場重要鬥爭－關於對國民黨〝文藝政策〞的抨擊〉（《抗戰文藝研究》1983年1期）、朱學蘭〈抗戰需要文藝，文藝必須抗戰－關於抗戰時期文藝界跟梁實秋的〝與抗戰無關論〞的論爭〉（《重慶師院學報》1981年4期）、文天行編《國統區抗戰文藝運動大事記》（成都，四川省社會科學院出版社，1985）、穆木天〈一年來的新雲南文藝工作〉（《新雲南半月刊》第1期，民28年1月）、熊朝雋〈抗日戰爭時期昆明的文藝運動〉（《昆明師院學報》1981年1期）、廣西社會科學院主編《桂林抗戰文藝辭典》（南寧，廣西人民出版社，1989）、李建平〈桂林抗日文藝運動發展的八個階段〉（《廣西社會科學》1986年3期）及〈試論〝桂林文化城〞在國統區文藝運動中的地位和作用〉（《抗戰文藝研究》1983年5期）、劉安章〈抗戰初期重慶文藝活動述略〉（《重慶師院學報》1987年3期）、新島淳良〈何其芳と重慶の文藝論爭〉（《教養諸學研究》21號，1965年11月）、李田林〈戰時陪都文酒之會及其它〉（《傳記文學》20卷3期，民61年3月）、楊忠〈抗戰文藝運動在甘肅〉（《甘肅社會科學》1995年6期）、劉傳輝〈成都抗戰初期的文藝運動〉（《抗戰文藝研究》1984年3期）、洪沛然〈抗戰初期的成都文藝界救亡協會〉（《四川黨史研究資料》1983年3期）、蘇光文〈《講話》與國統區抗戰文藝〉（《抗戰文藝研究》1982年2期）、章紹嗣〈武漢抗戰文藝與黨的領導〉（《中南民族學院學報》1986

年3期）、錫金〈武漢時期的《抗戰文藝》〉（《中國現代文學研究叢刊》1982年1期）、羅蓀〈關於《抗戰文藝》〉（《新文學史料》1980年2期）、田禾〈戰時文藝雜誌評介〉（《現代青年月刊》3卷2期，民29年12月）、高蘭〈較早的抗戰文藝刊物《哨崗》〉（《抗戰文藝研究》1983年2期）、羲娥〈簡介幾種抗戰文藝報刊〉（同上，1983年6期）、谷鶯〈抗戰文藝的一個重要方面〉（同上）、呂欽文〈東北淪陷時期文藝大事記（1931-1945年8月）〉（《克山師專學報》1984年2、3期）、楊子忱〈淪陷時期的東北抗日文藝運動〉（《社會科學探索》1995年6期）、劉慧娟、徐謙〈中國現代文學史上不可缺少的篇章－簡述東北淪陷時期左翼文藝活動〉（《佳木斯師專學報》1992年2期）、馮為群〈日本對東北淪陷時期的文藝統治〉（《社會科學戰線》1990年2期）、周淑珍、苗士孝〈淪陷時期哈爾濱左翼文藝運動〉（《北方論叢》1992年5期）、文雨〈中華全國文藝界抗敵協會大事記〉（《抗戰文藝研究》1981年1-3期）、重慶師院中文系國統區抗戰文藝研究室〈抗日戰爭時期國統區文藝大事記〉（《重慶師院學報》1981年2-4期）、黃曼君〈抗戰前期的文藝運動與創作概貌〉（《語文教學通訊》1981年4期）、郝明工〈抗戰時期大後方文藝思潮剖析〉（《甘肅社會科學》1995年4期）、章紹嗣、程克夷、胡水清等《武漢抗戰文藝史稿》（武漢，長江文藝出版社，1988）、程克夷〈抗戰初期武漢文藝理論建設述評〉（《中南民族學院學報》1985年4期）、王嘉良〈戰時東南文藝發展述略〉（《溫州師院學報》1994年1期）、〈品位與價值：戰時東南文藝的歷史檢視〉（《浙江學刊》1994年3期）及〈從混沌到有序：抗戰時東南文藝運動發展軌迹〉（《浙江師大學報》1994年5期）、王嘉良等《戰時東南文藝史稿》（上海，上海文藝出版社，1994）、賴丹〈憶述抗日戰爭時期東南文化中心永安等

地的文藝活動〉(《龍岩師專學報》1993年1期)、封世輝〈華東淪陷區
文藝期刊概述〉(《中國現代文學研究叢刊》1994年1期)、吳定宇〈論
華南抗戰文藝運動的歷史地位和作用〉(《中山大學學報》1995年3期)、
杉本達夫〈香港《大公報》「文藝」のこと－抗戰文藝のひとつの
砦〉(《中國文學研究（早稻田大學）》第1號，1975年12月)及〈抗戰前
期の沈滯と昂揚－香港《大公報》「文藝」に關する補足〉(同上，第
2號，1976年12月)、昝玉林〈抗戰文藝與《迪化一日》〉(《新文化史
料》1992年1期)、錢今昔〈〝孤島〞文藝細流〉(《社會科學（上海）》
1981年2期)、吳永平〈鄂北第五戰區抗戰文藝活動概略〉(《江漢論
壇》1995年7期)、章紹嗣〈抗戰〝文協〞發端〉(《武漢春秋》1984年
4期)、馮乃超〈武漢撤退前的文協〉(《抗戰文藝研究》1983年3期)、
羅衣寒〈記文協第一屆年會〉(同上)、文天行〈〝文協〞概述〉(同
上，1983年1期)及〈記述〝文協〞的成立〉(同上，1982年4期)、
黎明〈《新華日報》有關〝文協〞文章的目錄索引〉(《抗戰文藝研究》
1982年4期)、魏望齡〈〝文協〞桂林分會記事〉(同上，1983年1、
2期)、王開明〈〝文協〞成都分會和它的分會〉(同上，1983年1期)、
晴空〈憶揮戈文藝社〉(同上)、吳從發〈〝文協〞昆明分會始末〉
(同上，1983年3期)、姜振昌〈戰時雜文的〝共時態〞旋律－從抗戰
到解放戰爭時期國統區雜文創作流向描述之一〉(《山東社會科學》
1992年1期)、尹鴻祿〈論抗戰時期的雜文〉(《西南師大學報》1992年
4期)、黃萬華〈藝術借鑒：論淪陷區散文同外來文化影響相處的基
本格局〉(《社會科學輯刊》1995年1期)、申殿和〈論東北淪陷區的散
文創作〉(《北方論叢》1993年4期)、周毅〈戰地黃花分外香：抗戰時
期東南地區散文作家及創作〉(《浙江師大學報》1994年3期)、蒙樹宏

〈雲南抗戰時期散文三家試論：《雲南抗戰時期文學史》選刊〉(《雲南教育學院學報》1995年6期)、傅德珉〈抗戰時期重慶作家的散文創作〉(《渝州大學學報》1995年3期)、陳銳鋒〈抗戰時期的貴州散文〉(《貴州師大學報》1995年3期)、傅德珉、李融〈歷史的豐碑時代的畫卷：抗戰時期大後方散文閱讀札記〉(《文史雜志》1988年1期)、傅德珉〈民族主義的呼喊散文史上的豐碑：抗日戰爭時期大後方散文創作的成就〉(《雲南師大學報》1989年2期)、張桂年〈上海〝孤島〞時期的散文續說〉(《江西教育學院學報》1996年1期)。鄧邦洪〈抗戰小說創作的發展〉(《湖北民族學院學報》1996年1期)、孔慶東〈抗戰與通俗小說的勃興〉(《通俗文學評論》1996年2期)、范智紅〈抗戰時期淪陷區小說探索〉(《文學評論》1995年3期)、黃萬華〈淪陷區小說現實主義藝術的錘煉和深化〉(《寧德師專學報》1995年3期)、葉志良〈1937-1945：戰時東南小說創作散論〉(《文學理論與批評》1994年3期)、張毓茂、閻志宏〈論東北淪陷時期小說〉(《社會科學輯刊》1992年2、3期)、蕭禮榮〈精神的漂流：論二十世紀四十年代國統區的小說〉(《四川師院學報》1996年2期)、夏崇德〈四十年代小說漫論〉(《臺州師專學報》1995年1期)、宋立民〈批評與建設：四十年代鄉土小說對倫理文化的探尋〉(《淄博師專學報》1996年1期)、宋立民、楊曉塘〈四十年代鄉土小說的地域色彩與風俗畫卷〉(《黃淮學刊》1995年2期)、陳農革〈抗戰期間短篇小說創作的特徵〉(《協大文藝》20期，民36年5月)、姜振昌〈章回體的回歸與開放體的建構－抗日戰爭和解放戰爭時期小說文體結構形態概述〉(《東岳論叢》1992年3期)、陳繼會〈拷問靈魂：抗戰及其後知識者小說的主題考察〉(《鄭州大學學報》1992年3期)王衛平〈四十年代諷刺小說的時代風貌與風格特徵－現代諷刺小說研究之一〉(《錦州師院學報》1992年3期)及〈四十年代諷刺小說的敘述方式〉(《文學評論》1989年6期)、李建平〈抗戰時期國統區小說創作的重要一翼－簡評抗戰時期桂林文學界的小說創作〉(《廣西大學學報》1988年4期)、金訓敏〈東北淪陷區新小說的藝術特色和審美價值－東北淪陷區文學研究之二〉(《吉林大學社會科學學報》1989年4期)、郭志剛〈論三四十年代的抗戰小說〉(《文學評論》1995年4期)、劉芸亭等搜集整理〈抗日故事（7篇）〉(《民間文學》1965年5期)、朱勝興等整理〈抗日時期的傳說故事〉(同上,1959年8期)、袁泉〈抗日戰爭題材作品的主調變奏〉(《青島大學師院學報》1995年3期)、王聿均〈抗戰時期詩歌之形式和內容－「抗戰文學」論之一〉(《中央研究院近代史研究所集刊》16期,民76年6月)、竣山〈淺析抗戰時期的詩歌創作〉(《青海湖》1995年8期)、龍泉明〈抗戰詩歌理論發展述評〉(《文學評論叢刊》26輯,1985年5月)、季生〈抗戰詩的幾個問題〉(《新動向半月刊》3卷5期,民28年11月)、陣ノ內宜男〈抗日戰爭期の詩〉(收於《軍記物とその周邊》,東京,早稻田大學出版部,1969)、陸文清〈抗戰前後的中國象徵派詩：法國象徵詩對中國象徵詩影響研究之一〉(《中國現代文學研究叢刊》1988年3期)、舒蘭《抗戰時期的新詩作家和作品》(臺北,成文出版社,民69)、龍泉明〈論中國40年代新詩的意象化運動〉(《學習與探索》1996年5期)及〈論中國四十年代新詩的朗頌化運動〉(《通俗文學評論》1996年4期)、孫光萱、吳歡章〈抗戰時期國統區的新詩創作〉(《文學評論叢刊》23輯,1985年2月)、許霆〈論三四十年代中國十四行詩的進化〉(《吳中學刊》1993年3期)、子張〈40年代現代詩派的抒情策略〉(《山東師大學報》1996年2期)、王辛笛〈試談四十年代上海新詩

風貌〉(《詩探索》1982年3期)、陸耀東〈四十年代長篇敘事詩初探〉
(《文學評論》1995年6期)、蔡清富〈為民族解放而歌唱－論〝七月
派〞的詩歌合作〉(《北京師大學報》1995年4期)、吳曉東〈抗戰時期
中國詩歌的歷史流向〉(《文學評論》1995年5期)、楊淑媛〈豪唱悲吟
總風流：論抗戰詩歌的美學風貌及其文學史意義〉(《貴州文史叢刊》
1995年6期)、郭仁懷〈血祭中華：談抗戰詩歌中〝死〞的主題〉(《文
藝理論與批評》1993年5期)、黃樹紅〈記〝中國詩壇〞派的抗戰詩〉
(《廣東教育學院學報》1995年4期)、李誼〈〝挺身艱難際，孫目視寇
仇〞－試談杜甫及其詩歌在抗日戰爭中的影響〉(《抗戰文藝研究》
1982年4期)、彭超〈論抗戰時期群眾性救亡歌咏運動之成因〉(《社
會科學家》1995年6期)、劉良模〈憶抗日救亡歌咏運動〉(《人民音樂》
1980年6期)、彭永貞《冼星海與抗戰時期的歌咏運動》(臺灣師大歷
史研究所碩士論文，民85年6月)、姚玉卿〈雄渾悲壯的歌聲，不屈的
民族精神－略論抗日戰爭時期的歌咏活動與歌曲創作〉(《青島大學師
範學院學報》1995年1期)、吳超、蔚鋼、劉錫誠〈人民戰爭的頌歌－
讀抗日戰爭時期歌謠〉(《民間文學》1965年5期)、高杰等尋整理〈抗
日歌謠（41首）〉(同上)、上海文藝出版社編《抗日歌謠》(上海，
編者印行，1960)，收有民間流傳的抗日歌謠300多首；朝陽等搜集
整理〈抗日兒歌〉(同上)、仲子通《抗戰與歌曲》(長沙，商務印書
館，民27)、呂實強〈永難遺忘的幾首抗戰歌曲〉(《歷史教學》2卷1
期，民78年7月)、米田利昭〈渡邊直己の歌と戰い－日中戰爭の中
の－アララギ派歌人〉(《展望》107號，1967年11月)、林煥標〈群
星燦爛的抗戰詩壇掠影〉(《河池師專學報》1992年2期)、章紹嗣〈抗
戰初期的武漢詩壇〉(《春秋》1985年4期)、黃子建〈悲壯的民族史

詩：抗日戰爭時期大後方詩壇觀略〉(《文史雜志》1988年6期)、黃紹清〈抗戰時期桂林文化城詩歌漫論〉(《社會科學家》1994年1期)及〈略論抗戰時期桂林文化城的詩歌創作〉(《廣西師大學報》1994年1期)、劉小林、彭超〈桂林文化城的抗日救亡歌咏運動及其思考〉(《廣西師大學報》1995年4期)、張利西〈1938年前後昆明的歌咏活動〉(《雲南現代史研究資料》1983年14期)、李方元〈抗戰時期重慶抗戰歌咏活動初論－兼及抗戰歌咏的幾個文化特徵〉(《音樂研究》1992年3期)、楊杉〈抗戰音樂活動鼎盛時期紀略〉(《新文化史料》1992年1期)、王淑貞〈試論民間音樂對抗日救亡音樂的影響〉(《安徽師大學報》1995年3期)、徐興旺等〈抗戰時期重慶的音樂救亡運動〉(《抗戰文藝研究》1986年4期)、林路〈抗戰初期武漢的音樂活動〉(《武漢文化史料》1983年3期)、魏華齡〈抗戰時期桂林的音樂活動〉(《抗戰文藝研究》1987年3期)、田禽〈中國戰時戲劇創作之演變〉(《東方雜誌》40卷4號，民33年2月)、周劍塵〈六年來劇作動向剖論〉(同上，40卷8號，民33年4月)、葉德均〈十年來中國戲曲小說的發現〉(同上，43卷7期，民36)、王永載〈抗戰與學校戲劇運動〉(《教育雜誌》29卷12號，民28年12月)、洪深〈抗戰四年來的話劇工作〉(《新建設》2卷6、7期，民30年7月)、田漢《抗戰與戲劇》(長沙，商務印書館，民27)、廖咸惠《抗戰時期的話劇活動》(臺灣師大歷史研究所碩士論文，民79)、張樹英、李曉虹〈在風雨中前進的抗戰話劇活動〉(《新文化史料》1992年1期)、Hung Chang -tai（洪長泰），"Female Symbols of Resistance in Chinese Wartime Spoken Drama."（Modern China, Vol. 15, No. 2, 1989)、朱偉華〈抗戰時期淪陷區話劇初探〉(《貴州社會科學》1995年4期)及〈試析論淪陷區改編劇的盛行〉(《中國現代文學研

究叢刊》1996年1期）、王華軼〈抗日戰爭時期的新疆話劇運動〉（《新
疆藝術》1981年1-2期）、張啟蓉〈抗戰時期上海的話劇運動〉（《戲劇
藝術》1983年1期）、陳美英等〈抗戰時期大後方話劇運動大事記〉
（《抗戰文藝研究》1983年5期）、李江〈論大後方戲劇思潮的創作觀念〉
（《青海師大學報》1995年2期）、趙銘彝〈抗戰時期重慶的話劇運動〉
（《紅岩》1980年4期）、王戎〈往事非烟－憶抗戰時期重慶話劇舞臺
二三事〉（《龍門陣》1985年5期）、胡度、石曼、朱龍淵〈重慶抗戰
戲劇略論〉（《重慶教育學院學報》1995年3期）、毛祥麟〈抗戰時期昆
明話劇運動的評論〉（《雲南戲劇》1985年5期）、龍顯球〈抗戰時期對
〝戰國策派〞及《野玫瑰》演出的鬥爭在昆明〉（《雲南文史叢刊》1987
年3期）、陳錚、李恩琪〈抗戰時期成都的話劇〉（《成都黨史》1995年
4、5期合刊）、萬一知〈西南劇展會初探（1944年春天）〉（《廣西師院
學報》1981年2期）、吳立德等〈中國現代戲劇史上的光輝一頁－抗
戰時期的〝西南劇展〞〉（《廣西民族學院學報》1983年3、4期）及〈國
統區抗日進步演劇活動的空前大檢閱－一九四四年西南劇展〉（《中
國現代文學研究叢刊》1981年1期）、萬一知〈西南戲劇展覽會記實〉
（《抗戰文藝研究》1982年2期）、鄧小飛等〈試論西南劇照在抗戰戲劇
史中的地位〉（同上，1983年2期）、程夢〈參加西南劇展的回顧〉（《江
西戲劇》1984年2期）、陳培仲〈老當益壯戲劇兵，凱歌聲裏再長征
－紀念〝西南劇展〞四十周年座談會側記〉（《劇曲藝術》1984年3
期）、劉裴章〈回顧〝西南劇展〞（四四年）〉（《湖南戲劇》1984年3
期）、天鶴〈劃時代的西南第一個劇展〉（《抗戰文藝研究》1984年2期）、
丘振生〈〝西南劇展〞中的舊劇〉（《學術論壇》1983年4期）、瑾玲（易
維芝）〈憶〝西南劇展〞時演出的《江漢魚歌》（44年）〉（《戲劇藝術》1984年

3 期）、馬宣偉〈中華劇藝社的戰鬥歷程〉（《抗戰文藝研究》1984 年 3
期）、李恩琪、陳錚〈中華劇藝社在成都的戰鬥歲月〉（《成都黨史》
1995 年 1 期）、楊醉鄉〈抗戰劇團四個月來工作的經過〉（《青年戰線》
第 6 期，民 27 年 5 月）、李華飛〈抗戰初期重慶劇運簡憶〉（《社會科學
研究》1982 年 1 期）、斯召木〈抗戰初期成都公演《保衛盧溝橋》述
略〉（《藝譚》1983 年 9 期）、王耕夫〈長把光芒照後賢－抗戰期間昆
明劇運的回顧〉（《春城戲劇》1985 年 4 期）、老紹〈昆明抗戰戲劇的時
代特色－籌備昆明地區抗戰戲劇資料圖片展覽的一點體會〉（同
上）、劉炳澤〈抗戰初期的武漢戲劇運動〉（《中南民族學院學報》1985
年 4 期）、蔡定國〈試論桂林文化城戲劇運動的特徵〉（《學術論壇》1991
年 5 期）、吳新稼〈一場隱蔽的鬥爭－記孩子劇團 1938 年在武漢戰
勝國民黨反動派強迫收編的鬥爭〉（《新文學史料》1982 年 4 期）、雷正
先〈孩子劇團在武漢的前前後後〉（《武漢春秋》1983 年 1 期）、郭寶祥
〈孩子劇團在武漢〉（《武漢文化史料》1983 年 1 期）、吳浦生〈孩子劇
團在漢紀事〉（同上）、慧琳〈孩子劇團在歡迎會上〉（同上）、宋洪
憲〈“演劇歌咏助抗戰”－漫記孩子劇團在貴州〉（《青年時代》1985
年 8 期）、許翰如〈小小樹苗離不開陽光雨露－記孩子劇團成長的幾
個片斷〉（《群眾文化》1985 年 11 期）、林楓〈維鷹展翅－憶西北孩子
抗戰劇團〉（《延安文藝研究》1985 年 2 期）、徐興旺〈抗日戰爭中的孩
子劇團〉（《西南師院學報》1985 年 3 期）、中國少年兒童運動史料叢書
編輯組《孩子劇團》（成都，四川少年兒童出版社，1981）、史述〈血
泊奇花－孩子劇團史〉（《抗戰文藝研究》1984 年 2 期）、席與齊〈抗戰
血泊中的一朵奇花－孩子劇團〉（《上海黨史研究》1992 年 8 期）、廖超
慧〈抗戰血泊中的一朵奇花——談談“孩子劇團”的成長道路〉

（《湖北大學學報》1986年5期）、劉鳳珍〈戰鬥在民族統一戰線上的一支文藝輕騎隊－國民政府軍事委員會所屬抗敵演劇隊、抗宣隊、孩子劇團〉（《舞蹈藝術》1984年8期）、胡曉風〈孩子劇團集體撤離政治部前後的情況〉（《抗戰文藝研究》1987年3期）、韋慶蔚〈一曲少年愛國者鬥爭的凱歌－記抗日救亡中的〝內江孩子劇團〞〉（《四川黨史研究資料》1987年4期）、劉正英〈一支出色的兒童抗日宣傳隊：廈門兒童救亡劇團〉（《福建黨史月刊》1995年10期）、史雲〈抗日戰爭初期的一個〝老婆劇團〞〉（《中州今古》1983年3期）、何芷〈抗日烽火中的廣州三大劇社〉（《新文化史料》1995年2期）、祥子〈中山大學抗日劇社〉（《歷史大觀園》1995年3期）、石曼〈國泰大戲院的抗戰戲劇演出活動〉（《抗日戰爭研究》1994年3期）、蕭杉〈1937-1945：戰時東南戲劇之歷史描述〉（《浙江師大學報》1992年4期）、呂君樵〈上海〝孤島〞時期的改良平劇運動〉（《上海戲劇》1980年4-6期）、朱華〈〝孤島〞及淪陷時期外國戲劇改編活動述略〉（《上海師大學報》1992年1期）、王爾齡〈抗戰時期的上海歷史劇〉（《蘇州大學學報》1990年2期）、傅淑雲〈抗日戰爭時期桂林一帶的戲曲活動〉（《戲曲研究》26輯，1988年9月）、吳琛〈越劇春秋四十年－談1942年的越劇改革〉（《人民戲劇》1982年12期）、黃友凡〈自貢市抗敵歌咏話劇團的活動〉（《四川黨史研究資料》1983年3期）、姚兆樺〈一支高擎抗日火炬的演劇隊〉（《藝術百家》1989年3期）。

　　文化方面有鍾興錦、蕭效欽主編《抗日戰爭文化史》（北京，中共黨史出版社，1992）、馮崇義《國魂，在國難中掙扎－抗戰時期的中國文化》（桂林，廣西師大出版社，1996）、王壽南〈抗戰時期的文化與教育〉（《歷史教學》1卷2期，民77年9月）及〈抗戰時期的文化活動〉（《近代中國》35期，民72年6月）、史全生〈略論抗日戰爭時期的文化運動〉（載《民國檔案與民國史學術討論會論文集》，北京，檔案出版社，1988）、侯外廬《抗戰建國的文化運動》（重慶，中山文化教育館，民28）、劉中龢等《抗戰文化陣地的建立及其運動》（漢南書局鉛印本，民27）、中央宣傳部文化運動委員會編《抗戰四年來之文化運動》（重慶，編者印行，民30）、小林正知〈日中戰爭と文化運動の新潮流－大眾化の民族化をめくつて〉（《1930年代中國と研究》，アジア經濟研究所，1975）、昆明人民週報〈八年來文化運動的檢討〉（《文萃叢刊》第1期，民34年10月）、李樹祥〈新文化運動發展的現階段－為紀念「七七」抗戰四週年而作〉（《反帝戰線》6卷4期，民30年7月）、戴知賢〈抗戰時期文化運動的幾個特點〉（《教學與研究》1995年4期）、陳乃宣〈淺析抗日文化的特點及其在抗戰中的地位和作用〉（《黨史博採》1995年8期）、閻鳳梧〈抗戰文化的歷史定位與現實啟迪〉（《長白學刊》1995年5期）、楚圖南〈抗戰與中國文化檢討〉（《新動向半月刊》2卷1、2期，民28年1、2月）、曹敏華〈國統區抗戰文化運動述論〉（《黨史研究與教學》1995年5期）、王聿均〈戰時日軍對中國文化的破壞〉（《中央研究院近代史研究所集刊》14期，民74年6月）、王春南〈侵華戰爭中日本對中國文化的摧殘〉（《抗日戰爭研究》1993年1期）、高峻〈論日本帝國主義對中國的文化侵略〉（《福建黨史月刊》1995年12期）、Wilma C. Fairbank, America's Cultural Experiment in China, 1942-1949.(Washington, DC：US Department of State, Bureau of Educational and Cultural Affairs, 1976）、李世偉《中共與民間文化(.1935－1948）》(中國文化大學史學研究所碩士論文，民81年6月）、中江鴻等執筆《戰時文化論》（重慶，獨立出版社，民28）、何繼良〈血與火的升騰－論中國抗戰的文化氛圍〉(《社會科學》1995年9期)、閻鳳梧〈抗戰文化的歷史定位與現實啟迪〉(《長白學刊》1995年5期)、鄧元忠〈抗戰前六年政府的文化建設〉(載《史政學術講演專輯(三)》,臺北,國防部史政編譯局,民78)、張春雷〈抗戰初期進步文化運動述論〉(《中共黨史研究》1995年5期)、蔡澤軍、張紅〈試論抗日戰爭時期內遷文化形成和發展的原因〉(《廣西師大學報》1995年3期)、李隨安〈抗日戰爭時期的中蘇文化交流〉(《龍江社會科學》1994年2期)、王春南〈抗戰期間李約瑟對中國文化的貢獻〉(《學海》1991年5期)、唐國英〈李文釗與抗戰文化運動〉(《桂林市教育學院學報》1994年2期)、張德旺〈抗日戰爭與新民主主義文化〉(《龍江黨史》1995年3、4期)、吳康〈抗戰建國與民族文化運動〉(《民族文化》1卷2期,民27年9月)、鄒振環〈抗戰時期的翻譯與戰時文化〉(《復旦學報》1994年3期)、施蟄存〈文化抗戰的意義〉(《新雲南半月刊》第2期,民28年2月)、朱謙之〈抗戰第五年文化的展望〉(《新建設》2卷6、7期,民30年7月)、Hung Ching-tai(洪長泰),War and Popular Culture: Resistance in Modern China, 1937-1945.(Berkeley: University of California Press, 1994)、Ellen R. Judd, "Cultural Articulation in the Chinese Countryside, 1937-1949."（Modern China, Vol. 16, No. 3, 1990)、鹿地亙〈抗戰と文化界〉(《新中國》第7號,1946年9月)、何盛明〈抗戰時期國統區文化界一次重大鬥爭〉(《四川黨史研究資料》1985年8期)、王慕民〈朱鏡我與國統區文化戰線的反「圍剿」鬥爭〉(《寧波師院學報》1988年1期)、曹國華〈抗日戰爭時期文化教育工作的地位和作用〉(《阜陽師院學報》1986年2期)、小林文男、柴田岩〈日中戰爭期中國"抗戰文化"之研究－文化工作委員會の組織と活動を中心に〉(《廣島和平科學》19號，1996)、小林文男、橋本學〈重慶政權下の抗日文化と教育狀況－文化工作委員會の活動と役割，並びに教育界の實態を中心に〉(《國立教育學研究所紀要》121號，1992年3月)、阪口直樹〈中國抗戰時期文學と"民族"(5)－重慶時期國民黨の文化政策の展開と劉百閔の出版活動〉(《同志社外國文學研究》69號，1995年1月)、〈中國抗戰時期文學と"民族"(4)－「中國本位的文化建設宣言」〉(同上，68號，1994年3月)及〈中國抗戰時期文學と"民族"(7)－「戰國派」林同濟、雷海宗の文化型態史觀〉(同上，72號，1996年1月)、今崛誠二〈戰時下の重慶文化〉(載《再建の指標》，東京，1946)、蘇光文主編《抗戰時期重慶的文化》(重慶，重慶出版社，1995)、何盛明等〈在四川的抗戰文化活動紀略〉(《四川黨史研究資料》1985年6期)、華濟時〈湖南的抗戰文化運動〉(《湘潭大學學報》1993年3期)、尹克恂〈貴州的抗戰文化運動與中國共產黨人〉(《貴州黨史》1990年4期)、丁芝珍〈抗戰時期貴州文化救亡運動述評〉(《貴州師大學報》1996年2期)及〈抗戰時期貴州的文化事業〉(《貴州文史叢刊》1995年5期)、新生〈抗戰文化在貴陽〉(《貴陽黨史》1992年4-5期)、盤福東〈抗戰時期廣西地方政府文化政策的形成及其特點〉(《學術論壇》1993年5期)、丘振聲、曾有雲編《桂林抗戰文化研究文集》(桂林，漓江出版社，1992)、曹裕文〈論桂林抗戰文化的國際特性〉(《社會科學家》，1995年4期)、盤福東〈桂林抗戰文化在世界反法西斯運動中的地位和作用〉(同上)、魏華齡、郭維娟〈桂林抗戰時期的世界反法西斯文化研究資料索引〉(《社會科學家》1995年3、4期)、魏華齡〈近十幾年來桂林抗戰文化研究述評〉(《抗日戰爭研究》1994年3期)及〈抗戰時期桂林文化城的形成〉(《學術論壇》1982年2期)、曹裕文〈抗戰時期桂林文化城成因之管見〉(《廣西黨校學報》1989年5期)及〈論桂林文化城的形成〉(《社會科學家》1992年3期)、陳欣德〈黨的抗日民族統一戰線與桂林文化城〉(《學術論壇》1995年5期)、曹裕文〈周恩來與桂林文化城〉(《社會科學家》1996年1期)、魏華齡〈抗日戰爭時期桂林文化城的歷史地位〉(《廣西社會科學》1988年2期)、李建平〈論〝桂林文化城〞的地位和作用〉(《廣西大學學報》1982年1期)、楊益群等〈桂林文化城的概況、歷史地位及成因〉(《學術論壇》1983年3期)、陸仰淵〈論抗戰時期大後方文化城桂林的貢獻〉(載《民國檔案與民國史學術討論會論文集》,北京,檔案出版社,1988)、魏華齡《桂林文化城史話》(南寧,廣西人民出版社,1987)、廣西社科學院、廣西師範大學主編《桂林文化城概況》(同上,1986)、廣西社會科學院主編《桂林文化城紀事》(南寧,灕江出版社,1984)、萬知一編寫〈桂林文化城紀事(1938年10月～1944年11月)〉(《廣西師院學報》1980年2、3期)、華嘉〈〞桂林文化城〞思憶〉(《學術論壇》1981年5期)、周鋼鳴〈桂林文化城的政治基礎及其盛況〉(同上,1981年2期)、張文學、黎明智〈發揚桂林文化城的愛國主義精神〉(《社會科學家》1995年5期)、蔡定國〈桂林文化城的一面愛國主義旗幟－紀念西南劇展50周年〉(《學術論壇》1994年第4期)、譚肇毅〈蔣桂矛盾與桂林抗戰文化運動〉(《廣西師大學報》1996年4期)、趙曉恩〈抗戰時期的桂林文化供應社〉(《出版工作》1985年4期)、呂紅、鮑珍玲〈日本帝國主義對浙江的文化侵略〉(《浙江的檔案》1995年6期)、金延鋒、黃旦《浙江抗戰文化》(北京,當代中國出版社,1995)、魏華齡〈近十幾年來吉林抗戰文化研究述評〉(《抗日戰爭研究》1994年1期)、李有庫〈略論東北淪陷區的抗戰文化〉(《牡丹江師院學報》1996年1期)、楊東明〈一年來雲南抗戰文化的檢討〉(《新雲南半月刊》第1期,民28年1月)、三晉文化研究會編《山西抗戰文化研究文集(三晉文化研究論叢)》(太原,山西古籍出版社,1995)、劉繼綿〈論抗日戰爭時期新疆文化運動的高漲及其特點〉(《新疆社科論壇》1995年3期)及〈抗日戰爭時期新疆文化救亡運動的高漲及其特點〉(《新疆社會科學》1995年3期)、陸維天〈茅盾與抗戰時期的新疆文化運動〉(《西域研究》1996年3期)、陳中平〈抗日時期武漢淪陷區之敵偽文化設施〉(《湖北文獻》第3期,民56)、樊蘊珍〈簡論抗戰初期武漢文化運動的歷史貢獻〉(《武漢大學學報》1987年4期)及〈略述抗戰初期武漢的文化運動及其歷史作用〉(《地方革命史研究》1985年4-5輯)、文化志辦公室〈抗戰初期武漢文化界活動概況〉(《武漢文化史料》1983年2輯)、陳乃宣〈抗戰初期武漢抗日文化述略〉(《學習與實踐》1995年8期)及〈澎湃激昂的武漢抗日文化〉(《黨史天地》1995年7期)、陳中平〈抗日時期武漢淪陷區之敵偽文化設施〉(《湖北文獻》第3期,民56年4期)、黎維新、周德輝主編、湖南省新聞出版局等編《長沙文化城:抗戰初期長沙抗日救亡文化運動實錄》(長沙,湖南出版社,1995)、吳棠〈抗日戰爭時期大理地區的文化活動〉(《大理文化》1982年6期)、陳東、陳星〈抗日烽火中的永安進步文化活動〉(《福州師專學報》1996年4期)、劉敏〈抗戰中的福州文化界救亡協會〉(《理論學習月刊》1990年2期);〈抗戰時期福建省會永安的進步文化活動〉(《福建黨史通訊》1985年3期)、鄭勉己〈福建永安抗日文化活動的特點與起落〉(《福建師大學報》1986年1期)、邱文生主編、中共福建省委黨史工作室等編《永安抗戰進步文化活動》(福州,海峽文藝出版社,1994)、邱富生、王若、王民求〈日本侵略者在南京文化掠奪始末〉(《遼寧師大學報》1988年4期)、姜椿芳〈抗戰前後上海文化戰線的一些情況〉(《上海黨史資料通訊》1984年7期)、傅幸藝〈上海文化界救亡協會〉(《上海黨史研究》1992年8期)、袁小倫〈中國共產黨與省港抗戰文化活動〉(《近代史研究》1992年3期)、中共廣東省委黨史研究室編《省港抗戰文化》(廣州，廣東人民出版社，1994)、曹亞杰〈華中抗敵文化〉(《江蘇歷史檔案》1995年4期)、鄉之〈一年來的華北文化界〉(《新進月刊》1卷2期，民30年12月)、王嘉良等《中國東南抗戰文化史論》(杭州，浙江人民出版社，1995)、劉志斌〈抗戰初期文化界的十個抗敵協會〉(《新文化史料》1991年2期)。

思想方面有丁守和〈論抗日戰爭的思想文化〉(《近代史研究》1995年5期)、夏康農〈八年抗戰在思想上的成就〉(《文萃叢刊》第三期，民34年10月)、陳廷湘〈論抗戰時期的民族主義思想〉(《抗日戰爭研究》1996年3期)、王聿均〈抗戰時期的人文思想〉(載《第二屆國際漢學會議論文集－明清與近代史組》下冊，臺北，民78年6月)、李明山、陳兆榮〈儒家思想對抗日戰爭的積極作用〉(《河南大學學報》1995年5期)、秦英君〈抗日戰爭與新儒學文化思潮〉(《民國檔案》1995年4期)、李良玉〈抗日戰爭時期的新道統思潮〉(《江蘇社會科學》1991年4期)、石島紀之〈抗日戰爭と中國の民主主義〉(載藤原彰、荒井信一編《現代史における戰爭責任》，東京，青木書店，1990)、林平漢〈論"七·七"前後抗日民主思想及其歷史特點〉(《黨史研究與教學》1991年2期)、陳儀深〈國共鬥爭下的自由主義(1941-1949)〉(《中央研究院近代史研究所集刊》23集下冊，民83年6月)、V.Burov,"Propaganda of Marxist Philosophy in China During the 1930s-1940s."(Far

Eastern Affairs, 1987 No.1）、王瑞芳、左玉河〈抗戰初期的馬克思主義中國化運動〉（《河南大學學報》1995年5期）、奧村哲〈抗日戰爭と中國社會主義〉（《歷史學研究》651號，1993年10月）、邵逸翔〈抗日戰爭時期關於現實主義問題的探討〉（《重慶師院學報》1982年3期）、黃嶺峻〈試論抗戰時期兩種非理性的民族主義思潮－保守主義與〝戰國策派〞〉（《抗日戰爭研究》1995年2期）、李帆〈〝文化形態史觀〞的東漸－戰國策派與湯因比〉（《近代史研究》1995年6期）、戴少瑤〈評〝戰國策派〞的文藝觀〉（《重慶師院學報》1981年2期）、張書學〈論抗戰時期中國史學思潮的轉變〉（《山東大學學報》1995年2期）、戴美政〈抗戰中曾招掄科學思想述評〉（《雲南教育學院學報》1996年1期）、戴偉謙〈抗戰前後中國民族精神體育思想背景之研究〉（《國立體育學院論叢》3卷1期，民81年10月）、殷華明〈中華民族民族意識在抗日戰爭中的歷史作用〉（《甘肅社會科學》1993年5期）、竹內好〈中國人の抗戰意識と日本人の道德意識〉（《知性》2卷5號，1949年5月）、鄧元忠〈抗戰初期蔣中正先生強調「精神」一詞的真意所在〉（載《抗戰建國史研討會論文集，1937-1945》下冊，臺北，民74）、呂實強〈試論抗戰期間的四川精神〉（載《抗戰勝利五十周年兩岸學術研討會論文集》，臺北，民85）、白永吉〈抗戰期リフリズム論爭の思想背景〉（《中國文學研究》21號，1995年12月）。

其他與之相關的尚有孫宅巍〈抗戰中的中央研究院〉（《抗日戰爭研究》1993年1期）、那廉君〈抗戰時期的中央研究院〉（《中外雜誌》33卷4期，民72年4月）、王聿均〈中央研究院之初創與抗戰期間的播遷〉（載《國父建黨革命一百周年學術討論集》第3冊，民84）、波多野太郎〈抗戰期における北平研究院の工作〉（《中國研究所所報》第9號，

1948年1月）、陳遵媯〈抗戰期內我國的天文界〉（《東方雜誌》39卷1號，民32年3月）、陳立夫〈國立中央圖書館在抗戰期間工作偶憶〉（《國立中央圖書館館刊》16卷1期，民72年4月）、林清芬〈國立中央圖書館之初創與在抗戰期間的文化貢獻〉（載《中華民國史專題論文集：第三屆討論會》，臺北，國史館，民85）、那志良〈故宮文物疏散後方〉（《傳記文學》37卷5、6期，民69年11、12月）、劉衍淮〈中國西北科學考察團的經過與考察成果〉（《師大學報（臺灣師大）》20期，民64年6月）。農偉雄、關健文〈日本侵華戰爭對中國圖書館事業的破壞〉（《抗日戰爭研究》1994年3期）、張慧珍〈破壞與保護－記抗日戰爭期間的中國圖書館〉（《津圖學刊》1995年4期）、柳青〈抗日戰爭與圖書館〉（《情報資料工作》1995年4期）、鄭麥〈抗日戰爭上海〝孤島〞時期的圖書館事業〉（《華東師大學報》1995年5期）、楊杞〈侵華日軍對中國圖書的浩劫〉（《文史雜志》1995年4期）、羅宗真〈篳路藍縷，艱苦創業：記抗日戰爭期間中國的考古和博物館事業〉（《東南文化》1995年3期）、馬長壽〈十年來邊疆研究的回顧與展望〉（《邊疆通訊》4卷4期，民36年4月）、田中正俊〈戰時中的福建鄉土史研究〉（《歷史學研究》158號、161號，1952年7月，1953年1月）、胡懿〈在抗戰中誕生的中國西部博物館〉（《檔案史料與研究》1995年4期）、周武〈國難與商務印書館〉（《檔案與史學》1995年4期）、汪家熔〈抗日戰爭時期的商務印書館〉（《編輯學刊》1995年3-5期）、韓真〈中國文化寶庫的慘痛浩劫－記被日機炸毀的商務印書館〉（《炎黃春秋》1995年8期）。姜平〈抗戰時期國統區出版界的反檢查鬥爭〉（《黨史研究資料》1992年7期）、咎玉林〈抗戰時期的新疆出版事業〉（《新文化史料》1991年3期）、張玉鳳〈論抗戰時期新疆新聞出版的特點〉（《實事求是》1996

年3期)、徐雪寒〈武漢時期的新知書店〉(同上，1993年1期)、魏
華齡〈抗戰時期桂林的出版事業〉(《新文化史料》1990年1期)、龍謙
〈抗戰時期我黨對桂林出版事業的領導〉(《廣西黨史研究通訊》1994年
4期)、何長鳳〈抗戰時期的貴陽文通書局〉(載《慶祝抗戰勝利五十週
年海峽兩岸學術研討會論文集》下冊，臺北，近代史學會，民85)及〈抗戰
時期的貴陽文通書局編輯所〉(《貴州社會科學》1995年5期)。王嘉良
〈論戰時東南作家群〉(《浙江師大學報》1992年4期)、楊益群〈抗戰
時期東北作家在桂林〉(《學術論壇》1982年6期；亦載《抗戰文藝研究》
1983年2期)、里棟〈三十年代在哈爾濱東北作家作品目錄索引
(1929-1941)〉(《東北現代文學史料》1980年2期)、張泉〈淪陷時期天
津四作家論〉(《天津師大學報》1994年4期)、楊里昂〈抗戰初期活躍
在長沙的"詩歌戰線社"〉(《抗戰文藝研究》1987年2期)、陳頌聲等
〈廣州的詩場社及其《詩場》〉(《中山大學學報》1983年4期)、李門〈抗
戰洪流中的廣州劇人－並談廣州鋒社〉(《新文學史料》1980年3期)、
孫躍冬〈記成都平原詩社〉(同上，1993年4期)、江弘基〈關於〝懷
安詩社〞〉(《陝西師大學報》1980年4期)、周健〈〝懷安詩社〞和〝懷
安詩〞〉(《西北大學學報》1980年3期)、李鴿〈論懷安詩社〉(《昭通
師專學報》1988年2、3期)、陶承〈憶懷安詩社〉(《文史通訊》1982年
6期)、陳頌聲〈論中國詩壇社及其《中國詩壇》(三十年代中期到
四十年代末期)〉(《中山大學學報》1984年4期)、蕭宗英〈抗日戰爭時
期〝上海業餘劇人協會〞在四川的活動〉(《戲劇與電影》1980年3期)、
楊仲明等〈為大眾活路吶喊－回憶《活路》月刊及活路社〉(《抗戰
文藝研究》1984年3期)。章紹嗣〈抗戰初期武漢文藝期刊概觀〉(《中
南民族學院學報》1984年2期)、章紹嗣等〈抗戰初期武漢的幾份詩刊〉

《武漢文化史料》1983年3期）、唐錫強〈《抗敵》雜誌介紹（1939年2月-1940年12月）〉（《安徽革命史研究資料》1983年1期）、唐誠〈抗戰時期重慶的進步刊物—《讀書月報》簡述〉（《重慶黨史研究》1990年2期）、丁淦林〈災難與改造：抗戰時期中國新聞事業的變化：紀念中國抗日戰爭勝利50周年〉（《新聞大學》1995年冬季號）、程其恒編著、馬星野校訂《戰時中國報業》（桂林，銘真出版社，民33；臺北，國民黨黨史會影印，民65）、馮英子〈抗戰報話〉（《圖書館雜誌》1982年1－4期）、穆欣《抗日烽火中的中國報業》（重慶，重慶出版社，1992）、黃天鵬〈抗戰時重慶報業〉（《四川文獻》169期，民67年12月）、毛一波〈抗戰前後的重慶各報〉（同上，138期，民63年2月）、勵剛〈參觀重慶五報館漫憶〉（《戰時記者》2卷12期，民29年8月）、張十方〈行都的報紙〉（同上，2卷6、7、8期合刊，民29年4月）、劉光炎〈重慶各報聯合版之一幕〉（《報學》1卷9期，民45年6月）、黃天鵬〈陪都的新聞界—記〝重慶各報聯合版〞從發刊到結束〉（《中外雜誌》19卷1-2期，民65年1-2月）、羅承烈〈抗戰時期的重慶新聞界〉（《源流》1984年3期）、重慶日報社編《抗戰時期重慶的新聞界》（重慶，重慶出版社，1995）、鄭學稼〈憶重慶的西南日報〉（《傳記文學》24卷2期，民63年2月）、毛一波〈抗戰時期成都的日報〉（《四川文獻》139期，民63年3月）、成都科大黨史組〈抗日戰爭前成都的《大聲周刊》〉（《四川大學學報》1981年2期）、任學〈桂林的新聞事業〉（《戰時記者》3卷6期，民30年2月）、彭梅玉〈抗戰時期桂林文化城書刊概況〉（《新文化史料》1992年3期）、朱敏彥〈〝抗戰〞與〝救亡〞—八一三期間上海的愛國報刊〉（《上海黨史研究》1992年8期）、馬光仁〈日偽在上海的新聞活動概述〉（《抗日戰爭研究》1993年1期）、朱敏彥〈〝孤島〞時期的上海抗日進步報刊〉(同上，1993年2期)、徐楚影〈上海影響較大的抗日進步期刊〉(《新聞研究資料》1981年4期)、申報史編寫組〈敵偽劫奪時期的申報〉(同上，22輯，1983)、楊堔群〈抗戰時期上海的革命報刊和進步報刊〉(《新聞戰線》1958年6期)、丁孝智、張根福〈〝孤島〞時期上海《文匯報》介紹〉(《抗日戰爭研究》1994年3期)、巴彥〈上海〝孤島〞時期的幾個文學刊物〉(《徐州師院學報》1983年3期)、應國靖〈〝孤島〞時期報紙文藝副刊概述〉(《抗戰文藝研究》1984年2期)、黃志雄〈上海"孤島"文藝期刊〉(《撫州師專學報》1993年1期)、李秋生〈上海孤島報業奮鬥史：回憶親身經歷的慘烈鬥爭〉(《傳記文學》45卷2-5期、46卷1-4期、47卷3-5期、48卷1-2期，民73年8-11月、74年1-4月、9-11月、75年1-2月)尹雪曼譯〈珍珠港事件前的上海新聞界－上海密勒氏評論報主持人鮑惠爾回憶錄之三十三〉(《傳記文學》21卷2期，民61年8月)、金門〈〝孤島〞上出版的第一個救亡刊物－團結周報〉(《圖書館雜誌》1983年1期)、何為〈從《淺草》到《草原》－記〝孤島〞時期上海兩個文藝副刊〉(《讀書》1983年12期)、金門〈"孤島"書刊叢談（二）－大型理論刊物《公論叢書》〉(《圖書館雜誌》1983年2期)及〈〝孤島〞書刊叢談（三）－《求知文叢》〉(同上，1983年3期)、潘頌德〈抗戰初期上海《烽火》周刊述略〉(《抗戰文藝研究》1983年3期)、河池〈抗日戰爭時期福建進步報刊出版活動管窺〉(《黨史研究與教學》1996年4期)、包明叔〈抗戰前後鎮江的報業〉(《報學》2卷2期，民46年12月)、張煦本〈抗戰時期的浙西報業〉(同上，5卷6期，民65年6月)、高士榮〈抗戰時期甘肅報紙概述〉(《圖書與情報》1994年2期)、江華、姚文華〈陝西國統區新聞事業概況〉(《新聞大學》1994年夏季號）、黃茂槐〈抗戰時期雲南各報主要副刊〉(《雲南文史叢刊》1992年3期、1993年1期）及〈滇西日報述略〉(同上，1992年2期)、吳棠〈正義報的中興和結束〉(同上，1994年1期)、何揚鳴〈抗戰中的《東南日報》〉(《浙江檔案》1996年6期)、芷茵〈關於抗日戰爭時期的《浙江潮》和《浙江日報》〉(《浙江學刊》1983年3期)、李國慶〈華北《華北日報》在抗日戰爭中的地位和作用〉(《晉陽學刊》1996年5期)、徐淡廬〈抗戰後期的《商務日報》〉(《重慶黨史研究資料》1984年11-12期)、單明〈抗日戰爭時期創刊的昆明《觀察報》〉(《雲南文史叢刊》1995年3期)、張學忠等〈抗戰時期的《拂曉報》〉(《中州學刊》1982年5期)、史和〈抗戰時期的《新中華報》(39年)〉(《新聞研究》1984年4期)、胡傳厚〈抗戰時期的中美日報〉(《報學》3卷9期，民56年12月)、周聖生〈我國軍報掃蕩報的發展史略〉(同上，2卷2期，民46年12月)、李士英〈我在重慶掃蕩報〉(《中央月刊》9卷9期，民66年7月；亦載《中原文獻》11卷10、11期，民68年10、11月)、陳紀瀅〈重慶時代的大公報(之1至18)〉(《傳記文學》23卷6期、24卷1-6期、25卷1、2、3、5、6期、32卷4-6期、33卷2-6期，34卷1期，民62年12月、63年1-6、7、8、9、11、12月、67年4-6、8-12月、68年1月)，其單行本於民國70年由臺北之黎明文化事業公司出版；程菁《大公報對抗戰國策討論態度之研究》(中國文化學院哲學研究所新聞組碩士論文，民66年6月)、周欽岳〈回憶大革命到抗戰時期的新蜀報〉(《新聞研究資料》1981年1期)、成都科技大學黨史組〈抗日戰爭前後成都的《大聲周刊》〉(《四川大學學報》1981年2期)、陳杏年〈《抗戰》三日刊介紹〉(《抗日戰爭研究》1994年4期)、田海男〈憶《抗戰日報》與兒童劇團〉(《湘江文學》1982年12期)、李琳〈抗戰救亡運動中的《風雨》周刊〉

（《中州今古》1992年3期）、張柏莉《抗戰時期香港中文報業》（香港珠海書院歷史研究所碩士論文，1984）、黃增章〈抗戰期間香港的中文刊物〉（《中山大學學報》1992年3期）、蔡清富〈抗戰時期的第一個詩刊－《高射炮》〉（《抗戰文藝研究》1986年2期）、許家驊〈抗戰詩刊鉤沉－談《頂點》〉（《貴州民族學院學報》1995年2期）、許伽〈記《拓荒文藝（40年）》〉（《抗戰文藝研究》1984年3期）、范堯鋒〈《生活周刊》、生活書店與中華職業教育社〉（《新文學史料》1981年1期）、林豪〈漫畫界的高潮時期－四十四年前漫畫期刊和〝第一屆全國漫畫展覽會〞〉（《美術》1984年8期）、Hung Chang-tai（洪長泰），"War and Peace in Feng Zikai（豐子愷）Wartime Cartoons."(Modern China, Vol.16, No.1, 1990)、黃遠林〈《救亡漫畫》與《抗戰漫畫》〉（《抗戰文藝研究》1985年2期）、中國革命博物館《抗日戰爭時期宣傳畫》（北京，文物出版社，1990）、黃可〈上海漫畫界救亡協會與抗日漫畫宣傳隊〉（《上海文化》1995年4期）。重慶社檔案館〈抗戰時期國民黨當局取締戰時書報供應所史料〉（《檔案史料與研究》1992年3期）、張克明輯錄〈抗日戰爭時期國民黨政府查禁書刊目錄（1938·3－1945·8）〉（《出版史料》1987年1期）、蘇精〈抗戰時祕密搜購淪陷區古籍始末〉（《傳記文學》35卷5期，民68年12月）、楊益群編著《抗戰時期桂林美術》（桂林，漓江出版社，1995）、唐一帆〈抗戰與繪畫〉（《東方雜誌》37卷10號，民29年5月）、朱應鵬《抗戰與美術》（長沙，商務印書館，民27）、周寒梅《抗戰與遊藝》（同上）、周彥〈摧殘抗戰劇運的娛樂捐〉（《抗戰文藝研究》1983年5期）、丁加生〈孤島時期舞臺美術考〉（《戲劇藝術》1991年1期）、丁淦林〈災難與改造：抗戰時期中國新聞事業的變化：紀念中國抗日戰爭勝利50周年〉（《新聞大

學》1995年冬季號）、王新命《抗戰與新聞事業》（長沙，商務印書館，
民27）、程其恒〈抗戰時期的新聞檢查工作〉（《新聞學報》第5期，民
64年9月；亦載《報學》5卷9期，民66年12月）、陳德〈抗戰時期傳播
事業之研究〉（《復興崗學報》33期，民74年6月）、中國社會科學院新
聞研究所編《抗日戰爭時期的中國新聞界》（重慶，重慶出版社，
1987）、Huang Chang-tai（洪長泰），"Paper Bullets: Fan
Changjiang and New Journalism in Wartime China."（Modern China,
Vol.17, No.4, 1991）、劉光炎〈抗戰時期大後方新聞界追憶〉（《報學》
1卷2期，民41年1月）及〈中國報業史上唯一大聯合的故事－記抗戰
時期新聞界抗日的一件事實〉（同上，5卷5期，民64年12月）、張永
慶〈抗日戰爭時期的中國宗教和中國共產黨的宗教政策〉（《寧夏社會
科學》1995年5期）、武俊玲〈日偽時期北平孔廟祭孔活動述議〉（《首
都博物館叢刊》第9期，1994）、中國革命博物館編《抗日戰爭時期宣
傳畫》（北京，文物出版社，1989）、廖冰兄〈抗戰四年來的漫畫藝術〉
（《新建設》2卷6、7期，民30年7月）、劉世群〈抗戰時期贛州的版畫
活動〉（《美術史論》1987年1期）、戴旦〈抗戰花燈論述〉（《雲南文史
叢刊》1991年1期）、白櫻〈戰時中國的電影戲劇與美術〉（《中行雜誌》
1卷2期，民28年10月）、司徒珂〈兩年來中國電影事業之總檢討〉（《中
國文藝》1卷5期，民29年1月）、姚蘇鳳《抗戰與電影》（長沙，商務印
書館，民27）、陳青生〈"孤島"時期的上海電影〉（《電影藝術》1981
年8期）、蕭體元〈抗戰時期重慶電影運動管見〉（《重慶師院學報》1993
年3期）、范時〈《抗日戰爭時期的重慶電影》讀後〉（《重慶社會科學》
1991年6期）、周政保、張東〈戰爭片與中國抗戰題材故事片〉（《文
藝研究》1995年5期）、程季華、少舟〈抗日戰爭與中國電影〉（《電影

藝術》1995年4期）、辛加坡〈階級、人民與民間敘事－抗戰題材影片的一種規範〉（同上，1995年6期）、俞虹〈黑暗的一頁－日本軍國主義時期的侵華題材影片〉（同上，1995年4期）、胡昶〈東北淪陷時期日本對華的電影政策及實施〉（同上）、辻久一《中華電影史話——一兵卒の日中映畫回想記1939～1945》（東京，凱風社，1987）、ビーター・B・ハーイ《帝國の銀幕：十五年戰爭と日本映畫》（名古屋，名古屋大學出版會，1995）。

(十)戰時中共的動態

西安事變發生後，國民政府完全停止「剿共」的軍事行動，次年（民國26年，1937年）一月，中共黨中央進駐延安，展開中共黨史上為期約十年的「延安時期」；同時國共兩黨繼續商談合作。至「七七」事變全面抗戰爆發後，中共發表共赴國難宣言，陝北紅軍改編為國軍第八路軍（旋改番號為第十八集團軍），所謂「第二次國共合作」乃正式實現。以下即舉述有關戰時中共動態的論著和資料，至於戰時共軍參與的「平型關戰役」及獨立作戰的所謂「百團大戰」，其論著和資料，已在前《抗戰軍事》之〈抗日戰役〉中列舉，此處不再贅述。

1.國共再度合作

以此為題的有重慶市政協文史資料研究委員會、中共重慶市委黨校紅岩革命紀念館編（孟廣涵主編）《抗戰時期國共合作紀實》（2冊，重慶，重慶出版社，1992）為最詳盡的資料集，全書分為六個部分，第一部分為第二次國共合作的醞釀（1931年9月-1937年7月），第二部分為第二次國共合作的正式形成（1937年9月-1938年冬），第三部分為國共關係的惡化（1938年冬-1941年6月），第四部分為第二次國共關係在曲折中出現轉機（1941年6月-1944年8月），第五部分為第二次國共合作走向新的階段（1944年9月-1945年8月），第六部分為國共兩黨談判的回憶與綜述。童小鵬主編《第二次國共合作》（北京，文物出版社，1984）、劉雲久《第二次國共合作》（哈爾濱，黑龍江人民出版社，1985）、柳建偉《紅太陽白太陽－第二次國共合作啟示錄》（中國抗日戰爭紀實叢書，北京，解放軍文藝出版社，1995）、譚苓編《國共合作抗日文獻》（漢口，天馬書店，民27）、Tetsuya Kataoka, Resistance and Revolution: The Communists and the Second United Front. (Berkeley: University of California Press, 1974)、何仲山〈第二次國共合作研究概況〉（《抗日戰爭研究》1996年3期）、薛鈺〈抗日民族統一戰線與第二次國共合作研究述評〉（《史學月刊》1995年4期）、沈春光、王應江〈試論促成第二次國共合作的時代背景〉（《許昌師專學報》1993年3期）、約翰‧W‧加弗〈第二次國共合作的由來－共產國際與中國共產黨〉（《福建黨史月刊》1988年11期）、陳嘯〈第二次國共合作前夕兩黨政策的調整〉（《臺聲》1987年8期）、鄧元忠〈國共第二次合作前的第一次秘密商談接觸：從一份俄文資料談起〉（《歷史學報（臺灣師大）》23期，民84）、王庭岳〈國共第二次合作前的一個小蘊曲〉（《南京史志》1995年4期）、李海文〈第二次國共合作形成過程〉（《瞭望》45期，1984）、蔣景源〈試論第二次國共合作形成過程中的國共談判〉（《華東師大學報》1985年5期）、唯實〈國共兩黨的重新接觸和談判〉（《湖北黨史通訊》1985年3期）、戴健

〈第二次國共合作形成中的兩次廬山談判及其前後〉(《黨史文苑》1992年5期)、王振合〈第二次國共合作談判經過大事記〉(《黨史研究資料》1982年2期)、陳廉〈第二次國共合作談判〉(《歷史知識》1984年6期)、何增光〈中共在第二次國共合作談判中的鬥爭與讓步〉(《浙江師大學報》1995年6期)、呂剛〈試論中國共產黨在第二次國共合作談判中的鬥爭策略〉(《牡丹江師院學報》1991年1期)、郝晏華《從秘密談判到共赴國難:國共兩黨第二次合作形成探微》(北京,北京燕山出版社,1992)、張梅玲《干戈化玉帛:第二次國共合作的形成》(北京,中國廣播電視出版社,1991)、侯本臻等〈試論第二次國共合作的形成〉(《徐州師院學報》1985年4期)、楊奎松〈第二次國共合作的形成〉(《近代史研究》1985年3期)、田克勤〈試述第二次國共合作的形成〉(《黨史研究》1982年5期)、李坤〈略述第二次國共合作的形成〉(《黨史研究資料》1985年8期)、扈極海〈試論第二次國共合作的形成〉(《惠州大學學報》1995年2期)、馬德信〈第二次國共合作形成的歷史條件的探討〉(《陝西地方志通訊》1985年5期)、王獻民〈略述第二次國共合作形成的歷史條件〉(《石家庄市教育學院學報》1985年2期)、逸明〈第二次國共合作的形成及特點〉(《貴州大學學報》1985年3期)、劉雲久〈試論第二次國共合作的形成及其偉大歷史功績〉(《學習與探索》1983年1期)、鍾康模〈第二次國共合作的形成及其在抗日戰爭中的地位和作用〉(《嶺南學刊》1995年5期)、李揚〈第二次國共合作的形成及其歷史經驗論略〉(《淮北煤師院學報》1987年2期)、楊凡〈論第二次國共合作的形成及其歷史意義〉(《華中師大研究生學報》1985年4期)、王永康〈試論第二次國共合作的形成和第三次國共合作實現的可能性〉(《理論學習》1985年4期)、劉芝堂〈試述第二次國共合作的形成和發展〉(《青島研究》1989年3期)、畢洪江〈第二次國共合作形成及其必然性〉(《北方論叢》1994年2期)、李良志〈第二次國共合作的形成、分裂及其歷史經驗〉(《黨史研究》1985年5期)、汪朝光〈國民黨與第二次國共合作的形成〉(《南京大學學報》1988年3期)、劉建武〈國民黨與第二次國共合作的形成〉(《檔案史料與研究》1990年3期)、劉昌亮〈潘漢年與第二次國共合作的形成〉(《黨史文匯》1987年2期)、尹書博〈周恩來與第二次國共合作的形成〉(《探索（四川）》1986年4期)、楊宗麗〈論第二次國共合作形成過程中國民黨政策的轉變〉(《黨史研究與教學》1993年3期)、郝曼華〈國共兩黨第二次合作的序幕〉(《外交學院學報》1990年2期)、張曉〈試論第二次國共合作之實現〉(《山東史學集刊》1983年1期)、丁一〈第二次國共合作中的區域合作成因初探〉(《咸寧師專學報》1993年1期)、傅紹昌〈潘漢年與第二次國共合作的實現〉(《華東師大學報》1991年4期)、張梅玲〈潘漢年與第二次國共合作的實現〉(《社會科學（甘肅）》1990年2期)、時戈〈周恩來同志與第二次國共合作的實現〉(《山西大學學報》1986年1期)、張梅玲〈周恩來同志在實現第二次國共合作中的卓越貢獻〉(《東岳論叢》1986年5期)、胡正豪〈《救國時報》和第二次國共合作的實現〉(《歷史教學》1985年8期)、金英豪〈李大釗與第二次國共合作的促成〉(《山東醫科大學學報》1990年1期)、鄧凱元〈毛澤東與第二次國共合作的建立〉(《湖南師大學報》1986年增刊)、李海文〈第二次國共合作建立的歷史過程〉(《文獻與研究》1985年4期)、黃克水〈試述第二次國共合作建立的歷史進程〉(《龍岩師專學報》1994年1-2期)、馮連舉〈試論第二次國共合作的建立及其特點〉(《學習與研究》1982年3期)、江遠帆〈不共戴天與合作抗日－國共二次合作始末〉(《東西風》1卷8期，1973年6月)、黃振位〈論第二次國共合作〉(《學術研究》1985年4期)、李桂玲〈抗戰時期的國共合作〉(《毛澤東思想研究》1995年4期)、劉曉、王樹蔭〈從全面對抗到第二次合作－從"九‧一八"到抗戰全面爆發的國共關係〉(《首都師大學報》1994年6期)、李友安〈抗日戰爭初期國共合作述評〉(《黨史研究與教學》1995年6期)、王貴安〈對抗戰初期國共合作的幾點認識〉(《統戰理論研究(山西師大學報)》1987年增刊)、王永康〈試論第二次國共合作的歷史經驗〉(《甘肅理論學刊》1995年4期)、季鴻生、姚惠民〈試論第二次國共合作的歷史經驗〉(《上海師院學報》1983年4期)、麥衣等〈第二次國共合作的歷史經驗的探討〉(《黨校教學》1985年5期)、唐純良〈論第二次國共合作歷史經驗的幾個問題〉(《學術交流》1985年3期)、溫波〈第二次國共合作歷史經驗〉(《江西社會科學》1995年7期)、徐大福〈抗日戰爭時期國共合作的歷史經驗〉(《史學月刊》1995年4期)、楊守芳〈第二次國共合作的歷史經驗及其啟示〉(《探求》1995年5期)、黃翠芳〈第二次國共合作的歷史經驗與啟示〉(《南通學刊》1995年6期)、李麗、李俊彥〈試論第二次國共合作的歷史經驗及其現實意義〉(《駐馬店師專學報》1990年4期)、張海蒲〈實現第二次國共合作的經驗與祖國和平統一〉(《湖湘論壇》1995年5期)、郭文運等〈第二次國共合作的一些特點〉(《貴州社科通訊》1985年11期)、楊榮華〈抗戰初期國共兩黨的合作〉(《安徽師大學報》1985年3期)及〈有關第二次國共合作的幾則史實〉(《黨史研究資料》1985年10期)、夏燕月〈第二次國共合作的一件史實〉(同上，1981年3期)、劉仲良〈第二次國共合作的特點新探〉(《長沙水電師院學報》1995年4期)、張偉、酈張翼〈第二次國共合作特點新論〉(《安徽史學》1996年4期)、李公見〈對第二次國共合作特點的再認識〉(《瀋陽教育學院學報》1995年3期)、蕭學信〈相互讓步是第二次國共合作的必要條件〉(《廈門大學學報》1993年4期)、劉鳳蓮〈淺論第二次國共合作的歷史條件〉(《鄭州大學學報》1985年3期)、譚新民、劉軍〈第二次國共合作的歷史意義與祖國和平統一的展望〉(《湖南師大學報》1995年4期)、郎佩芬〈第二次國共合作的重大歷史意義：為紀念中國抗日戰爭勝利50周年而作〉(《廣西大學學報》1995年3期)、葛漢軍〈第二次國共合作的歷史回顧與未來的展望〉(《華中師大研究生學報》1986年3期)、王琪〈第二次國共合作的歷史回顧－為紀念抗日戰爭勝利四十周年而作〉(《民國檔案》1985年1期)、謝鴻明〈第二次國共合作的回顧和思考－紀念抗日戰爭勝利四十周年〉(《湖北師院學報》1985年3期)、王貴安〈對抗戰初期國共合作的幾點認識〉(《統戰理論研究》1987年增刊)、張振東〈抗日戰爭中實現國共兩黨合作的深遠意義〉(《河南教育學院學報》1996年3期)、盛平瀚〈第二次國共合作在抗日戰爭中的歷史作用〉(《河南大學學報》1985年6期)、蕭學信〈相互讓步是第二次國共合作的必要條件〉(《廈門大學學報》1993年4期)、李哲〈論析國共兩黨第第二次合作的政治基礎〉(《黑龍江教育學院學報》1995年1期)、陳榮勛〈第二次國共合作的政治基礎〉(《華東石油學院學報》1987年4期)、安正運〈試論第二次國共合作的基本經驗－紀念抗日戰爭勝利四十周年〉(《勃海學刊》1985年3期)、王淇〈國共合作取得抗日戰爭勝利的基本經驗〉(《教學與研究》1985年4期)、張弓〈試談國共兩黨合作奪取抗日戰爭勝利的經驗〉(《理論月刊》1985年8期)、陳瑾、謝樹坤〈第二次國共合作是抗日戰爭勝利的基礎〉(《鄭州大學學報》1987年5期)、羅庶長

〈國共兩黨第二次合作是抗日戰爭勝利的基本保證〉(《桂海論叢》1995年4期)、吳劍濤〈國共第二次合作是抗日戰爭的偉大勝利〉(《西北民族學院學報》1985年4期)、沈鄭榮等〈第二次國共合作和抗日戰爭的勝利〉(《社會科學參考》1985年18期)、蕭學信〈第二次國共合作與抗日戰爭的勝利〉(《福建學刊》1995年4期);亦載《理論學習月刊》1995年9期)、翟全禎〈第二次國共合作與中國抗戰的勝利〉(《山東師大學報》1995年增刊)、孔永松〈國共合作與抗日戰爭的偉大勝利〉(《廈門大學學報》1995年4期)、周杏坤〈抗戰勝利是國共合作的結果〉(《湖北社會科學》1988年7期)、葛德茂〈抗戰勝利是國共合作的碩果〉(《浙江師大學報》1986年1期)、胡邦寧〈第二次國共合作和全民族抗戰的實現〉(《湖北大學學報》1985年5期)、杜菊輝〈第二次國共合作的實現與祖國和平統一的展望〉(《益陽師專學報》1995年4期)、楊發榮、瞿光華〈從第二次國共合作看祖國和平統一〉(《理論導刊》1995年9期)、付靜〈國共合作抗日與祖國統一〉(《山東工業大學學報》1995年3期)、張平平〈國共合作抗日與祖國統一展望〉(《江西社會科學》1995年10期)、金普森〈第二次國共合作和抗日戰爭〉(《浙江學刊》1986年3期)、劉德貴〈關於國共兩黨由嚴重對立轉為初步合作抗日問題的探討〉(《遼寧大學學報》1995年2期)、彭潔〈簡析國共兩黨由嚴重對立的狀態走向合作抗日的局面的原因〉(《貴陽黨史》1995年4期)、史滇生〈抗戰初期國共兩黨的合作抗日〉(載《抗日戰爭史事探索》,上海,上海社會科學院出版社,1988)、劉曉寧〈抗戰初期國共兩黨在蘇南的合作與摩擦〉(同上)、常好禮〈抗戰和國共兩黨〉(《學習與探索》1995年6期)、楊光彥、陳明欽〈第二次國共合作和抗日戰爭〉(《重慶黨史研究資料》1995年4期)、溫賢美〈第二次國共合作與抗日戰爭〉(《歷史知識》1985年4期)、唐培吉〈國共合作與抗日戰爭〉(《社會科學》1987年7期)、溫賢美〈簡論國共兩黨的合作抗日〉(《文史雜志》1995年5期)、王文泉〈合作抗戰的幾個問題〉(《山東大學學報》1995年2期)、胡平生〈抗戰初期國共的軍事合作〉(《歷史月刊》89期,民84年6月)、李敦送〈試論第二次國共合作在中華民族史上的地位和作用〉(《民國檔案》1988年4期)、祝偉坡〈國民黨為何與共產黨實行第二次國共合作〉(《河北師大學報》1988年1期)、樓開炤、李友剛〈論第二次國共合作對國民黨的影響〉(《北京師院學報》1989年1期)、林雄軍〈抗戰前期關於國共合作的形式的交涉〉(《黨史研究與教學》1990年5期)、易宗禮〈論第二次國共合作的必然走向與基本形式:兼及兩黨共同統一祖國〉(《江西社會科學》1995年7期)、田克勤〈第二次國共合作的特殊形式初探〉(《東北師大學報》1987年1期)、邰風琳〈第二次國共合作形式辨析〉(《河南教育學院學報》1996年1期)、黃景芳等〈第二次國共合作方式的實質是〝一國兩制〞〉(《求索》1986年2期)、孫欲聲〈第二次國共合作與〝一國兩制〞〉(《青海民族學院學報》1985年4期)、李榮武、范麗梅〈第二次國共合作與〝一國兩制〞〉(《齊齊哈爾師院學報》1995年5期)、李銘、孫福田〈第二次國共合作與〝一國兩制〞-紀念抗日戰爭勝利四十周年〉(《河北師大學報》1985年4期)、陶用舒〈第二次國共合作組織形式和〝一國兩制〞散論〉(《益陽師專學報》1996年2期)、吳燦〈第二次國共合作與〝一國兩制〞淺議〉(《史學月刊》1995年5期)、黃潭貴、徐祖望〈從第二次國共合作展望第三次國共合作-紀念抗戰勝利40周年〉(《河北大學學報》1985年4期)、劉書禮〈從前兩次國共合作看第三次國共合作〉(《統戰理論研究(山西師大學報增刊)》,1987)、魏春芳〈國

共合作抗戰和爭取第三次合作〉(《齊齊哈爾師院學報》1988年1期)、
曹晉杰〈第二次國共合作在華中〉(《江蘇歷史檔案》1996年4期)、安
徽省政協文史資料研究委員會等編《第二次國共合作在安徽》(合
肥,安徽人民出版社,1986)、黃華康〈第二次國共合作在安徽〉(《安
慶師院學報》1984年1期)、顧群〈第二次國共合作在湖南〉(《求索》
1985年5期)、毛磊、張治安〈第二次國共合作在湖北〉(《中南財經
大學學報》1995年4期)、葉炳南〈第二次國共合作在浙江的實現和
破裂〉(《學習與思考》1985年2期)、孔永松〈抗戰初期福建國共合作
抗日談判的過程及其經驗〉(《廈門大學學報》1985年4期)、鄭祖溪〈閩
東、閩北和閩中黨組織促成國共第二次合作的歷史經驗〉(《學習月
刊》1987年9期)、邱林忠等〈閩西第二次國共合作的形成〉(《福建
黨史通訊》1985年10期)、蔣伯英〈鄧子恢與閩西南第二次國共合作〉
(《福建黨史通訊》1985年8期)、張江鎖〈第二次國共合作在豫西〉(《河
南黨史研究》1991年3期)、劉建國〈第二次國共合作時期浙南的反共
逆流與我黨的策略〉(《溫州師院學報》1994年1期)、廖興森〈克服
〝左〞傾關門主義是實現第二次國共合作的關鍵〉(《河池師專學報》
1985年2期)、王榮則〈論第二次國共合作時期兩種社會制度的並存〉
(《毛澤東思想研究》1985年3期)、林祥庚〈國民黨民主派對國共合作
抗日的歷史貢獻〉(《福建論壇》1995年5期)、朱仁鵬〈中國共產黨為
實現第二次國共合作所採取的基本策略〉(《廣西大學學報》1985年2
期)、胡凱〈第二次國共合作策略轉變的回顧與啟示〉(《馬列主義教
學研究》1985年3期)、孟慶梅〈第二次國共合作與黨的策略轉變〉(《松
遼學刊》1984年1期)、宋淑雲〈中共對第二次國共合作形式的探索〉
(《學術交流》1993年1期)、陸永山〈試論中國共產黨在抗戰期間促成

國共再度合作的作用〉(《龍江黨史》1995年3、4期)、謝寶生〈馬克思主義統一戰線理論與第二次國共合作〉(《紹興師專學報》1986年1期)、單冠初編譯〈第二次國共合作和中共對孫中山主義之再評價〉(《黨史資料與研究》1987年6期)、池田誠〈第二次國共合作と孫文理論の《復權》－中國共產黨における孫文理論の再評價〉(《立命館法學》111・112號，1974年3月)、劉靜賢〈第二次國共合作和新時期的統一戰線〉(《遼寧師院學報》1983年6期)、周勇〈第二次國共合作與新中國政黨制度〉(《重慶社會科學》1991年3期)及〈第二次國共合作與新中國政治制度研究論綱〉(《黨史研究與教學》1992年1期)、王榮剛〈第二次國共合作時期兩種社會制度的並存〉(《毛澤東思想研究》1985年3期)、王武〈略論"逼蔣抗日"是第二次國共合作過程中的一個"獨立"階段〉(《龍江黨史》1993年5、6期)、楊延虎〈民主共和國方案與第二次國共合作及其啟示〉(《延安大學學報》1991年4期)、廣德明〈抗日民主運動在第二次國共合作中的作用〉(《牡丹江師院學報》1991年4期)、李敏瑄〈第二次國共合作與中國共產黨的政權主張〉(《華中師大學報》1992年6期)、丁一〈第二次國共合作中的區域性合作成因初探〉(《咸寧師專學報》1993年1期)、唐純良〈地方實力派在第二次國共合作中的歷史貢獻〉(《北方論叢》1994年5期)、任保秋〈試論地方實力派對第二次國共合作的影響〉(《漢中師院學報》1994年3期)、高曉林〈桂系國民黨地方實力派與第二次國共合作〉(《理論探討》1996年5期)、柯國志〈黨外愛國人士與第二次國共合作〉(《江漢大學學報》1988年4期)、簡慕蘭〈第二次國共合作與國民參政會〉(同上，1986年1期)、林炯如、楊美琳〈愛國華僑與第二次國共合作〉(《歷史教學問題》1985年4期)、黃慰慈、許肖生〈華僑與第二次

國共合作〉(《近代史研究》1985年6期）、單斌〈淺析國共第二次合作
與抗日戰爭領導權問題〉(《信陽師院學報》1988年3期）、胡凱〈第二
次國共合作策略轉變的回顧與啟示〉(《馬列主義教學研究》1985年3
期）、張日新〈周恩來與第二次國共合作的發展〉(《江西農業大學學
報》1986年哲社專輯）、付佑全〈論周恩來同志在第二次國共合作中
的歷史功勛〉(《玉林師專學報》1985年3期）、姜鵬飛〈周恩來在第二
次國共合中的傑出作用〉(《革命春秋》1993年4期）、王漁〈林伯渠與
第二次國共合作〉(《黨史資料徵集通訊》1986年4期）、姜鵬飛〈毛澤
東在第二次國共合作中的傑出作用〉(《革命春秋》1993年4期）、張偉
等〈毛澤東的統戰思想與第二次國共合作〉(《遼寧大學學報》1984年
6期）、王朝柱〈第二次國共合作的功臣潘漢年和張冲〉(《炎黃世界》
1996年1期）、仇楊均〈溫州人張冲中將在第二次國共合作中的功績〉
(《溫州論壇》1989年3期）、鄭應洽〈宋慶齡與國共合作〉(《暨南學報》
1993年3期）、張梅玲〈宋慶齡推動第二次國共合作的卓越貢獻〉(《山
東社會科學》1994年4期）、王作坤〈論馮玉祥對第二次國共合作的貢
獻〉(《齊魯學刊》1989年3期）、戴開柱〈張治中主政湖南對國共合作
所作的貢獻〉(《湖湘論壇》1992年1期）、姜士林、郭德宏編《中國民
主黨派與國共合作論叢》(北京，中國展望出版社，1986）、約翰　W
·加弗著、黃立人譯〈共產國際和中國共產黨與第二次國共合作的
緣起〉(《檔案史料與研究》1992年3、4期）、唐培吉、張勁〈第二次
國共合作共同綱領試論〉(《民國檔案》1992年4期）、王小京〈試論中
華民族凝聚力在第二次國共合作中的體現〉(《廣東社會科學》1996年
5期）、余中水〈中華民族覺醒與國共合作抗戰〉(《青海社會科學》1995
年增刊）、劉松、為欣〈國共合作與中華民族的解放〉(《牡丹江師院

學報》1995年4期）、趙省三〈國共兩黨團結抗日的幾個問題〉（《西藏民族學院學報》1985年3期）、蔣永敬〈從「團結禦侮」到「共赴國難」〉（《近代史學會通訊》第2期，民84年10月）、崔盛河等〈周恩來論第二次國共合作及其歷史經驗〉（《克山師專學報》1985年3期）、趙有奇〈試論第二次國共合作時期的青年統一戰線〉（《青運史研究》1985年6期）、彭宏志〈談談國共合作的幾個問題〉（《貴州社科通訊》1985年11期）、王志凡〈談談國共兩黨合作的幾個問題〉（《長白學刊》1990年2期）、劉誠〈試論兩次國共合作的歷史經驗〉（《揚州師院學報》1995年1期）、蕭甡〈兩次國共合作與黨的統一戰線〉（《國防大學學報》1992年5、6期）、武思、劉兆平〈兩次國共合作的原因條件探析〉（《理論探討》1992年4期）、揚程〈兩次國共合作之比較〉（《承德師專學報》1986年2期）、黃敏〈淺析抗戰中後期蔣介石沒有破裂二次國共合作的原因〉（《惠州大學學報》1995年2期）、孟慶春〈第二次國共合作長期持續析疑〉（《民國檔案》1996年1期）、崔薇圃〈第二次國共合作止於何時〉（《濟寧師專學報》1987年3期）、汪新〈淺析第二次國共合作破裂的政治原因〉（《中共黨史研究》1993年1期）、李充實〈第二次國共合作破裂的原因及其教訓〉（《內蒙古師大學報》1991年4期）。與其相關的有馮杰《國共合作的未來》（上海，今日問題研究社，民26）、杜遠《國共合作的未來》（上海，國難研究社，民26）、馬健《論國共合作》（北社，民30）、陳銘樞《論國共再合作》（出版時地不詳）、蔣介石等《國共合作的前途》（廣州，戰時出版社，出版年份不詳）、王曉敏〈論抗日戰爭時期的國共合作及其現實意義〉（《理論與改革》1996年9期）、李蒙政《抗日統一戰線的崩潰》（興建社，民29）、蔣永敬〈從團結禦侮到共赴國難〉（載《中華民國史專題論文集：

第三屆討論會》，臺北，國史館，民85）、石仲泉〈周恩來與抗戰初期
統一戰線〉（《黨史研究》1985年5期）、趙澤寬〈從國共兩黨抗戰前
後的〝分〞與〝合〞看第三次合作的趨勢〉（《湖北社會科學》1995年
8期）。

2.國共關係的惡化

　　全面抗戰爆發後，國共「合作」共抗日本，關係顯有改善，然
而不久，國共兩軍在華北等地磨擦衝突日趨嚴重，至民國三十年
（1941）一月「新四軍事件（皖南事變）」發生，雙方關係瀕於破裂。

　　以戰時國共關係為題的論著和資料有黃修榮編著《抗日戰爭時
期國共關係紀事（1931-1945）》（北京，中共黨史出版社，1995）、關
中〈戰時國共關係〉（載《中華民國建國史討論集》第4冊，臺北，民70）、
何理〈抗日戰爭時期的國共兩黨關係〉（《近代史研究》1983年3期）、
李良志《度盡劫波兄弟在－戰時國共關係》（桂林，廣西師大出版社，
1993）、青石〈對兩岸研究抗戰期間國共關係史現狀的省思〉（《近代
中國史研究通訊》21期，民85年3月）、吳相湘〈國民革命同盟會幻想
的破滅－抗戰期間國共關係的變化〉（《歷史月刊》89期，民84年6月）、
石川忠雄〈1940年代の國共關係〉（《三田評論》734號，1974年2月）、
金沖及〈抗日戰爭初期的國共關係〉（《中共黨史研究》1988年1期）及
〈抗日戰爭初期的國共關係問題〉（《民國檔案》1988年1期）、楊奎松
〈抗戰初期的國共兩黨關係〉（《近代史研究》1996年3期）、陳慶〈抗
戰時期的國共關係〉（載許倬雲、丘宏達主編《抗戰勝利的代價－抗戰勝利
四十週年學術論文集》，臺北，民75）、高尚斌〈試論抗日戰爭初期的

國共關係〉(《延安大學學報》1987年4期)、余茂笈〈抗日戰爭中期的國共關係〉(《安徽黨史研究》1990年5期)、江于夫〈試論抗日戰爭時期的國共兩黨關係〉(《中共浙江省委黨校學報》1991年2期)、郝晏華〈抗日戰爭相持階段的國共關係〉(《外交學院學報》1991年3期)、葛仁鈞〈論抗戰時期國共關係中的幾個問題〉(《遼寧大學學報》1988年8期)、劉玲〈對抗日戰爭時期國共關係的幾點思考〉(《徐州教育學院學報》1995年3期)及〈抗日戰爭時期國共關係的反思〉(《淮海文匯》1995年7期)、田克勤〈抗日戰爭期間國共關係特殊形式的運作及其特點〉(《東北師大學報》1995年4期)、李銀花〈抗戰相持階段國民黨處理國共關係的誤國政策及危害〉(《贛南師院學報》1996年1期)、陳寶松〈抗戰期間黨處理國共關係的基本經驗〉(《教學與研究》1994年2期)、周道華〈抗戰時期美國對華政策演變與國共關係〉(《黨史研究與教學》1996年1期)、王維禮〈抗日戰爭中的國共關係與中國政治前途論綱〉(載張憲文主編《民國研究》第3輯，1996年1月)、鄭則民〈蘆溝橋事變前後的國共關係(載張春祥主編《蘆溝橋事變與八年抗戰》，(北京，北京出版社，1990)、陳益元〈抗戰時期主要矛盾對國共關係影響述評〉(《山東師大學報》1995年增刊)、段元滿、周紀青〈抗日戰爭時期國共關係發展三階段芻議〉(《湖南黨史》1995年5期)、葉飛鴻「國共關係」與「抗日民族統一戰線」〉(中國文化學院大陸問題研究所碩士論文，民66年6月)、殷昌友、張治安〈論日本對華政策對國共關係的影響〉(《研究生文匯(中南財經大學)》1992年5期)、顏世強〈試論抗戰初期國際因素對國共關係的影響〉(《臨沂教育學院學報》1990年4期)、Fei Zheng and Li Zuomin, "Discussion on Strategic Guiding Policies of the Guomindang and the Communist Party and

Their Mutual Relations During the War of Resistance Against Japan."
（Republican China, Vol. 14, No. 2, April 1989）。

　　關於共軍主力「第八路軍」（旋改番號為「第十八集團軍」，
但中共仍喜用舊稱）的由來和活動等情形，以及戰時中共軍事擴
張、國共兩軍之磨擦、衝突有簡笙簧〈第八路軍的收編〉（《國史館館
刊》復刊第1期，民76年2月）、李昌華〈紅軍改編八路軍的談判經過〉
（《檔案史料與研究》1993年2期）、楊牧等〈紅軍改編為八路軍及歷史
意義〉（《中州學刊》1985年4期）、朱德等《第八路軍》（抗戰報告叢書
之二，抗戰書局，民26）、劉家國《浴血奮戰：抗日英雄八路軍》（桂
林，廣西師大出版社，1994）、趙軼琳《抗日的第八路軍》（自力出版社，
民26）、鍾必勝《抗日的八路軍》（漢口，大中出版社，民26）、國民
革命軍第十八集團軍總政治部宣傳部《抗戰中的八路軍》（延安，八
路軍軍政雜誌社，民31）、彭德懷《三年抗戰與八路軍》（同上，民29）、
朱德《八路軍半年來抗戰的經驗與教訓》（漢口，華中書局，民27）、
國民革命軍第十八集團軍政治部《抗戰三年來八路軍的英勇戰績》
（延安，八路軍軍政雜誌社，民29）及《八路軍百團大戰特輯》（同上，
民30）、毛澤東等《八路軍的戰略和戰術》（上海，生活出版社，民
27）、第十八集團軍總政治部編印《戰術摘編》（延安，民34）、賀
明慧編著《八路軍怎樣作戰》（上海，新生出版社，民27）、程萬里編
著《八路軍的戰鬥力》（上海，新中國出版社，民27）、林岑南《第八
路軍是怎樣戰勝敵人的？》（怒吼出版社，民27）、滿鐵調查部編印
《第八路軍及新編第四軍に關する資料（大連，1939）、日中戰爭史
研究會編譯《日中戰爭史資料：八路軍、新四軍》（東京，龍溪書舍，
1991）、宍戶寬《中國八路軍・新四軍史》（東京，河出書房新社，

1989）、永峰正樹《八路軍ともに》（東京，民報社，1946）、《中國人民解放軍歷史資料叢書》編輯組編《八路軍：文獻》（北京，解放軍出版社，1994）、《八路軍：表冊》（同上）及《八路軍：綜述・大事記》（同上）、武國祿編寫《八路軍》（北京，新華出版社，1990）、平山《八路軍抗戰史》（廣州，廣東人民出版社，1995）、Agnes Smedley, China Fights Back: An American Woman With the Eighth Route Army.（New York: The Vanguard Press, 1938）、高克甫《第八路軍在山西》（上海，南華出版社，民27）；《彭德懷與八路軍》（香港，風格出版社，出版年份不詳）；《敵人口中的八路軍新四軍與中國共產黨》（新華書店，民34）、關西大學東西學術研究所《中國第八路軍行軍記－中國共產黨史研究の一資料》（大阪，撰者印行，1973）、溜口麻一《刻みつけられた足跡－黑河事件・八路軍の報復》（東京，日中出版，1984）、金濤編著《八路軍新四軍全面抗戰實紀》（濟南，黃河出版社，1995）、國民革命軍第十八集團軍總政治部宣傳部《抗戰八年來的八路軍與新四軍》（民34年序；1953年，北京之人民出版社影印出版時易名為《抗日戰爭時期的中國人民解放軍》；1980年再次重印時，又易名為《抗日戰爭時期的八路軍和新四軍》）、《領導作風》（上海，上海雜誌公司，1949）、《軍民關係》（同上）及《官兵關係》（同上），八路軍留守兵團政治部編印《一年來的擁政愛民工作》（延安，民33）、國民革命軍第十八集團軍政治部《敵寇作戰要務令》（八路軍軍政雜誌社，民30）及《政治工作論叢・第1冊》（同上）、八路軍聯防軍政治部編印《發展生產擁政愛民文獻集》（民33年印行）、何理等編寫《八路軍事件人物錄》（上海，上海人民出版社，1988）、史諾（E. Snow）等著、陳仁編譯《第八路軍將領印象記》（漢口，自強出版社，民27）、辛克萊（U. Sinclair）等《第八路軍的幹部八物翦影》（戰時出版社，戰時小叢刊之28，出版年份不詳）、八路軍留守兵團政治部編印《八路軍的英雄們（第1集）》（戰士小叢書之19，民33）及《留守兵團的英雄們和模範者》（同上之37）、第十八集團軍總政治部宣傳部編印《八路軍的英雄和模範》（延安，民35）及《八路軍抗戰烈士紀念冊》（同上，民31）、八路軍留守團政治部宣傳部編印《部隊勞動英雄的代表》（延安，民33）、中國人民解放軍歷史資料叢書編審委員會編《八路軍回憶史料（1）-(3)》（3冊，北京，解放軍出版社，1988及1991）、楊潤貴等《八路軍的故事》（烏魯木齊，新疆青年出版社，1961）。〈國民革命軍第八路軍序列〉（《南開史學》1984年專輯）及〈國民革命軍第八路軍總部組織機構職官一覽表〉（同上）、李志寬、王照騫編《八路軍總部大事紀略》（北京，解放軍出版社，1985）、李志寬、李東光〈八路軍總部和駐各地辦事處的關係與作用〉（《東南文化》1995年3期）、陳廉〈八路軍駐各地辦事處始末簡述〉（《黨史研究資料》1984年10期）、陳廣湘〈抗戰時期八路軍駐各地辦事處簡介〉（《軍事資料》1989年1期）、王寶書等〈八路軍、新四軍駐各地辦事處機構在抗日戰爭中的作用〉（《中共黨史研究》1992年5期）、胡傳章〈簡述抗日民族統一戰線中的八路軍辦事處〉（《江蘇社會科學》1995年6期）、張文彬主編《中共中央南方局與八路軍辦事處》（重慶，重慶出版社，1995）；〈抗日戰爭中八路軍總部組織機構〉（《黨史文匯》1985年3期）；〈八路軍總部轉戰華北地點變動表〉（《南開史學》1984年專輯）、Anna Louis Strong,"Eighth Route Regions in North China."（Pacific Affairs, Vol. 14, 1941）、王金海〈八路軍總部轉戰山西的光輝業績〉（載《抗日民主根據地與敵後游擊戰爭》，北京，中共黨史資出版社，

1987)、李力〈第八路軍發展概況〉(《黨史研究資料》1987年1期)、方申〈八路軍各部隊出師抗日的時間與路線〉(《黨史研究》1985年2期)、王聚英〈圍繞八路軍名稱的鬥爭〉(《黨史文匯》1987年3期)、嚴志才〈抗戰初期八路軍作戰方針的演變過程〉(《東北師大學報》1990年2期)、張國祥〈抗戰初期八路軍作戰形式之我見〉(《山西大學學報》1987年1期)、王健英〈八路軍和中共中央軍委政治工作機構的演變〉(《抗日戰爭研究》1994年2期)、《八路軍》叢書大事記組〈八路軍何時恢復政治委員制度〉(《軍史資料》1987年1期)、李茂盛〈八路軍在抗戰中的作用〉(《晉陽學刊》1995年5期);〈抗日戰爭中的八路軍和新四軍〉(《湖南黨史通訊》1985年9期)、林治波〈八路軍新四軍軍政體制與軍隊建設簡論〉(《軍事歷史研究》1992年2期)、王寶書、雷平、高主友〈八路軍、新四軍駐各地的戰略動因〉(《中共黨史研究》1992年5期);陳海雲主編《新四軍、八路軍會師紀念專輯:1940.10－1990.10》(南京,江蘇人民出版社,1990);〈卡爾遜關於八路軍抗戰情況致羅斯福的幾封信(1937年12月－1944年10月)〉(《黨的文獻》1995年5期)、馮承伯、黃振華〈卡爾遜與八路軍的敵後游擊戰〉(《近代史研究》1986年1期)、重慶市檔案館李壽臣選編〈抗戰初期八路軍的一份戰鬥捷報(1938年4月22日)〉(《檔案史料與研究》1995年4期)、中國第二歷史檔案館〈八路軍1938年10月-12月抗日戰鬥匯報〉(《民國檔案》1995年4期)、程國瑞〈八路軍部分主力南下增援華中新四軍及其意義〉(《新四軍史料研究集刊》1991年1、2期)、童天星〈試談八路軍南下對華中的增援〉(《安徽省委黨校學報》1987年3期)、張宏志〈八路軍挺進敵後的決策與戰略實施〉(載《抗日民主根據地與敵後游擊戰爭》,北京,中共黨史資料出版社，1987）、周雒〈抗戰初期八路軍之活動〉（《共黨問題研究》4卷1期，民67年1月）、〈八路軍發展概況〉（同上，5卷3期，民68年3月）、〈八路軍侵奪河北地方政府〉（《共黨問題研究》4卷7期，民67年7月）、〈八路軍在河北襲擊國軍之罪行〉（同上，4卷6期，民67年6月）及〈八路軍在山東建黨攫政之種種〉（同上，5卷1期，民68年1月）、喬金鷗〈抗戰時期八路軍在華北的擴展與坐大〉（《共黨問題研究》12卷1-4期，民75年1-4月）、石玉山〈八路軍留守兵團〉（《軍事歷史》1992年5期）、中村棲蘭〈日中戰爭期前半における毛澤東の權力盤の檢討－八路軍留守部隊を中心として〉（載《近代日本政治の諸相－時代による展開と考察》，東京，慶應通信，1989）、陳之中〈對八路軍留守兵團幾則史實的考證〉（《軍事歷史》1995年3期）、崔克誠〈八路軍總部在山西〉（《山西革命根據地》1985年4期）、王金海〈偉大的戰略行程：記八路軍總部轉戰山西〉（《黨史研究》1985年4期）、岳峰〈八路軍總部在山西行進路線圖〉（《黨史文匯》1985年3期）、郭棟材等〈八路軍總部在山西住過的地方〉（《黨史文匯》1985年3期）、李志寬等〈八路軍總部在太行住過的地方〉（《地名知識》1981年6期）、藥英等〈八路軍總部在武鄉〉（《山西師院學報》1982年4期）、中共左權縣委會、左權縣人民政府編《八路軍總部在麻田：紀念八路軍總部進駐麻田50周年》（太原，山西人民出版社，1990）、朱大禮〈華中新四軍、八路軍總指揮部考辨〉（《黨史研究》1985年2期）、傅鐘〈敵後戰場的開端：憶八路軍總部開赴華北抗日前線〉（《紅旗》1987年16期）、東方樂《115師征戰紀實》（北京，中共中央黨校出版社，1995）、李文《山河呼嘯：八路軍一一五師征戰實錄》（長沙，湖南出版社，1995）、司徒慕文編著《八

路軍三大主力(下)－115師抗戰紀實》(成都，成都出版社，1995)、
梁必業〈115師在魯南〉(《星火燎原》1982年1期)、中共泰安市委黨
史資料徵集研究委員會編《一一五師連泰西》(濟南，山東人民出版
社，1991)、郭華〈一一五師的陸房之戰〉(《泰安師專學報》1996年1
期)、濟南軍區後勤部衛生部《新中國預防醫學歷史經驗》編寫組
編《抗日戰爭時期一一五師暨山東部隊衛生防病概況》(北京，人民
軍醫出版社，1989)、第一二零師陝甘寧晉淥聯防抗日戰爭史編審委
員會編《第一二零師陝甘寧晉綏聯防抗日戰爭史》(北京，軍事科學出
版社，1994)、陝甘寧晉綏聯防軍抗日戰爭史編審委員會編《陝甘寧
晉綏聯防軍抗日戰爭史》(同上)、張寶貴〈八路軍120師在冀中〉
(《歷史教學》1982年11期)、馮捷《晉綏鏖戰－八路軍120師征戰記》
(北京，解放軍文藝出版社，1995)、司徒慕文編著《八路軍三大主力
(上)－120師抗戰紀實》(成都，成都出版社，1995)、東方槊《120
師征戰紀實》(北京，中共中央黨校出版社，1995)、孫科佳《山河呼
嘯：八路軍一二○師征戰實錄》(長沙，湖南出版社，1995)、賀龍
〈120師三年活動概述〉(《軍史資料》1985年6期)、范子瑜〈憶八路
軍120師的後勤工作〉(《黨史研究資料》1990年10期)、劉卓甫等口
述《八路軍"戰鬥隊"－一二０師"戰鬥"籃球隊回憶錄》(北京，人
民體育出版社，1960)、廖漢生〈回憶120師716團開赴山西抗日〉(《黨
史文匯》1995年7期)；〈129師抗戰四年大事記〉(《山西革命根據地》
1988年3期)、司徒慕文編著《八路軍三大主力（中）－129師抗戰
紀實》(成都，成都出版社，1995)、張軍斌《129師征戰紀實》(北京，
中共中央黨校出版社，1995)、劉泰山《山河呼嘯：八路軍一二九師征
戰實錄》(長沙，湖南出版社，1995)、傅建文《太行雄獅－八路軍一

二九師征戰紀實》(北京，解放軍文藝出版社，1995)、李達《抗日戰
爭中的八路軍一二九師》(北京，人民出版社，1985)，作者抗戰時期
任八路軍一二九師參謀長，本書為其親身經歷的長篇回憶錄、李士
華〈八路軍一二九師誓師石橋鎮〉(《黨史博採》1995年9期)、田衛平
〈129師在涉縣〉(《河北學刊》1990年5期)、陳廉〈八路軍：五師的
戰鬥歷程〉(《軍史資料》1985年6期)、許道琦〈探索歷史運動本身的
特點：關於5師戰史的修改問題〉(《地方革命史研究》1985年創刊號)、
趙興勤〈馳騁晉北殲強寇：憶抗戰時期的358旅〉(《山西革命根據地》
1988年1期)、馬玉書《三五九旅光輝戰鬥歷程》(烏魯木齊，新疆人
民出版社，1992)、李倫〈從南泥灣走出來的隊伍－記三五九旅〉(《軍
事史料》1992年3期)、何維忠《南泥灣屯墾記》(天津，天津人民出版
社，1978)，記述三五九旅於抗戰時期在陝北南泥灣一帶開展生產
運動的事況；烏魯木齊部隊政治部文化部編《三五九旅南下北返紀
實》(烏魯木齊，新疆人民出版社，1982)、陸文培、江文清〈論三五
九旅的南征北返〉(《黨史縱覽》1996年3期)、張耀奎《中原突圍－
革命鬥爭回憶錄》(烏魯木齊，新疆青年出版社，1983)，收回憶錄8
篇，大都是記述抗日戰爭時期八路軍三五九旅的戰鬥事迹；李立
《轉戰南北》(北京，作家出版社，1958)，記抗日戰爭和「解放」戰
爭時期，王震率領之三五九旅轉戰南北，歷經八省的戰鬥事跡；史
甄〈八路軍第一縱隊始末〉(《軍事歷史》1992年1期)、曹欽溫〈關於
組成八路軍第四縱隊的一些情況〉(《黨史研究資料》1990年8期)、胥
義良〈八路軍山東縱隊創建發展的戰鬥歷程〉(《軍史資料》1984年2
期)、《八路軍山東縱隊》編審委員會編《八路軍山東縱隊：綜合
冊》(濟南，山東人民出版社，1993)及《八路軍山東縱隊：回憶史料》

（3冊，同上，1991-1993）、鮑奇辰〈八路軍山東縱隊及所屬部隊領導幹部配備情況〉（《軍史資料》，1986年1期）、王彬〈八路軍山東縱隊組建前後〉（《革命史資料》1985年14期）、劉昌毅〈八路軍六支隊南下豫西的戰鬥歷程〉（《地方革命史研究》1987年3期）、李立《四十八天－八路軍南下支隊北返日記》（北京，三聯書店，1983），抗戰後期，王震率領八路軍三五九旅組成南下支隊，深入江南敵後，進擊日軍，抗戰勝利後即北返中原解放區和延安，本書是記述其北返的歷程；述其南征情況的則有王首道《憶南征》（北京，人民出版社，1983）及馬廷士《"第二次長征"》（南昌，江西青少年出版社，1961），按：中共有人稱上述之南征為第二次長征；林應良〈八路軍南下支隊在南雄〉（《廣東黨史》1995年1期）、曹檢生、姚文奇〈八路軍南下部隊稱謂考〉（《黨史研究與教學》1992年1期）、卞之琳《第七七二團在太行一帶－一年半戰鬥小史》（北京，三聯書店，1983）、盧荻〈南方各地八路軍辦事處的建立及其作用〉（《黨史資料通訊》1988年2期）、楊婕〈八路軍辦事處在抗日戰爭中的歷史作用〉（《江蘇歷史檔案》1995年4期）、南京市黨史辦公室、八路軍南京辦事處紀念館編《抗戰初期八路軍駐南京辦事處》（南京，南京大學出版社，1987）、童小鵬〈駐寧八路軍辦事處和中共代表團瑣憶〉（《縱橫》1996年11期）、劉少文〈八路軍駐上海辦事處的情況〉（《黨史資料叢刊》1982年3輯）、夏順奎〈八路軍駐滬辦事處〉（同上，1982年4輯）、武漢辦事處紀念館〈抗戰初期的八路軍武漢辦事處〉（《黨史資料研究》1984年7期）、林阿綿等〈七賢莊的燈光－西安八路軍辦事處〉（《河南青年》1981年7期）、樂秀鈺〈八路軍駐西安辦事處概述〉（《北京鋼鐵學院學報》1985年1期）、陝西人民出版社編印《八路軍西安辦事處》（西安，1979）；

〈戰鬥的前哨，革命的後方－八路軍西安辦事處革命鬥爭的片斷〉（《西北大學學報》1975年4期）、熊美杰、劉彤璧主編、中共陝西省委黨史研究室、八路軍西安辦事處紀念館編《抗日戰爭時期的西安八辦》(西安，陝西人民出版社，1995)、全士英等撰文、杜玉林攝〈八路軍駐蘭辦事處〉(《甘肅畫報》1980年4期)、柴玉英〈八路軍駐蘭辦事處與抗日救亡運動〉(《西北史地》1987年3期)、王明湘〈許滌新同志回憶南方局、八路軍重慶辦事處和《新華日報》〉(《重慶現代革命史資料》1981年1期)、彭定秀〈試述中共中央南方局與八路軍駐重慶辦事處的關係〉(《四川黨史》1991年6期)、王明湘主編《中共中央南方局和八路軍駐重慶辦事處》(重慶，重慶出版社，1995)、俞史〈夏靜同志談八路軍辦事處在紅岩村〉(同上，1981年4期)、雷盛運〈一所很少被提及的八路軍辦事處：記"八路軍衡陽辦事處"〉(《黨史月刊》1989年12期)、陶信椿〈記八路軍貴陽辦事處〉(《貴州文史叢刊》1981年1期)、左超英〈八路軍辦事處與桂林文化城〉(《社會科學家》1990年4期)、沈奕臣〈桂林八辦是創建桂林文化城的領導者〉(《學術論壇》1996年3期)、陳秀玉等〈八路軍駐新疆辦事處〉(《新疆大學學報》1982年2期)、羅修湖〈八路軍駐香港辦事處主要的工作及其貢獻〉(《黨史資料通訊》1988年6、7期)、童天星〈八路軍、新四軍駐皖東北辦事處的建立和作用〉(《黨史研究資料》1991年6期)、秦焰〈抗戰時期成都並未設立八路軍辦事處〉(《四川黨史月刊》1989年5期)、唐振南〈八路軍駐湘機構名稱考〉(《黨史研究》1986年2期)、王海洲〈八路軍駐湘通訊處〉(《長沙史志通訊》1988年3期)、王炎離〈論八路軍貴陽交通站的地位和作用〉(《貴陽黨史》1992年1期)、李祖蔭〈八路軍貴陽交通站在抗戰中的貢獻及其對貴陽抗日救亡運動的影響〉(同上，1995年4期)、劉蘇選編〈八路軍軍人必讀〉(《北京檔案史料》1986年3期)、林治波〈八路軍戰略方針的確立〉(《中共黨史研究》1995年4期)、石仲泉〈毛澤東關于八路軍抗日戰略方針思想的提出和發展過程〉(《黨的文獻》1992年3期)、劉益濤〈毛澤東與抗戰初期八路軍戰略方針的形成和實施〉(同上，1995年5期)、徐則浩〈抗日戰爭中八路軍、新四軍的敵軍工作〉(《安徽史學》1987年3期)、郎鵬〈抗日戰爭時期八路軍後勤工作概述〉(《軍事資料》1989年4-6期)、周文龍〈八路軍後勤工作片斷回憶〉(《軍史資料》1987年3期)、佐藤宏〈八路軍の民眾動員－兵役動員をめぐつて〉(《現代中國》63號，1989年7月)、八路軍綜述編輯組〈抗日戰爭時期八路軍團結友軍合作抗日的歷史回顧〉(《黨史資料通訊》1987年5-6期)、程國瑞等〈八路軍部分主力南下華中增援新四軍初探〉(《軍事資料》1989年3期)、程國瑞〈八路軍部分主力南下增援華中新四軍及其意義〉(《新四軍史料研究集刊》1991年1、2期)。史諾(E.Snow)等著、陳仁編譯《第八路軍將領印象記》(漢口，自強出版社，民27)、史沫特萊著、江楓譯《中國在反擊———個美國女人和八路軍在一起》(長沙，湖南人民出版社，1987)、國民革命軍第十八集團軍總政治部宣傳部《八路軍的英雄與模範》(東北書店，民35)及〈八路軍抗戰烈士紀念冊〉(撰者印行，民31)、八路軍留守兵團政治部《八路軍的英雄們·第1集》(戰士小叢書之19，撰者印行，民33)及《留守兵團的英雄們和模範者》(戰士小叢書之37，同上)、羅立斌《八年烽火戰蘆溝：八路軍挺進軍抗戰紀實》南寧，廣西人民出版社，1989)、八路軍山東膠東軍區政治部《血戰八年的膠東子弟兵》(膠東書店，民34)、香川孝志、前田光繁《八路軍の日本兵たち》(東京，サイマル出版會，1984）、山田盈文《僕は八路軍の少年兵だつた太》（東京，草思社，1994）、朱敏彥〈宋慶齡與八路軍〉（《上海師大學報》1994年1期）、馬仲廉〈《八路軍》史科叢書述評〉（《抗日戰爭研究》1994年1期）；深田悠藏《支那共產軍の現狀》（東京，改造社，1939）、陸軍省情報部〈支那共產軍の實情〉（《支那》30卷1號，1939年1月）、張廷貴等《中共抗日部隊發展史略》（北京，解放軍出版社，1990）。馬尚斌〈抗戰時期我軍倡廉反腐歷史經驗初探〉（《遼寧大學學報》1991年2期）、楊旭華〈抗日戰爭時期我軍戰略反攻的鬥爭藝術〉（《軍學》1985年增刊2期）、陳廉〈抗戰初期華北我軍戰略方針探討〉（《近代史研究》1982年1期）及〈抗戰初期我軍戰史考証四則〉（《黨史研究資料》1982年10期）；〈我軍在抗日戰爭中主要戰績統計〉（《黨史資料通訊》1987年5、6期）、王健民〈抗戰後期共軍的行動如何〉（《共黨問題研究》3卷9期，民66年9月）、簡鐵〈共軍在抗戰期間表現了什麼〉（《中國大陸》193期，民72年9月）、許祥文、王笑天〈人道主義的偉大歷史實踐：兼論抗日戰爭時期我軍對日軍戰俘的保護與教育〉（《南京政治學院學報》1996年3期）、張建基〈抗日戰爭時期我黨領導的軍隊組織簡況〉（《歷史知識》1982年5、6期）、夏鶴、焦新志〈抗戰時期我軍主力部隊的發展與新時期預備役部隊質量建設〉（《國防大學學報》1995年8期）、張廷貴等《中共抗日部隊發展史略》（北京，解放軍出版社，1990）、岳思平〈論抗日戰爭初期我軍的軍事戰略轉變〉（《軍事歷史》1991年2期）、鍾理明、喻忠桂〈試論抗日戰爭初期我軍的軍事戰略〉（《國防大學學報》1995年8期）、陳廉〈抗戰時期我軍建立敵後根據地的戰略部署〉（《近代史研究》1984年1期）。

抗戰時期中共勢力發展及與國軍磨擦衝突有國民黨黨史會編印
《中華民國重要史料初編－對日抗戰時期。第五編：中共活動真相》
（4冊，臺北，民70）、毛鑄倫《抗日戰爭期間中共坐大原因之研究》
（政治大學東亞研究所碩士論文，民63年6月）、喬金鷗《抗戰時期中共
實力之擴張》（政治作戰學校政治研究所碩士論文，民72年6月）及〈抗
戰時期中共在淪陷區的擴展手段〉（《共黨問題研究》11卷3期，民74年
3月）、胡璞玉編《抗日戰爭的破壞者》（臺北，國防部史政編譯局，民
61）、中央陸軍軍官學校編印《中共破壞抗戰建國之不法行為》（成
都，民29）、李守孔〈抗戰初期中共之輸誠與攘奪政權之陰謀〉（載
《抗戰建國史研討會論文集》上冊，臺北，民74）、周雄〈中共匪黨輸誠
抗日之陰謀活動〉（《共黨問題研究》3卷10期，民66年10月）、及〈中
共匪黨假名抗日陰謀發展〉（同上，3卷11期，民66年11月）、蔡國
裕〈抗戰時期的中共－「七分發展」的決策及其執行結果〉（《近代
中國》83期，民80年6月）、劉鳳翰〈抗戰時期中共軍事的擴展（民
國二十六年七月至三十四年八月）〉（《國史館館刊》復刊10、11期，民
80年6月、12月）、項迺光〈中共對抗日戰爭之利用及其勢力之發展〉
（載《中華民國建國史討論集》第4冊，臺北，民70；亦載《近代中國》78期，
民79年8月）、傅應川〈抗戰時期中共軍事發展及其策略之研究（民
國26‧7－34‧8）〉（載《慶祝抗戰勝利五十周年兩岸學術研討會論文
集》下冊，臺北，近代史學會，民85）、虔君〈抗戰期間共匪在徐西地
區的滋長與擴張〉（《共黨問題研究》11卷5期，民74年5月）、蔣永敬
〈論中共抗日統戰初期的「抗日反蔣」方針〉（同上）、尹慶耀〈蘇
俄在中國侵略勢力之擴張及其與中共叛亂之結合（1937-1945）〉
（《近代中國》44期，民73年12月）、耿若天〈抗日戰爭共匪陰謀叛亂

史實〉(《戰史彙刊》第4期,民61)、蔡國裕〈中共的戰時戰略與國共摩擦事件〉(《共黨問題研究》9卷5期,民72年5月)及〈抗戰期間中共的活動－中共的戰時戰略與摩擦事件〉(《歷史教學》1卷3期,民77年11月)、林玲玲〈戰時國共軍事「磨擦」與商談(1939-1943)〉(《中華軍史學會會刊》創刊號,民84)、何榮棣、王義〈論抗戰時期的國共磨擦問題〉(《東北師大學報》1995年4期)、國民革命軍第十八集團軍政治部《磨擦從何而來》(延安,新華書店,民29)、嚴志才〈試論抗戰時期國民黨反共摩擦重心的變化〉(《吉林師院學報》1992年3期)、李達〈磨擦與反磨擦的鬥爭〉(《近代史研究》1982年2期)、齊彪〈抗戰時期蘇聯對華戰略與國共摩擦〉(《民國檔案》1996年4期;亦載《國防大學學報》1995年8、9期)、冀希光〈朱德和華北反磨擦鬥爭〉(《黨史研究》1985年5期)、張起厚〈澄清鹿鍾麟下令取消冀南行政主任公署之事實經過以及中共刻意製造「摩擦」鬥爭陰謀攫取冀南的真相〉(《共黨問題研究》11卷6號,民74年6月)、憲民〈淺析我黨在抗日戰爭中如何策略地解決與國民黨的幾次矛盾衝突〉(《黨史文苑》1990年6期)、韓振武〈中共軍隊是何時換掉國民革命軍帽子的?〉(《黨史縱覽》1996年4期)、陳新銘〈抗戰開始後國共之商談與衝突〉(《復興崗學報》23期,民69年6月)、興亞協會編印《國共衝突の實相並二其將來》(東京,1941)、草野文男《抗日支那相剋の現勢》(東京,人文閣,1942)。劉以順、童志強《外戰中的內戰》(北京,春秋出版社,1987),記述1939年至1943年間國共三次大規模的武裝衝突,引發嚴重的內戰危機;冀察戰區總司令部政治部編印《第十八集團軍在河北省破壞抗戰紀實》(民29年印行)。

　　至於戰時國共關係的轉折點－民國三十年(1941)一月發生的

「新四軍事件」，亦稱「皖南事變」。由於抗戰期間歷久的國共軍事磨擦中，共軍多居於主動，且少有失利者。新四軍事件共軍不僅失利，而且是敗的最慘、損失最重的一次，攸關其顏面，還牽涉到中共中央是否領導無方，以及新四軍黨、軍領導人之一的項英，其與黨中央的矛盾、衝突，其判斷、應變、指揮能力是否不足等責任歸屬問題。所以自1949年中共建國以後的三十年間，大陸學界對於新四軍事件發生的原因、教訓和具體史實，沒有作深入的研究。直到1978年12月中共十一屆三中全會召開以後，特別是該事件四十週年（1981年1月）前後，不少史學工作者和老戰士，紛紛進行調查和研究，查閱有關資料，深入探討該事件有關問題。1981年且在安徽蕪湖召開了一次有三百多人出席的大型學術討論會。從這一年到1983年，出現了一個研究該事件的高潮，這方面的專著和資料集，相繼出版。1987年10月，上海文藝出版社出版了南京軍區部隊專業作家黎汝清所撰近六十萬言的長篇歷史小說《皖南事變》，更引發了大陸史學界、文藝界廣泛地討論，以及兩極化的爭辯，使該事件的研究，更形熾熱。

關於新四軍的論著和資料專書方面有林為民、阮衛星、王統儀編著《新四軍研究書目索引》（合肥，黃山書社，1990）、魏蒲、陳廣相編《新四軍研究資料索引》（南京，江蘇人民出版社，1990）、余茂笈、呂勝堂、蔣曉鐘、張玉屏《新四軍史話》（北京，解放軍出版社，1985）、劉庭華編《新四軍》（北京，新華書店，1990）、中國人民解放軍歷史資料叢書編審委員會編《新四軍文獻(1)-(5)》（北京，解放軍出版社，1988、1994及1995）及《新四軍回憶史料》（2冊，同上1990）、新四軍史跡圖冊編委會編《新四軍史跡圖冊》（上海，學林出

版社，1989）、中國人民解放軍歷史資料叢書編審委員會編《新四軍
・圖片》（北京，解放軍出版社，1994）、上海市新四軍歷史研究會《大
江南北：新四軍抗日戰爭革命史料畫集》編輯委員會編《大江南
北：新四軍抗日戰爭革命史料畫集》（上海，上海人民美術出版社，
1987）、田玄《鐵軍縱橫－華中抗戰的新四軍》（桂林，廣西師大出版
社，1996）、南京軍區政治部編研室編《新四軍組織發展實錄》（南
京，江蘇人民出版社，1992）、新四軍和華中抗日根據地研究會編《新
四軍和華中抗日根據地史料選（第1-8輯）》（8冊，上海，上海人民出
版社，1982-1990）、石言等編著《新四軍故事集》（南京，江蘇人民出
版社，1981）、胡兆才《新四軍演義》（2冊，南京，江蘇人民出版社，
1990）、常敬竹等《江淮出師－新四軍初創與征戰》（北京，解放軍文
藝出版社，1995）、庹平《長江作證－新四軍抗戰紀實》（北京，團結
出版社，1995）、姜遵五編著《新四軍抗日戰爭實錄》（福州，福建美
術出版社，1995）、任才《血路－新四軍浴血奮戰實錄》（北京，當代
中國出版社，1995）、蔡仁照、孫科佳《山河呼嘯：新四軍征戰實錄》
（長沙，湖南出版社，1995）、興亞院華中連絡部《新四軍の現狀》（1939
年出版，興亞華中資料第104號，中調連政資料第4號）及《新四軍二關ス
ル實體調查報告書》（1941，華中調查資料145號，思想資料第54號）、
滿鐵調查部《第八路軍及新編第四軍に關する資料》（撰者印行，
1939）、日中戰爭史研究會編譯《日中戰爭史資料－八路軍・新四
軍》（東京，龍溪書舍，1991）、宍戶寬、內田知行、馬場毅、三好
章、佐藤宏《中國八路軍・新四軍史》（東京，河出書房新社，1989）、
項英《新四軍抗戰一年來的經驗與教訓》（上海，建社，民28）、中
共鹽城市委黨史辦公室編《新四軍軍部在鹽城》（南京，江蘇人民出版

社，1988）、中共盱眙縣委黨史工作委員會編《新四軍軍部在黃花塘》(同上，1993)、茅山鬥爭革命紀念館籌備辦公室編《新四軍在茅山－抗日鬥爭史料選》(同上，1982)、安徽省軍區政治部主編《新四軍在安徽》(合肥，安徽人民出版社，1982)、安徽省新四軍歷史研究會編《新四軍抗戰在安徽》(同上，1995)、王傳厚主編《新四軍在皖南（1938-1941）》(合肥，安徽出版總社，1985)、黃源德《新四軍的發展與皖南事變》(政治大學東亞研究所碩士論文，民64年6月)、鄂豫邊區革命史編輯部編《新四軍第五師抗日戰爭史稿》(武漢，湖北人民出版社，1989)、馬洪武等編《新四軍征途紀事》(南京，江蘇人民出版社，1988)、人民藝術出版社編印《新四軍征途書畫選》(北京，1986)、南通市文學藝術界聯合會編《新四軍的傳說：蘇中地區抗日戰爭時期民間傳說》(北京，中國民間文藝出版社，1985)、日森虎雄《新四軍生活記》(1940年印行)、Gregor Benton, The Founding of the New Fourth Army, 1937-1938.(Leeds: Leeds University, East Asian Paper's 1992）及 The Origins and Early Growth of the New Fourth Army, 1934-1941. (Ph. D. Dissertation, Leeds University, 1979)、陳海雲主編《新四軍八路軍會師紀念專輯：1940.10-1990.10》(南京，江蘇人民出版社，1990)、南京軍區黨史資料徵集委員會辦公室編《新四軍辦事機構概覽》(合肥，安徽人民出版社，1988)、興亞院華中連絡部《解散迄の新四軍》(1941，華中調查資料第4號)；新四軍將士畫集編委會編《新四軍將士畫集》(香港，〔中國〕市場信息出版社，1992)、馬洪才《新四軍人物志》(2冊，南京，江蘇人民出版社，1985及1986)、曹晉杰、朱步樓編《紅樓十月滿天飛：新四軍領導人在蘇北鹽阜區的故事》(北京，農村讀物出版社，1985)、新四軍政治部

編印《新四軍殉國先烈紀念冊》(1943年10月出版)、中共上海市委
黨史資料徵集委員會主編《上海人民與新四軍》(上海，知識出版社，
1989)、福建省新四軍研究會編《回憶與研究》(福州，海風出版社，
1995)。中國人民解放軍陸軍第二十一集團編印《新四軍第四師大
事記（1938年1月至1945年11月）》(1989年出版)、新四軍第四
師老戰士回憶錄編委會編《抗戰在淮北》第1輯(北京，長征出版社，
1995)、陸海川等編《鏖戰蘇魯豫皖：新四軍第九旅老戰士回憶錄》
(同上，1992)、周純麟、程坤源《金戈鐵馬（新四軍四師騎兵團回
憶錄）》(鄭州，河南人民出版社，1984)，作者為該騎兵團的老團長、
政治處主任，此書為二人合寫的回憶錄；屈德騫主編《中原雄獅：
新四軍第五師戰鬥故事集》(武漢，武漢出版社，1995)、鄂豫邊區革
命史編輯部編《新四軍第五師抗戰歷程》(武漢，湖北人民出版社，
1985)及《新四軍第五師抗日戰爭史稿》(同上，1989)、周煥中主
編《特殊的戰線：新四軍第五師對敵偽工作暨在華日人反戰同盟第
五支部活動專輯》(武漢，武漢大學出版社，1991)、周晨覺、劉順發
主編、中共江蘇省委黨史工委編《新四軍聯抗部隊》(南京，江蘇人
民出版社，1995)、楊涵編《新四軍美術工作回憶錄》(上海，上海美
術出版社，1982)、張鼎口述，鮑同採寫《抗日前線的文化兵工廠(回
憶新四軍的印刷所)》(上海，上海人民出版社，1958)、蘇忠武著、郭
壽明整理《竹林槍聲———個新四軍武工隊員的回憶》(南京，江蘇
人民出版社，1986)、瓊·尤恩著、黃誠、何蘭譯《在中國當護士的
年月(1933～1939)》(北京，時事出版社，1984)，作者係加拿大人，
1933年來到中國山東，1938年陪同白求恩到延安，見到毛澤東，
後回到武漢，旋撤退到長沙，經周恩來的安排下，到贛南新四軍中

工作一段時間，本書是作者對這段工作、生活的回憶。至於與新四軍有密切關連的華中抗日根據地(由新四軍與八路軍共同開闢和創建的，其中新四軍創建的有蘇中、淮南、蘇北、淮北、鄂豫邊、蘇南、皖江、浙東等八個抗日根據地)，則容後在「解放區和抗日根據地」中舉述。

論文方面有王明生〈新四軍史研究中若干不同看法〉(《社科信息》1991年8期)、童志強〈新四軍成立經過新探〉(《黨史通訊》1987年7期)、三好章〈新四軍の成立過程について－華中における國共合作の一側面〉(《現代中國》63號，1989年7月)、〈關於新四軍成立過程問題〉(載《中外學者論抗日根據地－南開大學第二屆中國抗日根據地史國際學術討論會論文集》，北京，檔案出版社，1993)及〈新四軍の成立過程について〉(《季刊中國研究》11號，1988年4月)、張燕華〈新四軍從游擊兵團到正規軍團的發展〉(《安徽師大學報》1993年2期)、孝感地委黨史辦〈李先念談新四軍的成立經過〉(《黨史通訊》1983年19期)、葉超〈我所知道的新四軍的組建情況〉(《星火燎原》1984年6期)、余伯流〈新四軍組建史略〉(《江西大學學報》1983年3期)、劉吉民等〈新四軍的組建和集結〉(《黨史研究資料》1984年11期)、陳廣相〈葉挺何時同蔣介石商談新四軍的組建問題〉(同上，1988年8期)及〈北伐名將的風采：葉挺與新四軍的創建〉(《黨史縱橫》1993年9期)、悅健〈此去湘贛邊集舊部：陳毅為組建新四軍歷險記〉(《福建黨史月刊》1995年11期)、王輔一〈毛澤東與新四軍的創建〉(《中共黨史研究》1993年6期)、陳興〈新四軍誕生史實考證〉(《大江南北》1992年6期)、朱大禮、施正東、唐恒〈關於新四軍建軍等幾個歷史時間的考證〉(《黨史研究》1986年6期)、劉天淦、陳治超〈新四軍究竟何時成立〉(《黨史研究資料》1989年11期)、沈長生、賈宗榮〈新四軍軍部是何時成立的〉(《黨史研究》1983年5期)、葉超〈關於新四軍軍部成立時間、地點的有關情況〉(《軍史資料》1987年1期)、陳文〈也談新四軍軍部成立的時間、地點〉(《軍事史林》1987年3期)、《新四軍》史料叢書文獻編輯組〈新四軍軍部成立的時間地點〉(《文獻和研究》1986年3期)、徐君華〈新四軍軍部成立時間地點考證〉(《軍事史林》1986年2期)、呂殿雲等〈關於新四軍軍部成立問題的考證〉(《黨史通訊》1986年6期)、《新四軍》叢書編審委員會辦公室〈新四軍軍部1937年12月在漢口成立〉(《軍史資料》1986年3期)、李秋華等〈新四軍南昌軍部大事記〉(《江西黨史研究》1989年2、6期)、張凱等〈新四軍軍部創建時期的情況〉(《大江南北》1989年6期)、陳宗彪〈新四軍軍部住址變遷述略〉(《鹽城教育學院學報》1991年4期)、馬洪武〈新四軍的組成和發展〉(載《抗日戰爭史事探索》,上海,上海社會科學院出版社,1988)、洪德銘〈紀念抗日戰爭勝利50周年,鐵流聚江挽危亡:新四軍組建原委及其蘇南敵後作戰〉(《中南財經大學學報》1995年5期)、葛德茂〈關于新四軍成立時的國共談判、部隊集中與建置〉(《浙江師院學報》1983年2期)、史嘉〈動刀動槍的合作:國民黨在新四軍組建過程中的活動〉(《民國春秋》1987年6期)、韓建勛等〈新四軍華中總指揮部的建立及其主要活動〉(《黨史研究》1984年4期)及〈華中總指揮部的建立及其主要活動〉(《鹽城師專學報》1984年3期)、朱大禮〈華中新四軍、八路軍指揮部考辨〉(同上,1985年2期)、韓建勛、劉小清〈華中新四軍八路軍總指揮部述略〉(載《紅旗十月滿天飛》,南京,江蘇人民出版社,1990)、陳書華〈新四軍江南指揮部的歷史功績〉(同上)及〈新四軍江南指揮部的成立及其歷史

功績〉(《東南文化》1995年2期)、劉順發、石燕寧〈新四軍江北指揮
部成立時間考辨〉(《安徽黨史研究》1992年6期)、張衡〈關於新四軍
江南指揮部成立時間及組成情況的考證〉(《黨史資料通訊》1987年7期)
及〈新四軍江南指揮部成立及其組成〉(載《抗日戰爭史事探索》,上
海,上海社會科學院出版社,1988)、張凱〈團結戰鬥抗敵寇:憶新四
軍江北指揮部成立前後〉(《中國民政》1985年9期)及〈新四軍江北指
揮部成立前後〉(《大江南北》1987年6期)、尹鳳英〈創造性地執行黨
的抗日民族統一戰線的新四軍蘇北指揮部〉(《中國青年政治學院學報》
1987年5期)、陳毅明等〈新四軍蘇北指揮部在安海召開的兩次重要
會議〉(《黨史資料徵集通訊》1985年7期)。曹晉杰〈新四軍歷史研究
在國外〉(《大江南北》1992年2期)、王輔一〈關於新四軍歷史的十點
考證〉(《黨史資料通迅》1987年5-6期)、葉飛〈編纂《新四軍》史料
叢書的幾個問題〉(《大江南北》1988年3期)及〈新四軍鬥爭歷史的特
點〉(《軍史資料》1986年3期)、陳廣相〈新四軍創建時期大事記(1937
年2月至1937年10月)〉(《軍史資料》1989年6期)、夏鋼〈新四軍
初創與長江局及其有關問題〉(《地方革命史研究》1990年5期);〈國
民革命軍陸軍新編第四軍序列〉(《革命文物》1980年6期)、袁偉〈新
四軍沿革概況〉(《黨史研究資料》1985年3期)及〈國民革命軍陸軍新
編新四軍沿革概況〉(《中共黨史資料》11輯,1984年11月)、陳毅〈新
四軍抗戰始末〉(《紅旗》1985年16期)、姜志良〈國民革命軍陸軍新
編第四軍與中國抗戰〉(載《民國檔案與民國史學術討論會論文集》,北
京,檔案出版社,1988)、《新四軍》史料叢書綜述組〈抗日戰爭中
的新四軍〉(《黨史資料通訊》1987年7期)、村田孜郎〈"新四軍"の
展望〉(《支那》29卷10號,1938年10月)、劉岳化〈怎樣看國民黨同

意新四軍開赴江南敵後〉(《抗日戰爭研究》1991年1期)、金冶〈簡述
新四軍在大江南北的抗日活動〉(《江海學刊》1985年5期)、曹國華
〈新四軍在抗日戰爭中的地位與作用〉(《黨史縱橫》1995年3期)、林
信泰等〈新四軍在抗日戰爭時期的歷史地位和作用〉(《社會科學(上
海)》1987年7期)、蕭洛〈抗日戰爭戰略反攻階段新四軍戰鬥在蘇浙
皖邊區〉(《安徽黨史研究》1990年6期)、潘澤忠〈新四軍對武漢會戰
正面戰場的戰略配合〉(《安徽師大學報》1996年1期)、潘澤忠、段澤
源、蔣二明〈新四軍對武漢會戰的戰略配合〉(《理論建設》1995年4
期)、蔣文瀾等〈抗戰初期新四軍在南昌的抗日救亡活動〉(《江西師
院南昌分院學報》1982年1期)、中國第二歷史檔案館〈新四軍進入江
南第一年抗戰報告〉(《歷史檔案》1985年1期)、松植〈在新四軍東進
的道路上—附新四軍抗日記略〉(《革命文物》1978年4期)、馬洪武
〈抗日旌旗到江南—陳毅同志東進江南抗日活動片斷〉(《南京大學學
報》1978年4期)、松植〈在新四軍東進的道路上〉(《革命文物》1978
年3、4期)、葛德茂〈新四軍在蘇南浙西的抗日鬥爭〉(《浙江師院學
報》1984年3期)、韓振武〈關於新四軍發展經驗的思考〉(《安徽黨史
研究》1993年5期)、周雄〈新四軍非法擴張及攫奪地方政權〉(《共黨
問題研究》4卷1期,民67年1月)、余茂笈等〈新四軍的戰略方針淺
探〉(《軍事史林》1986年2期)、范征夫、胡育民、張敏〈試論新四軍
的統一戰線工作〉(《大江南北》1985年2期)、司馬而已〈新四軍統一
戰線工作的成功記錄〉(《大江南北》1993年5期)、王庭岳等〈新四軍
的太平洋反日統一戰線工作初探〉(《軍史資料》1987年5期)、馬寶
珠〈新四軍在河南的戰鬥和發展〉(載《中華民族的偉大壯舉》,鄭州,
河南人民出版社,1986)、凌利華、朱劍英〈新四軍在岩寺〉(同上,

1981年3期）、顧正京〈新四軍軍部在阜寧〉（《學海》1992年6期）、
張再傳〈淺析新四軍軍部在黃花塘時領導的三大運動〉（載《紅旗十
月滿天飛》，南京，江蘇人民出版社，1990）、柳宏為〈新四軍軍部移
駐黃花塘原因探析〉（《淮陰師專學報》1994年3期）、陳建洲〈黃花塘
畔英才輩出－略談新四軍軍部招賢選能尊師重教的舉措及其意義〉
（同上，1993年3期）、中共黃山區委黨史委〈新四軍在太平〉（《安徽
黨史研究》1990年4期）、蔣洪斌〈新四軍在雲嶺前後〉（《大江南北》
1985年1期）、姜立邦〈新四軍在鹽城舊跡尋蹤〉（《鹽城師專學報》1996
年4期）及〈民族解放的旗幟、抗戰歷史的豐碑：從紀念塔看新四軍
在鹽城〉（同上，1995年3期）。江蘇省軍區黨史辦〈新四軍第一支隊
組成及向皖南集中情況〉（《軍史資料》1985年2期）及〈新四軍第一、
二支隊創建蘇南抗日根據地概述〉（同上，1987年3-5期）、張義才等
〈瑤里改編前後：新四軍第1支隊第2團第3營的誕生〉（《江西社會
科學》1981年4期）、安徽省軍區黨史辦〈新四軍第二支隊的編成及
向皖南開進情況〉（同上，1985年2期）、浙江省軍區黨史辦〈紅軍
游擊隊改編為新四軍第三支隊的情況〉（《軍史資料》1985年2期）、孫
克驥〈新四軍三支隊改編前後〉（《福建黨史通訊》1987年3期）、張金
錠等〈新四軍三支隊崇安留守處的歷史功績〉（同上，1985年12期）、
黃定民等〈皖南事變前是否存在"皖南敵後抗日根據地"－對"新
四軍第三支隊創建皖南敵後抗日根據地"之淺見〉（《安徽黨史研究》
1989年5期）、倪益群〈擺脫歷史偏見干擾還歷史本來面目：對新四
軍四支隊幾個問題的看法〉（《軍史資料》1987年1期）；〈半塔保衛
戰：原新四軍第五支隊部分同志座談回憶錄〉（《江淮論壇》1980年3
期）、譚友林〈新四軍第六支隊的創建和發展〉（《軍史資料》1984年

創刊號；亦載《大江南北》1987年3期）及〈回憶新四軍第六支隊的創建和發展〉（《星火燎原》1985年1期）、裕州〈新四軍游擊支隊改稱第六支隊時間考〉（《河南黨史研究》1990年6期）、王如珍〈新四軍游擊支隊駐亳聯絡站〉（同上，1990年3期）、安徽懷遠縣黨史辦公室〈新四軍游擊支隊進軍灘上〉（《新四軍史料研究集刊》1994年1、2期）、朱亞民〈新四軍淞滬支隊的由來與發展〉（《黨史資料叢刊》1982年1期）、蔣慧恕〈記新四軍先遣支隊〉（載《紅旗十月滿天飛》，南京，江蘇人民出版社，1990）、張藩〈江南處女戰：憶新四軍先遣支隊挺進江南第一仗〉（《黨史縱橫》1995年8期）、賴文樓〈新四軍獨立游擊大隊的初建和發展〉（《軍事史林》1985年2期）、楊福茂〈新四軍浙東游擊縱隊的〝討田戰役〞〉（《杭州大學學報》1984年2期）、勞雲展〈新四軍浙東游擊縱隊北撤始末〉（《寧波師院學報》1991年2期）、伍傳華〈新四軍江北游擊縱隊始末〉（《安徽黨史研究》1992年3期）、韋永義〈新四軍挺進縱隊的成長〉（《群眾》1980年8期）、總參防化部黨史資料徵集辦公室〈關於新四軍第二師若干歷史問題的考證〉（《軍史資料》1987年5期）、王輔一、王永泰〈堅持淮南的新四軍第二師〉（《大江南北》1987年3期）、吳信泉〈新四軍三師十旅和獨立旅在抗日戰爭中發展壯大〉（《軍史資料》1987年2期）、馮文綱〈關於彭雪楓和新四軍第四師的幾個問題〉（《中原文物》1981年1期）、童志強〈新四軍第四師三個月反磨擦戰鬥初探〉（《黨史研究資料》1987年9期）、韋國清〈新四軍四師西進豫皖蘇邊〉（《軍史資料》1987年4期）、84810部隊黨史辦〈新四軍第四師撤出津浦路西始末〉（《大江南北》1987年5期）、許道化〈新四軍第四師撤出津浦路西根據地之我見〉（同上，1991年6期）、滕海青〈新四軍四師十一旅的成立與發展〉（《軍史資料》1987

年1期）；〈李先念同志談新四軍第五師的成立經過〉（《黨史通訊》1983
年17期）、曾運新等〈簡述新四軍第五師誕生、發展及其演變〉（《河
南黨史研究》1988年4、5期）、廣州軍區百科第二編審室〈新四軍五
師在抗日戰爭中的作用〉（同上，1990年3期）、任質斌〈新四軍五
師抗戰歷程及其根據地的創建與發展〉（《軍史資料》1986年3期）、夏
牧原〈新四軍第五師及鄂豫邊區的抗日鬥爭〉（《江漢論壇》1985年6
期）、艾宏揚〈一個重要意義的獨立戰略單位：試論新四軍五師及
鄂豫邊區的戰略作用〉（《地方革命史資料》1985年4、5輯）、胡傳章
〈論鄂豫邊區和新四軍第五師的重要戰略地位與作用〉（《地方革命史
研究》1987年3期）、朱虹等〈發展華中經略中原：兼述新四軍第五
師的歷史貢獻〉（同上，1987年2期）、劉光明〈新四軍第五師向河南
發展問題之我見〉（《華中師大學報》1986年5期）、賴文樓〈略談新四
軍第五師開闢豫南豫中的鬥爭〉（《地方革命史研究》1987年1期）、姬
少華〈新四軍五師挺進河南〉（載駱榮勛主編《風雨征程》，河南人民出
版社，1991）、杜漢生〈新四軍第五師部隊教育略考〉（《湖北教育史
志資料》1986年5期）、孫少衡〈統一戰線、武裝鬥爭兩個基本武器
在新四軍五師的正確運用〉（《河南黨史研究》1990年1、2期）、夏牧
原〈新四軍第五師政治工作的歷史經驗〉（《湖北黨史通訊》1987年2
期）、周煥中等〈新四軍第五師敵工工作瑣憶〉（《地方革命史研究》1987
年4期）、陳少頡〈新四軍五師血戰胡家臺〉（《黨史天地》1995年7期）、
馬沈〈新四軍五師與美國十四航空隊〉（《近代史研究》1995年4期）；
〈新四軍第五師與美軍第十四航空隊的戰鬥友誼〉（《地方革命史研究》
1985年3期）；〈抗日戰爭時期新四軍第五師重要戰鬥介紹〉（同上，
1990年3-5期）、湖北省軍區中原突圍史專題編纂室〈新四軍第五師

抗日戰爭勝利後的軍事戰略轉變〉(《軍事歷史》1992年1期)、過仁偉〈在抗日烽火中發展壯大：新四軍第七師戰鬥歷程〉(同上，1988年3、4月)、陳泉、黃亦凡〈令人難忘的隱蔽戰線：憶新四軍十八旅蘇中一分區的敵軍工作〉(《江蘇黨史文萃》1991年5期)、黃烽〈新四軍六團東進紀實〉(《黨史資料叢刊》1982年4輯)、鍾發宗〈紀念蕭金大隊成立50周年〉(《新四軍研究集刊》1994年1、2期)、彭林〈回顧戰鬥的蕭金大隊〉(同上)、周顯才著、吳南凱整理〈新四軍通海自衛團集體假投敵〉(《縱橫》1996年7期)、單杰華〈新四軍〝中安〞輪事件始末〉(《江蘇歷史檔案》1996年5期)及〈韋一平與「中安」輪事件〉(《廣西黨史》1996年4期)。中共大余縣委黨史辦〈新四軍在江南的第一個辦事機構：新四軍駐余通訊處的建立及其活動〉(《江西黨史研究》1988年6期)、陳廣相〈抗日戰爭時期新四軍駐各地辦事機構〉(《黨史研究資料》1989年3期)、葉建忠〈新四軍駐福州辦事處籌建前後〉(《福建黨史通訊》1987年9期)、陳親立執筆〈新四軍在福建設立辦事處、留守處的歷史情況〉(《黨史資料與研究》1985年5期)、陳群哲〈黃道與新四軍駐贛辦事處〉(《江西社會科學》1981年5-6期)、陳曙光〈新四軍駐江西辦事機構述略〉(同上，1990年5期)、景德鎮市委黨史辦〈新四軍駐景德鎮辦事處的建立及活動〉(《江西黨史研究》1989年3期)、都昌縣委黨史辦〈新四軍都昌留守處〉(同上，1989年2期)、榮健生〈新四軍設在上海的秘密辦事處〉(《上海黨史資料通訊》1987年8期)、李家全〈新四軍駐吉通訊處〉(《黨史研究資料》1985年9期)、謝文柏〈抗戰時期新四軍蘇浙軍區成立述略〉(《江海學刊》1995年4期)、戈懋〈堅持抗日鬥爭的蘇浙軍區〉(《浙江師院學報》1981年4期)；〈人民戰爭史上的光輝篇章－新四軍蘇中四分區軍民反〝清鄉〞鬥爭〉(《黨史研究》1984年4期)、莊安正〈蘇中四分區反軍事封鎖線鬥爭始末〉(《南通師專學報》1985年3期)。劉小清〈論1941年鹽城反掃蕩後新四軍戰略指導思想的一次重大轉變〉(載《紅旗十月滿天飛》，南京，江蘇人民出版社，1990)、王永泰〈淺析新四軍皖南反〝掃蕩〞〉(收於《中國軍事史論文集》，河南大學出版社，1989)、皇甫國〈從日偽檔案看新四軍反〝清鄉〞鬥爭〉(《大江南北》1993年4期)、陳海雲〈新四軍與八路軍會師述略〉(載《紅旗十月滿天飛》，南京，江蘇人民出版社，1990)、林治波〈八路軍新四軍軍政體制與軍隊建設簡論〉(《軍事歷史研究》1992年2期)、柳茂坤〈八路軍、新四軍實行敵進我進方針初探〉(《空軍政治學院學刊》1987年3期增刊)、葛德茂〈新四軍成立時的國共談判、部隊集中與建制〉(《浙江師院學報》1983年2期)、陳興〈新四軍軍部駐地的遷移略況〉(《大江南北》1992年4期)、顧正京〈新四軍軍部在阜寧〉(《學海》1992年6期)、謝輝〈新四軍黨組織機構簡述〉(《黨史研究資料》1992年4期)、韓振武〈新四軍黨的組織系統與領導關係〉(《安徽黨史研究》1993年1期)及〈新四軍的組織系統和領導關係〉(《黨史文苑》1993年3期)、劉志誠等〈新四軍的整風運動〉(《大江南北》1992年1期)、司馬而已〈新四軍的少數民族將領〉(《歷史大觀園》1992年9期)、李輝明〈關於新四軍沙田代表大會的幾個問題〉(《黨史研究資料》1992年9期)、程鵬〈中共中央東南分局與新四軍集中東進〉(《黨史縱橫》1992年4期)、司馬而已〈新四軍開展敵後游擊戰的實錄〉(《大江南北》1992年3期)、上別府親志〈新四軍北上後の福建根據地〉(《主張と解說》634號，1977年8月)、耿秉強、王亞明〈新四軍軍事工業的發展概況〉(《軍史資料》1989年2期)、賀琦〈活躍在江南敵後的新四軍戰地服務團〉(《青年運動學刊》1987年2期）、林琳〈在戰鬥中鍛鍊成長－記新四軍戰地服務團〉（《新文化史料》1990年4期）、蔡長雁〈江南處處皆舞臺－記新四軍戰地服務團戲劇組〉（《黨史縱橫》1994年5期）、顧執中〈懷念新四軍－記上海各界民眾慰勞團〉（《大江南北》1985年1期）、上海高校專題組〈上海人民支援新四軍〉（同上）、王廣漢〈趙樸初組織上海難民參加新四軍〉（《江淮文史》1995年4期）、翟仲卿〈上海人民與新四軍〉（《上海黨史資料通訊》1987年8期）、曹晉杰、王世誼〈海外華僑對新四軍和華中抗日根據地的支援〉（《上海黨史研究》1995年4期）、鄭玉山〈簡論華僑在新四軍中的地位與作用〉（《黨史研究與教學》1996年2期）、華音〈旅菲華僑與新四軍〉（《歷史教學問題》1988年6期）、張崇文〈新四軍與知識分子〉（《大江南北》1987年4期）、曹晉杰〈新四軍與文化人－華中抗日根據地文化工作軼聞拾零〉（《新文化史料》1994年1期）、陳新仁〈雲嶺追思－皖南軍部時期文化宣傳活動散記〉（《新文化史料》1990年2期）、王輔一〈對新四軍部分領導人合影考證〉（《軍史資料》1985年10期）、陳廣相〈新四軍初期導人任職時間〉（《黨史研究資料》1987年10期）及〈新四軍建軍初期軍部領導人配備情況新探〉（《軍史資料》1987年6期）、劉順發〈關於新四軍軍政首長任職情況〉（《中共黨史研究》1992年6期）、林銘綱〈國難之時的孫夫人：宋慶齡與新四軍的交往〉（《黨史縱橫》1994年10期）、施昌旺、徐京〈毛澤東與新四軍〉（《學術界》1993年6期）、金冶〈重溫毛澤東對新四軍"五·四"指示的啟示〉（《南通師專學報》1993年3期）、丁星〈毛澤東對新四軍的重要決策－為紀念毛主席百年誕辰而作〉（《大江南北》1993年6期）；〈中共中央和毛澤東等關於新四軍開展敵後抗日游擊戰爭的一組電報〉（《軍史資料》1988年6

期）、楊剛〈周恩來與新四軍〉（《理論建設》1996年2期）、姜志良〈周恩來與新四軍的發展〉（《學海》1990年創刊號）、石仲泉〈周恩來與新四軍〉（《近代史研究》1993年5期）、廉杰、孫啟慶〈周恩來與新四軍〉（載《紅旗十月滿天飛》，南京，江蘇人民出版社，1990）、唐錫強、徐則浩〈周恩來在皖南新四軍軍部〉（《安徽史學》1985年2期）、傅佑全〈陳毅對新四軍建設與華中敵後抗戰的主要貢獻〉（《內江師專學報》1987年2期）、鞠景奇〈論陳毅同項英在執行新四軍發展方針上的分歧〉（《鎮江師專學報》1990年4期）、朱大禮〈陳毅與新四軍在華中敵後的抗日鬥爭〉（《江蘇社會科學》1995年4期）、金冶〈新四軍與華中抗日民主根據地〉（載馬洪武、陳鶴錦主編《紅旗十月滿天飛》，南京，江蘇人民出版社，1990）、張廷鈺、李秀文〈南方局與新四軍及華中抗日根據地〉（同上）、于海根〈試論新四軍開發蘇北鹽區及其對鹽阜抗日根據地建設的作用〉（《黃海學壇》1993年2期）、馮毅〈新四軍的傑出領導者－劉少奇同志〉（《福建黨史月刊》1980年2期）、高峻〈劉少奇領導新四軍工作重要貢獻〉（《福建史月刊》1989年11期）、張壽春〈劉少奇對新四軍和華中抗日民主根據地發展的貢獻〉（載全國中共黨史研究會編《抗日民主根據地敵後游擊戰爭》，北京，中共黨史資料出版社，1987）、唐元節、劉渭先〈少奇同志在新四軍〉（《社會科學（上海）》1980年3期）、陳廣相〈試論葉劍英在新四軍創建時期的歷史功績〉（《安徽黨史研究》1993年4期）、曾如清等〈鄧子恢與新四軍在皖南的民運工作〉（《軍史資料》1985年7期）、王志民〈還有一個"白求恩"——新四軍中的奧地利醫生羅生特〉（《人物》1994年6期）、程冠程〈新四軍的"白求恩"——羅生特大夫〉（《南京史志》1992年1、2期）、張作國〈新四軍中的"白求恩大夫"：記奧地利醫生羅生特〉

（《黨史縱覽》1995年1期）、寧晨〈岡村寧次乞和新四軍：抗戰後期要聞之一〉（《黨史縱橫》1996年3期）、王強〈新四軍三個師誕生地－竹溝〉（《中州今古》1989年2期）。

至於新四軍的「前身」－由項英、陳毅所率領的江南游擊隊及其活動－「南方三年游擊戰爭」（1934-1937），以 Gregor Benton, Mountain Fires: The Red Army's Three-Year War in South China, 1934-1938.（Berkeley: University of California Press,1992）最具代表性，作者為英國里茲（Leeds）大學東亞研究系高級講師，全書分成21節，依序為蘇維埃沒落，三年戰爭的開始、贛南、贛粵、閩西南、閩浙皖贛（Ⅰ）、浙南、閩北、閩東、皖浙贛、閩浙皖贛（Ⅱ）、鄂豫皖、湘鄂贛、湘贛、湘南、閩贛、安〔溪〕南〔安〕龍〔泉〕德〔化〕、海陸豐、皖西北、瓊崖、三年戰爭結束，游擊隊的合併、以及三年戰爭之歷史的觀察；引用資料頗為豐富，書中並附有地圖11幅，均有其參考價值；野草《三年游擊戰爭》（香港，正報社，1948）、蔣鳳波編《憶南方三年游擊戰爭》（上海，上海文藝出版社，1987）、中國人民革命軍事博物館編《南方三年游擊戰爭形勢圖（1934冬－1937秋）》（北京，地圖出版社，1980）、陳丕顯《贛南三年游擊戰爭》（北京，人民出版社，1983）、劉勉鈺《中央蘇區三年游擊戰爭史》（南昌，江西人民出版社，1993）、何耀榜述、蘇波記《大別山上紅旗飄：回憶鄂豫皖三年游擊戰爭》（北京，中國青年出版社，1959）、中國人民解放軍歷史資料叢書編審委員會編《南方三年游擊戰爭－豫鄂皖邊游擊區》（北京，解放軍出版社，1990）、《南方三年游擊戰爭－湘鄂贛邊游擊區》（同上，1994）、《南方三年游擊戰爭－湘贛邊游擊區》（同上）、《南方三年游擊戰爭－皖浙贛邊游擊區》（北京，解放軍出版社，1994)、《南方三年游擊戰爭－閩西游擊區》(2冊，同上，1990)、《南方三年游擊戰爭－湖南游擊區·鄂豫邊游擊區》(同上，1994)、《南方三年游擊戰爭－閩贛邊游擊區閩中游擊區》(同上)、《南方三年游擊戰爭：閩粵邊游擊區》(同上)、《南方三年游擊戰爭－瓊崖游擊區》(北京，解放軍出版社，1995)及《南方三年游擊戰爭：綜合篇》(同上)、陳丕顯《贛粵邊三年游擊戰爭》(北京，人民出版社，1989)、楊尚奎《艱難的歲月－回憶贛粵邊三年游擊戰爭》(北京，作家出版社，1959)、傅秋濤《高舉紅旗堅持鬥爭－湘鄂贛三年游擊戰爭的回憶(1934－1937)》(南昌，江西人民出版社，1979)、朱生發《難忘的三年》(北京，解放軍文藝社，1960)，記述作者跟隨陳毅在粵贛邊油山地區堅持三年游擊戰爭的生活片斷；〔中國人民解放軍〕浙江省軍區編《浙南三年：革命回憶錄》(杭州，浙江人民出版社，1984)，記述紅軍挺進師和浙南人民在三年游擊戰爭中的活動情形。姜廷玉〈南方三年游擊戰爭研究綜述〉(《黨的文獻》1989年4期)；〈南方三年游擊戰爭文獻選載(1934年10月-1937年12月)〉(同上)、徐占權〈中國人民一個極可貴的勝利－南方三年游擊戰爭概況〉(同上)、陳毅〈憶三年游擊戰爭(1959年2月)〉(《近代史研究》1980年2期)、閻景堂〈關於"南方三年游擊戰爭"的幾個問題〉(《黨史研究》1986年2期)、林天乙〈淺析南方三年游擊戰爭初期的戰略轉變〉(《黨史研究與教學》1996年2期)、徐進〈偉大的第二戰場－南方八省三年游擊戰爭的地位和作用〉(《黨史通訊》1986年9期)、凌步機〈不該淡忘的悲壯畫卷：中央紅軍長征後贛蘇區群眾游擊戰爭述評〉(《黨的事苑》1996年6期)、吳克斌〈關於浙南三年游擊戰爭〉(《近代史研究》1984年4期)、晏蔚青〈三年游擊戰爭時期江西各游擊

區域簡介〉(《黨史文苑》1992年3期)、吳錦榮〈南方三年游擊戰爭時
期福建的游擊區域及其他〉(《黨史研究與教學》1988年6期)、閻景堂
〈閩中區是南方三年游擊戰爭的一塊獨立的游擊區〉(《黨的文獻》1989
年4期)、王順才、李秀登〈閩西三年游擊戰及其啟示〉(收於《中國
軍事史論文集》,河南大學出版社,1989)、歐陽小松〈閩西三年游擊
戰爭的致勝因素〉(《理論學習月刊》1994年7、8期)、胡大新〈毛澤
東軍事思想與閩西南三年游擊戰爭〉(載《紀念毛澤東辰100周年論文
集》,1993)、鄭學秋〈方方與閩西三年游擊戰爭〉(《黨史研究與教學》
1994年6期)、吳長蘭〈試論閩粵邊三年游擊戰爭的歷史地位〉(《漳
州師院學報》1989年1期)、朱文芳〈淺談皖浙贛邊區三年游擊戰爭鼎
盛時期形成的原因〉(《徽州社會科學》1996年2期)、陳曙光〈方志敏
游擊戰爭思想初探－兼論皖浙贛邊區三年游擊戰爭的特點〉(《軍史
資料》1988年3期)、閻景堂、姜廷玉〈項英在南方三年游擊戰爭中
的歷史貢獻〉(《中共黨史研究》1989年1期)、叢文〈南方三年游擊戰
爭中的項英〉(《軍史資料》1988年3期)、胡居成〈一個極可寶貴的勝
利－項英與三年南方游擊戰爭〉(《黨史文匯》1993年4期)、李良明
〈項英堅持南方三年游擊戰爭的歷史功績〉(《黨史研究與教學》1988年
4期)、劉勉玉〈項英在南方三年游擊戰爭中的地位和作用〉(《福建
師大學報》1983年4期)、尹炎生〈試論項英在南方紅軍游擊隊改編
中的領導作用〉(《江西黨史研究》1989年6期)、陳毅〈憶三年游擊戰
爭〉(《近代史研究》1980年2期)、陳丕顯〈彌天烽火舉紅旗－回憶陳
毅同志領導的南方三年游擊戰爭〉(《長江文藝》1979年1期)、王宗榮
〈陳毅與南方三年游擊戰爭〉(《歷史教學》1988年1期)、吳克斌〈陳
毅在三年游擊戰爭中〉(《軍事史林》1986年4期)、莊春賢〈陳毅在南

方三年游擊戰爭中〉（《四川黨史》1996年1期）、戴向青〈論陳毅在三年游擊戰爭中的地位和作用〉（《爭鳴》1985年4期）、韓廣富〈博古在南方紅軍游擊隊改編問題上的貢獻〉（《社會科學探索》1996年5期）、劉曉〈關于南方紅軍游擊隊集中改編的問題〉（《史學月刊》1988年6期）、陳廣相〈葉劍英對南方紅軍游擊隊改編為新四軍的特殊貢獻〉（《東南文化》1995年2期）、黃肇嵩〈譚震林在三年游擊戰爭中〉（《福建黨史月刊》1996年7-11期）、謝彪〈論毛澤東與中共蘇區的三年游擊戰爭〉（《贛南師院學報》1995年4期）。新四軍成立後至皖南事變前其從事的重要戰役如民國二十九年（1940）十月與國軍衝突的黃橋（江蘇省泰興縣境內）戰役有丁留名〈黃橋戰役研究中的幾個問題〉（《揚州師院學報》1986年4期）及〈關於黃橋戰役研究中幾個問題的探討〉（《歷史教學》1986年11期）、揚州大專院校黨史教學研究會、新四軍黃橋戰役歷史陳列館編《新四軍黃橋戰役史料》（上海，上海人民出版社，1981）、姜平〈新四軍挺進蘇北與黃橋決戰－緬懷陳毅同志的一段光輝戰鬥業績〉（《南京大學學報》1979年1期）、何理〈陳毅指揮黃橋決戰〉（《歷史教學》1980年2期）、粟裕〈挺進蘇北與黃橋決戰〉（《群眾論叢》1980年4期）、張震東〈浴血奮進：從郭村保衛戰到黃橋決戰〉（《革命史資料》1981年2輯）、揚州軍分區〈黃橋保衛戰〉（《工農兵評論》1977年8月）、徐光金等〈黃橋戰役與第二次反共高潮〉（《齊齊哈爾師院學報》1985年4期）、群眾論叢特約評論員〈黃橋戰役的歷史意義〉（《群眾論叢》1980年4期）、管文蔚〈黃橋決戰前的統一戰線工作〉（《群眾》1980年8期）、蘇光明〈黃橋戰役前後的統戰工作〉（《鹽城師專學報》1988年3期）、馬力等〈從黃橋戰役的勝利看黨的抗日民族統一戰線策略方針〉（《江蘇師院學報》1980年4期）、季玉章、曹進〈黃橋決戰與爭取中間勢力〉(載《紅旗十月滿天飛》，南京，江蘇人民出版社，1990)、黃家駿〈論抗日民眾運動在黃橋決戰勝利中的作用〉(同上)、湯寶一〈黃橋決戰前後的民眾工作〉(同上)、李增光〈從黃橋作戰看我軍的政治優勢〉(同上)、余伯由〈從茅山到黃橋－黃橋決戰側記〉(《群眾》1980年10期)、謝中光〈橫掃千軍如捲席－〝黃橋決戰〞戰場側記〉(《群眾論叢》1980年4期)、單杰華〈郭村戰鬥與黃橋決戰〉(載《紅旗十月滿天飛》，南京，江蘇人民出版社，1990)、吳建新〈劉少奇與黃橋決戰〉(同上)、劉岳化〈從國民黨資料看韓德勤黃橋兵敗的原因〉(同上)、俞炳輝〈陳毅在黃橋決戰指揮部〉(《文史精華》1996年9期)、金冶〈析黃橋皖南得失的經驗教訓〉(《學海》1993年1期)、季玉章〈新四軍究竟何時解放黃橋〉(《大江南北》1986年4期)；與其相關的有南京部隊政治部〈開闢蘇北的決戰〉(《群眾》1980年9期)、三好章〈泰州談判と蘇北摩擦－1940年の國共關係の一側面〉(《東洋學報》75卷1、2號，1993年10月)、抗敵社編印《蘇北問題真相》(民29年印行)、賈宗榮、陰署吾、沈長生〈陳毅同志和蘇北反磨擦鬥爭〉(《鹽城師專學報》1986年3期)。其他的戰役有童志強〈從曹甸戰役到皖南事變〉(《大江南北》1990年2期)、魏新民、施正東〈試論曹甸戰役〉(《江海學刊》1989年2期)、姚勇〈關於曹甸戰役的幾個問題〉(《黨的文獻》1990年6期)、張衡、何林〈論曹甸戰役的階段和戰術指導思想的演變〉(載《紅旗十月滿天飛》，南京，江蘇人民出版社，1990)及〈如何評價曹甸戰役的勝負與得失〉(《大江南北》1990年5期)、朱鴻〈關於評價曹甸戰役的一點補充和商榷〉(同上，1992年2期)、蕭曼夫〈新四軍首戰的敵方考〉(同上，1992年2期)、王直〈彎弓射日：憶新四軍衛崗初戰〉(《福建黨史月刊》1995年1期）、戈懋〈關于衛崗之戰的確切時間及其戰果問題〉（《浙江師院學報》1984年1期）、陳兆榮〈東進江南第一歌——談陳毅同志的《衛崗初戰》〉（《揚州師院學報》1979年4期）、袁捷〈保衛新四軍軍部的一次戰鬥〉（《軍學》1985年增刊2期）。

　　以新四軍事件或皖南事變為題及與其相關的論著和資料有時事問題研究會編印《新四軍事件真相》（上海，民30）；《皖南新四軍慘被圍殲真象》（上海圖書雜誌局，民30）；《解散新四軍事件之認識》（桂林，統一出版社，民30）；《共黨破壞抗戰陰謀的總暴露：抗命叛變的新四軍解散經過》（民30年印行）、陳子谷編《皖南事變》（北京，通俗讀物出版社，1956）、《皖南事變》編纂委員會編《皖南事變》（北京，中共黨史出版社，1990）、中央檔案館編《皖南事變（資料選輯）》（北京，中共中央黨校出版社，1982）、譚崗編寫《皖南事變》（中國革命史小叢書，北京，新華出版社，1991）、陳子谷《皖南事變前後》（上海，上海人民出版社，1979年2版）、陳從一《皖南事變前後》（上海，華東人民出版社，1950）、《皖南事變資料選》編選組編《皖南事變資料選》（上海，上海人民出版社，1983）、安徽省文物局新四軍文史徵集組編《皖南事變資料選》（合肥，安徽人民出版社，1981）、陳楓《皖南事變本末》（同上，1984）、古言《千古沉冤－皖南事變始末》（南昌，江西人民出版社，1983）、黎汝青《皖南事變》（2冊，上海，上海文藝出版社，1987）、傅秋濤、葉超等著、楊明主編《皖南事變回憶錄》（合肥，安徽人民出版社，1983），共收錄新四軍老戰士、皖南事變倖存者的回憶文章23篇；Paul H. Kreisberg, The New Fourth Army Incident and the United Front in China.（ Master's Thesis in Political Science, Columbia University, 1952）、李良志《烽火江南話奇冤－新四軍與皖南事變》(北京，中國檔案出版社，1995）、嚴錦《新四軍叛變事件之研究》(臺北，新士林出版社，民69）、黃源德《新四軍的發展與皖南事變》(政治大學東亞研究所碩士論文，民64）；建國出版社編印《關於新四軍事件華僑輿論一斑》(馬尼拉，1941）、童志強主編《皖南事變研究與爭鳴》(合肥，安徽人民出版社，1990）、魯振祥等主編《皖南事變回憶與思考》(同上）、王春生、戴爾濟主編、福建省新四軍研究會編《皖南事變、赤石暴動回憶與研究》(福州，海風出版社，1995）、編譯出版社編《震驚中外的皖南慘變面面觀》(世界出版社，民30）、東亞研究所譯《中外を震驚せる皖南慘案》(東京，譯者印行，1941）、阮世炯、楊立平主編《紀念〝皖南事變〞五十周年專輯》(上海，同濟大學出版社，1991）、安徽省蕪湖市文聯編《皖南一頁》(上海，上海文藝出版社，1980），以皖南事變為中心，共收錄了29篇與其相關的回憶文章、蕪湖文學藝術工作者聯合會編《皖南烽火》(上海，上海文藝出版社，1960），共收有革命回憶錄39篇，其中有一部分是寫皖南事變的；統一出版社編印《新四軍叛變後之中國共產黨》(民30年印行)。童志強〈皖南事變研究十年〉(《中共黨史研究》1990年4期）、唐錫強〈近年來皖南事變綜述〉(《安徽史學》1987年2期）、徐則浩〈把皖南事變的研究再提高一步〉(同上，1991年2期）、榮維木〈皖南事變研究中的幾種不同觀點〉(《黨史研究資料》1985年7期）、黎汝佳〈皖南事變的歷史研究存在嚴重弊端〉(《大江南北》1988年2期）、劉岳化〈皖南事變製造者的史料是考證皖南事變若干史實的重要依據〉(《福建黨史月刊》1991年2期)。三好章〈1940年夏の國共交涉－皖南事變への道〉(《史潮》新31號，1992年10月）、馮毅〈皖南事變前新四軍組織簡況〉(《歷史教學》1980年12期）、何華國〈皖南事變前國共兩黨重慶談判情況簡介〉(《歷史教學》1989年8期)、張振聲、郭成杰、呂利平〈皖南事變前新四軍的體育觀〉(《安慶師院學報》1993年2期)、劉益濤〈對皖南事變前國際背景問題的一點看法〉(《教學與研究》1987年1期)、王泓〈論皖南事變前中共中央對時局的判斷〉(《近代史研究》1990年5期)、王助民〈皖南事變和中原突圍前中央對時局的估計及其影響之比較〉(《泰安師專學報》1996年1期)、李良志〈皖南事變前夕中央對委員長估計的失誤〉(《黨史研究資料》1994年6期)、羅玉明〈中共中央對形勢的分析與皖南事變〉(《懷化師專學報》1995年2期)、曹雁行、甘國治〈關於皖南事變前新四軍發展方針的幾個問題〉(《黨史研究》1983年5期)、陳興〈漫談皖南事變的根源〉(《安徽黨史研究》1990年6期)及〈論皖南事變的根源〉(《大江南北》1991年1期)、吳鳳琴、張冬華〈皖南事變的原因探析〉(《北方論叢》1996年6期)、蔣永敬〈新四軍事件的前因〉(《中國大陸》79期，民64年9月)、劉明鋼〈蔣介石發動皖南事變原因探析〉(《史志文萃》1989年4期)、曹天生〈皖南事變發生原因的再探討〉(《教學與研究》1993年4期)、謝寶生〈關於皖南事變發生的時間問題〉(《黨史研究》1982年4期)。何理〈皖南事變〉(《近代史研究》1980年3期)、白修德〈關于皖南事變〉(《國外中國近代史研究》第9輯，1988)、蘇啟明〈新四軍事件－戰時國共關係的轉捩點〉(《近代中國》53期，民75年6月)、胡平生〈抗戰時期國共關係的分水嶺－新四軍事件〉(《歷史月刊》89期，民84年6月)、湯勝利〈本可避免的千古奇冤－皖南事變〉(《黨史文苑》1994年6期)、張雲龍〈千古奇冤：回憶震驚中外的皖南事變〉(《福建黨史通訊》1987年7-9期)、李世鏡〈解決新四軍事件作戰回顧〉(《東北文獻》14卷4期，民73年5月)、曹雁

行、蔡霆光〈皖南事變始末〉(《黨史研究》1982年1期)、嚴錦〈皖南
新四軍叛變事件之經過〉(載《抗戰建國史研討會論文集》下冊，臺北，
中央研究院近代史研究所，民74)、石井明〈安徽省南部事變について〉
(《外國語科研究紀要》20卷2號－中國語教室論文集，1973年1月)、Gregor
Benton, "The South Anhai Incident."(The Journal of Asian Studies, Vol.
45, No. 4, 1986)、曾景忠〈皖南事變－中華民族的歷史悲劇〉(《安
徽史學》1993年1期)、鄭德勝〈回憶皖南事變經過〉(《安徽革命史研
究資料》1981年2輯)、張益平〈回憶皖南事變經過〉(同上，1981年
3輯)、李一氓〈我親身經歷的皖南事變〉(《大江南北》1993年1期)、
金冶〈評《項英傳》有關皖南事變的論述〉(《抗日戰爭研究》1996年
4期)、唐錫強編寫〈皖南事變大事記〉(《安徽師大學報》1981年3期)、
黃開源等〈皖南事變大事記〉(《黨史資料叢刊》1981年2輯)、劉以順、
童志強〈皖南事變日志〉(《安徽省委黨校學報》1987年3、4期)、石
平〈皖南事變的槍聲〉(《革命史資料》1983年1^輯)、毛敏修〈皖南
事變的幾點看法〉(《錦州師院學報》1986年2期)、王秀鑫〈皖南事變
及其歷史教訓〉(《江海學刊》1983年3期)、黃開源等〈皖南事變及其
歷史教訓〉(《安徽師大學報》1981年3期)、費正〈皖南事變及其經驗
教訓〉(《南京政治學校校刊》1982年5期)、劉庭華〈略論皖南事變在
軍事方面的歷史教訓〉(《史學月刊》1984年6期)、張光宇、李仲元
〈新四軍在皖南事變中軍事失誤與教訓再探討〉(《武漢大學學報》1992
年6期)、李仲元〈新四軍皖南事變中軍事失誤與教訓再探討〉(《軍
事史林》1992年6期)、金冶〈教訓與思考：紀念皖南事變50周年〉
(《學海》1991年1期)、金怡順〈青山埋忠骨，丹心昭後世：紀念皖
南事變五十周年〉(《蕪湖師專學報》1991年1期)、劉喜發〈試論皖南

新四軍失敗的責任問題〉(《長白學刊》1992年3期）、曉君〈關於〝皖南事變〞問題的來稿綜述〉(《黨史研究》1982年3期）、周祖羲等〈皖南事變若干史實的初步考證〉(同上，1983年5期）、林玉章〈皖南事變中幾個問題的探討〉(載涇縣文化局編《雲嶺》1980年2期）、劉岳化、尤亮〈從國民黨文電看皖南事變真相〉(《近代史研究》1990年4期）、丁星〈外國記者評皖南事變〉(《大江南北》1990年6期）、嚴志才〈試論皖南事變在國共關係史上的地位〉(《東北師大學報》1994年3期）、曹天生〈皖南事變發生和新四軍失敗原因再論〉(《學術論壇》1994年2期）、李一氓〈〝血染著我們的姓名〞－皖南事變的前前後後〉(《人物》1992年4-6期）、古高門〈記敘永黨組織揭露皖南事變真象的戰鬥〉(《四川黨史研究資料》1987年1期）、胡彪〈皖南事變突圍記〉(《安徽革命史研究資料》1983年1期）、潘效安〈回憶皖南事變突圍的經過〉(同上）、黃源〈我是怎樣從〝皖南事變〞突圍出來的〉(《大江南北》1992年1期）、鮑克強、朱凱中〈傅秋濤皖南事變突圍片斷〉(《江淮文史》1996年3期）、邵英子〈皖南事變中傅秋濤突圍路線和率領人數辨正〉(《黨史資料叢刊》1983年1輯）、南北〈皖南事變中的百戶坑會議〉(《黨史資料徵集通訊》1986年9期）、李明、和麗琨選編《皖南事變前後檔案史料選》(《雲南檔案史料》1990年1期）、朱峰〈試論皖南事變中新四軍的北移路線〉(《四川師大學報》1991年1期）、劉喜發〈對皖南新四軍北移路線的一點看法〉(《安徽師大學報》1986年2期）、張濤〈論皖南新四軍之北移路線〉(《中國人民警官大學學報》1985年1期）、王明亮〈新四軍皖南部隊北移路線究竟是怎樣確定的〉(《黨史資料徵集通訊》1986年1期）、馬芷蓀〈對考證皖南新四軍北移路線的一點意見〉(《黨史研究》1982年4期）、南北〈星潭突圍戰與北移路

線問題－為紀念皖南事變46周年而作〉(《大江南北》1987年1期)、
王振合〈關於皖南新四軍北移的行軍路線問題〉(《黨史研究資料》1980
年19期)、王應一譯〈荷蘭學者談皖南事變前新四軍軍部延誤北移
時機的原因〉(《黨史通訊》1987年6期)、童志強〈論項英對皖南新四
軍北移方針的態度〉(《近代史研究》1985年3期)、劉順發〈江南新四
軍北移《告別民眾書》發布時間考〉(《大江南北》1993年5期)、陳興
〈項英決定去南線是為了北移－兼評長篇小說《皖南事變》中關於
項英的〝南進計畫〞問題〉(《軍史資料》1989年4期)、徐君華〈評項
英的南進戰略〉(《大江南北》1988年4期)、王榮科〈淺析新四軍在皖
南事變前的〝南進計劃〞〉(《安徽史學》1987年2期)、蔡長雁、尹麗
萍〈項英決心走南線北移究竟是在什麼時候〉(《安徽黨史研究》1993
年2期)、顧偉斌、徐保琪〈關於新四軍皖南部隊南進茂林地區的問
題〉(《黨史研究資料》1990年2期)、李百齊〈新四軍南走茂林的北移
路線究竟是誰決定的〉(《山東醫科大學學報》1994年3期)及〈新四軍
為什麼要選擇南走茂林的北移路線〉(《石油大學學報》1993年3期)、
劉喜發〈南下茂林的路線不是皖南新四軍失敗的根本原因〉(《安徽
師大學報》1991年1期)、嚴志才〈試論新四軍東進北上戰略任務的
提出和實施〉(《東北師大學報》1988年4期)。吳雪晴〈關於《皖南事
變》書中一則電文時間的考訂〉(《黨史資料徵集通訊》1986年1期)、
童志強〈《皖南事變(資料選輯)》兩則史料正誤〉(《黨史通訊》1984
年2期)、鄭新如〈關於《新四軍皖南部隊慘被圍殲真象》一文寫作
情況的調查〉(《近代史研究》1983年3期)；〈周恩來的一篇重要佚文：
《新四軍皖南部隊慘被圍殲真象》〉(同上，1982年1期)、王輔一〈評
長篇歷史小說《皖南事變》〉(《安徽史學》1990年4期)、曾景忠〈小

說《皖南事變》激起的波瀾與反思〉（同上）、邵英子〈評《皖南事變》"代後記"〉（同上，1988年2期）、唐錫強〈《皖南事變》讀後獻疑〉（同上）、何理、張星星〈談皖南事變研究和《皖南事變》小說〉（《中共黨史研究》1988年6期）、陳遼〈皖南事變歷史和《皖南事變》小說〉（《安徽史學》1988年2期）、劉喜發〈《皖南事變》歪曲了項英形象〉（同上，1988年10期）及〈誰是皖南事變的千古罪人－兼與黎汝青同志商榷〉（同上，1990年4期）、蘇克、程國亮〈也為皖南事變中的"江南一葉"鳴冤－與《皖南事變》小說作者黎汝清商榷〉（《廣東黨史》1991年2期）。陳毅〈論皖南事變及新四軍的態度〉（《黨史資料徵集通訊》1986年1期）、童志強〈皖南事變中新四軍軍事行動檢討－兼論項英在皖南事變中的錯誤〉（《安徽史學》1987年2期）、陳始強〈皖南事變與新四軍軍部〉（《廣東教育學院學報》1994年1期）、任東來〈國民黨政府爭取美援的外交與皖南事變〉（《安徽史學》1992年1期）、王建科〈皖南事變中的國民黨參戰部隊〉（《江海學刊》1995年4期）、李仲元〈皖南事變中國民黨參戰部隊及人數考〉（《抗日戰爭研究》1993年3期）、李大華〈皖南事變中中國共產黨與國民黨頑固派鬥爭的主要經驗〉（《貴州社會科學》1991年4期）、司馬而已〈國民黨民主派與皖南事變〉（《民國春秋》1990年6期）、譚肇毅〈桂系與皖南事變〉（《廣西師大學報》1990年3期）、曹裕文〈新桂系參與策劃皖南事變探緣－新桂系決心把"安徽造成廣西第二"〉（《桂海論叢》1992年1期）、曹光哲〈新桂系與皖南事變〉（《安徽史學》1991年1期）、徐世華〈論皖南事變前後中共對中間派的策略〉（《西北師大學報》1989年3期）、朱順佐〈我黨在皖南事變中反對頑固派的鬥爭策略〉（《紹興師專學報》1981年1期）、邱信利〈正確處理民族矛盾與階級矛盾的成功經驗：試析中國共產黨在皖南事變前後的鬥爭策略〉(《長白學刊》1995年6期)、謝春濤〈皖南事變我黨中央軍委發言人究竟何日發表談話〉(《黨史研究》1984年2期)、張聞天〈關於皖南事變的發言（1941年1月）〉(《黨的文獻》1994年4期)、張培森〈貴在冷靜全面地把握時局－讀張聞天關於皖南事變的發言〉(同上)、嚴志才〈皖南事變發生後中共中央的〝軍事守勢〞方針述論〉(《軍史資料》1989年6期)、李良志〈關於皖南事變後中共中央反擊反共逆流策略的轉變〉(《中共黨史研究》1995年3期)、謝冰〈皖南事變後國共關係述評〉(《中南民族學院學報》1995年4期)、李卓穎〈抗戰初期國共對彼此關係之構想與新四軍事件〉(《中華軍史學會會刊》創刊號，民84)、童志強、潘迪友〈皖南事變與第二次國共合作〉(《安徽史學》1991年1期)、史藝軍〈〝皖南事變〞與中間黨史派調解國共關係的努力〉(《遼寧師大學報》1994年3期)、童志強〈運籌帷幄力挽狂瀾－毛澤東與皖南事變〉(《中共黨史研究》1993年5期)、周建超〈毛澤東與皖南事變前後的新四軍〉(《揚州師院學報》1995年3期)、李端祥〈毛澤東處理皖南事變的方針與藝術〉(《黨史縱橫》1994年1期)、楊奎松〈皖南事變前後毛澤東的形式估計和統戰策略的變動〉(《抗日戰爭研究》1993年3期)、印興娣、戚惠民〈皖南事變前後毛澤東、周恩來的鬥爭藝術〉(《徐州師院學報》1993年3期)、李世強等〈周恩來與皖南事變〉(《青海社會科學》1990年3期)、何迪等〈周恩來同志在皖南事變中爭取國際輿論的鬥爭〉(《教學與研究》1981年1期)、鄭洪泉〈皖南事變後周恩來維護抗日民族統一戰線的卓越貢獻－紀念抗日戰爭勝利40周年〉(《重慶師院學報》1985年4期)、胡居成〈受命于危難之際：陳毅在皖南事變前後〉(《黨史文匯》1992年8期)、王世誼〈劉少奇在皖

南事變前後〉(《安徽省委黨校學報》1987年4期)、周建超〈劉少奇在
皖南事變鬥爭中的貢獻〉(同上，1992年2期)、劉小清、王庭岳〈皖
南事變時的劉少奇〉(《大江南北》1988年1期)、徐文烈〈皖南事變與
柳亞子〉(《隨筆》1981年13集)、韋玉風〈"士到危時方見義"：柳
亞子對"皖南事變"真相的公開揭露〉(《學理論》1989年5期)、王
建國〈顧祝同與皖南事變〉(《抗日戰爭研究》1993年3期)、何蜀〈陪
都寒霧－崔可夫在皖南事變前後〉(《紅岩春秋》1990年3期)、楊美琳
〈皖南事變與華僑〉(《歷史教學問題》1984年4期)、任貴祥〈華僑與
皖南事變〉(《安徽師大學報》1989年4期)、陳保中〈皖南事變的前後
中國共產黨與蘇聯關係簡論〉(《山東醫科大學學報》1995年2期)、劉
以順〈共產國際、蘇聯和皖南事變〉(《中共黨史研究》1991年5期)及
〈共產國際與蘇聯在皖南事變前後〉(《安徽省委黨校學報》1991年1
期)、辛建(原名紀新建)〈日本帝國主義與皖南事變〉(《安徽黨史
研究》1991年2期)、耿玉發〈試析美國對皖南事變的態度及其作用〉
(《天津師大學報》1989年2期)、曹冬才〈論皖南事變的國際反響〉(《南
京政治學院學報》1993年3-4期)、孫其明〈皖南事變與國際關係〉(《南
京師大學報》1992年3期)、張曉麗〈論皖南事變後的中外輿論及其影
響〉(《黨史縱橫》1995年4期)。程國瑞、劉伯超〈八路軍部分主力南
下華中增援新四軍初探〉(《軍史資料》1989年3期)、過仕偉〈不滅星
火再燎原："皖南事變"前後皖中地區對新四軍北渡人員的接應和
收容安置工作〉(《新四軍史料研究集刊》1991年1、2期)、喬加霖、華
永義〈周恩來營救新四軍戰士紀略〉(《黨的文獻》1992年4期)、張軍
〈邵力子營救新四軍戰士〉(《黨史文匯》1994年12期)、興亞院華中連
絡部《解散ノ新四軍》(1941年出版，華中調查資料第4號)、劉喜發〈試

論皖南新四軍失敗的責任問題〉(《長白學刊》1992年3期)、童志強〈皖南事變中新四軍損失知多少〉(《安徽黨史研究》1993年2期);〈皖南事變討論會簡介〉(《近代史研究》1991年2期)。

　　關於新四軍事件人物的論著和資料,以王輔一主編《新四軍事件人物錄》(上海,上海人民出版社,1988)一書最為完整詳細;劉順發〈關于新四軍軍政首長任職情況〉(《中共黨史研究》1992年6期)。至於新四軍事件重要人物葉挺(新四軍軍長)、項英(副軍長)、袁國平(政治部主任)、周子昆(副參謀長)等人與皖南事變的關連及其生平事跡之論著和資料(已在稍前舉述過者,不再贅列)有黃開源等〈皖南事變中葉挺同志〝被俘〞的真實情況〉(《歷史教學》1981年5期)、朱峰〈也談葉挺在皖南事變中的〝被俘〞〝被扣〞問題〉(《四川大學學報》1989年3期)、鄭建英〈葉挺在皖南事變中是〝被俘〞還是〝被扣〞?〉(《瞭望》1983年9期)及〈葉挺同志在皖南事變中被扣的經過〉(《文獻和研究》1983年8期)、謝榮斌〈葉挺在皖南事變中被俘問題的淺見〉(《寶雞師專學報》1985年4期)、馮文綱〈葉挺皖變被俘真相〉(《今昔談》1981年3期)、黃開源等〈皖南事變中葉挺同志"被俘"的真實情況〉(《歷史教學》1981年5期)、李世鏡〈我如何俘獲匪首葉挺-解決「新四軍事件」作戰回憶〉(《戰史彙刊》15期,民72)、〈我如何俘獲葉挺〉(《中外雜誌》35卷6期,民73年6月)及〈有關俘獲匪首葉挺答客問〉(《東北文獻》15卷1期,民73年8月)、周劍心〈捉放葉挺記〉(《中外雜誌》9卷4期,民60年4月)、翟仲卿〈葉挺指揮的涇縣戰鬥〉(《江淮文史》1995年4期)、郭希華〈葉挺《請蔣解皖南之圍》電文考二兼談葉挺在皖南事變中的表現〉(《安徽史學》1990年4期)、葉超〈皖南事變中的葉挺軍長〉(收入《四八烈士》,西安,陝西人民出版社，1983）、陳德毅〈皖南事變前後的葉挺將軍〉（《名人傳記》1985年5期）、葉欽和〈皖南事變後的葉挺將軍〉（《縱橫》1986年5期）、中山大學《葉挺》編寫小組編《葉挺》（廣州，廣東人民出版社，1979）、王春江《葉挺將軍》（北京，中國青年出版社，1985）及《葉挺》（青年革命傳統教育系列叢書・革命將帥卷；同上，1991）、李瑋《葉挺的故事》（北京，中國少年兒童出版社，1980）、吳式堂《白馬將軍－葉挺的故事》（長沙，湖南人民出版社，1981）、劉杰城〈在烈火中永生－葉挺同志的故事〉（《陝西青年》1981年8期）、人民出版社編輯《回憶葉挺》（北京，人民出版社，1981）、葉欽和《回憶葉挺軍長》（重慶，重慶出版社，1986）、周士第等《回憶葉挺將軍》（西安，陝西人民出版社，1959）、顏炳南〈回憶葉挺軍長二三事〉（《大江南北》1996年4期）、蕭三〈頌"火中的鳳凰"－懷念葉挺將軍〉（收入《四八烈士》，西安，陝西人民出版社，1983）、王願堅〈在烈火和熱血中永生——紀念葉挺同志〉（《革命文物》1978年4期）、盧權、禤倩紅《葉挺傳》（鄭州，河南人民出版社，1987），該書稍後又加以修正，大量增補篇幅，於1993年仍由河南人民出版社出版；段雨生等《葉挺將軍傳》（北京，解放軍出版社，1989）、中共惠陽地委黨史辦公室、中共惠陽縣委黨史辦公室編《葉挺研究史料》（廣州，廣東人民出版社，1987）、亞細亞人撰、陳潤稀譯〈葉挺將軍傳〉（《黨史研究資料》1982年1期）、瞿作君〈葉挺〉（《大江南北》1985年創刊號）、中山大學哲學系〈葉挺傳略〉（《中山大學學報》1977年6期、1978年1、2期）、葉衍傳〈葉挺年譜〉（《惠陽師專學報》1983年1期及1984年1期）、佟三仁〈三軍可以奪帥，匹夫不可奪志：抗日名將葉挺生平片斷〉（《黨史縱覽》1994年4期）、葉添洪〈葉挺事略〉（《惠陽師專學報》1982年1期）、丘帆

〈葉挺光輝的一生〉(《廣東畫報》1980年2期)、張雲逸〈紀念葉挺同志〉(《革命英烈》1981年創刊號)、丁涪海〈回憶訪問葉挺將軍〉(《新聞研究資料》1980年5輯);〈紀念葉挺同志〉(《四平師院學報》1977年3期)、周繼強、王幟〈為解放人民立下汗馬功勞的葉挺同志〉(《軍事歷史》1984年10期)、羅如洪〈葉挺與統一戰線〉(《嶺南學刊》1988年5期)、金冶〈葉挺堅韌不拔臨難不懼的頑強革命精神〉(《學術界》1996年6期)、曹立前〈大革命時期的葉挺獨立團〉(《山東師大學報》1984年4期)、周士第〈葉挺獨立團始末〉(《星火燎原叢刊》1980年1輯)、肇慶市葉挺獨立團紀念館編《葉挺獨立團史料》(廣州,廣東人民出版社,1991)、李江流、王參〈葉挺獨立團創建時期政治工作初探〉(《廣州體育學院學報》1993年增刊)、陳立平〈葉挺獨立團與西江農民運動〉(《肇慶教育學院學報》1991年1期)及〈葉挺獨立團北伐出發入湘時間考〉(《中共黨史研究》1992年1期)、曾建民〈北伐戰爭中葉挺在軍事工作上的貢獻〉(《江漢論壇》1992年11期);〈南昌起義中的葉挺同志〉(《星火燎原》1982年3期)、孫璞方、姚仁雋〈土地革命戰爭時期著名武裝起義的主要領導人簡介:葉挺(1896－1946)〉(《人物》1985年4期)、段雨生等〈鐵軍葉挺－記廣州起義軍總司令葉挺同志〉(《星火燎原》1983年4期)、盧權〈葉挺廣東抗戰二三事〉(《抗日戰爭研究》1993年3期)、鄒金城〈抗戰初期葉挺將軍在廣東組建抗戰東路游擊總指揮部〉(《廣東黨史》1995年5期)、陳廣相〈北伐名將的風采－葉挺與新四軍的創建〉(《黨史縱橫》1993年9期)、史求實〈葉挺是否任過武漢衛戍司令〉(《江漢論壇》1981年3期)、蔡長雁〈在微妙的崗位上－記新四軍軍長葉挺〉(《黨史縱覽》1995年6期)、段雨生等〈葉挺在新四軍組建前後〉(《軍事歷史》1990年1期)、陳廣

相〈葉挺對創建新四軍的歷史功績〉(《軍事歷史研究》1994年1期)及
〈葉挺將軍同蔣介石的兩次抗爭〉(《江淮文史》1995年2期)、羅金聲
〈關於葉挺入黨、脫黨及重新入黨問題〉(《黨史資料與研究》1987年3
期)、王列平〈葉挺為何竟兩次受到黨內處分〉(《黨史文匯》1992年
9期)、陳贊才〈周恩來與葉挺〉(《革命英烈》1989年1期)、簇倩紅、
盧權〈葉挺與周恩來〉(《學術研究》1996年9期)、陳廣相〈皖南三載
風雨情長－葉挺與項英〉(《人物》1995年5期)、王秀鑫〈就項英葉
挺評價問題與黎汝清同志商榷〉(《安徽史學》1990年4期)、鍾兆雲
〈馬寧和葉挺的生死情〉(《福建黨史月刊》1991年12期)、童志強〈試
析新四軍軍長葉挺〝四次辭呈〞〉(《大江南北》1989年2期)張婉英
〈葉挺為何四辭新四軍軍長之職〉(《炎黃春秋》1996年3期)、胡濟民
〈辭嚴義正,累挫群凶－記葉挺將軍囚禁恩施的歲月〉(《湖北民族學
院學報》1996年4期)、趙冬菊〈葉挺將軍在恩施〉(《黨的文獻》1996
年6期)、柯南山〈葉挺將軍在恩施的幾件小事〉(《革命史資料》1981
年4期)、馬寧〈葉挺將軍囚居桂林的時候〉(《福建文學》1981年1期)、
千家駒〈葉挺將軍在桂林二三事〉(《學術論壇》1981年4期);〈葉挺
將軍在羅里〉(《合肥師院學報》1959年2期)、葉育青、王聿先〈三軍
可奪帥,匹夫不可奪志－記葉挺將軍在上饒集中營鬥爭生活片斷〉
(《書林》1980年4期)、段雨生等〈鐵窗五年〉(《星火燎原》1984年1、
2期)、沈醉〈葉挺在獄中〉(《瞭望周刊》1984年15期)、〈被囚期間
的葉挺將軍〉(《革命史資料》1981年4期)及〈《軍統內幕》節選－囚
禁期間的葉挺將軍〉(《報告文學》1984年1期)、王春江〈葉挺出獄〉
(《人物》1981年3期)、黃倚雯〈出獄後的第一件事〉(《歷史知識》1982
年6期)、曾慶榴、徐宏泉〈葉挺寫給烈士遺孤的親筆信〉(《革命文

物》1980年4期)、劉小清、劉小滇〈中國共產黨營救葉挺軍長的種種努力〉(《新四軍史料研究集刊》1991年1、2期)、陝西省革命烈士事跡編纂委員會主編《四八烈士》(革命烈士叢書；西安，陝西人民出版社，1983)，書名的由來，係因1946年4月8日，獲釋的葉挺及出席國共談判與政治協商會議的中共代表王若飛、秦邦憲等人，自重慶乘飛機回延安途中，以氣候驟變，在山西省興縣黑茶山失事機毀人亡；本書資料主要選自飛機失事後延安各級報刊發表的消息、評論、通訊、特寫、文章、函電等，也選編了「解放」後發表的重要紀念文章。余耳編《王若飛、葉挺、秦邦憲、鄧發榮哀錄》(新力出版社，民35)、李良志〈皖南事變前的項、葉關係〉(《湖南黨史》1994年3期)、謝忠良〈皖南事變與項英同志被害〉(《星火燎原》1982年2期)、劉劍《皖南事變與項英》(《思茅師專學報》1986年2期)、董之曦整理〈李一氓談皖南事變與項英〉(《中共黨史研究》1992年1期)、莊傳偉〈項英與皖南事變的歷史責任〉(《革命春秋》1990年4期)、李良明〈論項英在皖南事變中的錯誤〉(《華中師大學報》1993年6期)、湯勝利〈試析項英在皖南事變中的錯誤〉(《湖南黨史》1995年6期)、京化〈從《胡喬木談皖南事變》看項英的功過〉(《黨史研究與教學》1996年4期)、董延壽〈項英、袁國平與〝皖南事變〞〉(《洛陽師專學報》1987年3期)、Gregor Benton, At the Brink: Xiang Ying and Mao Zedong in the Countdown to Wannan Incident Chronicle and Documents, March 1939-January 1941.(Leeds: Leeds University East Asian Papers, No. 38, 1996)、田中摘〈項英與皖南事變問題的爭鳴〉(《福建黨史》1992年1期)、童志強〈項英同志在皖南的錯誤不可低估－兼與王輔一、王秀鑫同志商榷〉(《大江南北》1988年1期)及〈對項英在皖南的錯誤不可低估：兼與王輔一、王秀鑫同志商榷〉(《學術界》1987年5期)、志平〈再論皖南時期項英〉(《大江南北》1991年1期)、林永強〈試論項英在皖南期間的功與過〉(《農墾師專學報(綜合版)》1995年1期)、黃開沅〈對項英率部滯留皖南原因的探討〉(《安徽史學》1991年1期)、李百齊〈項英在皖南軍部時期的歷史功過〉(《山東師大學報》1995年4期)、劉勉玉〈項英對實現南方國共合作抗日和組建新四軍的重要貢獻〉(《江西大學學報》1992年2期)及〈項英對實現國共合作抗日和組建新四軍的貢獻〉(《黨史研究與教學》1992年3期)、王作坤〈項英同志在新四軍工作期間的功過〉(《齊魯學刊》1984年2期)、王秀鑫〈關於項英在新四軍工作中的功過問題〉(《黨史通訊》1986年11期)、李良明〈實事求是評價項英在新四軍時期的功與過〉(《中共黨史研究》1989年1期)、王輔一〈項英與新四軍〉(《南京史志》1995年4期)、志平〈談項英對新四軍發展方針的態度〉(《大江南北》1990年3期)、鞠景奇〈論陳毅同項英在執行新四軍發展方針上的分歧〉(《鎮江師專學報》1990年4期)、徐金城〈項英同志在新四軍中的錯誤〉(《濟寧師專學報》1985年4期)、胡居成〈創業維艱毀譽多：項英與皖南事變前的新四軍〉(《黨史文匯》1995年9-12期)；項英著、集納出版社編《項英將軍言論集》(集納出版社，民28)、李良明《項英評傳》(北京，經濟日報出版社，1993)、卞謝祖〈項英傳略〉(《復旦學報》1982年3期)、王輔一《項英傳》(北京，中共黨史出版社，1995)、〈項英傳略〉(《中共黨史資料》37輯，1991)、〈項英〉(《黨史資料徵集通訊》1986年1期)、〈論項英－兼及評價項英的若干問題〉(收於《中國軍事史論文集》，河南大學出版社，1989)及〈要公正評價項英的功過〉(《近代史研究》1992年3期)、張召奎〈應該正

確評價項英的功過〉(《江淮論壇》1980年6期)、王輔一〈堅持實事求
是公正評價項英－兼與童志強同志商榷〉(《大江南北》1988年2期)及
〈評價項英功過不宜用領袖語錄對號－兼與志平同志商榷〉(同上，
1990年4期)、徐君華〈《項英傳》有幾處失實〉(《抗日戰爭研究》1995
年4期)、王輔一〈《項英傳》對有關項英的幾個歷史問題的澄清〉
(《人物》1996年2期)、段煥竟〈實事求是地評價歷史人物－寫在《項
英傳》出版之時〉(同上)、李子儀〈項英與武漢的工人運動〉(《學
習與實踐》1985年2期)、馬軍〈項英與上海工人運動〉(《史林》1994
年4期)、李良明〈項英在中國工人運動方面的歷史功績〉(《黨史資
料與研究》1987年6期)及〈淺談項英在中央蘇區的功過是非〉(《黨史
研究與教學》1988年2期)、劉勉玉〈項英在中央蘇區的功與過〉(《江
西大學學報》1991年1期)、凌步機〈論項英在中央革命根據地的功過
是非〉(《江西黨史研究》1989年3期)、韓廣富〈項英在中央蘇區的主
要活動及其任職〉(《黨史文苑》1993年5期)、李良明〈項英與〝富田
事變〞〉(《傳記文學》1995年7期)、張世貴、阿城、韓金香〈項英在
富田事變中的積極作用〉(《石油大學學報》1995年2期)、羅惠蘭〈論
項英在處理富田事變中對肅ＡＢ團錯誤的抵制〉(《求實》1989年1
期)、閻景堂、姜廷玉〈項英在南方三年游擊戰爭中的歷史貢獻〉
(《中共黨史研究》1989年1期)、莊傳偉〈論抗戰初期項英同志的貢獻〉
(《安徽史學》1991年1期)、童志強〈對中共中央致項英等一則電文時
間的考證－兼論新四軍軍長葉挺1938年底出黨辭職的原因〉(《中共
黨史研究》1989年5期)、蔡長洲〈中央致葉、項一封電文日期的辨
正〉(《安徽史學》1990年4期)、胡開明〈項英與紅軍北上抗日先遣
隊〉(《徽州社會科學》1993年3期)、胡居成〈陳毅、項英巧過王母渡〉

《福建黨史月刊》1996年2期）、武兼思、張玉臣〈王明、項英違反黨的民主集中制原則的錯誤及其教訓〉《理論探討》1987年2期）、徐君華〈項英與王明〉《軍史資料》1989年3期）、黃開源〈項英私自離隊始末〉《新四軍史料研究集刊》1991年1、2期）、李良明〈項英研究中的兩個問題〉《華中師大學報》1990年5期）、馬長炎〈憶項英被害前與我的幾次談話〉《江淮論壇》1991年2期）、謝忠良〈皖南事變與項英同志被害〉《星火燎原》1982年2期）、龐慎言〈中共新四軍副軍長項英之死〉《傳記文學》69卷1期，民85年7月）、黃誠〈項英、周子昆二烈士遇難真相〉《新時期》1980年4期）、徐則浩、唐錫強〈項英、周子昆被害經過紀實〉《黨史研究資料》1981年3期）、李德和〈回憶皖南事變中項英、周子昆同志被害經過〉《安徽革命史研究資料》1981年3輯）、郭立山〈“辛苦投荒三載血，倉惶辭店一心灰”：項英悲劇探析〉《黃海學壇》1991年1期）、平濤〈為項英正名－訪軍史專家王輔一〉《南京史志》1996年3期）。唐錫強〈袁國平與新四軍的政治思想工作〉《江淮論壇》1994年6期）、李百齊〈重談“中共中央關于項袁錯誤的決定”〉《山東師大學報》1993年增刊）。蔡水泉〈戰地紅花香如故－皖南事變被俘新四軍女戰士尋蹤〉《黨史文苑》1995年4、5期）、；《上饒集中營》（上海，上海人民出版社，1983年3版），為新四軍事件中該軍被俘官兵的回憶錄共20餘篇；蔡水泉〈新四軍的另一個特殊戰場——上饒集中營鬥爭紀事〉《黨史文苑》1992年3～6期）及〈上饒集中營鬥爭簡介〉《江西社會科學》1981年4期）。

關於皖南事變的善後及重建新四軍軍部等的論著和資料有張海鵬〈論皖南事變之善後〉《近代史研究》1995年5期）、宣芝林〈皖南事變後皖南黨組織恢復發展及活動概況〉《安徽革命史研究資料》1983年2期）、思林〈新四軍重建軍部簡介〉《黨的生活》1986年1期）、傅義桂〈論劉少奇在重建新四軍軍部中的作用〉《鹽城教育學院學報》1989年2期）、中共鹽城市委黨史辦公室等編《紀念新四軍重建軍部四十五周年專輯》(上海，學林出版社，1988）、曹晉杰主編《新四軍重建軍部以後》(南京，江蘇人民出版社，1983）、張繼文〈新四軍軍部重新組建大會〉《星火燎原》1984年4期）、胡居成〈揮戈敵偽區：新四軍軍部重建前後〉《福建黨史月刊》1995年10期）；〈新四軍重建軍部紀念塔碑文〉《鹽城師專學報》1983年4期）、陳宗彪〈新四軍重建軍部日期考〉《安徽史學》1986年4期）及〈新四軍重建軍部到底在哪一天〉《黨史研究資料》1986年3期）、朱靖民、徐永久〈新四軍恢復軍部時間考〉《大江南北》1986年4期）、史滇生〈皖南事變後新四軍的建軍工作〉（載《紅旗十月滿天飛》，南京，江蘇人民出版社，1990）、劉小清、王庭岳〈新四軍重建軍部後的建軍工作〉《軍史資料》1987年1期）、江蘇鹽城軍分區黨史資料徵集辦公室〈新四軍重建軍部後的機關組織沿革〉（同上）、王芳〈新四軍重建軍部後鹽阜區的統戰工作〉《鹽城教育學院學報》1990年4期）、賈宗榮等〈試析新四軍重建的歷史意義〉《鹽城師專學報》1986年4期）及〈淺析新四軍重建軍部的歷史意義：紀念新四軍重建軍部四十五周年〉（同上，1987年4期）、中國第二歷史檔案館〈1942年新四軍在南京附近地區抗日活動史料〉《民國檔案》1995年4期）、王瑾〈皖南事變後的皖南游擊戰爭〉《中共黨史研究》1991年2期）。

3.國共商談和外人調處

有關中〈戰時國共商談〉(《東亞季刊》7卷1、2期，民64年10月、65年1月)、〈抗戰時期國共和談的再認識〉(《中國現代史專題研究報告》第5輯，民65)及《和談的前鑒－抗戰時期國共和談的再認識》(臺北，中央日報社，民68)、趙建民〈戰時國共和談雙方動機探討〉(《中山社會科學期刊》2卷1期，民82年2月)、黃友嵐〈抗戰勝利前後的國共 "和談" 〉(《思想戰線(軍政學院)1981年6期》、楊奎松《失去的機會－戰時國共談判實錄》(桂林，廣西師大出版社，1992)及《消失的戰場－回到國共談判歷史桌上》(臺北，日臻出版社，民84)、關中《國共談判(1937-1947)》(臺北，財團法人民主文教基金會，民81)、林富水〈抗戰時期的國共談判－不對稱權力結構下的分析〉(載《中華民國史專題論文集：第三屆討論會》，臺北，國史館，民85)及《不對稱結構下的談判行為研究－國共1936-1945年談判案例分析》(政治作戰學校政治研究所碩士論文，民84)、蔡國裕〈抗戰時期國共間的軍事商談(1939年至1943年)〉(《共黨問題研究》9卷7期，民72年7月)、沈雲龍〈抗戰前後國共商談的歷史教訓〉(《傳記文學》34卷4期，民68年4月)、汪新〈抗日戰爭時期國共談判的歷史經驗和啟示〉(《統一論壇》1991年5、6期)、習五一〈抗戰前期國共兩黨共建一個 "大黨" 的談判〉(《抗日戰爭研究》1996年1期)、蔡國裕〈一九四四年國共間的政治商談：從西安到重慶商談〉(《共黨問題研究》9卷9期，民72年9月)、李良志〈抗戰時期國共兩黨在重慶的一次談判〉(《史學月刊》1991年5期)、中國第二歷史檔案館〈1944年5月－1945年1月國共談判史料〉(《民國檔案》1994年2、3期)、林慶南《1935年至1949

年國共談判之研究》(政治大學東亞研究所碩士論文,民82)、李坤〈第二次國共合作期間的國共談判〉(《北京黨史研究》1992年4期)、郭榮趙〈美蘇在華權力鬥爭和國共戰時談判〉(《中國現代史專題研究報告》第3輯,民71年6月)、秦相啟〈美國插手抗戰時期國共談判始末〉(《黨史博覽》1996年5期)、徐報喜、吳竹標〈抗戰勝利前後美國處理國共關係的政策及其演變〉(《鹽城師專學報》1991年3期)、邵宗海《美國介入國共和談之角色》(臺北,五南圖書公司,民84)、陳新鉻〈抗戰後期國共代表之會商與赫爾利之斡旋〉(《復興崗學報》25期,民70年6月)、梁敬錞〈赫爾利調停國共之經過(初稿)〉(《傳記文學》26卷4、5期,民64年4、5月)及"Patrick Hurley, 'The China Mediator'"(《中央研究院近代史研究所集刊》第6期,民66年6月)、蔡國裕〈抗戰時期國共間的最後一次和談－赫爾利斡旋國共關係之經過與檢討〉(《共黨問題研究》9卷10期,民72年10月)及〈美國調處國共關係之經過與檢討－從赫爾利到馬歇爾的調處〉(《近代中國》33、34期,民72年2、4月)、瀧田賢治〈P.ハーレーの國共調停工作－1944～45〉(《一橋研究》33號,1976年12月);赫爾利調處國共的論著尚有一些,已在前「戰時外交」中舉述,可參閱之。其他相關者有Margaret B. Denning, The Sino-American Alliance in World War II: Co-operation and Dispute Among Nationalists, Communists and Americans. (Bern, Frankfurt, New York; Peter Lang, 1986)、楊奎松〈抗戰期間美國介入國共關係及其影響〉(載胡春惠主編《紀念抗日戰爭勝利五十周年學術討論會文集》,香港,1996)、孫光輝〈試論抗日戰爭時期美國對國共關係的制約和影響〉(《河南社會科學》1995年4期)、關紹紀〈抗日戰爭前期美國對國共關係的政策(《文史哲》1995年5期)、張春雷〈共產國際解散後國共兩黨在思想政治戰線上的一場激戰〉（《教學與研究》1985年5期）、鄧野〈一九四四年至一九四六年間國共力量的〝平衡〞與政爭〉（《中國社會科學》1993年3期）、張曉峰〈國共兩黨對"先歐後亞"的戰略方針的分歧〉（《中共黨史研究》1996年1期）、趙景峰〈論抗戰勝利前後國共兩黨圍繞建國問題的鬥爭〉（《黨史研究與教學》1991年4期）、吳淑鳳《中共「聯合政府」的要求與國民政府的對策（1944-1947）》（政治大學歷史研究所碩士論文，民81年6月）、〈中共要求組織「聯合政府」探源〉（《國史館館刊》復刊21期，民85年12月）及〈國共對「聯合政府」問題的折衝〉（《歷史月刊》89期，民84年6月）、楊奎松〈抗日戰爭勝利前後中共爭取〝聯合政府〞的鬥爭〉（《抗日戰爭研究》1995年增刊）、張明楚、高平〈中國共產黨關于聯合政府政治主張的由來和發展〉（《中共黨史研究》1993年4期）、彭煥才〈評抗戰勝利前後中共關於〝聯合政府〞的政治主張〉（《湘潭大學學報》1991年2期）、周春雲〈試析抗戰勝利前後中共關于〝聯合政府〞的政治方針〉（《牡丹江師院學報》1993年1期）、李蓉〈聯合政府口號提出的歷史考察〉（《黨史研究資料》1991年5期）、閻海濤〈試論我黨聯合政府主張的真實性〉（《錦州師院學報》1994年2期）、賈淑文〈建立民主聯合政府的主張公開提出的原因〉（《吉林師院學報》1996年4期）、黃景芳、閻海濤〈〝聯合政府〞是一個戰略口號〉（《毛澤東思想論壇》1992年4期）、唐興禮〈從國防政府到聯合政府的鬥爭：簡析抗日民族統一戰線內部鬥爭的一個側面〉（《理論與改革》1993年5期）、王小滿、張學繼〈論〝聯合政府〞的幾個問題〉（《檔案與史學》1996年1期）、費迅〈抗戰勝利前後的聯合政府問題〉（《揚州師院學報》1992年2期）、金冲及〈抗日戰爭後期中國政局的重要動向－論1994年大後方的人心劇變和〝聯合政府〞主張的提出〉(《抗日戰爭研究》1995年增刊)、郭德宏〈建立聯合政府方針的提出及圍繞它進行的談判和鬥爭〉(《北京檔案史料》1990年4期)、林能士〈國民黨內派系之爭與國共商談－以《王世杰日記》為中心的探討〉(載《慶祝抗戰勝利五十周年海峽兩岸學術研討會論文集》下冊,臺北,近代史學會,民85)、毛磊、范小方主編《國共兩黨談判通史》(蘭州,蘭州大學出版社,1996)、范小方、毛磊《國共談判史綱》(武漢,武漢出版社,1996)、張九如《和談覆轍在中國》(臺北,撰者印行,民57)及〈國共七次和談的內容與結局〉(《傳記文學》34卷4期,民68年4月)、壬人〈國共七次和談的經驗與教訓〉(《東北文獻》10卷2期,民68年11月)、黃公弼〈國共和談的經過與教訓之檢討〉(《幼獅月刊》36卷4期,民61年10月)、魏良才〈國共和談之歷史殷鑑:〝一九四〇年代中美關係研討會〞後記〉(《中國論壇》15卷11期,民72年3月)、國防部史政局編印《和談紀實》(臺北,民60)。

4.解放區和抗日根據地

抗戰時期中共勢力所能掌控的地區,是其所謂的「解放區」,多分佈於敵後之華北、西北、華中等地,包括其所謂的各個「抗日根據地」在內,關於這方面的論著和資料有董必成著、合作編輯委員會編《中國解放區實錄》(合作出版社,民35)、人民出版社編印《抗日戰爭時期解放區概況》(北京,1953;原名《中國敵後抗日民主根據地概況》,延安,民33)、李普《光榮歸於民主:談解放區的政治與軍事》(拂曉社,民34),該書日後翻印時,易名為《我們的民主傳統:抗日時期解放區政治生活風貌》(北京,新華出版社,1980)、名和統一、德田太郎《中國解放區の經濟政策》（東京，東方書局，1949）、林要三〈中國解放區研究文獻資料目錄〉《帝塚山大學論集》10、11號，1975年11月、1976年2月）、安藤正士〈抗戰期中國の解放區〉（《歷史教育》137號，1965年1月）、三浦徹明〈中國解放區の歷史的意義〉（《中國研究》29號，1972年8月）、陳瑞雲〈論抗日戰爭時期解放區的政權建設〉（《史學月刊》1982年6期）、李勝林〈試論抗日戰爭時期解放區的民主政治建設〉《理論探討》1990年4期）、王正寧〈抗戰時期解放區參議會制度與新中國人民代表大會制度〉（《重慶社會科學》1991年3期）、衣保中〈試論抗日戰爭時期解放區的租佃形態〉（《中共黨史研究》1990年2期）、陳其貴〈抗戰時期解放區減租減息政策初探〉（《綿陽師專教學與研究》1983年2期）、烏廷玉〈抗日戰爭時期解放區的減租減息〉（《史學月刊》1965年8期）、農林省農地部、中國研究所《中國解放地區土地改革關係資料集》（東京，農林省農地部，1949）、中國研究所《中國解放地區貿易關係法令集》（東京，中日貿易促進會，1949）、《中國解放區貿易必攜；中共の貿易はどう行われているか》（同上）及《中國解放地區商工政築參考資料集、中共地區商工業の發展》（東京，中國研究所，1949）、李新〈緬懷抗日解放區特殊的新型人際關係〉（《教學與研究》1987年5期）、陳元暉主編（璩鑫圭、鄒光威編著）《老解放區教育簡史》（北京，教育科學出版社，1982）、中央教育科學研究所編《老解放區教育資料》（1，2）》（3冊，同上，1981-86）、教育科學研究所籌備處《老解放區教育資料選編》（北京，人民教育出版社，1979）、人民教育社編《老解放區教育工作經驗片斷》（上海，上海教育出版社，1979）及《老解放區教育回憶錄》（同上）、曲士培《抗日戰爭時期解放區高等教育》

（北京，北京大學出版社，1985）、笹島恒輔〈中國解放區の教育〉（載
《アジア育史研究》，東京，1991）、程斯輝〈抗日戰爭時期解放區的
愛國主義教育〉（《湖北大學學報》1995年4期）、大塚豐〈中國におけ
る解放區型大學の系譜〉（《大學論集（廣島大學・大學教育センター）》21
號，1992年3月）、新保敦子〈中國舊解放區における識字學習運動〉
（《東京大學教育學部紀要》19號～〔1979年〕，1980年2月）、劉永之〈抗
日戰爭時期解放區的大生產運動〉（《新史學通訊》1954年11月號）、
張水良〈抗日戰爭時期解放區軍民農業大生產運動〉（《廈門大學學報》
1965年2期）及《抗日戰爭時期中國解放區農業大生產運動》（福州，
福建人民出版社，1981）、陳敏才〈簡析抗日戰爭時期解放區經濟政
策的特點〉（《理論導刊》1995年7期）、鹽見俊一〈中國解放區におけ
る商工業政策とその現況〉（《中國研究》第7號，1949年6月）、張水
良〈抗日戰爭時期解放區的農業貸款〉（《歷史教學》1980年2期）、武
衡編《抗日戰爭時期解放區科學技術發展史資料（第1-7輯）》（7冊，
北京，中國學術出版社，1983-1988）、石井明〈中國解放區人民代表
會議における〉（《アジア研究》19卷3號，1972年10月）、福島正夫、
宮坂宏編譯《中華ソビエト共和國・中國解放區選舉法令資料》（東
京，社會主義法研究會・中國農村慣行研究會，1967）及《中華ソビエト
共和國・中國解放區婚姻法資料》（同上，1965；改訂版，1966）、藍
金普《解放區法規概要》（北京，群眾出版社，1983）、江超中《解放
區文藝概述（1941-1947）》（天津，百花文藝出版社，1958），係根據
1941-1947年《解放日報》副刊上發表的文章進行整理、研究而編
寫成的；李宗泉〈抗日戰爭時期解放區的報刊〉（《上海師大學報》1996
年2期）、于風瑞〈解放區文學創作民族風格的大發展〉（《河北師院

學報》1983年1期）、周健〈解放區文藝和黨的文藝思想〉（《西北大學
學報》1983年1期）、釜屋修〈解放區の文藝に思うことども〉（《野
草》10號，1973年1月）、吳中杰〈毛澤東《講話》與解放區文藝趨
向〉（《復旦學報》1992年3期）、黃修己〈解放區創作和文藝整風運
動〉（《北京大學學報》1982年3期）、王介平、王文金〈老一輩無產階
級革命家對抗日民主根據地文藝事業的貢獻〉（《河南師大學報》1982
年3期）、李葆琰〈試論解放區文學大眾化〉（《中國現代文學研究叢刊》
1982年3輯）、田潤鈞〈論毛澤東培植解放區文學的重大貢獻〉（《淮
陰教育學院學報》1993年3期）、王偉〈試論解放區文學的土地意識〉
（《江漢論壇》1996年11期）、竹內實〈解放區の文學にあらわれた法
意識の變革〉（收於仁井田記念講座編集委員會編《現代アジアの
革命と法》，東京，勁草書房，1966）、戈焰〈試論解放區文學在
現代文學中的地位〉（《延安大學學報》1996年12期）、王建中〈正確
認識和評價解放區文學〉（《綏化師專學報》1995年4期）、紀桂平〈建
國前中國解放區文學研究述評〉（《文藝理論與批評》1993年5期）、劉
增杰〈期待著深化的研究領域－解放區文學研究斷想〉（《延安文藝研
究》1988年4期）、王澤龍〈評夏志清的解放區文學論〉（同上，1989
年1期）、紀桂平〈新時期中國解放區文學研究述評〉（《河北師大學
報》1992年3期）、胡采主編《中國解放區文學書系：文學運動、理
論編》（2冊，重慶，重慶出版社，1992）、賈芝主編《中國解放區文學
書系：民間文學編》（1冊，同上）及《中國解放區文學書系：說唱文
學編》（同上）、黃鋼主編《中國解放區文學書系：報告文學編》（3
冊，同上）、丁曉原〈論解放區報告文學〉（《吳中學刊》1993年2期）、
黃鋼〈縱論中國解放區的報告文學〉（《文藝理論與批評》1992年6期）、

樂文〈文化人：女性解放的理想界碑：試析解放區文學中婦女形象的文化內涵〉(《貴陽師專學報》1995年1期)、〈受苦人：解放區文學一類婦女形象的文化內涵〉(《貴州師大學報》1994年4期)及〈尷尬人：試析解放區文學知識女性形象的文化內涵〉(同上，1995年3期)、譚桂林〈解放區文學的女權意識與啟蒙主題〉(《延安文藝研究》1992年2期)、游友期〈解放區女性文學新的審美追求〉(《徐州教育學院學報》1995年2期)、施潤梓〈略論解放區女性文學新的審美追求〉(《寧德師專學報》1995年3期)、周敬金〈論解放區文學中喜劇人物和諧性與分寸感〉(《延安文藝研究》1991年2期)、和振榮〈解放區作家文學民族化建設的主體意識辨析〉(《山西師大學報》1991年4期)、紀桂平〈使命感·從屬感·自抑感－解放區作家創作心理談片〉(《河北師大學報》1991年4期)、席揚、段登捷〈文化整合中的傳統創化－試論〝山藥蛋審美〞在解放區及中國當代文學中的意義〉(《延安文藝研究》1992年2期)、李玉明〈《講話》與解放區文學之關係略論〉(同上，1992年4期)、殷白〈《講話》與解放區文學〉(《當代文壇》1992年3期)及(《在延安文藝座談會上的講話》與解放區文學)〉(《紅岩》1992年3期)、孫黨伯〈《講話》推動了解放區文學的發展〉(《武漢大學學報》1992年3期)、莫萬華〈〝尋根〞從這裏開始：從延安整風前後解放區文學看《講話》的巨大生命力〉(《華僑大學學報》1993年3期)、夏爵蓉〈論《講話》指引下解放區敘事長詩的剖析〉(《西南民族學院學報》1993年毛澤東思想研究專號)、王維國〈解放區文藝統一戰線的建立與發展〉(《延安文藝研究》1991年4期)、雷加主編《中國解放區文學書系：散文、雜文編》(2冊，重慶，重慶出版社，1992)、阮章競主編《中國解放區文學書系：詩歌編》(3冊，同上)、

愛潑斯坦、高梁主編《中國解放區文學書系：外國人士作品》（2
冊，同上）、康濯主編《中國解放區文學書系：小說編》（4冊，同
上）、楊希之〈略論解放區小說在題材上的開拓與發展：兼評《中
國解放區文學書系·小說篇》〉（《文藝理論與批評》1992年3期）、周
紹曾〈解放區小說簡論〉（《文藝爭鳴》1992年3期）、李春林〈東北解
放區短篇小說創作鳥瞰〉（《社會科學輯刊》1995年2期）、袁牧之等《解
放區的電影》（北京，中國電影出版社，1962）、胡可主編《中國解放
區文學書系：戲劇編》（4冊，重慶，重慶出版社，1992）。陳廉編寫《抗
日根據地發展史略》（北京，解放軍出版社，1987）、田酉如《中國抗
日根據地發展史》（北京，北京出版社，1995）、南開大學歷史系編《中
國抗日根據地史國際學術討論會論文集》（北京，檔案出版社，
1986）、南開大學歷史系中國近現代史教研室編《中外學者論抗日
根據地－南開大學第二屆中國抗日根據地史國際學術討論會論文
集》（北京，檔案出版社，1993）、新長城社編《敵後抗日根據地介紹》
（扶餘解放社，出版年份不詳）、林邁可著、楊重光、郝平譯《八路軍抗
日根據地見聞錄：一個英國人不平凡經歷的記述》（北京，國際文化出
版公司，1987）、全國中共黨史研究會編《抗日民主根據地與敵後游
擊戰爭》（北京，中共黨史資料出版社，1987）、中國人民革命軍事博物館
編《抗日戰爭時期創建敵後根據地形勢圖（1937年－1940年）》（北
京，地圖出版社，1980）及《抗日戰爭時期堅持敵後根據地鬥爭形勢
圖（1941年－1942年）》（同上）及《抗日戰爭時期敵後根據地軍民
大反攻形勢圖（1945年8月）》（同上）、魏宏運〈抗日根據地史研
究述評〉（《抗日戰爭研究》1991年1期）、李金錚〈抗日根據地史研究
的構想〉（同上，1996年1期）、井上久士〈抗日根據地論〉（載野澤豐

編《日本の中華民國史研究》，東京，汲古書院，1995）、〈日本における
抗日根據地研究根據地動向〉（《近きに在りて》第5號，1984年5月）、
〈近十數年間の日本における抗日根據地研究〉（同上，26號，1994年
11月）及〈抗日根據地に關する國際シンポシウムと最近の抗日根
據地研究〉（《近きに在りて》第6號，1984年11月）、佐藤宏〈抗日根
據地に關する最近の資料概觀〉（《アジア經濟》27卷12號，1986年12
月）、范力沛（Lyman P. Van Slyke）〈西方學者對抗日根據地的研
究〉（載《中國抗日根據地史國際學術討論會論文集》，北京，檔案出版社，
1985）、井上久士〈邊區（抗日根據地）の形成と展開〉（載池田誠
編《抗日戰爭と中國民眾》，東京，法律文化社，1987）、程懷儒〈敵後
抗日根據地在抗日戰爭中的戰略地位〉（《河南大學學報》1995年5期）、
魏宏運〈抗日根據地奠定了抗日戰爭勝利的基礎〉（《歷史教學》1995
年10期）、王檜林等〈抗日根據地在抗日戰爭中的地位和作用〉（《北
京師大學報》1984年6期）、王驊書〈略論敵後抗日根據地在抗戰中的
作用〉（《鹽城師專學報》1995年3期）、王玉如〈淺論抗日根據地創建
和發展的特點〉（《荊州師專學報》1991年6期）、史滇生〈抗日民主根
據地的建立及其歷史地位〉（《黨史資料與研究》1985年6期）、何麗萍、
張波〈民主根據地在抗日戰爭中的歷史作用〉（《吉林師院學報》1995
年7期）、陳廉〈抗戰時我軍建立敵後根據地的戰略部署〉（《近代史
研究》1984年1期）、周雄〈共匪所謂「抗日民主根據地」〉（《共黨問
題研究》5卷，8、9期，民68年8、9月）、劉廣韜〈抗日根據地史簡
述〉（《歷史教學》1985年5-8期）、根據地概況編寫組〈抗日根據地概
況〉（《華東石油學院學報》1987年2期）、何理〈抗日根據地的幾個理
論問題〉（載《抗日民主根據地與敵後游擊戰爭》，北京，中共黨史資料出版

社，1987）、陳廉〈敵後抗日根據地的創建及基本經驗〉（同上）、
王首道〈抗日根據地的偉大歷史意義與我黨實事求是的光榮革命傳
統〉（同上；原載《黨史研究》1985年2期）、劉健清〈試論抗日根據地
政權的黨政關係〉（《南開學報》1992年2期）、　王永祥〈論抗日根據
地的"三三制"政權〉（《南開學報》1992年2期）、朱恩沛〈試論抗日
民主根據地的"三三制"政權〉（《東疆學刊》1993年1期）、王晉源
〈抗日根據地"三三制"原則的提出與實現〉（《黨史文匯》1992年7
期）、劉瑛〈論抗日根據地的民主建設及其歷史作用〉（《山東社會科
學》1995年4期）、王榮科、宋家標〈論抗日民主根據地民主建設〉
（《安徽教育學院學報》1995年3期）、施善元〈抗日民主根據地的民主
政治〉（載《抗日民主根據地與敵後游擊戰爭》，北京，中共黨史資料出社，
1987）、楊聖青《新中國的雛形－抗日根據地政權》（桂林，廣西師大
出版社，1994）、周祖亮〈論抗日根據地民主政權的改革〉（《麗水師
專學報》1985年3期）、靳德行、翁有為〈抗日根據地民主政府體制
初探〉（《抗日戰爭研究》1992年1期）、陳廷湘〈抗日根據地地政權的
民主政制建設〉（同上，1995年增刊）、朱恩沛〈試論抗日民主政權
的民主建設〉（《社會科學戰線》1996年3期）、汪平嘉、黃忠榮〈論抗
日戰爭時期的民主政權建設〉（《理論建設》1995年3期）、姚寅虎〈抗
戰時期政權建設的主要經驗及其現實意義〉（《理論探索》1990年3
期）、劉慶旻、劉大成〈抗日民主政權研究〉（《中共黨史研究》1992年
2期）、夏華〈黨領導的抗日民主政權的歷史作用及其啟示〉（《黔東
南民族師專學報》1995年3、4期）、李道華〈論抗日民主政權的若干
歷史特點〉（《南充師院學報》1987年1期）、溫曉莉〈論抗日民主政權
法制的開放性與民主性〉（《西南民族學院學報》1995年5期）、蔡永民

〈抗日民主政權的法律建設〉(《蘭州大學學報》1995年3期)、孫樹春〈抗日民主政權簡政初探〉(《龍江社會科學》1995年2期)、錢聽濤〈敵後抗日根據地黨政軍領導機構沿革述略〉(《抗日戰爭研究》1995年增刊)、錢聽濤〈抗日根據地軍政委員會的性質及演變〉(《中共黨史研究》1990年5期)、高天山〈抗日民主根據地政權建設簡論〉(《河南社會科學》1995年4期)、劉世永〈淺談抗日民主根據地的政權建設〉(《河南大學學報》1985年4期)、徐鴻武等〈抗日根據地政權建設的優良傳統〉(《研究資料與譯文》1986年3期)、袁徵〈毛澤東與抗日根據地的政權建設〉(《江西社會科學》1995年7期)、劉宗堯〈從"蘇維埃"到"聯合政府"：記抗日戰爭與中國共產黨政權建設思想的發展〉(《四川教育學院學報》1995年3期)、李世俊〈論抗日戰爭時期根據地民主政權與黨的領導〉(《探索》1988年5期)、魏宏運〈抗日戰爭時期革命根據地的民主選舉〉(《歷史教學》1953年9期)、張鑒安〈抗日根據地民主選舉的幾個特點〉(《湖州師專學報》1988年2期)、朱玉湘等〈抗日根據地的民主與法制〉(《山東大學文科論文集刊》1981年2期)、祁建民〈試論抗日民主根據地的保障人權條例〉(《黨史資料與研究》1993年2期)、王立民〈試論抗日根據地的人權法〉(《政治與法律》1994年3期)、張麗雲〈在抗日民主根據地黨是如何提高人民教師政治地位和社會地位的〉(《昭烏達蒙族師專學報》1988年1期)、張喜德〈中流砥柱：中國共產黨及其抗日根據地軍民〉(《黨史縱橫》1995年9期)、金冶〈根據地：抗戰時期的〝家〞〉(《大江南北》1995年2期)。財政部財政科學研究所編《抗日根據地的財政經濟》(北京，中國財政經濟出版社，1985)、思榮〈抗日根據地的財政收支結構〉(《天府新論》1990年2期)、郭凌〈試論抗日根據地經濟建設的方針政策〉(《江西師大學報》1995年3期）、張孟華〈抗日根據地經濟建設是奪取抗戰勝利的物質保證〉（《學術研究》1985年6期）、趙恒烈〈抗日根據地的經濟建設〉（《歷史教學》1979年6期）、景占魁〈論抗日根據地的經濟建設〉（《晉陽學刊》1995年5期）、張忠江〈中國共產黨領導抗日根據地經濟建設的歷史經驗〉（《龍江黨史》1995年3、4期）、王玉如〈論抗日根據地經濟建設的基本經驗〉（《荊州師專學報》1992年6期）、姜義軍〈抗戰時期毛澤東的經濟思想與根據地經濟建設〉（《山東社會科學》1995年4期）、陳朝響〈鄧小平抗日根據地經濟建設的理論與實踐〉（《福建學刊》1995年4期）、中國社會科學院經濟研究所現代經濟史組編《中國革命根據地經濟大事記，1937－1949》（北京，中國社會科學出版社，1986）、王同興〈抗日戰爭和解放戰爭時期革命根據地的金融建設〉（《中共黨史研究》1990年3期）及〈抗日根據地的金融建設事業初探〉（《財政研究資料》1985年增刊4期）、王工一等〈抗日戰爭時期革命根據地的貨幣政策〉（《遼寧商專學報》1985年4期）、于滔〈抗日根據地組織貨幣流通基本經驗初探〉（《中央財政金融學院學報》1984年增刊）、黃存林〈論抗日根據地的貨幣鬥爭〉（《河北學刊》1985年5期）、頁川〈簡論抗日根據地的土地政策〉（《紹興師專學報》1985年3期）、傅茂貞〈論黨在抗日戰爭時期的土地政策〉（《黨史研究》1984年5期）、許海生〈抗日戰爭時期中國共產黨土地政策的重大轉變〉（《新疆大學學報》1989年3期）、張琦〈抗日戰爭時期中國共產黨的土地政策：減租減息〉（《黨史通訊》1985年9期）、于雷〈論抗日根據地的減租減息〉（《北方論叢》1988年3期）、諸葛達〈抗日戰爭時期中國共產黨的減租減息政策〉（《浙江師大學報》1992年1期）、郭秀翔〈減租減息政策的提出與完善〉（《黨史文匯》1992年7期）、趙熙盛〈1943年秋－1945年春抗日根據地的查減退租運動〉(《成都黨史》1996年1期)、季耕〈論抗日根據地地主經濟的變化〉(《天府新論》1992年4期)、星光〈試論敵後抗日根據地的農村負擔政策〉(《財政研究資料》1985年增刊4期)及〈敵後抗日根據地的農村負擔政策〉(載《抗日民主根據地與敵後游擊戰爭》,北京,中共黨史資料出版社,1987)、李成瑞〈抗日戰爭時期幾個人民革命根據地的農業稅收制度與農民負擔〉(《經濟研究》1956年2期)、邱馨、趙景色〈黨在抗日根據地發展農業科學技術的政策〉(《中國農史》1986年2期)、徐有禮〈試論抗日根據地的農業互助合作〉(《鄭州大學學報》1993年6期)、內田知行〈中國抗日根據地におけるアヘン管理政策〉(《アジア研究》41卷4號,1995年8月)、馮來風、杜曉〈抗日根據地與解放和發展生產力－為紀念抗日戰爭勝利五十周年而作〉(《山西財經學院學報》1995年4期)、黃文主、趙振軍主編《抗日根據地軍民大生產運動》(北京,軍事誼文出版社,1993)。西村成雄〈中國抗日根據地－危機と社會空間の再調整〉(載《岩波講座‧近代日本と植民地》第6卷,1993年5月)、李金錚〈抗日根據地社會史研究的構想〉(《抗日戰爭研究》1996年1期)、田酉如〈簡論中國抗日根據地的社會性質〉(《理論探索》1993年1期)、曾瑞炎〈華僑支援抗日根據地的事跡述略〉(《西南師大學報》1987年2期)、韓釗文〈抗日戰爭時期抗日民主根據地工人運動的概況〉(《歷史教學》1964年7期)、曹延平〈革命根據地工會工作方針的演變〉(《工會理論與實踐》1995年5期)、馬璞、趙傳海〈抗日根據地婦女運動述論〉(《河南大學學報》1989年1期)、陳祖懷〈抗日民主根據地教育特色論〉(《史林》1995年2期)、黎安仁〈淺談抗日根據地教育發展的原因〉(《馬列主義教學研究》1985年3期)、李忠康〈略論黨在抗日根據地的教育政策〉(《山西師大學報》1995年3期)、王明欽〈論抗日根據地高等院校的思想政治教育〉(《河南大學學報》1991年6期)、宮坂宏〈抗日根據地の司法原則と人權保障〉(《專修大學法學論集》55·56號，1992年2月)、吳祖鯤〈抗日根據地文化建設論〉(《東北師大學報》1995年5期)、〈抗日根據地的文化建設及其特點〉(《理論探討》1995年5期)及〈抗日根據地文化理論和文化實踐〉(《長白論叢》1996年1期)、宋戶寬〈中共中央軍委的《關於抗日根據地軍事建設的指示》(1941年11月)的意義〉(載《中外學者論抗日根據地－南開大學第二屆中國抗日根據地史國際學術討論會論文集》，北京，檔案出版社，1993)、趙天佑〈抗日根據地軍事工業發展史概述〉(《中州學刊》1995年6期)、山下龍三〈革命と根據地－「持久戰について」をどう學習するか〉(《月刊毛澤東思想》2卷4號，1969年3月)。全國中共黨史研究會編《抗日民主根據地與敵後游擊戰爭》(北京，中共黨史資料出版社，1987)。曲鴻亮〈根據地建設在抗日戰爭中的作用－學習鄧小平關於抗日根據地建設的論述〉(《福建論壇》1995年4期)、張莉〈試論鄧小平抗日根據地建設思想〉(《理論與現代化》1995年7期)、鄧南平〈淺論敵後抗日根據地的建設〉(《成都黨史》1995年6期)、張啟〈抗日根據地廉政建設的基本經驗〉(《齊齊哈爾師院學報》1995年5期)、譚明、劉雲龍〈論抗日民主根據地的廉政建設〉(《龍江黨史》1995年3、4期)、劉雲龍〈抗日民主根據地廉政建設述評〉(《長白學刊》1991年4期)、朱玉湘〈論抗日根據地的精兵簡政〉(《山東大學學報》1996年3期)、吳志葵〈抗日戰爭時期根據地的精兵簡政〉(《淮北煤師院學報》1985年2期)、野澤豐〈抗日民族統一戰線與抗日根據地〉(載《中國抗日根據地史國際學術討論會論文集》，北京，檔案出版社，

1986）、石島紀之〈關於抗日根據地的發展和它的國內國際條件〉（同上）、安井三吉〈日本人在抗日根據地的反戰活動的若干特點〉（同上）、劉華〈黨在抗日根據地的日俘工作及日本士兵的反戰運動〉（《毛澤東思想研究》1996年1期）、田中仁〈路線轉換期における中國共產黨の根據地構想〉（載橫山英、曾田三郎編《中國の近代化と政治的統合》，東京，溪水社，1992）、陳廉〈中國共產黨在抗日根據地發動全民抗戰的基本政策〉（《抗日戰爭研究》1992年4期）、艾立華〈中國共產黨在抗日民主根據地正確處理黨政關係的基本理論初探〉（《龍江黨史》1992年5期）及〈中國共產黨在抗日民主根據地正確處理黨政關係的基本實踐述評〉（《長白學刊》1993年1期）、Saich Tony, "Introduction: the Chinese Communist Party and the Anti Japanese War Base Areas."（The China Quarterly, No.140,1994）、馮承伯等〈《美亞》雜誌與抗日根據地〉（《歷史教學》1986年9期）、海宏、丁牛譯述〈西方學者眼中的抗日根據地〉（《北京黨史研究》1995年5期）、馬雅麗〈"這是一支為民族的生存而戰鬥的軍隊"－記卡爾遜對抗日根據地的訪問〉（《黨的文獻》1995年5期）、林邁可著、楊重光、郝平譯《八路軍抗日根據地見聞錄───一個英國人不平凡經歷的記述》（北京，國際文化出版公司，1987）、胡哲峰〈毛澤東創建根據地思想在抗戰中的發展〉（《歷史教學》1992年1期）。草野文男《支那邊區の研究》（東京，國民社，1944）、陳國新等《所謂「邊區」》（重慶，獨立出版社，民28）、政治經濟研究所譯編《中國邊區重要法令集》（東京，農林省農地部，1948）、向山寬夫〈邊區の勞働法〉（收於仁井田記念講座編集委員會編《現代アジアの革命と法》，東京，勁草書房，1966）、中國共產黨西北中央局調查研究室《邊區的勞動互

助》(陝甘寧邊區生產運動叢書，1944)、許子威〈1942年邊區民主建
設之回顧〉(《地方革命史研究》1989年2期)、蕭周錄〈論抗日戰爭時
期邊區人權保障的歷史發展〉(《人文雜志》1995年6期)及〈毛澤東與
抗日根據地的人權理論與實踐〉(《唐都學刊》1994年5期)、井上久士
〈邊區における農業生產組織の性格について──とくに苗店子合
作農場をぬぐて〉(載《中國史における社會と民眾－增淵龍夫先生退官紀
念論集》，東京，1983)、陳麗、劉麗馨〈民族危難中的〝半邊天〞：
我黨抗日根據地的婦女政策〉(《黨史縱橫》1995年11期)、江上幸子
〈抗戰期の邊區における中國共產黨の女性運動とその方針轉換－
雜誌「中國婦女」を中心に〉(《柳田節子先生古稀記念：中國傳統社會と
家族》，東京，汲古書院，1993年5月)、葉飛鴻〈抗戰時期中共邊區
的婦紡運動〉(載《中華民國史專題論文集：第二屆討論會》，臺北，國史
館，民82)、今堀誠二〈抗日戰爭期における邊區の動向と實現－
勞働英雄の記錄の分析〉(《アジア經濟》12卷8號，1971年8月)、鄭
生壽、劉煜〈華僑在邊區建設中的作用〉(《延安大學學報》1987年4
期)、葉飛鴻〈抗戰時期中共邊區的冬學運動－以陝甘寧邊區、晉
察冀邊區、晉冀魯豫邊區為例〉(《國史館館刊》復刊18期，民84年6
月)。Harrison Forman, Report From Red China.（New York: Whittlesey
House, 1945）、Edgar Snow, Random Notes on Red China（1936～
1945）.（Cambridge: Harvard University, East Asian Research Center, 1957）及
Red Star Over China.（New York: Modern Library edition, 1938; New York:
Grove Press, 1961）、波多野乾－《赤色支那の究明》(東京，大東出版
社，1941)。

　　關於以中共黨政領導機構所在地延安為中心的陝甘寧邊區，其

論著和資料有宋金壽主編《抗戰時期的陝甘寧邊區》（北京，北京出
版社，1995）、王寅城編寫《陝甘寧邊區》（北京，新華出版社，1990）、
薛幸福主編《陝甘寧邊區》（北京，兵器工業出版社，1990）、中共鹽
池縣黨史辦公室編《陝甘寧邊區概述》（銀川，寧夏人民出版社，
1988）、甘肅省社會科學院歷史研究室編《陝甘寧革命根據地史料
選輯（第1-5輯）》（5冊，蘭州，甘肅人民出版社，1981-1986）、西北五
省區編纂領導小組、中央檔案館編《陝甘寧邊區抗日民主根據地》
（3冊，北京，中共黨史資料出版社，1990）、齊禮編《陝甘寧邊區實錄》
（解放社，民28）、興亞院政務部《陝甘寧邊區實錄》（東京，撰者印行，
1941）、調查統計局編印《陝甘寧邊區全貌》（重慶，民29）及《三
十年度偽陝甘寧邊區中共活動實況》（同上，民30）、甘棠壽、王致
中、郭維儀主編《陝甘寧革命根據地史研究》（西安，三秦出版社，
1988）、張俊南、張憲臣、牛玉民編《陝甘寧邊區大事記》（同上，
1986）、雷雲峰主編《陝甘寧邊區大事記述》（同上，1990）、張繼
祖編譯《陝甘寧邊區施政綱領：新文字通俗本》（延安，新華書店，民
30）、東亞研究所編譯《陝甘寧邊區の政策と近況》（東京，編譯者印
行，1942）、 Hsu Yang-ying, A Survey of Shensi-Kansu-Ninghsia
Border Region.（2 Vols., New York: Institute of Pacific Relations, 1945）。
王振中等〈陝甘寧邊區的由來和發展〉（《延安大學學報》1984年4期）、
Mark Selden, ："The Guerrilla Movement in Northwest China: The
Origins of the Shensi-Kansu-Ninghsia Border Region."（The China
Quarterly, No. 28, Oct.-Nov. 1966）、王自成等〈陝甘寧邊區歷史簡述〉
（《歷史檔案》1989年1期）、張素慧〈陝甘寧邊區革命歷史檔案〉（同
上，1986年4期）、李忠全〈陝甘寧邊區的歷史地位和作用〉（《人文

雜志》1987年6期）、王存才〈試論陝甘寧邊區的歷史地位〉（《理論教育》1987年7期）、牛興華〈論陝甘寧邊區在中國革命史上的地位〉（《延安大學學報》1993年1期）、黃兆安〈陝甘寧邊區歷史發展的特殊條件和規律〉（《河南黨史研究》1988年4、5期）、蔡國裕〈抗戰期間中共建立的邊區和根據地－陝甘寧邊區之建立〉（《共黨問題研究》17卷7、8期，民7、8月）、胡民新等〈陝甘寧抗日根據地史研究綜述〉（《黨史通訊》1987年1期）；〈陝甘寧邊區抗日民主根據地大事記〉（《中共黨史資料》33輯，1990）、呂夷〈關於陝甘寧〝邊區〞和〝特區〞的稱謂問題〉（《黨史研究》1985年5期）、田中仁〈中國共產黨關於建立陝甘寧根據地構想的演變〉（載《中外學者論抗日根據地－南開大學第二屆中國抗日根據地史國際學術討論會論文集》，北京，檔案出版社，1993年5月）、宋金壽〈陝甘寧邊區在抗戰中的地位和作用〉（《中共黨史研究》1995年5期）、王振中、李忠全〈陝甘寧革命根據地在抗日戰爭中的地位和作用〉（《理論學刊》1985年8期）、李忠全〈試論陝甘寧根據地對抗日戰爭的貢獻〉（《人文雜誌》1995年增刊）、王杰之、賀軍平〈蘇區黨代表會議與陝甘寧邊區抗日民主政權的建立〉（《延安大學學報》1991年4期）、Hsu Yang -ying, A Survey of Shensi-Kansu-Ninghsia Border Region: Part 1, Geography and Politics.（New York: International Secretariat, Institute of Pacific Relations 1945）、任中和〈陝甘寧邊區抗日民主政權的建立發展及其特點〉（《歷史檔案》1987年3期）、陝西檔案館、陝西省社會科學院編《陝甘寧邊區政府文件選編》（1-9輯，共9冊，北京，檔案出版社，1986-1990）、侯家國《中共陝甘寧邊區政府及其施政之研究》（政治大學東亞研究所碩士論文，民59）及《中共陝甘寧邊區政府－成立及其運作（1937-1947年）》（臺北，黎明文化事業公司，民68）、周誰〈共匪的所謂陝甘寧邊區政府〉（《共黨問題研究》5卷4期，民68年4月）、任中和〈陝甘寧邊區政府成立時間小考〉（《社會科學（甘肅）》1988年1期）、齊心、張馨主編《陝甘寧邊區政府成立五十周年論文選編》（西安，三秦出版社，1988）、陝西省檔案館《陝甘寧邊區政府大事記》（北京，檔案出版社，1991）、賀登啟等〈陝甘寧邊區政府辦公廳檔案簡介〉（《陝西檔案》1987年1期）、宮坂宏〈陝甘寧邊區政權の成立〉（《早稻田法學會誌》15號，1965年3月）及〈陝甘寧邊區の政權組織について〉（同上，14號，1964年3月）、宋金壽、李忠全主編《陝甘寧邊區政權建設史》（西安，陝西人民出版社，1990）、米世同等〈抗日戰爭時期陝甘寧邊區的政權建設〉（《延安大學學報》1981年1期）、王志民〈論抗日戰爭時期陝甘寧邊區政權的國體〉（《社會科學（甘肅）》1989年6期）、王晉林〈工農蘇維埃政權與陝甘寧邊區政權性質之比較〉（《甘肅理論學刊》，1989年5期）及〈也談陝甘寧邊區政權性質〉（《華中師大研究生學報》1989年4期）、王育民〈試論陝甘寧邊區的領導體制、決策方式及管理特色〉（《中學歷史教學參考》1996年6期）、董漢河〈試論陝甘寧革命根據地的政權與文化的關係〉（《寧夏社會科學》1988年2期）、宋金壽〈陝甘寧邊區的民主聯合政府〉（《北京鋼鐵學院學報》1988年1期）、于學仁〈新民主主義共和國的模型：從陝甘寧邊區看我黨領導根據地建設的若干歷史經驗〉（《東北師大學報》1981年4期）、中村樓蘭〈陝甘寧邊區における政府幹部問題〉（《慶應大學大學院法學研究所論文集》22號，1985年10月）及《陝甘寧邊區における幹部問題》（慶應大學法學研究所碩士論文，1984）、阮祥紅〈論陝甘寧邊區政府機關作風建設的基本經驗〉（《湖北大學學報》1995年5期）、賀軍平〈論陝甘寧邊區抗日民主政權效率建設的基本經驗〉(《唐都學刊》1995年4期)、中國科學院歷史研究所第三所編輯《陝甘寧邊區參議會文獻匯輯》(北京,科學出版社,1953);〈陝甘寧邊區第一屆參議會實錄〉(民28年印行)、陝甘寧邊區第二屆參議會常駐委員會編印《陝甘寧邊區第二屆參議會彙刊》(民31年印行)、外務省調查部第六課《陝甘寧邊區第二次參議會卜中國共產黨ノ邊區建設ノ現況》(東京,1942)、陝甘寧邊區政府辦公廳編印《陝甘寧邊區第二屆參議會重要文獻》(民33年印行)及《陝甘寧邊區參議會常駐會第十一次政府委員會第五次聯席會議之決定及有關經濟文化建設的重要提案》(民33年印行)、宮坂宏譯編〈陝甘寧邊區參議會通過條例〉(《比較法學》1卷1、2號,1964年11月、1965年3月)、宋金壽〈陝甘寧邊區參議會初探〉(《北京鋼鐵學院學報》1985年1期)、高青山〈關於陝甘寧邊區參議會:兼論邊區政權建設的歷史經驗〉(《南開學報》1983年5期)、侯家國〈中共陝甘寧邊區「議會政治」研究〉(《東亞季刊》3卷3、4期,民61年1、4月)、陝甘寧邊區政府委員會《陝甘寧邊區政府工作報告:廿八年－三十年》(延安,邊區政府秘書處,民30年)及《陝甘寧邊區簡政實施綱要》(大眾日報社,民32)、林伯渠《民國三十二年度陝甘寧邊區政府工作報告》(上海,在上海日本大使館特別調查班,1944)、陝甘寧邊區政府民政廳《陝甘寧邊區鄉選舉總結:1941年》(1941年印行)、陝甘寧邊區政府選舉委員會《選舉文件(第1輯)》(民34年印行)、曲濤、魏立平〈論陝甘寧邊區普選制度的形成及實施〉(《慶陽師專學報》1991年1期)、李衛〈試論陝甘寧邊區的民主選舉〉(《長春師院學報》1983年1期)、盧家驤〈抗戰時期陝甘寧邊區的民主選舉〉(《學習與研究》1987年6期)、成國銀〈陝甘寧邊區的第一次民主選舉與經驗〉(《黨史文苑》1994年3期)、任學嶺〈陝甘寧邊區的民主政治〉(《延安大學學報》1984年4期)、曾長秋〈走向新中國的第一步：記陝甘寧邊區的民主政治建設〉(《黨史縱橫》1996年3期)、熊宇良〈陝甘寧邊區民主政治的偉大實踐〉(《黨史研究》1984年5期)、李雲峰〈陝甘寧邊區民主政治的實施及其特點〉(《西北大學學報》1986年3期)、扈光民〈簡論陝甘寧邊區政治和民主建設的經驗〉(《石油大學學報》1990年4期)、高民〈略論陝甘寧邊區反官僚主義的鬥爭〉(《聊城師院學報》1992年2期)、王晉林〈抗戰時期陝甘寧邊區的軍事鬥爭〉(《甘肅理論學刊》1995年5期)、《陝甘寧邊區的精兵簡政》編寫組編《陝甘寧邊區的精兵簡政》(北京，求實出版社，1982)、熊宇良〈陝甘寧邊區的精兵簡政〉(《人文雜志》1981年6期)、張揚〈抗日戰爭時期陝甘寧邊區的精兵簡政〉(《近代史研究》1983年4期)、葉健君〈陝甘寧邊區的精兵簡政〉(《延安大學學報》1986年3期)、唐正芒〈陝甘寧邊區的精兵簡政〉(《湘潭大學學報》1983年3期)、盧紅飆〈論陝甘寧邊區的精兵簡政〉(《理論學習月刊》1992年10期)、張志強等〈抗日戰爭時期陝甘寧邊區的精兵簡政〉(《黨的生活叢刊》1982年4期)、王維遠〈淺談陝甘寧邊區的精兵簡政〉(《遼寧大學學報》1982年6期)、張希坡〈陝甘寧邊區的〝精兵簡政〞和行政立法〉(《政治與法律叢刊》1983年5輯)、楊漢鷹〈陝甘寧邊區的精兵簡政與行政管理〉(《政治學研究資料》1985年3期)、常兆儒〈陝甘寧邊區的簡政與行政立法〉(《法學研究》1982年6期)、李紅梅〈陝甘寧邊區簡政之目的〉(《中國行政管理》1994年2期)、劉文瑞等〈論陝甘寧邊區簡政的歷史意義〉(《延安大學學報》1987年4期)、任學嶺〈淺談陝甘寧邊區的三三制〉(同上，1981年1期)、王順喜〈試論陝甘寧邊區的三三制原則〉(《西北師院學報》1988年3期)、宋金壽〈三三制在陝甘寧邊區的實施〉(《黨史研究》1985年3期)、李忠全、王振中〈〝三三制〞在陝甘寧邊區的實施及其意義〉(《理論學刊》1987年7期)、李忠全〈陝甘寧邊區三三制的實施及其經驗〉(《陝西檔案》1987年4期)、劉曉清〈論〝三三制〞的實施對陝甘寧邊區廉政建設的作用〉(《邵陽師專學報》1995年3期)、陳萬安等〈論陝甘寧邊區的廉政建設〉(《華南師大學報》1994年1期)、沈家善〈陝甘寧邊區廉政建設初探〉(《黨史研究資料》1990年8期)、雷雲峰〈陝甘寧邊區的廉政建設〉(《人文雜志》1990年1期)、宋易風〈陝甘寧邊區政府廉政建設的理論與實踐〉(《理論導刊》1992年4期)、周雒〈共匪陝甘寧邊區黨、軍、財經的擴張〉(《共黨問題研究》5卷5期,民68年5月)。

　　王順喜〈抗日戰爭時期陝甘寧邊區的經濟建設〉(《西北師大學報》1995年4期)、高化〈略論抗日戰爭時期陝甘寧邊區的經濟建設〉(《甘肅理論學刊》1995年6期)、吳璋〈抗日戰爭時期陝甘寧邊區經濟建設述略－兼談毛澤東同志對邊區經濟建設的指導思想〉(《人文雜志》1985年5期)、井上久士〈抗戰前期(1937至1940)陝甘寧邊區之經濟建設〉(載《中國抗日根據地史國際學術討論會論文集》,北京,檔案出版社,1986年7月)、孫業禮〈論抗戰時期移民與陝甘寧邊區的經濟發展〉(《西北大學學報》1988年2期)、曾長秋〈任弼時對陝甘寧邊區經濟建設的理論貢獻〉(《雲夢學刊》1994年2期)、雷雲峰〈任弼時與陝甘寧邊區以經濟建設為中心的理論與實踐〉(《人文雜志》1994年5期)、安藤彥太郎〈陝甘寧邊區の公營經濟〉(《早稻田政治經濟學雜誌》168號,1961年12月)、劉一民〈抗戰時期陝甘寧邊區的經濟與廉政建設〉(《成都大學學報》1995年3期)及〈抗戰時期陝甘寧邊區的經濟搞活與廉政建設〉(《成都黨史》1995年4、5期合刊)、Peter Schran, Guerrilla Economy: The Development of the Shensi-Kan Su-Ningsia Border Region 1937-1945.(Albany, N. Y.: State University of New York Press, 1976)、王順喜〈抗戰時期陝甘寧邊區經濟建設的方針政策及其歷史作用〉(《甘肅社會科學》1995年5期)、唐滔默〈記取陝甘寧邊區經濟建設的若干歷史經驗〉(《財政研究資料》59輯，1981)、星光、張楊主編《抗日戰爭時期陝甘寧邊區財政經濟史稿》(西安，西北大學出版社，1988)、喻杰〈憶陝甘寧邊區政府的財政經濟工作－慶祝中華人民共和國成立三十五周年〉(《財政理論與實踐》1984年3期)及〈陝甘寧邊區的財政經濟工作〉(《革命史資料》1984年14輯)、裴之秀〈陝甘寧邊區財經工作的基本方針－學習《陝甘寧邊區的財經問題》的體會〉(《財政研究資料》1984年51期)、李祥瑞〈抗日戰爭時期陝甘寧邊區財政經濟概述〉(《西北大學學報》1982年4期)、楊玉芝〈抗戰時期陝甘寧邊區財政經濟述略〉(《遼寧大學學報》1989年5期)、許滌新《陝甘寧邊區與敵後抗日根據地財政經濟》(民30年出版)、劉昭豪〈抗日戰爭時期陝甘寧邊區的經濟構成及其性質和特點〉(《湘潭大學學報》1983年4期)、劉秉揚〈抗日戰爭時期的陝甘寧邊區財政〉(《西北大學學報》1986年3期)、郝雲宏〈簡論陝甘寧邊區的財政思想〉(《延安大學學報》1993年2期)、唐滔默〈抗日戰爭時期陝甘寧邊區的財政〉(《財政研究》1984年3期)、高文舍〈抗日戰爭時期陝甘寧邊區的財政政策〉(《陝西財經學院學報》1985年3期)、趙佩周〈陝甘寧革命根據地工商稅收簡介〉(《甘肅財政研究》1983年1期)、李俊良〈抗日時期陝甘寧邊區的工商稅收〉(《西北大學學報》1989年2期)、許建平〈抗日戰爭時期陝甘寧邊區私營經濟的發展〉(《中國經濟史研

究》1995年3期)、井上久士〈陝甘寧邊區の通貨·金融政策と邊區
經濟建設－1943年邊區ンフレーノヨンの分析を中心に〉(《歷史學
研究》505號，1982年6月)、〈抗戰時期陝甘寧邊區的貨幣金融政策
與經濟建設〉(《國外社會科學情報》1984年3期)及〈陝甘寧邊區の財
政と對外交易〉(載《中嶋敏先生古稀記念論集》下卷，東京，汲古書院，
1981)、陝甘寧邊區財政經濟史編寫組、陝西省檔案館編《抗日戰
爭時期陝甘寧邊區財政經濟史料摘編(共9編)》(內部發行，西安，陝
西人民出版社，1981)，其第1編為總編，第2編：農業，第3編：
工業交通，第4編：商業貿易，第5編：金融，第6編：財政，第
7編：互助合作，第8編：生產自給，第9編：人民生活；姚會元
〈抗日戰爭時期陝甘寧邊區的金融事業〉(《黨史研究》1985年3期)、
中國人民銀行陝西省分行編輯《陝甘寧邊區金融史》(北京，中國金
融出版社，1992)、高西蓮〈簡論抗日戰爭時期陝甘寧邊區的金融比
價與物價問題〉(《延安大學學報》1995年1期)、任學嶺〈簡述陝甘寧
邊區貨幣〉(同上，1992年4期)、王義才等〈陝甘寧邊區銀行簡介〉
(《金融研究》1981年增刊2)、李祥瑞〈抗日戰爭時期的陝甘寧邊區銀
行〉(《西北大學學報》1985年3期)、范耀武等〈陝甘寧邊區銀行所屬
光華印刷廠〉(《中國錢幣》1985年4期)、劉秉揚〈抗戰時期陝甘寧邊
區的貨幣發行〉(《文博》1988年1期)、雷和平〈學習陝甘寧邊幣發
行史的一些體會〉(《陝西金融》1987年8期)、趙金鐸〈抗日戰爭時期
陝甘寧邊區的貨幣流通〉(《陝西財經學院學報》1981年3期)、崔平〈一
樁難忘的金融事件：憶陝甘寧邊區消滅法幣黑市的鬥爭〉(《國際金融
研究》1988年1期)、林要三〈陝甘寧邊區の設立された「中國最初
の社會主義的農業生產協調組合」について〉(《帝塚山大學論集》12

號，1976 年 5 月）、王維遠〈抗日戰爭時期陝甘寧邊區發展農業的政策和措施〉（《遼寧師大學報》1991 年 5 期）、張揚〈抗日戰爭時期陝甘寧邊區的農業〉（《西北大學學報》1981 年 4 期）、張水良〈抗日戰爭時期陝甘寧邊區的農業互助合作〉（《歷史教學》1959 年 9 期）、何文孝、高長林〈抗日戰爭時期陝甘寧邊區的農業勞動互助〉（《陝西財經學院學報》1983 年 1 期）、楊樹楨〈陝甘寧邊區發展工業經驗初探〉（《陝西師大學報》1982 年 1 期）、侯天嵐〈抗日戰爭時期陝甘寧邊區的公營工業〉（《西北大學學報》1981 年 2 期）、陳群哲〈抗日戰爭時期陝甘寧邊區的公營工業〉（《江西社會科學》1994 年 7 期）、李運元〈抗日戰爭期間陝甘寧邊區公營工業〉（《經濟科學》1980 年 2 期）、張水良〈抗日戰爭時期陝甘寧邊區的公營工業〉（《中國社會經濟史研究》1988 年 4 期）、夏陽〈論陝甘寧革命根據地的私營工業〉（《甘肅社會科學》1991 年 5 期）、王致中、魏麗英〈偉大的歷史性創造：論抗戰時期陝甘寧邊區的私營工商業政策與實踐〉（同上，1995 年 5 期）、菊池一隆〈陝甘寧邊區における中國工業合作運動〉（《東洋史研究》49 卷 4 號，1991 年 3 月），其中譯文〈陝甘寧邊區的中國工業合作運動〉，文載《國外中國近代史研究》22 輯，1993 年出版；梁繼承〈抗日戰爭時期陝甘寧邊區的棉紡織業〉（《經濟研究》1963 年 7 期）；《陝甘寧邊區民間紡織業》（中華婦女社，民 35；婦女叢刊之一）、李祥瑞〈抗日戰爭時期陝甘寧邊區的公營商業〉（《西北大學學報》1984 年 4 期）、儀我壯一郎〈中國邊區における社會主義企業の先驅的諸形態－陝甘寧邊區の各種協同組合と公營企業〉（《經營研究》48 號，1960 年 5 月）、李德運〈陝甘蘇區和陝甘寧邊區國營貿易概況（1935 年 3 月至 1949 年 12 月）〉（《理論學刊》1987 年 10 期）、石治民〈關於陝甘寧邊區根據地商業貿易工作情況的點滴回憶〉(《蘭州學刊》1982年2期)、李忠〈陝甘寧邊區的糧食工作與抗日戰爭〉(《文史雜志》1992年3期)、李祥瑞〈抗戰時期陝甘寧邊區鹽的產銷及其經濟地位〉(《西北大學學報》1987年2期)、劉迪香〈抗日戰爭時期陝甘寧邊區鹽務工作概述〉(《益陽師專學報》1996年4期)、陝西省檔案館〈陝甘寧邊區政府查禁毒品史料選〉(《歷史檔案》1993年1、2期)、周志斌〈陝甘寧邊區政府禁毒政策述略〉(《學海》1996年1期)、內田知行〈抗日戰爭時期陝甘寧邊區的義倉經營〉(載《中國抗日根據地史國際學術討論會論文集》,北京,檔案出版社,1986年7月)、〈陝甘寧邊區道路運輸事業的建設與發展〉(載《中外學者論抗日根據地－南開大學第二屆中國抗日根據地史國際學術討論會論文集》,北京,檔案出版社,1993年5月)及〈陝甘寧邊區的交通運輸事業〉(《抗日戰爭研究》1993年1期)、田霞〈抗日戰爭時期陝甘寧邊區的交通運輸〉(《西北大學學報》1993年2期)、李祥瑞〈合作社經濟在陝甘寧邊區經濟建設中的地位〉(《西北大學學報》1981年3期)、孔永松〈試論抗戰時期陝甘寧邊區的特殊土地問題〉(《中國社會經濟史研究》1984年4期)、石田米子〈抗日戰爭期の農民運動－陝甘寧邊區の減租鬥爭〉(《岡山大學文學部紀要》第1卷末,1980年12月)、何文孝等〈抗日戰爭時期陝甘寧邊區的減租減息〉(《陝西財經學院學報》1981年3期)、陳舜卿〈試論陝甘寧邊區的減租減息運動〉(《西北大學學報》1982年4期)、Pauline Keating, Beyond Land Revolution, the Rent Reduction Campaigns in the Shanganning Border Region, 1937-1946.(Paper on Far Eastern History, No.36, 1987)、汪玉凱〈陝甘寧邊區實行減租減息政策的歷史考察〉(《黨史研究》1983年3期)、牛旳、康喜平〈陝甘寧邊區人口概述〉(《延安大學學報》1992

年3期)、張杰、王省安〈抗日戰爭時期陝甘寧邊區的人口發展〉(《延安大學學報》1995年4期)、陳兆坤〈抗日戰爭時期陝甘寧邊區的移民運動〉(《歷史教學》1987年11期)、楊青〈生活在人們的鬥爭中變樣：抗戰時期陝甘寧邊區社會習俗的變遷〉(《黨史博採》1992年4期)、張可榮〈抗戰時期陝甘寧邊區的二流子改造運動〉(《長沙水電師院學報》1995年3期)及〈科學與迷信的正面交鋒：試論抗戰時期陝甘寧邊區的反迷信鬥爭〉(同上，1996年2期)、周訓芳〈延安時期的科技政策與陝甘寧邊區的自然科學運動〉(《求索》1992年6期)、陳舜卿〈抗日戰爭時期陝甘寧邊區的勞模運動〉(《西北大學學報》1985年1期)、佐藤宏〈陝甘寧邊區の農村勞動傳英雄と基層指導部－延安期の大眾路線〉(《中國研究月報》432號，1984年2月)、郗占元〈抗日戰爭時期陝甘寧邊區職工運動概況〉(《中國工運史料》1958年4期)、林要三〈陝甘寧邊區における集體勞動〉(載西村成雄編《東北における土地改革》，東京，1978)。程斯輝〈抗日戰爭時期陝甘寧邊區的掃盲工作－為國際掃盲年而作〉(《湖北大學學報》1990年6期)、王鵬、羅嗣炬〈從政治社會化角度論抗戰時期陝甘寧邊區的教育〉(《黨史研究與教學》1995年3期)、李耀萍〈抗戰時期陝甘寧邊區教育的建設與成就〉(《人文雜志》1995年6期)、陳桂生〈中共中央與陝甘寧邊區若干教育資料略考〉(《延安大學學報》1989年2期)、劉瑞奈〈陝甘寧邊區教育工作的回顧〉(《陝西教育》1981年1、2期)、沈紹輝〈陝甘寧邊區的師範教育〉(《延安大學學報》1994年1期)、陝西省教育廳《陝甘寧邊區的普通教育》(西安，陝西人民出版社，1959)、陝甘寧邊區政府辦公廳編印《陝甘寧邊區教育方針》(延安，民33年印行)、劉澤如〈陝甘寧邊區學校中的政治思想教育〉(《人文雜志》1958年3期)、施肇域〈毛澤東對陝甘寧邊區文化教育建設的關心與指導〉(《黨的文獻》1994年5期)、張秦英、劉漢華〈陝甘寧邊區社會教育的特點〉(《西北大學學報》1985年3期)、吳洪成〈試論抗戰時期陝甘寧邊區的小學教育〉(《西南師大學報》1995年3期)、王晉林〈抗戰時期陝甘寧邊區的體育〉(《甘肅社會科學》1995年3期)、張孝亮〈陝甘寧邊區教育基本經驗初探〉(《教育研究》1982年7期)、任鍾印〈論抗日戰爭期間陝甘寧邊區的兩次教育改革〉(《華中師院學報》1984年2期)、鄭涵慧〈抗日戰爭期間陝甘寧邊區教育方針研討〉(《西北大學學報》1984年2期)、周雒〈陝甘寧邊區的赤化教育〉(《共黨問題研究》5卷6期，民68年6月)、劉風梅等〈陝甘寧邊區的幹部教育〉(《延安大學學報》1981年2、3期)、潘艦萍〈論抗日戰爭時期陝甘寧邊區的幹部教育〉(《長沙水電師院學報》1990年1期)、李綿、張安民〈陝甘寧邊區的在職幹部教育〉(《陝西師大學報》1982年2期)、辛安亭〈精簡集中和綜合連貫－陝甘寧邊區編寫教材的經驗〉(《課程・教材・教法》1981年1期)及〈啟發心智－陝甘寧邊區編寫教材的經驗〉(同上，1981年3期)。鍾慶祥〈從黃克功案的處理看陝甘寧邊區加強民主法制建設的特點〉(《延安大學學報》1987年4期)、楊永華、方克勤《陝甘寧邊區法制史稿：訴訟獄政篇》(北京，法律出版社，1987)、楊永華等〈論陝甘寧邊區法制建設的原則〉(《法學研究》1984年5期)、宮坂宏〈陝甘寧邊區の立法について〉(《現代中國》39號，1964年5月)、趙岩、曾鹿平〈實事求是思想路線的具體體現：論蘇維埃勞動法到抗日戰爭時期陝甘寧邊區勞動立法的兩次轉變〉(《延安大學學報》1995年3期)、向山寬夫〈陝甘寧邊區の勞働法〉(載《勞働法の諸問題》，東京，勁草書房，1974)、秦燕〈陝甘寧邊區婚姻法規變動及其啟示〉

《婦女研究論叢》1994年4期)、仁井田陞等〈陝甘寧邊區婚姻條例〉
(《法律時報》31卷8號，1959年7月)、王克勤〈陝甘寧邊區懲治貪污
罪的立法與實踐〉(《西北政法學院學報》1987年4期)。董漢河〈試論
陝甘寧革命根據地的政權與文化的關係〉(《寧夏社會科學》1988年2
期)、白繼忠〈陝甘寧邊區的公文改革〉(《秘書之友》1985年4期)。
中國民間文藝研究會編、中央音樂學院民族音樂研究所整理《陝甘
寧老根據地民歌選》(上海，新音樂出版社，1953)、張慧珍〈抗日戰
爭時期陝甘寧邊區的圖書館事業〉(《圖書館工作與研究》1995年5期)、
劉慶鍔等〈試談陝甘寧邊區的戲劇創作〉(《北京師院學報》1979年1
期)、高文等輯〈抗戰時期陝甘寧邊區主要報刊簡介〉(《新聞戰線》
1981年9期)、劉建勛〈人民文藝生活的新階段－延安文藝座談會後
陝甘寧邊區的文藝活動〉(《西北大學學報》1982年2期)、王燎熒〈陝
甘寧邊區的文藝運動和毛澤東文藝思想〉(《社會科學戰線》1982年4
期)、劉建勛〈陝甘寧邊區的藝術輕騎－新洋片〉(《西北大學學報》
1983年1期)、周健〈陝甘寧邊區文藝史："兩戰團"的成立及其初
期活動〉(《人文雜志》1983年4期)、黃俊耀〈陝甘寧邊區民眾劇團歷
史回顧〉(《新劇作》1982年2期)；〈1942年－1947年陝甘寧邊區新
華書店(總店)發行(出版)及經售部分書目〉(《延安文藝研究》1987
年4期)、金漢玉〈抗日戰爭時期陝甘寧邊區學術團體〉(《陝西檔案》
1993年4期)、洪安琪〈論抗日戰爭時期陝甘寧邊區工人運動的方針
任務〉(《西北大學學報》1988年3期)、陝西省政協延安地區聯絡組、
中共延安地委統戰部編《陝甘寧邊區愛國民主人士》(西安，陝西人
民出版社，1993)、陝西省總工會工運史研究室選編《陝甘寧邊區工
人運動史料選編》(2冊，北京，工人出版社，1988)、魯芒《陝甘寧邊

區的民眾運動》(漢口，大眾出版社，民27)。孫峻亭〈抗日戰爭時期陝甘寧邊區的行政區劃〉(《中國民政》1989年6期)、鄭涵慧〈抗日戰爭時期陝甘寧邊區的統一戰線工作〉(《西北大學學報》1985年3期)、胡民新〈抗日戰爭時期陝甘寧邊區的統戰工作〉(《西北大學學報》1989年1期)、陝西省檔案館〈抗戰時期陝甘寧邊區政府統戰工作史料〉(《歷史檔案》1987年3期)、宋金壽〈陝甘寧邊區的統一戰線區的概述〉(《黨史研究》1984年4期)及〈整風運動在陝甘寧邊區〉(同上，1980年6期)、李維漢〈關於陝甘寧邊區黨史的幾個問題〉(《人文雜志》1981年慶祝建黨專刊)、劉昭豪〈抗日戰爭時期陝甘寧邊區黨的工作重點轉移問題〉(《延安大學學報》1983年4期)、楊永華等〈陝甘寧邊區調解工作的基本經驗〉(《西北政法學院學報》1984年2期)及〈陝甘寧邊區調解原則的形成〉(同上，1984年1期)、鄭生壽〈抗日戰爭時期中共中央與陝甘寧邊區的對外政策〉(載《抗日民主根據地與敵後游擊戰爭》，北京，中共黨史資料出版社，1987)、李忠全〈陝甘寧邊區的對外活動〉(《歷史檔案》1989年1期)、任貴祥〈抗日戰爭時期陝甘寧邊區華僑活動述略〉(《人文雜志》1987年2期)。陳舜卿〈陝甘寧邊區部隊機關學校的生產自給〉(《西北大學學報》1981年4期)、張樹宣〈試論陝甘寧邊區的大生產運動〉(《青海民族學院學報》1985年4期)、薛立〈陝甘寧邊區大生產運動中的三五九旅〉(《中學歷史教學參考》1982年5期)、王素園〈陝甘寧邊區「搶救運動」始末〉(《中共黨史資料》37輯，1991)、張水良〈抗日戰爭時期陝甘寧邊區的趙占魁運動〉(《人文雜志》1981年5期)、樊明方、胡雅各〈陝甘寧邊區趙占魁運動述論〉(《河北大學學報》1993年1期)、黃朝章等〈抗日戰爭時期陝甘寧邊區知識分子政策初探〉(《寶雞師院學報》1985年1期)、李忠全等〈抗日戰爭時期陝甘寧邊區知識分子政策簡述〉(《黨史研究》1985年3期)、王衛星〈抗戰時期陝甘寧邊區的青年運動〉(《學海》1995年4期)、徐波〈抗戰初期陝甘寧邊區的青年救國會〉(《青運史研究》1981年8期)、郭林〈陝甘寧邊區民族工作述略〉(《人文雜志》1988年1期)、宋金壽〈黨在抗日戰爭時期的民族政策和陝甘寧邊區的少數民族工作〉(《北京鋼鐵學院學報》1987年1期)、王維遠〈陝甘寧邊區民族政策簡述〉(《寧夏大學學報》1983年2期)、雷雲峰〈抗日戰爭時期陝甘寧邊區政府的民族宗教工作〉(《抗日戰爭研究》1994年2期)、郭林〈《抗日戰爭時期陝甘寧邊區政府的民族宗教政策》一文有幾處錯訛〉(同上,1996年2期)、王戈卿〈民族區域自治政策在陝甘寧邊區的實踐〉(《民族理論研究通訊》1983年4期)、郭林〈陝甘寧邊區的民族區域自治工作〉(《陝西地方志通訊》1987年2期)。路志亮〈介紹陝甘寧邊區的婦女運動片斷〉(《婦運史研究資料》1982年6期)、郝琦〈試論陝甘寧邊區婦女在抗戰中主要貢獻〉(《延安大學學報》,1995年3期)、崔蘭萍〈陝甘寧邊區婦女地位變化簡述〉(《唐都學刊》1994年1期)、秦燕〈陝甘寧邊區婦女參加社會生產的理論與實踐〉(《人文雜志》1992年3期)、綦磊、張欣〈陝甘寧邊區第一次婦女代表大會述評〉(《石油大學學報》1995年3期)、Hua Chang-ming, "Peasants, Women and Revolution: CCP Marriage Reform in the Shan-Gan-Ning Border Area." (Republican China, Vol. 10, No. 1b, Nov. 1984)、孔淑真〈陝甘寧邊區的婦嬰衛生事業－1937～1949〉(《中華醫史雜誌》16卷2期,1986年4月)、劉義維〈陝甘寧邊區的郵政和郵票〉(《集郵》1964年8期)、于學仁〈新民主主義共和國的模型－從陝甘寧邊區看我黨領導根據地建設的若干歷史經驗〉(《東北師大學報》1981年4期)、張用

建、郭旗、張沛沛〈陝甘寧邊區周邊在抗日戰爭中相對穩固之因〉
(《黨史文匯》1996年12期)、郭潤宇〈關于紅二十八軍和陝甘寧革命
根據地歷史的幾個問題〉(《人文雜志》1989年6期)、Joseph Esherick,
"Deconstructing the Construction of the Party-State: Gulin County in
the Shan-Gan Ning Border Region." (The China Quarterly, No. 140, De-
cember 1994)、崔華華、羅行東〈抗日戰爭時期宋慶齡對陝甘寧邊區
的傑出貢獻〉(《人文雜志》1993年4期)、張可榮〈再論李鼎銘對陝甘
寧邊區建設的貢獻〉(《長沙水電師院社會科學學報》1993年2期)、王維
遠〈陝甘寧邊區的幾件事〉(《理論與實踐》1981年4期)、于學仁〈新
民主主義共和國的模型——從陝甘寧邊區看我黨領導根據地建設的
若干歷史經驗〉(《東北師大學報》1981年4期)。

　　以延安或延安時期為題的論著和資料有謝克《延安十年》(上
海，青年出版社，民35)、魯平編《生活在延安》(西安，新華社，民27；
附：陝北邊區的新變化)、齊世傑《延安內幕》(華嚴出版社，民32)、
金東平《延安見聞錄》(民族書店，民35年2版)、黃炎培《延安歸來》
(重慶，國訊書店，民34)、尚丁〈《延安歸來》與拒檢運動〉(《新聞研
究資料》21期，1983)、黃霖《延安軼事》(北京，解放軍文藝出版社，
1982)，作者曾任中共中央警衛團團長，本書係根據其所見所聞，
記錄了中共要人毛澤東、周恩來、朱德等人在延安時期的生活片
斷；陳明欽等編《中外人士訪延安紀實：封鎖線內的真相，1944－
1945》(昆明，雲南人民出版社，1990)、齊文編《外國記者眼中的延
安及解放區》(歷史資料供應社，民35)、巴斯哈特等著、哲民譯《延
安視察記》(言行社，民29)、伏拉狄米洛夫(Peter Vladimirov)著、
周新譯《延安日記(1942-1945)》(臺北，聯經出版事業公司，民65)、

岩村三千夫〈「延安日記」が暴露したもの〉(《中國研究月報》342號，1976年8月)、趙超構《延安一月》(南京，新民報社，民35年2版)、方文著、李子純插圖《奔向延安》(瀋陽，遼寧人民出版社，1982)，作者為中共地下工作人員，本書係記其抗戰末期自天津之日本監獄脫逃，奔向延安，歷時8個月，步行數千里抵延安的所見所聞；伍文編著《延安內幕》(重慶，四海出版社，民35)、中國社會科學院新聞研究所中國報刊史研究室編《延安文萃》(2冊，北京，北京出版社，1984)，係延安《解放日報》1941年5月16日至1947年3月27日所發表之文章的精選；魏至善著、延安革命紀念館攝影《革命聖地延安》(天津，天津美術出版社，1959)、延安革命紀念館編《革命聖地延安圖片集》(上海，上海教育出版社，1986)，共收錄紅軍長征到陝北，建立抗日民族統一戰線、紅軍改編出師抗日、延安大生產運動、中共第七次全國代表大會等11個方面的圖片；Eudocio Ravines, The Yenan way. (New York: Scribner, 1951)、Mark Selden, The Yenan Way in Revolutionary China.(Cambridge, Mass. Harvard University Press, 1974.)及China in Revolution: The Yenan Way Revisited. (Armonk, N. Y.: M. E. Sharpe, 1995)、馬克‧塞爾登〈革命中國的延安道路〉(《黨史通訊》1984年12期)、E. Ravines, "Yenan Way; Excerpt. "(American Mercury, Vol. 74 Jan. 1952)、Pauline Keating, "The Yen'an Way of the Cooperativization." (The China Quarterly, No. 140, December 1994)、Pauline Keating, "The Ecological Origins of the Yen'an Way. "(The Australian Journal of Chinese Affairs, Issue 32, July 1994)、Carl Dorris, "Peasant Mobilization in North China and the Origins of Yenan Communism. "(The China Quarterly, No.68, Dec.

1976）、陳俊岐《延安軼事》(北京，人民文學出版社，1991）、梅劍主
編《延安秘事》(北京，紅旗出版社，1996）、王克之編《延安內幕》
（上海，經緯書店，民35）、陳永發《延安的陰影》(臺北，中央研究院近
代史研究所，民79）、Nym Wales(Helen Snow), My Yenan Notebooks.
(Madison, Co., 1961）、朱子奇、張沛編《延安晨歌：1940年－1942
年》(西安，陝西人民出版社，1984）、張棱、張鐵夫、張沛《三位老
記者延安通訊選》(北京，新華出版社，1985）、劉白羽《延安生活》
（現實出版社，民35）、陳學昭《延安訪問記》(北極書店，民29）、馬
國昌《延安求學記》(武漢，湖北人民出版社，1959）、威爾斯著、華
侃譯《西行訪問記：紅都延安秘錄》(北京，中國青年出版社，1994）、
伊·愛潑斯坦著、張揚等譯《突破封鎖訪問延安－1944年的通訊
和家書》(國際友人叢書，北京，人民日報出版社，1995）、斯坦因著、
紫薔譯《跨進延安的大門－紅色中國的挑戰之二》(上海，晨社，民
35）、斯坦因著、谷桃譯《延安的日本俘虜－紅色中國的挑戰之八》
（同上）、休梅克（Kenneth E. Shewmaker）著、浦鳳蓮譯《延安萬
里客：1927 － 1945》(香港，新中出版社，1973）、James Reardon-
Anderson, Yenan and the Great Powers: The Origins of Chinese Com-
munist Foreign Policy, 1944-1946.(New York: Columbia University Press,
1980）、詹·里埃〈延安的獨立自主外交〉(《編譯參考》1982年10期）、
牛軍《從延安走向世界－中國共產黨對外關係的起源》(福州，福建
人民出版社，1992）、陝西省軍區政治部、延安軍分區政治部編《英
雄的延安民兵》(西安，陝西人民出版社，1977）、劉增杰等《抗日戰
爭時期延安及各抗日民主根據地文學運動資料》(3冊，太原，山西人
民出版社，1983）、B. K. Basu, Call of Yenan: Story of the Indian

Medical Mission to China, 1938-1943.（New Delhi: All India Kotnis Memo-rial Pub. Committee, 1986）、Steven M. Goldstein, "The Chinese Revolution and Colonial Areas: The View from Yenan, 1937-1941.（The China Quarterly, No.95, September 1978）、Mark Selden, "Yan'an Communist Reconsidered." (Modern China, Vol. 21, No. 1,Jan. 1995)、Chen Yung-fa（陳永發），"The Blooming Poppy Under the Red Sun: The Yan'an Way and the Opium Trade. "（In Tony Saich and Hans J. Van de Van, eds., New Perspectives on the Chinese Communist Revolution, Armonk, N. Y.: M. E. Sharpe, 1994），著者另用中文撰有〈紅太陽下的罌粟花：鴉片貿易與延安模式〉（《新史學》1卷4期，民79年12月）、魏協武《聖地金融錄》（西安，陝西人民出版社，1996）、波多野乾一著、平明譯《延安水滸傳》（時代晚報社，民29）；《延安的女性》（中西圖書社，民35）、延安地區編劇組編《我是延安人》（北京，人民文學出版社，1974）、延河文學月刊社《憶延安（第1集）》（西安，東風文藝社版社，1958）、劉達潮〈回憶延安〉（《中國工人》1957年5期）、于光遠〈延安六年〉（《群言》1987年12期）、侯正果〈首進延安城〉（《星火燎原》1984年1期）、李達六譯〈第一次出現在歐洲的記者筆下的延安〉（《新觀察》1983年20期）、巫雲仙〈貝特蘭訪問延安及其華北前線之行〉（《黨史博採》1995年2期）、羅歌、秦華〈延安·人民·領袖－記M·羅別愁在中國解放區〉（《文物天地》1981年6期）、王自成〈中外記者西北參觀訪問團訪問延安記述〉（《歷史檔案》1994年2期）、熊建華〈世界人民的眼晴－記抗戰時期的中外記者西北參觀團〉（《黨史研究資料》1985年10期）、K.E.休梅克〈中外記者西北參觀團在延安〉（《西北史地》1987年2期）、張克明〈中外記者團的延

安之行與國民黨政府的阻撓〉（《復旦學報》1985年4期）、劉景修〈外國記者何時提出赴延安採訪〉（《近代史研究》1989年4期）、袁武振、梁月蘭〈面前是新中國一角的曙光：1944年夏中外記者團延安紀行〉（《黨史縱橫》1995年2期）、穆欣〈中外記者團訪問延安前後〉（《山西革命根據地》1989年2輯）、T. A. Bisson, Yenan in June 1937: Talks with the Communist Leaders. (Berkely: University of California Press. 1973)，其中譯本為托馬斯·阿瑟·畢森著、張星星、薛魯夏譯《抗日戰爭前夜的延安之行》（瀋陽，東北工學院出版社，1990）、程序〈延安行〉（《福建黨史月刊》1995年4期）、鄭毅濤、鄭宇口《黃炎培延安之行》（鄭州，中州統戰出版社，1995）、牛軍《從延安走向世界－中國共產黨對外關係的起源》（福州，福建人民出版社，1992）、李耀萍〈試論延安精神及其產生〉（《延安大學學報》1994年1期）、陳邵桂〈淺論延安精神〉（《邵陽師專學報》1987年3期）、劉永芳〈淺析延安精神〉（《淮陽論壇》1991年1期）、張宏志〈也談延安精神〉（《延安文藝研究》1991年4期）、胡松〈延安精神是井岡山精神的繼承和發展〉（《江西大學學報》1991年1期）、高九江〈近幾年延安精神研究的新進展〉（《延安大學學報》1993年1期）、張寶泉、殷紫霞〈論延安精神的文化品格〉（同上，1992年1期）、劉鳳蓮〈延安精神內涵初探〉（《許昌師專學報》1988年1期）、薛施春等〈重溫財經工作總方針和延安精神〉（《財政研究資料》1985年增刊4期）、曹軍〈論獨立自主自力更生艱苦奮鬥的延安精神〉（載《延安精神概論》，西安，陝西人民出版社，1991）、史天經〈繼承和發揚延安精神〉（《山東社會科學》1987年2期）、《延安頌歌》編委會編《延安頌歌－繼承和發揚延安精神》（北京，新華出版社，1992）、李冬久等《延安精神，民族之魂》（西安，西北大學出版社，1991）、羅忠敏、莊岩主編《毛澤東是延安精神的締造者》（西安，陝西人民教育出版社，1993）、陝西省延安地區革命委員會政工組編《延安精神教育新人－北京插隊知識青年在延安》（北京，人民出版社，1992）、陳贊才〈延安精神與中華民族的奮起抗戰〉（《桂海論叢》1995年5期）、高宜新〈弘揚延安精神再創聖地輝煌：紀念毛主席黨中央進駐延安60周年〉（《黨建研究》1996年12期）、黨磊〈全面理解延安精神〉（《黨校論壇》1989年7期）、李諸平〈延安精神的形成及啟示〉（《攀登》1995年4期）、陳秀美〈延安精神與中華民族精神〉（《福州大學學報》1995年2期）、欒雪飛〈延安精神的歷史作用及對今天的啟示〉（《蒲峪學刊》1992年4期）、汪學文〈中共延安精神與延安學之評析〉（《共黨問題研究》17卷12期，民80年12月）、彭書貴〈延安精神與新中國的繁榮富強：兼論精神生產力的推動作用〉（《雲南學術探索》1990年9期）、辛祿升〈傳統文化與延安精神〉（《青年思想家》1991年3期）、馬文瑞〈延安精神永放光芒〉（《黨建研究》1992年2期）、蒲杰〈延安精神凝聚着中華民族精神〉（《黨校論壇》1991年2期）、楊植霖〈延安時期幹部教育的蓬勃發展與基本經驗：二談發揚延安精神〉（《黨的建設》1988年3期）、史天經〈延安精神哺育和激勵著中華民族〉（《延安大學學報》1987年3期）、黃兆安〈也談延安精神的主要特點〉（《理論學刊》1987年11期）、崔茂盛〈延安精神的提出、形成及其意義〉（同上，1987年7期）、趙昌〈延安精神的再探討〉（《蘭州學刊》1989年5期）、胡育民〈延安精神的歷史地位〉（《黨政論壇》1991年5期）、任學嶺〈駁（美）莫里斯·邁斯納對延安精神的歪曲〉（《四川黨史》1991年6期）、郭必選〈延安精神與整風運動〉（《延安大學學報》1992年2期）、段治文、鍾學敏〈論抗戰時

期延安的思想文化變革〉(《人文雜志》1995年5期)、鈴木擇郎〈延安
における文化革命と五四運動〉(《愛知大學文學論叢》第1號，1949年11
月)、包心鑒〈試論延安作風的精髓〉(《毛澤東思想研究》1991年1期)、
于素蘭〈黨的延安作風的形成及其現實意義〉(《南通學刊》1995年4
期)、廣谷豐〈延安的民主性に就て〉(《時論》1卷10號，1946年10
月)、徐行〈試論抗戰時期延安的廉政建設〉(《歷史教學》1996年1
期)、今崛誠二〈延安政權におけるナシヨナリズムと階級鬥爭〉
(《アジア經濟》11卷6號，1970年6月)、廣谷豐〈延安政權發展の跡〉
(《中國評論》1卷3號，1946年10月)、曹伯一〈「精兵簡政」與延安政
權之苦撐待變〉(同上，5卷2期，民62年10月)、高玲曾編寫〈正確
地認識和總結歷史經驗－1941-1945年延安討論黨的歷史問題紀事〉
(《黨的生活叢刊》1981年1期)、孫金科〈在延安召開的東方各民族反
法西斯代表大會〉(《黨史研究資料》1990年10期)、安井三吉〈延安
における東方各族反フアツジヨ代表大會(1941年)について〉(《歷
史評論》327號，1977年7月)、曲峽、于志亭〈〝東方各民族反法西
斯代表的大會〞述評〉(《延安大學學報》1993年2期)、侯正果〈首進
延安城〉(《星火燎原》1984年1期)、白揚采編《延安新文字獄記詳》
(泰和，尖兵半月社，民32)、汪春劼〈略論抗戰時期的赴延青年〉(《學
術界》1990年4期)、王立志〈一條秘密的延安通道：同蒲支隊百里
交通線憶事〉(《黨史文匯》1995年11期)、劉悅清〈延安知識分子群
體的特徵及其歷史地位〉(《浙江社會科學》1995年4期)、蕭軍《從臨
汾到延安》(太原，山西人民出版社，1983)，作者記述其於1938年春
自山西的臨汾至延安一個多月歷程中的所見所聞、方志純〈坎坷萬
里行——從烏魯木齊到延安〉(《文物天地》1981年3期)、謝挺齋〈從

江南到延安〉(《福建黨史月刊》1988年8期)、陳永發〈延安的肅反道路－路線和政策層面的探討〉(載《抗戰建國史研討會論文集》 冊,臺北,民74)、鄧小河〈對延安審幹運動的再思考〉(《廣西民族學院學報》1995年1期)及〈對延安審幹運動偏差的再思考〉(《桂海論叢》1994年2期;亦載《福建論壇》1995年2期)、劉益濤《八載干戈伏延安－抗戰時期的毛澤東》(桂林,廣西師大出版社,1995)、張希賢、王憲明、張偉良等編《毛澤東在延安－關于確立毛澤東領導地位的組織人事、理論宣傳和外交統戰活動實錄》(北京,警官教育出版社,1993)、王橋編著《毛主席在延安的時候:延安農民講的故事》(西安,陝西人民出版社,1957);《回憶毛主席在延安》(同上,1979)、劉益濤《毛澤東在延安紀事》(西安,陝西人民教育出版社,1993)、王雲風主編《徐特立在延安》(西安,陝西人民教育出版社,1991)、范碩〈帥帳決謀,預測戰爭風雲－葉劍英在延安〉(《人物》1995年5期)、劉家棟《陳雲在延安》(北京,中央文獻出版社,1995)、王德芬〈蕭軍在延安〉(《新文學史科》1987年4期)、陳明〈丁玲在延安－她不是主張暴露黑暗派的代表人物〉(同上,1993年2期)、阮華、魯民〈國共合作的一段秘聞:蔣介石盟弟赴延安〉(《黨史博採》1992年10期)、Peter Jordan Seybolt, Yenan Education and the Chinese Revolution, 1937-1945.(Ph. D. Dissertation, Harvard University, 1970)、“ The Yenan Revolution in Mass Education. ”(The China Quarterly, No. 48, 1971)及 Education in Yenan. (Cambridge, Mass. :Harvard University Press, 1975)、David D. Barrett, Dixie Mission: The United States Army Observer Group in Yenan. (Berkeley, Calif: University of California Press, 1970),其中譯本為 D · 包瑞德著、萬高潮、衛大匡譯《美國觀察組在延安》(北京，解放軍出版社，1984)；梁月蘭、袁武振〈太平洋的〝戰友們〞：美軍觀察組在延安〉(《黨史縱橫》1996年2期)、陶文釗〈四十年代中美關係史上新的一頁——美軍觀察組在延安〉(《黨史研究》1987年6期)、于良華〈關於延安「新哲學會」〉(《哲學研究》1981年3期)、A. M.杜賓斯基著、馬貴凡譯〈美國〝軍事觀察組在延安(1944-1945)〉(《黨史研究資料》1993年6期)、邢建續等〈美國觀察組在延安－中國共產黨與美國政府正式接觸的開端〉(《北京師院學報》1981年2期)、張注洪〈在延安友好相處的日子裏－記前美軍駐延安觀察組〉(《革命文物》1979年2期)、山極晃〈アメリカ軍事視察團力延安訪問について〉(《アジア研究》10卷1號，1963年4月)、高漢誠〈美軍觀察組在延安－兼評抗戰後期美國對華政策的演變〉(《青島大學師院學報》1995年2期)、黃虛鋒〈美軍延安觀察組述評〉(《歷教學問題》1996年3期)、吳景平譯〈美國軍事觀察組發自延安的報告概要〉(《黨史資料與研究》1986年6期)、山田辰雄〈シヨン・S－サーウイスの延安報告－一つのアメリカの中國觀〉(《アメリカの對外政策》，東京，鹿島研究出版會，1971)、明石陽至〈太平洋戰爭末期における日本軍部の延安政權との和平模索－その背景〉(《軍事史學》3卷1・2號，1995年9月)、香川孝志〈延安における日本人の生活〉(《朝日評論》1卷1號，1946年3月)、中共陝西省委黨史研究室編《抗日華僑與延安》(西安，陝西人民出版社，1995)、金城《延安交際處回憶錄》(北京，中國青年出版社，1986)、張彥平編《延安中央印刷廠編年紀事》(西安，陝西人民出版社，1988)、蘭州軍區後勤部黨史辦公室編《延安白求恩國際和平醫院》(北京，解放軍出版社，1986)、吳廷瑞、謝登〈抗戰時期的延安中央醫院〉(《中華醫史

雜誌》22卷3期，1992年7月）、張志強、胡民新〈路易‧艾黎與延安
〝工合〞運動〉（《理論學刊》1985年5期）、佐藤宏〈陝北農村社會與
中國共產黨：延安地區農村的基層領導班子〉（載《中外學者論抗日根
據地－南開大學第二屆中國抗日根據地史國際學術討論會論文集》，北京，檔
案出版社，1993）、Carl E. Dorris, "Peasant Mobilizattion in North
China and Origins of Yenan Communism."（The China Quarterly, No.
68, 1976）、陝西省延安地區革命委員會政工組編《知識青年在延
安》（西安，陝西人民出版社，1974）、Patricia Strandhan Jackal, De-
velopment of Policy for Yenan Women, 1937-1947.（Ph. D. Dissertation,
University of Pennsylvania, 1979）、 Yenan Women and the Communist
Party.（Berkeley, Calif.: Institute of East Asian Studies, 1983）及"Change in
Policy for Yanan Women, 1935-1947." (Modern China, Vol. 7, No. 1, Jan.
1981)、薛偉〈試論延安解放區的新秧歌運動〉（《山西師院學報》1978
年2期）、李煥之〈回憶在延安時的新秧歌運動〉（《文史精華》1996年
2期）、傅明和〈略論延安文學創作及其使命感〉（《黑龍江教育學院學
報》1992年3期）、林煥平〈倡議：把解放區文學改稱為－延安文學〉
（《延安文藝研究》1992年1期）及〈延安文學芻議〉（《文藝理論與批評》
1992年1期）、沈光明〈延安文學的雅俗及其它〉（《荊州師專學報》1992
年3期）、方長安〈藝術定勢‧文化心理‧非常時期：論延安文學的
艱難選擇〉（《延安文藝研究》1989年2期）、尹均生〈烽火硝譜寫出宏
偉歷史畫卷：論延安時期的報告文學〉（《抗戰文藝研究》1988年2期）、
曹建玲〈座談會以後的延安散創作概述〉（《南都學壇》1989年1期）、
張華〈關于延安〝文抗〞〉（《延安文藝研究》1988年4期）、張嘯虎〈延
安文風略論〉（同上，1988年2期）、倪波〈關於抗日戰爭時期延安出

版之叢書的見聞〉(《寧夏圖書館通訊》1980年2期)、趙生明〈戰爭年代延安的出版發行工作〉(《新文化史料》1991年2期)、楊放之〈黨報史上一個重要的里程碑－記延安解放日報1942年的改版〉(《新聞戰線》1979年3期)、廖經天〈延安解放日報改版後的新聞〉(同上，1978年1期)、于良華〈關於延安"新哲學會"〉(《哲學研究》1981年3期)、任學嶺、郝琦〈毛澤東思想指導下的延安青年運動對當代青年的啟示〉(《延安大學學報》1993年4期)、詹全友〈抗戰時期延安的大學生思想政治工作〉(《中南民族學院學報》1995年6期)、秋吉久紀夫〈抗日戰爭前の延安地區文學活動（上）〉(《中國文學論集》第4號，1974年5月)、Bonnie S. McDougall, Mao Zedong's Talk at Yan'an Conference on Literature and Art: A Translation of the 1943 Text With Commentary.(Ann Arbor: Michigan Papers in Chinese Studies, No.39, 1980)、Gregor Benton, "The Yenan "Literary Opposition. "(New Left Review, No.92, 1975)、白揚采編《延安新文字獄記詳》(泰和，尖兵半月刊社，民32)、張嘯虎〈延安文風略論〉(《延安文藝研究》1988年2期)、王志武主編《延安文藝精華鑒賞》(西安，陝西人民出版社，1992)、劉建勛《延安文藝史論稿》(同上)、黎辛主編《延安文藝作品精編》(杭州，浙江文藝出版社，1992)，共4卷（冊），第1卷為理論、詩歌卷，第2卷為小說卷，第3卷為散文、報告文學卷，第4卷為戲劇、曲藝卷；艾克恩編《延安文藝回憶錄》(北京，中國社會科學出版社，1992)、《延安文藝運動紀盛：1937.1-1948.3》(北京，文化藝術出版社，1987)及〈延安文藝運動紀實－毛主席《在延安文藝座談會上的講話》的前前後後〉(《新文學史料》1992年2期)、唐天然〈有關延安文藝運動的「黨務廣播」稿〉(同上，1991年2期)、

黎辛〈丁玲和延安《解放日報》文藝欄〉(《新文學史料》1994年4期)、
高杰〈延安文藝運動中的社團組織及其流派風格〉(《延安大學學報》
1992年2期)、延安文藝叢書編委會編《延安文藝叢書》(長沙,湖南
人民出版社),共7冊,第1冊為文藝理論,2-3冊為小說,第4冊
為散文,第5冊為詩歌,第6冊為報告文學,第7冊為秧歌劇;雷
加〈四十年代初延安文藝活動〉(《新文學史料》1981年2期)、王澤龍
〈論延安文藝的文化價值〉(《華中師大學報》1992年3期)、劉建勛〈關
於延安文藝的歷史主義思考〉(《西北大學學報》1992年2期)、孫國林
〈延安文藝的源流〉(《河北師大學報》1991年3期)、王德芬〈蕭軍談
延安文藝〉(《延安文藝研究》1988年4期)、陳偉文《「文化工人」-
延安作家的自我形象與身份認同(1937-1945)》(香港中文大學碩士
論文,1995)、戈壁舟《延安詩鈔》(西安,陝西人民出版社,1978)、
李啟仁、陳楓〈抗戰時期延安詩歌創作淺探〉(《延安文藝研究》1992
年1期)、鄭錦揚〈延安音樂的歷史貢獻〉(《音樂研究》1992年2期)、
孫新元、尚德周編《延安歲月-延安時期革命美術活動回憶錄》(西
安,陝西人民美術出版社,1985)、鍾敬之編《延安十年戲劇圖集,
1937-1947》(上海,上海文藝出版社,1982)、文化部延安平劇史料徵
集組編《延安平劇改革創新史料》(天津,天津出版社,1989)、簡樸
〈抗日戰爭時期延安的京劇改革活動〉(《戲曲研究》39輯,1991)、北
京廣播學院新聞系編《延安(陝北)新華廣播電臺廣播稿選》(北京,
中國廣播電視出版社,1985)。關於延安整風運動有建眾編《延安整風
運動和中國共產黨》(蘭州,甘肅人民出版社,1982)、中共陝西省委
黨史研究室《延安整風運動》(西安,陝西人民出版社,1992)、張曉
初等《延安整風回憶錄》(哈爾濱,黑龍江人民出版社,1958)、新島

淳良編《延安整風運動資料－延安『解放日報」「文藝」(『解放日報』副刊)目錄，1941.5.16-1943.10.31.》(東京，早稻田大學社會科學研究所，1966)、吳安家《中共延安時期整風運動之研究》(政治大學東亞研究所碩士論文，民62年5月)、陳壽熙《中共延安時期整風運動》(政治作戰學校政治研究所碩士論文，民62)、延安整風運動編寫組編《延安整風運動紀事》(北京，求實出版社，1982)、張志清等《延安整風前後》(南京，江蘇文藝出版社，1994)、華世俊、胡育民《延安整風始末》(上海，上海人民出版社，1985)、王寅城、邢濟萍編《延安整風》(北京，新華出版社，1991)、黃筱嶸《中共延安文藝整風透視》(政治作戰學校政治研究所碩士論文，民74)、〈中共延安文藝整風透視研究之一：中共文藝理論與政策的淵源〉(《復興崗學報》33期，民74年6月)及〈中共延安文藝整風透視研究之二：中共延安文藝整風背景〉(同上，34期，民74年12月)、秋吉久紀夫著、潤坤譯〈延安文藝整風運動經過〉(《延安文藝研究》1992年2期)、吳安家〈中共延安整風運動背景的探討〉(《東亞季刊》5卷1期，民62年7月)、林琳文〈中共延安整風運動背景之研究－幾個觀點的比較與若干問題的檢討〉(《共黨問題研究》14卷1期，民77年1月)、鞠健〈延安整風運動的直接起因和基本目的探析〉(《史學月刊》1996年1期)、藤田正典〈第一次整風運動の史的背景〉(《歷史學研究》216號，1958)、高華〈在道與勢之間－毛澤東為發動延安整風運動所作的準備〉(《中國社會科學季刊》1993年秋季號)、新島淳良〈延安の整風運動について〉(《現代中國》36號，1961年6月)、〈延安整風運動－その過程・理論・意義〉(《東洋文化》32號，1962年3月)、楊君辰《回憶延安整風運動》(長沙，湖南人民出版社，1957)、屈正中〈發揚理論聯繫實際的好學風－回憶延安整風運動〉(《新湘評論》1982年5期)、劉廉民〈回憶延安整風〉(《安徽史學》1984年2期)、鄧力群〈回憶延安整風〉(《黨的文獻》1992年2期)、覃南圖〈重溫延安整風〉(《玉林師專學報》1996年2期)、周民〈延安整風運動〉(《電大語文》1983年5期)、周雄〈共匪延安整風運動〉(《共黨問題研究》5卷7期,民68年7月)、王一帆等〈延安整風的歷史經驗〉(《學習與探索》1983年4期)、文華〈延安整風運動歷史經驗淺談〉(《黨史研究》1982年2期)、張星星〈延安整風及其歷史經驗〉(《國防大學學報》1992年8期)、張培林〈延安整風運動獲得成功的基本經驗〉(《理論導刊》1991年9期)、湯寶一〈學習延安整風的歷史經驗〉(《南京大學學報》1983年4期)、向天齊〈延安整風運動經驗初探〉(《武漢大學學報》1985年3期)、孫慶超等〈試論1942年延安整風的基本經驗〉(《牡丹江師院學報》1984年4期)、中共安徽省委黨校〈延安整風的歷史啟示〉(《安徽省委黨校學報》1992年2期)、宋淑雲〈試論延安整風運動的歷史意義和現實意義:紀念延安整風運動五十周年〉(《龍江黨史》1992年3期)、任貴祥〈延安整風運動研究述評〉(《黨史研究與教學》1991年4期)、丸田志孝〈最近の中國における延安整風運動研究の狀況〉(《Monsoon(廣島大學文學部亞細亞史研究所)》第3號,1990年6月)、王秀鑫〈延安整風與延安整風研究〉(《黨的文獻》1992年2期)、梅行〈延安整風運動回顧〉(《真理的追求》1992年5期)、葛仁鈞〈延安整風的幾點經驗〉(《遼寧大學學報》1992年2期)、李北杓〈延安整風運動是實事求是思想路線的勝利〉(《貴州師大學報》1985年3期)、夏志民〈延安整風提供了正確解決黨內矛盾的成功經驗〉(《華東冶金學院學報》1986年2期)、袁葆華〈延安整風是一次脫胎換骨的思想革命運動〉(《中國人民大學學報》1992年

3期）、武承宗〈延安整風運動的偉大貢獻〉（《黨史資料與研究》1992
年1期）、李向鴻〈試論延安整風運動在第一次歷史性飛躍中的地位
和作用〉（《浙江學刊》1993年1期）、歐遠方〈紀念延安整風運動〉（《學
術界》1992年1期）、溫濟澤〈紀念延安整風運動五十周年〉（《中國社
會科學院研究生院學報》1992年3期）、司亞民等〈實是求是是中國革
命和建設勝利之本：紀念〝延安整風〞運動五十周年〉（《松遼學刊》
1992年2期）、欣園摘〈紀念延安整風50周年，發揚黨的優良傳統
作風〉（《中共黨史通訊》1992年9期）、隋連堂〈成功的實踐偉大的創
舉：紀念延安整風五十周年〉（《阜陽師院學報》1992年3期）、唐純良
〈發展延安整風的傳統－紀念延安整風運動三十五周年〉（《哈爾濱師
院學報》1977年1期）、施東暉〈延安整風運動的前前後後〉（《學習與
批判》1976年2期）、黃嶺峻、李軍山〈延安整風中的幾個問題〉（《華
中理工大學學報》1996年4期）、竇愛芝〈繼承和發揚延安整風精神〉
（《求知》1991年10月）、劉成〈繼承和發揚延安整風精神〉（《社科縱
橫》1992年2期）、溫濟澤等〈延安整風運動和馬克思主義在中國的
發展〉（《學習與思考》1983年3期）、沈紹根〈整風運動在中國馬克思
主義發展史上的地位〉（《湘潭師院學報》1996年5期）、郝春祿〈延安
整風運動與馬克思主義哲學運用和發展〉（《長白學刊》1990年6期）、
徐興旺〈延安整風運動與馬列主義中國化〉（《西南師大學報》1992年
2期）、謝惠之〈延安整風是一次卓有成效的馬克思主義教育運動〉
（《新湘評論》1982年5期）、林龍〈用中國化的馬克思主義武裝全黨：
學習延安整風經驗的一點啟示〉（《安徽黨史研究》1992年3期）、季志
能〈重新學習延安整風運動的幾點啟示〉（《南通學刊》1995年6期）、
葉洪添〈學習延安整風基本經驗的體會〉（《惠陽師專學報》1985年1

期）、何進〈黨領導延安整風運動的辯証法〉（《黨校論壇》1990年3期）、蔡永飛〈延安整風方法探析〉（《黨建研究》1992年2期）、陳永發〈延安的整風、察幹與肅反〉（載《抗戰建國史研討會論文集》下冊，臺北，中央研究院近代史研究所，民74）、任大立〈延安整風運動是思想建黨的偉大創舉〉（《學習與實踐》1992年5期）、朱順佐〈延安整風運動和黨的思想建設〉（《紹興師專學報》1983年2期）、李洋〈淺談延安整風思想改造的基本經驗〉（《西安政治學院學報》1991年5期）、高民〈延安整風運動中黨的建設的經驗〉（《泰安師專學報》1995年4期）、王建眾〈延安整風運動和中國共產黨〉（《江西社會科學》1982年4期）、劉昌亮〈延安整風運動與發揚黨的優良作風〉（《中共黨史研究》1992年2期）、任德利〈延安整風與黨的建設〉（《西安政治學院學報》1991年6期）、楊志國〈延安整風與黨風建設：紀念延安整風五十周年〉（《學習與實踐》1992年4期）、王福選〈注重高層領導幹部的培養是黨的建設成功的關鍵：延安整風運動的一個重要經驗〉（《長白論叢》1992年5期）、楊茂椿〈延安整風的經驗與當前的黨風建設〉（《石油大學學報》1994年4期）、王順喜〈試論延安整風運動在我黨建設史上的重要地位〉（《西北師大學報》1992年3期）、楊渚〈延安整風與新時期整黨比較研究〉（《理論導刊》1991年5期）、鄭志飆〈延安整風對黨的思想建設的深刻啟示〉（同上，1991年7期）、孫亞民〈延安整風與黨的思想建設〉（《新長征》1992年4期）、金東禹〈延安整風對我黨思想建設的啟示〉（同上，1992年7期）、丁大晴〈延安整風對黨的思想建設的重大貢獻〉（《鹽城師專學報》1993年2期）、韓鋼〈延安整風中的毛澤東思想研究〉（《延安大學學報》1986年4期）、曾玉芬〈淺談毛澤東的整風理論及對延安整風運動的指導〉（《九江師專學報》

1984年1期）、王文科〈延安整風運動與毛澤東思想指導地位的確立〉（《延安大學學報》1992年2期）、宋鏡明〈延安整風與毛澤東完整的建黨學說的建立〉（《武漢大學學報》1992年4期）、德田教之〈延安整風運動と毛澤東のカリスマ化ー1941－1942年を中心として〉（《アジア經濟》11卷12號，1970年12月）、莊元有〈淺論延安整風運動中毛澤東同志對黨的建設的重大貢獻〉（《長白學刊》1991年6期）、舒舜元〈駁王明對延安整風運動的誣蔑〉（《黨史研究》1984年2期）、夏宏根〈審幹運動與延安整風運動〉（《爭鳴》1986年8期）、齊鵬飛〈也談審幹運動與延安整風運動：與夏宏根商榷〉（同上，1988年1期）、金沙等〈正確認識延安整風運動的目的〉（《毛澤東思想研究》1990年2期）、王忠、梁壽南〈論延安整風時期反對統一戰線中宗派主義的鬥爭〉（《淮北煤師院學報》1993年3期）、宋春芝、孫立冰〈延安整風與反傾向鬥爭〉（《新長征》1992年10期）、房成祥等〈延安整風與黨的七大〉（《寶雞師院學報》1986年3期）、張騰霄等〈延安整風運動與幹部教育的改革〉（《中國人民大學學報》1987年4期）、杜文煥等〈弗拉基米洛夫與延安整風〉（《蘇州大學學報》1988年4期）、徐則浩〈王稼祥與延安整風〉（《中共黨史研究》1989年5期）、宗石〈延安整風運動中的中央黨校〉（《思想陣地》1984年5期）、王仲清〈延安整風運動中的中央黨校〉（《南京政治學院學報》1995年6期）、李兆炳〈延安黨校整風瑣記〉（《黨史研究資料》1982年10期）、黃火青等〈回顧延安中央黨校的整風運動〉（《理論月刊》1986年10期）、延安中央黨校整風運動編寫組織《延安中央黨校的整風學習第1，2集》（2冊，北京，中共中央黨校出版社，1989）、陸祥琛〈介紹《延安中央黨校的整風學習》〉（《黨史研究與教學》1990年3期）、王雲風〈徐特立與延安整風教育運動〉(《延安大學學報》1984年4期)、劉鴻喜等〈延安整風時期陝西西府地下黨組織〉(《寶雞師院學報》1986年3期)、Lee Ngok（李鍔），"The Strengthering of Party Identity in the Cheng Feng Campaign(1942-44)."(《崇基學報》9卷2期，1970年5月)、李義凡、唐明勇〈延安整風運動與儒家思想〉(《信陽師院學報》1996年3期)、朱超南〈延安整風時期中共與蘇聯的關係〉(《毛澤東思想研究》1992年4期)、秦璐〈延安整風運動對清除共產國際消極影響的重要作用〉(《攀登》1991年2期)、曹軍〈延安整風與共產國際〉(載《共產國際與中國革命關係研究薈萃》，上海，復旦大學出版社，1990)、王聚英〈延安整風運動是國際共產主義運動中的創舉〉(《探索與求是》1992年2期)、陳碩峰〈堅持馬列主義普遍原理同中國革命和建設實踐相結合：紀念全黨整風運動五十周年〉(《安徽黨史研究》1992年2期)、華羊〈毛澤東反斯大林的奪權鬥爭－一九四二年延安整風運動〉(《中共研究》17卷2期，民72年2月)、今井駿〈「精兵簡政」運動について－延安「整風」運動への一視角〉(《歷史學研究》373號，1971年6月)、侯伍杰〈延安整風與實事求是〉(《黨史文匯》1992年11期)、郭必選〈延安精神與整風運動〉(《延安大學學報》1992年2期)、胡效英等〈延安整風中黨的檔案工作〉(《淮北煤師院學報》1986年4期)、黃國平〈延安整風與學習研究黨史〉(《黨史博覽》1994年增刊)、張曙明〈延安整風與調查研究〉(《安徽教育學院學報》1995年1期)、閻樹聲、胡民新〈延安整風運動中的西北高幹會〉(《人文雜志》1992年6期)、朱超南〈試析延安整風運動的國際環境〉(《安徽黨史研究》1992年3期)、王續添〈延安整風運動對國民黨的影響〉(《抗日戰爭研究》1993年2期)、佟佟〈漫憶延安中央研究院整風運動〉(《新長征》1982

年9期）、張志強等〈延安整風期間的一次重要會議〉（《黨史資料叢刊》1983年3輯）。他如畢植蒨編著《中國共產黨第一次整風運動的偉大勝利》（長春，吉林人民出版社，1957）、趙漢編著《談談中國共產黨的整風運動》（北京，中國青年出版社，1957）、田家英《毛澤東同志論抗日時期的整風運動和生產運動》（北京，人民出版社，1954）、楊中美《遵義會議與延安整風》（香港，奔馬出版社，1989）、李凡夫《略談整風經驗及其他》（武漢，湖北人民出版社，1957）、邵春保〈論整風精神〉（《黨校論壇》1992年4期）、林經一〈堅持和發揚整風的優良傳統：紀念延安整風五十周年〉（《社科縱橫》1992年2期）；《整風文獻（增訂本）》（香港，新民主出版社，1949年增訂2版）；《整風文獻（訂正本）》（廣州，新華書店，1950年2版）；《整風學習文件》（北京，新華書店，1950）；《整風文件》（新華書店，民32年增訂4版）；《整風參考文選（第1，2集）》（2冊，冀魯豫書店，民32）、張鐵君《整風運動研究（第1集）》（重慶，勝利出版社，民31）、Peter J. Seybolt，"Terror and Conformity: Counterespionage Campaign, Rectification, and Mass Movement, 1942-1943."（Modern China, Vol. 12, No.1, 1986）、Federick Teiwes，"The Origins of Rectification: Innerparty Purges and Education Before Liberation."（The China Quarterly, No.65, 1976）、新島淳良〈整風運動と知識人－菊地昌典氏の感想にたいする感想〉（《歷史評論》174號，1965年2月）、菴戶寬〈精兵簡政和整風運動〉（載《中國抗日根據地史國際學術討論會論文集》，北京，檔案出版社，1986）及〈精兵簡政と整風〉（《中國研究月報》437號，1984年7月）、張劍平〈"整風運動"中的延安馬克思主義史學初探〉（《北京農工大學社會科學學報》1994年1、2期）、帕特里夏

‧斯特拉納漢（Patricia Stranahan）著、王靜譯〈整風運動中的《解放日報》〉（《黨史研究資料》1995年11期）、楊放之〈《解放日報》改版與延安整風〉（《新聞研究資料》18輯）、郝琦〈"五五學習節"與整風運動〉（《延安大學學報》1992年2期）、徐東海〈延安整風前毛澤東與王明之矛盾與鬥爭（1937-1942）〉（《共黨問題研究》13卷12期，民76年12月）。秦生〈延安搶救運動始末〉（《社會科學（甘肅）》1989年2期）、賀晉〈對延安搶救運動的初步探討〉（《黨史研究》1980年6期）、李逸民〈參加延安搶救運動的片斷回憶〉（《革命史資料》1981年3輯）及〈1943：延安"搶救運動"的回憶〉（《文史精華》1996年7期）、王秀鑫〈延安「搶救運動」述評〉（《黨的文獻》1990年3期）、秦生〈延安"搶救運動"發生原因探析〉（《北京黨史研究》1995年2期）及〈延安"搶救運動"的失誤與教訓〉（《甘肅社會科學》1993年2期）、袁旭等〈"搶救運動"及其經驗教訓〉（《思想戰線（軍政學院）》1981年4期）、蔣南翔〈關於搶救運動的意見書〉（《中共黨史研究》1988年4期）、劉國元等〈康生與搶救運動〉（《理論研究》1981年4期）、包貴智〈搶救行動與鄒韜奮題詞〉（《文博》1996年1期）。延安革命紀念館編《延安大生產運動》（北京，文物出版社，1986）、田克敏編《延安大生產運動（攝影集）》（同上，1959）、高橋滿〈延安大生產運動－新民主主義經濟建設路線の形成〉（《農業總合研究》31卷1、2號，1977年1、4月）及〈延安大生產運動再考〉（《外國語科研究紀要（東京大學教義養學部）》34卷5號，1986）、劉煜、米世同〈一曲自力更生、艱苦奮鬥的凱歌－延安大生產運動簡介〉（《延安大學學報》1981年4期）、馮正欽〈試論毛澤東領導大生產運動的經濟思想：紀念抗日戰爭勝利五十周年〉（《華東師大學報》1995年4期）、陳舜卿〈關于大生產運動的幾個問題〉(《中國社會經濟史研究》1984年3期)、牛文通〈關于大生產運動的兩個問題〉(《延安大學學報》1987年2期)、李萬良〈延安的雙擁運動及其深遠意義〉(《毛澤東思想研究》1993年1期)、何維忠《南泥灣屯墾記》(天津,天津人民出版社,1959),為一回憶錄,記述抗戰時期八路軍359旅全體指戰員在陝北南泥灣一帶響應大生產運動從事農業生產的事跡。新疆生產建設兵團政治部編《回憶南泥灣》(烏魯木齊,新疆人民出版社,1961)、左齊《屯墾南泥灣》(同上,1963)、楊忠茂口述、譚堯賢整理《在南泥灣開荒的日子》(南寧,廣西人民出版社,1961)、中國人民解放軍新疆軍區生產建設兵團政治部編《戰鬥在南泥灣》(烏魯木齊,新疆青年出版社,1961)、中國人民解放軍6919部隊政治部編《戰鬥在南泥灣》(長沙,湖南人民出版社,1962)、屈鈞編《南泥灣的故事》(西安,陝西人民出版社,1978)、楊乃坤〈首墾南泥灣〉(《縱橫》1996年4期)、何程遠〈抗日戰爭時期的南泥灣大生產〉(《天津師大學報》1988年1期)、林雲生〈繼承和發揚南泥灣精神〉(《理論學刊》1987年11期)、路波、李振祥〈南泥灣精神及其現實意義〉(《求索》1996年4期)、中共湖南省委宣傳部、湖南省南泥灣精神研究會編《南泥灣》(長沙,湖南出版社,1995)、鄭文《延河曲》(銀川,寧夏人民出版社,1982),係文藝性的回憶錄,對延安的教育、大生產運動均有描述;王實味等著、沈默編《野百合花》(廣州,花城出版社,1992)。Dai Qing, Wang Shiwei and "Wild Lilies": Rectification and Purges in the Chinese Communist Party, 1942-1944.(Armonk, N. Y. :M. E. Sharpe, 1994)、馬勵《王實味事件之研究》(政治大學東亞研究所碩士論文,民64)及〈王實味事件始末〉(《東亞季刊》7卷3、4期,民65年1、4月)、宋金壽〈王

實味的〝托派〞帽子應該摘掉〉(《北京科技大學學報》1988年2期)及
〈關于王實味問題〉(《黨史通訊》1984年8期)、Liu Nienling, "The
Protest of Wild Lily: The Execution of Wang Shih-wei."(Chinese Stud-
ies History, Vol.25, No.3, 1992)、袁悅〈「野百合花」事件〉(《中國大
陸》166期,民70年6月)、共黨問題研究資料室〈「野百合花」事件
史料選輯〉(《共黨問題研究》6卷11期,民69年11月);黎辛〈《野百
合花》·延安整風·《再批判》〉(《新文學史料》1994年4期);《關
於「野百合花」及其他:延安新文字獄真象》(統一出版社,出版年份
不詳)、Timothy Cheek, "The Fading of Wild Lilies:Wang Shi-wei
and Mao Ze-dong's Yan'an Talks in the First CPC Rectification
Movement."(Australian Journal of Chinese Affairs, Vol. 11, 1984)、戴晴
〈王實味與《野百合花》〉(《明報(月刊)》1995年1月號)、黎辛〈《野
百合花》·延安整風·《再批判》;捎帶說點《王實味冤案平反紀
實》讀後感〉(《新文學史料》1995年4期)、王澤龍〈王實味批判的再
認識〉(《爭鳴》1989年4期)、溫濟澤《王實味冤案平反紀實》(北京,
群眾出版社,1993)、戴晴《梁漱溟、王實味、儲安平》(南京,江蘇
文藝出版社,1989)、黃昌勇〈論王實味的小說創作〉(《中國現代文學
研究叢刊》1994年2期)。關於延安之抗日軍政大學(全名為〝中國
人民抗日軍事政治大學〞,亦簡稱〝抗大〞)等學校或文教機構有
北山康夫〈抗日軍政大學について〉(《東洋史研究》30卷4號,1972年
3月)、楊屏生《中共中國人民抗日軍政大學之研究》(政治作戰學校
政治研究所碩士論文,民73年6月)、李天寧〈中共抗大史料〉(《共黨
問題研究》7卷10期,民70年10月)、武繼忠、賀秦華、劉桂香《延
安抗大》(北京,文物出版社,1985)、關西大學東西學術研究所編印

《抗日軍政大學の動態：中國共產黨史研究の一資料》（吹田，
1965）、盧廷禛〈抗大，培養幹部的搖籃：紀念抗日戰爭勝利50周
年〉（《湖湘論壇》1995年3期）、林蔚然〈〝抗大〞在抗日戰爭中的重
大貢獻〉（《實踐》1995年8期）、袁偉〈將才的搖籃－〝紅大〞〝抗
大〞〝軍大〞簡介〉（《軍事史林》1992年5期）、莫文驊〈關於〝紅
大〞與〝抗大〞的組織沿革〉（《黨的文獻》1990年3期）、劉家國〈以
教學為中心是抗大辦校的成功經驗〉（《軍事歷史研究》1990年4期）、
于敬模、張增印〈試論〝抗大〞的辦校特色〉（同上）、王維遠〈延
安〝抗大〞的教育方針〉（《遼寧大學學報》1992年4期）、大類純〈延
安·抗日軍政大學の救國教育運動－中國革命教育の出發點〉（《東
風》18號，1973年9月）、敖海波〈抗大傳統作風論略〉（《西安政治學
院學報》1991年1期）、姜朝暉〈抗大思想政治工作的成功經驗及啟
示〉（《南通師專學報》1995年4期）、王維遠〈延安抗大的校風和傳統〉
（《遼寧師大學報》1994年4期）、李唯實〈抗大瑣記〉（《軍事歷史》1995
年4期）、張軍〈憶延安中國人民抗日軍政大學學習生活：為抗日戰
爭勝利50周年而作〉（《撫順社會科學》1995年8期）、黃輔忠〈我在
延安抗日軍政大學的戰鬥歲月〉（《貴州民族學院學報》1993年4期）、
牛克倫〈抗大救亡室追憶〉（《縱橫》1995年2期）、羅瑞卿〈抗大教
學的經驗〉（《陝西師大學報》1981年1期）、劉祖靖〈革命熔爐－抗大〉
（《革命史資料》1983年10期）、李志民《革命熔爐》（北京，中共黨史資
料出版社，1986年2版）、陳建華《抗大與青年》（重慶，民29）、徐
舒懷《抗大歸來》（求是出版社，出版時地不詳）、許秀容〈「抗大」與
中共「抗日民族統一戰線」之策略運用〉（載《中華民國史專題論文集：
第三屆討論會》，臺北，國史館，民85）、曲士培〈抗大政治工作經驗

初探－抗日戰爭時期解放區高校管理經驗的一個探討〉(《上海高校研究》1982年6期)、曹慕堯〈清涼山上三面大旗的由來－兼談抗大校訓〉(《黨史資料通訊》1982年10期)、李兆炳〈回憶〝抗大〞二期〉(《黨史研究資料》1982年2期)、曹慕堯〈紅色熔爐：延安抗大二期的學習與生活〉(《黨史縱橫》1996年6期)、季誠龍〈回憶延安抗大四大隊〉(《黨史研究》1982年1期)、何東三〈憶抗大一分校〉(《臨沂師專學報》1990年2期)、孫毅主編《在戰火中辦學：抗大二分校回憶錄》(北京，解放軍國防大學出版社，1988)、高克恭〈抗大二分校的回憶〉(《革命史資料》1983年10期)、劉健飛〈抗大一分校膠東分校簡史〉(《山東教育史志資料》1984年1期)、劉繼廉、王傳新〈彭雪楓與抗大四分校〉(《商丘師專學報》1987年3期)、劉建德、高深〈毛澤東與抗日軍政大學〉(《延安大學學報》1995年1期)、孟昭群〈毛澤東與抗大的創建和發展〉(《黨的文獻》1996年3期)、張振華〈毛澤東領導抗大的理論與實踐〉(《軍事歷史》1996年1期)、呂造新〈毛澤東和〝抗大〞的教育方針〉(《毛澤東思想研究》1992年3期)、黃棟法〈毛澤東在抗大的教學實踐〉(《西北大學學報》1995年3期)及〈導師情：毛澤東與抗大〉(《黨史縱橫》1996年7期)、黃瑤〈羅瑞卿與抗日軍政大學〉(《黨史天地》1996年6期)、葉尚志〈緬懷抗大的兩位大將－為紀念抗日軍政大學成立60周年而作〉(《人才開發》1996年5、6期)；苗均全、劉東朝〈論民主革命時期延安大學的辦學特色〉(《延安大學學報》1992年1期)、武宏志〈關於抗戰時期的延安大學的若干史實－對《辭海‧教育心理分冊》的補正〉(同上，1983年2期)、延安大學編印《延安大學概況》(延安，民33)、宋學成、曹鹿平〈毛澤東與抗日戰爭時期的延安大學〉(《延安大學學報》1996年2期)、羅林〈延安中國女

子大學紀事〉(《黨史研究》1983年1期)、米世同〈延安民族學院簡
介〉(《黨史研究資料》1984年5期)、宗群〈紀念延安民族學院建立四
十五週年〉(《中央民族學院學報》1986年2期)、吳介民主編《延安馬
列學院回憶錄》(北京,社會科學出版社,1991)、許京武〈延安中央
黨校的創辦及其教學經驗〉(《攀登》1993年3期)、王紅續〈毛澤東
與延安中央黨校〉(《黨史博採》1992年10期)、龍潤霞、王紅續〈延
安中央黨校教育經驗探析〉(《黨史研究與教學》1993年1期)、張穎〈改
編後的魯迅藝術學院〉(《陝西師大學報》1981年4期)、王永德〈關於
魯藝成立的幾個問題〉(《戲劇學習》1983年2期);〈魯藝《創立緣起》
與《成立宣言》〉(同上)、鍾敬之《延安魯藝-我黨創辦的一所藝
術學院》(北京,文物出版社,1981);〈延安魯迅藝術學院概貌側記〉
(《新文學史料》1982年2期)、谷軍〈到敵後戰場去-延安魯藝出征記〉
(《新文化史料》1992年5期)、胡征〈憶延安「魯藝」生活〉(《新文學
史料》1992年2期)、文秋〈生活的暖流-回憶延安魯藝生活〉(《延
安文藝研究》1987年2期)、蔡若虹〈窰洞風情-回憶延安魯藝的美術
教學〉(同上,1985年創刊號)、李凌〈延安魯藝音樂系第二期散記〉
(《群眾音樂》1979年5期)、孟波〈戰火中誕生的藝術學府-記魯迅藝
術學院華中分院〉(《新文學史料》1984年3期)、《延安自然科學院史
料》編輯委員會編《延安自然科學院史料》(北京,中共黨史資料出版
社,1986)、曹青陽〈延安時期培養人才的高等學府-延安自然科
學院〉(《未來與人才》1983年1期)、胡奇等〈關於創辦延安自然科學
院的經過〉(《中央黨史資料》1982年1期)、張志強〈徐特立同志與延
安自然科學院〉(《河南師大學報》1984年3期)、溫濟澤等《延安中央
研究院回憶錄》(長沙,湖南人民出版社,1984)、成仿吾《烽火中的

大學－從陝北公學到人民大學的回顧》（北京，人民教育出版社，
1982）、武強〈成仿吾談陝北公學〉（《思想政治教育》1958 年 3 期）、
季誠龍〈回憶陝北公學〉（《黨史研究》1981 年 4 期）、劉若曾〈從三邊
師範到三邊公學〉（《陝西教育》1981 年 7 期）、盧勤良〈三邊公學思想
教育方面的幾點經驗〉（《陝西師大學報》1980 年 2 期）、陳旭初〈記延
安的〝澤東青年幹部學校〞〉（《歷史知識》1982 年 1 期）、任桂林〈回
憶延安平劇研究院〉（《戲曲藝術》1983 年 1 期）、阿甲〈你們是人民心
目中喜愛的花神－延安平劇研究院成立四十周年紀念發言〉（同上，
1983 年 2 期）、簡樸〈發揚延安傳統，建設精神文明－紀念延安平劇
院建院四十周年〉（《河北戲劇》1983 年 3 期）、張淇瑤〈憶往昔崢嶸歲
月－紀念延安平劇研究院成立四十周年〉（《戲曲藝術》1983 年 2 期）、
程今吾《延安一學校：一九四四年九月至一九四六年三月的八路軍
抗屬子弟學校》（廣州，新華書店，1950）、郭青《延安保育小學》（北
京，人民教育出版社，1987）、趙安博〈抗日戰爭時期延安日本工農學
校〉（《歷史教學》1985 年 3 期）、香川孝志〈延安の日本勞農學校－解
放戰士はいかに教育されたか〉（《人民戰線》8・9 號，1947 年 2 月）、
張榮華〈從俘虜到國際主義戰士的熔爐：日本工農學校〉（《延安大學
學報》1988 年 2 期）。

　　曹伯一《中共延安時期之政治經驗》（臺北，政治大學東亞研究
所，民 62）、〈延安時期共黨政權之組織體制〉（《東亞季刊》5 卷 4 期，
民 63 年 4 月）及〈延安時期共黨邊區政權之組織體制〉（載《中華學術
與現代文化叢書·第 7 冊－政治學論集》，臺北，中華學術院，民 67）、辛
安亭〈延安時期的民主精神〉（《甘肅師大學報》1980 年 3 期）、胡民新
〈延安時期倡廉防腐歷史經驗探析〉（《人文雜志》1995 年 1 期）、張聞

宇、張祖熙〈延安時代的清廉與民主風尚〉(《炎黃春秋》1996年6期)、
郭文軍〈延安時期廉政建設的特點〉(《黨建研究》1994年4期)、彭煥
才〈論延安時期中共的廉政建設〉(《湘潭大學學報》1996年3期)、蕭
周錄〈跳出〝周期率〞的偉大探索和實踐－延安時期邊區廉政建設
的歷史啟示〉(《人文雜志》1996年5期)、張秀英〈黨在延安時期的經
濟開放思想及其實踐〉(《河南大學學報》1988年6期)、向山寬夫〈中
國共產黨の一つの憲法史料－延安時代の三つの施政綱領〉(《アジ
ア研究》2卷1號，1955年10月)、村松祐次〈延安時代の中國共產主
義と傳統との交涉〉(載《ソ連と中共》上卷，東京，歐ア協會，1962)、
Chalmers A. Johnson, "Chinese Communist Leadership and Mass
Response: The Yenan Period and the Socialist Education Campign
Period."(In Ho Ping-ti and Tsou Tong, eds., China in Crisis: China's Heritage
and the Chinese Political System, Chicago: University of Chicago Press, 1968)、
朱世同〈延安時期黨對知識分子的關懷和培養〉(《人文雜志》1984年
4期)、武衡〈延安時代黨的知識分子政策〉(《中國科技史料》1989年
1期)、川村嘉夫〈延安時期における中共の土地政策の展開〉(《ア
ジア經濟》12卷1號，1971年1月)、周忠瑜〈中國共產黨在延安時期
的民族理論與民族政策〉(《青海民族學院學報》1996年3期)、闞朦〈延
安時期中國共產黨是怎樣認識國情的〉(《理論導刊》1995年11期)、
蕭周錄〈延安時期中國共產黨保障人權的理論與實踐〉(《陝西師大學
報》1993年1期)、楊永華〈延安時代的法制理論與實踐〉(《西北政法
學院學報》1986年3期)、江世平〈試述延安時期的幹部教育制度〉(《黨
史研究與教學》1992年3期)、張發金《中共延安時期黨員教育訓練之
研究》(中國文化大學大陸問題研究所碩士論文，民68年7月)、閻樹聲〈試

論延安時期〝三位一體〞發展科學技術〉(《人文雜志》1994年6期)、
周訓芳〈延安時期黨的科技政策與陝甘寧邊區的自然科學運動〉
(《求索》1992年6期)、武衡《延安時代科技史》(北京，中國學術出版
社，1988)、張志強等〈黨在延安領導的自然科學運動〉(《黨史研究》
1984年2期)、張澤民〈共匪延安時期種植及販運煙毒真象〉(《共黨
問題研究》1卷2期，民64年8月)、《延安時代的氣象事業》編纂委
員會編著《延安時代的氣象事業》(北京，氣象出版社，1995)、申沛
昌〈延安時期的理想人格實踐對精神文明建設的啟示〉(《延安大學學
報》1995年2期)、張和平〈延安時期的精神文明建設及其現實意義〉
(《攀登》1996年3期)、王榮剛〈試論延安時期多黨合作理論的初步
形成〉(《黨政論壇》1990年8、9期)、程達則、王祿林〈我黨在延安
時期加強黨風建設的啟示〉(《西安政治學院學報》1991年3期)、任學
嶺等〈獨立自主自力更生原則在延安時期的確立和應用〉(《毛澤東思
想研究》1985年3期)、林昭倫《中共延安時期幹部政策之研究(1937
－1945)》(中國文化學院大陸問題研究所碩士論文，民65年6月)、Govind
S. Kelka, "The Role of Labour Heroes in Yenan Period."(China
Report, Vol.13, No.4, July-Aug.1977)、Patricia Stranahan, "Labor Hero-
ines of Yan'an."(Modern China, Vol. 9, No. 2, April, 1983)、佐藤宏
〈延安時代における「吳滿有そテル」－現代中國における模範人
物顯彰の原型〉(《東方》36號，1984年1月)、德田教之〈延安時期
における中共出版雜誌目錄〉(《アジア研究》13卷3號，1966年10月)、
譚志東《中共延安時期的戲劇運動(1935-1947)－〝工農兵文藝〞
政策的歷史省察》(清華大學歷史研究所碩士論文，民85)、D. L. Holm,
Art and Ideaology in the Yenan Period , 1937-1945.(Oxford: Oxford

University Press, 1979)、趙子劼、段治文〈試論延安時期的文化觀〉（《浙江大學學報》1992年2期）、郝瑞庭〈簡論延安時期的黨史文獻整理工作〉（《延安大學學報》1988年2期）、郭滌等編《延安時期與毛澤東思想》（西安，陝西人民教育出版社，1993）、高智瑜主編《延安時期毛澤東政治思想》（同上）、韓泰華、牛桂雲、劉宋斌《延安時期毛澤東建黨思想》（同上）、范平、姚桓主編《延安時期毛澤東建黨思想》（同上）、董志凱、毛立言、武力《延安時期毛澤東經濟思想》（西安，陝西人民教育出版社，1993）、曾憲新、劉金田、鄭昭紅《延安時期毛澤東文化思想》（同上）、謝蔭明主編《延安時期毛澤東文藝思想》（同上）、余飄《延安時期毛澤東文藝思想》（同上）、張彥玲〈延安時期毛澤東對中國傳統文化的批判繼承〉（《江西社會科學》1994年5期）、劉金貴〈延安時期毛澤東與黨的統戰工作〉（《統一戰線》1993年10期）、南天行〈毛澤東在延安時期奪權成功的緣由〉（《共黨問題研究》12卷12期，民75年12月）、黃士安等主編《毛澤東和延安時代》（西安，陝西人民教育出版社，1993）、劉益濤編著《毛澤東與延安時期精兵簡政》（西安，陝西人民教育出版社，1993）、鄭洸主編《毛澤東及其戰友與延安時期青年運動》（同上）、劉德喜《延安時期毛澤東外交戰略（1943－1949）》（同上）、宋柏主編《延安時期毛澤東領導方法》（同上）、蕭少秋主編《延安時期毛澤東著述提要（1935－1948）》（西安，陝西人民教育出版社，1993）、席文啟主編《延安時期毛澤東思想政治教育理論與實踐》（同上）、鄭洸〈毛澤東與延安時期青年運動〉（《中國青年研究》1993年6期）、習琳〈毛澤東在延安時期對調查研究理論的貢獻〉（《理論導刊》1993年9期）、魏俊章〈延安時期毛澤東哲學與經濟建設〉（《貴州大學學報》1996年1期）、王占陽〈延安時期毛澤東關於私人資本主義經濟的理論論述〉(《長白學刊》1995年2期)、張民〈毛澤東為召開延安文藝座談會進行調查研究〉(《新文化史料》1992年2期)、艾克恩〈毛主席《在延安文藝座談會上的講話》的前前後後〉(《新文學史料》1992年3、4期)、武漢大學〈紀念「在延安文藝座談會上的講話」發表十八週年〉(《武漢大學人文科學學報》60卷3期,1960年3月)、全國毛澤東文藝思想研究會編《毛澤東文藝思想研究(7):紀念《在延安文藝座談會上的講話》發表五十周年專輯,1942～1992》(長沙,湖南文藝出版社,1992)、中共上海市委宣傳部文藝處編《毛澤東文藝思想論文集:紀念《在延安文藝座談會上的講話》發表五十周年》(上海,上海文藝出版社,1992)、徐緝熙〈文學藝術的生命在於走向人民-紀念《在延安文藝座談會上的講話》發表50周年〉(《上海師大學報》1992年2期)、康貽寬等〈知識分子成長的指路明燈-紀念《在延安文藝座談會上的講話》發表50周年〉(《南京大學學報》1992年2期)、劉峻驤〈龍飛鳳舞五千年的歷史凝聚-紀念毛澤東《在延安文藝座談會上的講話》發表五十周年〉(《文藝研究》1992年3期)、楊平〈繼往開來,繁榮文藝-紀念《延安講話》發表50周年〉(《華中師大學報》1992年3期)、陳學廣〈社會·歷史·文藝-紀念《講話》發表五十周年〉(《揚州師院學報》1992年1期)、金志華〈永恒命題的現實思考-紀念《在延安文藝座談會上的講話》發表50周年〉(《上海師大學報》1992年2期)、鍾國〈以科學的態度對待〉《講話》-紀念《在延安文藝座談會上的講話》發表50周年〉(《天津師大學報》1992年3期)、卞國福〈我們的文藝是為人民服務的-紀念《講話》發表五十周年〉(《江淮論壇》1992年3期)、鄧志遠〈馬克思主義文藝思想發展史上的一座里程碑－紀念毛澤東《在延安文藝座談會上的講話》發表50周年〉(《中山大學學報》1992年2期)、張家釗〈堅持和發展毛澤東文藝思想－紀念《在延安文藝座談會上的講話》發表50周年座談會概況〉(《社會科學研究》1992年4期)、王世德〈鄧小平對毛澤東文藝思想的堅持和發展－紀念《在延安文藝座談會上的講話》發表五十周年〉(同上，1992年3期)、陳東等〈紀念《在延安文藝座談會上的講話》發表50周年〉(《江西師大學報》1992年2期)、孫振篤、徐潛〈用強大的生命迎接挑戰－紀念毛澤東《在延安文藝座談會上的講話》發表50周年〉(《河北師大學報》1992年2期)、盛思明〈立足時代需求，深入人民生活－紀念《在延安文藝座談會上的講話》發表五十周年〉(《江海學刊》1992年3期)、徐無聞等〈揭起無產階級文藝的大旗－紀念《在延安文藝座談會上的講話》發表50周年筆談〉(《西南師大學報》1992年2期)、童慶炳〈毛澤東美學思想的哲學基礎－紀念毛澤東《在延安文藝座談會上的講話》發表50周年〉(《北京師大學報》1992年3期))、伊娃〈延河的星斗－紀念毛澤東同志《講話》發表五十周年座談記要〉(《詩刊》1992年6期)、劉建軍等〈紀念《在延安文藝座談會上的講話》發表50周年筆談〉(《西北大學學報》1992年2期)、黃偉宗〈歐陽山探索民族的大眾的現實文學的歷程－紀念《在延安文藝座談會上的講話》發表50周年〉(《中山大學學報》1992年2期))；〈弘揚《講話》的精神，發展文藝理論－紀念毛澤東《在延安文藝座談會上的講話》發表五十周年〉(《學術月刊》1992年6期)、馬加〈五月的陽光－寫在延安文藝座談會五十周年〉(《人民文學》1992年5期)、田文信〈文論豐碑－在毛澤東《講話》發表50周年〉(《河北師大學報》1992年2期)、牧戶和宏〈毛澤東〝文藝講話〞の群集と

幹部〉(《帝塚山論集》78號，1993年3月)、伊藤敬－〈「文藝講話」について〉(《中國研究》12號，1971年3月)、〈「文藝講話」の世界〉(《人文學報》78號，1970年3月)、〈「文藝講話」と人民文學のあゆみ〉(《中國研究》49號，1974年4月)及〈30年代文藝と文藝講話〉(《文學界》20卷11號，1966年11月)、陣ノ内宜男〈「文藝講話」の再評價〉(《學術研究》11號，1962年11月)、Elleen R. Judd, "Prelude to the 'Yan'an Talks': Problems in Transforming a Literary Intelligentsia." (Modern China, Vol. 11, No. 3, July 1985)、近藤龍哉〈〝文藝講話〞の重慶傳播と胡風－大後方における民主の封いと毛澤東思想の間〉(《史叢》37號，1996年11月)、三好一〈毛澤東の「文藝講話」發表二十周年をめぐつて〉(《文化評論》第9號，1962年8月)、清水正夫〈誰てために奉仕するか－「文藝講話」三十一周年に當つて〉(《月刊毛澤東思想》6卷5號，1973年4月)、新島淳良〈何其芳と文藝講話〉(《教養諸學研究》19號，1964年11月)、大沼正博〈「文藝講話」前の作家の意識について〉(《一橋研究》2卷2號，1977年9月)、吳錦生〈論現代中國文藝的靈魂－"在延安文藝座談會上的講話"〉(《中山大學學報》1993年3期)、項隆〈論《講話》的理論貢獻〉(《蘇州大學學報》1992年3期)、黎山嶢〈《講話》是反映論的重大發展〉(《武漢大學學報》1992年3期)、孫黨伯〈《講話》推動了解放區文學的發展〉(同上)、陳忠來〈《講話》傳到浙東根據地〉(《新文化史料》1992年2期)、李門〈《講話》發表後在廣東〉(同上)、王紀一整理〈朱德在延安文藝座談會上的插話(1942年5月23日)〉(同上)、王任重〈重讀毛澤東同志《在延安文藝座談會上的講話》〉(《文學評論》1960年3期)、張松泉〈顛扑不破，彌久常新－論《講話》對馬克思主義文

藝美學的貢獻〉(《學習與探索》1992年3期)、林煥平〈深入學習《講話》，繁榮文藝創作〉(《文藝研究》1992年2期)、榮本〈《講話》與社會主義文藝事業的繁榮〉(《揚州師院學報》1992年1期)、李思孝〈《講話》和科學方法〉(《北京大學學報》1992年3期)、蕭雲儒〈《講話》的創造天地〉(《人文雜誌》1992年4期)、常根榮〈學習《講話》堅持文藝的社會性－兼析非社會文化的文藝觀點〉(《南京師大學報》1992年2期)、王鴻儒〈略論《講話》的認識論基礎〉(《貴州社會科學》1992年7期)、姚文放〈《講話》精神與中國古典美學〉(《揚州師院學報》1992年1期)、趙淑媛〈《講話》與農村題材創作〉(《求是學刊》1992年4期)、王之望〈談《講話》的審美價值觀〉(《音樂研究》1992年2期)、郭豫適〈談《在延安文藝座談會上的講話》從原本到今本的增刪修改〉)(《文藝理論研究》1992年4期)、賴先德、周建軍〈文藝基本問題的辯證分析－重溫毛澤東同志《在延安文藝座談會上的講話》關於幾個文藝基本問題的闡述〉(《江海學刊》1992年3期)、巴杉〈歌頌暴露應有度－《在延安文藝座談會上的講話》研習錄〉(《瀋陽師院學報》1992年4期)、孫子威〈作家的世界觀和世界感－《延座講話》學習札記之二〉(《華中師大學報》1992年3期)、宋球勛〈方向·生活·責任－重溫《在延安文藝座談會上的講話》〉(《徐州師院學報》1992年2期)、李正忠〈學習《在延安文藝座談會上的講話》劄記〉(《音樂研究》1992年2期)、徐哲波〈對文藝審美屬性的深刻揭示－讀《在延安文藝座談會上的講話》〉(《江海學刊》1992年3期)、吳士餘〈釋毛澤東文藝批評觀－重讀《在延安文藝座談會上的講話》〉(《社會科學輯刊》1992年3期)、公木〈《講話》百讀感言〉(《人民文學》1992年5期)、張鴻才〈《講話》與《祝辭》的比較研究〉(《寧夏社會科學》1992年3期）、莫萬華〈"尋根"從這裏開始：從延安整風前後解放區文學看《講話》的巨大生命力〉（《華僑大學學報》1993年3期）、夏爵蓉〈論《講話》指引下解放區敘事長詩的剖析〉（《西南民族學院學報》1993年毛澤東思想研究專號）、吳中杰〈毛澤東《講話》與解放區文藝趨向〉（《復旦學報》1992年3期）、吳隱林《講話》與中國當代文學〉（《廣西師院學報》1992年2期）、曹永慈〈《講話》與建國後17年文學〉（《武漢大學學報》1992年3期）、章紹嗣〈《講話》在國統區的傳播和影響〉（《中南民族學院學報》1992年3期）、殷白〈《講話》與解放區文學〉（《當代文壇》1992年3期）及〈《在延安文藝座談會上的講話》與解放區文學〉（《紅岩》1992年3期）、李玉明〈《講話》與解放區文學之關係略論〉（《延安文藝研究》1992年4期）、王建國〈人民——母親，生活——源泉：40年代毛澤東《在延安文藝座談會上的講話》在沂蒙〉（《新文化史料》1994年3期）、牧戶和宏〈毛澤東"文藝講話"の工農兵〉（《帝塚山論集》77號，1992年7月）、〈毛澤東"文藝講話"の群集と幹部〉（同上，78號，1993年3月）及〈趙樹理"小二黑結婚"の毛澤東「文藝講話」〉（《帝塚山大學教養學部紀要》31號，1992年7月）、莊光彩《毛澤東「文藝思想」之分析》（中國文化大學大陸問題研究所碩士論文，民72年5月）、陳火祥〈延安時期陳雲同志的幹部素質論〉（《嘉應大學學報》1996年5期）、陳俊岐《延安時期財會工作的回顧》（北京，中國財政經濟出版社，1987）、章力揮〈回憶延安時期的戲劇活動〉（《文藝月報》1958年5期）、李煥之〈回憶在延安時的新秧歌運動〉（《文史精華》1996年2期）、趙戈〈延安新華廣播電臺的誕生〉（《縱橫》1992年4期）、黎辛〈丁玲和延安《解放日報》文藝欄〉（《新文學史料》1994年4期）、玉明〈延安新華廣播電臺和重慶新華日報〉(《新聞戰線》1978年1期)、楊兆麟、趙玉明《人民大眾的號角：延安(陝北)廣播史話》(北京，中國廣播電出版社，1988)、江波〈難忘的延安"八・一五之夜"(《黨史縱覽》1996年3期)。David E. Apter、Tony Saich, Revolutionary Discourse in Mao's Republic.(Cambridge, Mass.: Harvard University Press, 1994)，雖非以延安為題目的論著，但其內容大半是論述延安時期以毛澤東為中心的中共內部權力鬥爭及陝甘寧邊區的動態，極具參考價值；(英)斯坦因著、李鳳鳴譯《紅色中國的挑戰》(北京，新華出版社，1987)，則為作者1944年夏天訪問延安以後所寫的一部著作。又在延安舉行的「東方各民族反法西斯代表大會」(1941年10月26－31日)則有曲峽、于志亭〈〝東方各民族反法西斯代表大會〞述評〉(《史學月刊》1992年4期)等論文，前已舉述，可參閱之。

關於晉察冀邊區(亦稱晉察冀抗日根據地，包括同蒲路以東，正太、德石路以北，張家口、承德以南的地區，分為北岳、冀中、冀熱遼三區，下轄108個縣，面積20萬平方公里，人口2500萬。其晉察冀軍區成立於1932年11月，晉察冀邊區民主政權則成立於1938年1月)有聶榮臻《抗日模範根據地晉冀察邊區》(八路軍雜誌社，民28)、陳克寒《模範抗日根據地晉冀察邊區》(重慶，新華日報館，民28)、謝忠厚、蕭銀成主編《晉察冀抗日根據地史》(北京，改革出版社，1992)、河北省社會科學院歷史研究所等編《晉察冀抗日根據地史料選編》(2冊，石家庄，河北人民出版社，1983)、《晉察冀抗日根據地》史料叢書編審委員會、中央檔案館編《晉察冀抗日根據地(第1冊：文獻選編)》(2冊，北京，中共黨史資料出版社，1989)，其第2冊為回憶錄選編(北京，中共黨史出版社，1991)、第

3冊為大事記(同上)、在上海日本總領事館編印《晉察冀邊區事情》(上海，1938)、中央調查統計局編印《晉察冀邊區實錄》(重慶，民29)、晉察冀文藝研究會編《人民戰爭必勝：抗日戰爭中的晉察冀攝影集》(瀋陽，遼寧美術出版社，1988)、Kathleen J. Hartford, Step by Step: Reform Resistance and Revolution in Chin-Ch'a-Ch'i Border Region, 1937-1945.(Ph. D. Dissertation, Stanford University, 1980)、Ke Han, The Shansi-Hopei-Chahar Border Region, Report 1, 1937-38. (Chung-King: New China Information Committee, Bulletin No.8, April 1940, Printed in Manila)、李公樸《華北敵後－晉察冀》(山西，太行文化出版社，民29；北京，三聯書店，1979)、Carl Eugene Dorris, People's War in North China: Resistance in Shansi-Chahar-Hopeh Border Region, 1938-1945.(Ph. D. Dissertation, University of Kansas, 1975)、蕭一平主編《晉察冀抗日根據地大事記》(北京，中共黨史資料出版社，1990)、中共山西省委黨史研究室編《晉察冀革命根據地晉東北大事記：1937.7－1949.9》(太原，山西人民出版社，1991)、星火燎原編輯部編《星火燎原叢書(十)－晉察冀抗日根據地專輯》(北京，解放軍出版社，1989)、北京軍區後勤部黨史資料徵集辦公室編《晉察冀軍民抗戰時期後勤工作史料選》(北京，軍事學院出版社，1985)、周而復《解放區晉察冀行》(上海，上海書報雜誌聯合發行所，民38)、周立波《晉察冀邊區印象記》(重慶，讀書生活出版社，民28)、北京軍區戰史編寫組編《晉察冀暨華北軍區武裝力量發展史》(北京，軍事科學出版社，1996)、周繼強〈晉察冀軍區簡史〉(《軍事歷史》1995年3期)、北京軍區晉察冀戰史編寫組《晉察冀軍區抗日戰爭史》(北京，軍事科學出版社，1986)、冉淮舟、劉繩《奇特的戰場：晉察冀抗戰史話》

（天津，天津人民出版社，1990）、中華全國婦女聯合會婦女運動歷史研究室編《晉察冀邊區婦女抗日鬥爭史料》（北京，中國婦女出版社，1989）、彭真《關於晉察冀邊區黨的工作和具體政策的報告》（北京，中共中央黨校出版社，1981）、晉察冀軍區政治部晉察冀畫報社編輯《晉察冀的控訴》（晉察冀軍區政治部，民35）、晉察冀邊區交通史編纂委員會審定《晉察冀邊區交通史》（北京，人民日報出版社，1995）、王劍清等主編《晉察冀文藝史》（北京，中國文聯出版社，1989）。赤津益造〈晉察冀邊區事情〉（《中國研究所月報》9-11號，1948年1-3月）、安井三吉〈中國抗日民族統一戰線の展開過程－晉察冀邊區の形成・發展〉（《歷史學研究》別冊特集，1971）、堯軍〈晉察晉邊區要事簡記〉（《山西革命根據地》1984年1-3期、1985年1-3期）、劉洪開〈建國以來晉察冀抗日根據地史研究述略〉（《河北學刊》1985年5期）、居之芬〈晉察冀抗日根據地史研究綜述〉（《黨史通訊》1987年3期）、謝忠厚〈關於晉察冀抗日根據地史研究的幾個問題〉（《抗日戰爭研究》1992年2期）、聶榮臻〈晉察冀邊區略史〉（《黨的文獻》1990年5期）、朱文通〈全面研究晉察冀抗日根據地史的專著《晉察冀抗日根據地史》〉（《中國社會科學》1993年6期）、謝忠厚《晉察冀抗日民主政權簡史》（石家庄，河北人民出版社，1985）、〈晉察冀邊區抗日民主政權創建和特點〉（《河北學刊》1992年4期）及〈關于《為籌建晉察冀邊區政府致聶榮臻電》的時間考〉（同上，1993年1期）、張有成〈晉東北的晉察冀抗日根據地創建過程中的地位和作用〉（《山西革命根據地》1985年2期）、郭增壽〈簡述晉察冀邊區抗日根據地的創建〉（《河北師院學報》1988年4期）、聶榮臻〈晉察冀抗日根據地的初創〉（《山西革命根據地》1985年1期）、張洪祥〈略論華北敵後第一個抗日民主政權的建立兼述晉察冀邊區軍政民代表大會召開〉(《歷史教學》1985年11期)、安井三吉〈抗戰初期華北の抗日民族統一戰線－晉察冀邊區軍政民代表大會をめぐつて〉(《歷史評論》269號，1972年11月)、宋克仁〈晉察冀邊區的民主建設〉(《山西革命根據地》1988年2期)、謝忠厚等〈民主建設的一個創舉：略論1940年晉察冀邊區民主大選〉(《河北學刊》1982年1期)、杜麗容〈晉察冀邊區的民主憲政運動及其歷史啟示〉(《社會科學論壇》1995年4期)、王宗杰〈抗日戰爭時期晉察冀邊區的財政〉(《山西財政研究》1983年6期)、張洪祥〈略論晉察冀邊區初創時期的財政建設〉(《南開學報》1983年5期)、范洪等〈晉察冀邊區財政的節流做法〉(《財政》1990年2期)、馮田夫〈一切為了抗日的晉察冀邊區財政〉(《財政研究資料》1985年增刊4期)、傅尚文〈抗戰時期晉察冀邊區財政經濟工作發展的幾個階段〉(《河北大學學報》1983年4期)、魏宏運主編《晉察冀抗日根據地財政經濟史稿》(北京，檔案出版社，1990)及《抗日戰爭時期晉察冀邊區財政經濟史資料選編(第1－4編)》(4冊，天津，南開大學出版社，1984)，其第1編為總論，第2編：農業，第3編：工商合作，第4編：財政金融；唐錫林〈晉察冀抗日根據地的經濟政策〉(《歷史檔案》1988年2期)、賈秉文〈晉察冀邊區的金融事業〉(《歷史檔案》1995年2期)、韋滿昌、翟國強〈抗日戰爭時期晉察冀邊區的貨幣政策〉(《中國錢幣》1992年1期)；〈晉察冀邊區銀行之籌建及初期印發的紙幣〉(同上，1983年3期)、張勵聲〈抗戰時期晉察冀邊區銀行和貨幣戰〉(《南開學報》1983年5期)、郝建貴等〈晉察冀邊區銀行成立和發展〉(《山西財經學院學報》1983年3期)、張栽根〈追憶晉察冀邊區銀行在五臺創建的日子〉(《山西金融》1988年4期)、賈章旺〈晉察冀邊區時期冀

晉分行的工作〉(同上，1986年12期)、滿村〈晉察冀邊區銀行冀中
分行始末〉(《山西金融研究》1984年11期)、魏宏運〈論晉察冀抗日
根據地貨幣的統一〉(《近代史研究》1987年2期)、宋克仁〈晉察冀邊
區的金融貨幣鬥爭〉(《山西革命根據地》1987年3期)、王連洲〈晉察
冀邊區最早的一種鈔票－紅色二角〉(《中國錢幣》1983年1期)；〈晉
察冀邊區印刷局的壯大及其印刷的紙幣〉(同上，1985年1期)、岩武
照彥〈抗日根據地における通貨および政策－晉察冀邊區および晉
冀魯豫邊區の實例〉(《史學雜誌》92卷4號，1983年4月)、趙熙盛〈抗
戰時期晉察冀邊區土地政策〉(《中國人民大學學報》1994年3期)、張
勵聲〈晉察冀邊區的減租減息〉(《南開經濟研究所學刊》1986年4期)、
溫銳〈變革封建土地所有制的另一種方式－略論晉察冀邊區減租減
息的社會改革作用〉(《抗日戰爭研究》1992年4期)、Michael Lindsay、
Morris Francis, "The Taxation System of the Shansi-Chahar-Hopei
Border Region, 1937-1945." (The China Quarterly, No. 42, 1970)、郭貴
儒〈試述統一累進稅在晉察冀邊區的實施〉(《河北師院學報》1985年
4期)、巨文輝〈晉察冀邊區實施統一累進稅述略〉(《中共黨史研究》
1996年2期)、劉宏〈抗戰時期晉察冀邊區的勞動互助〉(《河北學刊》
1992年3期)、李天寧〈中共晉察冀邊區的〝勞動互助〞〉(《共黨問
題研究》8卷8期，民71年8月)、李金錚〈抗日戰爭時期晉察冀區的
農業〉(《中共黨史研究》1992年4期)；〈晉察冀邊區軍事工業的建立〉
(《南開史學》1984年專輯)、趙傳海〈晉察冀抗日根據地手工棉紡織
業發展狀況概述〉(《河南財經學院學報》1987年2期)、丁一〈晉察冀
革命根據地的化學工廠〉(《化學工業》1956年12期)、宋吉壽〈晉察
冀邊區的公營工業企業管理〉(《黨史文匯》1991年12期)、唐錫林〈試

論晉察冀抗日根據地的工商政策〉(《煙臺師院學報》1987年2期)、李
金錚〈晉察冀邊區1939年的救災渡荒工作〉(《抗日戰爭研究》1994年
4期)、王晉源〈科學技術在晉察冀根據地經濟建設中的作用〉(《山
西師大學報》1995年3期)、齊一飛〈論晉察冀邊區的法制建設〉(《法
學雜志》1990年2期)、李寅〈晉察冀抗日根據地的小學教育〉(《首都
博物館叢刊》1993年8期)、王志遠〈晉察冀邊區的公安保衛機關〉(《中
國人民警官大學學報》1987年1期)、〈抗戰初期晉察冀邊區的軍民鋤
奸工作〉(同上，1985年4期)及〈八年抗戰中晉察冀邊區的勞教勞改
工作〉(同上，1986年3期)、辛建〈憶抗日時期的看守工作在晉察冀
邊區〉(《許昌師專學報》1991年4期)、安捷〈中共晉察冀分局城工部
設在保定地區的秘密交通站〉(《北京黨史研究》1991年6期)、宓世榮
〈晉察冀邊區郵政史料初探〉(《北京集郵》1986年6期)及〈晉察冀和
晉冀魯豫邊區郵票的發行管理工作〉(同上，1985年4期)、楊邵中
〈晉察冀根據地抗日鬥爭中的天津工人階級〉(《黨史資料與研究》1991
年1期)、黃小同〈晉察冀抗日根據地與平津城市地下黨關係初探〉
(同上，1993年1期)、宋劭文〈聶榮臻在晉察冀邊區〉(《縱橫》1989
年5期)、居之芬〈國際友人與晉察冀〉(《中共黨史研究》1988年6期)、
謝春服〈中共晉察冀東北工作委員會及其派遣工作〉(《龍江黨史》1992
年6期)、馬瑛〈五臺烽火：憶晉察冀邊區的抗戰歲月〉(《黨史縱橫》
1995年9期)、張聖潔〈略論晉察冀抗日根據地對解放東北的貢獻〉
(《河北學刊》1986年1期)、黃文明〈晉察冀三分區部隊編組變化情
況〉(《軍史資料》1984年2期)、北京軍區司令部黨史辦〈晉察冀軍區
分區(團)以上建制單位組織沿革〉(同上，1987年1期)、齊一丁、
李開信、王進仁〈活躍在晉察冀邊區的青年抗日先鋒隊〉(《青少運史

研究》1988年1期）及〈晉察冀邊區的青年抗日先鋒隊〉（《縱橫》1987
年5期）、鄧文金〈試論抗戰時期晉察冀根據地的人民武裝〉（《漳州
師專學報》1985年1期）、謝忠厚〈抗日戰爭時期晉察冀邊區的知識
分子政策〉（《河北學刊》1984年5期）、袁同興〈戰鬥著的婦女－記抗
日戰爭中的晉察冀婦女〉（《民間文學》1957年8月號）、蘇小平、郭敬
仁〈晉察冀邊區的婦女運動〉（《山西檔案》1994年3期）、康濯、張學
新〈晉察冀的抗日文化運動〉（《新文化史料》1991年2期）、蔡子諤〈簡
論晉察冀群眾文藝運動的特徵〉（《河北師大學報》1987年3期）、黃志
雄〈晉察冀邊區的文學期刊〉（《撫州師專學報》1993年4期）、張學新
〈聶榮臻元帥與晉察冀文藝〉（《新文化史料》1994年3期）、章紹嗣〈晉
察冀邊區的詩人和詩作〉（《中南民族學院學報》1996年3期）、魏巍編
《晉察冀詩抄》（北京，中國青年出版社，1959）、傅中丁〈論晉察冀詩
派〉（《內蒙古師大學報》1992年4期）、郭仁懷〈晉察冀詩歌的浪漫情
采〉（《延安文藝研究》1991年4期）、丹輝〈晉察冀詩歌戰線的一支輕
騎兵－記抗日戰爭時期的鐵流社〉（《新文學史料》1981年4期）、宋克
仁〈晉察冀邊區的抗戰民歌〉（《黨史文匯》1995年3期）、《晉察冀日
報》（又名〝抗戰報〞，1941年5月－1948年6月）、汀茫〈晉察冀邊區
劇社系列〉（《唐山師專唐山教育學院學報》1987年4期）、晉察冀日報史
研究會編《晉察冀日報史》（北京，人民出版社，1993）、《晉察冀日
報大事記》編寫組編《晉察冀日報大事記》（北京，群眾出版社，
1986）、左祿〈堅持敵後抗戰的《晉察冀日報》〉（《新聞研究資料》1986
年2期）、高洪〈《晉察冀日報》的副刊〉（《新聞研究資料》53輯，1991
年8月）、陳肇庠《在生活面前——反〝掃蕩〞手記》（花山文藝出版
社，1981），記述了作者在晉察冀邊區反「掃蕩」的一段經歷。董

魯安《游擊草》(北京，作家出版社，1958)，1943年秋晉察冀邊區軍民對日軍展開反「掃蕩」戰爭(為時三個多月)，作者親身參加過此一戰役。並以舊體詩紀其見聞和感受，本書共收作者自選詩117首。孫福田等《狼牙山五壯士》(北京，中國青年出版社，1958)，記日軍1941年秋大舉向晉察冀邊區進行「掃蕩」時，八路軍某部一團七連二排六班之馬寶林等5人，在易水河畔的狼牙山上英勇抗敵壯烈犧牲的事跡。至於為晉察冀邊區之一部分的平西、北岳、冀中、冀熱遼等抗日根據地有朱仲玉〈抗日戰爭時期的平西抗日根據地〉(《歷史教學》1959年6期)、吳凱勛〈對〝平西大海陀革命根據地調查〞一文的幾點補正意見〉(《北國春秋》1960年2期)、晉察冀邊區北岳區婦女抗日鬥爭史料編輯部編《烽火巾幗－晉察冀邊區北岳區婦女抗日鬥爭史料》(北京，中國婦女出版社，1990)、中國人民革命軍事博物館編《晉察冀抗日根據地北岳區冬季反「掃蕩」要圖》(北京，地圖出版社，1980)、傅尚文〈晉察冀邊區北岳區的糧食戰〉(《歷史教學》1985年2期)、中國人民解放軍河北軍區政治部《冀中抗日戰爭簡史》(石家庄，河北人民出版社，1958)、井上久士〈華北抗日根據地の展開－冀中地區を中心として〉(《中國近代史研究會通信》第4號，1977年3月)、周玉峰〈程子華與冀中抗日根據地〉(《河北學刊》1995年6期)；〈冀中抗日根據地〉(《近代史資料》1957年3期)、呂正操《冀中的回憶》(北京，解放軍出版社，1984)、冉淮舟、劉繩編《留給後世的故事：冀中抗戰史話》(天津，天津人民出版社，1987)、孟慶雲〈抗戰初期冀中平原上的河北游擊隊〉(《北國春秋》1959年1期)、李天寧〈中共〝冀中區〞土地政策的基本總結〉(《共黨問題研究》8卷10期，民71年10月)、高存信、張新法主編、中共河北省委

黨史研究室等編《冀中抗日政權工作七項五年總結：1937.7 －
1942.5》(北京，中共黨史出版社，1994)、曹乃康等〈冀中抗日時期
對敵經濟鬥爭歷史資料〉《商業經濟研究》1984年2-3期)、張佳等〈冀
中五年來財政工作總結〉(《南開史學》1984年專輯)、胡友孟〈冀中
平原抗日根據地的合作運動〉(《商業經濟研究》1988年8、9期)、中
國連合準備銀行顧問室臨時物價調查室編印《冀中冀南匪區經濟實
態調查》(1940年印行)、程存志〈對冀中敵後武工隊之初探〉(《黨史
資料與研究》1992年1期)、王凱捷〈冀中五一反〝掃蕩〞戰略轉移六
針的演進過程〉(同上，1993年2期)、張根生《滹沱河風雲：回憶安
平〝五·一〞反掃蕩鬥爭》(長春，吉林文史出版社，1985)、李志民
〈挺進冀中，重建冀中軍區〉(《黨史研究與教學》1993年2期)、王聚
英〈冀中平原游擊戰在抗日戰爭中的歷史地位〉(《河北學刊》1985年
5期)、保定地委黨史辦〈冀中平原上的地道與地道戰〉(《軍史資料》
1986年10期)；〈冀中平原的爆炸運動與地道鬥爭〉(同上，1987年
1期)、楊成武〈冀中平原上的地道鬥爭〉(《福建黨史月刊》1988年2
期)、李健〈抗日戰爭時期冀中平原的交通戰〉(《軍史資料》1986年
6期)、解新占、楊進華〈曲折的地下長城：冀中地道鬥爭之緣起〉
(《黨史縱橫》1996年9期)、馬志新〈憶冀中九軍分區回民支隊的戰
鬥歷程〉(《黨史資料與研究》1993年1期)、蕭穎〈解放泊頭鎮－冀中
回民支隊片斷回憶〉(《民族團結》1958年10期)、周鴻根〈民族抗日
的光輝旗幟－冀中回民支隊〉(《黨史縱橫》1989年4期)、馬志新〈冀
中九分區回民支隊的建立〉(同上，1990年11期)、陳寶松〈威震冀
中的回民支隊〉(《中央民族學院學報》1987年4期)、劉寶俊《《回民支
隊戰友錄》》(《寧夏大學學報》1990年1、4期)、蕭一平〈冀中抗日根

據地的對敵鬥爭〉(《抗日戰爭研究》1994年2期)、王凱捷〈冀中抗日根據地開展天津敵後工作的歷史作用〉(《黨史資料與研究》1995年2期)、郭之昀〈威震冀中的齊會戰鬥〉(《軍事歷史》1995年4期)、王永煜〈冀中軍民在抗戰中的四大創舉〉(《黨史博采》1995年8期)、張洪祥、王璇〈略論抗戰初期冀中區的聯莊會和會門武裝〉(《南開學報》1993年2期)、康邁千〈抗戰初期的冀中報紙〉(《河北大學學報》1983年3期)、常德〈冀中軍區火線劇社大事記(1937－1949)〉(《津門文學論叢》1984年2期)、冀中一日寫作運動委員會編《冀中一日》(2冊,天津,百花文藝出版社,1959及1963),係1941年冀中抗日根據地的一部分群眾集體創作的彙輯;陳靜波《革命的母親》(長春,吉林人民出版社,1959),共收兩篇革命回憶錄,記述抗日戰爭時期冀中地區人民抗日鬥爭的事跡;李志民〈對日寇的最後一戰〉(《黨史研究與教學》1993年3期),係指1945年4月九分區38區隊、42區隊攻克辛中驛開啟冀中軍區春季攻勢序幕的、河北省黨史研究室等編(朱福奎主編)《冀熱遼抗日根據地研究論文集:紀念抗戰勝利五十周年》(北京,中共黨史出版社,1995)、郡瑞〈試論冀熱遼抗日根據地的形成及其歷史地位〉(《錦州師院學報》1989年2期)、張聖潔〈試論冀熱遼抗日根據地的戰略地位〉(《河北學刊》1990年5期)、陳紹疇〈冀東暴動和冀熱遼抗日根據地的開闢〉(《天津社會科學》1986年2期)、冀熱遼人民抗日鬥爭史研究會編輯室《冀熱遼人民抗日鬥爭文獻·回憶錄(第1-3輯)》(3冊,天津,天津人民出版社,1987)。

關於晉冀魯豫邊區(亦稱晉冀魯豫抗日根據地,包括正太、德石路以南,隴海路以北,津浦路以西,同蒲路以東的地區,分為太行、太岳、冀魯豫、冀南四個區,面積為15平方公里,有177個

縣，2500餘萬人口，其晉冀魯豫邊區民主政權成立於1941年夏）
有齊武《晉冀魯豫邊區史》（北京，當代中國出版社，1995）及〈一個
革命根據地的成長：抗日戰爭和解放戰爭時期的晉冀魯豫邊區概
況〉（北京，人民出版社，1957）；《血戰在晉冀魯豫邊區》（山東，新
華書店，出版年份不詳）、丁玲《一二九師與晉冀魯豫邊區：敵後抗
日根據地介紹》（北京，新華書店，1950）、中國人民革命軍事博物館
編《晉冀魯豫抗日根據地堅持與鞏固時期鬥爭形勢圖（1941年1月
－1942年12月）》（北京，地圖出版社，1980）、中國作家協會山西
分會編《晉冀魯豫革命根據地文藝作品選（太岳部分）》（太原，山西
人民出版社，1982）、河南省財政廳、河南省檔案館編《晉冀魯豫抗
日根據地財經史料選編：河南部分（1－4）》（4冊，北京，檔案出版
社，1985）、戎子和《晉冀魯豫邊區財政簡史》（北京，中國財政經濟
出版社，1987）、晉冀魯豫邊區財政經濟史編輯組等編《抗日戰爭時
期晉冀魯豫邊區財政經濟史資料選編》（北京，中國財政經濟出版社，
1990）、張文杰〈晉冀魯豫根據地創建與發展戰略〉（《河南黨史研究》
1987年2期）、朱瑞〈記建立晉冀魯豫抗日根據地〉（《山西革命根據地》
1986年1期）、張廷貴〈晉冀魯豫根據地在抗日戰爭和解放戰爭中的
地位和作用〉（《黨史研究》1985年2期）、殷錫亭〈共產黨領導下的多
黨合作政權的一次嘗試－晉冀魯豫邊區臨時參議會評介〉（《河北學
刊》1990年2期）、范仁貴〈晉冀魯豫邊區行政區劃〉（同上，1984年
1期）；〈晉冀魯豫邊區行政區劃〉（《南開史學》1984年專輯）、范仁
貴等〈晉冀魯豫邊區民政機關歷史沿革〉（《山西革命根據地》1984年
2、4、5、6期）；〈晉冀魯豫邊區政權幹部制度〉（同上，1985年1
期）、田蘇〈鄧小平與晉冀魯豫抗日根據地建設〉（《探索與求是》1995

年10期）、徐小林〈鄧小平與晉冀魯豫抗日根據地的建設〉（《毛澤東軍事思想研究》1995年3期）、周蘇〈鄧小平與晉冀魯豫抗日根據地建設〉（《河北學刊》1995年6期）、朱貴強等〈鄧小平對晉冀魯豫抗日根據地的歷史貢獻〉（《河南黨史研究》1991年4期）、王庭岳〈晉冀魯豫抗日根據地日人反戰運動析略〉（《山西革命根據地》1990年1期）、崔艷明〈晉冀魯豫邊區的精兵簡政〉（《北京黨史研究》1995年5期）、姚寅虎〈略論晉冀魯豫抗日根據地精兵簡政的主要經驗及其現實意義〉（《理論探索》1994年4期）、曾長秋〈晉冀魯豫邊區精兵簡政歷史經驗〉（《黨史博采》1995年7期）及〈一個精兵簡政的範例：晉冀魯豫邊區的精兵精政〉（《馬列主義教學研究》1985年3期）、董鳳熙等〈抗日戰爭時期晉冀魯豫邊區的財政〉（《財政研究資料》1985年增刊4期）、戎子和〈晉冀魯豫邊區財政工作的片斷回憶〉（《財政》1984年1-12期）及〈晉冀魯豫邊區是怎樣渡過抗日時期相持階段財經困難的〉（同上，1985年12期）、郭今吾〈晉冀魯豫邊區公營商業〉（《商業資料》1984年4期）、李永芳〈抗日戰爭時期晉冀魯豫邊區減租減息運動〉（《河南黨史研究》1987年2、3期）、項斌〈晉冀魯豫抗日根據地的對敵經濟鬥爭〉（《河南財經學院學報》1985年4期）、毛錫學〈抗戰時期晉冀魯豫邊區的對敵經濟鬥爭〉（《許昌師專學報》1986年4期）、淺井敦〈晉冀魯豫邊區婚姻暫行條例と關係法令－解說と譯文〉（《アジア經濟旬報》796號，1970年7月）、劉漢超〈晉冀魯豫邊區郵局發行新郵票及整理舊存郵票規定〉（《集郵研究》1985年5期）、許慶發〈晉冀魯豫邊區郵政史料簡介〉（同上，1985年4期）。至於為晉冀魯豫邊區之一部分的太行、太岳等區及冀南、冀魯豫、湖（微山湖）西等抗日根據地有中共河南省委黨史資料徵集編纂委員會編《太行抗日根據地》(2冊，鄭州，河南人民出版社，1986)、《太行革命根據地史稿》總編委員會編《太行革命根據地史稿》(太原，山西人民出版社，1987)、《太行革命根據地畫冊》編輯組編《太行革命根據地畫冊(1937-1949)》(同上，1987)、太行革命根據地史總編委會編《群眾運動》(太行革命根據地史料叢書，同上，1989)、《土地問題》(同上，1987)及《財政經濟建設》(同上)、陳裴琴編《巍巍太行》(昆明，雲南人民出版社，1984)，共收錄70餘篇回憶錄，記述了晉冀魯豫邊區抗戰歷史和「人民戰爭」的實況；太行革命根據地史總編委會編《大事記述：1937－1949》(太原，山西人民出版社，1991)及《地方武裝鬥爭》(同上，1990)、田西如〈太行區的建立和行政區劃的變化情況〉(《地名知識》1981年6期)及〈太行抗日根據地史研究綜述〉(《黨史通訊》1987年7期)、申澤田、朱貴強〈試述太行革命根據地的歷史作用〉(《河南黨史研究》1990年6期)、陳永發〈從Ralph Thaxton的研究論抗日時期中共在太行山地區及其附近的活動〉(《中央研究院近代史研究所集刊》13期，民73年6月)、聯防軍政治部宣傳部編印《戰鬥在太行山上》(民33年印行，戰士小叢書之20)、中國人民解放軍山西省軍區政治部編寫《戰鬥在太行山上》(太原，山西人民出版社，1979)、劉奮耕編《我們在太行山上》(北京，人民日報出版社，1984)及《太行烽火》(重慶，重慶出版社，1995)、暴銀貴編寫《彭德懷同志在太行》(太原，山西人民出版社，1980)、李志寬編著《朱德總司令在太行》(同上，1979)、田西如《劉伯承與鄧小平：轉戰太行》(北京，中共中央黨校出版社，1994)、王照騫編寫《左權將軍在太行》(太原，山西人民出版社，1981)、楊殿奎〈記太行區人民武裝的建設〉(《軍史資料》1986年3期)、謝武甲〈抗日戰爭中的太行軍區——記李達同惠德賽的談話〉（《歷史檔案》1986年1期）、山西省公安廳史志科〈太行根據地公安保衛組織機構沿革〉（《山西地方志通訊》1986年5期）、史法根等〈太行革命根據地的公安保衛工作〉（《山西革命根據地》1989年1-3期）、武寧忠〈太行根據地公安保衛工作概述〉（《山西地方志》1988年3、4期）、李志寬〈太行抗日根據地的政策工作〉（《山西革命根據地》1988年4期）、王定坤〈太行革命根據地是怎樣解決農民土地問題的〉（《黨史文匯》1985年創刊號）、楊維〈太行山北區的土地問題〉（《山西革命根據地》1988年2期）、李陰蓬〈抗日戰爭時期的太行化學製藥廠〉（《醫學工業》1959年9期）、《太行區銀行工商工作參考資料》編輯委員會編印《太行區銀行工作參考資料》（河南省涉縣，民34）、郭曉平〈太行根據地的金融貨幣鬥爭〉（《中共黨史研究》1995年4期）、譚建立〈太行革命根據地信用合作的特點〉（《信用合作》1985年3期）、戎子和〈太行太岳一年來的財糧工作〉（《山西革命根據地》1984年2期）、杜曉〈太行抗日根據地的財經建設〉（載《抗日民主根據地與敵後游擊戰爭》，北京，中共黨史資料出版社，1987）、張萬〈太行山上的兩個兄弟劇團〉（《新文化史料》1990年4期）、李志寬〈太行敵後抗戰文藝工作紀實〉（《抗戰文藝研究》1983年6期）；〈太行文聯回憶鱗爪〉（《新文學史料》1982年2期）、中國作家協會山西分會編《晉冀魯豫革命根據地文藝作品選(太行太岳部分)》（太原，山西人民出版社，1982）；〈太行區各主要報紙簡介〉（《新聞戰士》1984年5期）、中共河南省委黨史工作委員會編《太岳抗日根據地》（鄭州，河南人民出版社，1990）、中共山西省委黨史研究室編《太岳革命根據地紀事》（太原，山西人民出版社，1989）、師文華主編、中共山西省委黨史研究室著《太岳革命根據地簡史》（北京，人民出版社，

1993）、宋荐戈等〈太岳革命根據地發展簡史〉(《山西師院學報》1984
年1-4期；《山西師大學報》1985年1期、1985年1期）及〈太岳區的管
轄範圍和領導機構的沿革〉(《山西師院學報》1981年2期）、邵春保〈太
岳行署在鄭庄〉(同上，1980年4期）、所增義〈太岳軍區簡史〉(《軍
事歷史》1995年3期）、李鐵虎〈第一個敵後抗日根據地：晉察冀北
岳區〉(《地名知識》1985年4期）、今井駿〈抗日根據地の形成過程に
ついての一考察－冀南根據地を中心に〉(《史潮》108號，1971年6
月）、陳再道〈挺進冀南〉(《邊疆文藝》1962年9月號）、池田誠〈冀
南における初期抗日態勢にかんする若干の資料について〉(《立命
館法學》114號，1974年12月）、冀南革命根據地編審委員會等編《“四
・二九”反掃蕩紀實》(石家庄，河北人民出版社，1988）、張錫海〈冀
南根據地的抗日交通郵政〉(《集郵研究》1985年5期）、陳存達等主編
《星光耀冀南》(東營，石油大學出版社，1994）、郭傳璽〈冀魯豫邊區
抗日根據地的開闢〉(《近代史研究》1985年4期）及〈冀魯豫邊區抗日
根據地の創出〉(《立命館法學》188.189.190號，1986年3月）、張文杰
〈冀魯豫抗日根據地的民主民生鬥爭〉(《中州學刊》1986年5期）、〈冀
魯豫抗日根據地鞏固與發展的原因初探〉(同上，1987年3期）及〈冀
魯豫邊區黨的建設述略〉(《河南黨史研究》1991年4期）、喬培華〈冀
魯豫抗日根據地與天門會〉(《歷史教學》1992年7期）、李冬春〈回民
支隊在冀魯豫邊區的重大貢獻〉(《荷澤師專學報》1990年2期）、蘇東
開等〈冀魯豫中心區濮范觀根據地發展史略〉(《河南黨史研究》1990
年6期）、張桂英〈對中共冀魯豫邊區特委工作的回憶〉(同上，1987
年2、3期）、夏川〈冀魯豫軍區部隊發展情況概述〉(《河南黨史研究》
1987年6期）、李天寧〈中共“冀魯豫區”土地政策的具體報告〉(《共

黨問題研究》8卷5期，民71年5月）、劉守森〈冀魯豫邊區群運史上的一個創舉：試述〝滑縣雇佃貧運動〞〉（《河南黨史研究》1990年6期）、中共冀魯豫邊區黨史工作組財經組編《中共冀魯豫邊區黨史資料叢書－財經工作資料選編》（濟南，山東大學出版社，1989）、中共冀魯豫邊區黨史編委會編《中共冀魯豫邊區黨史大事記》（同上，1987）、馮治〈湖西抗日根據地的創建及其特點〉（《齊魯學刊》1987年3期）、郭影秋等〈冀魯豫邊區（湖西）抗日根據地創建時期的回顧〉（《中共黨史資料》1990年34輯）、孫海泉〈湖西抗日根據地建立前的徐州統戰工作〉（《淮海論壇》1988年1期）、郭影秋〈關於湖西人民武裝抗日義勇隊的一些情況〉（《黨史資料叢刊》1981年4期）。李鐵虎〈冀魯邊區從抗戰到解放〉（《首都博物館叢刊》第9期，1994）、劉立鑫、邢金良〈冀魯邊區銀行印刷和發行的貨幣〉（《文物春秋》1994年3期）。

　　關於鄂豫邊區（位於鄂、豫、皖、湘、贛五省交界地區，包括中共「土地革命時期」鄂豫皖、湘鄂西、湘鄂贛三個蘇區的大部或一部份，面積9萬餘平方公里，人口1300萬，建有39個縣政權，游擊區活動地區約有50多個不包括縣城的縣，其鄂豫邊區行政公署成立於1941年3月，1944年10月，該邊區改名為鄂豫皖湘贛邊區，同時成立鄂豫皖湘贛軍區，至1945年9月，鄂豫邊區行政公署改名為中原行政公署）有鄂豫邊區革命史編輯部編《戰鬥在鄂豫邊區》（3冊，武漢，湖北人民出版社，1980、1981及1984），第1冊為「專文與文獻」，第2、3冊為「回憶錄」；《鄂豫反包圍戰（上集）》（前線出版社，民29）、《豫鄂邊抗日根據地》編寫組編《豫鄂邊抗日根據地》（鄭州，河南人民出版社，1986）、鄂豫邊邊區革命史編輯部編《鄂豫邊區抗日民主根據地史稿》（武漢，湖北人民出版社，

1995）、李新福〈武漢淪陷前後鄂豫邊抗日根據地的建立和發展〉
（《湖北大學學報》1995年5期）、張影輝〈鄂豫邊區抗日根據地的創建
及特點〉（《黨史研究》1984年1期）及〈鄂豫邊區的戰略地位及其歷史
作用〉（《武漢大學學報》1984年5期；亦載《地方革命史研究》1985年4、
5輯）、趙季〈對鄂豫邊區抗日根據地歷史的一些認識〉（《地方革命
史研究》1985年2期）、應山縣委黨史辦〈四望山根據地及其在鄂豫
邊的地位和作用〉（同上，1984年4、5期）、張勝林〈試述四望山抗
日根據地的特點及其歷史地位〉（《河南黨史研究》1991年3期）、地方
革命史研究編輯部〈全民族抗戰中的鄂豫邊區〉（同上）、陳開春〈皖
中與鄂豫邊區抗日根據地溝通之經過〉（《地方革命史研究》1986年4
期）、艾宏揚〈從鄂豫邊區看基本區和游擊區的劃分問題〉（同上，
1987年2期）、龔伏秋等〈鄂豫邊區抗日民主政權的建立及其歷史功
績〉（《華中師院學報》1984年6期）、吳德華〈鄂豫邊區的抗日民主政
權〉（《江漢大學學報》1985年3期）、姬少華〈鄂豫邊區政權建設的歷
史經驗〉（《河南黨史研究》1991年3期）、龔伏秋、劉光明〈"三·三
制"原則在鄂豫邊區的實施〉（《江漢論壇》1985年8期）、劉光明〈抗
戰初期鄂豫邊區的統一戰線工作〉（《黨史研究》1985年5期）、庫充
〈鄂豫邊區抗日根據地區鄉政權建制考〉（《地方革命史研究》1991年3
期）、胡超〈《鄂豫邊區施政綱領》介紹〉（《檔案資料》1982年8期）、
賴文樓〈抗日戰爭時期豫鄂邊區在軍事史上起重要作用的幾次會
議〉（《河南黨史研究》1987年1期）、夏遠繼〈論鄂豫邊區貫徹知識分
子政策的歷史經驗〉（《江漢大學學報》1985年3期）、張念橋〈鄂豫邊
區抗日民主根據地"雙擁"工作〉（《地方革命史研究》1988年5輯）、
鄒作盛〈鄂豫邊區抗日戰爭時期的經濟建設〉（《湖北財院學報》1981

年1期)、孔祥徵〈鄂豫邊區抗日根據地的財政經濟政策〉(《地方革命史研究》1985年4－5輯)、李倩文〈鄂豫邊區的減租減息運動〉(《湖北黨史通訊》1985年3期)、王傳授〈抗戰時期的鄂豫區建設銀行〉(《檔案資料》1982年5期)、齊光〈鄂豫邊區建設銀行印鈔廠始末〉(《中國錢幣》1992年1期)、趙學禹〈鄂豫邊區建設銀行與邊區經濟建設〉(《武漢大學學報》1985年3期)、張進先〈鄂豫邊區抗日根據地交通隊伍的發展和壯大〉(《地方革命史研究》1986年2期)、李實〈抗戰時期鄂豫邊區的教育工作〉(《教育研究》1984年3期)、劉光明、周玉承主編《鄂豫邊區抗戰和中原突圍問題研究》(武漢,華中師大出版社,1987)、劉喆〈豫鄂邊幹部教育述略〉(《中州今古》1987年2期)、郭美蘭〈關于鄂豫邊區抗日民族統一戰線〉(《湖北教育學院學報》1995年2期)、何新恩〈史沫特萊豫鄂邊區之行略述〉(《黃岡師專學報》1991年3期)、呙玉臨〈鄂豫邊區抗日時期的陳少敏〉(《華中師院學報》1981年2期)、唯實〈鄂豫邊區的美國空軍"觀察組"〉(《湖北黨史通訊》1985年2期)、夏新波、雲力〈李先念與鄂豫邊區的反腐倡廉〉(《黨史天地》1994年2期)、劉光明〈鄭位三與鄂豫邊區的整風運動〉(《華中師院學報》1985年3期)。《石公華抗日烽火》編寫組編《石公華抗日烽火》(武漢,湖北人民出版社,1986)、趙季〈讀《石公華抗日根據地史稿》兼議編寫抗日根據地史問題〉(《地方革命史研究》1986年4期),按:石公華是指湖北之石首、公安、華容三縣敵後抗日根據地,是鄂豫邊區的一個主要組成部分。

關於晉綏邊區(亦稱晉綏抗日根據地,其由來是七七事變爆發後,賀龍等率領八路軍一二○師進入晉西北地區,逐步建立了晉西北抗日根據地,1938年8月,一二○師派出大青山支隊,進入綏遠北部，開闢大青山抗日游擊根據地，結合蒙民，在綏中、綏南以及察哈爾開展游擊戰爭，並逐步建立了抗日游擊根據地，與晉西北抗日根據地合稱晉綏抗日根據地。1940年春，建立晉綏抗日民主政權。該根據地包括山西省、綏遠省的一部分，東起同蒲路、平綏路，西至黃河，南迄汾漓公路，北達包頭、百靈廟、武川、陶林一線，面積82，750平方公里，人口322萬）有中共山西省委黨史研究室編《晉綏革命根據地大事記》(太原，山西人民出版社，1989)、穆欣《晉綏解放區鳥瞰》(太原，山西人民出版社，1984)及《晉綏解放區民兵抗日鬥爭散記》(上海，上海人民出版社，1985)、趙晉〈晉綏抗日根據地史研究綜述〉(《黨史通訊》1987年5期)；〈晉綏邊區抗日根據地區劃沿革〉(《南開史學》1984年專輯)、趙盾〈晉綏邊區革命根據地區劃沿革初考〉(《地名知識》1982年4期)、林叢〈晉綏有關機構組織及名人代號、筆名錄〉(《山西革命根據地》1986年1期)；〈晉綏革命根據地的十個特點〉(《黨史文匯》1986年4期)、牛崇輝〈略論賀龍率領的120師在開闢建立晉綏革命根據地的地位和作用〉(《吉首大學學報》1987年2期)、王敏啟〈晉綏邊區的精兵簡政〉(《晉陽學刊》1982年4期)；〈三年來晉綏邊區黨的組織工作（1941年1月30日)〉(《山西革命根據地》1984年1期)、晉綏邊區財政經濟史組、山西省檔案館編《晉綏邊區財政經濟史料選編》(太原，山西人民出版社，1986)、金豐等〈抗戰時期晉綏根據地是怎樣解決財政問題的〉(《經濟問題》1983年8期)、景占魁等〈抗戰時期晉綏根據地是怎樣解決財政問題的〉(《山西財經研究》1983年5期)、景占魁〈簡論晉綏根據地財經工作的幾個特點〉(《財政研究資料》1985年增刊4期)、霍龍〈晉綏邊區的三次農幣波動〉(《內蒙古檔案史料》1993年1期)、郝建貴〈晉綏革命根據地貨幣鬥爭史料〉(《山西財經學院學報》1982年3期)、景占魁〈晉綏革命根據地農業淺探〉(《晉陽學刊》1983年3期)、韓志宇〈晉綏邊區農業稅政策初探〉(同上，1984年1期)及〈晉綏邊區工商稅政策的演變〉(《近代史研究》1986年4期)、山西省財政廳稅務局、山西省檔案館等編《晉綏革命根據地工商稅收史料選編（1938年2月-1949年12月）》(太原，山西人民出版社，1986)、寇潤圻〈晉綏邊區化學工廠回憶片斷〉(《化學工業》1965年16期)、張志強〈晉綏二分區紡織總結〉(《文物天地》1992年5期)、李希孟〈深受群眾喜愛的《晉綏大眾報》（1940-1949年7月24日停刊）〉(《新聞戰士》1984年2期)、齊榮晉〈關于晉綏邊區《人民畫報》的一些基本情況〉(《山西革命根據地》1987年3期)、中國作家協會山西分會編《晉綏革命根據地文藝作品選》(太原，山西人民出版社，1982)、俞炳森〈晉綏解放區的郵政和郵票〉(《集郵》1984年12期)、廖漢生等〈續範亭在晉綏抗日根據地〉(《黨史文匯》1994年5期)。屬於晉綏邊區的晉西北、大青山等抗日根據地其論著和資料有王敏啟、張希坡〈晉西北抗日根據地的創建〉(《山西革命根據地》1985年2期)、路燕林〈晉西北抗日根據地的戰略作用〉(《理論教育》1987年5期)、牛崇輝〈晉西北抗日民主政權的機關改革〉(《人事》1986年12期)、樊潤德〈晉西北行政公署成立時間考〉(《山西革命根據地》1984年2期)；〈晉西北行政公署獎勵生產技術暫行辦法〉(同上)；〈晉西北行政公署優待專門技術幹部辦法〉(同上)、小林孝純〈抗日戰爭期における晉西北根據地の財政問題〉(《社會文化史學》34號，1995年8月)、中國人民革命軍事博物館編《晉西北抗日根據地春季反〝掃蕩〞要圖（1942年2月4日-3月3日）》(北京，地圖出版社，1980)、楊桂蘭〈晉西北抗日民主根據地的金融貨幣政策〉（《山西革命根據地》1988年3期）。大青山抗日鬥爭史編寫組《大青山抗日鬥爭史》（呼和浩特，內蒙古人民出版社，1985）、內蒙古軍區大青山武裝抗日鬥爭史略編寫組《大青山武裝抗日鬥爭史略》（同上）、王曉華《大青山抗日鬥爭史話》（同上，1982）、中國共產黨內蒙古自治區委員會黨史資料徵集委員會、中國人民解放軍檔案館、內蒙古自治區檔案館編《大青山抗日游擊根據地資料選編》（2冊，呼和浩特，內蒙古人民出版社，1986及1988）、王經雨口述、張士耕整理《大青山上》（北京，作家出版社，1959），共收文章12篇，均係作者講述抗日戰爭期間中共領導的一支游擊隊在內蒙古大青山一帶和日、偽軍戰鬥的史事，作者當時是這支游擊隊的隊長；郝秀山〈巍巍大青山－大青山抗日游擊根據地四十周年回憶片斷〉（《包頭文藝》1978年4期）、王曉華〈大青山根據地革命鬥爭史話連載：建設抗日民主政權〉（《實踐》1978年6期）、那木雲〈大青山游擊根據地的抗日鬥爭〉（《內蒙古師院學報》1959年2期）、饒興〈戰鬥在大青山〉（《革命史資料》1983年2期）、張植華〈大青山抗日游擊根據地與騎兵游擊戰爭〉（《黨史研究》1985年5期）、宋雅嵐〈大青山游擊根據地的特殊性－兼論其爭取偽鄉政人員的統一戰線〉（《內蒙古大學學報》1995年4期）、李鴻〈大青山抗日游擊根據地的財政經濟工作〉（《內蒙古大學學報》1988年1期）。

關於山東抗日根據地（包括山東省大部，河北、江蘇省各一部分地區，東臨黃海，西至津浦路，北達天津南郊，南迄隴海路，面積15萬平方公里，1944年共轄魯南、魯中、濱海、膠東、渤海5個區，96個縣，人口1350萬）有中共山東省委黨史資料徵集研究委員會編《山東抗日根據地》（北京，中共黨史資料出版社，1989）、

申春生《山東抗日根據地史》(濟南，山東大學出版社，1993)、David
Mark Paulson, War and Revolution in North China: The Shandong
Base Area, 1937-1945.(Ph. D. Dissertation, Stanford University, 1982)、
辛偉主編《山東解放區大事記》(濟南，山東人民出版社，1982)、劉
大可〈山東敵後抗日根據地的建立〉(《近代史研究》1985年4期)、劉
子蔚、段振鋒〈山東抗日根據地的創建經過(1943-1944)〉(《山東
省志資料》1958年1期)、賈蔚昌〈試論山東抗日根據地建立的特點〉
(《山東師大學報》1985年4期)、王德超〈山東抗日根據地的創建和發
展〉(《青島大學師院學報》1995年2期)、孫道同〈試論山東抗日根據
地的創建與發展〉(《軍事歷史研究》1988年3)、胡汶本〈三山起義與
山東抗日根據地的創建〉(《歷史教學》1985年4期)、王金玉〈山東抗
日根據地的創建和發展〉(《鄭州大學學報》1985年2期)、張梅玲〈毛
澤東與山東抗日根據地的創建〉(《山東社會科學》1993年5期)、盧立
人、方世平、胡文杰〈試論山東敵後抗日根據地的開闢及其意義〉
(《青島師專學報》1985年2期)、申春生〈簡述山東抗日根據地政權的
形成和發展〉(《黨史研究》1985年1期)、孫淑芬〈山東抗日根據地的
形式及初期的民主政權建設〉(《北京科技大學學報》1988年2期)、賈
蔚昌〈試論山東抗日根據地史的分期〉(《理論學刊》1987年1期)、王
愛鳳〈山東抗日根據地史的分期問題〉(《華東石油學院學報》1987年4
期)、劉大可〈山東抗日根據地區域劃分〉(《南開史學》1984年專輯)
及〈山東革命根據地區域劃分考略〉(《地名知識》1983年5、6期)、
馬場毅〈抗日根據地的形成與農民－以山東抗日根據地為中心議
題〉(載《中外學者論抗日根據地－南開大學第二屆中國抗日根據地史國際學
術討論會論文集》，北京，檔案出版社，1993)及〈抗日根據地の形成と

農民－山東省を中心に〉(《講座中國近現代史》第6卷，東京，東京大學出版會，1978)、王新蘭〈115師挺進山東及山東抗日根據地的發展〉(《軍史資料》1986年1期)、張建德〈山東抗日根據地在全國抗戰中的地位和作用〉(《發展論壇》1995年7期)、初維真〈山東抗日根據地的地位和作用〉(《山東社會科學》1995年4期)、辛瑋〈山東抗日民主政權建設及其歷史啟迪〉(同上，1995年6期)、王東溟〈簡述山東抗日游擊戰爭的形成和發展〉(《軍事資料》1989年4期)及〈論山東抗日游擊戰在抗日戰爭中的作用和地位〉(《齊魯學刊》1985年4期)、陸榮勛等〈略論山東抗日武裝起義的特點〉(《理論學刊》1985年4期)、劉金江、臧濟紅〈論山東抗日根據地的戰略地位和作用〉(《東岳論叢》1995年4期)、趙延慶〈抗日戰爭中山東戰略區的地位和作用〉(載《抗日民主根據地與敵後游擊戰爭》，北京，中共黨史資料出版社，1987)、王東溟〈論山東抗日根據地以全省規模形成的原因〉(《中共黨史研究》1995年3期)、丁龍嘉、張業賞〈山東抗日根據地的〝肅托〞問題〉(《中共黨史研究》1995年1期)、張善涵〈山東抗日根據地的精兵簡政〉(《行政與人事》1992年6期)、朱玉湘〈山東抗日根據地的合理負擔政策〉(《文史哲》1985年5期)、李庚元〈簡論山東抗日民主根據地的人民調解工作〉(《東岳論叢》1983年6期)、薛暮橋《抗日戰爭時期和解放戰爭時期山東解放區的經濟工作》(濟南，山東人民出版社，1984)、申春生等〈山東抗日根據地財經工作述要〉(《中國社會經濟史研究》1987年2期)、蔣守業、于志亭〈山東抗日根據地的貿易政策〉(《石油大學學報》1995年3期)、朱玉湘〈山東抗日根據地的經濟建設〉(《東岳論叢》1981年6期)及〈山東抗日根據地財經建設的艱苦創業〉(《山東大學學報》1991年3期)、山東省財政科學研究所、山東省檔案館編

《山東革命根據地財政史料選編》(濟南，山東人民出版社，1985)、朱
玉湘主編《山東革命根據地財政史稿》(同上，1989)、馬場毅〈山
東抗日根據地における財政問題〉(《史觀》110號，1984年3月)、申
春生〈山東抗日根據地的兩次貨幣鬥爭〉、(《中國經濟史研究》1995
年3期)、薛暮橋〈山東抗日根據地的對敵貨幣鬥爭〉(《財貿經濟叢
刊》1980年1期)、閻洪貴〈歷史的回顧，成功的借鑒：從山東抗日
根據地的貨幣鬥爭看黨領導經濟工作的經驗〉(《山東經濟》1991年4
期)、申春生〈山東抗日根據地保持幣值和物價穩定的措施〉(《山
東社會科學》1995年3期)及〈山東抗日根據地的對敵貿易鬥爭〉(《齊
魯學刊》1995年5期)、王鴻翰、閻洪貴〈山東抗日根據地的貿易鬥
爭〉(《山東經濟》1985年4期)、王延中〈抗戰時期山東解放區農村經
濟關係的變遷〉(《近代史研究》1991年1期)、朱玉湘〈山東抗日根據
地的減租減息〉(《文史哲》1981年3期)、張梅玲〈試論劉少奇對山
東抗日根據地減租減息運動的重大貢獻〉(《東岳論叢》1994年6期)、
楊波《山東解放區的工商業》(臨沂，山東新華書店，民35)、王禮琦
〈山東抗日根據地公營工業的改革〉(《歷史教學》1984年2期)及〈山
東抗日根據地公營工廠勞動報酬制度的演變〉(《工業經濟管理叢刊》
1983年10期)、彭寧〈山東革命根據地工商稅收梗概〉(《稅務研究》
1988年2期)、劉為民〈論山東抗日民主政權司法制度的特點〉(《山
東法學》1990年1期)、申春生〈山東抗日根據地的整風運動〉(《東岳
論叢》1985年4期)、王文泉〈山東抗日根據地與民眾動員〉(《文史
哲》1993年6期)、馬庚存〈山東抗日根據地的青年救國會〉(《青運
史研究》1981年1期)、中國人民革命軍事博物館編《山東抗日根據
地沂蒙山區反〝掃蕩〞要圖（1942年11月4日－12月下旬)》(北

京，地圖出版社，1980）、劉健飛〈山東老解放區教育大事記（初稿）〉
（《山東教育史志資料》1984年2期）、莫西芬、任民、劉希新《山東解
放區文學作品選》（濟南，山東人民出版社，1983）、任孚光〈山東解
放區文藝概述〉（《抗戰文藝研究》1984年2期）、齊英〈難忘的歷程－
活躍在山東抗日戰場上的幾支外省文工團隊〉（《新文化史料》1995年
4期）、李傳玉、姜虹、劉金龍〈簡論新民主主義文藝在山東抗日根
據地的發展〉（《齊魯藝苑》1995年4期）、黃崢〈劉少奇與山東抗日根
據地〉（《黨史研究》1985年2期）、李曙新〈劉少奇1942年來山東與
山東抗日根據地的恢復和發展〉（《青島大學師範學院學報》1995年1
期）、李曉波〈羅榮桓與山東抗日根據地〉（《黨史研究》1987年4期）、
李維民、潘天嘉《羅榮桓在山東》（北京，人民出版社，1986），為傳
記體裁，記述羅榮桓抗日戰爭時期在山東根據地的戰鬥歷程；申春
生〈朱瑞與山東抗日根據地〉（《東岳論叢》1995年5期）、馬場毅〈山
東抗日根據地と紅槍會〉（《中國研究月報》553號，1994年3月）。至
於屬於山東抗日根據地的各區、各根據地有李鐵虎〈冀魯邊區從抗
戰到解放〉（《首都博物館叢刊》1994年9期）、周貫五著、杜文和整理
《艱苦奮戰的冀魯邊：革命回憶錄》（杭州，浙江人民出版社，1984）、
尤書金〈在冀魯邊的抗戰歲月〉（《湖南黨史》1996年3期）、王連芳
〈冀魯邊區（渤海）回民支隊初創時期遇到的幾個特殊問題〉（《回族
研究》1992年1期）、〈冀魯邊區回民支隊成長的片斷回憶〉（《寧夏大
學學報》1984年1期）及〈抗日烽火中的渤海回民支隊〉（《回族研究》
1991年3期）、劉金聲、劉寶俊〈抗日戰爭時期渤海軍區回民支隊〉
（《寧夏大學學報》1986年1期）、李冬春〈回民支隊在冀魯邊區的重大
貢獻〉（《荷澤師專學報》1990年2期）、馬進坡〈回民支隊成立前後〉

（《民族團結》1961年5期）、李傳敏〈膠東抗日根據地的政權建設〉（《煙臺師院學報》1993年1期）及〈膠東革命根據地的經濟建設〉（同上，1989年3期）、楊波〈在黨的領導下沒有克服不了的困難－回憶抗日戰爭時期山東省膠東抗日根據地化學工業的成長〉（《中國青年》1952年11期）、賈若瑜〈抗日戰爭時期膠東軍區交通鬥爭的主要經驗〉（《軍學》1985年增刊2期）、張加洛〈鬥爭中成長－膠東三支隊創建發展簡史〉（《山東省志資料》1960年3期）、王梅勝、李文韜〈膠東抗日武裝起義與山東人民抗日救國軍第三軍的建立〉（《軍事歷史》1992年5期）、梁平〈抗戰時期膠東的戲劇運動〉（《新文化史料》1992年2期）、程子棟〈在魯中抗日游擊的日子裏〉（《黨的生活叢刊》1982年1期）、劉長飛〈一一五師挺進山東和創建魯南抗日根據地〉（《山東師大學報》1995年增刊）。與山東抗日根據地相關的尚有 Elise Anne Davido, The Making of the Communist Party: State in Shandong Province, 1927-1952.(Ph. D. Dissertation, Harvard University, 1995)、野澤豐、田中正俊著、周謙譯、馬場毅執筆〈抗戰初期的山東形勢及魯中南抗日武裝〉（《泰安師專學報》1992年2期）、趙臺新《抗戰時期中共在山東的發展》（臺灣師大歷史研究所碩士論文，民85）、許世友《我在山東十六年》（濟南，山東人民出版社，1981）。

　　關於綜合論述華北各根據地及與其相關的論著和資料有魏宏運、張國祥〈劉少奇——華北敵後抗日根據地的開創者〉（《理論教育》1988年9期）、左志遠主編《華北抗日根據地史》（北京，檔案出版社，1990）、魏宏運主編《華北抗日根據地紀事》（天津，天津人民出版社，1986）；〈華北各抗日根據地概況〉（《南開史學》1984年專輯）、〔南開大學〕歷史系資料室〈華北抗日根據地論文資料目錄索引〉（同上）、歷史系中國現代史教研室〈華北抗日根據地大事年表〉（同上）；〈華北抗日根據地文獻〉（《近代史資料》1957年3期）、陳廉〈北方局與華北抗日根據地的創建〉（《近代史研究》1984年6期）、張國祥〈劉少奇和華北敵後抗日根據地的開創〉（《南開學報》1992年2期）、相運霞〈試論劉少奇與華北抗日根據地的創建〉（《淮陰師專學報》1990年1期）、馬齊彬等〈劉少奇與華北抗日根據地的創立〉（《文獻和研究》1986年8期）及〈開創華北抗戰的新局面：劉少奇《為發動華北廣大群眾的抗日救國運動而鬥爭》寫作前後〉（《教學與研究》1985年4期）、張國祥〈劉少奇－華北敵後抗日根據地的開創者〉（《理論教育》1988年9期）、左志遠〈開闢華北抗日根據地戰略思想的形成〉（《南開學報》1991年5期）、李境順〈中共與華北抗戰新局面的開創〉（《歷史教學》1995年10期）、郝良真、孫繼民〈華北抗日根據地在新民主主義革命中的地位〉（《河北學刊》1995年6期）、楊小池〈北方局與華北敵後抗日戰略支點的形成〉（《黨史文匯》1995年4期）、Dagfinn Gatu, Toward Revolution: War, Social Change and the Chinese Communist Party in North China, 1937-1945.（Stockholm: Stockholm University Institute Oriental Studies, 1983），其中譯本為達格芬·嘉圖著、楊建立等譯《走向革命：華北的戰爭、社會變革和中國共產黨》（北京，中共黨史資料出版社，1987）、龔希光〈關於華北抗戰初期〝運動游擊戰〞提法的考察〉（《黨的文獻》1992年5期）、郝彭證〈試論華北敵後抗日根據地的民主政權〉（《山西革命根據地》1987年2期）、張洪祥〈論華北敵後第一個抗日民主政權的建立〉（《歷史教學》1985年11期）及〈華北敵後第一個抗日民主政權的建立〉（載《抗日民主根據地與敵後游擊戰爭》，北京，中共黨史資料出版社，1987）、井上久士〈華北抗日根據地に關する－考察－その危機をめくつて〉(載藤原彰、野澤豊編《日本フアシズムと東アジア》,東京,青木書店,1977)、安井三吉〈華北の抗日民主政權〉(載芝池靖夫編《中國社會主義史研究》,東京,ミネルウア書房,1978)、佐藤宏〈抗戰・家庭・生產－華北抗日根據地の事例〉(《季刊中國研究》11號,1988年4月)、胡正邦〈抗戰中期華北抗日根據地的經濟建設〉(《人文科學雜志》1958年3期)、高德福〈華北抗日根據地的減租減息〉(《南開學報》1985年6期)及〈華北抗日根據地的減租減息運動〉(收入《抗日根據地的財政經濟》,北京,中國財政經濟出版社,1987)、劉燕明〈略述華北革命根據地的工商稅收〉(《稅務研究》1988年4期)、黃存林〈略論華北抗日根據地的貨幣鬥爭〉(《河北師院學報》1985年3期)、魏宏運〈論華北抗日根據地的合理負擔政策〉(《歷史教學》1985年11期)、張水良〈華北抗日根據地的生產救災鬥爭〉(同上,1982年12期)、魏宏運〈論華北抗日根據地繁榮經濟的道路〉(《南開學報》1984年6期)、劉一皋〈抗日戰爭與中國北方農村社會發展－戰時華北抗日根據地社會變革及其影響〉(《中共黨史研究》1995年4期)、江沛〈華北抗日根據地區域社會變遷論綱〉(《理論與現代化》1995年7期)、傅建成〈論華北抗日根據地對傳統婚姻制度的改造〉(《抗日戰爭研究》1996年1期)、秋吉久紀夫《華北根據地の文學運動－抗日戰期の成長と發展》(東京,評論社,1976)。華中抗日根據地及與其相關者有周雄〈共匪所謂「華中抗日根據地」〉(《共黨問題研究》5卷10期,民68年10月)、林子秋〈試論華中抗日根據地政權建設〉(《鹽城教育學院學報》1990年4期)、姜志良〈華中敵後抗日民主政權建設〉(載《抗日戰爭史事探索》,上海,上海社會科學院出版社,1988)、王明生〈華中抗日根據地的廉政建設〉（《大江南北》1990年5期）及〈論華中抗日根據地的廉政監督與監察〉（《黨史研究與教學》1995年6期）、財政部財政科學研究所、新四軍研究會上海高校專題組編《上海地下黨支援華中抗日根據地》（上海，華東師大出版社，1987）、童志強〈黨中央發展華中的戰略方針的勝利〉（《地方革命史研究》1985年4、5輯）、黃兆康〈論華中抗日地區我黨控制的兩面政權〉（《黨史研究與教學》1990年5期）、張衡〈略論華中抗日根據地的四大經濟對策〉（《江海學刊》1995年3期）、金誠〈有關華中根據地一些抗幣資料的探討〉（《中國錢幣》1983年3期）、黃如之〈回憶華中解放區的貨幣鬥爭〉（《上海金融研究》1983年6期）、江蘇省財政廳、江蘇省檔案館、財政經濟史編寫組編《華中抗日根據地財政經濟史料選編：江蘇部分（第1－2卷）》（2冊，北京，檔案出版社，1985及1987）、于海根〈華中敵後抗日根據地的鹽務工作〉（《新四軍史料研究集刊》1991年1、2期）、苗鍵〈略論華中抗日根據地的工商稅收〉（《安徽黨史研究》1992年4期）、邱平、宋學文〈華中抗日根據地的教育〉（載《抗日戰爭史事探索》，上海，上海社會科學院出版社，1988）及〈試論華中抗日根據地的教育〉（《淮海論壇》1988年2期）、林子秋〈華中抗日根據地的幹部學校教育〉（《鹽城師專學報》1987年2期）、Gregor Benton, Comparative Perspectives in Communists at the War, North and Central China, 1937-1945.（Leeds: Leeds East Asia Papers, No.39, 1996）、Chen Yang-fa（陳永發），Making of Revolution: The Communist Movement in Eastern and Central China, 1937-1945.（Berkeley: University of California Press, 1986），係著者1980年Stanford大學博士論文加以修訂而成；著者另撰有散篇論文"Rural Elections in Wartime Central China: Democratization

of Subbureaucracy." (Modern China, Vol. 6, No. 3, July 1980)；張開源
〈華中根據地的第張黨報－《江淮日報》簡介（40年）〉(《新聞研究
資料》1984年總28期）、洪學智、薛暮橋主編《華中抗日革命熔爐》
（北京，華夏出版社，1987）、金歡雲、孫道同〈毛澤東與華中抗日根
據地的創建〉(《軍事歷史研究》1994年4期）、曹晉杰〈華中抗日根據
地革命文化事業概述〉(《鹽城黨校學報》1993年2期）、張學忠、張威
〈抗日的日本人：略論華中抗日根據地的〝國際縱隊〞〉(《河南教育
學院學報》1995年4期）、李毓卿〈劉少奇對建立和鞏固華中抗日根
據地的貢獻〉(《鹽城師專學報》1987年4期）；馬洪武、陳鶴錦主編《紅
旗十月滿天飛》(南京，江蘇人民出版社，1990）、係中共江蘇省委黨
史工作委員會、中共江蘇省委黨校、江蘇省哲學社會科學聯合會、
江蘇省中共黨史學會、新四軍和華中抗日根據地研究會、南京大
學、中國人民解放軍陸軍指揮學院、南京政治學院等單位聯合召開
之〝為紀念華中抗日根據地創立50周年學術討論會〞所宣讀論文
的彙集，共七十餘篇，其中以華中抗日根據地為題目的論有楊穎奇
〈論華中抗日根據地創建中黨的統戰策略指導〉、陳鶴錦〈運籌帷
幄，決戰千里－試論毛澤東對華中抗日根據地創建的貢獻〉、林子
秋〈試論華中抗日根據地的政權建設〉、陳天桂、王曙光〈華中抗
日根據地武裝力量的發展和運用〉、邱平〈華中抗日根據地的貨幣
鬥爭〉、高光林、葉永堅〈試沂華中抗日根據地的大生產運動〉、
王統儀〈華中抗日根據地的軍工生產〉、高樹森、邵建光〈淺論華
中抗日根據地的幹部教育〉、吳雪晴、常浩如〈華中抗日根據地的
反〝清鄉〞鬥爭〉、田潤鈞〈華中革命根據地的兒童文學〉、黃兆
康〈華中敵後地區我黨控制的〝兩面派〞政權〉、金冶〈新四軍與

華中抗日民主根據地〉、張廷鈺、李秀文〈南方局與新四軍及華中根據地〉、金新果〈華中抗日根據地的創建與劉少奇軍事策略思想〉、陳亞東、王世誼〈劉少奇與華中抗日根據地黨的建設〉、菅從進〈劉少奇和華中抗日根據地的民主政治〉、張壽春〈加強思想教育是黨的建設的根本－記劉少奇在華中黨校的幾次報告〉、李直〈韓德勤與華中抗日根據地〉。石信、吳克斌《陳毅北渡》(北京，戰士出版社，1983)，記述抗戰初期陳毅率新四軍一部，從蘇南北渡長江前赴蘇北開闢華中抗日根據地的歷程。華南抗日根據地及與其相關者有梁山〈華南抗日根據地概況〉(《歷史教學》1985年1期)、黃自為〈華南抗日根據地的創建及其歷史作用〉(《貴州師大學報》1996年2期)、何國華〈華南抗日根據地和解放戰爭時期游擊根據地的教育〉(《廣東史志》1996年1期)；馮鑒川〈華南抗日縱隊的建立及其歷史貢獻〉(《華南師大學報》1985年3期)、鄭可益〈論華南敵後抗日戰場的開闢及其歷史貢獻〉(《華南師大學報》1995年3期)、黃振位〈論華南敵後抗戰的歷史地位〉(《廣東社會科學》1995年4期)。東北抗日根據地有朱建華〈東北抗日根據地述略〉(《歷史教學》1985年1期)、李鴻文等〈論東北抗日根據地的建立及其特點〉(《龍江黨史》1990年1期)、陳炎等〈試論開闢東北根據地的發展階段及其歷史背景〉(《軍事歷史研究》1989年2期)、金昌國〈論東北抗日根據地的建立〉(《延邊大學學報》1990年2期)、曹志勃、周喜峰〈毛澤東軍事思想對建立東北根據地的作用與影響〉(《學術交流》1993年6期)、金仁安、王廣軍〈毛澤東與東北根據地的建立〉(《遼寧大學學報》1994年6期)、白玉武、馮連舉〈蘇聯出兵對東北根據地建設的影響〉(《長白學刊》1992年4期)、李鴻文〈東北抗日游擊區與游擊根據地概述〉(《近代史研

究》1987年3期)、王魁武〈東北抗日游擊根據地的幹部教育〉(《龍
江黨史》1990年4期)及〈東北抗日游擊根據地的群眾教育〉(同上,
1991年5期)、葉忠輝〈對東北抗日游擊根據地問題的探討〉(同上,
1993年4期)、胡維仁〈略述南滿抗日根據地的建立〉(《東北地方史研
究》1988年2期)、申鉉武等〈東滿抗日軍事游擊根據地發展概述〉
(《延邊大學學報》1982年3期)、黃龍國〈關於東滿抗日游擊根據地建
設的幾個問題〉(《延邊大學學報》1988年3期)、董甲元〈南滿抗日游
擊根據地問題的探討〉(《通化師院學報》1982年2期)、木昕、袁會久
〈楊靖宇和南滿抗日游擊根據地〉(《社會科學輯刊》1994年6期)。

其他的抗日根據地如皖中(皖江)抗日根據地有《皖江抗日根
據地》編審委員會編《皖江抗日根據地》(北京,中共黨史資料出版社,
1990)、陳開春〈皖中抗日根據地何時改稱為皖江抗日根據地〉(《安
徽史學》1985年3期)、蔣克祚等〈皖中抗日根據地概述〉(同上,1985
年3期)、陳家驥等〈皖中抗日根據地減租減息的歷史考察〉(同上,
1985年4期)、過仕偉〈皖江抗日根據地的歷史發展及其主要特點〉
(《安徽史學》1992年3期)及〈試論皖江抗日根據地的主要特點〉(《安
徽黨史研究》1992年5期)、徐承倫〈略論皖江抗日根據地的敵偽軍工
作〉(《安徽史學》1992年3期)及〈皖江抗日根據地的財政經濟〉(《安
徽大學學報》1991年4期)、應兆麟主編《皖江抗日根據地財經史稿》
(合肥,安徽人民出版社,1985)、陳家驥〈皖江抗日根據地的財經工
作〉(《財政研究資料》1985年增刊4期)及〈皖江抗日根據地財經工作
的歷史考查〉(《淮北煤師院學報》1985年2期)、應兆麟〈皖江根據地
的財政票証及其作用〉(《安徽財會》1983年增刊1期)、葉進明〈皖江
革命根據地發行抗幣的設計〉(《安徽金融研究》1985年增刊2期)、過

雪川〈印製皖江革命根據地抗幣的斷回憶〉(同上)、孫文和〈試論皖江抗日根據地五大建設〉(載《紅旗十月滿天飛》,南京,江蘇人民出版社,1990)、陳家驥〈皖中抗日根據地的合作化運動〉(《合作經濟》1987年6期)、陳家驥等〈皖江解放區統戰工作的光輝成就〉(《安徽教育學院學報》1990年2期)、張淮清〈皖江抗日根據地的統一戰線工作〉(《江淮文史》1995年4期)、程向明〈皖江地區的反頑鬥爭〉(《安徽黨史研究》1992年1期)。淮北抗日根據地有童天星、戎毓明〈淮北抗日根據地發展階段及區域範圍初探〉(《安徽史學》1987年1期)、童天星〈淮北抗日根據地若干史實考證〉(《安慶師院學報》1985年4期)及〈淮北抗日根據地的歷史貢獻〉(《安徽黨史研究》1993年3期);〈淮北抗日根據地〉(《近代史資料》1957年3期)、張勁夫〈回憶淮北抗日根據地的開闢〉(《黨史資料徵集通訊》1985年8期)、張留學等〈淮北抗日根據地的成長〉(《濟寧師專學報》1984年4期)、童天星〈淮北抗日根據地的政權建設〉(《安徽黨史研究》1992年3期)、饒子健〈狂潮捲地起－堅持淮北敵後鬥爭的回憶〉(《江淮論壇》1981年3期)、徐玉芬〈論淮北抗日根據地反對貪污和浪費的鬥爭〉(《河南財經學院學報》1986年3期)、路海江〈淮北抗日根據地反貪污反浪費鬥爭述評〉(《安徽省委黨校學報》1988年3期)、壽曉松〈淮北抗日民主根據地幾次重大戰略轉變初探〉(《軍事歷史研究》1987年4期)、洪彬〈淮北抗日根據地糧食工作初探〉(《安徽黨史研究》1992年1期)、朱超南〈淮北根據地財經工作淺探〉(《安徽財會》1983年增刊1期)、王保民等〈淮北革命根據地的金融活動〉(《安徽金融研究》1987年增刊1期)、陸文培〈淮北抗日根據地的貨幣發行與貨幣鬥爭〉(《安徽財貿學院學報》1986年3期)、童天星〈淮北抗日根據地的稅收和金融〉(《安徽黨史研究》

1993年6期）、朱超南〈淮北人民對抗日財經工作的貢獻〉（《淮北煤師院學報》1985年2期）、朱超南、楊輝遠、陸文培《淮北抗日根據地財經史稿》（合肥，安徽人民出版社，1985）、劉鴻業〈淮北抗日根據地經濟調節中樞－淮北地方的銀號〉（《江淮論壇》1982年4期）、方志炎等〈抗日戰爭的淮北地方銀號〉（《淮北煤師院學報》1985年2期）、陸文培〈淮北抗日根據地紡織運動初探〉（《阜陽師院學報》1986年3期）、蘇仲波、田玄〈彭雪楓在淮北區的統戰工作〉（載《紅旗十月滿天飛》，南京，江蘇人民出版社，1990）、張留學、郭德欣〈淮北抗日根據地三十三天反"掃蕩"述論〉（《鄭州大學學報》1986年1期）、高維良〈黨的抗日民族統一戰線政策和淮北蘇皖邊區根據地的建立〉（《南京政治學院學報》1991年2期）、朱超南〈淮北蘇皖邊區減租減息鬥爭述論〉（《安徽史學》1987年2期）。淮南抗日根據地有周駿敏等〈憶淮南抗日民主根據地的創建〉（《社會科學（上海）》1983年3期）、《淮南抗日根據地》編審委員會編《淮南抗日根據地》（北京，中共黨史資料出版社，1987）、宋霖〈羅炳輝將軍與淮南抗日根據地〉（《江淮文史》1995年4期）、宋霖、羅新安主編《羅炳輝將軍在淮南抗日根據地》（合肥，安徽人民出版社，1990）、黃安等〈淮南抗日根據地財政的建立與演變〉（《安徽財會》1983年增刊2期）、安徽省財政廳編《淮南抗日根據地財經史》（合肥，安徽人民出版社，1991）、張雲逸〈淮南抗日根據地的開闢〉（《大江南北》1987年3期）、傅義桂、陸烈人〈陳毅在淮南抗日根據地活紀事（1943年）〉（《安徽黨史研究》1990年6期）、黃華康〈抗戰時期的淮南行政學院〉（《安慶師院學報》1985年3期）。浙東抗日根據地有中共浙江省委黨史資料徵集研究委員會、浙江省檔案館編《浙東抗日根據地》（北京，中共黨史資料出版社，1987）、金普森〈浙東抗日根據地的創建〉（《杭州大學學報》1985年3期）、蔣亞飛〈浙東抗日根據地創建的特點及貢獻〉（《浙江師大學報》1996年3期）、勞雲展〈浙東抗日根據地創建的戰略依據和鬥爭策略〉（《寧波師院學報》1990年1期）、呂樹本《浙東革命根據地》（杭州，浙江人民出版社，1980）、羅利行〈試論浙東敵後抗日根據地的黨群關係〉（《浙江學刊》1996年2期）、黃成〈試論浙東抗幣的歷史地位〉（《杭州大學學報》1991年3期）、童均立〈浙江抗幣簡論〉（《東南文化》1995年3期）、羅豐年〈抗日戰爭時期的浙東革命根據地抗幣〉（《浙江金融》1987年增刊）、黃成〈浙東抗幣初探〉（同上）、尹鐵〈關于浙東抗幣輔幣的幾點看法〉（同上）、陳浩〈浙東抗日根據地"滸山區臨時輔幣"〉（《中國錢幣》1986年4期）。浙西抗日根據地有何翠桂〈論浙西抗日根據地〉（《杭州大學學報》1990年2期）。東江抗日根據地有馮鑒川〈東江抗日根據地的特點和歷史作用〉（《黨史研究》1984年4期）、陳貞嫻〈在東江人民抗日游擊區〉（《廣西黨史》1996年3期）、李慰祖〈論東江抗日根據地民主政權〉（《廣州體育學院學報》1993年增刊）、黃慰慈〈東江解放區抗日民主政權：東寶行政督導處〉（《哲學社會科學通訊》1983年5期）、張正〈東江縱隊在反法西斯戰爭中的地位和作用〉（《華南師大學報》1985年3期）、廣東省檔案館編《東江縱隊史料》（廣州，廣東人民出版社，1984）、王作堯《東縱一葉：革命回憶錄》（同上，1983）、羅修湖〈編纂《東江縱隊史料》的基本做法與體會〉（《廣東黨史通訊》1985年4期）、曾生〈東江縱隊誕生的時候〉（《解放軍文藝》1957年12期）、李正堂等〈東江縱隊的建立和發展〉（《軍史資料》1985年7期）、孫梁〈東江縱隊港九大隊在國際反法西斯統一戰線中的地位和作用〉（《黨史研究》1987年4

期）、黃業〈開闢五嶺根據地：東江縱隊挺進粵北片斷回憶〉(《廣東黨史》1996年5期)、鄧育新〈東江抗日根據地稅收的特點和作用〉(《財政研究資料》1985年增刊4期)、陳蒼穹〈東江抗日根據地的財政經濟政策〉(《惠州大學學報》1995年2期)。瓊崖抗日根據地有羅雨玉等〈瓊崖抗日根據地的創建及其特點〉(《海南大學學報》1985年2期)、黃慰慈等〈瓊崖抗日根據地的建立及其歷史作用〉(《華南師大學報》1985年3期)及〈瓊崖抗日根據地的歷史地位〉(《軍事史林》1985年2期)、羅雨玉、韋經照〈瓊崖抗日根據地的創建及其特點〉(《海南大學學報》1985年2期)、海南區黨委史辦〈瓊崖抗日根據地概述〉(《黨史研究》1985年2期)、陳永階〈瓊崖革命根據地鬥爭史概述〉(《中山大學學報》1982年4期)、歐大軍〈試述瓊崖抗戰的國際意義〉(《嶺南學刊》1990年1期)、陳青山〈從瓊崖紅軍到瓊崖縱隊〉(《軍史資料》1985年3期)、廖蓋隆〈關于修改《瓊崖縱隊史》初稿的意見〉(《廣東黨史通訊》1985年3期)；〈瓊崖縱隊光輝的戰鬥歷程－馬白山等老一輩革命同志的回憶〉(《海南師專學報》1980年1期)、韓釗夫〈對《瓊崖縱隊光輝的戰鬥歷程》等兩篇文章的幾點意見〉(同上，1981年1期)、馬白山〈必須遵守客觀事實－對韓釗夫同志《意見》的意見－關於《瓊崖縱隊光輝的戰鬥歷程》的反批評〉(同上，1981年2期)、鄭放〈將軍豈是說謊人－答韓釗夫同志的質疑〉(《海南師專學報》1981年2期)、莊田《瓊島烽煙－革命回憶錄》(廣州，廣東人民出版社，1979)，作者為其時瓊崖縱隊的領導人之一；邢益森〈抗日戰爭時期瓊崖革命根據地的財政經濟〉(《財政經濟資料》1986年46期)、海南財政經濟史編寫組編《瓊崖革命根據地財政經濟史》(北京，中國財政經濟出版社，1988)、黃建新等〈瓊崖抗日根據地的宣傳文化工

作〉(《廣東黨史通訊》1989年1期)、莊田〈瓊崖抗日戰爭取得勝利的
根本原因〉(同上，1985年5期)。冀熱察抗日根據地有馬輝之〈回
憶冀熱察抗日根據地建立的前後〉(《中共黨史資料》1982年4期)、段
蘇權〈戰略性反攻中的冀熱察部隊〉(《黨史資料通訊》1987年3期)。
山西抗日根據地有田酉如〈"七·七"事變前夕我黨在山西創建根
據地進行的工作：關於我黨在山西創建根據地歷史過程考察之三」
(《山西革命根據地》1989年1期)及〈蘆溝橋事變後我黨在山西開闢敵
後抗日根據地的工作：關于我黨在山西創建根據地歷史過程考察之
四〉(同上，1991年4期)、楊錫九、王乃德〈山西革命根據地組織沿
革概述〉(同上)、張國祥〈從掃蕩與反掃蕩鬥爭看山西抗日根據地
的戰略地位〉(《山西大學學報》1987年2期)、王金海〈晉北戰役的歷
史地位及中共開創山西抗日根據地的戰略部署〉(《山西革命根據地》
1989年1期)及〈抗戰前期山西抗日根據地政權建設的特點及其貢獻〉
(《山西革命根據地》1986年1期)、王家勤〈山西抗日根據地關於貪污
罪的規定〉(同上，1986年3期)、張捷〈山西革命根據地科學技術
獎勵制度〉(同上，1989年1期)、牛崇輝、郭翠香〈山西抗日根據
地的整風運動〉(《學術論壇》1995年6期)、劉建生、劉鵬生〈簡析山
西抗日根據地與日偽爭奪貨幣統治權的鬥爭〉(同上，1995年3期)、
郭文瑞〈山西抗日根據地的詩歌運動〉(《晉陽學刊》1987年3期)、張
有成〈簡述山西三大抗日根據地創建的特色〉(《山西革命根據地》1988
年1期)、李福林等〈太谷縣革命根據地發展概述〉(同上，1990年2
期)、文史辦〈五臺山抗日根據地的統戰工作〉(《山西革命根據地》1991
年3期)、趙培成、趙紅岩〈五臺人民的抗戰歷程〉(同上)。魯西北
抗日根據地有王新三〈魯西北抗日根據地創建經過片斷回憶〉(《山

東省志資料》1958年1期）、翟向東、劉如峰〈魯西北抗日根據地的開闢與發展〉（《齊魯學刊》1995年6期）、李冬春〈魯西北抗日局面的開闢述論〉（《山東醫科大學學報》1988年1期）、〈抗戰初期魯西北抗日局面的開闢〉（《聊城師院學報》1983年2期）及〈談知識分子在創建魯西北抗日根據地中的重要作用〉（同上，1990年2期）、魯生〈抗戰初期魯西北的抗日武裝力量與平原游擊戰爭〉（同上，1991年2期）、鳳雲〈魯西北抗日根據地的開創〉（《聊城師院學報》1992年4期）、巴三〈魯西北抗日根據地的初步建設〉（同上，1993年1期）、辛實〈魯西北抗日根據地遭受挫折〉（同上，1993年2期）、李冬春等〈論魯西北抗日根據地的歷史地位及聊城失陷原因〉（同上，1988年4期）、李冬春〈抗戰初期魯西北新聞出版事業的崛起及啟迪〉（《聊城師院學報》1991年4期）、魯生〈魯西北抗日根據地在夾擊中奮進〉（同上，1993年3期）及〈魯西北抗日根據地建立的歷史條件〉（同上，1992年3期）、翟向東〈憶魯西北《抗戰日報》－抗戰期間華北第一個鉛印日報的始末〉（《新聞戰線》1983年112期）、謝玉琳等主編《范筑先與魯西北抗戰資料選》（濟南，山東人民出版社，1988）、盧慶洪〈淺論筑先縱隊在魯西北抗戰中的作用〉（《聊城師院學報》1992年4期）。他如中共江蘇省委黨史工作委員會等編《蘇北抗日根據地》（北京，中共黨史資料出版社，1989）、風間秀人〈華中抗日根據地における土地政策の展開－蘇北解放區を中心として〉（《歷史評論》386號，1982年6月）、費迅〈爭取中間勢力與開闢蘇北抗日根據地〉（《揚州師院學報》1986年4期）及〈爭取中間勢力是蘇北抗日根據地開闢的特色〉（載《紅旗十月滿天飛》，南京，江蘇人民出版社，1990）、陳忠龍〈論蘇北抗日根據地的戰略地位〉（同上）、秋夢〈黃克誠與蘇北抗日根據地的創立和發展〉(同上)、楊西彩〈張愛萍揮師東進開闢蘇北根據地〉(《淮陰師專學報》1993年3期)、中共江蘇省委黨史工作委員會等編《蘇北抗日鬥爭史稿》(南京，江蘇人民出版社，1994)、劉則先、劉小清編著《蘇北抗日根據地文化散記》(同上，1993)、王世誼、周為號〈蘇北抗日根據地反摩擦鬥爭述論〉(《鹽城教育學院學報》1993年2期)、中國人民革命軍事博物館編《蘇北蘇中抗日根據地反〝掃蕩〞要圖(1941年2月－8月)〉(北京，地圖出版社，1980)、王明生〈蘇北抗日根據地人民出版事業的興起和發展〉(載《紅旗十月滿天飛》，南京，江蘇人民出版社，1990)、劉才賦〈試論中共中央發展蘇北方針的形成、實施及其意義〉(同上)、曹晉杰〈劉少奇、陳毅與蘇北抗日文化工作〉(同上)、畢銘〈陳毅開闢蘇北統戰風格探微〉(同上)、施正東〈陳毅在蘇北敵後戰場〉(載《抗日戰爭史事探索》，上海，上海社會科學院出版社，1988)、劉則先〈簡述陳毅對蘇北革命根據地新文化運動的貢獻〉(《鹽城教育學院學報》1991年4期)、楊穎奇〈毛澤東與蘇北抗日根據地的創建〉(《學海》1993年1期)、吳籌中等〈蘇北抗日根據地發行的鹽阜抗幣〉(《揚州師院學報》1987年3期)、姜志良〈蘇北解放區經濟工作述略〉(《學海》1991年4期)、嚴鋒〈抗戰後期的蘇北解放區文學〉(《鹽城師專學報》1987年2期)。中共江蘇省黨史工作委員會、江蘇省檔案館編《蘇中抗日根據地》(北京，中共黨史資料出版社，1990)、陳丕顯《蘇中解放區十年》(上海，上海人民出版社，1988)、管文蔚〈抗日戰爭時期的蘇中根據地〉(《近代史研究》1985年3期)及〈蘇中抗日根據地幾個問題的研究〉(《江海學刊》1985年5期)、李學泌〈蘇中抗日根據地開闢的歷史經驗〉(載《紅旗十月滿天飛》，南京，江蘇人民出版社，1990)、楊丹偉〈蘇中抗日根據地的群

眾運動〉(同上)、王強〈戰爭的偉力存在于民眾之中－試述民兵自
衛隊在蘇中抗日戰爭中的地位和作用〉(同上)、張廷栖〈試論〝三
冬〞運動對鞏固蘇中根據地的作用〉(同上)、中國共產黨江蘇省委
員會黨史資料徵集研究委員會蘇中史編寫組《蘇中抗日鬥爭》(南
京,江蘇人民出版社,1987)、中國共產黨南通市委員會黨史辦公室
《蘇中四分區反〝清鄉〞鬥爭》(同上,1985)、姜志良〈群眾游擊戰
的範例──試論蘇中四分區反清鄉鬥爭的勝利〉(《史學論文集》第2
輯,南京,江蘇社科院歷史研究所,1983)、金冶〈粟裕與蘇中四分區
反〝清鄉鬥爭〞〉(《學海》1994年4期)、周蔚昌〈蘇中抗日根據地的
反〝掃蕩〞與反〝清鄉〞鬥爭－紀粟裕大將逝世10周年〉(《軍事歷
史》1994年4期)、戴致君〈兵民的勝利－試論蘇中四分區反〝清鄉〞
鬥爭的敵後堅持〉(載《紅旗十月滿天飛》,南京,江蘇人民出版社,
1990)、《粟裕軍事文集》編輯組編《粟裕論蘇中抗戰》(南京,江
蘇人民出版社,1992)、姜志良〈試論蘇中抗日根據地的減租減息〉
(《學海》1990年5、6期)、風間秀人〈蘇中解放區の形成と抗日經濟
戰〉(載淺田喬二編《日本帝國主義下の中國》,東京,樂游書房,198i)、
陳素娥〈李明揚與蘇中抗日根據地〉(載《紅旗十月滿天飛》,南京,江
蘇人民出版社,1990)、商偉凡〈蘇中抗日根據地行政區劃沿革〉(《地
名知道識》1992年4期)、吳福海〈蘇中軍區海防團的建立和成長〉(《新
四軍史料研究集刊》1994年1、2期)、吉光、周宏文〈簡論蘇中抗戰
時期對日偽軍的鬥爭策略〉(《蘇州大學學報》1995年3期)、倪波、紀
紅〈蘇中革命根據地的新聞出版〉(《南京大學學報》1995年1期)、陳
丕顯〈關於編寫蘇中區抗戰史的幾個問題〉(《黨史資料徵集通訊》1985
年11期;亦載《大江南北》1986年3期)、吉光〈論蘇中戰役的戰略意

義〉(《史林》1996年2期)、李存王、周宏文〈毛澤東與蘇中戰役〉(《唯實》1996年8、9期)、陸靜高〈蘇中抗戰反攻的序幕——車橋戰役〉(《江海學刊》1985年5期)、中共江蘇省委黨史工作委員會編《蘇中公學校史》(南京，江蘇教育出版社，1987)，該校為蘇中抗日根據地的一所培養軍政幹部的學校，1944年設立，1946年合併於華中雪楓大學。江渭清〈回憶蘇南敵後抗戰述略〉(《群眾》1987年7期)、中共江蘇省委黨史工作委員會、江蘇省檔案館《蘇南抗日根據地》(北京，中共黨史資料出版社，1987)、歐陽惠林〈蘇南抗日民主政權建設概述〉(《黨史資料叢刊》1983年1輯)及〈蘇南解放區八年鬥爭簡史〉(《江蘇歷史檔案》1995年2期)、中共江蘇省委黨史工作委員會蘇南抗日鬥爭史稿編寫組編《蘇南抗日鬥爭史稿》(南京，江蘇人民出版社，1987)、達慶東〈淺論蘇南抗日根據地施政綱領的制定及其意義〉(載馬洪武、陳鶴錦主編《紅旗十月滿天飛》，南京，江蘇人民出版社，1990)、莫仲鈞〈蘇南抗日根據地在日偽心臟地區堅持和發展原因試探〉(同上)、吳籌中等〈蘇南敵後抗日根據地發行的抗幣〉(《蘇州大學學報》1987年2期)、俞祖泉〈牢記歷史經驗發揚優良傳統：談開創茅山為中心的蘇南抗日根據地〉(《群眾》1995年8期)及〈牢記寶貴經驗，發揚優良傳統：簡論開創以茅山為中心的蘇南抗日根據地的歷史經驗〉(《鎮江學刊》1995年4期)、沈刻丁〈抗戰時期蘇南文化活動紀略〉(《新文化史料》1990年2期)。謝照明等〈片論豫西抗日根據地〉(《許昌師專學報》1986年3期)、李振華、郭榮魁〈豫西抗日根據地的創建與發展〉(《中州今古》1986年1期)、王全營〈豫西解放區概述〉(《地方革命史研究》1985年4、5期)、李海民〈偉大的戰略之舉－豫西抗日根據地的開闢〉(《延安大學學報》1994年1期)、賈

天運〈先遣豫西－記皮徐支隊挺進豫西〉(《中州今古》1995年3期)、
皮定均《鐵流千里(革命鬥爭回憶錄)》(北京，解放軍文藝社，1960)，
收錄作者兩篇回憶錄，其中一篇〈中岳狂飆〉係記述豫西抗日根據
地的創建過程；皮定均、郭林祥等《中岳風雷》(鄭州，河南人民出版
社，1986)，記述八路軍豫西抗日獨立支隊和廣大豫西人民，在八
年抗戰最後一年裏，共同創建豫西抗日民主根據地的歷程；張復興
編著《中岳槍聲》(鄭州，河南少年兒童出版社，1983)，主要記述八
路軍指揮員皮定均突破日軍封鎖，夜渡黃河，開闢豫西抗日根據地
的故事。馮文綱編《豫皖蘇邊區資料選編》(鄭州，河南人民出版社，
1985)、李占才編著《豫皖蘇邊區民主根據地史略》(同上，1986)、
中共河南黨史資料會編《豫皖蘇根據地(一)》(鄭州，河南人民出版
社，1985)、張留學等〈豫皖蘇抗日根據地的建立〉(《史學月刊》1981
年5期)、〈豫皖蘇抗日根據地的創建發展及其歷史經驗〉(《鄭州大
學學報》1991年3期)及〈揭開恢復豫皖蘇邊根據地的序幕－小朱庄
戰爭述評〉(《安徽黨史研究》1991年2期)、于望蘇〈豫皖蘇抗日根據
地的創建與發展〉(《河南黨史研究》1987年5期)、張留學〈彭雪楓與
豫皖蘇抗日根據地的創建》(《鄭州大學學報》1984年2期)、汪振瓊〈豫
皖蘇抗日根據地組織史研究中的幾點史實考證〉(《河南黨史研究》
1988年4、5期)及〈關于豫皖蘇抗日根據地組織史的幾點考證〉(《新
四軍史料研究集刊》1991年1、2期)、陳建領〈豫皖蘇抗日民主根據
地統一戰線工作初探〉(《史學月刊》1990年3期)、張留學、郭德欣
〈豫皖蘇抗日根據地的文化教育》(《河南黨史研究》1987年5期)及〈彭
雪楓與豫蘇皖邊的抗日鬥爭》(《商丘師專學報》1987年1期)、劉超〈轉
戰豫皖蘇邊區(新四軍)》(《貴陽黨史》1991年1期)、馮文綱〈竹溝

與豫皖蘇邊區〉(《河南黨史研究》1988年4、5期)、程丕禎等〈談豫
皖蘇邊區貨幣〉(《中國錢幣》1991年1期)、孫全民〈彭雪楓與豫皖蘇
抗日根據地〉(載《紅旗十月滿天飛》,南京,江蘇人民出版社,1990)、
馮文綱〈豫皖蘇抗日平原游擊戰淺論〉(《史學月刊》1987年3期)、童
天星〈豫皖蘇邊摩擦事件述略〉(《安慶師院學報》1987年3期)。宋荐
戈等〈晉豫邊抗日根據地的創立和區域沿革〉(《地名知識》1984年1
期)、唐天際口述〈我黨開闢晉豫邊抗日根據地的武裝鬥爭〉(《山
西革命根據地》1985年3期);〈晉豫邊地委對全區工作歷史的檢探〉
(同上,1987年3期)。孔憲東〈試論北平地區抗日根據地政權的創建
及經驗〉(《北京黨史研究》1993年1期)及〈北平地區抗日根據地的特
點和歷史作用〉(《北京檔案史料》1990年2期)、郝為民〈抗日戰爭時
期北京第一個縣級民主政權〉(《北京黨史研究》1992年1期)、趙秀德
〈抗日戰爭和解放戰爭時期京郊黨組織沿革概況〉(同上,1992年4
期)、吉元〈中國共產黨領導的北京地區抗日鬥爭概述〉(同上,1990
年4期)、李鐵虎〈北平外圍抗日根據地的創建、發展和政區沿革〉
(同上,1989年4期)、朱仲玉〈抗日戰爭時期的平西抗日根據地〉(《歷
史教學》1959年6期)、遠志英〈平北抗日根據地獨具的創建特色〉(《河
北師大學報》1996年1期)。張仁發〈津南抗日根據地的開闢〉(《黨史
資料與研究》1992年2期)、楊光祥〈津南縣是天津縣之誤嗎?—關於
抗戰後期可能存在民主天津縣的若干史料及管見〉(同上,1993年2
期)。朱德新〈論冀東抗日游擊根據地的兩面政權〉(《抗日戰爭研究》
1993年2期)、劉漢超〈冀東區郵政和郵票〉(《集郵研究》1984年4期)、
楊福臣〈試論黨的統戰工作與冀東西部抗日根據地的發展〉(《黨史
資料與研究》1991年3期)。李文〈統一戰線的典範:略論魯西抗日根

據地的創建〉(《政法論壇》1994年6期)。陳兆堯〈試談襄西抗日民主根據地的發展過程〉(《地方革命史研究》1989年3期)、襄西抗日根據地史稿編寫組〈襄西抗日根據地開闢時期的武裝鬥爭〉(同上,1985年4、5期)。李琳〈河南各抗日根據地減租減息運動的初探〉(《河南黨史研究》1988年4、5期)、王全營〈抗戰後期河南解放區的開闢〉(《中州學刊》1985年4期)、賴文樓等〈新四軍五師開闢豫南、豫中抗日根據地的戰略意義〉(《思想戰線》1985年3期)、樊有山主編《豫南抗日民主根據地史稿》(鄭州,河南人民出版社,1988)、羅榮家〈豫南游擊兵團挺進河南的歷史意義〉(《河南黨史研究》1991年3期)、鄭延澤〈論豫北平原抗日根據地的創立和發展〉(《史學月刊》1989年1期)、陳隨源〈關於兩個豫東特委問題之我見〉(《河南黨史研究》1991年2期)、張學東〈抗戰初期是否存在兩個豫東特委?〉(同上,1991年3期)、周建勛〈伊洛區抗日根據地概述〉(《洛陽師專學報》1989年4期)。陳益等〈漲渡湖抗日根據地淺述〉(《地方革命史研究》1987年4期)、陳鐵訓〈從漲渡湖抗日根據地看小根據地的戰略作用〉(《史學月刊》1990年2期)、陳一等〈從夏家山到漲渡湖的思索〉(《地方革命史研究》1988年3、4期)。韓建勛、周克忠〈新軍部和華中局對鹽阜區根據地建設的歷史功績〉(《鹽城師專學報》1988年4期)、徐蘭〈劉少奇與鹽阜抗日根據地的群眾工作〉(同上,1996年4期)、劉則先等〈試析鹽阜區抗日民主根據地初期群眾工作的特點〉(同上,1990年2期)、舒燕〈陳毅同志在鹽阜區〉(《群眾》1981年4期)、賈宗榮等〈抗戰時期鹽阜區的減租減息鬥爭〉(《鹽城師專學報》1984年2期)、徐月亮等〈鹽阜根據地革命文藝團體概述(一)〉(《鹽城師專學報》1987年3期)、江志榮〈抗戰時期鹽阜根據地的戲劇運動〉(載《紅旗十月

滿天飛》，南京，江蘇人民出版社，1990)、舒燕〈陳毅同志在鹽阜區〉
(《群眾》1981年4期)、傅義桂〈陳毅在鹽阜區對外國人士的統戰工
作〉(同上)、徐為群〈民主建設初期鹽阜區的財經工作〉(同上)及
〈簡述抗戰時期鹽阜區的財經工作〉(《新四軍史料研究集刊》1991年1、
2期)。唐碧澄〈蘇北鹽阜區參議會建立經過〉(《史料選編》1981年1
期)。高維良〈從創建淮北蘇皖邊抗日根據地所得出的歷史經驗〉
(載《紅旗十月滿天飛》，南京，江蘇人民出版社，1990)、柳宏為〈試論
蘇皖邊區政府的成立及其歷史貢獻〉(同上)、蔡長雁〈抗戰前蘇皖
邊區的抗日鬥爭〉(《安徽黨史研究》1991年1期)、顧樹青〈蘇皖邊區
政府史略〉(同上，1991年6期)、章估〈二戰時期蘇皖邊區的金融
與物價〉(《安徽金融研究》1986年增刊2期)、倪波、錢文華〈試論華
中蘇皖革命根據地教科書的編輯和出版〉(《南京大學學報》1991年2
期)、柳宏為、周平〈周恩來與蘇皖解放區〉(《淮陰師專學報》1993
年2期)、李洋〈活躍在蘇皖邊區的華中文協〉(《新文化史料》1992年
3期)。馬友騏、郭家寧〈皖東北抗日根據地的建立及其歷史地位〉
(載《紅旗十月滿天飛》，南京，江蘇人民出版社，1990)、武繼羽〈劉少
奇與皖東北根據地〉(同上)、于海根〈江蘇抗日根據地的鹽區開發
及其貢獻〉(《淮陰師專學報》1995年2期)。李廣〈茅山抗日根據地的
創建〉(《黨史資料叢刊》1982年4期)、三好章〈茅山抗日根據地の形
成〉(《季刊中國研究》第3號，1986)及〈茅山抗日根據地的建立〉(載
《中國抗日根據地史國際學術討論會論文集》，北京，檔案出版社，1986)、
翁復騂〈陳毅同志創建茅山抗日根據地的光輝業績〉(《中學歷史教學》
1979年2、3期)、茅山革命鬥爭紀念館籌備辦公室《新四軍在茅山
－抗日鬥爭史料選》(南京，江蘇人民出版社，1982)、中國人民解放

軍鎮江軍分區政治部編《彎弓射日到江南：茅山抗日鬥爭故事》(同上，1979)。劉西堯〈《鄂東抗日民主根據地史稿》序〉(《地方革命史研究》1990年5期)、汪盛富〈抗戰時期鄂東婦女的對敵鬥爭〉(《黃岡師專學報》1995年3期)、汪杰〈鄂東抗日漢留會的形成及作用〉(《地方革命史研究》1990年4期)。敖文蔚〈陶鑄與鄂中抗日根據地的開闢〉(《武漢大學學報》1987年4期)、楊欣〈啃不爛吃不掉的〝豆腐塊〞：鄂中趙家棚抗日民主根據地初探〉(同上，1988年3、4期)、華平〈鄂南抗日根據地的地位和作用芻議〉(同上，1987年4期)、饒有慶、李學鈞主編《鄂南抗日民主根據地史稿》(鄂豫邊區抗日民主根據地歷史叢書，武漢，湖北人民出版社，1991)、新四軍歷史研究會黃梅中心聯絡組〈抗日戰爭時期的鄂皖邊區〉(《軍事歷史》1993年3期)、戴柏漢〈關於湘鄂川黔根據地的幾個問題〉(《黨史研究》1986年1期)、聶祖海〈任弼時對湘鄂川黔革命根據地黨的建設的貢獻〉(《吉首大學學報》1987年4期)、段紀明〈荊州地區各抗日根據地的地位和作用〉(《湖北黨史通訊》1986年3期)、葉飛〈走向抗日前線的路：閩東游擊區實現第二次國共合作的歷程〉(《大江南北》1987年5期)、藍榮田〈閩西革命根據地的建立和武裝鬥爭發展情況〉(《福建黨史通訊》1987年5期)、閩西北黨史編寫組〈抗日、解放戰爭時期閩西北地區革命武裝的建立及其鬥爭〉(同上，1987年9期)、唐斌〈論抗日戰爭時期福建掩蔽根據地的性質和作用〉(《學習月刊》1987年7期)、李祖興〈閩中海上隱蔽基地的建立與歷史作用〉(《湄州論壇》1990年1期)、蔣伯英〈抗戰時期閩浙贛邊區的性質、任務及各階段策略〉(《福建黨史月刊》1989年3期)及〈閩浙贛邊區黨史的科學總結：評《中共閩浙贛邊區史》〉(《福建黨史月刊》1994年5期)、謝畢真〈抗戰時期閩粵

贛邊區黨史需要探討的兩個問題〉(《福建黨史通訊》1985年7期)、曾
梅生〈南方局領導下的閩粵贛邊區黨的建設,(《福建黨史月刊》1988
年3期)〉、戈懋〈堅持抗日鬥爭的蘇浙軍區〉(《浙江師院學報》1981
年4期)、朱大禮、魏新民〈簡論蘇浙軍區的歷史貢獻〉(載《紅旗十
月滿天飛》,南京,江蘇人民出版社,1990)、童志強〈皖東抗日根據
地的建立和劉少奇的歷史功績〉(《合肥工業大學學報》1987年2期)、
新四軍歷史研究會黃梅中心聯絡組〈抗日戰爭時期的鄂皖邊區〉
(《軍事歷史》1993年3期)、許祖範〈安徽抗日民主根據地的經濟建
設〉(《中共黨史研究》1990年1期)、方志炎〈安徽敵後抗日根據地的
貨幣發行其特點〉(《安徽金融研究》1987年增刊3期)、陶水木〈浙南
游擊區從土地革命戰爭到抗日戰爭的戰略轉變〉(《杭州師院學報》
1987年1期)、洪禹平〈浙南游擊根據地黨報工作紀略〉(《溫州黨史
資料》1986年2期)、龔子榮〈晉西南抗日根據地革命鬥爭史略〉(《山
西檔案》1992年1、2期)、樊子琚〈晉西南抗日根據地的報紙─《五
日時報》〉(《山西革命根據地》1985年1期)、田秋平〈晉東南抗日根
據地的上黨銀號幣的發行〉(《文史研究》1990年2期)、劉忠〈開闢中
條抗日根據地〉(《福建黨史月刊》1995年12月)、陳瑞雲〈珠河抗日
根據地〉(《黑龍江文物叢刊》1981年1期)、李重勤〈楊靖宇與老嶺抗
日根據地的建立〉(《東北地方史研究》1988年2期)、劉賢〈那爾轟抗
日根據地建立簡述〉(同上,1988年1期)及〈那爾轟抗日游擊根據地
的建立及其歷史地位〉(《龍江黨史》1994年2期)、郭福太、王國龍
〈湯原抗日游擊根據地的創建和發展〉(同上,1991年5期)、向明東
等〈洮陽抗日根據地的建立〉(《地方革命史研究》1985年6期)、穆欣
〈初具規模的呂梁山區抗日根據地〉(《山西革命根據地》1986年3期)、

1987年1-3期)、楊國貴等〈南山、北山抗日根據地的歷史作用初探〉
(《地方革命史研究》1986年4期)、吳亦斯〈白兆山抗日民主根據地的
創建及其地位與作用〉(同上)、趙樹德〈中共中央關於開闢五嶺抗
日民主根據地的戰略決策的演變〉(《黨史研究》1986年4期)、趙學海
等〈記盤山抗日根據地〉(《天津史志》1990年2期)、李仲立〈隴東革
命根據地史稿〉(《慶陽師專學報》1994年1、2期)、閻慶生〈隴東抗
日根據地軍民對抗日戰爭的偉大貢獻:紀念中國抗日戰爭勝利50
周年〉(同上,1995年3期)、王景武、傅良君〈抗戰時期隴東抗日民
主根據地的統一戰線政策〉(《理論學習》1986年1期)、李仲立等〈隴
東分區政權改革芻議〉(《西北史地》1988年4期)、李占年〈抗日戰爭
時期隴東分區整風審幹運動概述〉(《社科縱橫》1991年4期)、楊忠
〈隴東根據地詩歌漫評〉(《甘肅社會科學》1992年1期)、田萬生〈大
漠烽煙——開闢伊盟根據地二三事〉(《草原》1981年2期)、王文魁
等〈海豐縣抗日民主政權建設略述〉(《廣東黨史通訊》1989年6期)、
韓繼元〈博羅縣抗日民主政府〉(同上)、潘德義〈五指山革命根據
地的創建與黨的民族政策實踐〉(《民族理論研究》1989年3期)、陳延
琪〈從稅收看伊、塔、阿三區的政權建設〉(《新疆大學學報》1994年
4期)、〈新疆三區政府貨幣的歷史考察〉(《西域研究》1995年3期)、
〈論新疆三區政府農牧生產的發展〉(同上,1996年1期)、〈新疆三
區政府財政研究〉(同上,1994年3期)及〈新疆三區政府的等級工
資制〉(同上,1994年1期)、潘佳榮〈粟裕將軍領導創建宣遂湯游擊
根據地紀實〉(《浙江檔案》1991年6期)、張憲成〈紀念鄞西抗日根
據地創建五十周年〉(《鄞縣黨史資料》1993年16期)、中共浙江省委
黨史研究室等編《括蒼游擊根據地》(北京,中共黨史出版社,1995)、

陳通〈蘇常太抗日游擊根據地的建立、鞏固和發展〉(載《紅旗十月滿天飛》，南京，江蘇人民出版社，1990)、沈秋農〈蘇常太地區抗日戲劇工作述評〉(同上)、何振球〈蘇常太抗日游擊根據地的財經工作〉(《蘇州大學學報》1986年4期)、沈秋農〈論抗戰時期蘇常太地區的"清鄉"與反"清鄉"鬥爭〉(《民國檔案》1995年1期)、盛魁〈睢杞太抗日根據地的歷史作用〉(《河南黨史研究》1991年5、6期)、賈維德、王殿永〈禹郊抗日民主政權的建立與發展〉(同上，1991年3期)、王天文〈中原解放區學校思想政治工作〉(同上，1991年5、6期)、柳宏為〈劉少奇與淮海抗日根據地的創建〉(《淮陰師專學報》1995年2期)、陳平、周平〈試論淮海抗日民主根據地的開闢〉(載《紅旗十月滿天飛》，南京，江蘇人民出版社，1990)、馮治、劉金田〈邳睢銅抗日根據地的創建、發展及其意義〉(同上)、王冠卿、倪善榮〈沂蒙抗日根據地的民眾教育〉(《臨沂師專學報》1996年1期)。

5.其他的動態和措施

談論中共與抗戰之關係的論著和資料有馬順強、王子忠〈中國共產黨的抗日戰爭中的歷史地位〉(《齊齊哈爾師院學報》1995年5期)、張傳倫〈中國共產黨在抗日戰爭中的地位和作用〉(《雲南師大學報》1995年4期)、何景強〈論中國共產黨在抗日戰爭中的地位和作用〉(《惠州大學學報》1995年3期)、戴孝慶〈中國共產黨在抗日戰爭中的歷史作用〉(《探索》1995年6期)、劉桂芳〈中國共產黨在抗日戰爭中的地位和作用〉(《河南社會科學》1995年4期)、馬榮春〈關於中國共產黨在抗日戰爭中的地位的對話〉(《楚雄社科論壇》1995年4期)、趙海繁、李林霖〈試論中國共產黨在抗日戰爭中的歷史作用〉(《殷都學刊》1995年4期)、薛殿昌等〈中國共產黨在抗日戰爭中的作用和貢獻〉(《南通師專學報》1987年3期)、邱世緒〈論中國共產黨在抗日戰爭中的貢獻〉(《思維與實踐》1995年4期)、安梅蓮〈中國共產黨在抗日戰爭中的貢獻〉(《共產黨人》1995年8期)、谷立〈中國共產黨在抗日戰爭中的歷史性貢獻〉(《北方論叢》1987年4期)、王祥文〈略論我黨對抗日戰爭勝利的傑出貢獻〉(《南通學刊》1995年3期)、仇萬紅等《中國共產黨領導抗日戰爭紀實》(長春,吉林人民出版社,1995)、王玉平、劉根報《還我河山:中共領導抗戰紀實》(石家莊,河北人民出版社,1995)、譚艷玲等《砥柱中流:中國共產黨領導的民族抗戰》(太原,山西教育出版社,1995)、昌平、薛建平〈中國共產黨是抗日戰爭的中流砥柱〉(《江海縱橫》1995年6期)、徐國梁〈中國共產黨是抗日戰爭的中流砥柱〉(《創造》1995年4期)、于海聯〈中國共產黨是中國抗日戰爭的中流砥柱〉(《遼寧大學學報》1995年6期)、秦化順〈中國共產黨是中國抗日戰爭的中流砥柱〉(《甘肅理論學刊》1995年6期)、李保銓〈中國共產黨是全民抗戰中的中流砥柱〉(《南都學壇》1996年4期)、馬玉卿〈中國共產黨是抗日戰爭的中流砥柱〉(《人民論壇》1995年8期);〈中國共產黨是全民族抗戰的中流砥柱〉(《宣傳手冊》1995年16期)、梁柱〈中國共產黨是全民族抗戰的中流砥柱〉(《真理的追求》1995年8期)、史習培〈中國共產黨是全民族抗戰的中流砥柱:論1941年的福建抗戰〉(《理論學習月刊》1991年6、7期)、邢維甫、于耀洲〈中國共產黨是抗日戰爭的中流砥柱〉(《齊齊哈爾師院學報》1995年5期)、王秀鑫〈中國共產黨是抗日戰爭的中流砥柱〉(《求是》1991年17期)、張宏志〈中國共產黨是抗日戰爭的

中流砥柱〉(《人文雜誌》1991年4期)、張壽春〈中國共產黨不愧是抗
日戰爭的中流砥柱〉(《南京社會科學》1995年6期)、張天清〈幹部理
論學習輔導,第四章:中國共產黨是全民族抗戰的中流砥柱〉(《理
論導報》1992年1期)、劉華清〈中國共產黨及其領導的抗日軍民是
全民族抗戰的中流砥柱:紀念抗日戰爭勝利50周年〉(《求是》1995
年15期)、王鳳舞〈中國共產黨及其領導的人民武裝是抗日戰爭的
中流砥柱〉(《黨史縱橫》1995年4期)、陳乃宣〈簡論抗日戰爭的中流
砥柱〉(《理論月刊》1995年8期)、荊忠湘〈抗日戰爭的中流砥柱:紀
念抗日戰爭勝利五十周年〉(《青島師大師院學報》1995年3期)、楊吉
興〈論中國共產黨是抗日戰爭的中流砥柱〉(《懷化師專學報》1995年
4期)、王參、王付昌〈砥柱中流論:中國共產黨在抗日戰爭中的歷
史作用新探〉(《廣州體育學院學報》1996年增刊)、李霞林〈中國共產
黨及其領導的抗日軍民是全民族抗戰的中流砥柱〉(《貴州民族研究》
1995年4期)、張岱齡〈中國共產黨及其領導的武裝力量是團結抗戰
的中流砥柱〉(《青島大學師院學報》1995年1期)、柴玉英〈中國共產
黨是抗日救國的中流砥柱〉(《黨的建設》1995年10期)、湯勝利〈中
國共產黨是中國抗日戰爭的中流砥柱〉(《黨史博採》1995年10期)、
明月〈中國共產黨是抵抗日本侵略的中流柱〉(《前沿》1995年2期)、
蕭一平等〈抗日戰爭的歷史地位及中國共產黨的領導作用〉(《理論
月刊》1985年8期)、文迪〈共產黨是抗日戰爭軍事上的領導者和戰
事的基本擔當者〉(《新中華》14卷20期,1951)、李衍才〈中國共產
黨是抗日戰爭的領導者〉(《山東大學學報》1990年1期)、楊學富〈中
國共產黨是抗日戰爭的領導力量〉(《奮進》1995年9期)、田榮山〈中
國共產黨的堅強領導是抗日戰爭勝利的根本保證〉(《思維與實踐》

1995年4期）、張家闊〈論黨的七大為抗戰勝利提供了思想武器和路線保證〉（《長白學刊》1995年5期）、李思〈試論中國共產黨對抗日戰爭的領導權〉（《黨史資料與研究》1985年4期）、金寶珍〈抗戰時期中國共產黨奪取領導權的鬥爭〉（《思想戰線》1987年1期）、舒舜元〈關於如何評價黨在抗日戰爭時期領導作用的淺見〉（《江西社會科學》1986年2期）、朱諸平〈論共產黨對抗日戰爭的政治領導〉（《青海社會科學》1995年增刊）、夏志民〈淺談中國共產黨對抗日戰爭的政治領導問題〉（《黨史資料與研究》1986年3期）、高智瑜〈抗日戰爭與中國共產黨的政治領導責任〉（《新視野》1995年5期）、李茂盛〈中國共產黨是怎樣實現對抗日戰爭的領導權的〉（《山西師大學報》1991年3期）、吳珍美〈中國共產黨實現抗日戰爭領導權之我見〉（《黨史文苑》1996年6期）、王光珩〈抗日戰爭與中國共產黨領導〉（《求實》1995年8期）、徐成方〈中國共產黨領導的抗日心理戰初探〉（《瀋陽師院學報》1992年1期）、李建偉〈中國共產黨與抗日戰爭的勝利〉（《北京黨史研究》1995年4期）、梨雪飛〈中國共產黨與抗日戰爭的勝利〉（《新長征》1995年9期）、葉作軍、衛晉〈抗日戰爭的勝利與中國共產黨的壯大〉（《國防大學學報》1995年8期）、王真〈抗日戰爭與中國共產黨的發展〉（《教學與研究》1995年5期）、張全亮〈抗日戰爭與中國共產黨力量的發展壯大〉（《齊魯學刊》1995年5期）、周淑梅〈試論抗戰時期中共力量發展壯大的原因〉（《黨史博采》1995年8期）、郭文亮〈中國共產黨與全民族抗戰的實現〉（《中山大學學報》1995年3期）、曹力鐵〈抗日戰爭的勝利和中國共產黨的愛國主義〉（《江西社會科學》1995年7期）、王永祥〈中國共產黨與抗戰時期的民主憲政運動〉（《歷史教學》1991年1期）、裘孔淵〈「根絕赤禍案」與中共參加抗戰〉（《中國大陸》218期，民74年11月）、楊瑞廣、雷雲峰編著《中共中央與八年抗戰》(西安，陝西人民出版社，1995)、趙振軍等編《中共中央在陝北》(北京，解放軍出版社，1988)、中央檔案館編《中國共產黨抗日文件選編》(北京，中國檔案出版社，1995)、陳新銘《中共與抗戰》(臺北，黎明文化事業公司，民71)、李九思《中國共產黨與抗戰軍事》(桂林，勝利出版社廣西分社，民30)、王漢鳴、劉庭華〈共產黨領導的抗日武裝不屬於義勇軍嗎？〉(《史學月刊》1991年3期)、孫作賓〈中共甘寧青特委組織領導的西北抗日義勇軍鬥爭述略〉(《理論導刊》1992年2期)、張澤〈白洋淀雁縱隊的抗日鬥爭〉(《上饒師專學報》1990年4期)、徐林祥、方勁松〈抗日戰爭時期中共對日軍的情報工作〉(《黨史縱覽》1995年6期)、劉鳳梅〈淺談抗戰時期黨的日俘政策及其巨大威力〉(《黨史研究》1983年3期)、閻樹森〈抗日戰爭時期對日本戰俘的改造與中國共產黨的人權保障政策〉(《北京大學學報》1992年1期)、沈炎〈抗日戰爭時期黨對日軍俘虜的政策及其作用〉(《瀋陽師院學報》1995年4期)、徐京城〈對中共武裝解決拒降日偽軍作戰之管見〉(《抗日戰爭研究》1995年3期)。

　　以抗戰時期的中共或其戰時舉措為題的有金達凱〈抗戰時期的中共〉(《近代中國》53期，民75年6月)、蔡國裕〈抗戰時期的中共〉(同上，83期，民80年6月)及〈抗戰期間中共的陰謀與活動〉(同上，72期，民78年8月)、秦孝儀主編《中華民國重要史料初編－對日抗戰時期·第5編：抗戰期間中共活動真相》(4冊，臺北，國民黨黨史會，民74)、區東江編《抗戰國策下之中國共產黨》(桂林，統一出版社，民30)、林邁可著、齊軍平、謝勝建譯〈戰時的中共〉(《河北文史資料》20輯，1987年5月)、中國共產黨中央書記處編印《抗戰以

來重要文件彙集：1937-1942》(延安，民31)、雷德昌編著《中國共
產黨抗日戰爭大事記：1937・7・7-1945・9・2》(上海，上海社
會科學院出版社，1987)、蕭一平等編《中國共產黨抗日戰爭時期大
事記（1937～1945)》(北京，人民出版社，1988)、統一出版社編印
《抗戰期間中共殘殺暴行錄》(民29年印行)、萬里浪《中共抗戰內
幕》(重慶，文信書局，民31)、梅良眉《對日抗戰期間中共統戰策略
之研究》(臺北，正中書局，民65)、楊位強《抗戰期間中共統戰策略
之研究》(政治作戰學校外國語文研究所碩士論文，民73)、李化成〈中
共抗戰期間統戰策略之研究〉(《復興崗論文集》12期，民79年6月)、
陳存恭〈毛澤東抗日統戰策略初探〉載《中華民國史專題論文集：第三
屆討論會》，臺北，國史館，民85)、李天民〈抗戰時期中共詭譎的統
一戰線策略〉(《近代中國》53期，民75年6月)、項迺光〈日帝侵華共
黨統戰策略中國〝赤禍〞之擴大〉(《中共研究》7卷4期，民62年4月)、
蕭一平〈中國共產黨在抗日戰爭時期的策略〉(收入《中共產黨史專題
講義──抗日戰爭時期》，北京，中共中央黨校出版社，1985)、曹伯一
〈抗戰中期〝中共〞策略路線之剖析〉(《近代中國》第1、2期，民66年
3、6月)、余義章《七七事變前後中共策略路線之研究》(政治大學
東亞研究所碩士論文，民59年7月)、Boyd Compton, Mao's China:
Party Reform Documents, 1942-1944.(Seattle: University of Washington
Press, 1966)、Won Chul Hi, The Leadership of the Chinese Commu-
nist Party During the War of Resistance to Japanese Aggression(1937-
1945).(M. A. Thesis, California State University-Fullerton, 1975)、甘國治
主編《黨在抗日戰爭時期的戰略策略》(杭州，浙江人民出版社，
1986)、藤井高美〈抗日戰爭に對する中國共產黨の戰略戰術につ

いて（一）〉（《松山大學論集》3卷5號，1991年12月）、鞠景奇〈中國
共產黨在中國抗日戰爭中的戰略布局〉（《鎮江師專學報》1995年3期）、
汪增春〈中國共產黨在抗日戰爭戰略中的哲學思想〉（《攀登》1995年
5期）、夏志民〈我黨正確的政治主張和軍事策略的偉大勝利〉（《軍
學》1985年增刊2期）、楊奎松〈抗戰時期中國共產黨對日軍事戰略
方針的演變〉（《歷史研究》1994年4期）及〈抗日戰爭爆發後中國共產
黨對日軍戰略方針的演變〉（《近代史研究》1988年2期）、王開良〈略
論黨在抗戰初期的戰略轉變〉（《黃淮學刊》1991年2期）、韓喜和〈略
談抗日戰爭前期我黨軍事戰略轉變的意義〉（《毛澤東軍事思想研究》
1995年3期）、張亞斌〈抗戰時期我黨對軍事戰略轉變的認識〉（《延
邊大學學報》1995年4期）、嚴志才〈抗戰爆發後我黨軍事戰略的轉
變〉（《黨史研究》1982年2期）、馬齊彬等〈抗日戰爭初期中國共產黨
領導的人民軍隊的戰略轉變〉（《軍事史林》1985年試刊號）、張宏志等
〈論我黨在抗戰時期的軍事戰略轉變〉（《歷史檔案》1987年4期）、豫
人〈中國共產黨在抗日戰爭中軍事戰略的演變〉（《黨史資料通訊》1987
年5、6期）、張國祥〈論黨的軍事戰略轉變的歷史意義〉（《城市改革
理論研究》1986年6期）、劉信君〈抗日戰爭勝利前後我黨戰略方針
的轉變〉（《社會科學戰線》1991年3期）、張亦民〈抗日戰爭勝利前後
我黨戰略方針的轉變〉（《黨史研究》1984年1期）、李昌華〈論中共在
抗戰勝利前後的軍事戰略〉（《檔案史料與研究》1994年1期）、徐徼〈抗
日戰爭勝利前夕至勝利後我黨戰略方針的轉變〉（《黨史研究資料》
1985年5期）、榮國璋、孔憲東〈抗戰勝利前後黨轉移戰略的方針在
平津地區的實現〉（《北京黨史研究》1989年4期）、周秀芳〈黨的軍事
戰略的轉變與敵後根據地的開闢〉（《西南師院學報》1985年3期）、婁

平〈抗日戰爭時期開闢敵後戰場是特殊戰略進攻〉(《南開學報》1991
年5期)、張國星〈平原游擊戰戰略方針的制度及其意義〉(《中共黨
史研究》1988年3期)、謝和賡〈全民總動員綱領之一：全國游擊戰
爭方案〉(《廣西黨史研究通訊》1984年增刊)、吳麗華、翟金玲〈抗戰
初期中國共產黨游擊戰爭戰略方針的確定〉(《齊齊哈爾師院學報》1995
年5期)、馬功成〈抗戰初期我黨由正規戰向游擊的戰略轉變〉(《四
川師院學報》1985年3期)、卜力〈抗日游擊戰爭的戰略地位和作用〉
(《黨史資料與研究》1985年4期)、王建科〈抗戰時期我黨"獨立自主
的山地游擊戰"方針的涵蓋及其執行中的偏誤〉(《南京社會科學》1995
年6期)、侯荔江、蕭武男〈中共抗戰制勝戰略淺議〉(《毛澤東思想研
究》1996年1期)、曹屯裕等〈試論我黨持久抗戰的戰略思想〉(《寧
波師專學報》1985年3期)、庾新順〈試論抗日持久戰的戰略思想〉(《梧
州地區教育學院學報》1988年1期)、張同新〈試析兩種持久略方針的
異同〉(《軍事史林》1989年4期)、徐京城、張貴元〈論中國共產黨領
導的戰略反攻特點及其歷史地位〉(《大慶高專學報》1994年2期)、隆
武華〈中共關於抗日戰爭戰略反攻構想初探〉(《史學月刊》1991年3
期)、張亦民〈試論抗日戰爭時期我黨部署南下戰略的地位和作用〉
(《黨史研究資料》1987年3期)、呂為正〈抗日戰爭後期中共〝南下戰
略〞述論〉(《理論導刊》1995年6期)、孫道同、金歡雲〈抗戰時期中
共中央關于發展華中的戰略部署〉(《上海師大學報》1994年4期)、張
樹軍〈抗戰後期黨中央開闢河南的戰略部署及其實施〉(《許昌師專學
報》1987年3期)、徐成方〈中國共產黨領導的抗日心理戰初探〉(《瀋
陽師院學報》1992年1期)、王忠〈試論我黨對相持階段的科學預見和
慎重判斷〉(《淮北煤師院學報》1985年3期)、王朝美等〈農村包圍城

市理論在抗日戰爭時期的發展〉(《北京師大學報》1985年4期)、張廷栖等〈試論抗日戰爭中的農村包圍城市〉(《南通師專學報》1985年3期)、楊慧清〈試談抗日戰爭時期農村包圍城市道路的特點〉(《史學月刊》1985年5期)。朱兆中〈論毛澤東抗日時持久戰理論的創立〉(《南京師大學報》1995年4期)、楊林書〈毛澤東抗日持久戰理論與國民黨持久消耗戰略之區別〉(《浙江師大學報》1994年5期)、漆明生〈指導抗日戰爭的軍事理論綱領:《論持久戰》〉(《西南民族學院學報》1985年4期)、祝偉坡〈《論持久戰》的理論光輝照亮了抗日戰爭勝利的道路〉(《承德師專學報》1985年3期)、劉建強〈《論持久戰》的哲學底蘊〉(《紹興師專學報》1996年1期)、蘇紅、張咏梅〈《論持久戰》:運用辯證和歷史唯物論的典範〉(《蘭州大學學報》1995年3期)、胡學舉〈《隆中對》與《論持久戰》戰略思想之比較:兼論中華民族的戰爭智慧在抗日戰爭中的作用〉(《毛澤東思想研究》1995年3期)、楊超〈思想的精華、理論的高峰:《中國革命戰爭的戰略問題》與《論持久戰》之比較研究〉(《天府新論》1994年1期)、張弓長〈抗日戰爭與《論持久戰》〉(《長白學刊》1995年5期)、覃蘭秋〈《論持久戰》的思維特點〉(《柳州師專學報》1995年4期)、馮國瑞〈《論持久戰》與社會主義實踐〉(《晉陽學刊》1996年1期)、歐陽行〈論共產黨員在歷史轉折關頭的靈活性與堅定性－重溫毛澤東在抗日戰爭時期有關黨的戰略與策略的論述〉(《湖南師大學報》1990年5期)、陸文培〈論抗戰初期毛澤東關於奪取山西農村的戰略決策〉(《軍事歷史》1995年4期)、高宏的〈抗日戰爭後期毛澤東開闢新區的戰略思想〉(《軍事歷史》1995年2期)、石維行〈毛澤東對第二次世界大戰的戰略預見〉(《毛澤東思想論壇》1995年3期)、鄧淑華、管文虎〈抗日戰爭與毛澤東國際戰略的構思〉(《四川師大學報》1995年3期)、王紅續〈抗戰時期毛澤東對英美戰略的演變〉(《黨史研究資料》1994年10期)、吳榮宣〈論抗戰時期毛澤東對美戰略構想〉(《黨史研究與教學》1994年3期)、伊達宗義〈日中戰爭期における毛澤東の戰略構想－毛澤東の權力確立と中ソ對立の道程を探る〉(《海外事情》28卷1號，1980年1月)、畢建忠〈試論我黨的第三次軍事戰略轉變〉(《中國軍事科學》1993年2期)、項迺光〈中共對抗日戰爭之利用及其勢力之發展〉(《近代中國》78期，民79年8月)、川崎高志〈抗日戰爭初期の中國共產黨の武漢における活動〉(《創價大學學院紀要》12號，1990年11月)、孫若怡〈一號作戰期間中共的活動企圖(民國三十三年四月十七日至三十三年十二月五日)〉(載《中華民國史專題論文集：第一屆討論會》，臺北，國史館，民81)、余志勤等〈略論抗戰時期黨的法制統一戰線〉(《徐州師院學報》1993年1期)、田克勤、劉浩〈中共抗日綱領形成的歷史考察〉(《龍江黨史》1993年5~6期)、施巨流〈抗戰前後我黨對蔣介石態度的轉變〉(《探索》1994年2期)、張正〈論毛澤東在抗日戰爭中對蔣介石英美派的政策與策略〉(《北方論叢》1993年6期)、楊聖清、譚宗級〈抗日戰爭時期黨在國統區的統戰工作〉(《南開學報》1987年1期)、嚴志才〈中共六屆六中全會的歷史地位〉(《長白學刊》1989年6期)、許德波、李緒基〈中共六屆六中全會與抗日戰爭的勝利〉(《山東師大學報》1995年4期)、鮮正台《中共黨第七次全國代表大會之研究》(政治大學東亞研究所碩士論文，民66)、陳廉〈北方局與華北抗日根據地的創建〉(《近代史研究》1984年6期)、彭承福〈抗戰時期中共南方局在國統區工作的歷史功績〉(《西南師大學報》1996年3期)、〈抗戰期間中共中央南方局爭取地方實力派概況〉

（《重慶師院學報》1983年4期）及〈抗戰時期中共中央南方局在國民黨統治區工作的歷史功績〉（《中共黨史研究》1996年2期）、南方局黨史資料徵集組〈南方局中段軍事工作概況（1941年1月到1945年8月）〉（《南方局黨史資料》1986年1期）及〈南方局外事工作概況〉（同上）、蔡北華、方卓芬〈南方局在國統區經濟界開展工作的情況〉（同上）、魏崍〈關于南方局幾個問題的辨析〉（同上，1990年5期）、南方局黨史資料編輯小組編《南方局黨史資料》（6冊，重慶，重慶出版社，1986）、黃啟均〈抗日戰爭時期中共中央南方局是何時成立的？〉（《黨史研究》1986年3期）、孫金偉〈抗戰時期南方局與西南地方實力派〉（《殷都學刊》1996年4期）、王泓〈大後方文化界的擎天大樹南方局文委〉（《新文化史料》1994年2期）、吳秀才〈對1939年南方局作出撤銷廣西省工委等項決定的再探討〉（《廣西黨史研究通訊》1994年4期）、王忠事〈抗戰時期中共南方局海外統戰工作的重大工作〉（《重慶師院學報》1996年2期）、王明湘、劉立輝、王泓編著《中共中央南方局和八路軍重慶辦事處》（重慶，重慶出版社，1995）、重慶現代革命史資料叢書編委會編《回憶南方局（一）》（重慶，重慶出版社，1983）、王家進〈抗戰初期北方局在太原〉（《城市研究》1995年4期）、鄒新萍〈試論長江局在抗戰中的積極作〉（《黨史研究與教學》1996年5期）、宋健〈論抗戰初期長江局領導下的抗日救亡運動〉（《地方革命史研究》1992年8期）、中共湖北省委黨史資料徵集編研委員會、中共武漢市委黨史資料徵集編研委員會編《抗戰初廿鉤中共中央長江局》（武漢，湖北人民出版社，1991）、珏石〈周恩來與抗戰初期的長江局〉（《中共黨史研究》1988年2期）、曹瑛〈烽火大江南北：在長江局、南方局工作的一段回憶〉（《湖南黨史》1995年2期）、王新〈試論抗日戰爭勝利前後中國共產黨政治路線的發展〉（《歷史檔案》1992年4期）、黃厚哉等〈試論黨在抗日時期的政治路線〉（《寧夏大學學報》1980年2期）、陳存恭、李國成〈抗日勝利前夕國共兩黨的政治決策〉（載《近代中國與亞洲學術討論會論文集》，香港，1995年6月）、王雙梅《歷史的洪流－抗戰時期中共與民主運動》（桂林，廣西師大出版社，1994）、姜平〈抗戰前期中國共產黨爭取在全國實現民主憲政的鬥爭〉（《黨史研究資料》1991年9期）、張琦〈抗戰勝利前後中國共產黨爭取民主政治的鬥爭〉（《近代史研究》1989年2期）、劉曼抒〈抗戰時期中共關於新民主主義憲政理論的探索〉（《毛澤東思想研究》1992年1期）、余遜達〈抗戰時期中國共產黨建設民主政治的理論與實踐〉（《浙江社會科學》1995年5期）、劉玲〈抗日戰爭時期中國共產黨的民主建設〉（《徐州教育學院學報》1995年2期）、張勝男〈抗戰時期中國共產黨對民主新路的探索〉（《內蒙古社會科學》1995年6期）、左雙文、李先福〈40年代中國共產黨人關於民主政治思想述論〉（《湖南師大學報》1992年1期）、劉杰〈抗日戰爭時期中國共產黨的人權思想和實踐〉（《瀋陽師院學報》1996年1期）、簡明才〈論抗日戰爭時期共產黨人的宗旨及其現實繼承性〉（《江西社會科學》1995年7期）、田克勤、董世明〈抗日戰爭與黨在指導思想上的歷史性飛躍〉（《高校理論戰線》1995年10期）、劉金江〈略論抗日戰爭時期黨內反對錯誤傾向的鬥爭〉（《理論學刊》1987年5期）、殷錫亭〈共產黨領導下的多黨合作政權的一次嘗試〉（《河北學刊》1990年2期）、馬英民〈試論黨的抗日兩面政策及抗日兩面政權〉（《河北大學學報》1987年4期）、陳瑞雲〈關於抗戰時期中國共產黨合法地位的探討〉（《抗日戰爭研究》1996年1期）、周春雲〈試析抗戰勝利前後中共關於〝聯

合政府〞的政治方針〉(《牡丹江師院學報》1993年1期)、王明欽、徐
英軍〈論抗戰時期中共團結抗戰的宣傳及其效應〉(《許昌師專學報》
1993年2期)、薛克成〈抗日戰爭時期我黨精兵簡政的實施〉(《學術
論壇》1983年1期)、李葆定、李蔚〈略論抗日戰爭時期的精兵簡政〉
(《軍事歷史》1993年1期)、成國銀〈抗日戰爭時期的精兵簡政〉(《四
川黨史》1996年2期)、高風等〈關於抗日戰爭時期精兵簡政的幾個
問題〉(《內部文稿》1982年29期)、趙恒遠〈精兵簡政度過難關〉(《革
命史資料》1983年10輯)、劉益濤〈毛澤東與抗戰時期的精兵簡政〉
(《毛澤東思想論壇》1994年2期)、吳蔚〈李鼎銘提出〞精兵簡政〞的
前後〉(《群眾》1982年3期)、呂建中〈精兵簡政的歷史作用與現實
意義:紀念抗日戰爭勝利50周年〉(《青海民族學院學報》1995年3期)、
臧運祜〈關于"精兵簡政"的再研究〉(《中共黨史研究》1994年3期)、
張蘭英〈論抗日戰爭時期的三三制政權〉(《研究‧資料與譯文》1984
年2期)、徐寶慶〈抗日戰爭時期三三制政策〉(《齊魯學刊》1985年4
期)、翟英範〈簡論三三制政權的理論與實踐〉(《延安大學學報》1985
年2期)、于海聯〈〝三‧三制〞政權的歷史作用和對今天的啟示〉
(《遼寧大學學報》1995年6期)、白風玲〈中國共產黨領導的多黨合作
的雛形:淺談〝三三制〞政權〉(《青海師專學報》1996年4期)、張玉
虎、莫可今〈〝三三制〞政權建設與抗日戰爭的勝利及其現實意
義〉(《廣西師院學報》1995年4期)、尚奎權等〈中國共產黨領導下多
黨合作的雛形:談延安時期三三制政權〉(《理論探討》1990年6期)、
徐世華〈中國共產黨領導下的多黨合作制的開端:簡論延安時期三
三制政權〉(《甘肅社會科學》1991年4期)、馬幫泰〈黨在政權建設歷
史上的一項成功經驗:論〝三三制〞的抗日民主政權〉(《淮海論壇》

1991年4期）、劉誠〈抗日戰爭時期鄧小平對三三制政權理論的建樹〉
（《北京黨史研究》1995年4期）、龍敏賢、官本滔〈鄧小平與抗戰時期
的〝三三制〞〉（《華中理工大學學報》1995年3期）、金春明〈抗日戰
爭時期中國共產黨和國民黨兩條抗戰路線的鬥爭〉（《歷史教學》1963
年6期）、劉惠吾〈關於抗日戰爭中的兩條路線〉（《歷史教學問題》1958
年4期）、季益品〈略論抗日戰爭時期黨的建設的基本經驗〉（《安徽
教育學院學報》1985年2期）、王健英〈抗日戰爭時期加強黨的建設的
基本經驗〉（《北京黨史研究》1996年4期）、雷高嶺〈試論抗日戰爭時
期劉少奇對黨的組織建設理論的貢獻〉（《理論思維》1991年3期）、方
少武〈略論抗戰期間我黨的思想建設和組織建設〉（《廣東民族學院學
報》1995年2期）、馬雅倫〈抗戰初期黨組織的大發展及其特點〉（《甘
肅理論學刊》1995年4期）、張蘭英〈論抗日戰爭時期我黨自力更生
方針的實施〉（《研究·資料與譯文》1985年3輯）、宇野重昭〈抗日戰
爭初期における中國共產黨－毛澤東路線と「獨立自主」の問題〉
（載《中國革命の展開と動態》，東京，アジア經濟研究所，1972）、宋海
慶、周愛斌〈抗戰時期用毛澤東思想武裝全黨的歷史經驗及現實意
義〉（《馬克思主研究》1996年1期；亦載《毛澤東鄧小平理論研究》1995年
5期）、趙曉光〈試論抗日戰爭時期黨的組織路線的特點〉（《長白學
刊》1996年1期）。姚桓、羅忠敏〈黨在抗日戰爭時期的反腐化鬥爭〉
（《黨史文匯》1989年3期）及〈抗日戰爭時期的反腐化鬥爭〉（《學習與
研究》1989年3期）、王國平〈抗日戰爭時期我黨反腐敗鬥爭的經驗
與啟迪〉（《理論學刊》1995年4期）、李建寧、雷莉〈抗戰時期中國共
產黨反腐倡廉的歷史經驗〉（《青海黨的生活》1995年7期）。梁進珍〈有
關抗日戰爭時期黨史研究中的幾個問題〉（《黨史研究》1985年4期）、

董泰〈近年來關於抗日戰爭時期若干黨史問題的研究簡介〉(《黨史通訊》1985年8期)、李勇華〈試析黨的力量在抗日戰爭中的重大發展〉(《麗水師專學報》1984年3期)、沈佳蓮〈黨在抗日戰爭中的獨立自主原則〉(《函授教育》1995年2期)、陳廉〈我黨堅持獨立自主方針正確處理與共產國際的關係〉(《思想戰線》1984年2期)、瞿超〈抗日戰爭時期共產國際與中國革命關係討論觀點綜述〉(《社科信息》1988年9期)、丁家琪〈試論抗日戰爭時期我軍的政治工作研究(《思想戰線》1985年12期)、克思明〈論抗戰時期中共的「七二一方針」〉(《輔仁學誌－文學院之部》17期，民77年6月；亦載《近代中國》67期，民77年10月)、曾成貴〈抗戰時期中國共產黨怎樣高揚了愛國主義〉(《江漢論壇》1996年5期)、魯振祥〈談抗戰時期中國共產黨的勵精圖治〉(《北京師大學報》1995年4期)及〈略談抗日時期中國共產黨的勵精圖治〉(《探索與求是》1995年9期)、何進〈抗日戰爭時期黨在淪陷區工作重點的變化〉(《黨史研究與教學》1990年3期)、吳逸文〈抗戰時期中共的農村政治工作〉(《共黨問題研究》7卷10期，民70年10月)、曹伯一〈抗戰時期中共的〝敵軍工作〞〉(《東亞季刊》3卷4期，民61年4月)、姜春暉〈中共秘密工作對抗日戰爭的作用〉(《青年工作論壇》1995年4期)、王曉嵐〈中國共產黨抗戰時期對日偽的新聞宣傳〉(《河北學刊》1996年4期)、李秀忠〈論抗日戰爭時期黨的宣傳工作〉(《山東師大學報》1991年3期)、于景森〈抗戰時期黨的對敵宣傳工作及其經驗〉(《黨史博採》1995年12期)、周雄〈抗戰後期共匪之宣傳攻勢〉(《共黨問題研究》5卷11期，民68年11月)、吳珍美〈論宣傳工作在抗日戰爭中的作用〉(《黨史文苑》1995年6期)、喬金鷗〈抗日期間中共組織的擴展〉(《共黨問題研究》10卷5期，民73年5月)、馬英明〈試論黨的抗日兩面政策及抗日兩面政權〉(《河北大學學報》1987年4期)、徐曉林〈共產黨與民主黨派在抗戰相持階段合作問題探討〉(《中南民族學院學報》1990年2期)、李玉榮〈抗日戰爭時期中國共產黨對民主黨派的統戰工作〉(《聊城師院學報》1990年2期)、張秋炯〈試述抗戰時期共產黨與民主黨派合作關係的發展〉(《龍岩師專學報》1991年1期)、李玉榮〈我黨在抗日和解放戰爭時期與民主黨派團結合作的歷史經驗〉(《石油大學學報》1991年4期)、吳宣威〈民主黨派是中國共產黨在抗日戰爭中的重要合作伙伴和同盟軍〉(《哈爾濱師專學報》1995年3期)、苗青〈我黨在抗日戰爭時期〝爭取中間勢力〞的方針〉(《延邊大學學報》1995年3期)、江峽、曾成貴〈論抗戰時期我黨對中間派的態度〉(《華中師大學報》1988年2期)、鄭洪泉〈為中共領導的多黨合作制奠基：南方局開展中間黨派統戰工作的歷史功績〉(《重慶師院導報》1991年2期)、王克群〈話說抗日戰爭時期共產黨領導的多黨合作〉(《統一戰線》1991年5期)及〈淺談抗日戰爭時期共產黨領導的多黨合作〉(《科學社會主義》1990年5期)、吳敏〈歷史的選擇：抗日戰爭和解放戰爭時期的多黨合作制度的形成和發展〉(《黨史縱橫》1995年8期)、鄭志廷《試論中共對二十九軍抗戰的推動作用》(《河北大學學報》1990年4期)、曹裕文〈論抗戰初期我黨與桂系的合作關係〉(《學術論壇》1990年1期)、張梅玲〈中國共產黨與桂系在發動全民抗戰中的合作〉(《社會科學探索》1990年5期)、石舜瑾〈論抗日戰爭時期中共與桂系的統一戰線〉(《杭州師院學報》1981年4期)、俞歌春〈抗戰時期黨對石友三鬥爭策略論析〉(《福建師大學報》1992年1期)、孫希磊〈抗戰初期中共對國民黨地方實力派的認識與爭取〉(《北京黨史研究》1996年2期)、魯輝〈黨的地方實

力派政策與山西的抗戰局面〉（《前進》1995 年 8 期）、丸田孝志〈抗
日戰爭期における中國共產黨の鋤奸政策〉（《史學研究》199號，1993
年 2 月）、孟國祥、程堂發〈抗戰期間中共 懲治漢奸紀實〉（《南京史
志》1995 年 4 期）、解繼祖〈黨在抗戰初期的幾項重大決策〉（《阜陽
師院學報》1985 年 3 期）、曹伯一〈抗戰初期中共問題重要文獻〉（《東
亞季刊》9 卷 1 期，民 66 年 7 月）、蔣永敬〈抗戰時期〝中共〞問題〉（《近
代中國》第 4 期，民 66 年 12 月）、郭華倫〈毛共〝抗日〞援蘇真相〉（《幼
獅月刊》42 卷 1 期，民 64 年 7 月）、曹伯一〈中共〝抗日〞原則之求存
與發展功能〉（《載《抗戰建國史研討會論文集》下冊，臺北，民 74；亦載
《東亞季刊》17 卷 4 期，民 75 年 4 月》）、周樹人〈從美國軍事密檔看中
共對抗戰策略的運用〉（《現代中國軍事史評論》第 1 期，民 76 年 8 月）、
龔澤琪〈論抗日戰爭時期我黨的軍事經濟思想〉（《軍事經濟研究》1991
年 10 期）、劉曼抒〈抗戰時期中共關于新民主主義憲政理論的探索〉
（《毛澤東思想研究》1992 年 1 期）、簡鐵〈中共改變對抗戰說詞〉（《載《抗
戰勝利四十週年學術論文集》上冊，臺北，民 75）、李雲漢〈中共是怎樣
參加抗戰的〉（《中央月刊》10 卷 12 期，民 67 年 10 月）、老兵〈中共是
怎樣在做抗戰工作的〉（《綜合月刊》82 期，民 64 年 9 月）、曹雁行〈抗
戰期間中國共產黨的七次〝七七〞宣言〉（《抗日戰爭研究》1992 年 3
期）、高仁立〈論抗戰時期中共處理兩種矛盾的原則及現實意義〉
（《社會科學探索》1995 年 6 期）、葉篤義〈中共和所謂在抗日戰爭期間
的第三方面〉（《群言》1995 年 8 期）、常德志〈抗日戰爭時期中國共
產黨的幹部教育〉（《北京檔案史科》1996 年 2 期）、謝迪斌〈論抗戰時
期我黨培養幹部的內容與方法〉（《牡丹江師院學報》1990 年 4 期）、賀
艷秋、韓霞〈抗戰時期我黨幹部教育實踐及其歷史經驗探析〉（《黃

准學刊》1996年3期）、鄧紹興〈抗日戰爭和解放戰爭時期的幹部檔
案工作〉(《檔案管理》1990年3期）、陸美珍〈抗日戰爭時期的中國
共產黨建設〉(《南通師專學報》1995年4期）、曹平、王麗娟〈抗日戰
爭時期黨的建設一些重要收穫：紀念抗日戰爭勝利50周年〉(《理論
探討》1995年2期）、何華珍〈簡述抗日戰爭中黨的建設的指導原則〉
(《黨建研究》1995年9期）、郝小青〈中國共產黨的建設與抗日戰爭的
勝利〉(《天府新論》1995年5期）、王秀琴〈抗日戰爭的偉大勝利與黨
的建設的偉大工程：紀念抗日戰爭勝利50周年〉(《桂海論叢》1995年
4期）、劉偉〈論劉少奇抗戰時期對黨建理論的貢獻〉(《中國農業銀
行長春管理幹部學院學報》1991年4期）、馬啟民〈抗日戰爭時期中國
共產黨領導的經濟改革及其歷史功績〉(《陝西師大學報》1995年4期）、
上妻隆榮〈抗日戰爭期における中共の經濟政策〉(《東亞經濟研究》
35卷3號，1961年11月）、何剛〈抗戰時期中國共產黨經濟政策述評〉
(《東南文化》1995年3期）、李宗植〈調整政策發展經濟是抗戰勝利的
基本保證〉(《蘭州大學學報》1995年3期）、李永芳〈略論我黨在抗日
戰爭時期的對外經濟支柱〉(《河南社會科學》1995年4期）、古島和雄
〈抗日時期の中共の土地政策〉(《東洋文化研究所紀要》10號，1956年
11月）、田中恭子〈四十年代中國共產黨的土地政策〉(載《中國抗
日根據地史國際學術討論會論文集》，北京，檔案出版社，1986)、趙熙盛
〈抗戰期間黨貫徹土地政策所遇到的阻力及採取的對策〉(《黨史研究
與教學》1992年3期）、許海生〈試論抗日戰爭時期中國共產黨土地
政策的重大轉變〉(《新疆大學學報》1989年3期）、諸葛達〈抗日戰爭
時期中國共產黨的減租減息政策〉(《浙江師大學報》1992年1期）、尹
慶軍〈抗日戰爭時期我黨的減租減息政策〉(《黨史研究資料》1991年

3期）、李正中〈抗日戰爭時期的減租減息政策〉(《歷史教育》1984年
12期）、龔達〈論抗日時期減租減息政策及其重大意義〉(《昭烏達蒙
族師專學報》1985年1期）、郭秀翔〈減租減息政策的提出與完善〉(《黨
史文匯》1992年7期）、郭緒印〈抗日戰爭時期中國共產黨領導的減
租減息運動〉(《歷史教學問題》1981年3期）、蕭一平等〈抗日戰爭時
期的減租減息運動〉(《近代史研究》1981年4期）、李分建〈抗戰時期
中共糧食政策述略〉(《文史雜志》1994年5期）、李慧寧〈抗日戰爭時
期黨對企業管理的探索〉(《四川黨史》1995年5期）、沈德海〈簡析抗
日戰爭中中共城市工作的作用〉(《貴州師大學報》1995年3期）、范凌
〈中共城市工作的偉大嘗試：紀念抗戰勝利暨張家口市第一次解放
與接管五十周年〉(《黨史博採》1995年8期）、季耘剛〈黨的富民政
策在抗戰時期的實踐〉(《黨史研究與教學》1993年3期）、田中恭子〈中
國共產黨の農村政策－1940年代を中心に〉(《國際研究》第1號，1984
年1月）及〈中國の農村革命（1942-45）－減租、清算、土地改革〉
(《アジア經濟》24卷9號，1983年9月）、吳籌中等〈我黨抗日戰爭時
期的貨幣〉(《財經研究》1981年4期）、謝榮斌、張全省〈論抗日戰爭
時期中國共產黨與"工合"運動的關係〉(《寶雞文理學院學報》1996年
1期）。陳先初〈抗戰時期中國共產黨的民眾動員和社會改革〉(《求
索》1996年3期）、劉國輝、徐元章〈試論抗戰時期我黨領導下的人
民革命力量的增長〉(《許昌師專學報》1996年2期）、歐陽行〈抗日戰
爭時期黨的知識分子理論及其實踐〉(《湖南師大學報》1988年3期）、
胡德林、朱文善、王立兵〈黨在抗日戰爭時期知識分子政策的產生
及其作用〉(《統一戰線》1995年8期）、雷萬春、朱文善、王立兵〈黨
的抗日戰爭時期知識分子政策的產生背景和歷史作用〉(《湖北社會科

學》1995年5期）、閻正富〈對抗戰時期黨的知識分子政策形成的探討〉(《丹東師專學報》1985年2期)、劉振起〈抗日戰爭時期黨的知識分子政策〉(《黨史通訊》1984年3期)、王桂蘭〈試論抗日戰爭時期我黨的知識分子政策〉(《河南大學學報》1986年3期)、林英〈淺談黨在抗日戰爭時期的知識分子政策及其作用〉(《安順師專學報(綜合版)》1988年3期)、魏繼昆〈抗日時期國共兩黨的知識分子政策之比較〉(《東北師大學報》1995年3期)、鞠立仁《抗戰時期中共政策與知識份子－政治、經濟、社會政策之研究》(中國文化大學大陸問題研究所碩士論文，民70)、朱文顯〈抗日戰爭時期康生對於黨的知識分子政策的破壞與共產國際〉(《四川師大學報》1987年5期)、齊鵬飛〈抗日戰爭期間黨在知識分子政策上的調整及其成效〉(《貴州文史叢刊》1990年1期)、蕭學信〈抗日戰爭時期黨如何發揮知識分子的作用〉(《黨史研究與教學》1993年4期)、閔變《抗戰期間中共青運工作之實質(1937-1949)》(政治大學東亞研究所碩士論文，民66年6月)及《中共群運與青運剖析(1937-1949)》(臺北，黎明文化事業公司，民69)；〈共青團的改造和抗日戰爭時期的青年運動〉(《中國青年》1957年3期)、劉冠超〈抗戰時期中國共產黨領導的青年運動〉(《淮北煤師院學報》1987年2期)及〈抗戰時期我黨領導的青年運動〉(《貴州社會科學》1985年10期)、嚴愛雲〈抗戰時期黨領導下的上海青年學生運動〉(《當代青年研究》1995年4期)、丁衛平〈試論抗戰前期中國共產黨領導的國統區婦女抗日運動〉(《長白學刊》1995年5期)、張媛〈論中共對抗戰時期國統區婦女運動的影響和作用〉(《河南教育學院學報》1996年3期)、廖似光〈回憶中共南方局領導下的婦女運動〉(《婦運史研究資料》1982年6期)及〈抗戰時期中共南方局領導婦女運動概況〉(《重慶黨史研究資料》1983年3期）、林庭芳〈中共南方局婦委與戰時兒保、兒教工作〉(《西南師大學報》1995年3期）、吳玉霞《抗戰時期中共農民運動之研究》(中國文化大學大陸問題研究所碩士論文，民70年6月）、陳文〈黨領導下的農民運動與抗日戰爭的勝利：紀念抗日戰爭勝利50周年〉(《錦州醫學院學報》1995年3期）、吳逸文〈抗戰時期中共的農村政治工作〉(《共黨問題研究》7卷10期，民70年10月）、Chalmers A.Johnson, Peasant Nationalism and Communist Power: The Emergence of Revolutionary China, 1937-1945.(Stanford, Calif.: Stanford University Press, 1962）、邵雍〈論抗日戰爭時期中國共產黨對會黨的政策〉(《黨史研究與教導》1991年1期）、藍振露〈簡論中國共產黨對華僑抗日的政策與主張〉(《福建黨史月刊》1991年3期）、曾瑞炎〈抗戰時期中共對華僑的統戰工作〉(《黨史研究與教學》1991年3期）、任學嶺〈抗日戰爭時期黨與開明紳士合作的成功經驗〉(《西北大學學報》1990年3期）、雷國珍〈淺析〝二戰〞時期民族資產階級對我黨由背離到擁護的原因：兼論堅持共產黨的領導是歷史的選擇〉(《湖湘論壇》1990年1期）、魯廣錦〈抗日戰爭時期中國共產黨對會黨的政策及其實踐〉(《東北師大學報》1993年6期）、劉平〈略論抗戰時期中共對蘇南幫會的改造〉(《江蘇社會科學》1995年2期）、皮明義〈黨在抗日戰爭時期的民族工作大事記〉(《中央民族學院學報》1989年3期）、楊多才旦〈中國共產黨在抗戰時期的民族政策及其作〉(《攀登》1995年5期）、盧印璽〈試論中國共產黨抗日戰爭期間的民族政策〉(《天津師大學報》1983年1期）、于世清、龔文友〈淺談中國共產黨的團結抗日民族政策〉(《西藏黨校報報》1995年3期）、周異決《平等團結禦外侮－中共民族政策與少數民族抗戰》（桂林，廣西師大出版社，

1996）、高占福、李榮珍〈抗日戰爭時期中國共產黨對西北回族的政策和回族人民的抗日愛國活動〉(《甘肅社會科學》1996年3期)、麻秀榮〈抗日戰爭時期中國共產黨的民族區域自治政策及其初步實踐〉(《黑龍江民族叢刊》1996年1期)、牛軍《從延安走向世界－中國共產黨對外關係的起源》(福州，福建人民出版社，1992)。王庭岳《崛起的前奏－中共抗戰時期對外交往紀實》(北京，世界知識出版社，1995)、王真《沒有硝烟的戰線－抗戰時期的中共外交》(桂林，廣西師大出版社，1996)及〈抗戰時期中共對外聯絡工作概述〉(《中共黨史研究》1989年5期)、龍光堯〈試論抗戰時期我黨的國際反法西斯統一戰線政策〉(《黔東南民族師專學報》1996年1期)、楊治遠〈中國共產黨抗戰後期的國際統戰政策〉(《山東醫科大學學報》1995年2期)、鄭生壽〈抗日戰爭時期毛澤東處理對外關係的策略思想〉(《延安大學學報》1984年3期)、胡之信〈抗戰後期中國共產黨獨立自主外交政策的勝利〉(《北方論叢》1983年4期)及〈抗日戰爭時期中國共產黨外交政策研究〉(《學術交流》1987年4期)、吳東之〈抗日戰爭時期的中外關係和中國共產黨的對外政策〉(《外交》1988年3、4期)、張勝男〈試論抗日戰爭時期中國共產黨的對外政策〉〉(《內蒙古大學學報》1991年4期)、鄭香福〈試論抗戰時期黨的外交政策〉(《福建黨史月刊》1995年5期)、丁晉清〈中國共產黨的抗戰外交政策述評〉(《廣東黨史》1995年5期)、楊奎松〈中國共產黨抗日外交戰略的形成〉(《中共黨史研究》1995年4期)、安德森著、史也天譯、呂國輝校〈抗戰後期中國共產黨外交政策的確立〉(《龍江黨史》1995年5、6期)、周毓華等〈中國共產黨在抗日戰爭時期的對外政策〉(《西南民族學院學報》1995年5期)、牛軍〈抗戰時期中共對外政策的演變〉(《抗日戰爭研

究》1991年1期）、王前進〈試析抗戰時期中國共產黨的對外政策〉
（《咸寧師專學報》1995年4期）、柯有華〈抗日戰爭時期中國共產黨對
外政策的基本特點〉（《湖北師院學報》1995年5期）、James Byron
Reardon-Anderson, The Foreign Policy of Self-reliance: Chinese Com-
munist Policy Toward the Great Powers, 1944-1945.（Ph. D.
Dissertation, Columbia University, 1976）、劉德喜〈1943-1949年毛澤
東外交戰略的演變〉（《國際共運史研究》1993年4期）、李時安〈英國
對華政策與共產黨人（1942-1946）：薛穆大使的作用〉（《國外中國
近代史研究》25輯，1994年10月）、劉明鋼〈談抗戰時期我黨對於和
英美結盟態度的變化〉（《武漢教育學院學報》1995年4期）、金普森、
袁成毅〈抗日戰爭時期美國與中國共產黨關係述評〉（《杭州大學學報》
1993年3期）、Michael M. Sheng, "America's Lost Chance in China?
A Reappraisal of Chinese Communist Policy Toward the United States
Before 1945."（Australian Journal of Chinese Affairs, Jan. 1993）、Larry
N. Shyu（徐乃力）, " Ideology or Pragmatism ?: The Emergence
of the Chinese Communist Party's Diplomacy With the United States,
1942-1946."（《歷史學報（臺灣師大）》17期，民78年6月）、劉德喜〈中
共聯美抗日政策的確立〉（《黨史文匯》1994年2期）、閻曉榮〈試析抗
戰時期中共對美政策的確立〉（《陰山學刊》1995年3期）、郭永康〈試
析中國共產黨抗日聯美政策的演變－從〝九一八〞事變到蘇德戰爭
爆發〉（《上海教育學院學報》1995年3期）、張莉紅〈抗戰時期的中共
對美政策〉（《文史雜志》1994年5期）、袁武振〈抗日戰爭時期中國共
產黨的對美政策述論〉（《西北大學學報》1991年1期）、章百家〈抗日
戰爭前期中共對美政策的起源與確立〉（《近代史研究》1991年5期）、

陶文釗〈抗日戰爭前期中國共產黨與美國的關係〉(《中共黨史研究》1991 年 1 期)、付小青〈延安時期中國共產黨與美國的關係〉(《理論導刊》1995 年 9 期)、譚學書、李學碧〈抗戰時期中共的對美外交〉(《大江南北》1996 年 4 期)、王安平〈抗戰時期中共的對美外交述略〉(《四川師院學報》1995 年 5 期)、袁成亮〈抗戰末期中共對美外交述論〉(《黨史縱覽》1996 年 3 期)、李竹紅〈抗戰後期中共對美政策的演變〉(《北京黨史研究》1993 年 2 期)、伊勝利〈抗日戰爭時期中國共產黨對美政策的演變及其歷史經驗〉(《理論探討》1996 年 3 期)、劉煥明〈抗戰勝利前夕美國對中國共產黨政策發生轉變原因初探〉(《學術交流》1996 年 2 期)、牛軍〈試論太平洋戰爭期間中國共產黨的對美政策〉(《中國人民警官大學學報》1986 年 1 期)、章百家〈抗日戰爭結束前後中國共產黨對美國政策的演變〉(《中共黨史研究》1991 年 1 期)、袁盈〈抗戰勝利前後中共與美國政府之間關係的演變〉(《歷史教學》1994 年 1 期)、管建宏〈試析抗日戰爭後期中國共產黨的對美〝合作政策〞〉(《歷史教學問題》1993 年 3 期)、池井優〈中國共產黨の對米觀－ 1939 ～ 1949〉(《法學研究》50 卷 1 號，1977 年 1 月)、鄒一清〈抗戰後期共匪的對美統戰陰謀〉(《共黨問題研究》5 卷 12 期，民 68 年 12 月)、吳孟雪〈抗戰期間來華美國人士對中共的認識評價及其意義〉(《江西社會科學》1995 年 9 期)、曹志為〈毛澤東與抗日戰爭後期中共對美外交政策的轉變〉(《毛澤東思想論壇》1996 年 1 期)、李懷義〈抗戰後期的毛澤東與中共對美關係〉(《黨史博采》1995 年 5 期)、吳榮宣〈論抗戰時期毛澤東對美戰略構想〉(《黨史研究與教學》1994 年 3 期)、卓愛平〈抗戰時期中共對英美大資產階級的理論和策略〉(《學術界》1995 年 5 期)、劉守仁〈抗戰後期中共配合美軍在華登陸部署始末〉

（《黨史研究資料》1991年12期）、Charles B. McLane, Soviet Policy and the Chinese Communists, 1931-1946. (New York: Columbia University Press, 1958）、邱生軍〈試論抗戰時期中共的對蘇關係〉《黨史博採》1996年3期）、王真〈抗戰時期蘇聯與中共關係研究的幾個問題〉《近代史研究》1992年6期）、陳保中〈皖南事變前後中國共產黨與蘇聯關係簡論〉（《山東醫科大學學報》1995年2期）、朱超南〈延安整風時期中共與蘇聯的關係〉（《毛澤東思想論壇》1992年4期）、王芳〈試述抗戰期間蘇共和中共的關係〉《鹽城師專學報》1995年4期）、毛傳清、羅輝權〈中國共產黨對蘇聯反法西斯戰爭的援助〉《中南民族學院學報》1995年3期）、Lee Chong-sik, Revolutionary Struggle in Manchuria: Chinese Communism and Soviet Interest, 1922-1945. (Berkeley: University of California Press, 1983）、王松憲《日共與中共關係之研究（1940－1972）》（政治大學東亞研究所碩士論文，民62年12月）、陳傳剛〈論中共對遠東慕尼黑的態度演變〉（《南京政治學院學報》1994年4期）、王德京〈中國共產黨與國際反法西斯統一戰線〉（《黨的文獻》1995年5期）、王繼洲、張波〈中國共產黨與國際反法西斯統一戰線〉（《吉林師院學報》1989年1期）、王庭岳〈抗日戰爭時期中國共產黨的聯日反法西斯國際統一戰線工作初探〉《黨史研究與教學》1990年6期）、龍光堯〈論抗戰時期我黨的國際反法西斯統一戰線政策〉（《黔東南民族師專學報》1996年1期）、張齊政〈中國共產黨在世界反法西斯聯盟中的作用〉（《衡陽師專學報》1995年4期）、魯娜〈抗戰時期中共對廢除不平等條約的態度〉《東岳論叢》1995年5期）、朱德新〈抗戰期間中共對廢約的態度〉《黨史研究資料》1992年10期）、張穎〈抗日戰爭時期國民黨統治區黨所領導的文藝運動〉《南方局黨史資料》1986年1期）。林宸生《抗戰時期中共的文藝政策》（政治大學歷史研究所碩士論文，民77年6月）、靳希光〈中國共產黨在抗日戰爭時期的文藝宣傳工作〉（《中共黨史研究》1992年5期）、蔣偉〈江西黨組織領導的抗戰文化工作一瞥〉（《江西黨史研究》1988年6期）、劉家琪〈中國共產黨領導下的新疆文化運動〉（《新文化史料》1991年3期）、戴知賢〈中國共產黨領導的"孤島"文化鬥爭〉（《中共黨史研究》1996年4期）、黃建新、莫振山〈中國共產黨在香港的抗戰文化活動〉（《中共黨史研究》1988年6期）、劉莉玲〈中國共產黨與桂林文化城的開闢〉（《廣西大學學》1991年1期）、邱繼勇〈抗日戰爭時期中國共產黨在文化領域中的統戰工作〉（《社會科學輯刊》1995年4期）、文琪〈抗日戰爭時期中國共產黨黨報和主要進步報刊簡介〉（《歷史教學》1958年10期）、王曉嵐〈抗戰時期中國共產黨在國統區的辦報活動與宣傳策略〉（《北京黨史研究》1996年1、2期）、斧泰彥〈日中戰爭期における「新華日報」－國民黨支配下の共產黨紙〉（《學園論集（北海學園大學）》70號，1991年11月）、韓辛茹《新華日報史，1938－1947》（北京，中國展望出版社，1987）、潘梓年等《新華日報的回憶》（重慶，重慶人民出版社，1959），共收有1938－1947年間在新華日報工作的人士撰寫的回憶文章14篇；張霖〈1938-1947：《新華日報》在國統區的抗爭〉（《黨史文匯》1996年3期）、原田繁〈"抗日民族統一戰線"機關報紙としての"新華日報"－國民黨統治區での中國共產黨紙〉（《創價大學紀要》14號，1992年11月）、黃淑君〈《新華日報》與抗戰後的工人運動〉（《西南師大學報》1994年1期）、劉余武〈武漢時期的《新華日報》與共產國際關係初探〉（《華中師大學報》1989年6期）、張華新〈《新華日報》與大後方團結抗日〉（《探

索》1996年4期）、郭美蘭〈《新華日報》初遷重慶時期反對國民黨
投降倒退的鬥爭〉（《湖北教育學院學報》1988年2期）、唐學峰〈《新
華日報》與四川實力派〉（《重慶黨史研究資料》1990年4期）、程鵬〈淺
述《新華日報》在長江局工作中的地位〉（《武漢黨史通訊》1989年1期）、
王泓〈《新華日報》與大後方抗戰文化〉（《學術論壇》1993年3期）、
楊淑珍〈論《新華日報》對敦促國民黨貫徹《抗戰建國綱領》的業
績〉（《西南師大學報》1994年1期）、穆欣〈四十年代《新華日報》和
《大公報》三次論戰述評〉（《中共黨史研究》1993年1期）、盧杰〈頂
著風浪前進的《新華日報》歌樂山發行站〉（《新文化史料》1996年1
期）、李峰〈《新華日報》廣州分館及韶關分銷處始末〉（《廣東黨史》
1994年2期）、張鴻慰〈明燈照灕水，新華傲雪霜：《新華日報》桂
林分館的建立及其鬥爭〉（《廣西黨史研究通訊》1993年5、6期）、新
華日報、群眾周刊史學會編《堅持團結抗戰的號角：1938～1947
年代論集》（重慶，重慶出版社，1986），共收錄了《新華日報》1938
年1月11日創刊起到1947年2月28日被查封止九年間的52篇「代
論」，其中周恩來所寫的代論就有18篇之多；Patricia Stranaban,
Molding the Medium:The Chinese Communist Party and the Libera-
tion Daily.(Armonk:M.E.Sharpe,1990）、劍誠、曉吾〈《唯力》與長汀
的抗日救亡運動〉（《黨史研究與教學》1988年2期）、安閩、曉鐘〈抗
戰怒濤中的廈門《抗敵導報》（1937.9-1938.1）〉（《黨史資料與研究》
1987年1期）、李峰〈中共廣東省委領導的大型月刊《抗戰大學》〉（《廣
東黨史》1994年4期）、王驛書〈用人民的利益觀評判國共不同的抗
戰方略〉（《鹽城師專學報》1996年4期）、陳良如〈試析抗日戰爭時期
國共兩黨的兩個綱領〉（《蘇州大學學報》1989年4期）、田克勤〈國共

兩黨在抗日綱領上的分歧與〝三民主義〞論戰〉（《東北師大學報》
1994年3期）、周利生〈抗戰中國共兩黨實行三民主義之比較〉（《江
西社會科學》1996年2期）、楊生運〈抗戰時期國共兩黨關於三民主義
及中國革命運動的論戰〉（《政工學刊（海軍政治學院）》1989年12期）、
宋進《挈其瑰寶－抗戰時期中共與三民主義研究》（桂林，廣西師大出
版社，1994）、〈論中國共產黨人在抗戰時期對三民主義的研究〉（《華
東師大學報》1990年3期）及〈再論抗日戰爭時期中國共產黨人對三民
主義的研究〉（《近代史研究》1991年5期）、潘國華等〈抗日戰爭時期
中國共產黨在思想理論戰線上反對國民黨頑固派的鬥爭〉（《歷史教
學》1982年3期）、胡國臺著、蔣光明、鄒巧玲譯〈抗戰期間國共兩
黨在高校裏的鬥爭〉（《國外中國近代史研究》19輯，1992年1月）、李
偉邊、曾惠燕〈中國共產黨在香港的抗日鬥爭述評〉（《懷化師專學報》
1995年3期）、許文〈抗戰時期中共在新疆革命活動概述〉（《新疆大
學學報》1991年1期）；〈抗日戰爭時期中國共產黨在新疆革命鬥爭
史〉（同上，1981年1期）、中田吉信〈伊寧事變の性格と中國共產
黨との關係〉（《近代中國》23卷，1993年1月）、朱楊桂、高新生、李
爽〈關於新疆三區革命的幾個問題〉（《新疆大學學報》1988年1期）、
杜榮坤〈新疆三區革命是我國人民民主革命的一部分〉（《民族研究》
1988年1期）、紀大椿〈蘇聯與新疆三區革命〉（《邊疆史地研究報告》
1990年5期）、〈三區革命與蘇聯關係問題〉（《邊疆史地研究導報》1988
年4期）及〈新疆三區革命和中國共產黨：紀念三區革命爆發五十周
年〉（《西域研究》1994年4期）、徐玉圻〈毛澤東與新疆三區革命〉（《實
事求是》1993年5期）、阿吾提、托乎提〈抗戰時期的新疆與中國共
產黨：黨領導下各族人民在抗日戰爭中的歷史貢獻〉（《新疆社會經

濟》1995年4期）、高榕〈廣西地下黨歷史上的一次重大曲折：一九
四二年桂林七九事件評述〉（《社會科學家》1993年2期）、萬建強〈中
國共產黨領導下的江西人民抗日鬥爭〉（《黨史文苑》1994年4期）、光
翟、徐良鳳〈抗日戰爭中犧牲的江西籍軍事指揮員〉（《江西農業大學
學報》1986年5期）、抗戰時期的河南省委編寫組、中共河南省委黨
史資料徵集編纂委員會編《抗戰時期的河南省委》（鄭州，河南人民出
版社，1986）、王延章、王懷安〈弘揚整風精神加強黨的建設：抗戰
時期河南黨組織的整風運動及歷史啟示〉（《黨史博覽》1992年2期）、
陳傳海〈抗戰初期的中共河南黨組織與省內全民抗戰的興起〉（《許
昌師專學報》1996年1期）、吳國安〈略論抗戰時期中共福建地方組
織展開的理論學習運動〉（《理論學習月刊》1990年2期）、黃國雄〈論
福建省委在抗戰時期的群眾路線〉（《福建師大學報》1993年2期）、林
強〈抗日戰爭初期福建黨史的幾個問題〉（《福建黨史月刊》1991年12
期）、蕭傳坤、林洪通〈抗日戰爭時期永安進步文化活動中地下黨
員的組織關係〉（《黨史研究與教學》1990年5期）、麥雪瑩等〈對抗戰
時期羅定中心縣委問題的探討〉（《廣東黨史通訊》1989年4期）、盧荻
〈太平洋戰爭爆發後東江地區的清剿與反清剿〉（同上，1989年4期）、
王慕民〈抗日戰爭初期寧波共產黨組織的重建及其經驗〉（《寧波師院
學報》1992年2期）、老龍〈抗戰時期川渝匪黨組織概況與活動策略〉
（《共黨問題研究》1卷6期，民64年12月）、王霖、王為群〈黨的策略
轉變是東北掀起抗日高潮的關鍵〉（《社會科學戰線》1992年4期）、黃
小同〈試論中共在華北淪陷區的工作〉（《歷史教學》1995年10期）、
方亭〈抗日與解放戰爭時期中共北京（北平）黨組織概況〉（《北京
黨史研究》1989年6期）、中共北京市委黨史研究室〈艱苦的八年──

—抗日戰爭時期北平地下黨的工作〉(《學習與研究》1986年1期)、陳
琰〈抗戰初期北平"民先"工作片斷〉(《北京黨史研究》1993年4期)、
安捷〈抗戰初期貝滿女中的"民先"活動〉(同上，1993年4期)、高
深等討論、董華執筆〈抗戰時期北平黨組織在德州中學和濟南師範
的發展〉(同上，1994年4期)、王繼春〈抗日戰爭時期中共山東省委
的變遷〉(《山東師院學報》1981年4期)、靖士祥、高祖經、孫佃書〈簡
論抗日戰爭時期冠縣黨組織的貢獻〉(《聊城黨政學刊》1991年3期)、
張稼夫〈抗戰前夕和初期山西工委、省委工作的回憶〉(《晉陽學刊》
1981年4期)、中共山西省委黨史研究室編《文獻選編：抗日戰爭時
期》(中國共產黨山西歷史資料叢書；太原，山西人民出版社，1986)、田
秋平〈談抗幣"山西省第五行政區救國合作社兌換券"的發行〉(《文
史研究》1993年3期)、湖南省檔案館編輯《抗日戰爭時期湖南地下
黨歷史文獻選編》(長沙，湖南人民出版社，1985)、袁學之〈在湖南
地下黨鬥爭的三年（1938.7～1941.7）〉(《湖南黨史通訊》1986年1、
2期)、林煦春〈抗戰時期黨在益陽的重建〉(《益陽師專學報》1982年
1期)、李家全〈抗日戰爭時期江西黨組織是怎樣遭到破壞的〉(《黨
史研究資料》1989年1期)、王明生〈抗日戰爭時期中共雲南地下黨
領導的昆明文化工作〉(《創造》1995年3期)、朱啟鑾〈南京地下鬥
爭十年〉(《群眾論壇》1981年4、6期)、陸志仁〈抗日戰爭時期參加
上海地下鬥爭的幾個片斷〉(《社會科學（上海）》1981年3期)、孫全
業、苟克娟〈抗日戰爭時期佳木斯地下黨活動紀實〉(《佳木斯師專學
報》1995年4期、1996年1期)、何群新〈抗戰時期十二集團軍政工總
隊的中共組織〉(《廣東黨史》1995年2期)。第二戰區民族革命戰爭
戰地總動員委員會《戰地總動會。民族革命戰爭戰地總動員委員會

鬥爭史實》(2冊，太原，山西人民出版社，1986)、王乃德〈戰動總會
的歷史地位〉(《中共黨史研究》1991年5期)、梁正〈"戰動總會"和
黨的三大法寶〉(《社會科學研究》1992年3期)、張德〈抗日民族統一
戰線的組織——"動委會"〉(《常德師專學報》1985年4期)、施惠正
〈動員民眾奮起抗日：安徽省動員委員會始末〉(《江淮文史》1995年4
期)、中共安徽省委黨史委員會〈安徽省民眾總動員委員會始末〉
(《安徽黨史研究》1989年1期)、賀金浦、譚林菊〈抗日戰爭時期我黨
關於中國資產階段的理論與政策〉(《社會主義研究》1996年專輯)、
Raymond F. Wylie, The Emergence of Maoism: Mao Tse-tung, Ch'en
Po-ta and the Search for Chinese Theory, 1935-1945.(Stanford, Calif.:
Stanford University Press, 1980) 、David L. Liden, Party Factionalism
and Revolutionary Vision: Cadre Trainning and Mao Tse-tung`s Effort
to Consolidate His Control of the Chinese Communist Party,1936-
1944. (Ph. D. Dissertation, University of Michigan-Ann Arbor, 1978)、張永
慶〈抗日戰爭時期的中國宗教和中國共產黨的宗教政策〉(《寧夏社會
科學》1995年5期)、陶飛亞〈抗戰時期中共對基督教會的新政策〉
(《文史哲》 1995年5期)、Hung Chang-tai（洪長泰）， " The Poli-
tics of Song: Myths and Symbols in the Chinese Communist War Music,
1937-1949. ”（Modern Asian Studies, Vol.30, Part4, October
1996) 、John Ming-kae Wang, A History of Chinese Communist
Drama （1937-1972）. (Ph. D. Dissertation, Southern Illinois University-
Carlondale, 1979)、張起厚〈毛選「抗日戰爭時期」主要語詞索引典〉
(《共黨問題研究》12卷5-10期，民75年5-10月)、吳育頻〈三、四十年
代我黨對科技人才的關懷與培養〉(《幹部與人才》1991年4期)、矢澤

康祐〈第二次世界大戰と中國共產黨〉(《歷史學研究》287號，1964年4月)、微沫《抗戰以來托派罪行的總結》(新知書店，民28)、梁進珍〈有關抗日戰爭時期黨史研究中的幾個問題〉(《黨史研究》1985年4期)、費雲東、潘合定〈運籌帷幄，決戰千里──中國共產黨在抗日戰爭勝利前後所採取的幾項英明決策〉(《吉林史志》1985年4期)、鄒一清〈共匪企圖攫奪抗戰勝利果實〉(《共黨問題研究》6卷1期，民69年1月)。

(三)勝利和受降

　　民國三十四年(1945)八月十四日，日本宣布無條件投降，第二次世界大戰於焉告終，中國艱苦的八年抗戰，亦因之獲得最後之勝利，並分在各地接受日軍之投降。關於日本投降始末的專書有黃文英編著《日本投降的經過》(重慶，中國復興文化社，民34)，係取材自當時雜誌書報，敘述日本的失敗與投降決定，麥克阿瑟(Douglas MacArthur)轄區，東南亞戰區及蘇軍的受降經過等。胡蘆、姚駿編《日本投降記》(重慶，中國文化供應社，民34)，敘述1945年6月至9月期間，德國戰敗投降後，日本在國際上的孤立、波茨坦會議的召開，東京的最後掙扎、蘇聯的參戰直至日本投降並簽訂降書的經過，有編後記。劉世模編著《日本無條件投降》(上海，大成出版公司，民37)，敘述波茨坦會議與招降宣言、日本投降的決定和實行、盟軍受降的經過等。讀者之友社編《中國勝利與日本投降》(重慶，編者印行，民34)，全書共十二章，簡述中國抗戰過程，主要記載日本投降前後發生的重要事件。國際出版社編《日本向中國投降始末》(重慶，編者印行，民34)，全書分投降使者抵達芷江、受降地點之劃分及前進指揮所之確立、中國戰區日軍投降簽字經過三節。
朱培璜編《日本是怎樣投降？》(上海，僑聲報社上海辦事處，民34)，
輯錄第二次世界大戰末期有關日本無條件投降的文獻資料，如中、
英、美三國波茨坦宣言，開羅會議中、英、美三國領袖聯合聲明，
蘇聯對日宣戰文告，日本乞降照會，日皇廣播投降敕書等。江肇基
編《日本帝國主義的毀滅（一名：記日本投降始末）》(昆明，掃蕩報
營業部，民34)，介紹日本投降原因，乞降經過及盟國受降情形等，
並附有日本侵華年表。近衛文麿著、孫識齊譯《日本投降內幕》(上
海，國際文化服務社，民36)，內收〈日美外交內幕〉，為近衛文麿
據個人日記編寫而成；另收迫水久長述〈日本投降內幕〉，書前有
譯者序。軍委會幹訓團東南分團訓導組編《慶祝抗戰勝利特輯》(軍
委會幹訓團東南分團，民34)，為慶祝抗戰勝利的特載，內容有電
文、外人評論、論文、文藝作品等數十篇。中華民國外交問題研究
會編印《中日外交史料叢編（七）——日本投降與我國對日態度及
對俄交涉》(臺北，民55)、明窗《日本投降的前前後後》(香港，新
民主出版社，1995)、冷欣《從參加抗戰到目睹日軍投降》(臺北，傳
記文學出版社，民56)、鄭海金《侵華日軍投降內幕》(成都，四川文藝
出版社，1995)、王俊彥《日本投降內幕》(北京，中國華僑出版社，
1995)、曹華、筱芳編《太陽帝國投降內幕》(北京，團結出版社，
1993)、木村辰雄《終戰秘錄「芷江會談」》(東京，朝日新聞社研究室，
1947)、小川哲雄《日中終戰史話》(東京，原書房，1985)、太平洋
戰爭研究會著、金堅範等譯《日本史上最長的一天－八一五投降記
實》(北京，國際文化出版公司，1985)、馮金暉等編《日本拒降乞降
目擊記》(北京，軍事譯文出版社，1992)、王季平主編《八·一五這

一天》（北京，光明日報社，1985），共選編近百篇文稿，從不同側面記述和反映〝八‧一五〞日本投降前後在中國、日本及交戰各國所發生的重大事態；王德貴等編《〝八‧一八〞前後的中國政局》（瀋陽，東北師大出版社，1985）。何剛編著《最後勝利》（上海，上海出版社，民34），述日本在第二次世界大戰中失敗的原因，以及日本投降和中國接受日本投降、抗戰取得最後勝利的經過。朱沛人等編《勝利手冊》（浙江，民族出版社，民34），全書分記事之部（抗戰簡史、大事記等）、資料之部（列國表、人物表等）、文獻之部（中華民國憲法、大西洋憲章、開羅宣言）三部分。中國國民黨上海特別市執行委員會宣傳處編《勝利周年紀念手冊》（上海，編者印行，民35），內容為：抗戰八年大事記、日本投降經、1945-1946年一年來大事記等七篇；邵毓麟《勝利前後》（臺北，傳記文學出版社，民56）、徐焰《最後的秋日－反攻與受降》（中國抗日戰爭紀實叢書，北京，解放軍文藝出版社，1995）、郭大鈞、吳廣義《浴血八年樹豐碑－受降與審判》（桂林，廣西師大出版社，1994）。中國陸軍總司令部編印《中國戰區中國陸軍總司令部處理日本投降文件匯編》（2冊，重慶，民34）。嚴問天等編《南京受降記》（民34年11月出版），全書分四編：第一編為我們贏得了戰爭，第二編為二次大戰的最後一幕，第三編為芷江投降經過，第四編為南京受降經過；書後並附各報慶祝抗戰勝利的文章多篇。雷海宗等《南京受降記》（民34年出版，出版地點及書局不詳）、中國第二歷史檔案館編《第二世界大戰中國戰區受降紀實》（北京，中共黨史資料出版社，1989）、江蘇省政協文史資料研究委員會編《中國戰區受降始末》（北京，中國文史出版社，1991）、軍事委員會委員長廣州行管參謀處編印《廣東受降紀

述》(廣州，民35)、朱偰《越南受降日記》(上海，商務印書館，民
35)、林成西、許容生《遠東大受降》(西寧，青海人民出版社，1995)。
Edward Fish , The Chancy War : Winning in China , Burma , and India
in World War II . (New York : Crown , 1991)。

　　期刊論文方面有陳正飛〈關於日本無條件投降〉《安徽大學學報》
1980年4期)、廷華〈日本是有條件投降而不是〝無條件投降〞〉《歷
史教學》1995年6期)、華永正〈日本不是無條件投降嗎？〉《安徽黨
史研究》1993年6期)、吳相湘〈從屈辱的馬關條約到日本無條件投
降——近百年中日兩國關係史上最具歷史意義的「九月」〉《傳記文
學》65卷3期，民83年9月)、曲培洛〈日本敗降問題淺論〉《東北師
大學》1984年6期)、朱躍〈也談日本的戰敗與投降〉《雷州師專學報》
1990年2期)、黎秀石〈日本〝無條件投降〞的真相〉《四川黨史》1995
年6期)、談艷萍〈從《波茨坦公告》的策劃看日本是無條件投降還
是有條件投降〉《九江師專學報》1995年4期)、鄭毅〈日本〝無條件
投降〞質疑〉《外國問題研究》1994年2期)、郭洪茂〈日本投降經過
和投降條件述論〉《學術研究叢刊》1987年5期)、郭彬蔚、邱濟舟〈日
本軍國主義無條件投降的前前後後〉《黨史研究資料》1986年1、2
期)、翁樹杰〈〝太陽神國〞的落日－日本宣布無條件投降前後紀
實〉《福建黨史月刊》1995年1-4期)、楊廣寶〈在逼迫日軍投降的最
後階段〉《黨史縱覽》1996年6期)、楊新華〈罕見的日本投降書〉《南
京史志》1992年5期)、金仁芳〈日本法西斯的投降〉《歷史教學問題》
1995年5期)、黃忠、吳繼華〈簡論迫使日本投降之決定因素〉《成
都黨史》1995年4、5期合刊)、廖興森〈論二戰中加速日本無條件投
降的決定性因素〉《廣西社會科學》1994年3期)、王維遠〈中國抗戰

是日本敗降的決定因素〉(《天中學刊》1995年4期)、黃鳳志〈日本投降的綜合因素〉(《內蒙古民族師院學報》1995年3期)、丁忠林〈日本戰時內閣接受無條件投降時的和戰之爭〉(《歷史教學問題》1986年2期)、張霖〈再議原子彈對促使日本投降的歷史作用〉(《抗日戰爭研究》1995年4期);〈中國抗日戰爭勝利日本投降史料選輯〉(同上,1995年增刊)、姚昆遺、周家鈺〈中國抗日戰爭勝利原因析〉(《上海大學學報》1995年4期)、趙林森〈試論抗日戰爭勝利的主要原因〉(《前進》1995年8期)、吳軍〈新民主主義:中國抗日戰爭勝利的歷史動因-兼論中國社會的進步〉(《毛澤東鄧小平理論研究》1996年1期)、丘沐平〈中國抗日戰爭勝利的主要原因及偉大歷史意義〉(《嘉應大學學報》1995年3期)、戴泉源〈中華民族抗日戰爭勝利的原因與歷史經驗新探〉(《黨史研究與教學》1992年5期)、王家駿〈略論抗日戰爭勝利的歷史經驗〉(《江南論壇》1995年5期)、劉伯勛〈抗日戰爭勝利的根本保證〉(《毛澤東思想研究》1995年3期)、何景強〈從抗日戰爭勝利所得的幾點啟示〉(《惠州大學學報》1995年2期)、李榮華〈八年抗日戰爭勝利之分析〉(《黃埔月刊》275期,民64年3月)、胡璞玉〈我們是怎樣戰勝日本的〉(《中華雜誌》133期,民63年8月)、吳克學〈論決定抗日戰爭勝利的根本力量〉(《理論與現代化》1995年7期)、孟英〈淺論中國抗日戰爭勝利的經濟基礎〉(《唐都學刊》1996年1期)、李良志〈抗日戰爭勝利的偉大意義〉(《歷史教學》1983年3期)、鄭德榮、吳敏先〈抗日戰爭勝利的歷史地位及其作用〉(《東北師大學報》1995年4期)、潘新琤〈簡評抗戰勝利的歷史功績〉(《齊齊哈爾師院學報》1995年2期)、車霽虹〈日本軍國主義的興衰與抗戰勝利的歷史啟示〉(《龍江社會科學》1995年4期)、趙春榮〈愛國主義與抗日戰爭

的勝利〉(《廣東社會科學》1995年5期)、徐有禮〈論愛國主義與抗日
戰爭的勝利〉(《鄭州大學學報》1995年1期)、楊金品〈愛國主義－中
國抗日戰爭勝利的精神動力〉(《阜陽師院學報》1996年4期)、鍾健英
〈愛國主義是中國抗戰勝利的精神支柱〉(《福建黨史月刊》1995年10
期)、劉持訓〈銘記勝利的抗日戰爭，弘揚愛國的光榮傳統〉(《政
治論叢》1995年3期)、光東〈抗日戰爭的勝利是愛國主義的偉大勝
利〉(《山東社會科學》1995年5期)、王東生〈愛國主義是抗戰勝利的
光輝旗幟〉(《中國特色社會主義研究》1995年4期)、楊基龍、謝和平
〈民族意識的覺醒與抗日戰爭的勝利〉(《黨史研究與教學》1995年6
期)、何步蘭〈民族魂的凝聚與抗日戰爭的勝利〉(《蘭州大學學報》
1995年3期)、郭德宏〈抗日戰爭的勝利是中華民族由衰敗走向振興
的重大轉折點〉(《中共黨史研究》1995年4期)、鄭德榮〈抗日戰爭的
勝利與中華民族的崛起〉(《新長征》1995年8期)、呂驥〈偉大的抗
日戰爭勝利是中國人民鬥爭的勝利〉(《音樂研究》1995年3期)、袁東
琬〈抗日戰爭的勝利是民族團結的豐碑〉(《西南民族學院學報》1994年
4期)、董光訓〈抗戰勝利是中國人民和世界人民的共同勝利〉(《歷
史知識》1985年4期)、陳流章〈民族解放的光輝旗幟指引了抗日戰
爭的勝利征程——兼評我國臺灣一些學者一些錯誤觀點〉(《暨南學
報》1985年4期)、劉孝良〈抗日戰爭勝利是中國人民奮鬥八年取得
的偉大勝利〉(《淮北煤師院學報》1985年2期)、吳壽祺〈指導抗日戰
爭勝利的理論綱領〉(《安徽大學學報》1985年3期)、蓋運豐〈奪取抗
日戰爭勝利的唯物辯證法〉(《理論導刊》1995年8期)、明月〈獨立
自主是抗日戰爭勝利的中心一環〉(《內蒙古社會科學》1996年5期)、
魯榮順〈抗日戰爭的勝利與獨立自主的方針〉(《鎮江師專學報》1985

年3期）、范震江〈沒有人民游擊戰爭就沒有抗日戰爭的最後勝利〉（《軍學》1985年增刊2期）、唐宗益〈人民戰爭是抗戰勝利之本〉（《思維與實踐》1995年4期）、鄭劍順〈甲午中日戰爭的失敗與抗日戰爭的勝利〉（《福建論壇》1995年5期）、李貴仲〈抗日戰爭的勝利是中華民族命運的一次歷史性轉折〉（《前沿》1995年6期）、陳維新〈中國人民抗日戰爭的最後勝利與蘇俄對日作戰〉（《青海師大學報》1985年3期）、葛德茂〈抗戰勝利是國共合作的碩果〉（《浙江師大學報》1986年1期）、趙維恭、杜興運〈抗日戰爭的勝利與中國共產黨的自身建設〉（《寶雞文理學院學報》1996年1期）、范鑫濤、曾惠萍〈中國抗日戰爭對世界反法西斯戰爭的重要貢獻〉（《陝西師大學報》1995年4期）、劉琦〈中國抗戰對世界反法西斯戰爭勝利的偉大貢獻〉（《廣東社會科學》1995年4期）、羅煥章〈中國抗日戰爭對打敗日本帝國主義的偉大貢獻〉（《抗日戰爭研究》1991年2期）、周富源〈紀念抗日勝利論侵略必亡〉（《浙江月刊》16卷9期，民73年9月）、王瑞平〈抗戰勝利與中國近現代史分期〉（《黃淮學刊》1990年2期）、葉心瑜〈鑒前進之興衰，考當今之得失：半個世紀後對中國抗日戰爭勝利之反思〉（《四川黨史》1996年1期）、王家雲〈獨立自主思想與抗日戰爭的勝利〉（《淮陰師專學報》1985年3期）、趙嗣良〈中國人民反侵略戰爭的偉大勝利〉（《外交學院學報》1995年2期）、李宗植〈調整政策，發展經濟是抗戰勝利的基本保證〉（《蘭州大學學報》1995年3期）、行耘〈聚積雄厚的革命力量－紀念抗日戰爭勝利二十周年〉（《新建設》1965年8、9月號）、冷欣〈日本投降二十周年瑣憶〉（《傳記文學》7卷3期，民54年9月）及〈日本投降二十七周年〉（《東方雜誌》復刊6卷3期，民61年9月）、裘志良等〈戰爭的偉力之最深厚的根源－紀念抗日戰爭勝利

三十五周年〉(《東岳論叢》1980年3期)、楊天麟〈抗日戰爭勝利四十
年有感〉(《中國與日本》4卷2期，民74年6月)、陳廷元〈抗戰勝利四
十年的回顧〉(《戰史彙刊》17期，民75)、沈雲龍〈抗戰十四年、勝
利四十年〉(《傳記文學》47卷3期，民74年9月)、中央月刊編輯〈抗
戰史，不容抹煞－抗戰勝利四十周年歷史學家與抗日將領談抗戰史
實〉(《中央月刊》18卷4期，民74年9月)、宋時輪〈不可磨滅的歷史
貢獻──紀念中國抗日戰爭和世界反法西斯戰爭勝利四十周年而
作〉(《世界歷史》1985年8期)、蔣懿菊〈驚天動地的偉業──紀念
抗日戰爭勝利四十周年〉(《綿陽師專教學與研究》1985年1期)、費雲
東等〈民族解放戰爭史的一曲凱歌：紀念抗日戰爭勝利40周年〉
(《歷史檔案》1985年3期)、沈雲龍〈「九三」抒感－謹以此文紀念對
日抗戰勝利四十一周年〉(《傳記文學》49卷3期，民75年3月)、張學
奇〈溫史鑒今繼往開來：紀念抗日戰爭勝利43周年〉(《湖北方志》
1988年5期)、于雷〈弘揚中華民族精神：紀念抗日戰爭勝利45周
年〉(《理論界》1990年10期)、黎陽〈繼承和發揚中華民族的愛國主
義傳統、紀念抗日戰爭勝利45周年〉(《奮鬥》1990年9期)、《中流》
評論員〈在歡慶勝利時所不能不想到的：紀念中國人民抗日戰爭勝
利五十周年〉(《中流》1995年8期)、葛劍雄〈紀念抗戰勝利五十周
年的反思〉(《中國研究》1卷5期，1995年8月)、文強〈為抗日戰爭
反法西斯戰爭勝利五十周年紀念而作〉(《抗日戰爭研究》1995年增
刊)、孫慎〈從偉大的抗日戰爭勝利50周年所想到的〉(《音樂研究》
1995年3期)、孟欽、韓春林〈抗日戰爭勝利五十周年對話錄〉(《東
南文化》1995年2期)、李嗣水〈不朽的歷史豐碑：寶貴的精神財富
－中國人民抗日戰爭勝利50周年感言〉(《煙臺師院學報》1995年4期)、

林福生〈論獨立自主原則：紀念抗日戰爭勝利50周年〉(《理論學習與探索》1995年4期)、張憲文〈評"大東亞戰爭史觀"——紀念中國人民抗日戰爭勝利五十周年〉(《求是》1995年13期)、劉宗碧、楊華〈日本侵華歷史問題及其影響下的戰後中日關係：紀念抗日戰爭勝利五十周年〉(《黔東南民族師專學報》1996年1期)、鄒于雷〈關於落後的歷史沉思：紀念抗日戰爭勝利50周年〉(《江西社會科學》1995年8期)、張騰霄〈全民抗戰和全民教育：為紀念抗戰勝利五十周年而作〉(《教育研究》1995年8期)、鄭欣森〈不忘國恥振興中華：紀念抗日戰爭勝利五十周年〉(《思想政治工作研究》1995年8期)、郝秀山〈回顧歷史開拓前進：紀念抗日戰爭勝利50周年〉(《黨的教育》1995年7期)、劉德明〈愛國主義是鼓舞中國人民團結奮鬥的偉大旗幟：紀念抗日戰爭勝利50周年〉(《解放軍外語學院學報》1995年6期)、鍾鳴〈愛國主義——抗戰勝利的旗幟：紀念抗日戰爭勝利50周年〉(《實事求是》1995年4期)、楊紹華〈愛國主義：抗日戰爭時期學生運動的光輝旗幟：紀念世界反法西斯戰爭和抗日戰爭勝利50周年〉(《電力高等教育》1995年3期)、于幼軍、張磊〈抗日民族解放戰爭與中華民族的愛國主義：紀念抗日民族解放戰爭勝利50周年〉(《學術研究》1995年4期)、蘇雙碧〈抗日戰爭和弘揚愛國主義精神－紀念抗日戰爭勝利50周年〉(《歷史教學》1995年7期)、牟廣欽〈莫忘九州血淚，振興華夏須自奮：紀念抗日戰爭勝利50周年〉(《寧德師專學報》1995年4期)、華國侃〈以史為鑒迎向未來：紀念抗日戰爭勝利50周年〉(《中國煤炭經濟學院學報》1995年3期)、邱郭紅〈戰爭與和平——紀念中國和世界反法西斯戰爭勝利50周年〉(《當代思潮》1995年4期)、常好禮〈歷史是不能忘記的：為中國人民抗日戰爭勝利和世界反法西斯戰爭勝利50周年而作〉(《奮鬥》1995年8期)、孫炳炎〈牢記歷史教訓，維護世界永久和平－為紀念戰勝日本軍國主義五十周年而作〉(《社會科學戰線》1995年4期)、孟繁融〈不忘歷史。著眼世界－紀念世界反法西斯戰爭和中國抗日戰爭勝利50周年〉(《煙臺師院學報》1995年4期)、于幼軍、張磊〈抗日民族解放戰爭與中華民族的愛國主義－紀念抗日民族解放戰爭勝利50周年〉(《學術研究》1995年4期)、趙菊玲〈歷史的功績·深刻的啟示－紀念反法西斯戰爭勝利50周年〉(《南開學報》1995年5期)、高存信〈鑒往警來，永保和平－我們怎樣紀念抗日戰爭勝利五十周年〉(《抗日戰爭研究》1995年3期)、岩崎允胤著、呂永和譯〈迎接侵略戰爭結束五十周年〉(周上，1995年4期)、王檜林等〈紀念中國人民抗日戰爭勝利50周年筆談〉(《中國黨政幹部論壇》1995年8期)、張國勤〈抗日戰爭勝利50周年斷想〉(《學術交流》1995年5期)、唐德剛〈抗戰勝利50周年的迴思與警惕〉(《傳記文學》67卷2期，民84年8月)、張冰心、李鳳雲〈牢記歷史經驗振奮民族精神：紀念抗日戰爭勝利50周年〉(《山東工業大學學報》1995年3期)、朱世輝〈武裝·引導塑造·鼓舞：紀念世界反法西斯戰爭及中國人民抗日戰爭勝利50周年〉(《民族藝術研究》1995年4期)、郭志根、劉建華〈抗戰時期中華民族愛國主義歷史特點：紀念抗日戰爭勝利50周年〉(《上海師大學報》1995年3期)、趙海謙〈話說〝合利分弊〞－由世界反法西斯戰爭及中國抗戰勝利50周年聯想到國共合作〉(《成都大學學報》1995年3期)、茅家琦、楊德才〈侵略與覺醒：紀念抗日戰爭勝利50周年〉(《江蘇社會科學》1995年4期)、朱爾澄、張桂芳〈振奮民族精神凝聚民族力量：寫於中國抗日戰爭和世界反法西斯戰爭勝利50周年〉(《北京教育》1995 年 7、8 期）、何龍群〈中華民族由衰敗走向振興的重大轉折：紀念抗日戰爭勝利 50 周年〉（《學術論壇》1995 年 4 期）、殷叙舞等〈紀念中國人民抗日世界反法西斯戰爭勝利 50 周年和平民主進步力量必須團結起來〉（《群言》1995 年 7 期）、金達凱〈日本發動侵華戰爭的背景與影響－我國抗戰勝利五十周年的回顧及沉思〉（胡春惠主編《紀念抗戰勝利五十周年學術討論會論文集》，香港，1996）。葉曙〈勝利前後的上海與臺灣〉（《傳記文學》63 卷 1 期，民 82 年 7 月）、楊易〈抗日勝利在上海〉（《自由談》28 卷 8 期，民 66 年 8 月）、王久烈〈抗日勝利在北平〉（同上）、李子弋〈抗日勝利在西安〉（同上）、紀大椿〈抗戰勝利前後的時局與新疆和平的實現〉（《西域研究》1995 年 3 期）、藏居良造〈抗戰勝利と國家統一問題〉（載《新階段に立つ中國政治》，東京，月曜書房，1947）。葉龍〈論中國八年抗日戰爭勝利後的總結〉（載胡春惠主編《紀念抗日戰爭勝利五十周年學術討論會論文集》，香港，珠海書院亞洲研究中心，1996 年 3 月）。

王驊書、吳健新〈戰後中國戰場受降問題探析〉（《鹽城師專學報》1992 年 2 期）、田玄〈中國戰區中國陸軍總司令部受降述評〉（《江海學刊》1989 年 3 期）、葛遜〈侵華日軍在南京簽降揭祕〉（《軍事史林》1994 年 6 期）、宋小嵐〈中國戰區南京受降記〉（《新聞天地》第 8 期，民 34 年 10 月）、何應欽〈對日受降簽字二十周年感言〉（《傳記文學》7 卷 3 期，民 54 年 9 月）、何應欽等〈抗戰勝利南京受降三十五周年紀念專輯〉（《軍事雜誌》48 卷 12 期，民 69 年 9 月）、冷欣〈籌備日軍受降典禮追記〉（同上，40 卷 12 期，民 61 年 9 月）、〈用生命和血淚換來了勝利－九九南京受降盛典紀實〉（《藝文誌》216 期，民 72 年 9 月）及〈親與受降典禮紀盛〉（《軍事雜誌》46 卷 12 期，民 69 年 9 月）、王道〈九九

日軍投降記〉（《中外雜誌》16卷3、4期，民63年9、10月）、冷春煦
〈岡村寧次在投降書上簽字〉（《民國春秋》1990年4期）。張釗〈震驚
中外的芷江洽降〉（《黨史文匯》1995年1期）、曾長秋〈論芷江戰役和
芷江洽降的歷史地位〉（《求索》1995年4期）及〈芷江洽降始末〉（《軍
事史林》1990年1期）、向國雙〈湘西芷江洽降實錄〉（《軍事歷史》1993
年5期）、張宗高〈芷江洽降軼事〉（《縱橫》1991年6期）、莊淑玉、
張釗〈日本投降序幕：中日芷江洽降〉（《南京史志》1995年5期）、芷
江縣委黨史辦〈芷江洽降〉（《湖南黨史通訊》1985年8期）、向曙〈日
軍代表芷江洽降第一幕－抗戰勝利三十四周年紀念〉（《藝文誌》168
期，民68年9月）、今井武夫〈我由南京飛芷江洽降記秘〉（同上，85
期，民61年10月）、楊序凱〈侵華日軍在芷江向中國投降紀實〉（《中
州今古》1995年5、6期）、易君左〈芷江受降目擊記〉（《湖南文獻》11
卷1期，民72年1月；亦載《湖南黨史通訊》1985年9期）、楊順東、姚
奇〈天下第一〝血〞－芷江修建抗戰勝利受降城紀實〉（《炎黃春秋》
1995年5期）。王邊際〈正義戰爭的凱歌：湖南對日受降雪恥紀實〉
（《湖南黨史》1995年6期）。馬建國〈戰後武漢受降記〉（《黨史天地》1995
年7期）、凌雲〈北平太和殿上受降實述〉（《藝文誌》241期，民75年
7-8月）、劉本厚〈第十一戰區北平受降典禮實錄〉（《傳記文學》38卷
6期，民70年6月）及〈抗戰勝利第十一戰區北平受降典禮實錄〉（《戰
史彙刊》12期，民69）、文輝〈日本無條件投降與第十一戰區受降經
過〉（《北京檔案史料》1995年2期）。陳沛〈抗戰：爭取寧波接受敵降
之役〉（《黃埔月刊》300期，民66年4月）、王光臨〈抗戰勝利在鄭州
受降〉（《中原文獻》9卷8期，民66年8月）、嚴振衡〈高郵受降記〉（《大
江南北》1995年4期）、袁丹武〈臺灣日軍投降實錄：訪當年受降派

遣軍長官隊頤鼎將軍〉(《深圳風采》1987年10期)、中國第二歷史檔
案館〈抗戰勝利後臺灣日軍投降及南京國民政府軍事接收檔案資料
選〉(《民國檔案》1988年4期、1989年1期)、鄭梓〈〔光復元年〕臺灣
軍事圖像之一－戰後臺灣的軍事受降、遣返與復員〉(載《慶祝抗戰
勝利五十周年兩岸學術研討會論文集》上冊,臺北,近代史學會,民85)、
卓立等〈第一集團軍在南昌、九江地區受降紀要〉(《雲南文史叢刊》
1985年1期)、敖文蔚〈國民黨第六戰區受降略論〉(《武漢大學學報》
1988年5期)、盧權〈第一方面軍抗戰及入越受降紀事〉(《雲南文史
叢刊》1989年3期);〈盧漢入越受降〉(《雲南檔案史料》1990年4期)、
吳潮、趙曉蘭〈抗戰勝利後中國軍隊入越受降問題評〉(《東南亞縱
橫》1995年1期)、陶鎔〈抗日戰爭勝利赴越北助國軍受降紀要〉(《雲
南文獻》20期,民79年12月)、楊盛雲〈戰後中國軍隊入越受降始末〉
(《民國春秋》1996年3期)及〈抗戰勝利後的香港受降記〉(《歷史教學》
1996年1期)、沈謙芸〈日本投降後香港受降記〉(《歷史知識》1989年
4期)、潘華國〈香港受降憶往與有關問題之檢討〉(《戰史彙刊》20
期,民78)、劉存寬〈英國重占香港與中英受降之爭〉(《抗日戰爭研
究》1992年2期)、楊盛雲〈抗戰勝利後中英政府關於香港受降之爭〉
(《民國春秋》1996年4期)、梁家盛〈戰後香港日軍應向誰投降?〉(《文
史精華》1996年10期)、趙光漢〈抗戰勝利空軍受降親歷記〉(《傳記
文學》67卷2期,民84年8月)。朱啟平〈落日－我參加了盟國對日本
的受降儀式〉(《炎黃春秋》1995年7期)、張錦富〈徐永昌米蘇里艦受
降日記(圖與文)〉(《中外雜誌》12卷4期,民61年10月)、趙正楷〈徐
永昌將軍受降日記〉(《傳記文學》8卷1期,民55年1月)、吳相湘〈東
京灣受降的徐永昌〉(同上,7卷3期,民54年9月)、陳博生〈在米蘇

里艦看日本投降〉(《新聞天地》第8期，民34年10月)、傅亢〈九三勝利與日軍投降〉(《戰鬥》新34期，民71年9月)、戈西麟〈"九三"抗戰勝利紀念日是國民革命的里程碑〉(《國魂》346期，民63年9月)、傅亢〈九三勝利與軍人節〉(《藝文誌》180期，民69年9月)、劉毅夫〈軍人節憶抗戰勝利〉(《軍事雜誌》48卷12期，民69年9月)。

其他如冷欣〈八年抗戰與受降的感想〉(《中華雜誌》145期，民64年8月)、查良鑑〈從兩份報紙"號外"回憶抗戰勝利的時節〉(《傳記文學》51卷2期，民76年8月)、彭河清〈反攻聲中憶受降〉(《中外雜誌》3卷6期，民57年6月)、鈕先銘〈受降前後〉(同上，10卷3期，民60年9月)、陶文釗〈戰後初期美國是如何幫助國民黨壟斷受降權的〉(《中共黨史研究》1994年2期)、趙光漢〈抗戰勝利空軍受降親歷記〉(《傳記文學》67卷2期，民84年8月)；〈抗戰勝利受降集錦〉(《軍事雜誌》46卷12期，民67年9月)、趙樸〈如此受降：採訪日本投降典禮的回憶〉(《新聞研究資料》1982年15期)、張力〈蔣介石受降侵華日軍投降內情〉(《炎黃春秋》1994年2期)、吳兆鵬〈日本敗降後中國參與對日本的占領〉(《民國春秋》1994年4期)、徐康明〈日本在敗降過程中維護天皇制的活動〉(《抗日戰爭研究》1995年3期)、冷春煦〈日本投降時的前進指揮所〉(《南京史志》1990年6期)。佐藤賢了〈日中戰爭の失敗に學べ〉(《中國》52號，1968年3月)、王庭岳〈侵華日軍失敗的內因〉(《軍事歷史》1991年5期)、宇野重昭〈日中戰爭の終結と中國－中國共產黨外交の發端〉(《季刊國際政治》45號，1972年4月)、季芳〈淺析中、美、蘇戰勝日本的作用〉(《南通學刊》1994年2期)、Wu Tien-wei（吳天威）"China and the End of world war II."（載《第三屆近百年中日關係研討會論文集》上冊，臺北，民85

年3月）、李本京〈中日戰爭結束後的沉思〉（《近代中國》49期，民74
年10月）。

(三)其他

關於抗戰的意義、特徵、地位、作用和貢獻等有胡喬木〈八年
抗戰的偉大歷史意義〉（《紅旗》1987年14期）、黎東方〈八年抗戰的
歷史意義〉（《新時代》13卷9期，民62年9月）、楊朝良〈八年抗戰的
歷史意義〉（《戰鬥》新44期，民72年7月）、呂實強〈對日抗戰的歷
史意義〉（《近代中國》108期，民84年9月）、劉大年〈抗日戰爭的歷
史意義與民族精神〉（《抗日戰爭研究》1994年4期）、李雲峰〈從新的
角度審視中國抗戰的意義〉（《西北大學學報》1996年2期）、朱匯森〈抗
日戰爭在國史上的意義〉（《中外雜誌》40卷2期，民75年8月）、黎東
方〈八年抗戰的世界意義〉（《中華雜誌》133期，民63年8月）、賴澤
涵〈八年抗戰的社會意義〉（《中央月刊》14卷9期，民71年7月）；〈社
論：中國八年抗戰的時代意義〉（《國魂》440期，民71年7月）、李正
華〈抗日戰爭的正義性和進步意義不容否定〉（《黨史文匯》1996年6
期）、李良志〈論抗日戰爭的歷史特徵、意義及經驗教訓〉（《黨史天
地》1995年8、9期合刊）、樊伯歡〈試論中國抗日戰爭的歷史特點〉
（《廣州師院學報》1996年4期）、王檜林〈抗日戰爭時期歷史特點的探
索〉（《史學史研究》1995年3期）、高強〈抗日戰爭特點述論〉（《青海
師大學報》1995年3期）、劉庭華〈中國抗日戰爭的特點〉（《史學月刊》
1985年5期）、劉家英〈日本侵華戰爭的特點〉（《雲南社會科學》1990
年3期）、胡德坤〈中華民族走向世界的里程碑：論中國抗日戰爭的
歷史地位〉（《湖北社會科學》1990年9期）、宋富安〈中國抗日戰爭的

歷史地位〉(《湖北教育學院學報》1995年2期)、謝甲祥〈中國抗日戰爭的歷史地位〉(《黨政論壇》1995年7期)、鄭德榮、吳敏先〈論中國抗日戰爭的歷史地位〉(《上海黨史研究》1995年4期)、曾景忠〈抗日戰爭在中國歷史上的作用和影響〉(《百科知識》1995年8期)、燕補林〈略論抗日戰爭的歷史地位〉(《西藏民族學院學報》1995年3期)、池田誠〈抗日戰爭在世界現代史上的地位〉(《黨史研究資料》1989年7、8期)、方衡〈抗日戰爭在中國歷史上的地位〉(《江漢大學學報》1988年3期)、方衡等〈試論抗日戰爭的歷史地位;紀念"九‧一八"事變六十周年〉(《西南民族學院學報》1991年6期)、韓新路〈關于中國抗日戰爭歷史地位的兩點認識〉(《漢中師院學報》1995年2期)、寒放〈中國抗戰的地位〉(《世界知識》1995年17期)、蕭一平〈抗日戰爭在中國革命史上的地位〉(《理論月刊》1987年8期)、李世欽〈抗日戰爭在中國革命史中的地位和作用〉(《貴州師大學報》1996年1期)、王官成〈論抗日戰爭在新民主主義革命時期的地位和作用〉(《四川教育學院學報》1996年1期)、郭德宏〈抗日戰爭在中國近代反侵略戰爭史和民主革命中的地位和作用研究述評〉(《黨史縱覽》1995年1期)、尚金鎖〈中國抗日戰爭的歷史作用和基本經驗〉(《黨史研究資料》1995年7、8期合刊)、葛紀謙〈抗戰偉績‧永載史冊〉(《河南大學學報》1995年5期)、曾景忠〈抗日戰爭在中國歷史上的作用和影響〉(《百科知識》1995年8期)、安喜鳳〈中國抗日戰爭歷史功績縱橫談〉(《齊齊哈爾師院學報》1995年5期)、王桂厚〈略論中國抗日戰爭在第二次世界大戰中的地位〉(《史學集刊》1981年復刊號)、蕭棟樑〈論中國抗戰在第二次世界大戰中的地位〉(《暨南學報》1995年4期)、劉思慕等〈中國抗日戰爭及其在第二次世界大戰中的地位和作用〉

（《世界歷史》1980年4期）、姜錫齡〈抗日戰爭在第二次世界大戰中的
地位和作用：紀念中國抗日戰爭和世界反法西斯戰爭勝利五十周
年〉（《阜陽師院學報》1995年4期）、王春良〈試論中國抗日戰爭在二
戰中的地位和作用〉（《山東師大學報》1983年3期）、管春林〈論中國
抗日戰爭在第二次世界大戰中的地位和作用〉（《軍史資料》1985年8
期；亦載《龍江黨史》1995年3、4期）、李玉虎等〈論中國抗日戰爭
在第二次世界大戰中的地位和作用〉（《學術交流》1985年3期）、嚴士
琦〈中國抗日戰爭在第二次世界大戰中的地位和作用〉（《貴州大學學
報》1989年4期）、唐培吉〈中國抗日戰爭在第二次世界大戰中的地
位和作用〉（《北京社會科學》1987年3期）、張亦民〈中國抗日戰爭在
第二次世界大戰中的地位與作用〉（《攀登》1995年5期）、李鋒杰〈試
論中國的抗日戰爭在第二次世界大戰中的地位和作用〉（《吉林師院學
院》1987年3期）、徐焰〈世界史冊上輝煌的十四年苦戰：談中國抗
戰在二戰中的地位和作用，〈《世界知識》1995年18期）、黃光耀〈中
國抗日戰爭在第二次世界大戰中的歷史地位〉（《江蘇教育學院學報》
1995年3期）、潤昌方〈從二戰開始的標志看中國抗日戰爭的歷史地
位〉（《貴州師大學報》1995年3期）、陳力〈從第二次世界大戰開始的
標志看中國抗日戰爭的歷史地位〉（《貴陽黨史》1995年4期）、頡建中
〈論中國抗日戰爭在二次世界大戰中的戰略地位〉（《蘭州大學學報》
1995年3期）、黃定天〈第二次世界大戰的分期與中國抗日戰爭的歷
史作用〉（《學習與探索》1995年4期）、李鳳飛〈中國抗日戰爭在二戰
中的地位作用研究綜述〉（《吉林師院學報》1995年7期）、俞世福等〈論
中國抗日戰爭時期對第二次世界大戰的歷史貢獻〉（《毛澤東軍事思想
研究》1995年3期）、董承耕〈論中國抗日戰爭在世界反法西斯戰爭

中的地位和作用〉(《福建論壇》1995年4期)、黨慶蘭〈中國抗日戰爭在世界反法西斯戰爭中的地位和作用〉(《西北師大學報》1995年3期)、白素玉〈中國抗日戰爭在世界反法西斯戰爭中的地位和作用〉(《山西財經學院學報》1995年4期)、唐敦教〈中國抗日戰爭在世界反法西斯戰爭中的地位和作用〉(《四川黨史》1995年3期)、耿靜晨〈中國抗日戰爭在世界反法西斯戰爭中的地位和作用〉(《前沿》1995年6期)、孟東風、侯雁子〈抗戰在世界反法西斯戰爭中的地位和作用〉(《吉林師院學報》1995年7期)、曾岩松〈論中國抗日戰爭在世界反法西斯戰爭中的地位和作用〉(《鹽城教育學院學報》1987年1期)、魏知信、李巽和〈略論中國抗戰在世界反法西斯戰爭中的地位和作用〉(《南京師大學報》1988年8期)、余茂輝、李志清〈略論中國抗日戰爭在世界反法西斯戰爭中的地位和作用〉(《湖北師院學報》1995年5期)、姜殿文〈試論中國抗日戰爭在界反法西斯戰爭中的地位和作用〉(《齊齊哈爾師院學報》1995年5期)、陳永恭〈論中國抗戰在世界反法西斯戰爭中的地位和作用〉(《甘肅理論學刊》1995年4期)、梁仁華〈不朽的功勛，偉大的貢獻：論中國抗日戰爭在世界反法西斯戰爭中的地位和作用〉(《吉安師專學報》1995年1期)、王哲〈中國抗日戰爭在世界反法西斯戰爭中的地位和作用〉(《山東師大學報》1995年增刊)、林登泉〈中國抗日戰爭在世界反法西斯戰爭中的地位和作用〉(《黨史博採》1995年8期)、李勇〈中國抗日戰爭在世界反法西斯戰爭中的地位和作用〉(《黨史研究資料》1995年7、8期合刊)、章翊中〈淺論中國抗日戰爭在世界反法西斯戰爭中的地位和作用〉(《南昌職技師院學報》1996年3期)、管春林〈無與倫比不可磨滅的偉大功績：論中國抗日戰爭在世界反法西斯戰爭中的地位和作用〉(《前線》1995年2

期）、王國華〈中國抗日戰爭在世界反法西斯戰爭中的地位和作用
的再認識〉（《華中理工大學學報》1995 年 3 期）、呂竹林〈中國抗日戰
爭在世界反法西斯戰爭中的地位和作用〉（《電大教學》1995 年 4 期）、
宋俊渠〈抗日戰爭在世界反法西斯戰爭中的地位和作用〉（《徐州教育
學院學報》1995 年 2 期）、陳守林、劉兆林〈論現代抗日戰爭在世界
反法西斯戰爭中的地位和作用：兼駁某些西方史學家的錯誤觀點〉
（《松遼學刊》1995 年 3 期）、陳德鵬〈也評中國抗戰在世界反法西斯
戰爭反攻階段的地位和作用〉（《黨史研究與教學 1995 年 6 期》）、晏澤厚
〈論中國抗戰在反法西斯戰爭中的地位〉（《新疆社科論壇》1995 年 3
期）、王作坤〈試論中國抗日戰爭在世界反法西斯戰爭中的地位〉
（《齊魯學刊》1995 年 5 期）、吳廣權〈中國抗日戰爭在世界反法西斯戰
爭中的地位〉（《黨史研究》1987 年 5 期）、樊文邦〈中國抗日戰爭在世
界反法西斯戰爭中的地位〉（《吉首大學學報》1996 年 1 期）、劉以順〈論
中國抗日戰爭在反法西斯戰爭史上的地位〉（《理論建設》1996 年 2
期）、趙延慶〈中國抗日戰爭在世界反法西斯戰爭中的地位〉（《北
京檔案史料》1996 年 1 期）、袁旭〈論中國抗戰在世界反法西斯戰爭
中的歷史地位〉（《軍事史林》1985 年 2 期）、王永紅、王麗英〈論中國
在世界反法西斯戰爭中的歷史地位〉（《齊齊哈爾師院學報》1995 年 5
期）、孫少華〈中國抗日戰爭在世界反法西斯戰爭中的歷史地位〉
（《北京黨史研究》1995 年 5 期）、范同壽〈試論中國在世界反法西斯戰
爭中的歷史地位〉（《貴州文史叢刊》1995 年 4 期）、石志新〈論中國抗
日戰爭在世界反法西斯戰爭中的作用〉（《青海師大學報》1995 年 3 期）、
白素玉〈抗日戰爭在世界反法西斯戰爭中的作用〉（《山西師大學報》
1995 年 3 期）、馬義源〈略論中國抗日戰爭在世界反法西斯戰爭中的

作用〉(《無錫教育學院學報》1995年4期)、鞠鐵梅、許琳〈中國抗日
戰爭在世界反法西斯戰爭中的作用〉(《理論與當代》1995年7期)、林
和陽、唐殷〈論中國抗戰在世界反法西斯戰爭中的作用〉(《黨史研究
與教學》1995年6期)、龔和平〈中國抗日戰爭在世界反法西斯戰爭
中的作用〉(《武漢大學學報》1992年3期)、古靜如〈中國抗日戰爭對
世界反法西斯戰爭的貢獻不容抹煞〉(《徐州教育學院學報》1989年4
期)、朱恩沛〈論中國抗日戰爭對世界反法西斯戰爭的貢獻〉(《社
會科學探索》1995年2期)、蔣希正、刁科昌〈中國抗戰對世界反法西
斯鬥爭的歷史貢獻〉(《黃淮學刊》1991年4期)、何仲山〈中國抗日
戰爭對世界反法西斯戰爭的偉大貢獻〉(《宣傳手冊》1995年17期)、
麥若鵬〈中國人民抗日戰爭對世界反法西斯戰爭的重要貢獻〉(《安
徽大學學報》1995年5期)、李昌華〈論中國抗戰對第二次世界大戰的
貢獻〉(《檔案史料與研究》1994年3期)、張志宏〈論中國抗戰對世界
反法西斯戰爭的傑出貢獻〉(《齊齊哈爾師院學報》1995年5期)、王龍
彪〈論中國抗戰對世界反法西斯戰爭的卓越貢獻〉(《湖南教育學院學
報》1996年3期)、張同新〈試論中國對世界反法西斯戰爭的歷史貢
獻〉(載胡春惠主編《紀念抗日戰爭勝利五十周年學術討論會論文集》,香
港,1996年3月)、韋紅〈中國抗戰對世界反法西斯戰爭的貢獻〉(《中
南民族學院學報》1995年4期)、趙延慶〈論中國抗日戰爭在世界反法
西斯戰爭的貢獻和作用〉(《東岳論叢》1995年4期)、郭傳璽〈論中國
抗戰在太平洋戰爭中的重要貢獻〉(《歷史檔案》1995年3期)。

　　談抗戰與第二次世界大戰或其他事物之關係的論著(前已述及
者不再贅舉)有沈學善〈中國抗日戰爭與第二次世界大戰的關係〉
(《江蘇社會科學》1995年4期)、王檜林〈第二次世界大戰與中國抗日

戰爭之關係的三個問題〉(《中共黨史研究》1993年3期)、全國中共黨史研究會編《中國抗日戰爭與世界反法西斯戰爭》(北京，中共黨史資料出版社，1988)，共收錄中國大陸中共黨史工作者研究中國抗日戰爭與第二次世界大戰有關問題論文13篇；黃玉章主編《世界反法西斯戰爭中的中國抗戰》(北京，國防大學出版社，1989)、陳秀美〈中國抗日戰爭是世界反法西斯戰爭的重要組成部分〉(《福建學刊》1995年4期)、陳文波〈中國抗日戰爭是反法西斯戰爭的重要組成部分〉(《外交學院學報》1995年3期)、梁小克〈中國抗日戰爭是世界反法西斯戰爭中的一面光輝旗幟〉(《玉林師專學報》1995年4期)、李巨廉等〈中國人民抗日戰爭是世界反法西斯戰爭的一面光輝旗幟〉(《華東師大學報》1985年4期)、黃平〈世界反法西斯戰爭中的重要一翼——中國抗日戰爭〉(《求是》1995年7期)、胡小彬〈中國抗戰與第二次世界大戰〉(《歷史教學》1995年4期)、王振德〈中國的抗日戰爭與第二次世界大戰〉(《歷史學習》1995年7期)、錢孝俊〈中國抗日戰爭和第二次世界大戰的關係〉(《青島師專學報》1985年2期)、公論社《世界大戰與中國抗戰》(譯報圖書部，民27)、沈學善〈中國抗日戰爭與第二次世界大戰的關係〉(《江蘇社會科學》1995年4期)、曾令勛〈試論太平洋戰爭與中國抗戰的關係〉(《北京黨史研究》1995年5期)、陳培均〈中國抗日戰爭與歐洲第二戰場的開闢〉(《江西社會科學》1995年7期)、劉天純〈遠東慕尼黑陰謀與中國人民抗日戰爭——紀念抗日戰爭勝利四十周年〉(《中國社會科學院研究生院學報》1985年4期)、羅時平〈抗日戰爭與以往反侵略戰爭之不同點〉(《求實》1995年9期)、齊玉琳、周德慧〈中國抗日戰爭與蘇聯衛國戰爭之比較〉(《社會科學研究》1995年4期)、郝存敦〈論中國抗日戰爭和南斯拉夫抵抗運動的共同特點〉(《齊魯學刊》1995年5期)、任靜波〈歷史上中國對外戰爭與現在對日抗戰之不同點〉(《西北論衡》6卷11期,民27年6月)、趙頌堯〈兩次中日戰爭與中華民族的覺醒〉(《甘肅理論學習》1996年1期)、于殿武〈抗日戰爭與中華民族的偉大覺醒〉(《社會科學(上海)》1995年8期)、熊宗仁〈抗日戰爭與中華民族的新覺醒〉(《貴州文史叢刊》1995年4期)、龔賽紅〈抗日戰爭與中華民族的覺醒〉(《青海師大學報》1996年4期)、沈桂萍〈中華民族意識與抗日戰爭:紀念抗日戰爭勝利五十周年〉(《中央民族大學學報》1995年5期)、姚承芳〈論抗日戰爭與中華民族的獨立〉(《內蒙古師大學報》1996年2期)、劉大年〈抗日戰爭與中華民族的統一〉(《抗日戰爭研究》1992年2期)、天水〈抗日戰爭與民族精神〉(《淮海文匯》1995年7期)、朱健一〈抗日戰爭和中國統一〉(《湖州師專學報》1995年3期)、田運康〈抗日戰爭與中華民族振興〉(《青海師大學報》1995年3期)、劉大年〈抗日戰爭與中國歷史〉(《近代史研究》1987年5期)、李峻〈抗日戰爭與中國歷史走向〉(《南京政治學院學報》1995年5期)、楊延虎〈略論抗日戰爭與中國現代化〉(《延安大學學報》1995年3期)、王立勝〈抗日戰爭與中國現代化進程〉(《北京黨史研究》1995年6期)、謝肇毅〈抗日戰爭與中國革命〉(《廣西師大學報》1995年3期)、蔣介石著、文化編譯館編《抗戰與革命》(上海,美商遠東畫報社,民27)、淺川道夫〈抗日戰爭と中國革─新民主主義的革命階段の檢討〉(《國際關係研究(日本大學)》11卷3號,1991年2月)、徐光壽〈抗日戰爭與中國大國地位的確立〉(《民國檔案》1996年2期)、蔣介石著、民尉主編《抗戰與建國》(上海,美商好華圖書公司,民28)、胡彬存編譯《中國抗戰與世界和平》(上海,中外編譯社,民27)、王文科〈抗日戰爭與當代中國政治走向〉(《延安大學學報》1995年3期)、史滇生〈抗日戰爭和中國社會的近代化〉(《安徽史學》1995年2期)、張靜如〈抗日戰爭與中國社會現代化〉(《北京師大學報》1995年4期)、李秉剛、戴茂林主編《抗日戰爭與民族振興》(瀋陽,東北大學出版社,1995)、郭金平、趙金山主編《中國抗戰與民族振興》(北京,新華出版社,1996)、陳崇凱〈簡論抗日戰爭與民族大團結〉(《西藏民族學院學報》1995年3期)、楊生運〈抗日戰爭與民族凝聚力〉(《政工學刊》1995年8期)、孔慶榕主編、廣東中華民族文化促進會等編《碧血烽火鑄國魂:中華民族凝聚力與抗日戰爭》(廣州,廣東人民出版社,1995)、王檜林〈抗日戰爭與中國復興〉(《抗日戰爭研究》1996年3期)、石島紀之〈抗日戰爭と中國の民主主義〉(收於藤原彰編《現代史における戰爭責任》,東京,青木書店,1990)、奧村哲〈抗日戰爭と中國社會主義〉(《歷史學研究》651號,1993年10月)、陳宜淳〈抗日戰爭與全國解放〉(《福建黨史月刊》1995年12期)、夏阿龍〈中日戰爭和西方的遠東綏靖政策——兼論第二次世界大戰的起源與分期〉(《軍事歷史》1994年6期)、副島昭一〈日中戰爭とアジア太平洋戰戰爭〉(《歷史科學》102號,1985)、井上清〈近代日本史における日中戰爭〉(載井上清、衛藤瀋吉編著《日中戰爭と日中關係》,東京,原書房,1988)、劉大年〈抗日戰爭と中國の歷史〉(同上)、池井優〈日中戰爭と日本のマスメディアの對應〉(同上)、永井和〈日中戰爭と日英對立-日本の華北占領地支配と天津英仏租界〉(載古屋哲夫編《日中戰爭史研究》,東京,吉川弘文館·1984)。

關於抗戰領導權的問題有王秀鑫〈關於抗日戰爭領導權的幾個問題〉(《黨史通訊》1985年3期)、喬志學等〈淺談抗日戰爭領導權問

題〉(《軍事史林》1986年試刊1期)、徐繼曾〈論抗日戰爭領導權問題〉
(《西藏民族學院學報》1990年4期)、王建玲〈關於抗日戰爭領導權問
題的辨析〉(《史學月刊》1988年3期)、張勝瑞〈抗日戰爭領導權問題
之我見〉(《錦州師院學報》1987年2期)、郭曉合〈關於抗日戰爭領導
權問題〉(《北京師大學報》1987年4期)、邸繼廣〈也談抗日戰爭的領
導權問題〉(《天津師大學報》1989年2期)、汪新、王河〈試論抗日民
族戰爭領導權〉(《黨史研究與教學》1993年1期)、趙錫榮〈也談抗日
戰爭領導權問題〉(《山東師大學報》1987年4期)、黃建權〈也談抗日
戰爭領導權問題〉(《廣西民族學院學報》1987年4期)、郭德宏〈抗日
領導權問題研究述評〉(《中共黨史研究》1995年1期)、朱志敏〈關於
抗日戰爭領導權討論中的幾個問題〉(《北京黨史研究》1995年5期)、
唐振南〈誰主沉浮？－論中國抗日戰爭的領導權問題〉(《毛澤東思想
論壇》1995年3期)、汪新〈爭議抗日戰爭時期的領導權問題〉(《民
國檔案》1995年3期)、郭德宏〈抗日戰爭領導權新論〉(《安徽史學》
1995年1期)、劉宗碧、龍昭棟〈抗戰領導權問題新探〉(《懷化師專
學報》1995年4期)、武軍〈論抗日戰爭的領導權〉(《創造》1995年4
期)、劉劍華〈"抗日戰爭領導權"觀點綜述〉(《黨史研究與教學》1996
年5期)、單斌〈淺析國共第二次合作與抗日戰爭領導權問題〉(《信
陽師院學報》1988年3期)、胡秀勤等〈淺談抗日戰爭的政治領導權問
題〉(《江西大學學報》1985年4期)、鞠景奇〈中國的抗日戰爭究竟是
誰領導的〉(《鎮江師專學報》1987年3期)、鄧大華〈關於抗日戰爭領
導問題的淺見〉(《開拓》1987年6期)、劉錄開〈論抗日戰爭的領導
權〉(《四川黨史》1995年5期)、劉金祥〈關於抗日戰爭的組織領導問
題〉(《瀋陽師院學報》1989年1期)、蕭一平等〈抗日戰爭的歷史地位

及中國共產黨的領導作用〉(《理論月刊》1985 年 8 期)、金寶珍〈抗戰時期中國共產黨奪取領導權的鬥爭〉(《思想戰線》1987 年 1 期)、夏志民〈淺談中國共產黨對抗日戰爭的政治領導問題〉(《黨史資料與研究》1986 年 3 期)、李思〈試論中國共產黨對抗日戰爭的領導權〉(同上，1985 年 4 期)、李茂盛〈關於中國共產黨在抗日戰爭中領導權的實現〉(《中共黨史研究》1992 年 1 期)及〈中國共產黨是怎樣實現對抗日戰爭的領導權的〉(《山西師大學報》1991 年 3 期)、楊三省〈全面理解中國共產黨在抗日戰爭中領導權的實現：與李茂盛先生商榷〉(《渭南師專學報》1994 年 2 期)及〈中國共產黨在抗日戰爭中領權的實現是多方面的〉(《理論導刊》1994 年 8 期)、吳珍美〈中國共產黨實現抗日戰爭領導權之我見〉(《黨史文苑》1996 年 6 期)、舒舜元〈關於如何評價黨在抗日戰爭時期領導作用的淺見〉(《江西社會科學》1986 年 2 期)、李衍才〈中國共產黨是抗日戰爭的領導者〉(《山東大學學報》1990 年 1 期)、柯史〈中國共產黨是抗日戰爭的領導者－兼批林彪一篇投降主義的反黨文章〉(《歷史研究》1975 年 5 期)、文迪〈共產黨是抗日戰爭軍事上的領導者和戰爭的基本擔當者〉(《新中華》14 卷 20 期，1951 年 10 月)、周仰頤〈黨的正確領導是奪取抗日戰爭勝利的根本保證：紀念〝七七〞蘆溝橋事變五十周年〉(《洛陽師專學報》1987 年 3 期)、趙鴻昌〈抗戰的領導者不是國民黨〉(《內蒙古民族師院學報》1987 年 2 期)、周青山〈張聞天對抗日統戰中領導權問題的思考〉(《黨史研究與教學》1996 年 2 期)。

　　抗戰時期各地的情況或各地與抗戰的關係有樂恕人〈抗戰大後方〉(《中外雜誌》38 卷 4 期，民 74 年 10 月)、黃友凡、彭承福等編《抗日戰爭的重慶》(重慶，西南師大出版社，1986)、王聿均〈抗戰時期之重慶〉(載《近代中國區域史研討會論文集》上冊，臺北，中央研究院近代史研究所，民75)、小林文男〈抗戰中苦難的重慶〉(《重慶社會科學》1987年1期)、莊燕等〈抗日戰爭時期的重慶城〉(同上，1986年3期)、谷水真澄《重慶論》(東京，日本青年外交協會，1944)、彭承福〈抗戰時期重慶地位的變化和重慶人民的歷史使命〉(《西南師大學報》1995年3期)、彭承福主編《重慶人民對抗戰的貢獻》(重慶，重慶人民出版社，1995)、蘇光文主編《抗戰時期重慶對外交往》(同上)、許晚成《抗戰八年重慶花絮》(上海，龍文書店，民35)、寧承恩〈戰時重慶見聞〉(《傳記文學》65卷2、4期，民83年8、10月)、李雁蓀〈憶戰時首都－重慶〉(《春秋》4卷1期，民55年1月)、顧執中等《回憶重慶》，收錄有30年代末至40年代十多年間發生於重慶的往事憶述16篇；鄭洪泉〈中國抗戰陪都史五題〉(《檔案史料與研究》1994年1期)、黎東方〈憶沙坪壩〉(《中外雜誌》41卷2期，民76年2月)、趙繼昌〈沙坪憶舊〉(同上，38卷2期，民74年8月)、丁維棟〈回首沙坪四十年〉(同上，39卷2期，民75年2月)、王作榮〈沙坪之戀〉(《中外雜誌》19卷2、3期，民65年2、3月)、陶懷仲〈沙坪三載見滄桑〉(同上，16卷4期，民63年10月)。Robert A . Kapp , " The Chinese Nationalists and the Greet Rear Area : Wartime Szechwan ." (Chinese Republican Studies Newsletter . Vol.1, No . 1 , October 1975) , 其中譯文為甘德星譯〈中國國民黨與大後方：戰時的四川〉(載張玉法主編《中國現代史論集第9輯：八年抗戰》，臺北，聯經出版公司，民71)、高顯鑑〈論四川與抗戰建國之關係〉(《現代讀物》5卷7期，民29年7月)、徐濤〈四川對抗日戰爭的重大貢獻〉(《成都大學學報》1995年3期)、張莉紅〈堅強的堡壘，卓越的功勛：四川人民對抗戰的巨大貢獻〉

《文史雜志》1995年5期）、周開慶《四川與對日抗戰》（臺北，臺灣商務印書館，民60)及《民國川事紀要(民國二十六年至三十九年)》(臺北，四川文獻研究社，民61)、四川人民政府參事室、四川省文史研究館編《抗日戰爭時期四川大事記》(北京，華夏出版社，1988)、阮永熙等〈四川人民在抗日戰爭中的巨大貢獻〉(《成都大學學報》1985年3期)、懷襄〈四川與抗戰大事記〉(《四川文獻》23期，民53年7月)、呂實強〈張群與四川對抗戰的貢獻〉(《近代中國》89期，民81年6月；亦載《中國現代史專題研究報告》15輯，民82年4月)、羅宗明主編、中共成都市委黨史工作室編《八年抗戰在蓉城》(成都，成都出版社，1994)。丁寶珠〈雲南在抗日戰爭中的戰略地位和作用〉《思想戰線》1985年6期)、張家德〈論雲南在抗日戰爭中的歷史地位〉(《雲南教育學院學報》1985年4期)、陳振之〈雲南在抗戰建國中的地位〉(《新動向半月刊》1卷3期，民27年7月)、譚家祿〈雲南在抗戰中的任務〉(《雲南文獻》18期，民77年12月)、李慧〈雲南人民抗戰的歷史地位〉(《雲南師大學報》1995年4期)、易問耕〈簡述雲南人民對抗日戰爭的貢獻〉(《雲南現代史料叢刊》1983年1輯)、雷聲善〈雲南軍民對抗日戰爭的貢獻〉(《昆明師專學報》1995年3期)、楊西園〈抗戰時期雲南獻機紀略〉(《雲南文獻》22期，民81年12月)、張曙東、秦榕〈雲南抗戰大事記略〉(《雲南教育學院學報》1985年4期)、謝本書〈1937－1945年的雲南與滇軍抗戰〉(《研究集刊》1987年2期)、寸守德〈抗日戰爭時期騰衝的淪陷與光復〉(同上，1985年1期)、耿梅〈抗戰時期騰衝的三個縣長〉(《雲南文史叢刊》1995年1期)、毛德昌〈抗日時期的思茅〉(《思茅師專學報》1995年2期)。戴志強〈抗日戰爭時期貴州大事記略〉(《貴州檔案史料》1988年1期)、李大光〈抗日戰爭時

期貴州人民的貢獻和所受的損失〉(《貴州文史叢刊》1985年3期)。李
曉紅〈貴州與八年抗戰〉(同上，1995年4期)。曹聚仁等《轟炸下
的南中國》(戰時出版社，戰時小叢刊之5，出版年份不詳)、曾慶榴等
〈揭開廣東人民抗日戰爭史的第一頁〉(《嶺南文史》1987年1期)、葉
洪添〈惠州人民抗日鬥爭的光輝歷程〉(《惠州大學學報》1995年2期)、
柯可〈抗日戰爭中海豐多姿多采的宣傳活動〉(《廣東史志 1995 年 3
期》)、Kurt Radtke , " No Time for Revolution : Canton Province
During the Anti - Japanese War . " (New Zealand Journal of East Asian
Studies Vol . 3 , No . 1 , June 1995)、曹裕文〈略論廣西對抗日戰爭的貢
獻〉(《桂海論叢》1995年4期)、廣西區政協文史資料委員會編《廣西
兒女抗日親歷記》(南寧，廣西人民出版社，1995)、程思遠〈桂林在
抗戰期中的特殊地位〉(《學術論壇》1981年1期)、森山昭郎〈日中
戰爭と臺灣の皇民化〉(《東京女大比較文化研究所紀要》55號，1994年
10月)、中華全國臺灣同胞聯誼會編《抗日烽火中的臺灣兒女》(北
京，中國婦女出版社，1996)、呂芳上〈臺灣同胞參加抗日戰爭〉(《歷
史教學》1卷2期，民77年9月)、吳國安〈臺灣同胞參加抗日戰爭的
活動〉(《軍事歷史》1987年5期)及〈論臺灣同胞參加祖國抗日戰爭
的活動及其歷史意義〉(《近代史研究》1986年3期)、李雲漢〈抗戰期
間"臺灣革命同盟會"的組織與活動〉(《東方雜誌》復刊4卷5期，民
59年11月)、呂芳上〈臺灣革命同盟會與臺灣光復運動〉(《中國現代
史專題研究報告》第3輯，臺北，民60)及〈抗戰時期在大陸的臺灣抗
日團體及其活動〉(《近代中國》49期，民74年10月)、徐魯航〈七七
事變後臺灣同胞抗日鬥爭的幾個特點〉(《汕頭大學學報》1992年3期)、
近藤釰一編《太平洋戰爭下の朝鮮及び臺灣》(東京，朝鮮史料研究

會，1961）、橫山英〈米軍による臺灣空襲の被害概況〉（《東洋史研究室報告（廣島大學）》第8號，1986年10月）、黃勝科、方留草〈福建臺胞的抗日壯舉〉（《福建黨史月刊》1995年11期）、林真〈抗戰時期福建的臺灣籍民問題〉（《臺灣研究集刊》1994年2期）、黃肇嵩〈福建人民在抗日戰爭中的貢獻〉（《福建黨史月刊》1995年11期）、廈門市政協文史資料委員會編《抗戰時期的廈門》（廈門，鷺江出版社，1995）、黃種祿〈泉州人民在抗戰中的苦難和鬥爭〉（《泉州師專學報》1985年1期）。陶菊隱《孤島見聞－抗戰時期的上海》（上海，上海人民出版社，1979）、唐培吉〈抗日戰爭與上海〉（《上海黨史研究》1995年5期）、東洋協會調查部編印《事變下の上海概觀》（東京，1940）、陳伯康主編《不屈的大都市：上海人民抗日鬥爭大觀》（上海，文匯出版社，1995）、Frederic Wakeman, Jr. , The Shanghai Badlands: Wartime Terrorism and Urban Crime, 1937-1941.(Cambridge: Cambridge University Press, 1996)、魏斐德著、徐有威、徐雲根譯〈上海"歹土"：戰時恐怖主義和城市罪惡〉（《上海黨史研究》1995年4期）、古廐忠夫〈日中戰爭‧上海‧私〉（《近きに在リて》第5號，1984年5月）、Rhodes Farmer, Shanghai Harvest: A Diary of Three Years in the China War. （London: Museum Press, 1945）、James R . Ross , Escape to Shanghai : A Jewish Community in China . (New York , The Free Press , 1994)、David H. Kranzler, The History of the Jewish Refugee Community of Shanghai, 1938-1945.(Ph. D. Dissertation, Yeshiva University, 1971) 、 Ernest G . Heppner , Shanghai Refuge : A Memoir of the World War II Jewish Ghetto . (Lincoln : University of Nebraska Press , 1993)、Hugh Collar , Capitive in Shanghai : A Story of Internment in World

War II .（New York : Oxford University Press , 1991）、中共青浦縣委宣傳
部等編《抗日戰爭中的青浦》(上海，上海社會科學院出版社，1995)。
武漢市政協文史資料委員會等編印《抗戰中的武漢》(武漢，1985)、
于光遠〈抗戰時期在武漢的日子〉(《平原大學學報》1996年4期)、干
國勳〈湖北與對日抗戰〉(《湖北文獻》第4期，民56年7月)、湖北省
委黨史辦〈湖北人民八年抗戰的光輝歷程〉(《湖北黨史通訊》1985年
3期)、戴柏漢、蔡北文〈湖南在抗日戰爭史上的地位〉(《湘潭大學
學報》1995年4期)、李萬青〈湘西抗日救亡運動的展開和〝戰時繁
榮〞的出現〉(《懷化師專學報》1995年4期)、浙江省檔案館、中共浙
江省委黨史研究室編《日軍侵略浙江實錄：1937－1945》(北京，中
共黨史出版社，1995)、朱馥生〈太平洋戰爭爆發後浙江人民救援盟
軍的歷史作用與影響〉(《東南文化》1995年2期)、薛振安主編、中共
溫州市委宣傳部、溫州市教育委員會編《抗戰中的溫州》(杭州，浙
江人民出版社，1995)、馮堅、劉章進〈抗戰時期溫州三次淪陷紀要〉
(《溫州論壇》1987年4期)、邱子靜〈抗日戰爭中溫州三次淪陷記〉(《戰
史彙刊》18期，民72)、沈秉文〈抗戰時期的西天目山〉(《浙江月刊》
18卷6期，民75年6月)、包明叔等《抗日時期的東南敵後》(臺北，
撰者印行，民63)。天津市政協文史料委員會編《日偽統治下的北平》
(北京，北京出版社，1987)、Sophia Lee, "A Selected Bibliography
on Occupied Beijing, 1937-1945."（Republican China, Vol. 14, No.2, April
1898）、榮大為主編、首都博物館編《北京地區抗日鬥爭事跡選》(北
京，中國人民公安大學，1995)、李鐵虎〈日偽改北平為"北京"始於
何時〉(《北京檔案史料》1990年3期)、張宗平〈日偽在北平淪陷區的
殘暴統治〉(《北京黨史研究》1995年5期)、北京市政協文史資料委員

會編《日偽統治下的北京郊區》(同上，1995)、榮國章〈日偽統治下北平人民群眾的反抗鬥爭〉(《北京黨史研究》1993年4期)、齊福霖〈日本帝國主義在北平的統治與暴行〉(載《近百年中日關係論文集》，臺北，民80)、〔范〕長江等《淪亡的平津》(漢口，生活書店，民27)、中共天津市委黨史資料徵集委員會編《津沽怒濤：天津人民抗日鬥爭史話》(天津，天津古籍出版社，1995)、鈴木健一〈日中戰爭の發生と天津日本租界〉(《歷史學と歷史教育》50號，1996年6月)、謝忠厚〈河北人民在抗日戰爭中的重大貢獻〉(《探索與求是》1995年8期)。

河南省地史志編纂委員會、河南省地方史志協會編(邵文杰主編)《抗日戰爭時期的河南：紀念抗日戰爭勝利四十周年》(鄭州，編者印行，1985)、邢漢三《日偽統治河南見聞錄》(開封，河南大學出版社，1986)、中共河南省黨史工作委員會編《抗戰初期河南救亡運動》(鄭州，河南人民出版社，1988)、胡文瀾、李琳〈中原逐鹿同仇敵愾：河南軍民在抗日戰爭中的貢獻〉(《奮進》1995年8期)、中共駐馬店地委黨史資料徵集編委會，中共河南省委黨史資料徵集編委會編《抗戰時期的竹溝》(同上，1985)、劉萬雲〈竹溝對中原抗戰的重大貢獻〉(《河南教育學院學報》1996年1期)、賀明洲〈探討抗戰時期竹溝的幾個問題〉(《河南黨史研究》1986年4期)、喬長太、蘭天友〈中原抗戰的紅色搖籃：簡述抗戰初期的竹溝〉(《駐馬店師專學報》1988年1期)、曹敏華〈抗戰時期的羊棗〉(《黨史研究與教學》1993年6期)。

李夢九《山東鄉民對日抗戰暨反共紀實》(臺北，撰者印行，民70)、王兆良〈抗日戰爭時期山東軍民英勇的鬥爭〉(載《山東省紀念抗戰勝利四十周年論文集》，濟南，山東人民出版社，1985)、沈兆吉、劉國福〈山東人民抗日鬥爭的歷史、經驗及其啟示〉(《國防大學學報》1995年

8期）、楊勤為、郭明祥〈論山東軍民在抗日戰爭中的作用〉(《石油大學學報》1995年3期)、徐盈等《魯閩風雲》(上海，生活書店，民27年2版)、中共山東省委黨史研究室編《血肉長城：山東人民抗日戰爭史實精選》(濟南，山東人民出版社，1995)、王傳龍主編《永志不忘：德州軍民抗日鬥爭紀實》(天津，百花文藝出版社，1995)、傅清沛〈抗戰時期日本侵略者對青島的殖民統治與掠奪〉(《山東社會科學》1995年5期)、高松亨明〈日支事變下（昭和十四、五年）の曲埠及び孔家〉(《城南漢學》12號，1970年10月)。張全盛、魏卜梅編著《日本侵晉紀實》(太原，山西人民出版社，1992)、武誓彭〈抗戰時期的晉東南〉(《山西文獻》15期，民69年1月)、George E. Taylor, The Struggle for North China.（New York: IPR, 1940)、貝特蘭著、林淡秋等譯《華北前線(外國人看中國抗戰)》(北京，新華出版社，1986)。王希亮《日本對中國東北的統治統治（1931-1945)》(哈爾濱，黑龍江人民出版社，1991)、王秉忠《東北淪陷十四年史研究：紀念「九·一八」事變60周年（1931-1945)》(瀋陽，遼寧人民出版社，1991)、國新社編印《淪陷七週年的東北》(民27年印行)。蘇崇民〈關於東北淪陷史研究上的幾個問題〉(《東北亞論壇》1994年3期)、劉含發〈東北淪陷時期的"國內開拓民"〉(《吉林師院學報》1992年4期)及〈試論東北淪陷時期的國內開拓民〉(《現代日本經濟》1991年5期)、王承禮〈中國東北的抗日戰爭及其歷史作用〉(《社會科學戰》1995年4期)、孫繼英〈1942年至1945年東北人民的抗日鬥爭〉(《社會科學戰線》1989年3期)、彭明生〈殖民地的樊籠－日本統治東北手法述略之一〉(《承德民族師專學報》1993年1期)、Shinzo Araragi, "Race Relations in Manchuria During World War Ⅱ."(《熊本大學文學部論叢》36號，1992

年3期）、吉野松男《滿州里1941年——獨ソ開戰前夜搖れる國境の町》(東京，恒文社，1975)、蘇春榮〈哈爾濱人民在抗日戰爭中的特殊貢獻〉(《龍江黨史》1995年3、4期)、尉常榮著、史殿榮編《撫順地區人民抗日鬥爭史》(瀋陽，遼寧教育出版社，1990)、于涇〈抗日戰爭勝利前後的長春〉(《社會科學探索》1995年4期)、張慶斌主編《營口人民反日鬥爭史》(北京，中共黨史出版社，1995)。蔣君章〈西北在抗戰期中的主要地位〉(《邊疆研究季刊》第1期，民29年9月)、西北研究社編印《抗戰中的陝西省》(西北叢書之一，民29)、陳選康〈日軍未能侵占陝西的原因〉(《黨史文匯》1996年1期)、梁星亮〈抗戰時期陝西軍民抗日救國鬥爭紀略〉(《西北大學學報》1996年3期)、梁福義〈寶雞在抗戰時期的戰略地位〉(《寶雞今古》1986年3期)、漢中市史志辦公室編《抗戰後方重鎮漢中》(西安，西北大學出版社，1995)、西北研究社編印《抗戰中的甘寧青》(西北叢書之四，民30)、李洽《抗戰中邁進的青海》(西寧，青海印書局，民29)、西北研究社編印《抗戰中的綏遠》(西北叢書之三，民30)、徐詠平《抗戰中的蒙古》(獨立出版社，民26)、宗瑞娥〈內蒙古人民在抗戰中的偉大貢獻〉(《內蒙古師大學報》1985年3期)、朱培民〈抗日戰爭在新疆〉(《西域研究》1995年2期)、莊鴻鑄〈新疆對抗日戰爭的貢獻及其歷史意義〉(《新疆大學學報》1996年1期)、陳超〈新疆在中國抗日戰爭中的地位與貢獻〉(《西域研究》1995年2期)、許海生〈試論新疆在抗日戰爭中的地位〉(《新疆歷史研究》1985年4期)、陳香苓〈試論新疆在第二次世界大戰中的戰略地位〉(《新疆師大學報》1992年4期)、紀大椿〈抗戰勝利前後的時局與新疆和平的實現〉(《西域研究》1995年3期)及〈1945：二戰勝利前後的新疆〉(《實事求是》1996年1期)。錢存訓

〈抗日戰爭淪陷區史料拾零〉(《歷史月刊》93期，民84年10月)、謝永光《香港淪陷－日軍攻港十八日戰爭紀實》(香港，商務印書館，1995)、葉德偉等《香港淪陷史》(香港，廣角鏡出版社，1984)、不平山人《香港淪陷回憶錄》(香港，香江出版社，1971)及《香港抗日風雲錄》(香港，天地圖書公司，1995)、余炎光〈香港市民對祖國抗戰的支援－香港淪陷前概況之分析〉(胡春惠主編《紀念抗戰勝利五十周年學術討論會論文集》，香港，珠海書院亞洲研究中心，1996)、陳鵬仁〈香港與中日戰爭〉(同上)、李志剛〈香港日據時期基督教會遭受苦難的探討〉(同上)、梁炳華〈香港在日佔時期的教育概況〉(同上)、黃康顯〈抗日戰爭對香港文學的衝擊〉(同上)、薩空了《香港淪陷日記》(香港，香港進修出版教育社，民35)。薩本仁〈香港的淪陷及戰後的歸屬問題〉(《歷史教學問題》1986年5期)、徐有威〈香港：太陽旗下慘烈的44個月〉(《民國春秋》1994年4期)、謝永光《三年零八個月的苦難》(香港，明報出版社，1994)、Tan Yue-him(譚汝霖)，"Asia for Asians: Culture Control During the Japanese Occupation of Hong Kong, 1941-45."(載《第三屆近百年中日關係研討會論文集》下冊，臺北，中央研究院近代史研究所，民85)、小林英夫、柴田善雅《日本軍政下の香港》(東京，社會評論社，1996)。東人編《淪陷後各地的實況》(怒吼出版社，民27)、關禮雄《日佔時期的香港》(香港，香港三聯書店，1993)、Ko Tim Keung & Jason Wordie, Ruins of War: A Guide to Hong Kong's Battlefield and Wartime Sites. (Hong Kong:Joint Publishing Co. Ltd., 1996)、長野雅史〈日本占領期香港における人口疏散政策〉(《史苑》55卷2號，1995年3月)。此外以各地抗戰為題的論著和資料（如江蘇抗戰、湖南抗戰、浙西抗戰等）、已在前「戰時軍事」中舉述，可參閱之。

以日本侵華之暴行或罪行等為題的有金輝《慟問蒼冥－日本侵華暴行備忘錄》(2冊，香港，天地圖書公司，1995)、章伯鋒、莊建平主編《血證－侵華日軍暴行紀實日誌》(成都，成都出版社，1995)、柳白《向日本控訴－赤裸揭露本世紀獸類集團暴行血證》(臺北，日臻出版社，民84)、李恩涵《日本軍戰爭暴行之研究》(臺北，臺灣商務印書館，民83)，為個人之論文集，共收錄作者所寫的有關論文（大多為已發表過者)7篇，其中5篇為論述南京大屠殺者，1篇為日軍對星加坡華人之「檢証」屠殺者，1篇為抗戰期間日軍在華「三光作戰」者，附錄中有兩篇作者的論著：「星馬華人的抗日救亡運動」及「第二次中日戰爭期間侵華日軍罪行暴行日誌」，尤以後者極具參考價值；洪桂已編纂《日本在華暴行錄（民國十七年至三十四年，1928-1945)》(臺北，國史館，民74)，全書分為十四章：第一章為臺灣霧社事件，第二章為九一八事變與勞工迫害，第三章為南京大屠殺，第四章為鴉片毒化與日軍入關，第五章為日軍破壞之文化設施，第六章為空襲轟炸下的中國難民，第七章為日軍在中國各地暴行，第八章為虐待俘虜及屠殺華僑事件，第九章為強迫華人赴日勞役迫害事件，第十章為日本細菌部隊及生體解剖，第十一章為從軍慰安婦迫害事件，全書共計百餘萬字；（澳)哈羅德‧約翰‧廷珀利（H.J.Timperley）著、馬慶平等譯《侵華日軍暴行錄》(北京，新華出版社，1986)、孫震編《暴行：侵華日軍罪惡實錄》(吉林，三環出版社，1991)，為一資料集，大多錄自抗戰期間的書報雜誌如《敵寇暴行錄》、《大公報》、《抗戰文藝》、《群眾週刊》、《文藝陣地》等，也自有其參考價位；森正孝、高橋正博、糟川良

谷、大石恆雄編《中國側史料‧日本の中國侵略－南京大虐殺、占
領支配政策、毒かス戰、細菌戰人體實驗》（東京，明石書店，
1991），雖非以日本暴行為書名，但其內容均與此一主題相關，為
一史料集，全書分為四部分：第一部分為南京大屠殺，收有關史料
14則；第二部分為占領支配政策－「清鄉政策」，收史料15則；
第三部分為毒氣戰，收史料3則；第四部分為細菌戰、人體實驗，
收史料3則；每部分均有史料解說，書末有參考文獻目錄；梅劍等
編著《慘烈人寰：侵華日軍暴行實錄》（北京，京華出版社，1994）、
軍事科學院外國軍事研究部編著《日本侵略軍在中國的暴行》（北
京，解放軍出版社，1986）、李秉新、徐俊元、石玉新主編《侵華日
軍暴行總錄》（石家莊，河北人民出版社，1995）、《近代史資料》編
輯部、中國人民抗日戰爭紀念館編《日軍侵華暴行實錄（一）》（北
京，北京出版社，1995）、軍事科學院外國軍事研究所編《凶殘的獸
蹄：日軍暴行錄》（北京，解放軍出版社，1994）、東中志光等箸、陳
鵬仁譯《鐵蹄下的亡魂：日本兵自述的侵華暴行實錄》（臺北，黎明
文化事業公司，民71）、孫果達主編《太陽旗下的撒旦－侵華日軍暴
行紀實》（上海，上海遠東出版社，1995）、李明贊等《血海深仇：日
寇侵華暴行錄》（太原，山西教育出版社，1995）、張耕等《日軍暴行
實錄》（中國出版社，民34）、左銘三編《抗戰第一期之日寇暴行錄》
（成都，陸軍軍官學校，民28）、馮玉祥編《日本對在華外人的暴行》
（重慶，三戶圖書社，民28）、（英）田伯烈著、楊明譯《外人目睹中
之日軍暴行》（漢口，國民出版社，民27），著者為英國記者，書名原
文為 The Japanese Atrocities in China，天津人民出版社1992年又
翻印出版；胡詠超〈日寇侵華暴行之思想根源及其死不言悔探析〉

（載胡春惠主編《紀念抗戰勝利五十周年學術討論會論文集》，香港，珠海書院亞洲研究中心，1996）、邵子平〈日本對侵華及暴行所應負之責任與賠償問題〉（載《近百年中日關係論文集》，臺北，民80）、軍事委員會政治部編《日寇暴行實錄》（漢口，編者印行，民27），以圖片為主，分炸、燒、殺、奸、掠、流徙等部分，附錄〈六十年來的血債〉等文7篇；國民政府軍事委員會政治部編《敵寇暴行實錄》（重慶，編者印行，民30）、幸良模編《倭寇獸行實錄》（民生利印務公司代印）、聯美圖書公司編《日軍暴行備忘錄》（編者印行，民35）、杜呈祥《日寇暴行論（1）》（重慶，時代出版社，民28），分上、下編，上編分析構成日人暴行的因素，下編揭露日人所犯罪行，附錄〈長江兩岸敵軍施放毒氣概況〉等文3篇；、馬碩基等主編《日本帝國主義在華暴行》（瀋陽，遼寧大學出版社，1989），記述日本帝國主義在中國北迄黑龍江，南至海南島，西迄峨眉山，東至臺灣所犯下的燒、殺、搶、奸等種種罪行；〈敵寇暴行〉（上海，大時代書社，民34）；《日軍暴行畫史》（上海，大華出版社，民35年再版）、齊福霖〈日本侵略軍在中國的暴行〉（《北京黨史研究》1995年6期）及〈簡述日軍暴行研究的新進展〉（《抗日戰爭研究》1996年3期）、李蓉〈侵華日軍暴行研究概述〉（《南京社會科學》1995年6期）；中共中央黨史研究室科研管理部編《日軍侵華罪行紀實（1931-1945）》（北京，中共黨史出版社，1995），全書分為「慘絕人寰的殺戮」、「狂轟濫炸」、「殘害中國勞工」、「違反國際公約的生物、生化戰」、「經濟掠奪」、「摧殘文化、搶劫文物」、「扶持傀儡政權」七大類，來列舉侵華日軍的罪行，但並未注明這些史事的出處；國家教委基礎教育司主編《記住這段歷史——日軍侵華罪行與中國人民抗戰實錄》（成都，四川人民出版社，1995）、李建軍等編撰《侵華日軍罪行錄》（貴陽，貴州人民出版社，1995）、近代中國雜誌社編《鐵證如山：日本軍閥侵華罪惡實錄》（臺北，近代中國出版社，民71）、臺灣省立臺南社會教育館編印《歷史記載以外日軍侵華暴行徵文比賽專輯》（臺南，民72）、秦興洪、白洋主編《日本侵華戰爭戰犯罪行錄》（廣州，廣東高等教育出版社，1995）、黃海舟、郭金才編《30名侵華戰犯奸淫殺戮暴行酷刑大控訴》（西寧，青海人民出版社，1995）、張福興《凶神榜：日本侵華重要戰犯罪行實錄》（北京，解放軍文藝出版社，1992）、廖信春〈日本侵華戰爭罪行述論〉（《江西師大學報》1995年4期）、劉慶旻、趙家鼎選編〈日本侵華罪行調查〉（《北京檔案史料》1986年3期）、詹蔭才〈日本侵華歷史及其滅絕人性的滔天罪行不容纂改與抵賴〉（《德州師專學報》1995年3期）、柯有華〈略述日本帝國主義侵略中國的滔天罪行：抗日戰爭勝利四十周年〉（《湖北師院學報》1985年4期）、陳封雄〈日本對戰爭罪行"反省"了些什麼〉（《同舟共進》1994年10期）、王德溥〈日本在中國占領區使用麻醉毒品戕害中國人民的罪行〉〉（《民國當案》1994年1期）、陳景彥〈日寇虜掠華工的罪行〉（《歷史知識》1989年3期）、何天義〈日本侵略者強擄虐待中國勞工的真相：駁斥日本某些人為強擄中國戰俘勞工辯解的言論〉（《抗日戰爭研究》1995年4期）、居之芬〈日本強擄華北勞工人數考〉（同上）、或文〈不能忘記的歷史悲劇：簡述日軍侵華的"三光"暴行〉（《黨史縱橫》1995年11期）、左祿主編《濺血的武士刀：日軍屠殺錄》（北京，解放軍出版社，1994）及《侵華日軍大屠殺實錄》（同上，1989）、南京大屠殺史料編輯委員會、南京圖書館編《侵華日軍大屠殺史料：紀實、證言》（南京，江蘇古籍出版社，1985）、小山內宏〈日中

戰爭と虐殺の系譜－日本軍の虐殺行為とソンミ之事件の對比〉
（《新評》216號，1971年8月）、平岡正明《日本人は中國で何をした
か－中國人大量虐殺の記錄》（東京，潮出版社，1972）、王振坤、張
穎《日特禍華史：日本帝國主義侵華謀略諜報活動史實第一卷》（北
京，群眾出版社，1988）、曹明理〈侵華日軍製造慘案的特點〉（《成都
黨史》1995年4、5期合刊）、王瑞珍〈日本帝國主義侵華期間在淪陷
區奴化和毒化我國人民的罪行〉（《歷史教學》1989年7期）。東北淪陷
十四年史編纂委員會編《日軍暴行錄》（3冊，北京，中國大百科全書出
版社，1995），其第1冊－黑龍江分卷（由郭素美、車霽虹主編）、
第2冊－遼寧分卷（孫玉玲主編）、第3冊－吉林分卷（趙聆實主
編）；霍燎原〈日本侵略者在東北淪陷區的屠殺罪行〉（《革命春秋》
1993年3期）、郭素美〈從日軍在東北的暴行看日本殖民統治的野蠻
性〉（《齊齊哈爾師院學報》1995年5期）、溫野〈從幾處大慘案看日本
侵略者在東北的暴行〉（《北方文物》1995年3期）、傅波〈二戰時期
日本在中國東北等地迫害戰俘的幾個問題〉（《社會科學輯刊》1995年
4期）、周聖亮〈日本侵華歷史的罪證：集團部落〉（《理論建設》1995
年4期）、霍燎原〈日本關東軍第一〇〇部隊的罪行〉（《社會科學戰
線》1995年4期）、金佩林〈日軍在哈爾濱的罪行與暴行〉（載《近百
年中日關係論文集》，臺北，民80）、井上晴樹《旅順虐殺事件》（東京，
筑摩書房，1995）、大谷正〈旅順虐殺事件と國際世論をめぐつて〉
（《歷史評論》532號，1994年8月）、關捷〈日軍旅順大屠殺新論：兼
論"方忠墓"清理的新罪證〉（《齊齊哈爾師院學報》1995年5期）、彭
明生〈日軍在承德的屠殺罪行調查報告〉（《承德民族師專學報》1995年
3期）、任玉蓮〈水泉溝〝萬人坑〞－侵華日軍屠殺中國人民的鐵

證〉(《求實論壇》1996年1期)、楊靜、朱樹長〈關於"深縣慘案"〉(《歷史教學》1995年6期)、溫銳光《日偽時期煤礦坑的故事－山西煤礦萬人坑》(香港，商務印書館，1995)、徐俊德、王國華主編《日本侵華罪行實證：河北、平津地區敵人罪行調查檔案選輯》(2冊，北京，人民出版社，1995)、廣瀨龜松主編《燕趙悲歌：侵華日華在河北省的暴行》(天津，天津社會科學院出版社，1995)、宋俊然〈侵華日軍在河北的暴行綜述〉(《黨史博採》1996年7期)、中共北京市委黨史研究室編《侵華日軍在北京地區的暴行》(北京，知識出版社，1995)、朱育和、歐陽軍喜〈從日寇在清華園犯下的罪行看日本"共存共榮"的實質〉(《清華大學學報》1996年1期)、廣瀨龜松主編《津門舊恨－侵華日軍在天津市的暴行》(歷史不能忘記叢書，天津，天津社會科學院出版社，1995)、梁吉生主編、南開大學校長辦公室編《日軍毀掠南開暴行錄》(天津，南開大學出版社，1995)、楊福臣〈侵華日軍薊縣暴行綜述〉(《黨史資料與研究》1995年1期)、中共山西省委黨史研究室編《侵華日軍在山西的暴行》(太原，山西人民出版社，1986)、杜拉柱、張松齡主編《血火鐵證：侵華日軍在晉中罪行錄》(同上，1995)、高平、劉福斌〈日軍殘殺大同知識分子紀實〉(《黨史文匯》1995年4期)、方正主編《日本侵略軍在山東的暴行》(濟南，山東人民出版社，1989)、山東省濟南市政協文史資料委員會編《濟南日特機關罪行錄》(濟南，濟南出版社，1990)、朱建信《濟南大血劫》(濟南，黃河出版社，1989)、陳傳海等編《日軍禍豫資料選編》(鄭州，河南人民出版社，1986)、胡秀勤、張雪峰〈日軍在湖南的大屠殺〉(《文史雜誌》1996年3期)、劉建平〈血染洞庭，罪滔三湘：日軍侵湘暴行錄〉(《湖南黨史》1995年1期)、王澤華主編、中共安徽省委黨史工作委員會編《侵華日軍在皖罪行錄》(合肥，安徽人民出版社，1995)、唐文起〈抗日戰爭時期日軍在江蘇的暴行〉(《江蘇社會科學》1995年4期)、朱成山〈古城南京的厄運－侵華日軍攻占南京時暴行紀實〉(《東南文化》1995年3期)、郭一塵主編《不要忘啊！：侵華日軍在南京、潘家峪等地的暴行》(天津，新蕾出版社，1995)、孟彭興〈南京大屠殺的預演——"八一三"日軍在上海暴行考略〉(《史林》1993年2期)、顧執中〈上海淪陷後敵人殘殺報人的罪行〉(《新聞研究資料》1983年19期)、陳碧雲〈日軍侵略下上海婦孺所遭受到的劫難〉(《東方雜誌》35卷1號，民27年1月)、張銓〈論日本侵華戰爭的殘酷性、掠奪性和破壞性－以日本侵華戰爭時期在上海所犯罪行為例〉(《史林》1995年3期)、中共青浦縣委黨史研究室〈青東大屠殺〉(《上海黨史研究》1995年4期)、王道偉主編《牢記血淚史：侵華日軍在昆暴行錄》(上海，上海科學技術文獻出版社，1995)、施公惠〈日軍在無錫地區的暴行〉(《江南論壇》1995年5期)、張文靜〈抗日戰爭時期日軍在南通的暴行〉(《南通學刊》1995年6期)、許政忠〈日軍在沁水的暴行〉(《黨史文匯》1995年6期)、解力夫〈日寇殺光北疃村紀實〉(《炎黃春秋》1995年4期)、福建省檔案館編《日本帝國主義在閩罪行錄：1931－1945》(福州，福建人民出版社，1995)、劉正英、黃順通〈鷺島悲歌－日軍侵略廈門罪行紀實〉(《福建黨史月刊》1995年6期)、曾慶榴、官麗珍〈對和平與人道的肆虐－侵粵日軍的暴行〉(《學術研究》1995年4期)、馮紹〈痛憶豹狼惡，猶記國恥年：日寇在西江犯下的滔天罪行〈《廣東黨史》1995年4期)、方忠英〈日寇在廣州的暴行和廣州人民的抗日鬥爭〉(《廣東史志》1995年3期)、海南省政協文史資料委員會編《鐵蹄下的腥風血雨－日軍

侵瓊暴行實錄》（海南文史資料。第 11 輯）（海口，海南人民出版社，
1995）、李道生等〈侵華日軍在瀘水製造的三次慘案紀實〉（《雲南文
史叢刊》1992 年 3 期）、鍾守甫、梁春田〈慘絕人寰，罪惡滔天－日
軍血洗合和村始末〉（《海南史志》1994 年 1 期）、謝永光《戰時日軍在
香港暴行》（香港，明報出版社，1995）、林君長〈憶述抗戰時日機轟
炸華僑中學之暴行〉（《近代中國》77 期，民 79 年 6 月）、喬秀玲〈日寇
"四·二"大掃蕩的暴行〉（《中州今古》1995 年 6 期）。至於發生於
1945 年 6 月日人虐殺在日華工的「花岡（在秋田縣境內）事件」及
侵華日軍中的軍妓（慰安婦）則有清水弟《花岡事件ノート》（東京，
秋田書房，1976）、石飛仁〈「花岡事件」－日本列島の三光作戰〉
（《潮》153 號，1972 年 5 月）、中國人俘虜殉難者慰靈實行委員會編印
《花岡事件なそ中國人俘虜殉難事件の概要》（1953 年印行）、野添憲
治著、張友棟等譯《花岡事件記聞》（保定，河北大學出版社，1992）、
野添憲治〈花岡事件の人たち〉（《思想の科學》26－30 號、32－35 號，
1974 年 1－9 月）、《花岡事件の人たち－中國人強制連行の記錄》（東
京，評論社，1975）、《花岡事件を見た二〇人の證言》（東京，御茶
の水書房，1993）及《花岡事件を追ラ：中國人強制連行の責任を問
い直す》（同上，1996）、新美隆〈強迫輸入中國勞工與私人公司之
責任－花岡事件〉（載《近百年中日關係論文集》，臺北，民 81）、陳世
昌〈抗戰時期在日本的中國"勞工"與花岡事件〉（《歷史月刊》92 期，
民 84 年 9 月）、劉智渠述、劉永鑫、陳萼芳記《花岡事件：日本に俘
虜となつた中國人の手記》（東京，岩波書店，1995）、赤津益造《花
岡暴動－中國人強制連行の記錄》（東京，三省堂，1973）、石飛仁
《中國人強制連行の記錄－花岡暴動を中心とする報告》（東京，太平

出版社，1973）、陳理昂、朱鐵英編著《花岡暴動回憶錄》(北京，中
國青年出版社，1992）、田中宏〈花崗事件與戰爭遺留問題〉(《抗日戰
爭研究》1992年4期）、高橋實〈花岡鑛山の中國人たち－醫師の報
告〉(《中國研究》55、57號，1974年10、12月）。平岡正明〈1945年
在日中國人俘慮の反亂〉(《日本の將來》1972年第2號）及〈日本全土
の中國人俘虜虐殺〉(《潮》150號，1972年2月）、平岡正明編著《中
國人は日本で何をされたか－中國人強制連行連行の記錄》(東京，
潮出版社，1973）。裴適〈侵華日軍中的軍妓〉(《民國春秋》1992年5
期）、加藤正夫〈歷史を歪曲してはならない〉(《讀売》12號，1993）、
穌實〈日本侵略者強迫中國婦女作日軍慰安婦實錄〉(《抗日戰爭研究》
1992年4期）、上衫千年《檢證〝從軍慰安婦〞》(東京，文英堂，
1996）、西野留美子《徒軍慰安婦：元兵士たちの證明》(東京，明
石書店，1992）、山田盟子《徒軍慰安婦－〝兵機密〞にされた女た
ちの秘史》(東京，光人社，1993）、金一勉編著《戰爭と人間の記錄
──軍隊慰安婦》(東京，德間書店，1992）、吉見義明編集・解說
《從軍慰安婦資料集》(東京，大目書店，1992）、千田夏光著、黃玉
燕譯《慰安婦》(臺北，傳文文化事業公司，民85）、吉見義明、林博
史編著《日本軍慰安婦》(東京，大月書店，1995）、謝永光《日軍慰
安婦內幕》(臺北，聯亞出版社，民84）、平濤編著、李立德提供〈日
本「慰安婦」事實俱在──從其曝光經過與深入蒐集探索〉(《傳記
文學》67卷5期，民84年11月）、姜國鎮〈南京大屠殺與日本從軍慰
安婦〉(同上，60卷6期，民81年6月）、平濤〈日軍〝慰安婦〞大曝
光〉(《南京史志》1993年1-2期）、吉見義明〈〝慰安婦〞問題のこれ
がら〉(《軍縮問題資料》1996年9月）、吳海峰《中國慰安婦》(桂林，

漓江出版社，1993）、王延華〈關於日軍的〝慰安婦制度〞〉(《齊齊哈爾師院學報》1995年5期)、符和積〈世界婦女史上慘痛的一頁：侵瓊日軍推行軍妓制度罪行述析〉(《海南師院學報》1996年3期)及〈侵瓊日軍慰安婦實錄〉(《抗日戰爭研究》1996年4期)、魯世彬、姜繼永〈鳳陽日軍慰安所揭秘〉(《志苑》1993年3期)、北京市檔案館〈日軍強徵慰安婦史料一件〉(《北京檔案史料》1995年2期)、蘇智良〈日軍在華第一個慰安所〉(《上海灘》1995年3期)、〈侵滬日軍的"慰安所"〉(《抗日戰爭研究》1996年4期)及〈侵華日軍上海慰安所的揭秘〉(《上海黨史研究》1995年4期)、倪青春〈日軍在南京開設的〝慰安所〞〉(《歷史大觀園》1993年3期)、高興祖〈日軍南京強奸事件與慰安所的出現〉(《民國春秋》1993年3期)、長澤健一《漢口慰安所》(東京，圖書出版社，1983)、華強〈抗戰初期的日軍慰安所〉(《檔案與史學》1995年4期)。George Hicks, The comfort Women-Sex Slave of the Japanese Imperial Forces.（Australia: Allen & Unwin Pty, 1995）、江美芬《臺灣慰安婦之研究——慰安所經驗及影響》(清華大學社會人類學研究所碩士論文，民85)、臺北市婦女救援社會福利事業基金會編《臺灣地區慰安婦訪查個案分析報告》(臺北，編者印行，民82)。至於南京大屠殺、日機轟炸濫炸、毒氣戰、細菌戰、人體實驗等暴行，已在前舉述可參閱之。

抗戰時期在華日人之反戰運動及反戰同盟有張可榮〈在華日人反戰運動興起與發展的原因初探〉(《江漢論壇》1995年7期)、伊原澤周〈抗日戰爭期における日本人民の反戰運動〉(《東洋文化研究所年報（追手門學院大學文學部）》10號，1995年11月)，鹿地亘《日本兵士の反戰運動》(東京，同成社，1962)、王庭岳編著《在華日人反戰運動史略》(鄭州，河南人民出版社，1989)、謝樹森〈在華日人反戰活動述略〉(《湖北大學學報》1985年6期)、徐興旺〈抗日戰爭時期在華日人的反戰活動〉(《玉林師專學報》1986年4期)、李孟卿、王澤宗、晁跟芳〈抗戰大後方在華日人反戰運動述論〉(《信陽師院學報》1996年4期)、安井三吉〈抗日戰爭時期解放區における日本人の反戰運動〉(《近きに在りて》第3號，1983年3月)、王澤宗〈抗日敵後戰場上的日人反戰運動述論〉(《北京大學究生學刊》1994年3期)，鹿地亘〈第二次世界戰爭における中國での日本人反戰運動〉(《勞働運動史研究》10號，1965年9月)及〈反戰運動の思い出〉(《中國研究月報》181號，1963年4月)、林谷良〈抗日戰爭時期侵華日軍官兵中的反戰運動〉(《軍事歷史研究》1994年2期)、孫金科〈關於國統區日人反戰運動的幾個問題〉(《貴州文史叢刊》1990年4期)、藤原彰編《資料‧日本現代史：軍隊內の反戰運動》(東京，大月書店，1980)、孫金科、楊定法〈周恩來與在華日本人民反戰運動〉(《貴州文史天地》1995年5期)、黃義祥〈在華日本人民的反戰鬥爭〉(《中山大學學報》1995年3期)及〈抗戰時期在華日本人的反戰宣傳活動〉(《廣東社會科學》1995年4期)、王良〈日本人民在中國抗日戰爭時期的反侵華戰鬥〉(《浙江省委黨校學報》1985年1期)、任明、呂偉俊〈抗日戰爭期の日本人民の山東地區における反戰活動〉(收入勝維藻、奧崎裕司編《東アジア世界史探究》，東京，汲古書院，1986)、王庭岳〈晉冀魯豫抗日根據地日人反戰運動析略〉(《山西革命根據地》1990年1期)、鹿地亘編《反戰資料》(東京，同成社，1964)及《日本士兵反戰同盟》(同上，1962)、孫金科〈國統區日本人民反戰同盟〉(《近代史研究》1990年1期)、長谷川敏〈〝反戰同盟〞の危機とその克服〉(《中國研究月報》538號，

1992年12月)、野坂參三《和平へのたたかい－反戰同盟實踐記》(東京，曉書房，1947)、張靜芳〈日本人反戰同盟在中國〉(《瀋陽師院學報》1992年2期)、曹晉杰〈日本人反戰同盟在華中的組織與活動〉(《抗日戰爭研究》1995年2期)、張榮華〈國民黨統治區在華人民反戰同盟〉(《石油大學學報》1988年4期)、倫清〈在華日本人民反戰同盟簡史〉(《黔東南社會科學》1988年4期及1989年2期)、林谷良〈關於在華日本人民反戰同盟的若干史實〉(《黨史研究資料》1985年8期)、鹿地亘〈日本人民反戰同盟在桂林〉(《廣西社會科學》1986年1期)、王書波〈反戰同盟在冀縣〉(《黨史博採》1995年7期)、潘子君〈日本反戰同盟第五支部〉(《地方革命史研究》1985年6輯)、彭劍青〈在華日本人反戰同盟第五支部及其作用〉(《大江南北》1995年6期)、周煥中主編《特殊的戰線：新四軍第五師對敵偽工作暨在華日人反戰同盟第五支部活動專輯》(武漢，武漢大學出版社，1991)、飛鳥井雅道〈鹿地亘と中國－ナルブと「日本人民反戰同盟」〉(《文學》44卷4號，1976年4月)、鄭倫清〈鹿地亘與在華日本人民反戰同盟和平工作隊〉(《黔東南社會科學》1988年1期)、康大川著、中古苑生譯〈私の抗日戰爭——在華日本人民反戰同盟とともに〉(《中國研究月報》470-472號，1987年4-6月)、邱宗功〈郭沫若與在華日本人民反戰同盟〉(《貴州師大學報》1986年4期)、反戰同盟記錄編集委員會《反戰兵士物語－在華日本人反戰同盟員の記錄》(東京，日本共產黨中央委員會，1963)，其中譯本為張惠才、韓鳳琴譯《從帝國軍人到反戰勇士》(北京，中國文史出版社，1987)；秋山良照《中國戰線の反戰兵士》(東京，德間書店，1978)。此外，與其相關的則有具島兼三郎〈青天白日滿地紅旗－反戰論者の手記〉(《新中國》17號，1947年12月)、黑田善次（筆名青山和夫）《反戰政論－中國からみた日本，戰前・戰中・戰後》（東京，三崎書房，1972）、利川孝志〈捕虜から反戰兵士へ〉（《季刊現代史》第4號，1974年8月）、小林清《在華日人反戰組織史話》（北京，社會科學文獻出版社，1987）、趙鐵鎖〈抗日戰爭時期在華日本人民反戰團體〉（《黨史研究資料》1987年10期）、離騷出版社編印《日本人的反戰呼聲》（廣州，民27）、水野靖夫箸、鞏長金譯《反戰士兵手記》（北京，解放軍出版社，1985）、岡田修《徬徨千里－紅軍に入つた た皇軍兵士の手記》（東京，大月書店，1985）、香川孝志、前田光繁《八路軍の日本兵たち》（東京，サイマル出版會，1984），其中譯本為蔡靜譯《八路軍中的日本兵》（北京，時事出版社，1985），作者以自身的經驗，記述了日人開展反戰活動的情況，書中對〝日本人民解放同盟〞和〝延安日本工農學校〞的發展沿革有頗為詳細的記載；古山秀男《－日本人の八路軍從軍物語》（東京，日中出版，1974）及〈八路軍從軍物語〉（《中國研究》17、19、21、27－33、35－41、43－45，1971年8月－1973年12月）、吉川萬太郎《凍こにへ大地の歌－人民解放軍日本兵士たち》（東京，三省堂，1984）、張榮華〈在華日本共產主義者同盟〉（《石油大學學報》1989年4期）、王庭岳〈從戰俘到國際主義戰士〉（《外國史知識》1985年8期）、張學忠、張威〈抗日的日本人：略論華中抗日根據地區的〞國際縱隊〞〉（《河南教育學院學報》1995年4期）、劉克軍等《海外同仇：支援中國抗戰的國際戰士》（太原，山西教育出版社，1995）、渡邊善雄〈日本戰爭期の反戰文學－呂元民氏の〝戰爭捕虜による日本反戰文學〞を讀む〉（《宮城教育大學紀要（人文、社科）》25號，1990年3月）、蔡定國〈日本反戰作家鹿地亙在桂林初探〉（《學術論壇》1996年5期）。

　　至於在山西由中共分子薄一波所領導的「犧牲救國同盟會」及其組建的「山西青年抗敵決死隊」（即「山西新軍」）配合國軍抗日始末的有《犧盟會和決死隊》編寫組編《犧盟會和決死隊》（北京，人民出版社，1986）、王生甫、任惠媛《犧盟會史》（太原，山西人民出版社，1987）、內田知行〈犧牲救國同盟會史序論－抗日戰爭初期における山西省の民族統一戰線と民眾動員〉（《季刊現代史》第6號，1975年8月）、沈雲龍〈「中原大戰」與「犧牲救國同盟會」〉（《傳記文學》31卷5期，民66年11月）、劉秀文〈抗日戰爭時期的犧盟會和決死隊〉（《江淮論壇》1992年2期）、郭春梅〈犧盟會與華北抗日戰爭〉（《東南文化》1995年2期）、王連昌〈犧盟會歷史特點淺見〉（《太原師專學報》1985年3期）、薄一波〈犧盟會歷史回顧〉（《黨史文匯》1986年6期）、柏山柏〈略論犧盟會在抗日戰爭中的歷史〉（同上，1985年創刊號）、梁國干〈犧盟會在垣曲抗戰史上的作用〉（《山西革命根據地》1989年4期）、朱紅勤〈論中國共產黨在犧盟會初期的統戰策略〉（《山西師大學報》1989年3期）、師文華〈黨的又聯合又鬥爭的政策在山西犧盟會的具體運用〉（《黨史研究》1984年4期）、張起厚〈中共惡意扭曲抗戰歷史事實的研究——中共利用犧盟會陰謀攫取山西政權之研究〉（《共黨問題研究》11卷9期，民74年9月）、陳大東〈回憶犧盟會上黨中心區〉（《山西革命根據地》1984年試刊1期）、龔紀文〈抗戰初期的介休縣：我黨通過犧盟會發動群眾開展抗日武裝鬥爭情況〉（同上，1986年1輯）、王春吉〈團結抗戰的果敢行動：鄧小平指導組建犧盟晉西游擊隊〉（《黨史文匯》1987年3期）、師文華〈略論犧盟會、決死隊的歷史特點及其作用〉（《黨史研究》1982年6期）、王章

陵〈中共滲透顛覆個案研究－犧盟事件〉(《共黨問題研究》18卷2、
3期，民81年2、3月)、王生甫〈犧盟會與決死隊〉(《山西師院學報》
1980年3期、1981年1期)、薄一波〈山西青年抗敵決死隊產生的背
景及其基本發展情況〉(《近代史研究》1985年6期)、穆欣〈決死隊政
治工作見聞〉(《山西革命根據地》1987年2-4期)；〈決死隊的過去和
現在〉(同上，1984年試刊1期)、王善玲〈回憶山西決死隊的婦女工
作隊〉(《婦運史研究資料》1983年3期)、辛軍石〈抗日戰爭中的犧盟
會和山西新軍〉(《黨史通訊》1985年11期)、張寶貴〈犧盟會與山西
新軍〉(《歷史教學》1987年2期)、牛旭光〈組建山西新軍：山西新派
簡介〉(《山西檔案》1992年2期)、史高〈山西新軍的由來〉(《中共黨
史研究》1991年2期)、薄一波〈有關山西新軍的幾點回憶〉(同上)、
范陵〈薄一波與山西新軍的建立、鞏固和發展〉(《軍事歷史研究》1989
年1期)、薄一波〈山西新軍是中國共產黨的武裝力量〉(《軍史資料》
1985年2期)、《山西新軍影集》編輯組編《山西新軍影集(1937年
8月1日-1945年10月)》(太原，山西人民出版社，1985)、曹一民〈山
西新軍44團事件始末〉(《軍史資料》1985年7期)、內田知行〈新軍
事件－山西省における抗日鬥爭の轉換點〉(《一橋論叢》75卷5號，
1976年5月)、宍戶寬〈山西新軍事件の真相〉(《現代中國》48·49號，
1974年1月)、何理〈山西十二月事變〉(《黨史研究》1981年1期)、
王秀鑫〈山西十二月事變前後我黨對閻錫山的政策〉(同上，1985年
1期)、李茂盛〈決死三縱隊與十二月事變〉(《北京檔案史料》1990年
4期)、傅金平〈人是要有一點精神的－山西青年抗敵決死三縱隊的
政治工作〉(《東南文化》1995年3期)、山西新軍歷史資料叢書編審委
員會編《山西新軍決死第三縱隊》(2冊北京，中共黨史出版社，1995)、

《山西新軍決死第四縱隊》(同上，1993)、《山西新軍暫編第一師》
(同上)、《山西新軍二一二旅》(同上)、《山西新軍二一三旅》(同
上)及《山西新軍政衛二〇九旅》(同上)。

　　有關抗戰史非通論性的論著和資料有李良志、王樹蔭、秦英君
主編《全民抗戰·氣壯山河，1937-1938》(中國新民主主義革命史長
編，上海，上海人民出版社，1995)、李隆基、王玉祥主編《堅持抗戰
·苦撐待變，1938-1941》(同上)、李良志、李隆基主編《同盟抗
戰·贏得勝利，1941-1945》(同上)、Frank Dorn, The Sino -
Japanese War, 1937 - 41 . : From Marco Polo Bridge to Pearl Harbor
. (New York : Macmillan Publishing Co . Inc ., 1974)、日本國際政治學會
《日中戰爭から日英米戰爭》(東京，有斐閣，1990)。管學齋《抗敵
一年》(漢口，華中圖書公司，民27)，為日誌體抗日大事記；管雪齋
《抗敵日誌（第一年）》(重慶，正中書局，民30)，記1937年7月7日
至1938年7月6日抗戰大事；王叔明編《抗戰第一年》(2冊，長沙，
商務印書館，民30)，介紹抗戰第、二期北、東、西、南四戰場的主
要形勢及戰役經過；教育部民眾讀物編審委員會編《抗戰一週年》
(重慶，正中書局，民27)，介紹抗戰一年來的軍事、政治、經濟、教
育、民眾動員等情況；全民抗戰社輯《抗戰一週年》(漢口，生活書
店，民27)，計收鄒韜奮、胡愈之等人文章12篇，為《全民抗戰三
日刊》創刊號特輯；蔣卉編《抗戰一週年》(南寧，民團周刊社，民
27)、浙江省抗日自衛委員會戰時教育文化事業委員會徵編組編
《抗戰一週年》(編者印行，民27年再版)，共收蔣中正、汪精衛、胡
適等人文章32篇；蔣中正《抗戰一週年》(民27年印行)，收蔣氏
抗戰第一年內的報告、談話、書函、電文等30篇；軍事委員會編

《抗戰一年》（重慶，編者印行，民27）、寸喁編著、化生校對《抗戰建國第一年》（重慶，七七書局，民27），收軍事、外交、財政、經濟、教育、建設、文化、政治等類文章34篇，書後附《抗戰一週年大事記》；中國國民黨中央執行委員會宣傳部編《抗戰週年紀念冊》（重慶，編者印行，民27），收林森、于右任、李宗仁等人文章26篇；福建省抗敵後援會編《抗戰建國週年紀念冊》（編者印行，民27）、金則人《第一期抗戰的經驗與教訓》（漢口，上海雜誌公司，民27）、風見章〈近衛政治悲史の序幕——日華戰爭第1年〉（《世界評論》5卷1號，1950年1月）。軍事委員會政治部編《抗戰二年》（重慶，編者印行，民28），收蔣中正、何應欽、孔祥熙等人文章14篇；劉雯等編《抗戰兩週年》（重慶，戰時出版社，民28），收蔣中正、毛澤東、宋慶齡等人文章37篇；掃蕩報社編輯《掃蕩報抗戰二週年紀念特輯》（重慶，編輯者印行，民28），收蔣中正、馮玉祥等人文章37篇，國民黨中央宣傳部編《抗戰建國二週年紀念冊》（重慶，編者印行，民28），收蔣中正、林森等人文章22篇；蔣中正等《抗戰兩週年紀念特輯》（民28年印行），收國民黨黨政要員講演辭、書告等文章26篇；現代中國週刊社編《戰鬥的兩年》（上海，編者印行，民28）、世界知識社編輯《各國作家論析兩年來的中日戰爭》（重慶，生活書店，民28）、渤流《抗戰的第二階段》（香港，救亡出版社，1938），著者認為1937年12月南京陷落後抗戰進入第二階段、時事叢書社編輯《爭取勝利地轉入抗戰第二階段》（上海，編輯者印行，民27）、蔣君章《第二期抗戰的新形勢》（重慶，正中書局，民28）。軍事委員會政治部編《抗戰三年》（重慶，編者印行，民29）、掃蕩報編輯部編《抗戰三年》（桂林，編者印行，民29），收蔣中正等要人文

章20餘篇；國民日報社編《抗戰三年》(香港，編者印行，民1940)，
為該報創刊一周年紀念冊；國民黨中央宣傳部編《抗戰三年要覽》
(重慶，編者印行，民29)，共收黨政軍要人文章23篇；國民出版社
編《抗戰三週年》(金華，編者印行，民29)，收蔣中正、孫科、馮玉
祥等人文章18篇；羅元鯤編著《抗戰三週年》(湖南，喚民書局，民
29)、陳孝威主編《抗戰第三年》(香港，天文臺半周評論社，1939)，
收林森、蔣中正、宋慶齡等人文章46篇；浙江省動員委員會戰時
教育文化事業委員會編纂《抗戰三週年》(金華，編者印行，民29)，
收林森、蔣中正、陳誠、郭沫若等人文章22篇；掃蕩報社編輯
《掃蕩報抗戰三周年紀念特刊》(重慶，編輯者印行，民29)，收文章
33篇；前線日報社編《光輝勝利的三年》(〔江西〕上饒，編者印行，
民29)，收蔣中正、孔祥祥、居正、陳誠、白崇禧等人文章47篇；
國民日報社編輯《抗戰三年：香港國民日報周年紀念冊》(香港，編
輯者印行，1940)。軍事委員會政治部編《抗戰四年》(重慶，編者印
行，民30)，收何應欽、孔祥熙、陳銘樞、老舍等人文章70餘篇；
國民黨中央宣傳部編《抗戰第四週年紀念手冊》(重慶，編者印行，民
30)，收〈中國國民黨抗戰建國綱領〉、〈抗戰四年來大事日誌〉等
文18篇；《《勝利的四年》(上饒，戰地圖書出版社，民30)，收蔣中
正、何應欽、孔祥熙、程潛、吳鐵城等人紀念抗戰四週年之文章21
篇。軍事委員會政治部編《抗戰五年》(重慶，編者印行，民31)，收
短文35篇，分圖照題詞、總裁訓示、綜論、軍事、內政、國際外
交、經濟建設、教育文化、社會敵情、文學藝術等類、書中有圖表
多幅；國民黨中央宣傳部編《抗戰第五週年紀念冊》(重慶，編者印
行，民31)，內收〈國民政府自衛抗戰聲明書〉、〈比京會議宣言〉

等文48篇，同上編《抗戰五週年中外紀念文獻選輯》（重慶，編者印行，民31）、延安各界紀念抗戰五週年籌備會編《抗戰五週年紀念冊》（延安，編者印行，民31）、大日本興亞同盟編印《聖戰五周年：支那事變から大東亞戰爭へ》（東京，1942）。國民黨中央宣傳部編《抗戰第六週年紀念冊》（重慶，編者印行，民32），全書分抗戰六年來重要文獻選輯、民國三十一年度黨政事業成績、抗戰六年來大事日誌等三個部分；彭文凱編《七七抗戰六週年紀念中外文獻匯編》（重慶，國民圖書出版社，民32），內分中國政府方面文告、盟邦政府及社會人士演說詞、中外各報輿論選錄等五個部分；惕文〈抗戰六年之小結〉（《大學月刊》2卷7期，民32年7月）。國民黨中央宣傳部編《抗戰第七週年紀念冊》（重慶，國民圖書出版社，民33），內分抗戰重要文獻選輯、抗戰大事日誌兩部分；同上編《抗戰第八週年紀念冊》（重慶，國民圖書出版社，民34），分四部分，其一為蔣中正的講演詞、訓詞、告書等15篇，其二為國民黨第六次全國代表大會文件12篇，其三為外交文件，包括友好條約、羅斯福遺言、杜魯門、宋子文等講演詞8篇，其四為〈保障人民身體自由辦法〉、〈修正律師法〉兩篇文章。藤原彰〈日米開戰後の日中戰爭〉（井上清、衛藤瀋吉編《日中戰爭と日中關係－盧溝橋事件50周年日中學術討論會記錄》，東京，原書房，1988）、M. F.・ユーリエ〈1994年の中國にて〉（《極東の諸問題》14卷2號，1985）、Hollington K. Tong（董顯光），ed., China After Seven Years of War,（New York: Macmillan, 1945）。

關於漫談、回憶或散論抗戰的論著和資料有蕭乾主編《抗戰嘉話》（香港，商務印書館，1995）及《抗日烽火》（同上）、廖容標等《抗日之烽火》(北京，中國青年出版社，1958)、安徽省政協文史資料委員會編《抗戰風雲》(合肥，安徽人民出版社，1987)，著重從抗日民族統一戰線的角度，以歷史見證人的回憶錄為主要形式，反映安徽抗日戰場的某些側面；林治波主編《中國抗日戰爭秘聞》(北京，北京出版社，1995)、卓列兵編著《血與火的昨天：中國抗日戰爭故事》(長沙，湖南文藝出版社，1995)、常迺媛等《大地重光：記八年抗戰》(太原，山西教育出版社，1995)、樂恕人《抗戰外記》(臺北，黎明文化事業公司，民66)、廖偉光《抗戰瑣記》(苗栗，撰者印行，民59)、康亦薇編著《抗戰軼聞》(臺北，琥珀出版社，民58)、胡學亮等編著《血眼朦朧－看不清的抗戰之謎》(北京，京華出版社，1994)、上海市政協文史資料委員會編《抗日風雲錄》(即《上海文史資料選輯》第50、51輯，2冊，上海，上海人民出版社，1985)、何理主編《為了祖國與和平：中國抗日戰爭風雲錄》(北京，學習出版社，1995)、巴金、冰心等《抗戰紀事》(北京，中國友誼出版社，1989)、舒乙主編、北京市政協文史資料委員會編《抗戰紀事》(北京，北京出版社，1995)、朱炳煦《中國抗戰史問答》(萬葉書店，民36)、司徒福等著、中央日報編印《抗戰歲月》(臺北，中央日報出版部，民74)、寧夏回族自治區政協文史資料研究委員會等編《在抗戰的日子裡(寧夏文史資料·第15輯)》(銀川，寧夏人民出版社，1986)、周錦選編《抗戰〝報告〞》(臺北，智燕出版社，民76)、中國社會科學院新聞研究所中國報刊史研究室編《抗戰烽火錄：《新華日報》通訊選》(北京，新華出版社，1985)、柳風《抗日－血祭太陽旗》(臺北，風雲時代出版公司，民84)、宋世綺、顏景政主編《記者筆下的抗日戰爭》(北京，人民日報出版社，1995)、丁孝智、孫繼虎編寫《抗日烽火》(蘭州，甘肅教育出版社，1993）、蚌埠市黨史辦公室編《烽火抗戰》（合肥，安徽人民出版社，1995）、白修德(T . H . White)著、馬清槐、方生譯《探索歷史：白修德筆下的中國抗日戰爭》（北京，三聯書店，1987）、白修德、賈安娜著、端納譯《中國的驚雷：外國人看中國抗戰》（北京，新華出版社，1988）、James Munro Bertram 著、林淡秋譯《中國的新生－外國人看中國抗戰》（北京，新華出版社，1986）、白修德著、崔陳譯《中國抗戰秘聞：白修德回憶錄》（鄭州，河南人民出版社，1988）、翁其鳳編撰《紀念抗戰五十週年：世界動盪的真實》（臺北，臺灣利進出版社，民77）、曲直生《抗戰紀歷》（臺北，撰者印行，民54）、李棠《抗日參戰記實》（臺北，撰者印行，民68）、魏久明主編《烽火憶抗戰》（北京，人民出版社，1995）、李先良《抗戰回憶錄》（青島，乾坤出版社，民37）、張發奎《抗日戰爭回憶記》（香港，蔡國楨出版，1981）、郭沫若《洪波曲：抗日戰爭回憶錄》（天津，百花文藝出版社，1959）、黃薇《回到抗戰中的祖國》（北京，新華出版社，1987）、陳存仁《抗戰時代生活史》（香港，長興書局，1979）、陳孝威《孝威抗戰論文選集》（香港，天文臺半週評論社，1938）、于斌《于斌主教抗戰言論集》（香港，真理學會，1938）、浦薛鳳《太虛空裏一遊塵：八年抗戰生涯隨筆》（臺北，臺灣商務印書館，民68）、張振華編著《一九三九年抗戰勝利的展望》（上海，上海群力出版社，民28）、岡田酉次《日中戰爭裏方記》（東京，東洋經濟新報社，1974），作者畢業於日本陸軍經理學校高等科及東京大學經濟學部，1936年任駐上海武官，抗戰爆發後，負責調運軍事物資及從事各種工作，並擔任南京維新政府、汪偽政府軍事顧問兼經濟顧問等，直接參與日中「和平」工作。抗戰勝利時，作者任陸軍主計少將，1958年為日本發條社副社長，其後轉任該社顧問；本書為其親身經歷的回憶，其中述南京維新政府、日本對華「和平」工作及汪政權事甚詳。R. Hilary Conroy, "Japan's War in China: An Ideological Somersault." (Pacific Historical Review, Vol. 21, No.4, 1952)、Harley F. MacNair, ed., Voices From Unoccupied China. (Chicago：University of Chicago Press, 1944)、石子順《日本の侵略中國と中國の抵抗──漫畫に見る日中戰爭時代》(東京，大月書店，1995)、藤原彰著、林衛平譯、蕭蘇校〈太平洋戰爭爆發後的日中戰爭〉(《國外中國近代史研究》21輯，1992年12月)、M. Yuriev, "China: The Year 1945." (Far Eastern Affairs, No. 1, 1986)、內田知行著、姚蘇譯〈日中兩國教科書所記述的十五年戰爭 (1931年～1945年)〉(《國外社會科學情報》1981年7期)、新島淳良〈中國の教科書にみる日中戰爭〉(《中央公論》80卷10號，1965年10月)、佐佐木元勝《野戰郵便旗──日中戰爭に從軍した郵便長の記錄(正、續)》(2冊，東京，現代史資料センター出版會；1973)、遠藤三郎《日中十五年戰爭と私》(東京，日中書林，1974)、〈日中十五年戰爭と私 (1-28)〉(《日中》2卷5號-4卷8號，1972年4月-1974年7月) 及〈日中戰爭への反省をこめて──戰中戰後の中國と私〉(同上，5卷2號，1975年1月)、石田一郎《戰中戰後私史──歷史の季惑》(東京，刀水書房，1984)、李振清《抗日戡亂各戰役回憶錄》(臺北，撰者印行，民45)、周策縱〈抗戰回憶極短篇〉(《傳記文學》67卷3期，民84年9月)。《星火燎原》編輯部編《星火燎原叢書》業書之四 (北京，解放軍出版社，1987)，為抗日戰爭回憶錄專輯，共收文53篇。李清白〈抗戰雜憶〉(《明報 (月刊)》139期，1977年7月)。

曾成貴〈愛國主義是中國抗日的精神支柱〉(《理論學刊》1995年
8期)、王福成等〈"築成我們新的長城"：抗日戰爭中全國軍民的
愛國主義精神〉(《求是》1995年17期)、羅立斌〈略謂抗日戰爭
時期的愛國主義〉(《廣西教育學院學報》1996年3、4期)、何理〈論
抗日戰爭時期的愛國主義〉(《抗日戰爭研究》1995年3期)、蔡德金〈抗
戰──愛國主義大發揚的光輝篇章〉(《北京師大學報》1995年4期)、
郭志根、劉建華〈抗戰時期中華民族愛國主義的歷史特點〉(《上海
師大學報》1995年3期)、姜文錚、姜紅〈抗日戰爭中愛國主義特點
探析〉(《華中師大學報》1995年2期)、陳立生〈抗戰時期中華民族愛
國主義的特點〉(《廣西社會科學》1995年4期)、王蒙〈抗日戰爭時期
我國愛國主義的特點及啟示〉(《唐都學刊》1995年4期)、梅世貞〈抗
日戰爭時期愛國主義的特點及啟示〉(《理論建設》1995年4期)、王
傳良〈抗日戰爭時期愛國主義的歷史地位、特點和重大意義〉(《江
西社會科學》1995年7期)、范印華〈抗戰時期愛國主義的時代特徵〉
(《國防大學學報》1995年3期；亦載《政工學刊》1995年8期)、郭偉〈抗
日戰爭的愛國主義精神及其歷史意義〉(《理論與改革》1995年8期)、
李誠〈抗日戰爭時期中華民族愛國主義精神的體現〉(《黨史縱覽》1995
年6期)、萬建強〈論抗日戰爭時期的愛國主義及在新時期的繼承和
發展〉(《求實》1995年8期)、潘治富〈試述抗戰歷史、愛國主義、
社會主義教育的結合〉(《江西社會科學》1995年7期)、馬兆明〈愛國
主義與全民族的抗戰〉(《理論學刊》1995年4期)、郭德宏〈抗日戰
爭時期的民族主義和愛國主義研究述評〉(《北京黨史研究》1995年1
期)。

劉庭華〈論中國抗日戰爭〉(《歷史教學》1995年7期)、陶希聖

〈中華民國抗日戰爭史新論〉(《食貨月刊》復刊14卷2期、7、8期合刊，民73年5月、11月，亦載《近代中國》48期，民74年8月）、劉建業〈抗日戰爭：中國近代史的轉折點〉(《傳記文學》49卷1期，民75年7月）、傅緯平《民族抗戰史略》(上海，商務印書館，民27）、倪仰孔〈抗日戰爭的概況及其基本經驗〉(《教學與調研》1985年2期）、蔣永敬〈抗戰的起因〉(《中華軍史學會會刊》創刊號，民84）、張秉均〈抗日戰爭史之研究——戰爭緣起〉(《三軍聯合月刊》13卷10期，民64年12月）、江口圭一《十五年戰爭の開幕》(《昭和の歷史》第4卷，東京，小學館，1982）、王維禮、高二音〈論抗日戰爭的開端〉(《東北師大學報》1986年3期）、徐公喜〈抗日戰爭時期開端之我見〉(《上饒師專學報》1995年1期）、廣德明〈抗日戰爭起點研究述評〉(《社會科學輯刊》1990年5期）、何英〈抗日戰爭究竟應從何時算起〉(《延安大學學報》1984年2期）、賈俊民等〈抗日戰爭時期上限新探〉(《上饒師專學報》1986年1期）、張錦堂〈試論抗日戰爭史上限問題〉(《社會科學輯刊》1985年5期）、江口圭一〈日中戰爭の全面化〉(《岩波講座日本歷史·20卷(近代7)》，東京，岩波書店，1976）、江口圭一著、陳鵬仁譯〈中日全面戰爭之爆發與陷入僵局〉(《近代中國》107期，民84年6月）、王明亮〈日本全面發動侵華戰爭的歷史原因〉(《黨史研究》1987年5期）、綦君〈對”全面抗戰”一詞的異議〉(《社會科學探索》1996年6期）、王秉忠〈”八年抗戰說”之異議〉(《社會科學輯刊》1987年5期）、唐德剛〈八年抗戰史新解雜錄〉(《傳記文學》67卷3期，民84年9月）、葉會西〈八年抗戰是怎樣打的？〉(《中華雜誌》120號，民62年7月）、劉本厚〈回憶八年抗戰教訓認識日本真相〉(《戰史彙刊》第5期，民62）、董伯庸〈關於中國抗日戰爭的命名和性質問題的思考〉(《合肥教育學院學報》1995年3期）、京師友〈抗日戰爭史若干問題討論簡記〉（《教學與研究》1986年1期）；〈抗日戰爭若干問題的學術探討〉（《大學文科園地》1985年5期）、王檜林〈有關抗日戰爭史的三個問題〉（《史學史研究》1990年2期）、田國棟〈抗日戰爭的兩個問題〉（《聊城師院學報》1992年4期）、董光訓〈對抗日戰爭中幾個問題的認識〉（《揚州師院學報》1985年3期）、廖蓋隆〈關於抗日戰爭的幾個問題〉（《黨史研究》1985年1期）、吳相湘〈中日戰爭的幾個問題〉（收入氏著《歷史的鏡子》，臺北，華欣文化事業中心，民63）。

鄭維生〈略論中國抗日戰爭階段的起點〉（《南開史學》1988年2期）、馬仲廉〈再談抗日戰爭的階段劃分〉（《抗日戰爭研究》1996年3期）、王志平〈抗日戰爭是中國新民主主義革命的特殊階段〉（《南充師院學報》1987年3期）、王墨君〈抗日戰爭是近代中國發展方向的重大轉折〉（《歷史教學》1995年11期）、胡德坤〈抗日戰爭是一場改變中國風貌的正義戰爭〉（《抗日戰爭研究》1995年3期）、王檜林〈抗日戰爭時期的中國總格局〉（同上，1991年2期）、胡民新、鄭生壽、張志強〈抗日戰爭新局面是怎樣開創的〉（《延安大學學報》1985年2期）、胡水華〈民族精神在抗日戰爭初期的展現〉（《上饒師專學報》1995年3期）、胡國樞〈重溫抗戰歷史，振奮民族精神：紀念抗戰爆發五十周年〉（《探索》1987年4期）、梁景德〈從抗日戰爭看民族氣節〉（《山西大學學報》1993年1期）及〈民族意識的覺醒與全民抗戰的形成〉（《青年論叢》1995年2期）、段華明〈中華民族民族意識在抗日戰爭中的歷史作用〉（《甘肅社會科學》1993年5期）、陳邵桂〈簡論中華民族在抗日戰爭時期形成的抗戰精神〉（《邵陽師專學報》1996年1期）、師迎祥、李君才〈論抗戰精神〉（《蘭州大學學報》1995年3期）、竹內好〈中國人の抗戰意識と日本人の道德意識〉(《知性》2卷5號，1949年5月)、阮家新〈統一的完整的抗日戰爭之芻議〉(《中共黨史研究》1993年5期)、孔凡嶺〈論獨立自主原則在抗戰中的堅持及運用〉(《濟寧師專學報》1995年2期)、萬世雄〈抗日戰爭時期中國革命的新篇章〉(《四川師院學報》1995年4期)、陳佳〈論抗日戰爭時期中國民主革命新道路理論與其實踐的發展〉(《福建黨史月刊》1996年2期)、韓勝朝〈中國革命道路理論在抗戰時期的發展〉(《南都學壇》1995年2期)、丸山昇〈抗日戰爭と革命戰爭の時代〉(《現代の中國文學》，東京，每日新聞社，1958)、山下龍三〈抗日戰爭時期の人民戰爭——抗日戰爭中·後期の階段を中心に〉(《中國研究月報》218號，1966年4月)及〈人民戰爭とはなにか，——日中戰爭の質的轉換〉(《月刊毛澤東思想》3卷7號，1970年6月)、藤井高美〈抗日民族解放戰爭〉(《愛媛法學》第5、6號，1973年3月、12月)、于學仁、馮連舉〈抗戰後期兩個中國之命運〉(《長白學刊》1985年4期)、周華、秦福清〈從甲午戰爭到抗日戰爭的啟示〉(《齊齊哈爾師院學報》1995年5期)、羅克祥〈近代兩次中日戰爭的歷史啟示〉(《淮海文匯》1995年10期)、俞祖華〈兩次中日戰爭的反思〉(《煙臺師院學報》1995年4期)、盧粉豔〈論中國抗日戰爭的世界性〉(《渭南師專學報》1996年3期)、姜心亮〈試論抗戰初期的全民抗戰熱潮〉(《淮海論壇》1992年6期)、何家驊〈八年抗戰是誰打的〉(載《孫中山先生與近代中國學術討論集》第4冊，臺北，民74)、喬金鷗〈是誰領導抗戰〉(《共黨問題研究》10卷1期，民73年1月)、蔣緯國《抗日戰爭指導：蔣委員長領導抗日堅苦卓絕的十四年》(臺北，遠流出版公司，民78)、朱文長〈抗戰艱苦的前因與後果〉(《傳記文學》49卷1期，民75年7月)、錢端升〈抗戰的目的〉(《今日評論》2卷1期,民28年6月)、周力行〈抗日戰爭因果之新評價〉(《戰史彙刊》第8期,民65)、蔣緯國編著《答抗戰禦侮戰史讀者問》(臺北,黎明文化事業公司,民68)、鷹隼《從百年來對外戰爭論證中國抗戰必然勝利》(上海,中華大學圖書公司,民28)、徐修宜〈抗日戰爭到國內戰爭之間不存在和平過渡時期〉(《學術論壇》1993年2期)、張靜〈共產國際和中國人民抗日戰爭〉(《南開學報》1995年5期)、滿鐵調查部編《支那抗戰力調查報告》(東京,三一書房,1970)、駱美玲〈腐敗對抗日戰爭的影響〉(《中國黨政幹部論壇》1996年10期)、安喜鳳〈中國抗日戰爭歷史功績縱橫談〉(《齊齊哈爾師院學報》1995年5期)、袁昌曉〈中華民族在世界反法西斯戰爭中作出了重大貢獻〉(《徐州師院學報》1986年3期)、張同新〈試論中國對世界反法西斯戰爭的歷史貢獻》(胡春惠主編《紀念抗戰勝利五十周年學術討論會論文集》,香港,1996)、齋藤孝〈中國における第二次世界大戰論》(《歷史評論》86號,1957年7月)、A. Zhelokhovtsev, The Chinese Assessment of Second World War." (Far Eastern Affairs, 1985 No.2)、許慶璞〈抗日戰爭對當代中國的特定影響〉(《山東師大學報》1995年4期)、黎東方〈第二次中日戰爭的初步總結〉(《傳記文學》37卷1期,民69年7月)及〈第二次中日戰爭史的一個初步總結〉(《華岡文科學報》13期,民70年6月)、孟國祥、張慶軍〈關於抗日戰爭中我國民民傷亡數字問題〉(《抗日戰爭研究》1995年3期)、張宗平、湯重南《200萬中國人之死》(瀋陽,遼寧古籍出版社,1995)、韓啟桐編《中國對日戰事損失之估計(1937-1943)》(上海,中華書局,民35;臺北,文海出版社影印,民63)、遲景德〈抗戰損失調查經緯初探》(《載《孫中山先生與近代學術討論集》第4冊,臺北,民74)、〈中國對日抗戰損失調查之研究》(《國史館館刊》復刊第2期，民76年6月)及《中國對日抗戰損失調查史述》(臺北，國史館，民76)、黃大受〈日本侵華損害估計〉(《文史學報(中興大學)》第8期，民67年6月)、孟國祥〈中國遭受日本侵華戰爭14年總損失的最新評估〉(《南京史志》1995年12期)、郭希華〈抗日戰爭時期中國損失調查及賠償問題〉(《歷史研究》1995年5期)、孟國祥、喻德文《中國抗戰損失與戰後索賠始末》(合肥，安徽人民出版社，1995)、江西省政府統計處編印《江西省抗戰損失調查報告》(南昌，民35)。葉國洪〈香港中史科有關抗日戰爭問題教學的評介〉(載胡春惠主編《紀念抗戰勝利五十周年學術討論會論文集》，香港，1996)。

抗戰人物傳記或人物與抗戰、抗戰時期人物的言行等，這方面的論著有國防部史政編譯局編纂《抗戰將士忠烈錄》(第1、2輯，共2冊，臺北，編纂者印行，民47及49)、張承鈞主編《抗戰英烈錄》(北京，北京出版社，1995)、馬洪武等編寫《抗日戰爭事件人物錄》(上海，上海人民出版社，1986)、曾景忠主編《抗日烽火群英》(武漢，湖北少年兒童出版社，1996)、中共中央黨史研究室科研管理部編《抗日英烈譜(1931－1945)》(北京，中共黨史出版社，1995)、馬齊彬主編《中國抗日陣亡將士傳》(石家莊，河北人民出版社，1987)、黨德信、楊玉文主編《抗日戰爭國民黨陣亡將領錄》(北京，解放軍出版社，1987)、茅海建主編《國民黨抗戰殉國將領》(鄭州，河南人民出版社，1987)、國民黨中央執行委員會宣傳部編印《抗戰英雄題名錄》(重慶，1943)、陳憲章編《抗戰先烈傳》(上海，大時代出版社，民26)、黨德信、楊玉文主編《國民黨抗戰驍將：炎黃忠魂錄》(北京，解放軍出版社，1994)、石魁、史立成編《共產黨抗戰英杰：救亡先驅錄》(同上)、陳以沛〈黃埔之英。民族之雄－紀念抗日殉國的黃埔英烈〉(《嶺南文史》1995年3期)、李劍白主編《抗日英烈傳》(東北淪陷十四年史叢書，北京，中國大百科全書出版社，1995)、司徒清等《碧血丹心：喋血抗戰的民族英烈》(太原，山西教育出版社，1995)、曾國杰編輯《抗戰軍人忠烈錄（第1輯)》(南京，國防部史政局，民37)、中國國民黨中央宣傳部編著《抗戰英雄傳記》(重慶，國民圖書出版社，民32)、劉一飛編選《抗日英雄特寫》(漢口，大時代書店，民27)、孟德祿編《抗日名將特寫》(上海，明明書局，出版年份不詳)、鄭士偉編《抗日名將剪影》(紹興，抗戰建國社，民28)、楊英編《抗日名將集影》(同上，民30)、梁中銘編繪《抗戰忠勇史畫》(上海，正氣出版社，民35)、郭沫若等《抗戰將領訪問錄》(戰時出版社，戰時小叢刊之10，出版時地不詳)。郭天佑、王汝柏編《山東抗日殉國將士》(北京，中國文史出版社，1995)、山西省志研究院編《山西抗日群英譜》(太原，山西古籍出版社，1996)、趙曉林等編著《陝西抗日將領年譜》(西安，陝西師大出版社，1995)、劉光明主編《湖北抗戰人物志》(武昌，華中師大出版社，1995)、安徽省黨史工作委員會編《安徽抗日英模譜》(合肥，安徽人民出版社，1995)、吳家林主編《北京抗日群英譜》(北京，北京出版社，1995)。趙衛東等《群賢報國：抗戰中的傑出愛國人士》(太原，山西教育出版社，1995)。尚明軒〈宋慶齡與抗日戰爭〉(《史學月刊》1988年3期)、張世福主編《宋慶齡與中國抗日戰爭》(上海，上海社會科學院出版社，1996)、吳宗明〈宋慶齡與抗日戰爭〉(《社會科學戰線》1995年4期)、陳漱瑜〈由香港到重慶：宋慶齡在抗日戰爭時期〉(《上饒師專學報》1988年1期)、蕭學信〈宋慶齡關於抗日戰爭的思想及其歷史地位〉(《廈門大學學報》1996年4期）、何繼良〈試論宋慶齡抗戰思想的演變——從"反蔣抗日"到"聯蔣抗日"〉（《上海大學學報》1996年2期）、唐寶林《深谷幽蘭－戰時"國母"風采》（桂林，廣西師大出版社，1993）、唐曼珍主編、西康武等著《抗日烽火中的宋氏三姐妹》（北京，中國社會科學出版社，1996）。李衍黔〈論孔祥熙在抗戰初期〉（《學術論叢》1994年5期）、閻肅、劉書禮〈孔祥熙在抗戰時期是如何聚斂財富的？〉（《山西師大學報》1986年1期）、王松、蔣仕民、饒方虎〈抗戰中和抗戰後的孔祥熙夫婦〉（《歷史教學》1992年5期）。龔和平〈張治中將軍在抗日戰爭時期的歷史作用〉（《武漢大學學報》1991年5期）、孫宅巍〈抗日戰爭中的陳誠〉（《江海學刊》1989年3期）、李也〈抗戰初期的陳誠〈《遼寧師大學報》1995年4期）、趙映林〈抗戰時期的薛岳〉（《民國春秋》1994年4期）、駱家榜、吳敬模《薛岳抗戰手稿》（中國新光印書館，民37）、張贛萍《抗日名將關麟徵》（香港，宇宙出版社，1969）、劉立雲《血滿弓刀：抗戰中的杜聿明將軍》（北京，中共中央黨校出版社，1995）、孫宅巍〈抗戰中的孫立人將軍〉（《學海》1995年1期）、夏國路《中華偉男：抗日戰爭中的楊靖宇將軍》（北京，中共中央黨校出版社，1995）、古僧編著《戴笠將軍與抗日戰爭》（臺北，華新出版社，民65）、張宜生《戴笠對抗戰之貢獻》（香港珠海大學歷史研究所博士論文，1983）、柴垣芳太郎《老舍と中日戰爭》（東京，東方書店，1995年）、馬樹禮〈抗戰期間王芃生先生的對日工作——紀念王芃生先生百年誕辰〉（《近代中國》81期，民81年4月）、安闈〈一本奇特的舊書《中日戰爭之我見》及〈林語堂的抗戰思想〉（《黨史研究與教學》1989年5期）、荊忠湘〈陳獨秀的抗戰主張〉（《青島師專學報》1993年2期）、王慕民〈千秋永對黃山月－記朱鏡我的抗戰業績〉（《寧波師院學報》1995年4期）、蕭學法〈抗日"鐵軍"和吳奇偉〉（《廣東史志》1995年3期）、今井駿〈龔德柏における抗日論と抗日戰略—「征倭論」を中心に〉（收入今井駿等編著《日中關係の相互のイメ－ジ—昭和初期を中心として》，東京，アジア政經學會，1975）、毛瑞明〈抗日戰爭時期陳嘉庚的貢獻〉（《江西師大學報》1995年4期）、李金榮、陳惠芳〈抗戰中的愛國僑領胡文虎〉（《檔案與史學》1996年1期）、馬少波〈抗日烽火中的梅蘭芳〉（《中國戲劇》1995年5期）、稻本朗〈「抗戰無關論」における梁實秋〉（《人文學報》（都立大學）253號，1994年3月）、東幸一郎、光岡玄編〈天皇と日中全面戰爭〉（《日中》7卷7號，1977年6月）。邵玉銘〈司徒雷登與中日戰爭〉（載《蔣中正先生與現代中國學術討論集》第2冊，臺北，民75）、趙德教、趙文莉〈埃德加·斯諾與中國抗戰〉（《河南師大學報》1995年4期）、Hugh Deane, ed., Evan F. Carlson on China at War. （New York: China and U.S. Publications, 1993）。至於蔣介石、李宗仁、胡適、閻錫山、馮玉祥、何香凝等人與抗戰的關連性的論著，已在第二、三冊中舉述，此處不再贅列。

其他與抗戰相關的論著尚有黃建新〈抗戰初期的救亡呼聲社〉（《廣州研究》1986年12期）、張義漁〈抗戰初期上海的"救亡協會"〉（《社會科學（上海）》1983年1期）、宮武謹一〈戰時中國のインフレーシヨン〉（《中國評論》1卷3號，1946年8月）。小林文男〈日本對中國的侵略與戰後責任——關於忘卻和教化的政治過程〉（《世界史研究動態》1993年8期）、張大林〈前事不忘，後事之師：駁部分日人歪曲二戰歷史的謬論〉（《國際問題研究》1995年3期）、藤原彰〈日本ファシズムと日中戰爭〉（《岩波講座世界歷史》28，東京，岩波書店，

1971）及〈日本ファシズムと對中國侵略戰爭〉（《日本ファシズムと東アジア》，東京，青木書店，1977）、山根幸夫〈女子大生は日中戰爭をこう考える〉（《歷史評論》269號，1972年11月）、鄭傳芳〈石島紀之與《中國抗日戰爭史》〉（《福建黨史月刊》1989年4期）、中國歸還者聯絡會編、張惠才等譯《侵華日軍戰犯手記》(北京，中共黨史出版社，1991)、黃海舟、郭金才編《28名侵華戰犯奸淫殺戮大懺悔》(2冊，西寧，青海人民出版社，1995)、中國歸還者聯絡會編、袁秋白等譯《歷史的見證：日軍懺悔錄》(北京，解放軍出版社，1994)、山田清吉《武漢兵站：支那派遣軍慰安係長の手記》(東京，圖書出版社，1992)、中國歸還者聯絡會編、楊軍、張婉茹譯《我們的手沾滿了鮮血－侵華日軍士兵的反省手記》(北京，中國和平出版社，1991)、島村三郎〈一中國戰犯の手記〉（《中國研究》54、56、58號，1974年9、11月、1975年1月）、中國歸還者連絡會等編《侵略－中國における日本戰犯の告白》(東京，新讀書社，1958)，其中譯本為袁韶瑩譯《日本戰犯的自白》(濟南，山東人民出版社，1985)、于雷編著、純厚譯《戰犯的自白》(瀋陽，春風文藝出版社，1991)、石橋湛山《日中戰爭への警告》(東京，東洋經濟新報社，1971)、黑羽隆清〈十五年戰爭における戰死の諸相──「統計」と「歌」〉（《思想》566號，1971年8月）、劉忠良〈抗日戰爭中被我擊斃的日軍高級將領〉（《荷澤師專學報》1990年8期）、張子申、薛春德編《斃命中國的百名日軍將領》(北京，解放軍出版社，1990)、劉敬坤〈抗日戰爭中被擊斃的日軍軍階最高的將領是誰？〉（《近代史研究》1986年5期）、高曉星〈在華斃命的日軍最高將領應是大角岑生〉（同上，1988年1期）、東方明《侵華日軍十大惡魔：紀念世界反法西斯戰爭勝利五十周年》(北京，中國文聯出版公司，1995)、張志東等《戰爭狂魔：屠戮中國人民的法西斯劊子手》(太原，山西教育出版社，1995)、渡邊龍策《馬賊──日中戰爭史の側面》(東京，中央公論社，1961)、寒放〈二次大戰期間日本侵華形勢圖〉(《世界知識》1987年13期)、齋藤道彥〈日本國內關於日中戰爭言論的動向〉(《北京師大學報》1995年4期)。伊原澤周〈「大東亞共榮圈」論的成立及其構想〉(載《第三屆近百年中日關係研討會論文集》下冊，臺北，民85年3月)、趙建民〈「大東亞共榮圈」的迷夢與實現〉(胡春惠主編《紀念抗戰勝利五十周年學術討論會論文集》，香港，1996)、竹內實〈ああ大東亞共榮圈・宣撫の思想〉(《新日本文學》27卷10、11・12號，1972年11、12月)及〈ああ大東亞共榮圈・難民の思想〉(同上，25卷11號，1970年11月)、外務省條約局《大東亞共榮圈第二次歐洲大戰關係條約集》(東京，日本國際協會，1941)、小林英夫《「大東亞共榮圈」の形成と崩壞》(東京，御茶の水書房，1975)、邱淑蓉〈論日本"大東亞共榮圈"理念的形成〉(《日本學報》第5期，民73年12月)、岡部牧夫〈"大東亞共榮圈"論〉(載《戰爭と民眾》，東京，1996)、林明德〈大東亞共榮圈的興亡〉(《歷史月刊》91期，民84年8月)。中國大陸問題研究中心《兩次大戰與中國前途》(臺北，學海出版社，民74)。

九、戰後中國的動向（1945～1949）

　　民國三十四年（1945）八月日本宣布投降，至三十八年十二月中華民國政府（行政院）自成都遷往臺北，此一為時四年多的戰後中國，西方學者多以「中國內戰」（Civil War in China）時期稱之，中國大陸的史學家多以「第三次國內革命戰爭時期」或「解放戰爭時期」稱之，臺灣的史學家則多以「戡亂」時期，或「行憲與戡亂」時期稱之。較中性的則為「國共內戰」時期，或於之前加「戰後」兩字。編者在編著本書之前的構想，本單元擬以「戰後的國共對決」為標題，但如今再深思之，覺得其涵義太過狹隘，乃易為「戰後中國的動向」。有關這方面的通論性論著和資料少之又少，楊家駱主編的《大陸淪陷前之中華民國－民國卅七份中華年鑑》（5冊，臺北，鼎文書局，民62），實際上就是中華年鑑編纂委員會編的《中華年鑑》（南京，中華年鑑社，民37），予以更名而已。其他近似通論性的約有教育部編《戰後之新中國》（上海，中華書局，民35）、草野文男《中國戰後の動態》（東京，教育出版，1947）、易君左《戰後江山》（鎮江，江南印書館，民37）、北京高校協作組〈解放戰爭時期講義（初稿）（一）至（九），（1945.9～1949.10）〉（《教學與研究》1961年1～4期、1962年1～5期）、西邑久美子《第三次國內革命戰爭期》（關西大學史學地理科畢業論文，1983年度）、中國社會科學院貴州分院哲學社會科學研究所編《第三次國內革命戰爭時期大事簡記》（貴陽，貴州人民出版社，1961）、《奮進》雜誌編輯部〈第三次國內革命戰爭時期大事記（1946.8～1948.6）〉（《奮進》1961年2、3期）、浙江人民出版社編輯《第三次國內革命戰爭時期大事記（1945～

1949)》(杭州，編輯者印行，1961)、新華社編《什麼人應負戰爭責任－日本投降以來大事月表》(北平，解放報社，民38)。謝東圍編《國內大勢》(南京，國防部新聞局，民35)，為抗戰利後一些重大事件的情況紀錄；康丹《中國之新生》(香港，新中國社，1948)，其形式類似年鑑，主要介紹抗戰勝利後至1948年國民黨統治區內的政治、經濟、軍事、社會團體等方面的情況。辛達謨〈大陸淪陷前的客觀形象－西德前外交官摩爾著「中國大陸淪共前被埋沒的年代」評介〉(《近代中國》51期，民75年2月)、渡邊龍榮《人民中國の成立前史》(東京，雄雅堂出版，1984)。國民黨黨史會編印《中華民國重要史料初編－對日抗戰時期‧第七編：戰後中國》(4冊，臺北，民70)。

(一)接收與善後

1.接收方面

有完顏紹元《大接收》(上海，上海遠東出版社，1995)、王秀玲〈南京國民政府對收復區的接收〉(《百科知識》1992年12期)、沈上明〈抗戰勝利後軍事接收決策問題的探討〉(載《中華民國史專題論文集：第三屆討論會》，臺北，國史館，民85)、孫宅巍〈國民政府經濟接收述略〉(《民國檔案》1989年3期)、丁永隆〈淺議抗戰勝利後國民黨政府的經濟接收〉(《蘇州大學學報》1985年1期)、尹書博〈"劫收"對國民黨政權衰敗的影響〉(《黨史研究與教學》1990年5期)、崔廣陵〈"劫收"與國民黨政權在大陸的迅速覆亡〉(同上，1994年2期)、張茲闓〈勝利後接收經驗〉(《傳記文學》10卷3期，民56年3月)、舒靖南〈抗戰勝利後的一幕劫收分贓醜劇〉(《江淮文史》1995年1期)。
關於接收東北的論著及資料有高純淑《戰後中國政府接收東北之經
緯》(中國文化大學史學研究所博士論文，民82年6月)及〈抗戰勝利後
國民政府接收東北的部署〉(載《中華民國史專題論文集－－第三屆討論
會》，臺北，國史館，民85)、江芳銳《第二次世界大戰後中國接收
東北之研究》(中國文化大學政治研究所碩士論文，民70年7月)、馬若
孟(Ramon H. Hyers)〈民國三十四年八月十五日至年底中國國民
黨及蘇聯接收東北之計畫〉(載《中華民國建國史討論集》第5冊，臺北，
民70)、王國君〈抗戰勝利後國民黨對東北的"接收"〉(《龍江社會
科學》1994年5期)、吳煥章〈日本投降後東北接收的回顧〉(《東北研
究論集(1)》，臺北，民46)及〈抗戰勝利後接收東北的回憶〉(《傳記文
學》24卷2、3期，民63年2、3月；亦載《東北文獻》6卷1～3期，民64
年8、11月、65年2月)、田雨時〈東北接收三年災禍罪言(1～15)〉
(《傳記文學》35卷6期、36卷1～6期、37卷1、3、4、6期、38卷1～4
期，民68年12月、69年1～6月、7、9、10、12月、70年1～4月)、
姚崧齡輯〈張公權日記中有關東北接收交涉經過〉(《傳記文學》36卷
2、3、4、6期、37卷1、3、4期、38卷1～4期，民69年2、3、4、6、
7、9、10月、70年1～4月)、陳嘉驥〈張嘉璈在東北〉(《傳記文學》
35卷6期，民68年12月)及〈東北接收與淪陷始末〉(《東北文獻》3卷
3期，民62年2月)、金戌〈東北接收與淪陷痛記〉(同上，5卷1期，
民63年8月)、朱新民〈戰後中蘇關係暨接收東北談判鱗爪〉(載《中
國外交史論集》第1集，臺北，民46年11月)、王續添〈略析國民黨"接
收"東北的派系角逐〉(《革命春秋》1993年2期)、香島明雄〈滿州
における戰利品問題をめぐって(《京都產業大學論集》9卷1號，1980

年1月)及〈舊滿州產業をあぐっる戰後處理－中ソ合并交渉の挫折を中心に〉(同上，14卷2號，1985年3月)、劉國武〈戰後中蘇兩國處理東北日偽產業的糾紛〉(《衡陽師專學報》1994年5期)、永島勝介著、劉晶輝譯〈最後留在"滿州"的技術集團：東北行營經濟委員會的日本人留用記錄〉(《黑河學刊》1990年2期)、于衡〈國軍接收後的長春－採訪二十五年之二〉(《傳記文學》20卷2期，民61年2月)。平津的接收有林桶法《戰後國民政府平津地區的接收與復員》(政治大學歷史研究所博士論文，民83年3月)及〈戰後國民政府接收人員貪污問題之探討－－以平津區為例》(載《中華民國史專題論文集：第三屆討論會》，臺北，國史館，民85)。上海的接收有崔美明〈上海"劫收"實錄〉(《檔案與歷史》1986年2期)及〈宋子文主持下的上海區敵偽產業處理局〉(《近代史研究》1988年1期)、施泉平編選〈1945年國民政府上海區敵偽產業處理局工作報告〉(《檔案與歷史》1989年3期)。綏遠的接收則有張隱夫〈對日抗戰勝利後綏遠省接收概述〉(《綏遠文獻》第4期，民69年12月)。他如山價作啟〈抗戰勝利後國民黨山東省政府進入濟南之真相〉(《民國檔案》1989年4期)、郭疇〈勝利後武漢接收親歷記〉(《湖北文獻》第4期，民56年7月)；《臺灣警備總司令軍事接收總報告書》(臺北，正氣出版社，民35)、吳清玉等整理〈抗戰勝利後中國海軍奉命收復南沙群島實錄－－幾位歷史見證人的回顧〉(《軍事歷史》1989年2期)、露沙、健祥〈戰後香港接收內情〉(《港澳研究》1986年1期)。

2. 善後方面

　　如復員、還都、遣返日俘日僑、審判戰犯及向日索賠等問題有
張建基〈國民黨"復員整軍"述評〉(《軍事歷史研究》1994年2期)、
劉尚信〈戰後國民政府教育復員述論〉(《徐州師院學報》1993年3期)、
林桶法〈戰後國民政府高等教育復員的困境〉(載《慶祝抗戰勝利五十
周年兩岸學術研討會論文集》上冊，臺北，近代史學會，民85)、王義同
〈對湖北教育復員工作之觀感〉(《教育雜誌》1卷7號，民35年6月)、
許同莘〈復員中關於豫省建設者二事〉(《東方雜誌》42卷4號，民35)、
周綏章〈論學術復員與學術建國〉(同上，42卷5號，民35)、黃時樞
編著《還都南京》(上海，大成出版公司，民37)、陳良弼〈勝利還都
與撤退來臺的回憶〉(《傳記文學》52卷6期，民77年6月)。李正華〈論"
八・一五"後在華的日僑日俘〉(《雲南教育學院學報》1995年1期)、
梅桑榆《侵華日俘大遣返》(濟南，濟南出版社，1991)及〈以德報怨
世界歷史上空前義舉：三百萬侵華日俘遣返實錄〉(《傳記文學》65卷
4期，民83年10月)、完顏紹元《大遣返》(上海，上海遠東出版社，
1995)、劉文煥〈遣返日俘實錄〉(《中外雜誌》17卷5期，民64年5月)、
梅桑榆〈在日俘大遣返中女俘女僑的遭遇〉(《傳記文學》66卷2、3期，
民84年2、3月)。劉慶旻選編〈日本重要戰犯名單〉(《北京檔案史料》
1990年2～4期、1991年1期)、陳長河、錢建明〈抗戰勝利後對日本
戰犯的審判〉(同上，1995年4期)、郭曉華《東方大審判－－審判
侵華日軍戰犯紀實》(北京，解放軍文藝出版社，1995)、李榮〈國民
政府審判侵華日軍戰犯略論〉(《抗日戰爭研究》1995年3期)、胡菊蓉
〈中國軍事法庭對日本侵華部分戰犯審判概述〉(《史學月刊》1984年4
期)、吳湘匡〈世紀大審判－中國法官公審日本戰犯紀實〉(上)(《中
外雜誌》60卷6期，民85年12月)、齊福霖〈南京日本戰犯審判〉(《歷

史月刊》104 期，民 85 年 9 月）、覃雨甘〈南京審處日本戰犯親歷記〉
（《貴州文史天地》1995 年 6 期）、魏白編著《南京大審判揭秘：國共兩
黨懲奸紀實》（北京，國際文化出版公司，1995）、山西省人民檢查院
編《偵訊日本戰犯紀實：太原，1952－1956》（北京，新華出版社，
1995）、石美瑜〈審判戰犯回憶錄〉（《傳記文學》2 卷 2 期，民 52 年 2 月）、
夏里〈日本特務頭子土肥原被絞記〉（《民國春秋》1995 年 6 期）；至
於漢奸的審判懲處，已在「戰時政治」之傀儡政權中舉述，可參閱
之。殷燕軍《中日戰爭賠償問題》（東京，御茶の水書房，1996）、中
國研究所編《日中關係と戰爭責任：賠償問題をめぐつて》（東京，
編者印行，1991）、戴建兵〈日本戰爭賠償問題初探〉（《河北經貿大學
學報》1996 年 1 期）、遲景德〈戰後中國向日本索取賠償研究〉（載《國
父建黨革命一百周年學術討論集》第 3 冊，臺北，民 84）、翁有利〈國民
政府與日本戰爭賠償問題〉（《東北師大學報》1996 年 4 期）、劉波〈戰
後日中關係における戰爭賠償問題－國民黨政府の對日賠償問題處
理を中心に〉（《法と政治》46 卷 1 號，1995 年 3 月）、楊盛雲〈抗戰勝
利後國民黨政府對日索賠始末〉（《百科知識》1996 年 3 期）及〈戰後
國民黨政府對日索賠問題〉（《歷史教學》1996 年 10 期）、歐陽雪梅〈關
於抗戰勝利後國民黨政府對日索賠問題〉（《湘潭大學學報》1995 年 4
期）、孟國祥〈關於國民黨政權向日本索賠問題〉（《近代史研究》1991
年 2 期）及〈二次大戰後向日本索賠始末〉（《民國春秋》1990 年 4 期）、
姜維久〈二戰賠償問題評述〉（《學術月刊》1995 年 8 期）、唐德剛〈紀
念抗戰·對日索賠－「日本侵華百年－華人對日本索賠國際研討
會」講辭〉（《傳記文學》65 卷 1 期，民 83 年 7 月）、陳景彥〈中國民間
對日索賠問題〉（《文史雜誌》1996 年 6 期）、周延明〈歷史的回聲：

中國民間對日索賠〉（《社會工作》1995年5期）、江鵬九〈再論二戰遺留下來的賠償問題：要求日本對中國民間實行受害賠償綜述〉（《江漢大學學報》1992年2期）、姜維久〈日本向戰爭受害者個人賠償的若干問題〉（《社會科學戰線》1995年5期）、殷燕軍〈中日間の戰爭賠償問題の解決について――日華條約と日中共同聲明における賠償問題の比較研究〉（《中國研究月報》49卷5號，1995年7月）、伊東昭雄〈日中戰爭における戰爭責任と賠償問題一つの思想史的考察〉（《横濱市立大學論叢（人文科學系列）》45卷1號，1995年3月）、丁果〈日本應否對華賠款新議〉（《明報（月刊）》302期，1991年2月）、加加美光行〈日中國交正常化二〇周年と戰爭責任－賠償問題を中心に〉（《季刊中國研究》26號，1992年12月；亦載《愛知大學國際問題研究所紀要》97號，1992年9月）、中華民國駐日代表團編印《在日辦理賠償歸還工作綜述》（臺北，文海出版社影印，民66）、宮崎繁樹〈國際による差別－臺灣人元日本士兵の補償問題》（《國際研究問題（八千代國際大學）》6卷1號，1993年4月）。其他如翁有利〈談戰後國民黨政府對日派遣占領軍問題〉（《松遼學刊（四平師院學報）》1996年3期）、吳兆鵬〈日本投降後中國參與對日本的占領》（《民國春秋》1994年4期）、中國第二歷史檔案館〈抗戰勝利後國民政府留用日本原子能專家的一組史料〉（《民國檔案》1994年3期）、植田捷雄〈終戰後に於ける在華日本權益の處理とその將來》（《國際法外交雜誌》45卷11號，1946年12月）。謝劍〈試論日本的戰爭責任－兼評石田英一郎的《一個愛與恨的文化》》（胡春惠主編《紀念抗戰勝利五十周年學術討論會論文集》，香港，珠海書院亞洲研究中心，1996）、王建民〈戰後日本對侵略戰爭的態度與歷史責任之評判〉（同上）、葉龍〈論中國八年抗日戰爭勝利後的總結問題〉（同上）。

(二)政、經等情勢

1.政治方面

　　以政治、政局（或時局）等為題的有〔日本〕外務省調查局第五課編印《戰後における中國政治》（東京，1948）、Suzanne Pepper, Civil War in China: The Political Struggle, 1945 ～ 1949.（Berkeley: University of Califorina Press, 1978）、竹葳茂雄《中國戰後の政治‧經濟－－中共を中心として》（東京，慶應出版社，1946）、馮正欽〈南京國民政府覆滅前夕的政治與經濟〉（《華東師大學報》1991年3期）、許紀霖〈四十年代末期國民黨政治衰敗新論〉（《探索與爭鳴》1993年2期）。胡華等編《日本投降以來中國政局史話》（河北，冀中新華書店，民36），係華北聯大教育學院中國近代史研究小組編寫，全書凡四章，分記第一次武裝鬥爭時期、和平鬥爭時期、第二次武裝鬥爭時期、堅持和平民主獨立反對內戰獨裁賣國等；書後附「中外大事記（1945年8月～1947年5月）」，係為中共宣傳的論著。曲家源〈抗戰勝利後中國政局的走向－－歷史的選擇過程〉（《河北師大學報》1991年2期）；《八月以來的時局》（長城書店出版，民34年10月）、求知出版社編《論當前時局》（求知出版社，民35）、正報社編印《當前時局重要問題》（民35年印行）、吳其全〈戰後初期時局略談〉（《鹽城師專學報》1987年4期）、費正清著、李嘉譯《美人所見中國時局真相》（現實出版社，民35）、Randall Gould, China in the Sun.（Golden

City, N. Y.: Doubleday & Co., Inc., 1946）、A. Doak Barnett, China on the Eve of Communist Takeover.（N. Y.: Praeger Pub., 1963）。王沛、任慶國〈關於抗戰勝利後中國的發展道路問題〉（《中共黨史研究》1988年4期）、忻平〈戰後中國道路評議〉（《上海大學學報》1996年2期）、中司清〈戰前の中國と戰後の中國〉（《三田評論》712號，1972年2月）、東北日報社編《中國巨大變化的一年（1946.7～1947.6）》（東北書店，民36）。

制憲與行憲：有方仁《制憲國民大會研究》（中國文化大學史學研究所博士論文，民82年6月）、〈先總統蔣公與制憲國民大會〉（《近代中國》80、81期，民79年12月、80年2月）及〈孫科與制憲國民大會〉（載《中華民國史專題論文集：第一屆討論會》，臺北，國史館，民81）、王宗榮〈國民黨的"制憲國大"與"改組政府"〉（《歷史教學》1992年6期）、國民大會秘書處編印《國民大會實錄》（2冊，南京，民35-36）、崔書琴〈國民大會能否成為常設民權機關之檢討〉（《東方雜誌》42卷1號，民35）、中央日報社編《國民大會紀念冊》（南京，中央日報社，民36）、國民大會代表選舉總事務所編印《國民大會代表選舉實錄輯要》（南京，民36）、郭泉編《國民大會紀略（民國三十五年十一月）》（編者印行，民36）、黃香山主編《國民大會特輯》（南京，東方出版社，民36）、郭一清編《國大情報》（共27冊，民37年3月-4月出版）、三一聯誼社編印《三一國大專號》（南京，民36）、谷音、田青編《國大外史》（上海，大夏書店，民37）、方仁〈中華民國憲法草案之議訂與修訂〉（《國立中央圖書館臺灣分館建館七十八年改隸中央二十週年紀念論文集》，臺北，民82年1月）、馬起華〈從憲草修正到憲法制成〉（《近代中國》19期，民69年10月）、朱諶〈中國國民黨與中華民國憲法的制定〉（《政治文化》創刊號，民74年4月）及〈中華民國憲法之制定及其內容之評述〉（《近代中國》50期，民74年12月）、荊知仁〈中華民國憲法之制定與行憲之準備〉（《歷史教學》1卷3期，民77年11月）、喬寶泰《中華民國憲法與五五憲草之比較研究》（臺北，中央文物供應社，民67）、劉錫五《中華民國行憲史》（臺北，中華文化出版事業委員會，民47）、王文〈中國憲政史實考－－行憲與戡亂〉（《德明學報》第4期，民71年11月）、沈雲龍〈我國憲政體制的回顧〉（《傳記文學》49卷4期，民75年10月）、陳柏心〈國民大會的組織職權及其存廢問題〉（《東方雜誌》43卷18號，民37）、朱文光〈第一屆國民大會的經過和感想〉（同上，44卷6號，民37）、羅典榮〈國民大會的存廢問題〉（同上，44卷9號，民37）、朱克勤《出席國民大會記（卅七年三月）》（廣州，工商航業無限公司，民37；臺北，文海出版社影印，民66）、織田松次〈「行憲國民大會」紀要〉（《法學研究（慶應大學）》21卷12號，1949年12月）、王宗榮〈國民黨的"行憲國大"與總副總統選舉〉（《民國檔案》1991年4期）、樂恕人〈第一任總統副總統的選舉〉（《傳記文學》40卷5期，民71年5月）、蔡孟堅〈第一屆國代選舉總統副總統的回憶－－略記當年主流派與黨國元老間的一段佳話〉（同上，68卷1期，民85年1月）、諸葛達〈副總統競選觀察〉（《新聞天地》37期，民37年4月）、陳英明編《副總統競選風波》（上海，新潮出版社，民37）、齊衛平〈"行憲國大"副總統競選鬧劇〉（《黨史文匯》1995年12期）、陳茹玄〈行憲後之立法院〉（《東方雜誌》43卷17號，民37）、陳玉祥〈立委之選舉糾紛及法定配額〉（同上，44卷8號，民37）、杜光塤〈行憲後的監察院〉（同上，44卷2號，民37）。

政黨和派系：有吳淑鳳〈行憲前後的政黨協商（1946～1948）〉

（載《中華民國史專題論文集：第三屆討論會》，臺北，國史館，民85）、
Lloyd E. Eastman, "China's Democratic Parties and the Tempations
of Political Power, 1946～1947." (Republican China, Vol. 17, No. 1, Nov.
1991)，其中譯文為易勞逸著、張友雲譯〈1946～1946年的中國
民主黨派及政權的誘惑〉（載《國外中國近代史研究》21輯，1992年12
月）；宋連勝、呂雅範〈民主黨派在解放戰爭中的作用及其特點〉
（《長白學刊》1990年6期）、陳向東、宋連勝〈民主黨派在解放戰爭中
的作用及其特點〉（《陰山學刊》1990年2期）、田武恩〈試論我國民主
黨派在解放戰爭時期的歷史貢獻〉（《史學月刊》1991年3期）、朱興義
〈略論民主黨派在第三次國內革命戰爭時期的歷史作用〉（《長春師院
學報》1987年3期）、艾多〈試論解放戰爭時期民主黨派的變化發展
及其歷史經驗〉（《東北師大學報》1989年6期）、林祥庚〈民主黨派為
進行解放戰爭建立新中國作出的歷史功績〉（《黨史研究與教學》1991
年6期）、趙洪昌、孫杰〈試論解放戰爭時期民主黨派與共產黨的關
係〉（《內蒙古民族師院學報》1991年3期）、宋春、劉志超主編《民主
黨派與中共合作史》（瀋陽，遼寧大學出版社，1991）、關耳、彭付芝
〈淺析抗日戰爭後民主黨派靠近中國共產黨的原因〉（《南都學壇》1989
年4期）、郝秋陽、田春發〈解放戰爭時期的民主黨派與學生運動〉
（《吉林師院學報》1991年3、4期）、李承綺、陳天綬〈另一條戰線上
的鬥爭：析解放前夕福建民主黨派的反蔣活動〉（《福建黨史》1992年
7期）、裘仁根〈民主黨派與新政協運動〉（《溫州師院學報》1989年4
期）。朱宗震〈民盟從籌建到1947年解散的歷史定位〉（《近代中國》
第5輯，上海社會科學院出版社，1995年6月）、邱錢牧等〈試論中國民
主政團同盟的成立與意義〉（《北京師院學報》1982年2期）、松永成太

郎《內戰期中國民主同盟の研究》（慶應大學法學研究所碩士論文，1968）、吳道芬〈中國民主同盟在解放戰爭時期的貢獻〉（《實事求是》1991年1期）、姜平〈解放戰爭後期的中國民主同盟〉（《齊魯學刊》1983年4期）、周青山〈解放戰爭時期民盟對蔣態度演變之考察〉（《湖北師院學報》1994年4期）、王榮剛〈民主革命時期民盟與中國共產黨的密切合作〉（《近代史研究》1984年6期）、平野正著、張軍民譯〈民主同盟響應中國共產黨召開新政治協商始末〉（《龍江黨史》1992年4期）、李繼民〈解放戰爭初期國共談判與中國民主同盟〉（《遼寧大學學報》1987年6期）、黃偉〈試析中國民主同盟調解國共關係的作用〉（《安徽教育學院學報》1989年1期）、尚丁〈碧血作證：民盟與中共的一段患難情〉（《紅岩春秋》1990年3期）、劉秋平〈略論民盟在重慶談判時期的歷史作用及其局限性〉（《上饒師專學報》1986年3期）、曲青山等〈論解放戰爭時期的中國民主同盟與中間路線－－兼評民盟歷史研究中的兩種傾向〉（《青海社會科學》1987年2期）、邱錢牧等〈論民主同盟三中全會〉（《北京師院學報》1983年2期）、王榮剛〈亦論民主同盟三中全會的轉折－－與邱錢牧、林健柏同志商榷〉（《北京師院學報》1985年1期）、李玉榮〈試論民盟從愛國進步走向革命的原因〉（《山東師大學報》1992年2期）、潘大逵〈解放前我在民盟的一些活動〉（《群言》1990年10期）、趙錫驊〈民盟在反對偽國大的鬥爭中〉（《紅岩春秋》1990年3期）、曾楚樵〈民盟在長沙地下鬥爭述略〉（《長沙史志通訊》1985年3期）、馮克熙〈我經歷的民盟在重慶的活動：紀念民盟成立50周年〉（《重慶黨史研究資料》1990年3期）、津野田興一〈羅隆基の戰後民主主義構想－1945年民主同盟臨時全國代表大會との關連で〉（《近きに在りて》19號，1991年5月）、金偉春〈中國民主同盟與中間道路評析〉(《浙江學刊》1987年2期)、孫祚成〈民盟歷史上的光輝篇章：評－一九四七年四月二十五日《中國民主同盟對時局宣言》，(《聊城師院學報》1987年1期)、矢島鈞次〈民主同盟と內戰反對〉(《中國評論》1卷4號，1946年12月)、林可璣〈從「中國民主政團同盟」到「中國民主同盟」的一段回憶〉(《傳記文學》45卷5期，民73年11月)、中共文獻研究室注釋組〈關於1947年民盟總部被迫解散問題〉(《文獻和研究》1987年5期)；至於抗戰時期的民盟及其活動，已在「抗日戰爭」單元之戰時政治中舉述，可參閱之。趙文莉〈淺談第三次國內革命戰爭時期的中國青年黨〉(《河南師大學報》1992年3期)、曾平輝、夏琢瓊〈中國工農民主黨在解放戰爭時的歷史貢獻〉(《華南師大學報》1989年4期)、周淑真等《中國民主促進會、中國致公黨、九三學社、臺灣民主自治同盟歷史研究》(北京，中國人民大學出版社，1996)、中國民主建國會中央委員會宣傳部編《中國民主建國會五十年》(北京，民主與建設出版社，1996)、九三學社中央宣傳部《九三學社五十年：1945～1995》(北京，學苑出版社，1996)、陳鋒主編《湖北九三學社史》(武漢，華中理工大學出版社，1996)、張小滿〈九三學社成立的歷史作用及其特點〉(《南都學壇》1990年1期)、陳長河〈中國新社會革命黨述略〉(《檔案與史學》1996年2期)、同祥順〈抗戰勝利後中華民族解放行動委員會的民主立場評議〉(《東岳論叢》1988年4期)、范力〈國民黨與舊政協關係初探－－兼評國民黨政府迅速崩潰的政治導因〉(《山西大學學報》1992年4期)、山田辰雄〈在和平民主主義階段的中國國民黨戰後政權構想〉(載《民國檔案與民國史學術討論會論文集》，北京，檔案出版社，1988)、吳淑鳳〈行憲前後的黨政關係（1946～1948）〉(載《中華民國史專題論文集－第三屆討論會》，臺北，國史館，民85）、汪朝光〈抗戰勝利國民黨東北決策研究〉（《歷史研究》1995年6期）、曾濟群〈中國國民黨與動員戡亂〉（《政治文化》創刊號，民74年4月）；國民黨的六屆二中全會（1946年3月8日至17日在重慶，召開）有遼東建國書社編印《評國民黨二中全會》（民35年3月印行）、蕭颺編《評國民黨二中全會》（山東新華書店，民35年5月）、金門出版社編印《評國民黨二中全會》（民35年印行）、新嫩江報社編印《評國民黨二中全會》（民35年印行）、晉察冀日報社資料科編《國民黨二中全會面目》（張家口，新華印刷局，民35）、高橋勇治〈終戰時中國における中國國民黨路線と中國共產黨路線〉（收於《太平洋終結論》，東京，東京大出版會，1958）、岩村三千夫〈中共政治攻勢の波紋－國民黨は分解するか〉（《世界文化》3卷11號，1948年11月）、李曉紅〈中國國民黨革命委員會為新中國誕生作的貢獻〉（《河南大學學報》1989年4期）、王德夫〈解放戰爭時期民革策反和組織武裝活動概述〉（《中共黨史資料》1990年34輯）、夏英〈解放前夕民革籌劃南京暴動經過〉（《南京史志》1984年6期）、王鼎臣〈黎明前的殊死搏鬥：記民革為解放南京的鬥爭〉（同上，1989年6期）、尚明軒〈民革籌建史實辨訛〉（《近代史研究》1996年2期）、華田〈李濟琛和他的「革命委員會」〉（《新聞天地》38期，民37年4月）、平野正〈李濟深と中國國民黨革命委員會〉（《西南學院大學國際文化論集》11卷1號、1996年9月）、姜平〈李濟深與國民黨革命委員會的建立〉（載《近代中國人物》第3輯，北京，中國社會科學院近代史研究所，1986）。沙建孫〈論全國解放戰爭時期的中間路線〉（《北京大學學報》1987年2期）、田武恩〈試述第三次國內革命戰爭時期的中間路線〉（《史學月刊》1982年5期）、左雙文〈戰

後中間路線政治主張述評〉(《湘潭師院學報》1993年1期)、黃迪向〈論
解放戰爭時期中間路線的破產〉(《華東師大學報》1990年6期)、楊先
材〈解放戰爭時期的中間路線及其破產〉(《電大文科園地》1983年4
期)、顧關林〈論中間派的歷史性轉折〉(《近代史研究》1986年3期)、
王衛華〈解放戰爭時期中間路線評析〉(《天中學刊》1996年2期)、劉
松茂〈論解放戰爭時期資產階級中間路線的歷史作用〉(《湘潭大學學
報》1989年4期)、李蓓〈評新民主主義革命時期的中間路線〉(《上
海大學學報》1990年2期)、王宗榮、王素梅〈略論解放戰爭時期的中
間路線〉(《齊魯學刊》1995年2期)、簡明〈簡論解放戰爭時期的資產
階級中間路線〉(《長白學刊》1990年6期)、杜文君〈解放戰爭時期中
間路線研究述評〉(《北京檔案史料》1992年4期)、黃尚力〈資產階級
共和國幻想的破滅：論解放戰爭時期中間路線〉(《黨政論壇》1991年
4期)、劉慶〈從《中間路線》失敗的原因看中國革命的必然前途〉
(《黨史文匯》1996年8期)、徐山平、趙凌宇〈戰後中間道路評議〉(《上
海大學學報》1996年2期)。至於中共的動向，則容後專予舉述。

　　戰後的民主運動(含學潮)：多由中共或其地下黨員所主導或
參與，中共稱之為「第二條戰線」，論述這方面的有劉雲久〈解放
戰爭時期的第二條戰線〉(《北方論叢》1988年3期；亦載《龍江黨史》1992
年4期)、劉冠超〈解放戰爭時期的"第二條戰線"〉(《歷史教學問題》
1984年4期)、中國青年出版社編《在第二條戰線上》(北京，編者印
行，1980)、袁素蓮〈第二條戰線研究綜述〉(《中共黨史研究》1992年
6期)、孟慶春〈關於第二條戰線問題研究的思索〉(《齊齊哈爾師院學
報》1993年5期)、楊鴻臺整理〈關於解放戰爭時期第二條戰線問題
的討論〉(《上海青運史資料》1982年3期)、許玉芳〈試論第二條戰線

－－紀念五二〇運動三十五周年〉(《青運史研究》1982年5期)、陳志遠〈關於第二條戰線的內涵和出現的標誌問題－－同許玉芳同志商榷〉(同上，1983年3期)、許玉芳〈再論第二條戰線〉(同上，1984年3期)、李永〈論第二條戰線〉(《徐州教育學院學報》1988年1期)、葉志麟〈解放戰爭時期第二條戰線的鬥爭經驗〉(《杭州師院學報》1985年2期)、袁素蓮〈試論解放戰爭時期第二條戰線形成的原因〉(《中共黨史研究》1994年4期)、張學福〈共產黨領導的第二條戰線的形成、發展及其歷史貢獻〉(《寧夏大學學報》1990年3期)、高華德〈解放戰爭時期第二條戰線鬥爭的特點〉(《齊魯學刊》1986年5期)、高維良〈第二條戰線的一個重要組成部分－－論民主黨派反蔣反美鬥爭與第二條戰線的密切關係〉(《南京政治學院學報》1993年5期)、王驊書〈試論民主黨派活動與第二條戰線的形成〉(《鹽城師專學報》1989年3期)、李一凱〈解放戰爭時期閩浙贛省委領導開展第二條戰線鬥爭情況〉(《福建黨史月刊》1989年3期)、陳方〈閩粵贛黨組織領導下的第二條戰線鬥爭〉(同上，1992年11期)、邰蓉莉〈抗日民主運動的發展對成都解放戰爭第二條戰線的影響〉(《成都黨史》1995年6期)、鄧友銘〈桂林反蔣第二條戰線的形成、發展及其作用〉(《社會科學家》1990年5期)、張廷栖〈南通慘案與第二條戰線〉(《南通師專學報》1993年4期)、〈南通慘案在第二條戰線形成過程中的作用〉(《南通社會科學》1990年2期)及〈南通慘案在第二條戰線形成中的作用〉(《歷史教學問題》1994年2期)、金立人執筆〈解放戰爭時期上海教師在第二條戰線上的鬥爭〉(《上海黨史資料通訊》1985年9～11期)。劉雲久《國民黨統治區的民主運動》(哈爾濱，黑龍江人民出版社，1986)及〈試論解放戰爭時期國統區的民主運動〉(《學術交流》1986

年3期）、劉冠超〈解放戰爭時期國民黨統治區的愛國民主運動〉（《電大語文》1983年5期）、趙雅琴等〈蔣管區愛國民主運動的偉大指針〉（《教學與研究》1981年3期）、馬功成〈解放戰爭時期四川愛國民主運動高漲〉（《歷史教學》1983年4期）、曾瑞炎〈解放戰爭時期華僑愛國民主運動初探〉（《史學月刊》1985年2期）、陳潤圃〈《民主周刊》與民主運動〉（《雲南文史叢刊》1995年4期）。

　　戰後民主運動「第一把火」的昆明「一二·一」運動（1945年11月下旬，昆明地區各大學民盟人士及親共師生在西南聯大集會抨擊國民政府並煽動罷課，12月1日，突有陳奇達者向學生群眾投擲手榴彈，造成4人死亡，25人重傷，30多人輕傷，引發重慶、上海、廣州、青島、天津、南京、西安等地聲援昆明學生的反內戰、爭民主運動，被視為戰後民主運動及學潮之開端）有一二·一運動史編寫組編《一二·一運動史料選編》2冊，昆明，雲南人民出版社，1980）、"一二·一"運動史編寫小組《"一二·一"運動史料匯編（第1、2、3輯）》（3冊，內部發行－昆明師範學院、雲南省歷史研究所，1979）、陪都各界反對內戰聯合會編《昆明一二一學生愛國運動》（重慶，編者印行，民34）、于再先生紀念委員會編《一二一民主運動紀念集》（上海，鎮華出版社，民35）、中共雲南省委黨史資料徵集委員會、雲南師範大學委員會編《一二·一運動》（北京，中共黨史資料出版社，1988）、《一二·一運動史》編寫組編《一二·一運動史》（昆明，雲南大學出版社，1989）、高整軍編《"一二·一"運動》（同上，1991）、《「一二·一」運動與西南聯大》編委會編《「一二·一」運動與西南聯大：紀念「一二·一」運動50周年暨西南聯大建校57周年論文集》（同上，1996）、成實等編《一二·一運動論文集》（昆明，雲南人民出版社）、張子齋《論一二・一運動》（昆明，雲南民族出版社，1986）、遼東建國書社編輯《昆明慘案》（編輯者印行，民34）；《昆明慘案真相》（民34年印行）、西南聯大學生出版社編印《吾愛吾師吾尤愛真理》（昆明，民35），係記述西南聯大教授對一二一慘案的態度；鍾華編著《由昆明學潮說到青年運動》（昆明，正論社，民35）。楊德慧〈「一二・一」運動史述論〉（《思想戰線》1986年1期）、黃永金等〈略論一二・一運動〉（《昆明師院學報》1980年6期）、蔣中禮〈簡論一二・一運動〉（《雲南社會科學》1983年6期）、沙健孫〈論一二・一運動〉（《北京大學學報》1980年6期）、羅寶軒〈第三次國內革命戰爭初期的「一二・一」運動〉（《史學月刊》1980年3期）、聞一多〈一二・一運動始末記〉（《雲南黨史通訊》1986年2期）、劉克光〈「一二・一」運動的由來（一九四五年）〉（《雲南省社科院歷史所研究集刊》1983年2期）、余嘉華〈「一二・一」運動概況〉（《昆明師院學報》1980年增刊）、中國青年社〈「一二・一」運動紀要〉（《中國青年》1955年22期）、鄭伯克〈回顧「一二・一」運動〉（《青運史研究資料》1980年11期；亦載《雲南黨史通訊》1986年2期）、范迪之〈記「一二・一」運動〉（《中國青年》1950年53、54期）、黎勤〈「一二・一」運動回憶片斷〉（同上，1955年12期）、洪德銘〈第一把火——憶「一二・一」學生運動〉（《青運史研究資料》1980年2、3期）、于昆〈「一二・一」運動使我開始對黨有了正確的認識〉（《中國青年》1955年21期）、徐明江〈從「一二・一」我認識了思想改造的必要〉（同上，1951年80期）；〈「一二・一」運動的前前後後〉（同上，1955年22期）、雲南大學歷史系〈「一二・一」學生運動資料選輯〉（《人文科學雜誌》1959年6、7期）、成實〈關於「一二・一」運動的幾個問題〉（《雲南師大學報》1986年

6期）、李申文〈論「一二·一」運動的意義和基本經驗〉（同上，1995年6期）、張正秋〈試論「一二·一」運動的基本經驗〉（《青運史研究》1985年5期）、林光大〈論「一二·一」運動的歷史作用〉（同上）、劉克光〈試論「一二·一」運動的歷史作用〉（《思想戰線》1985年5期）、張文齋〈「一二·一」運動的歷史意義〉（《雲南黨史通訊》1986年2期）、蔣中禮〈「一二·一」運動的歷史意義和現實意義〉（《雲南師大學報》1988年5期）及〈「一二·一」運動取得勝利的原因和歷史意義〉（《研究集刊》1987年1期）、陳志遠〈「一二·一」運動的歷史地位〉（《南開史學》1983年2期）、李炳均〈「一二·一」運動爆發的原因及其在民主運動史上的地位〉（《南京教育學院學報》1986年1期）、徐國梁〈為實現和平民主團結統一建中國而奮鬥：「一二·一」運動的歷史啟示〉（《創造》1996年1期）、劉克光〈「一二·一」運動是怎樣獲得全勝的？〉（《雲南省社科院歷史研究所研究集刊》1982年2期）、鄭伯克〈黨怎樣領導「一二·一」運動的——紀念「一二·一」運動三十八周年〉（《青運史研究》1983年6期）、劉克光〈「一二·一」運動的影響——紀念「一二·一」四十周年〉（《研究集刊》1985年2期）、包黎〈繼往開來，奮勇進取：紀念「一二·一」愛國運動50周年〉（《雲南師大學報》1995年6期）、許錚〈試論繼承發揚"一二·一"運動的光榮傳統〉（同上）、李光隆〈發揚「一二·一」精神，立志振興中華〉（《中學歷史教學》1982年6期）、蔣中禮〈"一二·一"運動的愛國主義性質不容歪曲〉（《研究集刊》1990年合刊本）、劉新等〈「一二·一」給我們的教育〉（《中國青年》1950年53、54期）、謝邦定〈「一二·一」給我們的教育〉（同上，1949年27期）、蔣中禮〈「一二·一」運動中的大學教授〉（《雲南社會科學》1986年6期）及〈昆明「一二・一」運動中的大學教授〉(《雲南省社科院歷史研究所研究集刊》1982年1期)、聞黎明〈記「一二・一」運動中的大學教授與聯大教授會——中國40年代的自由主義考察之一〉(《近代史研究》1992年4期)、王世堂〈回憶「一二・一」運動中的一次教授會〉(《青運史研究》1981年9期)、方復〈「一二・一」運動在西南聯大工學院〉(同上,1981年6期)、陳晶熾〈西南聯大與「一二・一」運動〉(《雲南師大學報》1988年增刊)、劉志〈民盟與「一二・一」運動〉(《雲南文史叢刊》1989年1期)、李慧〈南方局「一二・一」運動的勝利〉(《昆明師專學報》1989年4期)、謝本書〈「十月事件」與「一二・一」運動〉(《昆明社科》1995年6期)、蔣中禮〈「一二・一」運動中一場極其尖銳複雜的鬥爭——評「一二・一」運動從罷課到復課的轉變〉(《雲南社科院歷史研究所研究集刊》1982年2期)、顧峰〈「一二・一」運動對楚雄學運的影響〉(《昆明師院學報》1980年6期)、曾瑞炎〈「一二・一」運動在成都〉(《四川黨史研究資料》1984年12期)、王剛〈私立天祥中學的建校和「一二・一」運動中的鬥爭〉(《雲南現代史料叢刊》1983年1期)、宋光等〈昆明省立龍州中學「一二・一」前後的學生運動〉(同上)、馬亮寬〈傅斯年與昆明「一二・一」運動〉(《民國檔案》1991年4期)、鄒明德〈李宗黃與昆明「一二・一」慘案〉(《南方局黨史資料》1988年4期)、茅盾〈為「一二・一」慘案作〉(《雲南黨史通訊》1986年2期)、郭沫若〈進步贊——為紀念昆明「一二・一」慘案作〉(《重慶師院學報》1980年2期)、執友〈一朵小紅花:記「一二・一」學生運動後期的一個小故事〉(《昆明師院學報》1980年6期)、余嘉華整理〈「三勤」及「一二・一」點滴情況——李明同志談話要點〉(《雲南現代史研究資料》1981年4期)。民國三十五年(1946)

7月11日、15日，同情中共的教育文化界名人李公樸、聞一多（西南聯大教授）先後在昆明被暗殺，是為「李聞血案」，更激化各地反政府、爭民主運動，關於李聞及李聞血案有王健主編《李公樸：紀念李公樸先生殉難五十週年》（北京，群眾出版社，1996）、方仲伯編《李公樸紀念文集》（昆明，雲南人民出版社，1983）及《李公樸文集》（同上，1987）、庶民〈李公樸的故事〉（《人物》1980年1期）、洪瀚章〈緬懷李公樸先生〉（《雲南現代史料叢刊》1984年3輯）、張國男〈回憶父親李公樸殉難經過〉（《百科知識》1980年6期）、張光年〈懷念李公樸同志〉（《文匯月刊》1984年7期）、鍾吉榮〈護送李公樸先生赴晉察冀〉（《文史通訊》1982年5、6期）；〈李公樸日記〉（《黨史研究資料》1984年2期）、王吟青〈李公樸與北門書屋〉（《讀書》1980年8期）。力揚〈憶李公樸先生〉（《萌芽》1卷2期，民35）、袁鐵羽〈我永遠忘不了李先生〉（同上）、力揚〈李公樸先生訪問記〉（《民主周刊》民35年第3期）、又玄〈憶李公樸〉（《群眾》11卷12期，民35）、陶行知〈追思李公樸先生〉（同上）、吳晗〈哭李公樸〉（同上）、黃炎培〈公樸為民主而死，民主為公樸而生〉（同上）、柳亞子〈公樸永遠沒有死〉（同上）、沈體蘭〈殉道者李公樸〉（《群眾》11卷12期，民35）、章伯鈞〈哀悼李公樸先生〉（同上）、廖承志〈悼李公樸先生〉（同上）、李維漢〈悼公樸先生〉（同上）、楚圖南〈戰友李公樸印象記〉（《昆明師院學報》1980年3期）、方仲伯〈李公樸在昆明〉（同上）、王健〈李公樸與北門書屋〉（同上）、西諦〈悼李聞兩先生〉（《群眾》11卷12期，民35）、新民〈悼李公樸聞一多先生〉（同上）、文宣〈敬悼李公樸聞一多兩位同志〉（同上）、鄭振鐸〈悼李公樸、聞一多二先生〉（《民主》民35年40期）、馮素陶〈懷念李公樸聞一多〉

《昆明師院學報》1980年2期）、方仲伯〈為團結民主而獻身的戰士李公樸〉（《群眾》1980年7期）。王子光、王康《聞一多紀念文集》（北京，三聯書店，1980）、清華周刊社編印《聞一多先生死難周年紀念特刊》（北京，民36）、聞一多著、三聯書店編《聞一多全集》（4冊，北京，三聯書店，1982）、聞一多《聞一多書信選集》（北京，人民文學出版社，1986）、陳凝《聞一多傳》（民享出版社，民36）、勉之《聞一多》（上海，生活·讀書·新知上海聯合發行所，1949年6月）、史靖《聞一多》（武漢，湖北人民出版社，1958）、王康（史靖）《聞一多傳》（同上，1979；香港，香港三聯書店，1979）、劉烜《聞一多評傳》（北京，北京大學出版社，1983）及《聞一多》（北京，人民出版社，1986）、立雕等編《詩人、學者、民主鬥士－聞一多》（北京，中國攝影出版社，1996）、Hsu Kai-yu（許芥昱）, The Intellectual Biography of A Modern Chinese Piot: Wen I-to（1899-1946）.（Ph. D. Dissertation. Stanford University, 1969），該博士論文出版時易名為 Wen I-to.（Boston: Twayne, 1981），其中文本（卓以玉譯）於1982年由香港波文書局出版，書名為《新詩的開路人－聞一多》、Joseph George Garver, Wen I-to: Ideology Identity in the Genesis of the Chinese Intelligentsia（Ph. D. Dissertation, University of Pittsburgh, 1980）、余嘉華《聞一多在昆明的故事》（昆明，雲南人民出版社，1980）、方仁念《聞一多在美國》（上海，華東師大出版社，1985）、史靖《聞一多的道路》（上海，生活書店，民36）、梁實秋〈談聞一多〉（《傳記文學》9卷2～6期，民55年8～12月），其單行本則由傳記文學出版社民56年出版；時萌《聞一多朱自清論》（上海，上海文藝出版社，1982）及〈聞一多論〉（《文學評論叢刊》第6輯，1980年8月）、季鎮淮編著《聞朱年譜》（北京，

清華大學出版社，1986）、林曼叔《聞一多研究》（香港，新源出版社，
1973）、季鎮淮主編《聞一多研究四十年》（北京，清華大學出版社，
1988）、王康《聞一多頌》（武漢，湖北人民出版社，1978）、張子齋
〈聞一多頌〉（《思想戰線》1979年5期）、華文軍〈聞一多頌〉（《學術月
刊》1960年11期）、李景華〈聞一多頌〉（《理論學習》1978年4期）、
金錦〈愛國學者聞一多〉（《湖北青年》1980年8期）、朱芳琴〈人民英
烈：記愛國者聞一多〉（《黨史縱橫》1996年11期）、趙仲邑〈聞一多
先生軼事〉（《隨筆》1980年8期）、唐登岷〈回憶民主戰士聞一多先
生〉（《昆明師院學報》1979年4期）、聞家駟〈憶一多兄〉（《讀書》1979
年4期）、聞立鵬〈血土－回憶父親聞一多烈士〉（《革命文物》1979年
2、3期）、聞立鵬等〈爸爸說“這是作人的態度”－回憶我們的父
親聞一多〉（《父母必讀》1984年9期）、聞山〈念聞一多先生〉（《詩刊》
1961年4期）、浦薛鳳〈憶清華級友聞一多〉（《傳記文學》39卷1期，
民70年7月）、趙仲邑〈回憶聞一多先生〉（《接班人》1983年4期）、
潘文逵〈回憶老友聞一多〉（《源流》1984年3期）、趙仲邑〈聞一多
先生回憶片斷〉（《社會科學戰線》1980年1期）、顧一樵〈懷故友聞一
多先生〉（《文藝復興》3卷5期，民36）、彭允中〈回憶聞一多老師〉（《教
育革命》1978年2期）、吳奔星〈詩人・學者・戰士－紀念聞一多殉
難四十周年〉（《河北師院學報》1986年3期）、馬君玠〈記詩人聞一多〉
（《文藝復興》3卷5期，民36）、趙寶煦〈詩人聞一多－紀念烈士八十
生辰〉（《北京大學學報》1979年5期）、張天放〈追求真理，為民主獻
身－回憶聞一多二三事〉（《思想戰線》1979年5期）、莊霞〈憶聞一多
先生二三事〉（《昆明師院學報》1981年2期）、劉兆吉〈聞一多先生二
三事〉（《新文學史料》1979年4輯）、李立明〈詩人聞一多〉（《文壇月

刊》344期，民62）、陳敬之〈聞一多〉（《暢流》34卷10、11期，民56年10、11月）、楚圖南〈人民詩人聞一多〉（《時與文》1卷19期，民36）、王康〈聞一多傳〉（《新文學史料》1978年1期、1979年2－4期）、曾卓等〈詩人·學者·戰士聞一多〉（《春秋》1985年2、3期）、金錦〈愛國學者聞一多〉（《湖北青年》1980年8期）、聞黎明、侯菊坤〈聞一多年譜簡編〉（《近代史資料》總72期，1989年1月）；〈書呆子（聞一多軼事）〉（《實踐》1982年9期）；〈聞一多〉（《社會科學戰線》1979年2期）、劉芃如〈詩人聞一多〉（《文革》50期，民35）、卞之琳〈完成與開端：紀念詩人聞一多八十生辰〉（《文學評論》1979年3期）、李藝群〈敬愛的良師，英勇的戰士〉（《昆明師院學報》1979年4期）、王佳〈聞一多先生青少年二、三事－訪聞鈞天先生〉（《布谷鳥》1980年1期）、高國藩〈學生時代的聞一多〉（《群眾論叢》1980年2期）、王康〈“莫等閒白了少年頭”－聞一多在五四運動時的一些活動〉（《新港》1979年5期）、許芥昱著、卓以玉譯〈五四前後的聞一多－兼論他對“古典”與“現代”的抉擇〉（《中報月刊》1980年4期）、許芥昱著、方仁念譯〈從調板到詩－《聞一多》第三章：留學（1922－1925）〉（《中國現代文學研究叢刊》1984年2輯）、韋英論〈聞一多一九二五年以後的政治思想〉（《江漢論壇》1985年9期）、渡邊新一〈「三一八」と聞一多」〉（《商學論纂》33卷6號－中央大學商學部80周年記念論文集》，1992年8月）、馬學良〈記聞一多先生在湘西采風二三事〉（《楚風》1982年2期）；〈聞一多先生在雲南大學〉（《思想戰線》1984年6期）、余嘉華〈聞一多與圭山彝族音樂舞踴會－對有關史實的一點辯證〉（《雲南師大學報》1984年3期）、朱文長〈聞一多是如何成為民主戰士的？〉（《傳記文學》35卷5期，民70年10月）、王錦厚〈聞一多是如何成為民主戰士的〉(《四川大學學報》1986年1期)、司有岩〈從唯美詩人到民主戰士：試析聞一多詩文愛國主義思想的發展〉(《佳木斯教育學院學報》1991年1期)、章亞昕〈聞一多審美心態探索〉(《濟寧師專學報》1993年1期)、盛海耕〈早期的聞一多與唯美主義〉(《江漢論壇》1984年2期)、楊景祥〈評聞一多的文藝觀〉(《中國現代文學研究叢刊》1983年3輯)、常文昌〈聞一多"效率"與"價值"相統一的文藝批評觀的演變和形成〉(《貴州社會科學》1986年12期)、劉烜〈聞一多的政治觀、藝術觀、歷史觀〉(《新文學論叢》1980年3、4期)、聞立鵬〈藝術的忠臣－聞一多和美術〉(《文化娛樂》1981年8期)、黃延夏〈聞一多與戲劇〉(《長江戲劇》1983年6期)、趙佳聰〈聞一多戲劇觀探析〉(《雲南師大學報》1996年4期)、黎風〈聞一多文化觀的發展〉(《唐都學刊》1996年2期)、佐藤達郎〈聞一多と唐詩〉(收於東京大學文學部中國文學研究室編《近代中國の思想と文學》，東京，大安出版，1967)、鄭臨川〈聞一多先生與唐詩研究〉(《南充師院學報》1983年1期)、謝楚發〈聞一多的唐詩研究方法試探〉(《江漢論壇》1986年6期)、楠原俊代〈聞一多の「律詩底研究」(について)〉(《日本中國學會報》38號，1986年10月)、王達津〈聞一多先生與《楚辭》〉(《社會科學戰線》1980年1期)、上原淳道〈聞一多と古典〉(《漢文教室》114號，1975年6月)、余嘉華〈翰墨傳千秋－聞一多在昆明的題詩集釋〉(《雲南師大學報》1996年4期)、薛誠之〈聞一多和外國詩歌〉(《外國文學研究》1979年3期)、鄭守江〈聞一多詩歌的主旋律〉(《北方論叢》1986年2期)、徐榮街〈聞一多詩歌的"繪畫美"〉(《南京大學學報》1986年增刊)、俞兆平〈聞一多的詩歌發展論〉(《文學評論叢刊》26輯，1985年5月)、彭蘭、張世英〈談聞一多的新詩及其思想－紀念聞一多先

生逝世四十周年〉(《文史哲》1986年3期)、魏嵩年〈聞一多開放型
民族視角的詩論〉(《遼寧師大學報》1986年2期)、余光中〈評聞一多
的三首詩〉(《名作欣賞》1992年4期)、方仁念〈沒有爆發的火山與跳
躍著的生命水－聞一多、徐志摩詩歌風格比較〉(《華東師大學報》
1986年2期)、魯人〈聞一多先生古籍整理研究遺稿目錄〉(《文教資
料簡報（江蘇）》1984年12期)、孫尚熙〈聞一多與《山海經》〉(《雲南
師大學報》1985年6期)、呂維〈尋找民族文化的母題－聞一多的神
話研究〉(《社會科學戰線》1986年2期)、潛明茲〈聞一多對道教、神
仙的考釋在神話學上的意義－兼論神話與仙話〉(《思想戰線》1986年
1期)、尚永亮〈聞一多對莊子的禮贊、解剖和揚棄〉(《江漢論壇》1986
年11期)、陸文繡〈關於聞一多的一篇佚文－《晨夜詩庋·跋》〉(《武
漢大學學報》1986年4期)、詹開龍〈記聞一多《最後一次的講演》的
發表〉(《雲南民族學院學報》1986年4期)、牧角悅子〈娘への哀悼歌
－聞一多「死水」鑑賞の（1.）〉(《二松學舍大學人文論叢》52號，1994
年3月)、栗山千香子〈聞一多「死水」のリズム（1.）〉(《お茶の水
女子大學中國文學會報》11號，1992年4期)、李思樂〈聞一多與“新
月派”〉(《齊魯學刊》1980年6期)、孫玉石〈聞一多與新月派的詩歌
藝術追求〉(《中國現代文學研究叢刊》1986年1期)、王景山〈聞一多
和魯迅〉(同上，1986年4期)、孫繼國〈魯迅與聞一多〉(《瀋陽師院
學報》1984年3期)、張道剛〈郭沫若與聞一多〉(《郭沫若研究學會會
刊》1984年4期)、鄧牛頓〈郭沫若與聞一多的友誼〉(《昆明師院學報》
1982年3期)、卜慶華〈郭沫若與聞一多的友誼〉(《求索》1982年1期)、
胡水清等〈聞一多與濟慈〉(《武漢教育學院學刊》1985年2期)、聞黎
明〈聞一多與胡適〉(《歷史檔案》1994年1期)、孫心一〈聞一多先生

與我父親之間的二三事〉(《今昔談》1981 年 1 期)、劉烜〈聞一多和
美國人民的友誼－訪溫特教授〉(《戰地》1980 年 1 期)。汪錫銓〈建
國前聞一多研究述評〉(《中國現代文學研究叢刊》1983 年 4 輯)、邢少
濤〈近年來聞一多研究綜述〉(《文學研究動態》1984 年 1 期)、彭桂蕊
〈回憶聞－多先生在昆明二三事〉(《邊疆文藝》1980 年 8 期)、云崖〈聞
－多在昆明生活片斷〉(《昆明師院學報》1979 年 4 期)、蔣成德〈從詩
人到戰士：聞－多的編輯道路〉(《湖北教育學院學報》1995 年 1 期)、
劉兆吉〈聞－多先生的師德〉(《西南師大學報》1996 年 2 期)、季鎮淮
主編《聞一多研究四十年》(北京，清華大學出版社，1988)，計收聞
一多本人及他人所撰寫的文章、研究論文近50篇；聞黎明、侯菊
坤編《聞一多年譜長編》(武漢，湖北人民出版社，1994)、季鎮淮〈聞
一多先生的學術途徑及其基本精神－在全國首屆聞一多研究學術討
論會上的發言〉(《黃石學院學報》1983 年 4 期)、劉兆吉〈聞一多先生
和學生一起步行三千里〉(《雲南師大學報》1985 年 4 期)、聞家駟〈《聞
一多書信選集》序〉(《新文學史料》1986 年 2 期)、聞黎明〈聞－多與”
大江會”：試析20 年代留美學生的「國家主義觀」〉(《近代史研究》
1996 年 4 期)、李思樂〈聞一多與“大江會”及《大江季刊》〉(《東北
師大學報》1984 年 6 期)、王振華等〈回憶聞一多一生的最後三、四
年－紀念聞一多被暗殺三十三周年和誕辰八十周年〉(《新港》1979年
7期)、趙諷〈回憶聞－多先生殉難前後的一些日子〉(《百花洲》1983
年2期)、何其芳〈哭聞一多先生〉(《萌芽》1 卷 2 期，民35)、吳晗
〈哭一多〉(《群眾》11 卷 12 期，民35)、章伯鈞〈哀悼聞一多先生〉(同
上)、張申府〈嗚呼，一多先生〉(同上)、熊佛西〈哭聞一多先生〉
(《文藝復興》1 卷 6 期，民35)、俞銘傳〈悼聞一多師〉(同上，3 卷 5 期，

民36)、楊立德〈對"用聞一多先生的鮮血寫成的條幅"的質疑〉(《雲南師大學報》1992年3期)。余嘉華〈李聞慘案述略〉(《昆明師院學報》1980年增刊)、蔣中禮〈李聞慘案與李聞道路〉(《研究集刊》1985年2期)、劉克光〈李聞慘案四十周年〉(同上，1986年1期)、王栩〈反動派謀殺李公樸、聞一多真象〉(《雲南文史叢刊》1986年2期)、中國民主同盟總部《李聞案調查報告書》(民35年印行)、梁漱溟、周新民《李聞被害真相》(民35年印行)、李聞二烈士紀委員會《人民英烈－李公樸、聞一多先生遇刺紀實》(民35年印行)、沈醉〈《軍統內幕》節選－李公樸、聞一多被暗殺案側記〉(《報告文學》1984年1期)、顧峰〈這是雲南人民的光榮－回憶李公樸、聞一多先生遇害前後〉(《雲南群眾文藝》1980年1期)、文庄〈李公樸、聞一多先生遇難前後〉(《青運史研究》1981年2期)、周建人〈寫在李、聞二先生被刺消息傳來之後〉(《群眾》11卷12期，民35)、正義學社編印《紀念為和平民主而死的李公樸、聞一多先生》(民35年印行)。

民國三十六年（1947）的南京"五‧二〇"運動（1947年5月20日，在中共及民盟策動下，以南京中央大學為首，各地學生五千餘人在南京結隊遊行，高喊「反饑餓、反內戰」口號，遭憲警彈壓，造成19人重傷、90多人輕傷、28人被捕，激起各大城市學生紛以遊行、罷課等方式，向執政當局抗議，予以聲援，風潮為之擴大)有華彬清編著《五‧二〇運動史：1947年偉大的學生運動(修訂本)》(南京，南京大學出版社，1990)、中國第二歷史檔案館、中共南京市委黨史辦公室編(許任華、李路主編)《五‧二〇運動資料(第1、2輯)》(2冊，北京，人民出版社，1985、1987)、謝聖智〈"五‧二〇"運動述論〉(《上海青運史研究》1988年2期)、朱成學〈光

輝的"五‧二〇"運動〉（《南開大學學報》1979年2期）、謝聖智、劉
渭先〈"五‧二〇"運動初探〉（《社會科學（上海）》1983年5期）、
卜幼凡輯〈介紹"五‧二〇"學生運動〉（《江蘇青年》1981年5期）、
鮑史採〈"五‧二〇"紀事（1947年5月）〉（《上海青運史資料》1984
年1輯）、李傳權〈南京"五‧二〇"血案目擊記〉（《縱橫》1995年
1期）、陳修良〈"五‧二〇"運動與開闢第二條戰線問題〉（《青運
史研究》1984年4期）、許玉芳〈試論第二條戰線：紀念"五‧二〇"
運動35周年〉（同上，1982年5期）、馬飛海等〈紀念"五‧二〇"運
動40周年〉（《上海黨史資料通訊》1987年5期）、李坤〈黨對"五‧二
〇"運動的領導特點〉（《中共黨史研究》1990年6期）、桑學成〈試論"
五‧二〇"運動中黨的領導藝術和鬥爭經驗〉（《黨史研究與教學》1988
年3期）、崔薇圃〈略論"五‧二〇"運動歷史地位〉（《華東石油學院
學報》1987年2期）、汪平等〈向炮口要飯吃："五‧二〇"運動中
的暨南大學〉（《上海青運史資料》1980年3輯）、黃樂德〈金陵五月血
紛紛：上海暨南大學愛國民主學生運動回憶片斷〉（《泉州師專學報》
1986年1期）、曹詩群〈去南京請願：回憶"五‧二〇"大遊行片斷〉
（《上海黨史資料通訊》1984年9期）、唐李文〈第二條戰線上的英勇鬥
爭－－紀念南京"五‧二〇"血案三十周年〉（《工農兵評論》1977年
5期）；中央大學五二〇血案處理委員會編印《拿飯來吃（五二〇血
案畫集）》（南京，民36）。中共北京市委黨史研究室編《反饑餓反內
戰運動資料匯編》（北京，北京大學出版社，1992）、陳雷編著《向炮
口要飯吃－全國學生反內戰反饑餓運動紀實》（上海，中國學生聯合
會，民36）、清華大學學生自治會編印《團結戰鬥在四月（反迫害
反饑餓紀念手冊）》（北平，民37）、劉曉（1947年反饑餓、反內戰、

反迫害運動的一些回顧〉(《青運史研究》1985年1期)。〈反饑餓反內
戰運動〉(《北京黨史通訊》1988年1期)、陳其明〈反饑餓,反內戰、
反迫害運動〉(《北京師院學報》1980年1期)、洪德銘〈憶1947年的
「反饑餓、反內戰、反迫害」運動〉(《重慶黨史研究資料》1995年1期)、
劉曉〈一九四七年「反饑餓、反內戰、反迫害」運動的一些回憶〉
(《上海黨史資料簡訊》1984年9期)、李記松〈略述北平學生反饑餓反
內戰運動〉(《南京大學學報》1996年3期)、李坤〈1947年北平地區
的反饑餓反內戰運動〉(《歷史教學》1982年9期)、蘇成〈北平反饑餓
反內戰大遊行紀實〉(《北京檔案史料》1986年2期)、北京檔案館〈北
平地區反饑餓反內戰大遊行紀實〉(同上,1990年3期)、馬句、宋柏
〈1947年北京大學反饑餓反內戰運動紀實〉(《北京史苑》1983年1輯);
〈邁過黑暗迎接新生:華北學聯五二〇周年告同學書〉(《北京黨史通
訊》1988年1期)、成群〈愛國學生大鬧湖北省政府——記1947年5
月武昌學生"反饑餓、反內戰、反迫害"遊行〉(《武漢春秋》1984年
4期)、何錫權〈珠江畔的風雷——回憶一九四七年廣州中山大學"
五卅一"反饑餓、反內戰運動〉(《中山大學學報》1982年2期);《血
債:"五·卅一"紀念手冊〉(廣州,中山大學學生工作委員會,民36)、
文邦〈溫州學生的反饑餓反迫害運動〉(《溫州黨史資料》,1986年5
期)、張鏞聲〈反饑餓革命運動中的一曲凱歌〉(《重慶黨史研究資料》
1990年2期)。

民國三十五年的重慶較場口事件(1946年政治協商會議召開期
間,中共及民盟對於國民政府接受其部分意見大事慶祝,招致國民
黨內強硬派的不滿,2月10日在重慶較場口的慶祝會上,引發衝
突,造成60餘人受傷,引起各地對國民黨的抗議風潮)有黃立人

〈較場口事件述略〉(《歷史檔案》1988年4期)、重慶市檔案館〈重慶較場口事件檔案選載〉(同上，1986年1期)、學習知識社編印《較場口血案》(民35年4月印行)、高國藩〈較場口事件與詩人陳白塵〉(《齊魯學刊》1980年6期)、陳雲閣〈較場口事件在《世界日報》內部引起的一場爭論〉(《新聞研究資料》1981年3輯)、尚丁〈難忘的一天：1946年"二·一〇"紀事〉(《新聞研究資料》1982年13輯)；〈抗議陪都兇案：為陪都血案爭取人權聯合增刊〉(上海雜誌聯誼會，民35)。同年的沈崇事件(1946年12月24日晚，在北京大學先修班就讀的中共女黨員沈崇據稱遭在華美軍強暴，引發各地學界反美風潮)有James A. Cook, "Penetration and Neocolonialism: The Shen Chong Rape Case and Anti-American Student Movement of 1946～1947."(Republican China, Vol. 22, No. 1, Nov. 1996)、方復、楊立、胡東明〈由"沈崇事件"引發的一場愛國鬥爭〉(《炎黃春秋》1996年12期)；〈北平市政府有關沈崇事件來往函電選編〉(《北京檔案史料》1994年1期)；〈胡適檔案中有關沈崇事件來往函電選〉(同上，1994年2期)、蘇成選編〈為沈崇事件抗議美軍暴行史料選〉(《北京檔案史料》1987年1期)、中共北京市委黨史研究室編《抗議美軍駐華暴行運動資料匯編》(北京，北京大學出版社，1989)、沙健孫〈論抗暴運動(一九四七年)〉(《近代史研究》1984年4期)、田伯萍〈新華日報與重慶愛國抗暴學生運動〉(《新聞研究資料》1983年19輯)、吳智勇整理〈田伯萍同志談抗暴運動〉(《重慶黨史研究資料》1982年8期)、田伯萍〈關於抗暴運動的補充意見〉(同上)、吳智勇整理〈汪盛榮回憶重慶的抗暴運動〉(同上)、彭定秀整理〈曾德林、蘭健談重慶的反美抗暴運動〉(同上，1982年3期)、中共重慶市委黨史研究室編《抗暴運動在重慶》(重慶，西南師範大學出版社，1994)、黃義祥〈進軍沙面－－廣州學生－九四七年－月七日反美抗暴示威遊行〉(《廣東青運史資料》1982年1輯)。其他如四川省政協四川省重慶市委員會文史資料研究委員會編《重慶"三·三一"慘案紀事》(重慶，西南師大出版社，1989)、林惠〈爭取民主的激流－－回憶"南通慘案"〉(《江蘇教育》1961年6期)、穆恒〈－場震驚全國的鬥爭－－九四六年南通慘案紀實〉(《群眾》1979年4期)及《南通慘案－國民黨統治時期南通青年爭取民主的鬥爭》(南京，江蘇人民出版社，1959)、曹從坡〈"三·一八"的紀念與反思〉(《南通師專學報》1986年1期)、趙勇田〈－九四六年北平"四三"事件始末〉(《史學月刊》1986年2期)、華林〈"六·一"慘案始末(1947)〉(《武漢春秋》1983年2期)、彭捷〈震驚全國的"六·一"慘案〉(《學習與實踐》1984年3期)、張耕〈六·一紀實－－1947年武大六－慘案回憶錄〉(《岳陽師專學報》1980年2期)、甘田〈六·二三反內戰大遊行與下關血案〉(《上海工運史研究資料》1983年3期)、陳震中〈六·二三反內戰運動片斷〉(《青運史研究資料》1981年3期)、梁仁階主編《1947年上海南京路慘案》(上海，文匯出版社，1994)、上海市公安局〈1947年轟動上海的金都血案的真相〉(《上海黨史資料通訊》1986年11期)、鄭伯克〈回顧1948年昆明反美扶日活動〉(《雲南文史叢刊》1988年3期)、中共昆明市委黨史辦公室、雲南省檔案館編《1948年昆明"反美扶日"運動》(昆明，雲南人民出版社，1989)、楊－堂等〈雲大附中的反美扶日、反迫害鬥爭〉(《雲南黨史通訊》1988年2期)、張承宗〈關於二·九鬥爭〉(《黨史資料叢刊》1983年3輯)、陳衛民〈試論"二·九"鬥爭的經驗教訓〉(《史林》1996年2期)、范廣杰〈七·五慘案始末〉(《博物館研究》1983年1期)、觀察特約記者〈關於七五慘案最近的報導〉(《觀察》5卷1期,民37年8月)、本報特約記者〈「七五」慘案追述〉(《正論》新8號,民37年8月)、于可〈「七五」血案餘波盪漾〉(《世紀評論》4卷5期,民37年7月)、東北華北學生抗議"七五"血案聯合會編印《反剿民要活命》(民37年印行)、宋仲福〈試論三·二九運動的起因和影響:紀念三·二九運動四十周年〉(《西北師大學報》1989年4期)、黃紹亮〈平中三二九運動始末〉(《廣西黨史研究通訊》1988年1期)、黃義祥〈南京"四·一"慘案〉(《歷史大觀園》1993年6期)、孫宅巍〈重探"四·一"血案真相〉(《蘇州大學學報》1987年4期)、鄭洪溪〈回憶臺灣"四·六"事件〉(《臺聲》1984年3期)。

以學潮或學生運動為題的有廖風德《學潮與戰後中國政治(1945～1949)》(政治大學歷史研究所博士論文,民80年6月;臺北,東大圖書公司,民83)、時代出版社編印《最近學潮的起源及其演變(第1－3輯)》(3冊,民36)、北平華北日報編輯《學風與學潮》(北平,民36)、王芸生〈我看學潮〉(《時代知識》1卷3期,民36年6月)、蕭正誼、王芸生〈學潮檢討〉(同上,1卷1期,民36年6月)、汪學文〈中共竊據大陸以前策動學潮之始末〉(《近代中國》32期,民71年12月)、王章陵〈戡亂時期共黨策動下的學潮經緯〉(《共黨問題研究》7卷5期,民70年5月)、中聯出版社編《共匪策動下的學潮內幕》(臺北,編者印行,民36)、陳威禎〈戰後學潮(民國卅四～卅八年)之剖析〉(載《王任光教授七秩嵩慶論文集》,臺北,文史哲出版社,民77年4月)、杜玲玉〈中日戰後中共策動學潮的研析〉(《警專學報》1卷7期,民83年6月)。中國共產主義青年團中央青運史研究室等編《解放戰爭時期學生運動論文集》(上海，同濟大學出版社，1988)、施惠群《中國學生運動史：1945～1949》(上海，上海人民出版社，1992)、葉志麟〈解放戰爭時期的學生運動〉(《杭州師院學報》1982年1期)、沙健孫〈全國解放戰爭時期的學生運動〉(《近代史研究》1987年3期)、Suzanne Pepper, "The Student Movement and the Chinese Civil War." (The China Quarterly No.48, October-December 1971)、Jessie Gregory Lutz, "The Chinese Student Movement of 1945～1949."(The Journal of Asian Studies, Vol. 31, No. 1, November 1971)、陳肇錦《中共學運策略之研究(1945～1949)》(政治作戰學校政治研究所碩士論文，民73年6月)、周謀添《抗戰勝利後中共的青年學生運動－－1945至1949》(政治大學東亞研究所碩士論文，民68年6月)、吳木〈關於解放戰爭時期國統區學生運動歷史經驗的反思〉(《青年工作論壇》1988年2期)、黃芷君譯〈《靳氏評論報》關於一九四七年中國學生運動的一些回顧〉(《青運史研究》1985年6期)、陳彥霞〈試論解放戰爭時期黨對學生運動的領導〉(《龍江黨史》1994年2期)、楊正輝〈試論解放戰爭時期黨的領導與學生運動〉(《上海青運史研究》1988年2期)、張暉〈周密的組織，正確的引導－－簡論解放戰爭時期黨對學生運動的領導〉(《中國青運》1990年4期)、劉杰〈試析1945～1949年國民黨當局對學生運動的策略〉(《歷史教學》1988年7期)、莊明坤〈第三次國內革命戰爭時期學生運動的特點及其意義〉(《黨史資料徵集通訊》1986年6期)、張暉〈從鬥爭的直接性看幾次學生運動的發展變化〉(《青運史研究》1986年6、7期)、李琦濤〈解放前上海學生運動鬥爭策略的回顧和體會〉(《黨史資料徵集通訊》1986年6期)、胡恩澤編著《回憶第三次國內革命戰爭時期的上海學生運動》(上海，上海人民出版社，1958）、中共共青團上海市委編著《1945～1949上海學生運動史》（同上，1983）、王敏、閔小益主編、上海市青運史研究會等編《上海學生運動史》（上海，學林出版社，1995）、朱良等〈解放戰爭時期的上海學生運動〉（《黨史資料叢刊》1989年2輯）、吳學謙〈解放前夜的上海學生運動〉（《上海青運史資料》1982年1輯）、共青團上海市委青運史研究組〈解放戰爭時期上海學生運動大事記〉（同上，1982年4輯）、王仰清等摘編〈1947年上海學生運動資料選錄〉（《上海史研究通訊》1983年1期）、張靜星〈論解放戰爭時期黨領導下的上海學生運動〉（《當代青年研究》1990年3期）、吳增亮〈第二條戰線中黨領導下的上海學生運動〉（《上海青運史研究》1987年1期）、華志健〈外國記者與1946～1947年的上海學生運動〉（同上，1987年2期）、舒忻執筆〈解放戰爭時期上海私立大學學生運動回顧〉（《上海黨史資料通訊》1984年8期）、李琦濤〈上海地下學生運動鬥爭策略的回顧和體會〉（同上，1986年5期）、中共上海市委黨史資料徵集委員會主編《火紅的青春：上海解放前中學學生運動史實選編》（上海，上海外語教育出版社，1994）、黃義祥〈南京學生迎接黎明的一場革命鬥爭〉（《中山大學學報》1993年4期）。北京市檔案館編《解放戰爭時期北平學生運動》（北京，光明日報出版社，1991）、張大中等主編《解放戰爭時期北平學生運動史》（北京，北京出版社，1995）、王漢斌〈解放戰爭時期北平地下黨怎樣領導學生運動的〉（《青運史研究資料》1980年4期）、本刊特約記者〈冷眼看北平學潮〉（《正論》新5號，民37年5月）、黎華〈北平學潮〉（《新聞天地》25期，民36年7月）、楚雲等〈為爭取和平民主而鬥爭－－回憶解放戰爭初期的天津學生運動〉（《青運史研究》1981年7期）、李坤〈試論1948年平津地區的"四

月風暴"〉（《北京黨史研究》1990年6期）。盛明〈解放戰爭時期四川
學生運動的主要經驗〉（《四川黨史月刊》1990年11期）、俞史〈解放
戰爭時期重慶學生運動述略（初稿）〉（《重慶黨史研究資料》1983年7
期）、廖伯康〈解放戰爭時期重慶的學生運動〉（《重慶黨史研究》1983
年4、5期）、羅楨〈解放戰爭時期的重慶學運概況〉（《四川黨史研究
資料》1983年4期）、譚重威〈1949年重慶學生爭溫飽、爭生存運動
綜述〉（《重慶黨史研究資料》1985年3期）、中共重慶市委黨史研究室
編《重慶"四・二一"學生運動：1949年2～4月》（重慶，西南師
大出版社，1994）、王宇光〈1944～1946年成都的學生運動〉（《青
運史研究》1981年9期）。林玫芳《廣州學生運動（1945～1949）》（香
港中文大學中國文史研究所碩士論文，1996）、黃義祥〈中國共產黨對
廣州學生革命運動的領導（1946～1949）〉（《中山大學學報》1991年
3期）及〈解放前夕廣州學生對罷教教授的支持〉（《歷史大觀園》1992
年1期）。蕭學信〈迎著晨曦的革命浪潮－－解放戰爭時期的福建學
運〉（《史資料與研究》1985年2期）、劉勵安〈解放戰爭時期的南昌學
生運動及其歷史經驗〉（《江西黨史研究》1989年3期）、賈德謙〈解放
前夕南昌學生運動的一點回顧〉（《江西青運史研究》1985年1期）、中
共贛州市委黨史辦公室〈解放戰爭時期贛州青年學生運動〉（《江西
黨史研究》1988年2期）、謝本書〈中國共產黨領導昆明學生民主運
動的歷史回顧〉（《雲南師大學報》1987年4期）、蔣中禮〈略論"七・
一五"昆明學生愛國運動〉（同上，1985年1期）及〈試論"七・一五"
學生運動（一九四八年）〉（《雲南省社科院歷史研究所研究集刊》1983年
1期）；〈昆明"七・一五"學生運動專輯〉（《雲南現代史料叢刊》1983
年2期）、劉克光〈對昆明"七・一五"運動的認識〉（《研究集刊》1988

年2期）、蔣中禮〈"七‧一五"運動中的鬥爭策略問題〉（同上）、
姚滌新〈解放戰爭時期長沙兩次最大學潮紀實〉（《長沙史志通訊》1987
年4期）、郭曉平〈解放戰爭時期的開封學生運動〉（《河南黨史研究》
1987年4期）、徐文〈解放戰爭時期瀋陽學生運動〉（《東北地方史研究》
1991年3期）、王雅文、趙賀春〈解放戰爭時期的瀋陽學生運動述議〉
（《遼寧大學學報》1994年6期）、劉育新〈黎明前的戰鬥──解放前夕
長春學運片斷〉（《新長征》1981年12期、1982年1期）。至於各學校的
學運有蕭松等〈回憶西南聯大同學參加青年軍和北大青年軍參加學
運的情況〉（《青運史研究》1981年1期）、馬識途〈談談西南聯大的學
生運動〉（《雲南現代史研究資料》1981年4輯）、袁永熙講述、蔣中禮
整理〈回憶西南聯大的民主運動〉（同上，1981年11輯）、朱璜等〈難
忘故園風雨情──追記北平師大四九血案〉（《時代的報告》1980年3
期）、師範學院四九血案抗暴委員會編印《四九血案》（北平，民
37）、交大學生自治會編印《激怒的鐵流（反美扶日運動在交大）》
（上海，民37）、上海聖約翰大學學生會編印《把祖國推向獨立自由
解放》（上海，民37）、陳啟懋等〈沖破寒流：記交大的救饑救寒運
動〉（《上海青運史資料》1982年1輯）、莊緒良〈1947年到1949年交
通大學的學生運動〉（《黨史資料叢刊》1983年2輯）、吳增亮〈抗戰勝
利前後交大學生運動片斷〉（同上）、交通大學學生自治會史穆兩烈
士治喪委員會編印《史霄雯、穆漢祥烈士紀念冊》（上海，民38）、
梁彩雲〈解放戰爭時期江西國立中正大學的學生運動〉（《江西青運史
研究》1987年3、4期）、川大校史辦公室〈四九運動在川大〉（《四川
黨史月刊》）、彭迪先〈解放戰爭時期"川大"反美反蔣鬥爭的回顧〉
（《文史資料選輯》1986年10輯）、冉正芬等〈回記川大學生反對中美

商約的鬥爭〉(《四川黨史研究資料》1984年2期)、何長勝〈湖南大學
－－湖南學生運動的搖籃－－記1945年～1949年湖大地下黨鬥爭
及學生運動〉(《岳麓書院通訊》1983年5期)、甘凌杰〈解放戰爭時期
貴大學生運動〉(《貴州文史叢刊》1981年4輯)、《暨南風雲》編寫組
編《暨南風雲：解放戰爭時期暨南大學學生運動史》(廣州，暨南大
學出版社，1995)、叢木、達人《于子三案真相》(杭州，學生報導社，
民36)，係記述浙江大學學生于子三在學潮中被捕後自殺一案的經
過；黃樂慧〈上海暨南大學愛國民主學生運動回憶片斷〉(《泉州師專
學報》1987年1期)、張皖生〈解放戰爭時期安徽大學的愛國民主鬥
爭〉(《安徽黨史研究》1992年6期)、里明〈河南大學在蘇州的民主運
動述略〉(《河南大學學報》1992年4期)、秦浩〈試論解放戰爭時期的
廈大學生運動〉(《廈門大學學報》1984年4期)、黎政周〈解放戰爭時
期廣西大學的愛國民主運動〉(《廣西黨史研究通訊》1989年4期)、謝
鳳年〈桂系特務鎮壓西大學運紀實〉(《柳州史料》1981年5輯)、李建
焜〈解放前夕廣西大學地下鬥爭片斷〉(《廣西大學學報》1981年2期)、
梁亦〈長春大學學生運動的回憶〉(《長春文志》1986年3、4期)、李
林、王弢〈青島大學兩年三次罷課鬥爭簡述〉(《山東省志資料》1962
年1期)、王綱俊等〈滬江大學的反"積點制"鬥爭〉(《上海青運史研
究》1982年1輯)、劉友蕙〈春風吹綠曇華林－－記解放戰爭時期武
昌中華大學學生運動〉(《武漢春秋》1983年1期)；〈四・一二學生運
動中的重慶大學〉(《教學研究》1984年2期)、錢雲仙等〈女師學院在
解放戰爭時期的學生運動〉(《重慶黨史研究資料》1983年7期)、蔣子
恒等整理〈重慶正陽法學院學生運動片斷〉(同上，1985年3期)、羅
安仁等〈貴陽師院學運片斷〉(《貴州文史叢刊》1982年4期)、王蘭田

等〈溫師學潮前前後後〉(《溫州黨史資料》1986年5期)、張繼友〈解放戰爭時期省綿師學生運動紀實〉(《四川黨史研究資料》1985年12期)、汪集生〈曲靖師範的一次學潮〉(《雲南現代史研究資料》1981年8輯)、林國賢〈海疆學校的革命活動概述〉(《泉州師專學報》1986年1期)、甘犁〈從市一中看重慶四‧二一學生運動〉(《重慶黨史研究資料》1982年8期)、汪國楨〈重慶清華中學學運史上的重要篇章〉(同上，1985年3期)、林治正〈回憶溫州中學學生運動〉(《溫州黨史資料》1986年5期)、敬業中學校史編寫組〈蓬勃興起的社團活動－－－九四八年八月－－四九年上海敬業中學學運回顧〉(《上海青運史資料》1983年4期)。與戰後學運相關的論著和資料有劉晴波口述、陳盛林記錄〈解放戰爭時期的幾種學運刊物和全國學聯〉(《青運史研究》1981年10、11期)、孫清標〈回憶解放戰爭中的華北學聯〉(同上，1982年1、6期)、閻四秋〈長沙學聯函遞程潛的十項建議〉(《湖南黨史通訊》1985年3期)、王槐昌等〈解放戰爭時期的上海學聯〉(《上海青運史資料》1986年2輯)、黃仁端等〈同濟大學的學生服務部〉(同上，1982年3輯)、浦光宗〈中共雲南地下黨在東陸大學學生中開展工作的情況〉(《雲南現代史研究資料》1982年12輯)、蔣南翔〈高舉愛國主義的旗幟，引導青年在實際鬥爭中鍛鍊成長－－解放戰爭時期開展青年運動的回顧〉(《當代工人》1985年8期；《青運史研究》1985年6期；《黨史研究》1985年4期)、張承宗〈上海科技青年團結戰鬥的道路〉(《上海青運史研究》1987年1期)、王玉生等《解放戰爭時期四川青年運動史稿》(重慶，重慶大學出版社，1987)、李維岳〈解放戰爭時期東北青年運動的若干特點〉(《東北地方史研究》1990年4期)、李木庚〈悠悠鄉情話當年－－回憶哈爾濱解放初期青年學生運動〉(《史學集刊》1987年2期）、丁品〈西南服務團歷史的回顧與思考〉（《唯實》1990年4期）、陳賢華〈西南服務團組建概況初探〉（《上海青運史資料》1986年1輯）、華青〈研究西南服務團團史的意義〉（同上）、沈鴻良〈談西南服務團〉（《上海黨史資料通訊》1986年4期）、馬旭〈西南服務團文藝大隊簡史〉（《上海青運史研究》1987年1期）、俞琦〈南下！南下！－－記上海解放初期青年參加南下服務團〉（《上海青運史資料》1982年3期）、陳向明〈－路豪情－路歌－－南下服務團隨軍入閩的片斷回憶〉（《上海青運史料》1984年2期）、伍洪祥〈回憶南下服務團〉（《福建黨史通訊》1986年1期）及〈回憶福建南下服務團〉（同上，1989年5期）。

其他的「愛國民主」運動或抗爭有（《人民反戰運動》（和平社，民35）、張承宗〈解放戰爭時期上海的人民革命運動〉（《青運史研究資料》1980年7期）、上海教育出版社編《上海人民反饑餓求生存的鬥爭（中國歷史掛圖現代史部分）》（上海，編者印行，1959）、項立嶺等〈一九四六年上海全市性的反蔣群眾運動〉（《學術月刊》1960年11期）、繆廉〈上海小學教師反饑餓爭生存鬥爭追記〉（《上海教育》1958年9期）、馬功成〈解放戰爭時期四川人民反內戰爭生存的鬥爭〉（《四川師院學報》1980年3期）、朱家璧〈解放戰爭時期我在雲南人民反蔣武裝鬥爭中的一些經驗〉（《雲南黨史通訊》1988年3期）、趙嗣良〈活躍在北平反蔣反美鬥爭中的一支突擊隊〉（《北京黨史通訊》1988年1期）。劉友華〈1948年成都市國民小學教師的請願鬥爭〉（《四川黨史研究資料》1985年12期）、金立人〈解放戰爭時期上海教師在第二條戰線上的鬥爭〉（《上海黨史資料》1985年9～11期，1986年2期）、阮晉柏〈解放戰爭時期國民黨在成都的三次大逮捕〉（（《四川黨史研究資料》，1986年7期）。戰後的工運，也與學運一樣，含有濃厚的政治意味，也多半有中共介入其中，故亦將之列於戰後政治情勢之內，這方面的論著和資料有劉岳〈解放戰爭時期北平工人運動概述〉(《北京黨史研究》1995年3期）、王學梅〈解放戰爭時期的天津工人運動〉(《工運史研究資料》1981年11、12期）、毛齊華〈略談解放戰爭時期上海工人運動的一些情況〉(《上海工運史研究資料》1982年2期）、湯桂芬〈勝利復工－－憶上海滬西工人的一次反美蔣鬥爭〉(《中國婦女》1961年10期）、江濱〈所謂"索夫團"事件－－九四六年上海電力公司工人與反動派的一場鬥爭〉(《中國工人》1957年2期）、沈以行等〈三十年前上海工人階級的護廠鬥爭－－紀念上海解放三十周年〉(《學術月刊》1979年6期）；〈解放初上海工人運動大事記(1949年5月～12月)〉(《上海工運史料》1984年3輯）、陳世萱、王鑒清〈上海工人為爭取按生活費指數計薪的鬥爭〉(《歷史教學問題》1984年4期）、趙萊靜、辛憲錫編寫《"墨寫的謊言掩蓋不了血寫的事實"－－1947年勸工大樓慘案和百貨業職工的鬥爭》(上海，上海人民出版社，1958)、鄭慶聲〈論一九四八年初上海申新九廠大罷工〉(《史林》1996年2期）、齋藤哲郎〈戰後中國の國民政府と民眾運動－－「申九慘案」の歷史的考察を通じて〉(載《中國國民政府の研究》東京，汲古書院，1986)、李震一《邵陽永和金號慘案記》(長沙，岳麓書社，1986)、森順達〈初戰告捷－－大新職工在抗戰勝利後的第一次罷工鬥爭〉(《上海工運史研究資料》1981年增刊）、上電工運史編寫組〈上電職工反封鎖、反轟炸鬥爭概況〉(《上海工運史料》1984年3輯）；〈上海國際電台的護台鬥爭〉(同上）、重慶市委黨史研究室編研一處〈解放戰爭時期重慶工人運動述略〉(《重慶黨史研究資料》

1994年1期）、伍宗華等〈試論一九四六年重慶的工人運動〉（《四川大學學報》1958年3、4期）、邱富貴〈解放前夕重慶工人的護廠鬥爭〉（《重慶黨史研究資料》1984年5、6期）、孫以思等〈解放戰爭時期安徽工人運動情況〉（《安徽工運史研究資料》1981年5期）。王文彬〈解放戰爭時期新聞出版界的反抗鬥爭〉（《新聞研究資料》1983年19期）、史力〈北寧鐵路唐山製造廠工人一九四六年反劫收反饑餓鬥爭史略〉（《唐山師專、唐山教育學院學報》1987年2期）、史清〈解放戰爭時期樺甸縣工運紀略〉（《吉林師院學報》1986年1期）、黃淑君〈"新華日報"與戰後工人運動〉（《西南師大學報》1994年1期）、樊衛國《"二九"愛用國貨事件》（《工商史苑》1993年1期）；《愛用國貨慘案真相》（怒吼出版社，民36）。沈潘〈解放戰爭前期貴陽人民的愛國民主鬥爭〉（《貴陽黨史》1992年6期）、中共溫州市委黨史研究室〈解放戰爭時期的溫州愛國民主運動〉（《溫州黨史》1992年2期）。

　　其他與戰後政治有關的有謝國富〈抗戰勝利後國民政府劃東北為九省述評〉（《民國檔案》1990年4期）、傅角今〈東北新省區之劃定〉（《東方雜誌》43卷13號，民36）、王宗榮、劉宇軍〈略述解放戰爭時期的資源委員會〉（《中州學刊》1990年5期）、山作啟〈抗戰勝利後國民黨山東省政府進入濟南之真相〉（《民國檔案》1989年4期）、趙晉〈解放前夕北平的轄區及國民黨政權機構概述〉（《北京黨史研究》1994年1期）及〈北平解放前夕的市政和社會狀況〉（同上，1994年3期）、譚家祿〈抗戰勝利後雲南省政府改組前後〉（《雲南文獻》26期，民85年12月）、楊維真〈勝利前後龍雲與中央關係〉（《國父建黨革命一百周年學術討論集》第3冊，臺北，民84）、孫代興〈談蔣介石解決龍雲政權的目的〉（《昆明師院學報》1979年5期）、司徒霓影〈龍雲離開雲南〉(《新聞天地》21期，民36年3月)、陳香梅〈陳納德協助龍雲逃港的一段往事〉(《傳記文學》67卷3期，民84年9月)、謝本書、牛鴻賓〈解放戰爭時期的雲南地方實力派〉(《研究集刊》1989年2期)、蔣文中〈解放戰爭時期國民黨在雲南的軍事力量及其變化〉(同上，1988年1期)及〈解放戰爭中各地國民黨政權瓦解簡況〉(同上，1988年2期)、李鐵虎〈抗戰後國民政府華北政區沿革(1945～1949)〉(《北京檔案史料》1996年3期)、觀察特約記者〈總統北巡與北方大局〉(《觀察》5卷8期，民37年10月)及〈蔣總統二次北巡〉(同上，5卷11期，民37年11月)、張皓〈北平行轅與蔣介石李宗仁之間矛盾〉(《北京檔案史料》1996年3期)、本報特約記者〈一年來的河北省政〉(《正論》新2號，民37年2月)、劉曉清等〈黃紹竑、劉斐與44人聲明〉(《炎黃春秋》1996年7期)、具島兼三郎〈國民政府の危機とその強化〉(《世界》23號，1947年11月)、吳賢輝〈地方實力派與南京國民黨政權的覆亡〉(《學術論壇》1995年2期)。許紀霖〈從參與爆炸危機到合法性危機：戰後中國的歷史一幕〉(《探索與爭鳴》1992年1期)、遂今〈1947年上海的"十老上書"〉(《民國春秋》1992年1期)、孫淑〈《動員戡亂時期臨時條款》的制訂與演變〉(《徐州師院學報》1992年1期)、金惟純《動員戡亂時期臨時條款之研究》(政治大學政治研究所碩士論文，民69)、許紀霖〈40年代末期國民黨政治衰敗新論〉(《探索與爭鳴》1993年2期)、浦熙修〈國民黨三中全會記〉(《觀察》2卷6期，民36)、經盛鴻〈1947年《中央日報》披露孔、宋官倒案始末〉(《南京師大學報》1990年4期)、漆敬堯〈小數點的玄機化解一場政治風暴－獨家採訪孔宋家族利用特權結匯謀取暴利新聞的一段往事〉(《傳記文學》54卷1期，民78年1月)、侯鳴皋〈抗戰勝利後的勵志社〉

（《傳記文學》69卷1期，民85年7月）。

2.經濟方面

有河合俊三《戰後中國經濟の分析》(東京，慶友社，1949)、〔日本〕外務省調查局第五課編印《戰後における中國經濟》（東京，1948）、全慰天《從舊中國到新中國：第三次國內革命戰爭時期經濟史略》(上海，新知識出版社，1957)、方顯庭〈勝利後的中國經濟〉（《經濟評論》2卷14期，民37年1月）、姜慶湘〈一年來中國經濟的發展動向〉（《中國建設月刊》5卷4期，民37年1月）、張奇瑛〈三十五年度的中國經濟〉（《東方雜誌》43卷10、11號，民36）及〈三十六年中國經濟概況〉（同上，44卷7號，民37）〔日本〕經濟安定本部總裁官房調查課編印《1947年度中國經濟統計資料》（東京，1948）、伍啟元《由戰時經濟到平時經濟》(上海，大東書局，民35)、千早健三郎〈「戰後中國經濟概觀」財政‧金融‧貿易‧為替〉（載《中國經濟要覽》，東京，同友社，1947）、孔經緯〈關於解放戰爭時期的國民黨統治區經濟〉（《近代史研究》1988年4期）、崔宗夏〈第三次國內革命戰爭時期國民黨統治區的經濟概況〉（《歷史教學》1955年12期）、王宗榮〈略論解放戰爭時期國民黨統治區的經濟總崩潰〉（《史學論衡（論文集）》第1輯，北京，北京師大出版社，1991）、劉冠超〈解放戰爭時期國民黨統治區的經濟危機〉（《電大文科園地》1983年4期）、林德金〈解放戰爭時期國統區經濟危機的特點及其根源〉（《湘潭大學學報》1985年2期）、王仲武〈挽救當前經濟危機之對策〉（《東方雜誌》44卷8號，民37）、龔寶盛〈國民黨經濟封鎖與解放區反封鎖〉（《社科百家》1990年2期）、渡邊龍策〈中國內戰の歸趨とその經濟建設〉(《前進》22號，1949年5月）、王學敏〈抗戰勝利後國民黨政府的經濟政策與民族資本的破產〉(《教學與研究》1992年2期）、郭政平〈舊中國與1949年的經濟狀況〉(《革命春秋》1990年1期）、渡邊長雄《中國資本主義と戰後經濟‧國共經濟體制の比較研究》(東京，東洋經濟新報社，1950)、楊坤松《戰後中日經濟關係之研究－－兼論五月戰後日本經濟發展概況》(中國文化學院日本研究所碩士論文，民65年5月）、康秀華〈中日戰後經濟發展國際關係戰略格局視角的比較研究〉(《瀋陽師院學報》1996年3期）、胡慶雲〈國統區的經濟風潮與搶米風潮〉(《黨史研究資料》1995年3期）、孫宅巍〈略論戰後江蘇國統區經濟〉(《學海》1992年1期）、張廣立〈略論全國解放前夕湖北國民經濟的崩潰〉(《黨史研究與教學》1989年4期）、田畠真弓〈張公權と東北地方經濟再開發構想－「滿洲國」の"遺產"をめぐって〉(《經濟學研究（駒澤大學）》20號，1990年3月）、山本有造〈戰後國民政府統治時期的中國東北地區經濟〉(《國外中國近代史研究》16輯，北京，中國社會科學院，1990)、〔日本〕經濟安定本部總裁官房調查課編印《東北（滿州）經濟の現況－國共兩經濟勢力の對比に於ける考察》(東京，1948)、趙德久、楊麗英〈解放戰爭時期的哈爾濱經濟〉(《龍江社會科學》1994年6期）、孔哲、李泓〈試論解放戰爭時期佳木斯的經濟恢復〉(《龍江黨史》1994年4、5期）、增田米治〈「戰後中國經濟概觀」工礦業〉(《中國經濟要覽》，東京，同友社，1947)、尹書博〈解放戰爭時期國統區"官倒"盛行與經濟崩潰〉(《實事求是》1995年2期）、千早健三郎〈終戰後の中國財政經濟〉(《新中國》第9號，1946年12月）及〈混亂－途の國府財政經濟〉(《中國評論》1卷4號，

1946年12月)、孫宅巍〈抗戰勝利後南京政府財政狀況剖析〉(《歷史
檔案》1992年1期)、姜慶湘〈抗戰結束與中國財政〉(《四川經濟季刊》
2卷4期,民34年10月)、張鵬〈勝利後之我國財政〉(《經濟評論》3卷
6期,民37年5月)、錢健夫〈當前財政之重大缺點及其根本改革〉(《東
方雜誌》43卷17號,民37)、張有倫、王成章〈國民黨政府崩潰前的
南京財政〉(《南京史志》1987年5期)、高千里〈行憲前後之財政制
度〉(《財政評論》18卷4期,民37年4月)、吳斐丹〈戰後我國財政建
設之要點〉(同上,14卷2期,民35年2月)、戴鳴鐘〈最近的財政物
價與匯率〉(同上,14卷1期,民35年1月)、俞鏡寰〈憲法實施後有
關財政監督之幾個問題〉(《財政評論》16卷5期,民36年5月)、沈松
林〈論當前地方財政問題〉(同上,16卷2期,民36年2月)、蔣明祺
〈憲政時期的審計制度〉(同上,16卷5期,民36年5月)、梁節民〈論
行憲後的審計制度〉(同上,17卷4期,民36年10月)、鄒鍾隱〈戰後
中國國際收支平衡問題〉(《財政評論》15卷1期,民35年7月)、俞增
康〈戰後我國金融建設之要點〉(《新中華》4卷17期,民35年9月)、
楊國慶〈國民政府財政部金融洩密案〉(《南京史志》1993年5期)、吳
樺〈中華民國末期中國の金融企業經營－その變遷過程を中心に〉
(《龍谷大學經營學論集》35卷1號,1995年6月)、寒芷主編《戰後上海
的金融》(民30年印行)、勇龍桂〈改革幣制後(1948年8月)的上
海金融市場〉(《經濟評論》3卷21期,民37年9月)、戴建兵〈淺論抗
日戰爭勝利後國民政府對戰時貨幣的整理〉(《中國經濟史研究》1995
年3期)、全國政協文史資料研究委員會編《法幣、金圓券與黃金風
潮》(北京,文史資料出版社,1985)、於念鋆〈戰後滬渝二地之法幣
通貨膨脹〉(《史苑》34期,民70)、金丸一夫〈中國の內戰・インフ

レ幣制改革－－「金円券」（國民政府）の一生〉（《千葉商大論叢》13
卷4號、14卷1、2號、1976年3、6、9月）、姜培〈國民政府金元券
的發行與政權的崩潰〉（《黑龍江財專學報》1996年2期）、韓森〈國民
黨政府發行金元券加速了政權的崩潰〉（《歷史教學》1987年8期）、蘇
智良、朱華〈民國史上最醜惡的一章－－金圓券幣制改革與"打虎
運動"〉（《檔案與歷史》1986年4期）、虞寶棠〈簡論一九四八年國民
政府的金元券與限價政策〉（《民國檔案》1985年2期）、何揚名〈試述
王雲五與金圓券的關係〉（《浙江學刊》1994年4期）、觀察特約記者
〈金圓券與政治的延續〉（《觀察》5卷5期，民37年9月）、董佳木〈金
圓券的惡運〉（《新聞天地》59期，民38年2月）、孫宅巍〈銀元券的發
行及其破產〉（《歷史教學》1987年6期）、胡致祥〈國民黨政府銀元券
的發行與崩潰〉（《貴州文史叢刊》1986年3期）、黨宇平〈東北九省流
通券始末〉（《東北文獻》13卷4期，民72年5月）、滕茂桐〈東北流通
卷的厄運〉（《經濟評論》3卷16期，民37年7月）、孟士衡〈論東北流
通券宜速調整〉（同上，2卷2期，民36年10月）、張善熙、孔凡勝〈解
放戰爭時期流入四川的解放區貨幣〉（《四川文物》1993年4期）。

　　蘇日榮〈行憲後國地稅收劃分問題〉（《財政評論》18卷4期，民37
年4月）、楊承厚〈論行憲後課稅權之限制〉（同上，16卷5期，民36
年5月）、劉支藩〈論現行所得稅制及其查徵問題〉（《財政問題》17卷
2期，民36年8月）、劉難方〈論現行綜合所得稅制〉（同上，16卷3期，
民36年3月）、大橋育英《戰後中國における土地改革》（東京，農政
調查會，1952）、藤原康晴〈中國における戰後の土地改革と階級分
析の諸問題－－とくに「地主」と「富農」について〉（《大阪產業大
學論集》31號，1970年12月）、徐穗〈試論抗戰勝利後國統區土地改

革大辯論〉（《民國檔案》1993年3期）、董國強〈試論解放戰爭時期國共兩黨的土地和農民政策〉（《江蘇社會科學》1996年4期）、崔紅星〈簡析抗戰勝利後國共兩黨的土地政策〉（《史學月刊》1986年4期）、石川茲〈國民政府の戰後土地政策〉（《中國研究所所報》第4、5號，1947年7、8月）、岩村三千夫〈國共兩黨戰後の土地政策〉（《中國研究》第5號，1948年9月）、陳淑銖〈戰後中國農村復興委員會與閩西的土地改革(1948～1949)〉（載《中華民國史專題論文集：第二屆討論會》，臺北，國史館，民82）、山本真〈國共內戰期國民政府の"二五減租"政策－－中國農村復興聯合委員會の援助による1949の四川省例を中心として〉（《中國研究月報》586號，1996年12月）、烏廷玉、〈解放前東北三省的租佃關係〉（《社會科學戰線》1989年2期）、陳玉峰〈解放前河南省的租佃關係〉（《北方文物》1994年2期）、經濟安定本部總裁官房調查課《戰後中國の物價動向》（東京，撰者印行，1949）、王仲武〈現階段之物價問題〉（《東方雜誌》43卷16號，民37）、林懋美〈抗戰勝利後國民黨統治時期華北物價之分析〉（《社會科學（燕京大學）》第2期，民38年10月）、許宏偉〈解放前夕南京的物價飛漲狀況〉（《中國經濟史研究》1992年1期）、勇龍桂〈三十六年度上海通貨信用與物價〉（《經濟評論》2卷15期，民37年1月）、董佳木〈六月漲風凶猛〉（《新聞天地》43期，民37年7月）、李彥宏、周忠〈通貨膨脹與國民黨政權的覆亡〉（《湘潭師院學報》1995年1期）、周忠、黃玉強、凌文珍〈通貨膨脹與國民黨政權的覆亡〉（《嘉應大學學報》1995年2期）、韋安理〈國民黨政權崩潰前夕的通貨膨脹〉（《杭州金融》1995年11期）、蔡佳伍〈試析1946年～1949年國民政府反通貨膨脹政策失敗的原因〉（《廈門大學學報》1990年3期）、天野元之助〈解放前の中

國農業とその生產關係――東北、華北、華中(1、2)、華南X《ア
ジア經濟》16卷6號、17卷6號、18卷4、5、12號、1975年6月～1977年
12月)、小林弘二〈國共內戰期の互助合作化運動――中國におけ
る農業集團化運動の原點)(同上，23號3號，1982年3月)、天野元
之助〈解放前の中華民國の農村經濟)(《立命館文學》253號，1966年
7月)、永原丞〈解放前後に於ける中國農村經濟の再編成過程――
土地改革の本質と土地所有制の推移)(《教養論集》2卷2號，1975年
3月)、謝國興〈1940年代中國農政機構之專技人員)(載《抗戰建國
史研討會論文集》下冊，臺北，民74)、經濟安定本部總裁官房調查課
《戰後中國の食糧生產と需給狀況》(東京，撰者印行，1948)、孫宅
巍〈抗戰勝利後國統區工業述評)(《民國檔案》1992年1期)、中嶌太
一(戰後に於ける中國官僚資本の基本性格――1946～47年段階
の工業を中心として(《社會科學研究》23卷4號，1972年3月)、明野
義夫〈中國鑛工業生產の現況と展望)(《中國研究所所報》15號，1948
年7月)、龜谷隆行〈戰後中國の造船工業――先進的技術導人の一
側面)(《拓殖大學論集》113號，1977年11月)、經濟安定本部總裁官
房調查課《戰後中國の貿易管理》(東京，撰者印行，1947)及〈戰後
における米國對華投資と中國の輿論)(同上)、田所豐等〈戰後中
國の輸入貿易管理)(《中國研究所所報》第3號，1947年6月)、重慶
市檔案館〈抗戰勝利後我國國際貿易概況)(《檔案史料與研究》1992
年3期)、佩山〈勝利以來的中國國際貿易)(《新中華》6卷2期，民37
年1月)、姚賢鎬〈戰後我國貿易統計編製方法的變更及其改進的商
榷)(《社會科學雜誌》10卷1期，民37年6月)、牛洪濤〈解放戰爭時
期上海華資民營進口的暴興暴衰X《上海地方史資料(三)》，上海社會

科學院出版社，1984）、周玲玲〈解放戰爭時期的哈爾濱商業〉（《學術交流》1994年2期）、經濟安定本部總裁官房調查課《戰後の東北（滿洲）貿易：滿洲經濟の一斷面》（東京，撰者印行，1948）、謝凡生〈一九四六年的貴陽中藥業〉（《貴州文史叢刊》1981年4期）、連心豪〈戰後中國海關緝私述論〉（《廈門大學學報》1992年4期）、陳麗華〈試析1949年以前泉州沿海走私與清私鬥爭〉（《福建論壇》1994年5期）、邢俊峰〈鋼鐵運輸線：解放戰爭時期的東北鐵路〉（《黨史縱橫》1995年10期）、徐鼎新〈解放戰爭時期通航通郵通商的鬥爭〉（《民國春秋》1987年5期）、鄧言〈解放戰爭時期的兩次通郵談判〉（《集郵》1982年3期）、高光林〈渡江戰役前夕國共兩地如何實現通郵〉（《大江南北》1992年3期）、陸仰淵〈中紡公司的建立及其性質〉（《近代史研究》1993年2期）、川井伸一〈大戰後の中國綿紡織業と中紡公司〉（《愛知大學國際問題研究所紀要》97號，1992年9月）。

3.外交方面

以戰後四年間外交為題的通論性論著和資料集，幾乎附諸闕如，與其相關的祇有朱撫松〈蔣中正先生與第二次世界大戰後之中華民國外交〉（載《蔣中正先生與現代中國學術討論集》第4冊，臺北，民75）、翁綺玲〈略述中國在二世大戰後受到不公正待遇〉（《桂海論叢》1995年6期）、井上久士〈中國內戰と國際環境——中國國民黨の國際認識を中心に〉（《歷史學研究》別冊，1982年11月）、Chang Chung-tung（張忠棟）"China and Containment, 1947～1949."（《美國研究》12卷4期，民71年12月）、加々美光行〈戰後國際政治と中國政治の

變遷－－冷戰體制と對米對決の道〉(《アジア經濟》32卷5號，1991年
5月)、劉俊民〈試論解放戰爭時期三國四方的政治關係〉(《齊齊哈
爾師院學報》1990年4期)、邵玉銘〈決定命運的一年：一九四六年中
國內戰與國際政治〉(《中華民國建國史討論集》第5冊，臺北，民70)。

　　戰後中日外交或關係有中華民國外交問題研究會編印《中日外
交史料叢編（七）－－日本投降與我國對日態度及對俄交涉》(臺
北，民55) 及《中日外交史料叢編（八）－－金山和約與中日和約
的關係》(同上)、陳博生〈關於對日和約的問題〉(《大陸雜誌》2卷
4期，民40年2月)、余河清《中日和平條約研究》(臺北，嘉新水泥公
司文化基金會，民61)、添谷芳秀《日本外交と中國，1945-1972》(東
京，慶應通信，1995)、林代昭《戰後中日關係史》(北京，北京大學出
版社，1992)、田桓主編《戰後中日關係文獻集：1945～1970》(北
京，中國社會科學出版社，1996)及《戰後中日關係史年表－－－九四
五～一九九三》(同上，1994)、古川萬太郎《日中戰後關係史ノー
ト》(東京，三省堂，1993) 及《日中戰後關係史》(東京，原書房，
1988)、池井優、石川忠雄等編《戰後資料・日中關係》(東京，日
本評論社，1970)、岩村三千夫〈戰後の日中關係〉(載《中國近代化
と日本》，東京，中國研究所，1963)、川崎－郎〈戰後の日中關係〉
(載《日本外交史研究：日中關係の展開》東京，日本國際政治學會，
1961)、Lin Chin-ching (林金莖)，"Post-War Sino-Japanese
Relations."(Asian Culture, Vol. 25, No. 2, Summer 1984)、吳學文、林連
德、徐之先《中日關係－－－九四五～一九九四》(北京，時事出版
社，1995)、田中明彥《日中關係－－－九四五～一九九〇》(東京，
東京大學出版會，1991)、許介鱗〈戰後中日關係之轉變〉(載《第三

屆近百年中日關係論文集》下冊，臺北，中央研究院近代史研究所，民
85）、現代情報科學研究所《資料‧戰後の日中關係》（東京，創紀
書房事業出版部，1971）、池井優〈戰後日中關係の－考察－－石
橋、岸內閣時代を中心として〉（《國際法外交雜誌》73卷3號，1974年
11月）、林金莖《戰後中日關係實證研究》（臺北，中日關係研究會，
民73）、光岡玄〈戰後日中關係と日中友好の原點〉（《中國研究月報》
260號，1969年10月）、林金莖《戰後の日華關係と國際法》（亞細亞
大學法學研究所博士論文，1989年4月）、陳鵬仁〈張群與戰後中日關
係〉（《近代中國》89期，民81年6月；亦載《中外雜誌》52卷1期，民81年
7月）、楊合義〈中國の分裂に左右され戰後の日中關係〉（《問題と
研究》23卷12號1994年9月）、宋志勇〈終戰前後における中國の對
日政策〉（《史苑》54卷1號，1993年12月）、笠間重利《第二次世界
大戰後日中交流史》（東京，明玄書房，1961）、山口一郎〈戰後の中
國と日本－－現代中國の對日觀について〉（《世界》285、287號，
1969年8、10月）、小島晉治〈戰後中國における天皇制論をめぐっ
て－1945～46月を中心に〉（《橫濱市立大學論叢》24卷2‧3號，1973
年4月）、胡大澤〈抗戰勝利後美蔣和日偽合流述評〉（《黔南教育學院
學報》1988年1期）、衛金桂〈抗戰結束後國民黨與日本重新修好及
其背景〉（《福建黨史月刊》1995年12期）、平野正〈1947年の對日講
和論議における中國の琉球歸屬論〉（《國際文化論集（西南學院大學）》
1卷1號，1986年7月）、陳勤、周為號〈蔣介石對日"以德報怨"政
策探析〉（《社會科學（上海）》1992年5期）、張京育〈蔣中正先生與
戰後初期的東亞政局－－他對日本及韓國的政策〉（載《蔣中正先生與
現代中國學術討論集》第4冊，臺北，民75）、陳明〈蔣中正先生與戰後

東北亞國際秩序之重建－－為今日安全之基石〉（同上）。

戰後中英外交或關係有張北根〈解放戰爭時期國民黨與英國的
關係〉（《黨史研究資料》1996 年 7 期）、Feng Zhong-ping, The Brit-
ish Government's China Policy 1945～1950.（Keele: Ryburn Publishing,
Keele University Press, 1994）、Xiang Lanxin, Recasting the Imperial
Far East: Britain and American in China, 1945～1950.（Armonk, New
York: M. E. Sharpe, 1995）、埃文·盧亞德著、黃鳳志、張巨譯〈解
放戰爭時期的英中關係〉（《內蒙古民族師院學報》1991 年 3 期）、王振
華〈戰後英國對華政策中的現實主義因素〉（《西歐研究》1988 年 1 期）、
Malcolm H. Murfett, "Old Habits Die Hard: The Return of British
Warships to Chinese Waters After the Second World War."（In Murfett
and Hattendorf, eds., The Limitations of Military Power, London, 1990）。丁
三青〈九龍城事件及中英交涉〉（《歷史檔案》1993 年 4 期）、中國第二
歷史檔案館〈1947 年～1948 年有關九龍城事件的中英交涉史料〉
（《民國檔案》1990 年 3 期）、高岱〈戰後香港歸屬之爭述論〉（《世界史
研究動態》1993 年 8 期；亦載《南京大學學報》1994 年 2 期）。

中蘇外交或關係有薛銜天編《中蘇國家關係史資料匯編(1945
～1949)》（北京，社會科學文獻出版社，1996）、O. B. Borisov and B.
T. Koloskov, Soviet-Chinese Relations, 1945～1970.（ed. by Vladmir
Petrov, Bloomington: Indian University Press, 1975）、謝世誠〈近年來大
陸對 40 年代中蘇關係的研究〉（《社科信息》1994 年 2 期）、薛銜天〈戰
後東北問題與中蘇關係〉（《近代史研究》1996 年 1 期）。許湘濤《戰後
蘇聯對華政策之研究（1945 年 8 月至 1946 年 8 月）》（政治大學東亞
研究所碩士論文，民 65）及〈戰後初期之中蘇關係〉（《東亞季刊》8 卷 3、

4期，民66年1、4月）、胡再德〈論抗戰勝利後蘇聯對華政策〉(《黨史文苑》1995年3期）、翟文光〈蘇聯在中國解放戰爭期間的對華政策〉(《首都師大學報》1996年4期）、烏傳袞〈我國解放戰爭時期蘇聯對華政策簡論（1945年8月～1949年10月）〉(《蘇聯問題研究資料》1990年2期）、劉德喜〈1945年8月至1949年10月蘇聯對華政策〉(《中共黨史研究》1990年增刊）、石井明〈戰後內戰期の國共兩黨・ソ連の關係－－1945年秋、中國東北〉(載高木誠一郎、石井明編《中國の政治と國際關係》，東京，東京大學出版會，1984)及《中ソ關係史の研究，1945－1950》(東京，東京大學出版會，1991）、朱新民〈戰後中蘇關係暨接收東北談判鱗爪〉(載《中國外交史論集》第1冊，民46年11月）、呂書正〈戰後初期蘇聯對華政策與中共爭取東北的鬥爭〉(《唐都學刊》1996年1期）、李福斌、季惠英〈解放戰爭時期蘇聯對華政策與國共關係的演變〉(《龍江黨史》1996年4期）、布海德（Russell D. Buhite, "The Soviet Union and United States Policy Toward China, 1945～49."（《美國研究》13卷3期，民72年9月）、徐燄〈戰後美蘇對華政策和中國共產黨進軍東北方針的變化〉(《歷史教學》1988年12期）、喬毅民〈試論抗日戰爭勝利後斯大林對華政策的實質〉(《四川師大學報》1990年2期）、Lowell Dittmer, Sino-Soviet Normalization and Its International Implications, 1945～1990.（Seattle: University of Washington Press, 1992）、胡為真〈蘇俄在1949年以前與我國交往時所表現之政策與態度〉(《人文社會科學學術論文集・國際關係類》臺北，臺灣商務印書館，民72年9月）、宋春、婁杰〈論解放戰爭時期國民黨對蘇聯政策的演變〉(《社會科學戰線》1991年3期）、朱培民〈1943－1949年蘇聯對新疆政策的演變〉(《中共黨史研究》1990年增

刊）、黃建華〈迪化和談前有關新疆問題的中蘇交涉〉（《西北史地》
1996年1期）、Francis Joseph Romance, Sino-Soviet Policies Towards
the Mongolian Peoples Republic, 1945-1965.（Ph. D. Dissertation,
Georgetown University, 1967）、王永祥〈斯大林與外蒙獨立中的幾個
問題〉（《國史館館刊》復刊21期，民85年12月）。

　　戰後中美外交或關係有 A. Malukhin, "U. S. Diplomacy's
Manoeuvres in China Late in the 1940s."（Far Eastern Affairs, 1983 No.
4）、Hua Qingzhao, From Yalta to Panmunjom: Truman's Diplo-
macy and the Four Powers, 1945 ～ 1953.（Ithaca, New York: Cornell
University, East Asia Progrom, 1993）、松葉秀文〈第二次大戰後米中
交涉史の諸問題－－ウオーレス・ミツシヨンの使命〉（《甲南法學》
8卷1號，1967年10月）、袁明〈四十年代後期中美關係史研究的動
向〉（《近代史研究》1985年6期）、何志功〈關於1945～1949年中美
關係史的研究及若干問題〉（《世界史研究動態》1986年3期）、陳香梅
〈二次大戰後中美外交關係〉（《中華民國建國史討論集》第5冊，臺北，
民70）、秦孝儀〈戰後中美關係〉（收入《中國近代現代史論集》第26編
下冊，臺北，臺灣商務印書館，民75）、夏小平〈略論戰後中美關係〉
（《重慶師院學報》1994年1期）、梁敬錞《中美關係論文集》（臺北，聯
經出版事業公司，民71）及〈抗戰勝利前後的中美關係（1945～1949)〉
（《傳記文學》31卷2期，民66年8月）、李士崇《第二次世界大戰前後
的中美關係（1931-1952)》（臺灣大學政治研究所碩士論文，民56）、邵
玉銘《中美關係研究論文集》（臺北，傳記文學出版社，民69）、Sun
Tung-hsun（孫同勛），"Some Recent American Interpretations of
Sino-American Relations of Late 1940's: An Assessment."（《美國研

究》12卷4期，民71年12月），其中譯文為王綱領譯〈近年來美國學者對一九四〇年代後期中美關係的新解釋〉（《世界華學季刊》4卷3期，民72年9月）、申曉雲〈40年代末中美調整關係評析〉（《近代史研究》1989年5期）、邵玉銘〈一九四五年至一九四九年美國、蘇聯與國共四角關係之研究〉（《美國研究》10卷1、2期合刊，民69年3-6月）及〈抗戰勝利至大陸淪陷前美蘇與國共四角關係之研究與檢討〉（《傳記文學》37卷5、6期、38卷1期，民69年11、12月、70年1月）、Steven I. Levine, "The Soviet Role in U. S.-China Relations: The 1940s." (《美國研究》13卷3期，民72年9月）、李本京《七十年中美關係評估，1913～1984》（臺北，黎明文化事業公司，民79）、Herbert J. Clancy, "Sino-American Relations: 1949"（《教學與研究》第6期，民73年5月）、Liu Zhigang, Sino-American Relations, 1945～1950: With Emphasis on the Outcome of China's Entry to the Korea War. (Ph. D. Dissertation, Boston University, 1995) 、 Steven M. Goldstein, "Sino-American Relations, 1948 ～ 50:Lost Chance or No Chance?(In Yuan Ming and Harry Harding, eds., Sino-American Relations, 1945 ～ 55: A Joint Assessment of a Critical Decade. (Washington, Del.:Scholarly Resources, 1989)、松葉秀文〈戰後における米中關係の開始〉（《國際政經事情》22號，1957年5月 ） 、 Ho Zhigong, "'Lost Chance' or 'Inevitable Hostility'?: Two Contending Interpretations of the Late 1940s Chinese-American Relations."(Society for Historians of American Foreign Relations, Newsletter, Vol. 20, No. 3, 1989) 、許志麟《抗戰勝利後中美關係惡化原因之研究，1945 ～ 1949》（中國文化大學中美關係研究所碩士論文，民76）、Nancy Bernkopf Tucker, Patterns in the Dust: Chinese-American Relations and the Recognition Controversy, 1949 ～ 50.（New York: Columbia University Press, 1983）、Dorothy Borg & Waldo Heinrichs, eds., Uncertain Years: Chinese American Relations, 1947～1950.（New York: Columbia University Press, 1980）、信大東洋史・史料講讀ゼミ〈戰後國民黨の中美關係論－－「中央日報」社論（1946年分）の邦譯と解題〉(《信大史學》15號，1990年11月)、Yuan Ming & Harry Harding, eds., Sino-American Relations 1945～1955: A Joint Assessment of a Critical Decade.（Washington, Del.: Scholarly Resources, 1989）、Nancy Bernkopf Tucker, "Nationalist China's Decline and Its Impact on Sino-American Relations, 1949～1950."（In Dorothy Borg & Waldo Heinrichs, eds., Uncertain Years: Chinese-American Relations, 1947～1950, New York: Columbia University Press, 1980）、Qiang zhai, "Recent Chinese Writings on 1945～1955 Sino-U. S. Relations."（Society for Historians of American Foreign Relations, Newsletter, Vol. 20, No. 4, 1989）、Rhee Tongchin, Sino-American Relations From 1942 Through 1949: A study of Efforts to Settle the China Problem.（Ph. D. Dissertation, Clark University, 1967）、邵玉銘〈試論大陸淪陷前後之中美關係及中美共同防禦條約之解釋與存廢問題〉(《傳記文學》35卷2期，民68年8月)。

　　時殷弘〈解放戰爭時期的美國對華政策與中美關係－－中國大陸學者近年研究述評〉(《近代史研究》1995年5期)、資中筠《美國對華政策的緣起和發展：1945～1950》(重慶，重慶出版社，1987)、陳志奇《戰後美國對華政策之蛻變》(臺北，帕米爾書店，民70)、陳宗堯《美國對華政策(一九四六－－一九五二)》(政治大學外交研究所碩士論文，民47年5月)、山下琢二《アメリカの對中國政策－－－

九四五～一九五五年》(早稻田大學政治研究所碩士論文，1972)、松葉
秀文《米國の中國政策：1944～1949年－－外交資料を中心とし
てた史的研究》(東京，有信堂，1969)及〈戰後・米國の中國政策史
マーシセル期の諸問題－－支那的外交のパターンを求めて〉(《甲
南法學》9卷1、2號 1968年11月)、何志效〈試評1945～1949年的
美國對華政策〉(《近代史研究》1985年1期)、孫雅潔〈試析戰後初期
美國對華政策〉(《龍江黨史》1990年6期)、陳寶齡《美國對華政策之
研究，1947～1950：以鈕克特蘭的國家利益架構分析》(淡江大學
美國研究所碩士論文，民79)、譚平〈試論戰後初期的美國對華政策〉
(《成都大學學報》1990年1期)、揭書安、顧塋惠〈也談1945～1950
年美國對華政策的演變〉(《華中師大學報》1991年1期)、曹勝強〈述
評戰後美國對華政策轉換的歷史軌跡〉(《聊城師院學報》1991年3期)、
張志民《美國對華外交政策(1949-1950)》(政治作戰學校外國語文研究
所碩士論文，民72)、植田捷雄〈米國最近の對華政策〉(《東洋文化研
究》第2號，1946年9月)、Michael Lewis Baron, Tug of War: The
Battle Over American Policy Toward China, 1946-1949. (Ph. D.
Dissertation, Columbia University, 1980.)、William Whitney Stueck, Jr.,
The Road to Confrontation: American Policy Toward China and Korea,
1947～1950.(Chapel Hill: University of North Carolina Press, 1981)、松
葉秀文〈戰後・米國の中國政策史スチエアート期（自1947至
1949）の諸問題－－米國の對中國戰後政策の歸趨〉(《甲南法學》9
卷3號，1969年1期)、安藤正士〈第二次大戰終了前後のアジアー
とくにアメリカの對中國政策を中心として〉(《歷史教育》12卷2號，
1964年2期)、劉俊民〈戰後美蘇對華政策給中國局勢的影響〉(《齊

齊哈爾師院學報》1989年5期）、楊澤民〈馬歇爾使華期間的美國對華政策〉（《黨史研究與教學》1989年5期）、岳蘇明〈毛澤東的勝利和美國對華政策的失敗：對解放戰爭時期中美關係的回顧和思考〉（《求索》1996年2期）、陶文釗〈美國對華政策辯論與1948年《援華法》〉（《近代史研究》1988年3期）及〈1949～50年美國對華政策與承認問題〉（《歷史研究》1993年4期）、孫其明〈渡江戰役前後美國對華政策的若干問題〉（《南京師大學報》1990年1期）、李本京〈韓戰前美國對華外交政策〉（《中華民國建國史討論集》第5冊，臺北，民70）、Helen Esther Fleischer Anderson, Through Chinese Eyes: American China Policy, 1945～1947.(Ph. D. Dissertation, University of Virginia, 1980）、J. R. Skretting, Republican Attitudes Toward the Administration's China Policy, 1945-1949. (Ph. D. Dissertation, State University of Iowa, 1952）、George Charles Roche, Public Opinion and the China Policy of the United State, 1941-1951. (Ph. D. Dissertation, University of Colorado, 1965）、Park Ki-june, American Foreign Policy Toward East Asia （China, Korea and Japan）, 1945-1949. (Ph. D. Dissertation, University of Kansas, 1988）

　　楊維繼〈論美國對華"和平演變"戰略的起源－－兼論二戰後美國對華政策的演變〉（《福建黨史月刊》1991年4期）、王青山、楊密密〈美國對華政策與李宗仁的代總統〉（《社會科學家》1992年1期）、鄧澤宏〈美國對華調處政策和第三條道路的興衰〉（《中共黨史研究》1992年3期）、張慶琪〈紐約時報的對華政策（1945～1949）〉（《軍事史評論》創刊號，民83年6月）及《紐約時報的對華政策（1945～1949）》（輔仁大學歷史研究所碩士論文，民71年6月）、宋春、婁杰〈全國解放戰爭時期國民黨對美國政策的演變〉(《東北師大學報》1991年6期)。李光億《杜魯門時代之美國對華政策》(政治大學外交研究所碩士論文,民49)、李榮秋《杜魯門總統時代的美國對華外交政策》(臺灣大學政治研究所碩士論文,民54)及〈杜魯門總統時代之美國對華外交政策〉(《中山學術文化集刊》第3集,民58年3月)、蔡善瑩《杜魯門總統對華政策(1945年4月~12月)》(中國文化學院中美關係研究所碩士論文,民65年6月)、劉國興《評估杜魯門總統之中國政策(1945年8月至1950年6月)》(臺北,臺灣商務印書館,民73)、June M. Grasse, Trumans' Two-China Policy, 1945~1955.(New York: M. E. Sharpe Inc., 1987)、陳錦曉〈試論戰後初期杜魯門政府的對華政策〉(《南都學壇》1987年4期)、袁明〈從1947-1948年一場辯論看杜魯門政府的對華政策〉(收於《中美關係論文集》第2集,重慶,重慶出版社,1995)、Lewis McCarroll Purifoy, Harry Truman's China Policy: McCarthyism and the Diplomacy of Hysteria 1947~51.(New York: New Viewpoint, 1976)、翟強〈院外援華集團和杜魯門對華政策〉(《世界歷史》1986年5期)、John Hansen Feaver, The Truman Administration and China, 1945-1950: The Policy of Restrained Intervention.(Ph. D. Dissertation, University of Oklahoma, 1980)、Ernest R. May, The Truman Administration and China, 1945~49.(Philadelphia: J. B. Lippincatt, 1975)、John Hollister Hedley, The Truman Administration and the "Lose of China": A study of Public Attitudes and the President's Policies From Marshall Mission to the Attack on Korea.(Ph. D. Dissertation, University of Missouri, 1964)、趙綺娜〈美國參議員史密斯與杜魯門政府的對華政策〉(《臺大歷史學系學報》18期,民83

年12月）及〈美國親國民政府國會議員對杜魯門政府中國政策影響
之評估〉（《歐美研究》21卷3期，民80年9月）、Virginia May Kemp,
Congress and China, 1945-1959.（Ph. D. Dissertation, University of
Pittsburgh, 1966）、林利民〈新中國成立前後艾奇遜的對華政策主張〉
（《華中師大學報》1989年2期）。

　　陳之邁〈艾奇遜與中美關係白皮書〉（《傳記文學》26卷6期，民63
年6月）、薛光前〈「美亞文件」與「白皮書」－－兼論「摩根索中
國日記」的重要性〉（《問題與研究》9卷8期，民59年5月）、林利民
〈1949年美國政府編纂發表對華政策白皮書的原因與國共美三方政
治反應〉（《華中師大學報》1996年2期）；The White Paper: August
1949.（Stanford, California: Stanford University Press, 1967）、費孝通
〈白皮書的剖析〉（《新建設》1卷1期，1949年9月）、梁秀榆《美國公
布白皮書決策過程之研究》（淡江大學美國研究所博士論文，民81）、張
銘森《美國對華關係白皮書主要論點之評析》（中國文化大學中美關係
研究所碩士論文，民77）、郭璨《美國對華白皮書要點之研究》（同上，
民69）、梁敬錞〈美國對華白皮書之經緯與反應－－艾契遜－石三
鳥政策之一〉（《傳記文學》33卷1期，民67年7月）、饒大衛〈美國國
務院白皮書－－個建議性的反響》（《中華民國建國史討論集》第5冊，
臺北，民70）、宮崎世龍譯編《米國對華白書の中國における反響》
（東京，朝日新聞社，1949）。陶文釗〈1946年《中美商約》：戰後美
國對華政策中經濟因素個案研究〉（《近代史研究》1993年2期）、王建
科〈重評《中美商約》〉（《學海》1995年6期）、任東來〈重評－九四
六年《中美友好通商航海條約》〉（《中共黨史研究》1989年4期）、李
芬〈1946年《中美友好通商航海條約》新論〉（《安徽史學》1996年3

期〉、王綱領〈美國戰後對華投資交涉－－中美關係的轉捩點之一〉
（載《中華民國史專題論文集：第三屆討論會》，臺北，國史館，民85）、
Robert Leon Brandfon, "The Young Thesis : The Loss of China, and
United States Gold Policy." (International Historical Review, No. 9, 1987)。
Thomas J. Christensen, Useful Adversaries: Grand Strategy Domes-
tic Mobilization, and Sino-American Conflict, 1947～1950.(Princeton,
N. J.: Princeton University Press, 1996) 、 Chen Jian, "The Ward Case
and the Emergence of Sino-American Confrontation, 1948 ～ 50."
(Australian Journal of Chinese Affairs, No.30, July 1993) 、 Gordon H.
Chang, Friends and Enemies: The United States, China and the Soviet
Union, 1948～72.(Standford, California: Stanford University Press, 1990)、
Thomas Ben-King(李本京), "The Marshall Plan: A Reappraisal of
Its Practical Effects."(《美國研究》4卷1、2期合刊，民63年3～6月)、
Kenneth C. Kan, The Diplomacy of Foreign Aid : The United States
and the Marshall Plan Assistance, 1947-1949. (Ph. D. Dissertation, Mi-
ami University, 1983)、林高原〈解放戰爭時期美國對中國"第三方
面"勢力政策之剖析〉(《華僑大學學報》1992年2、3期)、郭榮趙《美
國製造戰後之中國悲劇之回顧》(《傳記文學》34卷2期，民68年2月)、
Gertrude C. Byers, American Journalism and China, 1945-1950. (Ph.
D. Dissertation, Saint Louis University, 1980)、趙怡《美國新聞界對中
國戡亂戰爭報導之研究》(臺北，黎明文化事業公司，民74)。葉振輝
《蔣廷黻與中國外交－－特別著重一九四七年至一九六一年之一時
期》(臺灣大學政治研究所碩士論文，民66年6月)、孟默聞輯《美蔣勾
結史料》(北京，新潮書店，1951)、楊樹標〈宋美齡1948年美國之

行〉(《民國春秋》1995 年 1 期)、Jon W. Huebner, "Chinese Anti-
Americanism, 1946～48."(Australian Journal of Chinese Affairs, No. 17,
1987)。Odd Arne Westad, Cold War and Revolution: Soviet-Ameri-
can Rivalry and the Origin of the Chinese Civil War, 1944～1946.
(New York: Columbia University Press, 1993).Feng Chi-jen(馮啟人),
America's Role in the Chinese Civil War.(Ph. D. Dissertation, New York
University, 1973)、Nancy Smith Simon, From the Chinese Civil War
to the Shanghai Communique: Changing Us Perception of China as A
Security Threat. (Ph. D. Dissertation, Johns Hopkins University, 1982)、
蕭新煌〈戰後美國對中華民國與南韓的援助：世界體系的分析〉
(《中華學報》7卷2期，民69年9月)、葉偉濬《戰後美國軍經援華之研
究(1946-1949)》(中國文化大學中美關係研究所碩士論文，民70)、李文
志《美援來華(1946～1948)之政治經濟分析》(臺灣大學政治研究所
碩士論文，民78) 。Ying Hsu, "The Attitude of the United States
Toward the Split of the KMT and CCP." (《中國歷史學會史學集刊》14
期，民71年5月)、張國慶〈抗戰勝利後美蘇國共在東北的角逐〉(《民
國檔案》1993 年 2 期)、牛軍〈戰後初期美蘇國共在中國東北地區的
鬥爭〉(《近代史研究》1987年1期)、自由世界出版社編印《美國扶日
亡華大陰謀》(香港，1948)。科恩〈艾契遜及其顧問與中國〉(《國
外中國近代史研究》第7輯，1985)、海因里西斯〈"艾契遜及其顧問
與中國" 小結〉(同上) 、Warren I. Cohen, Acheson, His Advisors,
and China in Uncertain Years: Chinese-American Relations, 1947-1950.
(New York : Columbia University Press, 1980)。川本謙一〈アチメンと中
國－－セプリンダ、センー于けるコー I ン報告關連して〉(《島大

法學》26卷2、3號，1983年2月）、Deam Acheson著、居仁摘譯《美國對華政策－－艾奇遜之自白》（臺北，臺灣商務印書館，民61）、黃文齡〈司徒雷登使華之研究〉（《軍事史評論》創刊號，民83年6月）及《司徒雷登使華之研究》（輔仁大學歷史研究所碩士論文，民75年6月）、何志功《駐華大使期間的司徒雷登》（中國社會科學院研究生院碩士論文，1985）、劉景泉〈司徒雷登與戰後美國對華政策〉（《歷史教學》1996年5期）、Shaw Yu-ming（邵玉銘），John Leighton Stuart and Twentieth-Century Chinese-American Relations. (Cambridge, Mass. : Harvard University Press, 1992)、"John Leighton Stuart and U. S.-Chinese Communist Rapprochement in 1949: Was There Another 'Lost Chance in China'?" (The China Quarterly, No. 89, March 1982)及〈司徒雷登與中共奪取政權前夜的中美關係〉（《國外中共黨史研究動態》1994年3期）、王建朗〈破滅的政策之夢：司徒雷登與危機中的國民政府〉（《美國研究》1996年2期）、葉篤義譯注〈司徒雷登1946～1948年致美國國務卿的若干電文〉（《歷史研究》1982年2期）、周建超、劉金鴿〈1949年司徒雷登謀求美中和解問題淺析〉（《揚州師院學報》1992年4期）、Kenneth W. Rea and John C. Brewer, eds., The Forgotten Ambassador, the Reports of John Leighton Stuart, 1946 ～ 1949. (Boulder, Colo.: Westview Press, 1977)、顧長聲《從馬禮遜到司徒雷登－來華新教傳教士評傳》（上海，上海人民出版社，1985）、司徒雷登著、李宜培等譯《司徒雷登回憶錄》（臺北，中央日報社，民44），另一中譯本為《在中國五十年－－司徒雷登回憶錄》（臺北，新象書店，民73）、徐天淦〈司徒雷登在中國〉（《中外雜誌》52卷1期，民81年7月）。Gary May, China Scapegoat: The Diplomatic Ordeal of John

Carter Vincent.(Washington, D. C.: New Republican Books, 1979)、周之鳴《太平洋學會怎樣出賣中國》(臺北，龍華文化公司，民57)、美國參議院司法委員會編、天下圖書公司編譯部譯《太平洋學會調查報告》(臺北，天下圖書公司，民59)、柯貝克(Antony Kubeck)原著、中國時報編譯室譯《美亞報告－－中國災難之線索》(臺北，編譯者印行，民59)、鄧公玄〈對美亞文件應有的認識與警惕〉(《問題與研究》9卷6期，民59年3月)。Herbert J. Chancy,"Ideology and Practice in the Far Eastern Policy of the United States: 1945."(《歷史學報（臺灣師大)》16期，民77年6月)、Russell D. Buhite, "Major Intersts : American Policy Toward China, Taiwan, and Korea, 1945-1950." (Pacific Review, Vol. 47, No. 3, August 1978)、Michael Dunne, American Foreign Relations Since 1945.(Macmillan & Co., Ltd., 1985)、蘇格〈戰後初期美國對臺灣政策的形成〉(《外交學院學報》1993年2期)、Tsou Tang (鄒讜), America's Failure in China, 1941-1950.(Chicago:University of Chicago Press, 1963)，其中譯本為王寧譯《美國在中國的失敗》(上海，上海人民出版社，1996)、王琛〈美國西藏政策的演變（1947~1951)〉(《史學月刊》1996年5期)。

其他如廖本萬《戰後中韓關係研究》(中國文化大學日本研究所碩士論文，民75年6月)、中川信夫《李承晚‧蔣介石》(東京，三一書房，1960)、胡春惠〈蔣中正先生與大韓民國政府之建立〉(載《蔣中正先生與現代中國學術討論集》第4冊，臺北，民75)、牟宗燦〈抗戰勝利對韓國經濟之影響〉(同上)、邵毓麟〈歷史性的中韓鎮海會議－－使韓回憶錄之十三〉(《傳記文學》32卷3期，民67年3月)及〈鎮海會議－－為紀念鎮海會議二十週年而作〉(同上，15卷2期，民58年

8月）；Lu Shih-peng（呂士朋）, "The Establishment of Sino-Saudi Arabian Relations in 1946."（《東海學報》27期，民75年6月；亦載《東海歷史學報》第8期，民75年12月）、Sudershan Chawla, India, Russia, and China, 1947-1955 : An Interpretation of the Indian Concept of National Interest.（Ph. D. Dissertation, Ohio State University, 1959）、Chen King, China and the Democratic Republic of Vietnam（1945-54）.（Ph. D. Dissertation, Pennsylvania State University, 1962）、桂安生〈綜觀一九四六年以來的中菲關係〉（載《中華民國建國八十年學術討論集》第2冊，臺北，民81）。

4.軍事方面

有周宏雁〈一九四八年國民黨南京軍事檢討會議簡介〉（《軍事史林》1987年3期）、江英〈全面內戰爆發前國民黨整軍評析〉（《歷史檔案》1994年3期）、劉鳳翰〈抗戰後的剿共與整軍〉（載《國父建黨革命一百周年學術討論集》第3冊，臺北，民84）、趙雅博〈東北國軍拒絕收編偽軍確係事實〉（《傳記文學》66卷6期，民83年6月）、劉毅夫〈我親歷國軍拒絕收編偽軍的一幕－－隨侍蔣夫人赴長春慰勞俄軍的回憶〉（同上，67卷1期，民84年7月）、蘇啟明〈抗戰勝利後美國在華軍事行動〉（《國史館館刊》復刊第8期，民79年6月）、Edward John Marolda, The U. S. Navy and the Chinese Civil War, 1945～1952.（Ph. D. Dissertation, George Washington University, 1990）、Lee Stretton Houchins, American Naval Involvement in the Chinese Civil War, 1945-1949.（Ph. D. Dissertation, The American University, 1971）、楊彪〈中國內戰中的－把雙刃劍－－美國海軍陸戰隊在華行動始末〉(《歷史教學問題》1994 年 3 期)、葉偉濬〈馬歇爾使華時期美軍陸戰隊在華行止之研究〉(《近代中國》64 期，民 77 年 4 月)、朱寶琴、黃萬榮〈美軍顧問團在南京〉(《南京史志》1992 年 3 期)、劉忠堂〈淺析 1949 年美國不出兵中國的原因〉(《石油大學學報》1995 年 4 期)、 Chester J. Pach Jr. Arming the Free World : The Origins of the United States Military Assistance Program, 1945-1950. (Chapel Hill : The University of North Carolina Press, 1991)、程維達〈解放戰爭初期國民黨軍事實力新探〉(《軍事歷史研究》1996 年 1 期)、陳傳剛〈解放戰爭時期國民黨戰區級指揮機構的演變〉(同上，1996 年 4 期)、張明莉〈徐州"剿總"的成立與消亡〉(《徐州師院學報》1991 年 2 期)、符浩〈國民黨武官官場內幕〉(《文史精華》1996 年 2 期)、劉建〈1946～1949 年國民黨軍高級將領的派系結構對其實施軍事戰略的影響〉(《軍事史林》1992 年 2 期)、程途〈解放戰爭時期的失業軍官請訓活動〉(《重慶黨史研究資料》1983 年 10 期)。 Harlan W. Jencks, From Muskets to Missiles: Politics and Professionalism in the Chinese Army, 1945～1981.(Boulder, Colo.: Westview Press, 1982)、Donald G. Gillin & Charles Etter, "Staying On:Japanese Soldiers and Civilians in China, 1945～1949."(The Journal of Asian Studies, No. 42, 1983)、葉昌綱〈戰後日軍殘留山西始末〉(《近代史研究》1992 年 3 期)、中央檔案館等編《河本大作與日軍山西"殘留"》(北京，中華書局，1995)、裴可權〈抗戰勝利後忠義救國軍挺進京滬杭紀實〉(《浙江月刊》17 卷 8、9 期，民 74 年 8、9 月)、蔣曙明〈中國傘兵之成軍及第三團叛變經過〉(《傳記文學》68 卷 3 期，民 85 年 3 月)。

5.社會方面

朱玉湘〈試論第三次國內革命戰爭時期的社會主要矛盾〉(《山東大學學報》1961年6期)、丁三青〈抗戰勝利後國統區社會政治意識及其發展趨向〉(《史學月刊》1991年3期)、孫宅巍〈抗戰勝利後江蘇省國統區的的社會狀況〉(《江蘇地方志》1989年2期)、翟松天〈試論青海省解放前的社會性質〉(《青海社會科學》1988年1、2期)、李文華〈青海解放前社會性質問題研討綜述〉(《青海民族學院學報》1990年3期)、杜漸〈水災兵禍下的安徽人民〉(《時與文》2卷11期,民36年11月)、古厩忠夫〈解放前中國農民の性格についてのノート〉(《新潟史學》第5號,1972年12月)、天野元之助〈解放前の華南農村の一性格〉(《追手門學院大學文學部紀要》第3號,1969年12月)、東美晴〈解放前江南農村女性における不淨性の構造－－性別役割・領域分擔からの考察〉(《現代中國》70號,1996年7月)、石田浩〈解放前の華北農村社會の一性格－－特に村落と廟ヒの關連において〉(《關西大學經濟論集》32卷2、3號,1982年7、9月)、陳玉峰〈40年代中國農村僱傭勞動者〉(《吉林大學社會科學學報》1994年2期)、陳翰笙等編《解放前的中國農村(第1輯)》(北京,中國展望出版社,1986)、Michael F. Martin, "Rural Living Conditions in Pre-Liberation China: A Survey of Three Recent Studies."(The Jurnal of Peasant Studies, Vol. 19, No. 1, 1991)、町田是正〈解放前夜に於ける中國農村の生活－－毛澤東の農村實態調查を例として〉(《棲神(身延山短大)》30號,1955年10月)、王炳林〈解放戰爭時期中國民族資產階級經濟命運的考察〉(《北京黨史研究》1994年3期)、陳依悌《《觀察》週刊研究(1946～1948)──對動盪時局知識份子角色的考察〉(東海大學歷史研究所碩士論文，民83年6月)、徐思彥〈40年代中後期自由主義知識分子參政意識透視──由《觀察》周刊談起〉(《檔案史料與研究》1993年3期)、左雙文、劉少和〈對《觀察》周刊的再觀察──兼論中國自由知識份子政治態度的變化和國民黨政權在大陸迅速崩潰的關係〉(《南京社會科學》1992年1期)、黃振華、馮承柏〈略述解放戰爭期間平津知識分子的抉擇〉(《歷史教學》1990年4期)、野原四郎〈1948年における中國知識分子の動き〉(《知性》2卷2號，1949年2月)、劉家駒〈海外知識分子對大陸淪陷的評論與反省〉(《中華學報》7卷2期，民69年9月)、齊藤哲郎〈內戰期上海學生の意識・生活・運動〉(《近きに在りて》第7號，1985)，其中譯文載《復旦學報》1986年6期；孔凡嶺〈戰後初期留美學生大部滯留的原因及影響〉(《齊魯學刊》1996年6期)、西清子〈戰後における中國青年婦人の日本への關心──謝冰心女史の報告〉(《中國研究所所報》第8號，1947年11月)、林金枝〈戰後海外華僑華人社會的變化及其特點〉(《華僑大學學報》1993年3期)、駱幼玲〈戰後華僑社會和海外華人社會的變化的研究〉(《計劃與發展》1988年3期)、劉漢標〈第二次世界大戰後美國華僑、華人社會的變化〉(《暨南學報》1987年1期)、黃英湖〈戰後華僑再移民及其原因剖析〉(《南洋問題研究》1989年2、3期)、郭緒印〈解放戰爭時期洪門"中間路線"〉(《民國檔案》1990年3期)、邵雍〈1946年1951年國民黨利用幫會反共述略〉(《江蘇社會科學》1993年5期)、盧漢龍〈上海解放前移民特徵研究〉(《上海社會科學院學術季刊》1995年1期)、胡時淵〈一九四八年江亞輪沉沒慘案之謎〉(《文史通訊》1983年4期）、芮逸夫〈行憲與邊民〉（《邊疆通訊》4卷7期，民36年7月）、張維楨等〈東北工人階級在解放戰爭中的貢獻〉（《黨史研究》1987年4期）、張文杰、蔡石松〈解放戰爭時期的觀音堂煤礦工會〉（《中州學刊》1983年6期）、高樂才〈解放戰爭時期的東北土匪問題〉（《民國檔案》1992年3期）、秦建基〈解放前山西禁煙、禁毒及毒禍泛濫的種種情況〉（《文史研究》1991年3期）、朱健華〈從黔南的煙毒看40年代的"禁政"〉（《貴州師大學報》1990年4期）、劉蘇選編〈1946年北平市政府禁煙工作報告〉（《北京檔案史料》1996年1期）、查時傑〈抗戰勝利後中國基督教會的再起（1945～1949）〉（載《慶祝抗戰勝利五十周年兩岸學術研討會論文集》上冊，臺北，近代史學會，民85）。

6. 教育方面

羅久蓉〈抗戰勝利後教育甄審的理論與實際〉（《中央研究院近史研究所集刊》22期下冊，民82年6月）、邱椿〈戰後中國的教育政策〉（《教育雜誌》32卷2號，民36年8月）、許公鑑〈戰後教育的搶救與改造〉（同上）、陳友松〈戰後中國教育經費問題（一）〉（同上，32卷4號，民36年10月）、滕大春〈矚望戰後新教育〉（《東方雜誌》41卷23號，民35）、江懋祖〈戰後教育問題提要〉（《中國教育學會年報》，民37年1月）；《中華教育界特輯：戰後兩年中國教育全貌》（《中華教育界》新編號2卷1、2期，民37年1、2月）、江少倫〈戰後安徽教育〉（《教育雜誌》32卷5號，民36年11月）、馬客談〈戰後中國的國民教育〉（同上，32卷1號，民36年7月）、林本〈戰後中國的中學教育〉（《教育雜誌》32卷4號，民36年10月）、黃貴祥〈戰後中學教育問題及其解決〉(同上)、方惇頤〈戰後中國的師範教育〉(《教育雜誌》32卷1號，民36年7月)、李蒸〈戰後中國師範教育方針〉(同上)、沈灌群〈戰後我國師範教育之商榷〉(同上，32卷2號，民36年8月)、杜佐周〈戰後中國的大學教育〉(同上，31卷1號，民36年7月)、胡蔭瑗〈行憲後之學制〉(《教育通訊》5卷2期，民37年3月)、沈百英〈勝利後三次修訂小學課程標準〉(《東方雜誌》43卷6號，民36)、新保敦子〈「解放」前中國における鄉村教育運動－－中華平民教育促進會をめぐつて〉(《現代中國》59號，1985年7月；亦載《東京大學教育學部紀要》24號，1985年2月)、陳毓述〈關於反對國民黨反動政府接管東北大學的鬥爭〉(《綏化師專學報》1991年4期)、吳偉民〈國立長白師範學院的創建與播遷〉(《東北文獻》7卷1期，民65年8月)、方永蒸〈國立長白師院創立及七次播遷〉(同上，1卷2期，民59年10月)、陳勻〈從長白師範學院播遷談及有關教育問題〉(同上，17卷1、2、3期，民75年8、11月、76年2月)。

7. 學術思想及其他

波多野太郎〈戰後中國における舊文學の研究－－抗戰終了から1950年まで〉(《橫濱大學論叢》5卷3號，1954年2月)、岡崎俊夫〈戰後における中國の人民文學〉(《世界文學研究》第2號，1948年11月)、徐良〈反法西斯文學與戰後文學思想的驅動和轉折〉(《青島大學師院學報》1995年1期)、竹內實〈戰後文學と中國革命〉(《新日本文學》17卷10號，1962年10月)、竹內好等〈中國文學－－戰後海外文學の展望〉(《中央公論》67卷13號，1952年10月)、波多野太郎〈戰

後中國の言語學界〉(《中國語雜誌》第3、4號，1948年12月)、王朝
閒〈一九四九年的美術界〉(《新建設》1卷10期，1950年1月)、關國
煊〈中央研究院第一屆院士當選四十周年〉(《傳記文學》53卷6期，民
77年12月)。陳儀深〈國共鬥爭下的自由主義：1941～1949〉(《中
央研究院近代史研究所集刊》23期下冊，民83年6月)、馬千里〈40年代
政治自由主義在中國〉(《蘇州大學學報》1995年1期)、Mary G Masur,
"Intellectual Activism in China During the 1940s: Wu Han in the United
Front and the Democratic League."(The China Quarterly, No. 133, March
1993)、汪榮祖〈自由主義在戰後中國的起落－儲安平及「觀察」的
撰稿群〉(《傳記文學》63卷4期，民82年10月)、Wong Young-tsu(汪
榮祖)，"The Fate of Liberalism in Revolutionary China: Chu Anping
and His Circle, 1946～50."(Modern China, Vol. 19, No. 4, October 1993)、
矢島鈞次《新中國の思想と展望》(東京，中文館書店，1947)、徐元
明〈戰後初期中國體育思想之形成（1945～1949）〉(《體育學報》14
輯，民81年12月)、小岩井淨〈中國における戰後の法思想〉(《季刊
法律學》25號，1958年1月)、赤塚忠〈戰後中國での古典思想研究
の一斷面〉(《近代》第7號，1954年5月)、魯振祥〈新民主主義理論
在解放戰爭時期的主要發展〉(《文史哲》1991年4期)、何仲山、張
明楚〈戰後中國沒有走上資本主義道路原因剖析〉(《黨校論壇》1991
年7期)、賓業繩〈戡亂期中的道德動員〉(《新運導報》119期，民36
年10月)。片桐潤子《ソ連の中國觀についての一考察－－1943年
～1953年》(慶應大學法學研究所碩士論文，1982)、佐竹靖彥〈戰後
日本における中國史研究の展開〉(《人文學報》268號，1996年3月)、
谷川道雄編著《戰後日本の中國史論爭》(東京，河合出版，1993)、

笹川裕史〈戰後日本における中國國民府(1927～1949)研究〉(《近きに在りて》24號，1993年11月)、王浩博《二次大戰後中美科技發展政策的比較研究》(政治大學政治研究所博士論文，民71)、畢克偉〈回想劫難：戰後影片對抗戰的論述〉(載《國父建黨革命一百周年學術討論集》第3冊，臺北，民84)、阮毅成〈淪陷前的大陸報業〉(收入董顯光等《新聞學論集》，臺北，中華文化出版事業委員會，民44)、蔡銘澤〈四十年代國民黨報業企業化經營概述〉(《新聞大學》1994年夏季號)、劉敬坤〈國民黨《中央日報》1949年前出版情況〉(《民國春秋》1990年4期)、馬光仁〈戰後國民黨對申、新兩報的控制〉(《新聞研究資料》33輯，1985年11月)、曹江秋〈評舊政協期間《大公報》的政治方向〉(《益陽師專學報》1993年2期)、劉北汜〈最後三年的《大公報·文藝》〉(《新文學史料》1993年1期)、柯靈〈《周報》滄桑錄〉(同上)、針紫〈香港戰後第一家人民喉舌——《正報》〉(《暨南學報》1986年1期)、華嘉〈憶記香港《華商報》及其副刊〉(《新文學史料》1986年1期)、蔣文瀾〈解放戰爭時期江西各報反蔣鬥爭概述〉(《南昌職技師院學報》1995年1期)、吳伯卿〈抗戰勝利後的湖南報業〉(《報學》1卷2期，民41年1月)、黎永泰〈一九四九年以前四川大學師生的報刊活動〉(《四川大學學報》1985年4期)。張克明輯錄〈第三次國內革命戰爭時期國民黨政府查禁書刊目錄(1946.2～1949.9)〉(《民國檔案》1989年3期)、波多野太郎〈民國三十五年度出版界の總檢討〉(《中國研究所所報》第8號，1947年11月)、武田泰淳〈終戰後の上海出版界〉(《新中國》第7號，1946年9月)、郭武群〈解放戰爭期間天津的社會民主刊物〉(《黨史資料與研究》1993年4期)。任潔〈淺談抗戰勝利後的民族振興〉(《齊齊哈爾師院學報》1995年5期)、Christian

Henriot, "Medicine, VD and Prostitution in Pre-Revolutionary China."
（Social History of Medicine, Vol. 5, No.1, 1992）、陳儀深〈政權替換與佛
教法師的調適－以 1949 年前後的明真、虛雲、道安、印順為例〉
（《中央研究院近代史研究所集刊》26期，民85年12月）、邢野〈解放戰
爭時期內蒙古地區音樂戲劇初探〉（《內蒙古社會科學》1982年1期）、
王福全〈解放戰爭時期哈爾濱市監獄〉（《法學與實踐》1990年2期）。

8. 中共及其解放區

　　(1)中共方面：通論性及一般性的有《日本投降後的中國共產
黨》（統一出版社，民36）；《日本投降後中共動態資料匯編》（民34
年11月出版）、王沛〈中國共產黨在全國解放戰爭時期的歷史概述〉
（《理論學習》1991年12期）、中共中央黨史研究室《中共黨史大事年
表》組寫組〈《中共黨史大事年表》說明（四）關於《第三次國內
革命戰爭》部分〉（《黨史資料通訊》1982年22期）、工藤信《中共最
近一年史－－1948年8月19日～49年9月末》（東京，西北書房，
1949）、橘善守編《赤い星は亂れ飛ぶ：中國共產黨の全貌》（東京，
ジーフ社，1949）、渡邊龍榮《裏から見た中共》（東京，都書房，
1949）。中共黨務有鹿培法、劉全國〈關於黨中央轉戰陝甘的記述
差異〉（《山東師大學報》1994年2期）、郭洛夫〈黨中央轉戰陝北幾個
史實考〉（《黨史研究》1984年1期）、田為本〈關於抗日戰爭勝利後中
共中央曾擬南遷問題〉（《黨史通訊》1987年8期）、盧再彬〈紅都欲遷
淮陰的前前後後〉（同上，1989年2期）、林濃〈解放全中國的最後

一個農村指揮所－－中共中央在西柏坡的革命實踐活動〉(《河北學刊》1983年2期)、王居英〈偉大的戰略轉移－－黨中央和毛澤東同志東渡黃河到西柏坡途中的革命業績〉(同上)、戴廣田〈論西柏坡精神〉(《毛澤東思想研究》1994年1期)、居英〈試論西柏坡精神的形成及歷史作用〉(《黨史博採》1991年12期)、李炳亮等〈西柏坡精神筆談〉(《理論教學》1991年8期)、馮永之等〈中央工委和黨中央在西柏坡的一些情況〉(《麗水師專學報》1983年1、2期)、金岩編著《西柏坡國事風雲》(北京，檔案出版社，1996)、舒雲《從西柏坡到香山》(北京，長征出版社，1996)；〈跟隨黨中央和機關從西柏坡到北平〉(《東北地方史研究》1989年3期)、姜廷玉等〈中共中央在城南莊〉(《河北學刊》1983年2期)及〈中共中央在河北阜平縣城南莊的活動〉(《教學與研究》1981年3期)、王作坤、邵明綏〈重慶談判期間劉少奇主持黨中央工作的歷史功績〉(《棗莊師專學報》1991年1期)、陳廉〈解放戰爭時期中共中央堅持民主決策的幾個實例〉(《黨史研究資料》1995年1期)、陳標〈中共中央關於抗戰後建國方針的最早制定及其變化〉(《黨史研究與教學》1996年2期)。田為本〈從七大到全國解放〉(《黨史資料通訊》1982年22、23期)、靜雨〈黨的七屆二中全會及其意義〉(《學習與實踐》1984年3期)、陳道源〈黨的七屆二中全會的重大歷史作用〉(《江西大學學報》1983年4期)、張璜岩〈英明的預見，深沉的反思：重溫七屆二中全會歷史文獻的聯想〉(《黨史博採》1990年3期)、馬邦泰〈試論1948年中央"九月會議"的意義〉(《揚州師院學報》1990年3期)、陳恩惠〈一次重要的戰略決策會議－－1948年9月中共政治局會議情況介紹〉(《黨的文獻》1989年5期)、陳振華〈葉劍英同志1949年主持召開第四次贛州會議及其前後〉(《黨史文苑》1992年4期）、楊清〈贛州會議對解放廣東的歷史作用〉（《嶺南學刊》1989年4期）、楊明訓、謝公義〈中共中央中原局商丘會議〉（《中州今古》1984年6期）。楊宗煥〈略論解放戰爭時期中原局對新區政策的貢獻〉（《河南大學學報》1989年1期）及〈解放戰爭時期中共中央中原局對新區政策的貢獻〉（《地方革命史研究》1989年4期）、張先浩〈解放戰爭時期中共中央上海局組織概況〉（《上海黨史資料通訊》1988年11期）、黃淑君〈中共南方局對胡世合事件的領導〉（《西南師院學報》1983年4期）、朱大禮、王廣達、徐紅英〈簡論中共中央南方局在解放戰爭中的歷史貢獻〉（《中共黨史研究》1987年5期）、趙風森〈中共中央遼東分局的建立及其作用〉（《東北地方史研究》1988年4期）、姚明達〈關於中共中央華中分局城市工作部的一些情況（1945.11～1946.12）〉（《黨史資料叢刊》1982年3輯）、阮黃南〈試論解放戰爭初期中共中央後方工作委員會的地位和作用〉（《黨史研究與教學》1996年5期）、錢之光〈抗戰勝利後的中共代表團南京辦事處和上海辦事處〉（《近代史研究》1985年6期）、喬金伯〈中共代表團駐滬辦事處（周公館）舊址紀事〉（《上海師院學報》1980年3期）、王玉玲、趙保勝〈解放戰爭時期東北地區黨組織領導的支前運動〉（《理論思維》1991年4期）、劉喜發、唐亦玲〈抗戰勝利後我黨派往東北的中央委員情況簡介〉（《黨史研究資料》1992年2期）、北上典夫〈戰後滿洲地區中共勢力の動向〉（《中國研究所所報》第4號，1947年4月）、盧亞東〈論解放戰爭時期中共西滿分局的地位與作用〉（《齊齊哈爾師院學報》1992年6期）、史理〈解放戰爭時期黨在河南國民黨統治區的工作〉（《河南黨史研究》1988年2、3期）、包曉峰〈解放戰爭時期浙江黨組織概況〉（《浙江檔案》1989年10期）、陳日增〈解放戰爭時

期福建省委南古甌會議及澄洋暴動〉(《黨史資料與研究》1987年6期)、
張上江〈南古甌會議評述〉(《福建黨史月刊》1988年8期)、林強〈評
1949年中共福建省委黨代會〉(《黨史研究與教學》1989年1期)、盧茂
材〈解放戰爭時期廈門大、中學的地下黨組織〉(《福建黨史通訊》1986
年12期)、鄭夏龍〈福建省委機關南遷閩中的戰略意義〉(同上,1988
年5期)、徐慶祉〈中共通化省委的歷史地位與作用〉(《東北地方史研
究》1989年2期)、曉頡〈解放戰爭時期吉林省黨組織及所轄地域變
更概況〉(《革命春秋》1993年4期)、張安餘整理〈解放戰爭時期"中
共黔東特委"鬥爭史實〉(《貴州博物館館刊》1986年2期)及〈黔北特
委與湄潭暴動〉(同上,1986年3期)、余明鐘("南昌特委"辨〉(《江
西黨史研究》1989年6期)、劉瑞祥〈解放戰爭時期南昌特委有關史實
初探〉(同上,1989年3期)、俞百巍〈贛東地下黨員西進經過〉(《貴
州文史叢刊》1981年1期)、王淑輝〈豫西南工作委員會的建立及其主
要工作〉(《河南黨史研究》1988年2、3期)、張超〈豫西工委的建立
及其活動〉(同上)、史理〈解放戰爭時期黨在河南國民黨統治區的
工作〉(同上)、陳修良〈虎穴裏的戰鬥:回憶南京地下鬥爭的日子〉
(《支部生活》1992年2期)及〈戰鬥在敵人的心臟——南京(1945~
1949)〉(《史林》1986年2期)、周一凡〈地下工作的輕騎兵:憶中共
南京地下文印小組〉(《南京史志》1996年3期)、江柯林〈裏應外合解
放城市的範例:論上海地下黨迎接解放鬥爭〉(《黨史研究與教學》
1991年5期);《上海近郊地下鬥爭紀實,1945~1949》(上海,上
海教育出版社,1987)、張耀祥等〈解放戰爭時期上海市近郊區地下
黨的工作情況〉(《上海黨史資料通訊》1984年2期)、江柯林〈試述京
滬地下黨迎接解放工作方針的確定過程〉(同上,1989年5期)、王明

清〈憶上海地下黨配合我主力部隊解放上海的幾個片斷〉(《上海黨史資料通訊》1985年10期)、江春澤〈在上海店職員中建設秘密黨組織的若干經驗〉(同上，1988年9期)、上海市市內電話局黨史組〈上海電話公司地下黨組織史沿革〉(《上海工運史料》1987年5期)、中共北京市委黨史研究室編《解放戰爭時期中共北京地下黨鬥爭史(工委‧市政工委)》(北京，編者印行，1993)及《解放戰爭時期中共北平地下黨鬥爭史料(鐵路工作委員會)》(同上)、劉志著、譚霈生整理《在北京地下鬥爭的日子裏》(北京，北京出版社，1961)、方亭〈解放戰爭時期北平地下黨的鬥爭〉(《黨史研究》1981年6期)、北京出版社編輯《衝破黎明前的黑暗》(北京，編輯者印行，1961)，編選了6篇文章，均為「解放」戰爭時期北京地區的革命鬥爭回憶錄；李友濱等〈北平崇德中學地下黨支部的建立和活動〉(《北京黨史通訊》1989年2期)、王效挺等〈長沙臨時大學、西南聯大、北京大學地下黨組織沿革及黨員名錄〉(《高等教育論壇》1989年1期)、施璐怡〈解放戰爭時期中共北平工人工作委員會組織概述〉(《北京黨史研究》1993年2期)、方亭〈解放戰爭時期中共北平地下黨對高校知識分子的統戰工作〉(同上，1996年2期)、趙凡〈淺談解放戰爭時期北平中共外圍組織的發展過程和歷史作用〉(同上1993年5期)、宋汝棻、沈勃〈解放戰爭時期中共北平學委領導的東北系統地下黨組織的活動情況〉(同上，1993年4期)、吳仲炎〈解放戰爭時期黨在武漢地區的鬥爭方略——紀念武漢解放四十周年〉(《武漢大學學報》1989年4期)、湖北人民出版社編輯《武漢地下鬥爭回憶錄》(武漢，編輯者印行，1981)、黃民偉〈憶江漢中心縣委和江漢支隊〉(《地方革命史研究》1987年2期)、吳明剛〈試述福州解放戰爭中閩浙贛邊區黨組織與游擊隊的貢獻〉(《福建黨史月刊》1990年4期)、張孟萃〈廣東解放前夕華南黨組織關於解放廣東的若干政策〉(《廣東黨史通訊》1989年5期)、陳晨光、賴淼雲〈淺談解放戰爭時期梅州黨組織領導群眾開展武裝鬥爭的經驗〉(《廣東黨史》1991年4期)、郭寶通等〈抗戰勝利後清遠地區黨的隸屬關係問題〉(同上，1988年6期)、陳立平〈抗戰勝利後的西江特委及其領導的自衛鬥爭〉(同上，1986年8期)、馬仕生〈解放戰爭時期廣西城市地下黨思想建設特點〉(《廣西黨史研究通訊》1992年1期)、李建〈解放前夕廣西大學地下鬥爭片斷〉(《廣西大學學報》1981年2期)、覃煜芳〈解放戰爭時期中共地下黨在梧州的活動〉(《廣西黨史研究通訊》1989年4期)；〈中共雲南地下黨組織概況〉(《雲南文史叢刊》1985年1期)、黃麗生〈雲南地下黨初期活動的片斷回憶〉(《雲南現代史料叢刊》1985年4輯)、劉披雲〈回憶四川地下黨〉(《雲南群眾文藝》1981年5期)、沈沙〈試析解放戰爭時期中共四川地方組織領導的武裝鬥爭〉(《四川黨史月刊》1990年4期)、魏峽等〈搶米事件前後的川康地下黨〉(《成都黨史通訊》1990年4期)、鄭伯克〈關於川康特委史實的補充〉(《四川黨史月刊》1989年6期)、劉兆豐〈1949年川東黨組織工作概況〉(《重慶黨史研究資料》1983年4、5期)、王敘五〈解放戰爭時期的川北工委〉(《四川黨史研究資料》1985年5期)、廖石誠〈重慶解放前夕黨領導重慶市參議會內的民主鬥爭〉(《重慶黨史研究資料》1984年9期)、石化〈解放戰爭時期重慶地下黨團青年核心組織簡況〉(同上，1983年7期)、盧光特〈1949年下半年重慶地區黨的策反工作紀事〉(同上，1984年9期)、周應培等〈1947年至1948年重慶地下南岸工委的成立與合併〉(《重慶黨史研究資料》1987年3期)；〈中共重慶市委歷屆市委書記任免變動情況〉(同上，1989

年1期）、陳立軍〈迎著風浪誕生的中共重慶地委〉（《四川黨史月刊》
1990年11期）、劉友華〈簡述中共成都市委1949年領導的護廠鬥爭〉
（《四川黨史研究資料》1987年5期）、朱光壁等〈解放戰爭時期南充地
區中共地下黨的鬥爭〉（《四川黨史月刊》1989年6期）；〈為了五星紅
旗飄揚：巴縣地下黨迎接解放的鬥爭紀要〉（《重慶黨史研究資料》1989
年4期）、鄧萬發〈閬中地下黨為和平解放事業作出貢獻〉（《四川黨史
研究資料》1984年10期）；〈江北縣地下黨組織迎接解放的梗概〉（《重
慶黨史研究資料》1989年4期）、趙伯平〈中共陝北特委領導陝北人民
革命鬥爭概述〉（《陝西地方志》1990年2期）、王晉林〈解放戰爭時期
中共甘肅工委的民族工作〉（《甘肅理論學刊》1988年5期）、牙含章《隴
右地下鬥爭》(蘭州，甘肅人民出版社，1981)。李瑞剛〈解放前夕蚌
埠地下黨領導工人對敵鬥爭片斷〉（《安徽工運史研究資料》1981年4
輯）、朱本福〈解放戰爭時期的中共嘉太寶工委〉（《上海黨史資料通
訊》1988年9期）、楊繼干〈畢節地下黨活動概況〉（《貴州文史叢刊》
1981年2期）、何祖岳〈解放前夕暗隆的地下鬥爭〉(同上，1981年1
期)、黎爽〈思普地下黨及其領導的武裝鬥爭〉（《雲南現代史料叢刊》
1986年6輯）、吳福壽〈中共雲孝縣委城工部在武漢的地下鬥爭〉（《地
方革命史研究》1990年2期）、劉寶鐸〈簡論中共三地委堅持撫本新敵
後鬥爭〉（《撫順社會科學》1993年10期）、王玉玲、趙保勝〈解放戰
爭時期東北地區黨組織領導的支前運動〉（《龍江黨史》1996年2期）、
陳意〈解放戰爭時期雷師重建黨組織的回憶〉（《湛江師院學報》1995
年3期）、徐林祥〈紅色特工在國民黨保密局內部〉（《黨史縱覽》1996
年4期）。劉冠超〈簡論解放戰爭初期我黨的中心任務〉（《淮北煤師
院學報》1986年1期）、周銳京〈試論1944年4月至1949年3月中

共工作重心的逐步轉移〉(《黨史研究與教學》1992年1期)、蘇開華〈關
於抗戰勝利後黨的"和平建國"基本方針的表述問題〉(同上，1994
年3期)、尾崎庄太郎〈中國共產黨の戰後經營諸方策〉(《民主主義
科學》1卷3號，1946年6月)、李壯〈關於中央決定放棄延安時間問
題的商榷〉(《黨史研究》1982年3期)、王永濤〈試論我黨接管瀋陽的
成功經驗及其指導意義〉(《社會科學輯刊》1995年3期)、李雲波〈硝
煙散去之後：我黨接管瀋陽始末〉(《黨史縱橫》1994年1期)、田仲德
〈1948年中共接收瀋陽情況概述〉(《黨史研究資料》1988年10期)、黃
兆康〈論解放戰爭時期黨的建設〉(《黨史研究與教學》1991年5期)、
孔繁莉、李樹良〈論解放戰爭時期合江省黨建工作的基本經驗〉
(《龍江黨史》1994年4、5期)、孔繁志、孔繁莉〈論解放戰爭時期合
江省黨建工作的歷史意義〉(《佳木斯師專學報》1996年2期)、姜淑華
〈試述鶴崗地區解放戰爭時期建黨建政工作〉(《龍江黨史》1994年4、
5期)。彭積冬〈解放戰爭時期中國共產黨的肅貪史實〉(《北京大學
學報》1994年4期)、陳明顯等〈解放戰爭時期的整黨運動〉(《黨史研
究資料》1983年11期)、天兒慧〈整黨運動1948年－－「人民內部
の矛盾を處理する」實踐的原點〉(《一橋論叢》81卷3號，1979年3月)、
王榮剛〈解放戰爭時期整黨是延安整風的繼續和發展〉(《上海黨校學
報》1985年6期)、哈爾濱市檔案館〈建國前哈爾濱市整黨概況〉(《哈
爾濱研究》1984年2期)。唐寶林〈解放戰爭時期中國托派對我黨的
攻擊〉(《黨史研究資料》1987年2期)、南陽地委黨史辦公室〈國民黨"
伏工團"對我黨的破壞〉(《河南黨史研究》1988年4、5期)、上原慶
一〈戰後初期戰爭における中國共產黨の基本方針の再檢討－「解
放日報」を中心にして〉(《歷史學研究》386號，1972年7月)、管殿

義等〈有關戰後黨的鬥爭方針幾個問題之淺見〉(《大慶師專學報》1988年4期)。

中共政治有竹中久七《中國戰後の政治・經濟－中共を中心として》(東京，慶應出版社，1946)、雷奎懷〈抗戰勝利後黨爭取和平改革中國政治的鬥爭〉(《貴陽師專學報》1987年1期)、張琦〈抗戰勝利後中國共產黨爭取民主政治的鬥爭〉(《近代史研究》1989年2期)、蒲樹業、何祥永〈抗戰勝利後中國共產黨爭取和平實現中國社會政治改革的嘗試〉(《西南民族學院學報》1986年增刊)、俞曙民〈抗戰勝利後黨的爭取和平民主團結的方針及其歷史作用〉(《開拓》1987年1期)、吳其全〈略論戰後黨爭取和平民主鬥爭的形式〉(《鹽城師專學報》1988年4期)、及〈戰後初期我黨開展和平民主鬥爭的特點〉(同上，1989年3期)、陸文培〈淺論抗戰勝利後我黨爭取和平民主的鬥爭〉(《淮北煤師院學報》1986年1期)、楊先材〈爭取和平民主是戰後初期我黨的鬥爭方針〉(《教學與研究》1983年4期)、黃文嵐主編、李其煌等編著《爭取和平民主：1945～1946》(上海，上海人民出版社，1996)、張秀英〈為爭取和平民主、和平而吶喊的吐露〉(《黨史資料與研究》1996年2期)、李宗敏《黨在抗日戰爭勝利後為爭取國內和平民主而鬥爭的策略》(《重慶師院學報》1991年4期)、吳筠〈中國共產黨與解放戰爭時期的人民民主運動〉(《龍江黨史》1990年3期)、張波〈試論解放戰爭時期中共領導的多黨合作制的雛形〉(《吉林師院學報》1990年3、4期)、朱令名〈解放戰爭時期中共領導下的多黨合作基礎的奠定〉(《新疆大學學報》1990年3期)、謝偉民〈簡述中國共產黨和各民主黨派在解放戰爭中合作的特點〉(《空軍政治學院學報》1992年4期)、劉誠〈試述舊政協會議期間中國共產黨和民主黨派團結奮鬥的歷史經驗〉（《揚州師院學報》1987年4期）、劉利群〈從解放戰爭時期的第三條道路的破產看中共領導的多黨合作的歷史必然性〉（《求實》1990年4期）。蔣國海、施家瑞〈論解放戰爭時期統一戰線的形成與發展〉（《信陽師院學報》1993年3期）、陳金富《中共統一戰線之研究：以1945年～1949年之中共統戰為例》（政治大學東亞研究所碩士論文，民79）、李勇、張仲田編著《解放戰爭時期統一戰線大事記》（北京，中國經濟出版社，1988）、楊宇生〈試論解放戰爭時期黨的統一戰線〉（《蘇州大學學報》1987年1期）、寶巨等〈記解放戰爭時期統一戰線的特點〉（《雲南師大學報》1990年1期）、王玉川〈論解放戰爭統一戰線的特點〉（《安徽黨史研究》1992年3期）、潘煥昭〈論解放戰爭時期統一戰線的突出特點〉（《陝西師大學報》1990年4期）、張鼎昌《戰後中共「和平民主統一戰線」》（臺北，幼獅文化公司，民76)、鞠連和〈論解放戰爭時期中共統一戰線政策的運用的歷史作用〉（《東北師大學報》1996年4期）、閆青〈淺析解放戰爭時期人民民主統一戰線的特點〉（《廣東民族學院學報》1991年1期）、中央統戰部、中央檔案館編《中共中央解放戰爭時期統一戰線文件選編》（北京，檔案出版社，1988）、筱虹〈試論解放戰爭時期的統戰工作〉（《史學月刊》1992年1期）、李百齊〈黨的統一戰線方針與土地改革運動〉（《山東師大學報》1995年增刊）、尹書博〈周思來與解放戰爭時期的統一戰線〉（《探索》1988年4期）、陳充〈解放戰爭時期統戰工作在南路的勝利〉（《廣東黨史》1991年4期）、覃光航〈解放戰爭時期我黨在桂東南的統戰工作〉（《廣西黨校學報》1988年6期）、王青山〈仁至義盡：全國解放前夕中共對桂系的統戰政策〉（《桂海論叢》1994年1期）、張連富〈1949年黨的聯桂反蔣方針〉（《理論探討》1994年4期）、盧荻〈解放戰爭時期中國共產黨對李濟深的統戰工作〉(《廣西黨史研究通訊》1989年4期)、汪涵清〈解放戰爭時期中共對雲南民族資產階級的統－戰線工作〉(《雲南文史叢刊》1995年2期)、孫素蘭〈團結合作,風雨同舟:解放戰爭時期中共對民主黨派的統－戰線工作〉(《黨的文獻》1992年5期)、牛玉峰〈解放戰爭時期中國共產黨領導的反對資產階級右翼分裂統－戰線陰謀的鬥爭〉(《龍江黨史》1992年1期)、蔣孟豪〈抗日戰爭和解放戰爭時期黨對重慶金融界的統戰活動〉(《重慶黨史研究資料》1988年4期)、闞孔璧《周恩來重慶統戰紀事》(重慶,重慶出版社,1985)、閻樹聲、胡民新〈爭取團結"第三方面"的成功之舉〉(《人文雜誌》1991年4期)、葉篤義〈中共與"第三方面"的一段往事〉(《華人世界》1989年3期)。Joseph K. S. Yick, "Two or Three Front? −− The Civil War in China, 1945 ～ 1949." (In Philip Yuen-Sang Leung & Edwin Pak-Wah Leung, eds., Modern China in Transition: Studies in Honor of Immanuel C. Y. Hsu, Claremont, Calif.: Regina Books, 1995)、馬德茂〈論解放戰爭時期的第三條戰線〉(《中南財經大學學報》1989年3期)、張春英〈論解放戰爭的第三條戰線〉(《中共黨史研究》1989年4期)、陳隋源〈對《論解放戰爭的第三條戰線》一文的一點意見:與張春英商榷〉(同上,1990年2期)、李敦送、江羽翔〈解放戰爭時期存在第三條路線嗎?−−與張春英商榷〉(同上,1990年3期)、吳其金〈不容懷疑低估的方針:論中共和平民主方針制定的依據及歷史作用〉(《鹽城師專學報》1990年1期)、張春英〈再談全國解放戰爭時期的第三條戰線問題−−答李敦送、江羽翔〉(《中共黨史研究》1992年2期)、孟慶春〈關於第三條戰線問題研究的思索〉(《齊齊哈爾師院學報》1993年5期)。李裕〈新中國成立前中央人民政府籌備述略〉(《中共黨史研究》1996年6期)、劉建武〈論抗戰勝利後中共的和平民主建國方針〉(《湘潭師院學報》1989年1期)、平野正著、張軍民譯、趙連泰校〈民主同盟響應中國共產黨召開新政治協商會議始末〉(《龍江黨史》1992年4期)、田中忠夫〈新政治協商會議の性格〉(《アジア經濟資料》41號，1949年1月)及〈新政治協商會議の構成と性格〉(《法と經濟》106、107號，1949年7月)、李春生〈試論解放戰爭後期新政協運動的歷史特點〉(《吉林大學社會科學學報》1995年6期)、李金山等編《中國人民政治協商會議史》(哈爾濱，黑龍江教育出版社，1991)、史習培〈記解放戰爭時期黨的思想政治工作〉(《黨史研究與教學》1994年2期)、張起厚〈一九四九年以前中共在全國各地的政治、文化機關及外圍團體、會社的調查研究〉(《共黨問題研究》11卷10-12期，12卷1-4期，民74年10-12月，75年1-4月)、George Edward Taylor, "Hegemony of the Chinese Communists, 1945～1950." (Annals of the American Academy of Political and Social Science, Vol. 277, Sept. 1951)、Samuel Bernard Thomas, Doctrine and Strategy of the Chinese Communist Party：Domestic Aspects, 1945-1956. (Ph. D. Dissertation, Columbia University, 1964)、韓廣富、王金豔〈解放戰爭時期黨的城市政策〉(《黨史研究資料》1996年2期)、Joseph Kong Sang Yick, The Urban Strategy of the Chinese Communist Party: The Case of Beiping-Tianjin, 1945～1949.(Ph. D. Dissertation, University of California-Santa Barbara, 1988)、馮文綱〈周恩來同志領導的反對黃河"堵口復故"陰謀的鬥爭〉(《中州學刊》1981年2期)、王喜成、楊貴生〈試論1945～1947年關於黃河花園口堵口問題國共雙方的鬥爭〉(同上，1989年3期)、郭必強〈周恩來與蔣介石在黃河堵復工程上的一場鬥爭〉(《南京史志》1990年5期)、李蠱森《東方大浩劫：黃河花園口堵復事件內幕揭秘》(鄭州，河南人民出版社，1992)、蔣曉濤〈解放戰場初期關於黃河堵口復堤的鬥爭情況〉(《歷史教學》1986年6期)、于慶祥〈黨在東北解放戰爭初期的政策與策略〉(《革命春秋》(1992年2期)、梁玉多〈試論抗戰勝利後我黨在北滿地區的政權建設〉(《北方文物》1996年2期)、黃亞略《奇跡：改造日偽戰犯紀實》(北京，團結出版社，1993)、羅廣斌等《在烈火中永生》(北京，中國青年出版社，1959)，描述1948年被囚禁在重慶中美特種技術合作所集中營裏的中共人員的獄中生活及其鬥爭經過；山西日報出版社編《第三次國內革命戰爭時期革命鬥爭回憶錄文集》(太原，編者印行，1961)。厲華、孫丹年編著《「紅岩」小說與中美合作所軍統集中營》(北京，群眾出版社，1994)。

中共軍事有《軍史資料圖集》編輯組編輯《中國人民解放軍歷史資料圖集。第4～6集：解放戰爭時期（上）、（中）、（下）》(3冊，北京，長城出版社，1984及1985)、長城出版社編輯《中國人民解放軍歷史圖片選集・第5冊：兩個中國命運的決戰》(北京，編輯者印行，1987)。至於人民解放軍(1927—)史的論著及資料，已在第三冊中舉述，此處不再贅舉，可參閱之。他如施哲雄〈中共軍事思想特點及竊據大陸前共軍的發展〉(《東亞季刊》5卷4期，民63年4月)、繆楚黃〈中國人民解放軍在第三次國內革命戰爭時期的發展概況〉(《學習》1952年6期)、劉長明〈解放戰爭中的中國人民解放軍總部〉(《軍事歷史》1993年2期)、蔣玉懷等〈解放戰爭時期人民解放軍的正規化建設〉(同上，1993年1期)。袁偉編著《中國人民解放軍五大野戰部隊發展史略》(北京，解放軍出版社，1987)、孫琦〈中

國人民解放軍第一野戰軍沿革〉（《黨史研究資料》1984年2期）、鍾仁
編著《第一野戰軍：彭德懷麾下的14個軍230位將軍》（北京，國防
大學出版社，1996，四大野戰軍叢書）、洪兵、汪徐和編著《中國雄
師：第一野戰軍》（北京，中共黨史出版社，1996）、第一野戰軍戰史
編審委員會編《中國人民解放軍第一野戰軍戰史》（北京，解放軍出版
社，1995）、楊國宇、陳斐琴〈第二野戰軍紀事〉（上海，上海文藝出
版社，1988）、陳俊嘉《第二野戰軍之研究》（中國文化大學大陸問題研
究所碩士論文，民76）、畢建忠〈中國人民解放軍第二野戰軍沿革〉
（《黨史研究資料》1984年4期）、張軍賦、晉夫編著《中國雄師：第二
野戰軍》（北京，中共黨史出版社，1996）、王中興、劉立勤編著《第
二野戰軍：劉伯承麾下的10個軍247位將軍》（北京，國防大學出版
社，1996）、曹宏、李莉編著《第三野戰軍：陳毅麾下的17個軍349
位將軍》（同上）、南京軍區《第三野戰軍史》編輯室編《中國人民
解放軍第三野戰軍戰史》（北京，解放軍出版社，1996）、李壯〈中國
人民解放軍第三野戰軍發展概況〉（《黨史研究資料》1984年5期）、張
斌等編著《中國雄師：第三野戰軍》（北京，中共黨史出版社，1996）、
《第三野戰軍戰史》編輯室編《第三野戰軍征戰日志》（南京，江蘇人
民出版社，1995）、張智強、陳勇編著《陳粟鐵軍橫掃千里：三野縱
橫紀實》（成都，四川人民出版社，1995）、南京軍區政治部編研室編
《華東軍區：第三野戰軍組織發展實錄》（南京，江蘇人民出版社，
1993）、王迪康等編寫《第四野戰軍南征紀實》（北京，解放軍出版社，
1993）、袁偉〈中國人民解放軍第四野戰軍沿革〉（《中共黨史資料》1984
年2期）、翟唯佳、曹宏編著《中國雄師：第四野戰軍》（北京，中共
黨史出版社，1996）、戴常樂等主編、舒進軍等編寫《第四野戰軍：

林彪麾下的20個軍519位將軍》（北京，國防大學出版社，1996）、
Carroll Robbins Wetzel, From the Jaws of Debeat: Lin Piao and the
4th Field Army in Manchuria. （Ph. D. Dissertation, George Washington
University, 1972）、沈恩澤、許世厚、郭廣民〈中國人民解放軍第四
野戰軍在解放戰爭時期的衛生防病工作〉（《中華醫史雜志》16卷2期，
1986年4月）、薛立〈西北野戰軍粉碎國民黨軍的重點進攻〉（《歷史
教學》1984年12期）、張洪濤編著《中國雄師：華北野戰軍》（北京，
中共黨史出版社，1996）、王德〈解放戰爭中的華東野戰軍司令部〉（收
入南京軍區司令部編研室等編《中國軍事史論文集》，開封，河南大學出版
社，1989）、陳建洲〈論華東野戰軍的首戰及其意義〉（《淮陰師專學
報》1995年3期）、張效林〈華東野戰軍戰略進攻特點初探〉（《大江
南北》1994年1期）、李壯〈中國人民解放軍華北軍區野戰部隊發展
概況〉（《黨史研究資料》1986年9期）。廖靜〈一九四六年初東北民主
聯軍主力作戰方向問題芻議〉（《軍事史林》1988年2期）、蘇進〈東北
民主聯軍護路軍的歷史貢獻〉（《軍事歷史》1988年6期）、高惠祥〈解
放戰爭時期東北民主聯軍的訴苦教育〉（《東北地方史研究》1991年3
期）、鍾占興、沈兆璜〈東北軍區暨東北野戰軍組織沿革〉（《軍事歷
史》1994年2期）、中共東北軍黨史組編著《中共東北軍黨史概述》
（北京，中共黨史出版社，1995）及《中共東北軍地下黨工作回憶》（同
上）、門間理良〈中共軍關係年表——戰後內戰東北地區篇〉（《史
峰》第8號別冊，1995年4月）。丁立平、劉南寧編著《陝南奇軍：中
國人民解放軍第19軍陝南戰鬥記》（北京，軍事科學出版社，1994）、
席軍編著《鐵膽雄師：21軍征戰寫實》（蘭州，甘肅人民出版社，
1996）、曹榮光〈中國人民解放軍陸軍第二十三軍簡史〉（《軍事歷史》

1989年2期）、李榮耀〈中國人民解放軍第36、第37軍簡史〉(同上，1992年2期）、劉立勤〈中國人民解放軍陸軍第54軍簡史〉(同上，1992年5期）、王春芬〈中國人民解放軍陸軍第68軍簡史〉(同上，1993年5期）、李曉黎主編《從渤海到大上海：渤海縱隊、三十三軍征戰紀實》(北京，軍事科學出版社，1995）、黎連榮、徐振有編《從東北到海南島：解放戰爭中的第四十三軍》(同上，1992）、黎連榮、邢志遠編著《從東北到海南島：續集：解放戰爭中的第四十三軍》(同上，1996）、喬新柱主編《中國人民解放軍陸軍第42集團軍歷史圖片集》(北京，長城出版社，1991）、徐摔死儒主編《血火鑄輝煌：陸軍第六十七集團軍軍史圖片集》(瀋陽，遼瀋美術出版社，1996）、中國人民解放軍陸軍第一八一師軍史辦公室編《征戰四方》(南京，江蘇人民出版社，1988）。中國人民解放軍歷史資料叢書編審委員會編《新式整軍運動》(北京，解放軍出版社，1995）、李新市〈新式整軍運動起止時間考〉(《天津師大學報》1993年5期；亦載《毛澤東軍事思想研究》1994年2期）及〈新式整軍運動起止時間再考〉(《松遼學刊》1995年3期）、單潤芝〈簡析新式整軍運動的歷史作用〉(《軍事歷史》1992年4期）、中國第二歷史檔案館〈整軍建軍專題報告(1946年)〉(《民國檔案》1994年2期）、王炳林〈解放戰爭時期的新式整軍運動〉(《研究資料與譯文》1985年2期）、甘渭漢〈新式整軍運動〉(《軍史資料》1985年8期）；〈新式整軍運動的典型：遼東三縱隊的訴苦教育情況〉(同上）、李新市〈淺論劉、鄧大軍對新式整軍運動的貢獻〉(黃淮學刊 1994年3期）。唐洪森〈解放戰爭時期阜新軍事會議初探〉(《阜新社會科學》1995年1期）、李邊、田玄〈解放戰爭時期華南游擊縱隊的形成及其作用〉(《軍事歷史》1992年3期）。王大亮編著《塵兵江淮：華東2縱征戰紀實》（北京，國防大學出版社，1996）、歐陽青主編《齊魯風雲：華東9縱征戰紀實》（同上）、何況編著《百戰征衣紅：華東13縱征戰紀實》（同上）、胡支援編著《三萬將士血：東北5縱征戰紀實》（北京，國防大學出版社山，1996）、郭木編著《鐵流縱橫；東北10縱征戰紀實》（同上）。中共雲南省委黨史資料徵集委員會等編《中國人民解放軍滇桂黔邊縱隊》（2冊，昆明，雲南民族出版社，1990）、雲南中共黨史學會編《"邊縱"武裝鬥爭討論文選》（昆明，雲南人民出版社，1989）、劉清等編寫《邊縱武裝鬥爭紀實》（同上，1981）、楊美清〈滇西北游擊隊紀事〉（《下關師專學報》1981年1期）、中共南充地委黨史工作委員會編《華鎣山游擊隊》（重慶，重慶出版社，1988）、陸生南〈滇桂邊區縱隊在靖鎮區鬥爭的作用〉（《廣西黨校學報》1988年5期）、陳立平〈解放戰爭時期華南游擊縱隊的建立發展及其歷史作用〉（《軍事歷史研究》1993年1期）、中共肇慶市委黨史研究室粵桂湘邊縱隊史編寫組編著《粵桂湘邊縱隊史》（廣州，廣東人民出版社，1996）、曾梅生、陳本亮〈華南堅強的一翼：閩粵贛邊縱隊在解放戰爭中的作用〉（《福建黨史月刊》1990年2期）、《閩粵贛邊縱隊史》編寫組編《閩粵贛邊縱隊史》（廣州，廣東人民出版社，1995）、《閩粵贛邊縱隊第二支隊史》編寫組編《中國人民解放軍閩粵贛邊縱隊第二支隊史》（同上，1989）、中共欽州市委黨史研究室等編著《中國人民解放軍粵桂邊縱隊第三第七支隊史》（南寧，廣西人民出版社，1996）、臨汾旅編寫組編《臨汾旅》（北京，解放軍文藝社，1960），記述該旅於1947年4月開始向山西曲沃的閻錫山所部進攻，其後參加運城戰役、臨汾戰役、晉中戰役，以至1949年的太原戰役的經過。

　　李坤〈解放戰爭時期國統區人民武裝之歷史考察〉(《近代史研究》1994年1期)及〈解放戰爭時期國統區人民武裝發展的歷史特點〉(《軍事歷史》1993年3期)、方繼發〈解放戰爭時期的黑龍江民兵〉(《軍史資要》1986年1期)、劉寶俊〈回憶東北回民支隊〉(《寧夏大學學報》1985年2期)、王健〈1947～49年回漢支隊的建立和發展〉(同上,1981年4期)。關英明、張慶洲〈日本朋友在解放戰爭中：中民解放軍中的日本戰士〉(《遼寧師大學報》1989年2期)及〈友誼無國界－人民解放軍中的日本戰士〉(《黨史縱橫》1994年6期)、康士建〈中國人民解放軍黨委制的建立和完善〉(《軍事歷史》1990年5期)、李雲龍〈論解放戰爭時期我軍瓦解敵軍的工作〉(《南京社會科學》1996年12期)、何惠昂〈淺談解放戰爭時期中國共產黨的戰俘政策〉(《唐都學刊》1995年5期)。王光廷、葉克秋〈解放戰爭時期的閩北愛國武裝鬥爭〉(《福建黨史月刊》1990年5期)、羅祖寧、蕭海美〈試述解放戰爭時期興寧人民武裝鬥爭〉(《廣東黨史》1993年1期)、王元年〈東北解放戰爭中的剿匪鬥爭〉(《東北地方史研究》1991年3期)、白俊成〈略述東北解放戰爭中的剿匪鬥爭〉(《錦州師專學報》1991年2期)。嚴啟祥〈東北解放戰爭時期的剿匪鬥爭〉(《博物館研究》1984年2期)、叢文勝〈血沃白山黑水－－東北剿匪鬥爭述評〉(《軍事歷史》1995年6期)及〈功在人民,利在全國：縱論東北大剿匪〉(《黨史縱橫》1994年5期)、孫鳳雲〈抗日戰爭勝利後黑龍江地區的剿匪鬥爭〉(《北方論叢》1986年5期)、賀晉年《深山剿匪記》(瀋陽,遼寧人民出版社,1984)、中共撫順市委黨史工作委員會編著《解放戰爭時期撫順地區鬥爭簡史》(瀋陽,遼寧人民出版社,1988)、劉小藝〈玉皇山作證：1946年平定通化大暴亂始末〉(《黨史縱橫》,1994年9期)、聞揚〈通

化二·三暴動始末〉(《博物館研究》1986年1期)、黃運祥〈通化二·
三事件始末〉(《東北地方史研究》1988年4期)、劉明簡〈貴州剿匪鬥
爭初探〉(《貴州文史叢刊》1985年3期)、中共廣西壯族自治區黨史資
料徵集委員會編著《全國解放戰爭時期的廣西武裝鬥爭》(2冊,北
京,中共黨史出版社,1992)、廣東省人民武裝鬥爭史編纂委員會編著
《廣東人民武裝鬥爭史:解放戰爭時期》(廣州,廣東人民出版社,
1995)、彭新雲〈廣東剿匪概述〉(《軍事歷史》1992年5期)、李運昌、
段蘇權〈冀察熱遼剿匪概述〉(同上,1991年6期)、王靖華〈垣曲縣
二區民兵鬥爭憶述〉(《黨史文匯》1994年12期)、呂松年〈泰安剿匪
戰鬥〉(《黑龍江檔案》1987年4期)、張文杰、蔡石松〈建國前夕陝洛
地區的剿匪鬥爭〉(《中州今古》1984年5期),周言久〈大別山剿匪鬥
爭述略〉(《安徽史學》1994年3期)、王化東〈憶解放戰爭初期堅持洪
澤湖的鬥爭〉(同上,1987年4期)、包厚昌《戰鬥在江南》(無錫,無
錫人民出版社,1959),為一本革命鬥爭回憶錄,記「解放」戰爭時
期中共領導的一支人民武裝,在蘇州、常州等地區進行抗租、鋤
奸、反"清剿"鬥爭的事跡;李廣平〈試論解放戰爭時期無錫革命
鬥爭的特色〉(《江蘇黨史文萃》1991年5期)。程剛、李明賢〈解放戰
爭時期我軍兵工生產概述〉(《軍事歷史研究》1996年2期)、石井明〈中
國共產黨は核兵器にどう立向つたか?-1945~50年〉(《教養學科
紀要》第6號,1974年3月)。

中共外交(對外關係)有井尻秀憲〈中華人民共和國成立前夜
の國際關係〉(《アジア研究》28卷1號,1981)、王真〈抗戰勝利後中
共爭取東北的外交鬥爭策略〉(《黨史研究與教學》1994年5期);林軍
〈解放戰爭時期的中共與蘇聯--兩黨同兩國友好與矛盾的濫觴〉

（《北方論叢》1996年5期）、吳小松〈試論解放戰爭時期中國共產黨的
對蘇政策〉（《江西社會科學》1993年1期）、于景陽、王晶〈論東北解
放戰爭初期中國共產黨與蘇聯的關係〉（《龍江黨史》1995年2期）、薛
銜天〈戰後東北問題與中蘇關係走向〉（《近代史研究》1996年1期）、
石井明〈戰後內戰期の國共兩黨・ソ連の關係について－1945年
秋，東北〉（《フロンテイア》第1號，1984）、劉德喜〈戰後初期蘇聯
與國共兩黨的關係〉（《安徽省委黨校學報》1991年1期）、Michael M.
Sheng, "The United States, the Chinese Communist Party, and the
Soviet Union, 1948～1950: A Reappraisal."(Pacific Historical Review,
Vol. 63, No. 4, 1994），其中譯文為邁克爾・沈著、王軍譯、士琳校
譯〈1948～1950年中國共產黨與美蘇關係的重新評價〉（《現代外國
哲學社會科學文摘》1996年8期）、邁克爾・森著、匡萃冶、劉君玲
譯、士琳校〈美國、中共和蘇聯：對1948～1950年的重新評估〉
（同上，1995年8期）、王廷科〈在分歧中保持國際團結：試析解放戰
爭時期蘇聯與中國革命的關係〉（《文史雜志》1988年5期）、Charles
B. Mclane, Soviet Policy and the Chinese Communists, 1931～1946.
(New York: Columbia University Press, 1958）、C.齊赫文斯基〈斯大林
與毛澤東在1949年1月間的電報往來〉（《國外中共黨史研究動態》1995
年1期）、Odd Arne Westad, "Rivals and Allies: Stalin, Mao, and the
Chinese Civil War, January 1949."(Cold War International History Project
Bulletin, No. 6-7, Winter 1995～96）、劉漢民〈我軍過長江斯大林曾勸
阻〉（《黨史文匯》1993年9期）、陳廣相〈對斯大林干預我軍過江問題
的探討〉（《黨史研究資料》1989年7、8期）、〈對斯大林勸阻解放軍
過江問題的再研究〉（《近代史研究》1994年3期）及〈關於斯大林干預

我軍過江問題的探討〉(《中共黨史研究》1990年增刊)、劉志青〈斯大林沒有勸阻過人民解放軍過江〉(《近代史研究》1993年1期)、向青〈關於斯大林勸阻解放大軍過江之我見〉(《黨的文獻》1989年6期)、薛銜天、王晶〈關於米高揚訪問西柏坡問題——評《米高揚訪華的秘密使命》〉(《近代史研究》1996年3期)、安·列多夫斯基著、李玉貞譯〈米高揚與毛澤東的秘密談判(1949年1～2月)〔中〕〉(《黨的文獻》1996年1期)、安·列多夫斯基著、李穎、杜華譯、李玉貞校〈米高揚與毛澤東的秘密談判(1949年1～2月)〔下〕〉(同上,1996年3期)。侶潔志〈從抗戰勝利到內戰爆發中共對美政策的演變〉(《山東醫科大學學報》1989年3期)、何迪〈1945～1949年中國共產黨對美政策的演變〉(《歷史研究》1987年3期)、林廣〈解放戰爭時期毛澤東對美政策思想之變化〉(《南京理工大學學報》1994年1、2期)、Michael H. Hunt, "Mao Tse-tung and the Issue of Accommodation With the United States, 1948～1950." (In Dorothy Borg and Waldo Heinrichs, eds., Uncertain Years: Chinese American Relations, 1947～1950, New York: Columbia University Press, 1980)、楊菁〈論建國前夕中國共產黨對美國的政策〉(《杭州大學學報》1994年1期)、張小路〈關鍵時刻的努力：1949年中共對美政策分析〉(《社會科學戰線》1990年4期)、Steven M. Goldstein, "Chinese Communist Policy Toward the United States: Opportunities and Constraints, 1944～1950.(In Uncertain Years: Chinese American Relations, 1947～1950, Columbia University Press, 1980)、Warren I. Cohen, "Consersations With Chinese Friends: Zhou Enlai's Associations Reflect on Chinese-American Relations in the 1940s and the Korean War." (Diplomatic History, No. 11, Summer 1987)、邵玉銘

著、張源譯〈司徒雷登暨－九四九年美國與中共尋求和解秘辛〉（《傳記文學》42卷6期，民72年6月）、周建超、劉金鴒〈1949年司徒雷登謀求美中和解問題淺析〉（《揚州師院學報》1992年4期）、牛大勇〈解放後司徒雷登留在南京做什麼？〉（《南京史志》1990年3期）、陳廣相〈金陵晨曦：黃華與司徒雷登南京談判始末〉（《黨史縱橫》1992年1期）、林利民〈建國前夕無果而終的中美南京會談〉（《黨史文匯》1994年10期）、陳廣相〈未能實現的握手：建國前夕的中美建交談判〉（《福建黨史月刊》1994年3期）、鄒一清〈共匪叛亂時期的反美運動〉（《共黨問題研究》7卷3期，民70年3月）。Braina Porite, Britain and the Rise of Communist China: Study of British Attitude, 1945～1954. (London: Oxford University Press, 1967)。Malcolm H. Murfett, "What a Difference a Day Makes: The Royal Navy and the Yangtse Incident of 20～21 April 1949." (American Neptune, Vol. 49, No. 3, Summer 1989)及Hostage on the Yangtze: Britain, China, and the Amethyst Crisis of 1949. (Annapolis, Maryland: the United States Naval Institute, 1991)、余子道〈"紫石英"號事件與炮艦政策的終結〉（《軍事歷史研究》1989年1期）、康矛召〈長江風雲：1949年英艦長江事件〉（《軍史資料》1987年2期）、Malcolm H. Mufett, "The Perils of Negotiating From an Exposed Position: John Simon Kerans and the Yangtse Talk of 1949." (Conflict, No. 9, May 1990)。張煒燁〈建國前關於收回香港的四次爭取〉（《社科信息》1996年10期）。溫瑞茂〈解放戰爭後期我黨對外國出兵干涉中國的估計及對策〉（《黨史研究資料》1995年10期）、胡長水〈帝國主義是紙老虎思想的提出和形成〉（同上，1988年7期）、Jon W. Huebner, "Chinese Communism and the Cold War,

1945 — 1949."（Asian Profile, No. 15, 1987）。

中共經濟有河合俊三〈中國內戰の動向と中共の經濟政策〉（《知識人》2卷1號，1949年1月）、島田政雄《1948年度中國共產黨の經濟政策》(東京，經濟安定本部總裁官房調查課，1948)、蘇春榮〈解放戰爭時期黨在哈爾濱恢復經濟有關政策的評析〉(《龍江黨史》1990年5期)、黃如軍〈論全國解放戰爭時期中國共產黨的民族工商業政策〉(《北京大學學報》1992年2期)、黃兆康〈解放戰爭時期我黨對於民族資產階級及工商業政策〉(《黨史研究與教學》1991年3期)、楊國東〈解放戰爭時期黨的民族工商業政策的演進及其意義〉(《遼寧師大學報》1994年6期)、劉強敏〈解放戰爭時期黨對黑龍江地區工商業稅收工作的領導〉(《龍江黨史》1991年5期)、楊慶華〈建國前中國共產黨對發展資本主義的認識〉(《丹東師專學報》1996年4期)。吳籌中、渠匯川〈我黨解放戰爭時期的貨幣〉(《財經研究》1982年1期)、郭世宏、王登明〈解放戰爭時期的黑河銀行辦事處〉(《黑河學刊》1985年2期)、黃存林〈略論冀南銀行的歷史作用〉(《河北師院學報》1986年3期)、劉世榮〈解放戰爭時期東北銀行所屬印鈔廠印鈔概況〉(《中國錢幣》1986年4期)、王厚溥〈中國人民銀行的建立和發展〉(《重慶師院學報》1986年3期)。郭緒印〈第三次國內革命戰爭時期的土地改革〉(載《中共黨史研究論文選》下冊，長沙，湖南人民出版社，1984)、張永泉《第三次國內革命戰爭時期的土地改革》(杭州，杭州大學出版社，1994)、夏東元〈第三次國內革命戰爭勝利的最基本條件——徹底的土地革命〉(《歷史教學問題》1958年5期)、董志凱《解放戰爭時期的土地改革》(北京，北京大學出版社，1987)及〈解放戰爭前期的土地改革概況〉(《中國社會科學經濟研究所集刊》第9集，1987)、耿麗華〈試論解放戰爭時期土地改革中的幾個問題〉(《遼寧教育學院學報》1985年2期)、杜敬〈土地改革中沒收和分配土地問題〉(《中國社會科學》1982年1期)、唐正芒〈黨在解放戰爭時期的土地改革總路線論析〉(《湘潭大學學報》1987年增刊)、小竹一彰《國共內戰初期の土地改革における大對運動》(東京，アジア政經學會，1983)、葉青〈劉少奇同志和1947年的土地改革運動〉(《黨史研究》1982年5期)、董志凱〈黨的無產階級政策和農民的平均主義要求——對我國解放戰爭後期土地改革政策的初步分析〉(《中國社會科學》1892年5期)、Kyoko Tanaka（田中恭子），"The Civil War and Radicalization of Chinese Communist Agrarian Policy, 1945～1947.(Papers on Far Eastern History, No. 8, 1973) 及 Mao and Liu in the 1947 Land Reform: Allies or Disputants?(The China Quarterly, No. 75, 1978)、野間清編譯《第3次國內革命戰爭時期の中國共產黨の土地政策についての資料——「解放日報」（延安版）所載の土地政策關係已事（1-10）》(《法經論集（經濟・經營篇）》70～74號、76、79～82號，1973年1月～1976年11月)、尾崎庄太郎〈戰後中共土地政策の三つの階段とその深化運動〉(《中國研究所所報》15、16號，1948年7、8月) 及〈最近の中共土地政策〉(《世界》34號，1948年10月)、田中恭子〈內戰と中共土地政策の轉換〉(《アジア研究》24卷4號、25卷1號，1978年1、4月)、〈戰後中共土地改革の急進化——1947年「土地法大綱」について〉(《社會經濟史學》46卷2號，1980年7月)、〈中國土地法大綱と地方土地會議〉(《アジア經濟》20卷5號，1979) 及〈內戰期の中共土地改革における「左翼偏向」の是正過程〉(同上，22卷3、4號，1981)、林潤生〈關於中國的土地改革運動〉(《中共黨史研究》1996年6期)、董國強〈試論解放戰爭時期國共兩黨的土地和農民政策〉(《江蘇社會科學》1996年4期)、田玉潔〈論第三次國內革命戰爭時期的土地政策－－兼論黨的土地路線的成熟〉(《寧夏大學學報》1982年3期)、張小滿〈試論解放戰爭初期黨的減租減息土地改革政策〉(《南都學壇》1992年2期)、楊勤為〈黨的土地改革政策在解放戰爭中的作用〉(《華東石油學院學報》1987年2期)、王欽民〈解放戰爭時期平分土地政策剖析〉(《近代史研究》1983年3期)、梁福〈解放戰爭時期平分土地政策新探〉(《齊魯學刊》1994年3期)、孫平〈全國土地會議與"平分土地"政策〉(《黔南民族師專學報》1996年2期)、徐世華〈解放戰爭時期土改運動中"左"傾錯誤原因初析〉(《西北師院學報》1987年1期)、胡洪洲〈1947年底至1948年初土地改革中"左"傾錯誤的原因〉(《黨史研究資料》1995年5期)、閻洪貴〈全國土地會議後土地改革中"左"傾錯誤發生的原因〉(《齊魯學刊》1992年6期)、王欽民〈解放戰爭時期黨對土改中"左"傾錯誤的糾正〉(《教學與研究》1982年3期)。杜敬〈關於"五四指示"和《中國土地法大綱》的幾個問題〉(《天津社會科學》1985年3期)、俞宏標〈從五四指示到《中國土地法大綱》〉(《歷史教學問題》1990年6期)、牛崇輝〈如何正確評價《五四指示》〉(《聊城師院學報》1988年1期)、葉青〈五四指示和黨在解放戰爭時期的土地改革運動〉(《黨史研究》1982年5期)、王太金〈"五四指示"是沒收地主土地分配給農民政策嗎？〉(《黨史縱橫》1989年2期)、高青山、胡之信〈"五四指示"和黨在解放戰爭時期的土地改革〉(《黨史研究》1982年5期)、馬濟彬〈《五四指示》形成的前後經過〉(《黨史文匯》1987年2期)、管春林、溫瑞茂〈如何認識《五四指示》的不徹底性〉(《近代史研究》1987年1期)、

野間清《中國「五四指示」期の土地政策の性質とその展開過程》
（東京，アジア經濟研究所，1969）、張占斌〈"五四指示"與東北土
改〉(《求是學刊》1987年4期）及〈東北土地改革的序幕〉(《學習與探
索》1987年5期）、范嘯〈東北土地改革中黨對農民的教育〉(《龍江
黨史》1990年1期）、史殿英、李木〈試論東北土地改革運動〉(《東
北地方史研究》1989年4期）、王申、王鴻賓〈東北土改及其在解放戰
爭中的地位和作用〉(《北方論叢》1992年6期）、黃淑賢〈東北解放戰
爭時期遼吉前沿地區的土地鬥爭〉(《社會科學輯刊》1994年3期）、李
雲祥〈試談合江土地改革的基本經驗〉(《龍江黨史》1992年4期）、趙
國志〈遼寧土地狀況與土改始末〉(《遼寧大學學報》1987年3期）、雙
陽縣史志辦公室〈雙陽縣土地改革運動的始末〉(《長春史志》1986年
3、4期）、楊振國〈國場縣的土地改革〉(《東北地方史研究》1989年2
期）、許翔龍〈黑龍江地區土改中打擊江面過寬問題的探討〉(《龍
江黨史》1995年1期）、李茂喜〈試述撫遠縣土地改革運動〉(同上，
1994年4、5期）、王銳堅〈簡述同江縣的土地改革運動〉(同上）、
吳玉琴〈江蘇省蘇北地區土地改革述論〉(《許昌師專學報》1996年2
期）、姜志良、蕭迪〈華北土地改革概述〉(《黨史研究》1981年6期）、
徐少岩〈解放戰爭時期南宮縣的土改復查和參軍支前工作〉(《中國
民族學院學報》1984年3期）、姜志良〈華中土地改革概述〉(《黨史研
究》1981年6期）、樊東方〈廣西土地改革運動回顧〉(《廣西黨史研究
資料》1989年1期）、韓志宇〈平分土地政策中的偏差與晉綏土改中
的"左"傾錯誤〉(《黨史文匯》1987年2期）、梁金保等〈是主流還是
支流：也談晉綏土改中的"左"傾錯誤〉(同上，1987年6期）、趙晉
〈晉綏土改"左"傾錯誤的客觀原因淺析〉(《山西革命根據地》1989年

3期）、牛崇輝〈論晉綏土改運動中的極左傾向〉（《山西大學學報》1991年4期）、趙晉〈晉綏土地改革的成績和偏差〉（《理論探索》1990年2期）、牛崇輝〈晉綏土地改革運動中的康生〉（《山西大學學報》1986年4期）、王樂鳴、柳澤寧〈康生與晉綏土改中的"左"傾錯誤〉（《黨史文匯》1987年1期）、龔子榮〈晉綏土改整黨與黨校工作的回憶〉（《山西革命根據地》1989年3期）、王淑輝〈解放戰爭時期南陽地區的"急性土改"〉（《河南黨史研究》1987年4期）、馮文彬〈平山土改與整黨〉（《中共黨史資料》1990年33輯）、陳永發〈內戰、毛澤東和土地革命－錯誤判斷還是政治謀略〉（《大陸雜誌》92卷1-3期，民85年1-3月）、葉青〈劉少奇和1947年的土地改革運動〉（《黨史研究》1982年5期）、之凱〈全國土地會議及其前因後果〉（《黨史研究與教學》1988年6期）、王新光、惠洪英〈用有償贖賣方式解決土地問題的設想與嘗試〉（《黨史研究資料》1989年3期）。至於以「解放區土改及土改政策」等為題的論著和資料，則將於「解放區方面」中舉述。

其他方面有侯憲林、劉金蔚〈黨在解放戰爭時期關於知識分子問題的理論與實踐〉（《濟寧師專學報》1991年2期）、張正〈東北解放初期黨對知識分子盲目正統觀念的改造〉（《龍江黨史》1993年5、6期）、尾崎庄太郎〈最近におけ中共の農民政策〉（《社會科學》17號，1948年8月）、Ho Kuo-cheng, The Status and the Role of Women in the Chinese Communist Movement, 1946-1949. （Ph. D. Dissertation, Indiana University, 1973）、袁林〈解放戰爭時期雲南少數民族的重大貢獻〉（《中央民族學院學報》1990年4期）、王戰英〈在中國共產黨領導下的少數民族對解放戰爭勝利的貢獻〉（《徐州教育學院學報》1991年2期）、文琪〈第三次國內革命戰爭時期中國共產黨報和主要進步報刊簡介〉(《歷史教學》1959年9期）、孫樹宏〈《解放》、《解放日報》和新華社北平分社登記備案與國民黨當局鬥爭始末〉(《北京檔案史料》1990年2期）、楊潤時〈抗戰勝利後新華日報的宣傳藝術〉(《新聞研究資料》33輯，1985年11月）、馬長林、黎震選編〈國民黨政府禁止《新華日報》在滬出版發行史料選輯〉(《檔案與歷史》1986年3期）、苟翠屏《《新華日報》與國統區婦女爭取和平民主的鬥爭》(《西南師大學報》1994年3期）、張蘇〈《改造日報》內幕〉(《上海灘》1993年4期）、徐元舉〈《挺進報》被破壞內幕〉(《縱橫》1993年3期）、唐祖美〈復刊後的《挺進報》〉(《重慶黨史研究資料》1993年3期）、陸治〈解放戰爭時期的國新社香港分社〉(《新聞研究資料》1983年19期）、祝敬迓、蕭風〈邯鄲新華廣播電臺記實〉(同上，1983年17期）。徐修宜〈抗日戰爭到國內戰爭之間不存在和平過渡時期〉(《學術論壇》1993年2期）、劉冠森〈試論"過渡階段"在解放戰爭中的地位〉(《撫順師專學報》1990年2期）、楊淑娟等〈關於和平民主新階段的提法〉(《北京大學學報》1980年2期）、何－成等〈和平民主新階段淺議〉(《湖南師院學報》1980年1期）、王年－〈論和平民主新階段〉(《歷史研究》1980年2期）、謝亞平〈略論和平民主新階段〉(《安徽師大學報》1980年4期）、蘇克塵〈歷史的見證：和平民主新階段的前前後後〉(《近代史研究》1980年3期）、林蘊暉〈關於"為鞏固新民主主義制度而鬥爭"一語的提出和修改〉(《黨史研究資源》1985年5期）、韋紹福〈論解放戰爭時期中國革命新道路的特點〉(《河池師專學報》1996年4期）、楊先材〈關於解放戰爭時期黨史研究的若干課題〉(《教學與研究》1984年6期）、周－平〈解放戰爭時期中共抗戰史研究〉(《歷史教學問題》1995年5期）。李振英、孫庚〈解放戰爭時期的黑龍江省軍政幹部學校〉(《龍江黨史》1992年2期)、張國新〈南線婦女總校與第二野戰軍女子大學〉(《河南黨史研究》1991年5、6期)、羅孟九等〈西北軍政大學生活紀實〉(《陝西地方志通訊》1987年2期)、袁偉〈解放戰爭時期和建國初期軍政大學沿革綜述〉(《黨史研究資料》1986年1、2期)、金址雲〈朝鮮族軍政幹部的搖籃－－東北軍政大學東滿分校史略〉(《延邊大學學報》1986年4期)。郭曉平〈中原大學及其歷史作用－－兼評黨的知識分子政策在中原解放區的貫徹落實〉(《許昌師專學報》1985年4期)。上海文藝出版社編輯《解放戰爭時期歌謠》(上海,編輯者印行,1961),收有歌謠300多首,多為歌頌中國共產黨及其領袖、人民解放軍、解放區人民的生活、解放戰爭中共方軍民的事蹟、打倒「蔣家小家庭」等方面的作品。

(2)解放區方面:關於抗戰時期解放區(或邊區)的論著及資料,已在「八年抗戰」單元中舉述,此處祇舉述「解放戰爭時期」的解放區及其活動的論著資料:岩村三千夫、加島敏雄《赤い中國:中國解放區の現地報告》(東京,東方書局,1949)、陳學昭《漫走解放區》(上海,上海出版公司,1950年再版)、劉會軍〈關於國共談判期間的解放區問題〉(《社會科學探索》1996年2期)、賈立臣〈解放區戰場作用及其歷史意義的再研究〉(《大慶社會科學》1995年4期)、藤井正夫〈中國解放區の概觀〉(載《人民民主義の世界的發展》,東京,三一書房,1949)、張欣、朱光遠〈論解放戰爭時期解放區的人民民主政治建設〉(石油大學學報 1995年4期)、孟憲章〈中國解放區經濟政策與經濟建設的輝煌發展〉(《新中華》14卷17期,1951)、儀我壯一郎〈解放區の經濟建設〉(載《現代中國經濟論》,東京,ミネルプフ書房,1961)、冷溶〈鄧小平與新解放區農村工作政策的轉變〉(《中

共黨史研究》1989年6期）、蔡養廉〈淺析解放戰爭後期和建國初期黨
的新區農村政策〉（《地方革命史研究》1989年5期）、加島敏雄〈中國
解放區の農村はわきたつ〉（《社會評論》6卷3號，1949年5月）、草野
文男〈中共解放區の勞動者と組合〉（《組合運動》4卷3號，1949年3
月）、中國研究所編譯《中國解放地區土地改革關係資料集》（東京，
農林省農地部，1949）、力耕《解放區的生產運動：栽富根》（解放區
介紹叢書之3；香港，中國出版社，1947）、全國民主婦女聯合會籌備委
員會編《中國解放區農村婦女生產運動》（香港，新民主出版社，
1949）、董志凱〈1946年底至1948年初我國解放區的土地改革〉（《經
濟科學》1982年2期）、平井已之助〈中國解放區の土地改革の印象〉
（《農村技術》3卷11號，1948年11月）、任濤〈解放戰爭時期新解放區
土地政策初探〉（《許昌師等學報》1992年3期）、侯志遠〈解放戰爭時
期解放區的貨幣〉（《阜新師院學報》1987年2期）、中國研究所《中國
解放區貿易關係法令集》（東京，中日貿易促進會，1949）及《中國解
放區貿易必攜：中共の貿易はどう行われているか》（同上）、尾崎
庄太郎〈中國解放區公營企業の發展と特質〉（《中國研究所所報》21
號，1949年6月）、佐藤剛弘〈解放區農業の構造と農業建設〉（《中
國研究》10號，1949年11月）、平野義太郎《中國解放區政權による
刑政の革命：新中國における刑法の根本的變革に至る基礎過程》
（東京，中國研究所，1960）、包永新等〈中國現代文化系統中的解放
區文化〉（《延安大學學報》1989年2期）、坂井德三〈中國新解放地區
作家の印象〉（《世界文化》1卷9號，1946年10月）。陝西省檔案館〈1949
年2月陝甘寧邊區第三屆參議會常駐議員政府委員會暨晉綏邊區代
表聯席會議史料選〉（《歷史檔案》1992年1期）、天兒慧〈內戰時期中

國莫村の大眾運動－－陝甘寧邊區および晉冀魯豫邊區對比考察〉（載《增洲論集》，東京，1983年5月）、張業賞〈土改運動中冀魯豫邊區的"左"傾工商業政策及其糾正〉（《黨史研究資料》1996年5期）、周正本〈解放戰爭時期晉察冀解放區的工人階級〉（同上，1995年12期）、李鐵虎〈冀熱遼解放區行政區劃沿革〉（《北京檔案史料》1992年1期）、鄭建文〈淺論華中解放區在解放戰爭初期的歷史地位〉（《南通師專學報》1990年1期）。李鐵虎〈華北解放區行政區劃沿革〉（《北京檔案史料》1988年4期）、劉一皋〈解放戰爭時期華北解放區土地改革與農村政權，（《中共黨史研究》1989年1期）、鍾廷豪〈解放戰爭時期華北解放區的合作社商業〉（《北京商學院學報》1996年2期）。尾崎庄太郎〈中原解放區の形成と崩壞〉（《中國研究所所報》第8、11號，1947年11月、1948年3月）、中共河南省委黨史工作委員會編《中原解放區(一)》（鄭州，河南人民出版社，1987）、中共河南省委黨史研究室編（申志誠主編）《中原解放區史》（同上，1996）、王天文、王德木〈中原解放區學校思想政治工作〉（《河南黨史研究》1991年5、6期）、王禮琦編《中原解放區財政經濟史資料選編》（北京，中國財政經濟出版社，1995）、程少明〈中原解放區的財政建設〉（《黃岡師專學報》1996年1期）及〈中原解放區稅收初論〉（同上，1995年1期）、王禮琦〈中州鈔與中原解放區的金融建設〉（《中國金融》1985年5期）、趙會元〈中州鈔發行始末〉（《中國錢幣》1986年4期）、任濤〈試析中原解放區的土地政策〉（《許昌師專學報》1989年2期）、譚克繩〈略論鄧小平在創建中原解放區的歷史作用〉（《華中師大學報》1995年4期）。劉大可〈解放戰爭時期山東革命根據地的財政建設〉（《東岳論叢》1996年3期）、朱玉湘〈解放戰爭時期山東解放區的土地改革〉（《文史哲》

1990 年 2 期）、辛瑋等主編《山東解放區大事記》（濟南，山東人民出版社，1982）、王東溟〈論山東地區在解放戰爭時期的戰略地位〉（《中共黨史研究》1993 年 1 期）、陳丕顯《蘇中解放區十年》（上海，上海人民出版社，1988）。杜士林〈開創東北根據地的先鋒：冀熱遼部隊挺進東北片斷〉（《黨史文匯》1987 年 5 期）、馬陶、戈福錄〈東北根據地建立的特點〉（《黨史縱橫》1989 年 3 期）、楊國東〈解放戰爭初期東北革命根據地的建立及其歷史特點〉（《遼寧師大學報》1993 年 2 期）、朱建華、趙英蘭〈論解放戰爭時期東北根據地的歷史地位〉（《吉林大學社會科學學報》1984 年 1 期）、陳炎等〈試論開闢東北根據地的發展階段及其歷史背景〉（《軍事歷史研究》1989 年 2 期）、邵鵬文〈全國解放戰爭時期創建東北根據地的鬥爭〉（《黨史通訊》1984 年 12 期）、費顯濤〈四平保衛戰前後建立東北根據地的鬥爭〉（《學習與研究》1982 年 4 期）、何泌〈解放戰爭初期建立東北根據地的鬥爭〉（《教學與研究》1980 年 5 期）、朱建華、趙英蘭〈解放戰爭時期創建東北根據地述略〉（《社會科學戰線》1984 年 3 期）及〈東北革命根據地的建立及其歷史地位〉（《東北師大研究生論文集刊》1984 年 1 期）、胡秀勤、陳莉〈關於國民黨建立鞏固東北根據地的鬥爭〉（《武漢教育學院學報》1988 年 4 期）、韓丹〈關於建立鞏固的東北根據地決策的提出與實施〉（《東北地方史研究》1991 年 3 期）、宿忠顯、高文翔〈蘇聯出兵對建立東北根據地的作用〉（同上）、楊移風〈東北革命根據地初探〉（同上）、孫福田〈劉少奇同志對建立東北根據地的重大貢獻——學習《劉少奇選集》的一點體會〉（《河北師大學報》1982 年 1 期）、張廷友〈略論陳雲對建立東北根據地的重大貢獻〉（《牡丹江師院學報》1987 年 3 期）、張恩民〈解放戰爭時期東北解放區的政權建設〉（《黨史研究資料》1994

年5期）、丁曉春〈關於建設東北根據地方針的認識〉（《中共黨史研究》1990年2期）、戈福錄、賈濤〈為了投入新戰鬥：解放戰爭時期東北解放區的整黨整軍運動〉（《黨史縱橫》1996年7期）、王珠發〈解放戰爭時期東北根據地的廉政建設〉（《經濟與社會發展》1992年4期）、杜宏國〈試論解放戰爭時期東北解放區的農村政權〉（《東北地方史研究》1991年3期）、朱建華〈解放戰爭時期東北解放區的鋤奸鬥爭〉（《吉林大學社會科學學報》1987年3期）、徐則浩〈王稼祥和東北解放區的城市工作〉（《江淮文史》1991年6期）、李占忠〈試論東北根據地剿匪鬥爭的基本經驗〉（《龍江黨史》1992年4期）、叢文勝〈論鞏固和加強東北根據地時期的剿匪鬥爭〉（同上，1992年5期）、朱建華、趙英蘭〈解放戰爭時期東北革命根據地的剿匪鬥爭〉（《吉林大學社會科學學報》1986年1期）、朱建華主編《東北解放區財政經濟史稿（1945年8月～1949年9月）》（哈爾濱，黑龍江人民出版社，1987）、任慶國〈憶張聞天對東北解放區經濟理論的研究：紀念東北解放40周年〉（《遼寧經濟》1988年9期）、車迎坤〈東北解放區土地改革的必要性及其歷史意義初探〉（《龍江黨史》1992年2期）、石雅貞〈東北解放區老區土地改革運動略述〉（《黨史研究資料》1984年12期）、〈東北新解放區的土地改革〉（《東北師大學報》1986年6期）及〈略論東北解放區土地改革的經濟依據〉（同上，1984年3期）、張盾〈對東北解放區土地改革運動的模型分析〉（《黨史研究》1986年1期）、欒鳳鳴〈東北解放區"平分土地運動"中侵犯中農利益的表現及原因探析〉（《龍江黨史》1992年3期）、杜君〈淺談東北解放區國營工業的發展過程及其歷史特點〉（《長白學刊》1993年2期）、戈福錄〈活躍城鄉經濟解決財政困難：1947年夏季攻勢前東北解放區商貿工作概述〉（《黨史縱橫》

1996年4期)、弘弢〈發展商業擴大貿易繁榮市場：一九四七年中至
一九四八年末東北解放區商貿工作概述〉(同上)、雲章、曉春〈試
談解放戰爭時期東北根據地的對外貿易〉(《社會科學戰線》1990年3
期)、杜君〈東北解放區對外貿易述略〉(《革命春秋》1992年4期)、
朱虹〈試論東北解放區的職工生產競賽運動〉(《錦州師院學報》1994
年1期)、劉強敏、于濱力〈論述解放戰爭時期東北根據地的軍工生
產〉(《龍江黨史》1996年2期)、邢安臣〈東北解放區的郵電〉(《遼寧
大學學報》1986年6期)、蘇甫主編《東北解放區教育史》(長春，吉林
教育出版社，1989)、孫敏杰〈解放時期東北解放區教育工作的特點〉
(《黑龍江教育學院學報》1994年1期)；劉貴福〈解放戰爭初期南滿根
據地的創建與堅持及歷史地位〉(《遼寧師大學報》1995年3期)、楊國
東、王生杰〈解放戰爭時期南滿根據地的創建及意義〉(《瀋陽師院學
報》1995年2期)、劉啟發〈抓住牛尾巴守住南大門：南滿根據地武
裝鬥爭紀實〉(《黨史縱橫》1996年3期)、趙寧〈關於創建北滿、西滿
根據地的幾個問題〉(《龍江黨史》1993年3期)、曹平、張源洪〈解放
戰爭時期北滿革命根據地的特點及作用〉(《理論探討》1991年1期)及
〈解放戰爭時期北滿根據地的特點及其歷史作用初探〉(《軍事歷史》
1991年5期)、張耀民、孫雅坤〈北滿根據地建設的特點及歷史意義〉
(《學術交流》1990年4期)、韓俊光、姚作起編著《解放戰爭時期的東
滿根據地》(延吉，延邊大學出版社，1991)、金昌國〈解放戰爭時期
東滿根據地的歷史考察〉(《延邊大學學報》1984年2期)；中共遼寧省
委黨史研究室編《解放戰爭中的遼吉根據地》(北京，中共黨史出版
社，1990)、中共遼寧省委黨史研究室、中共丹東市委黨史研究室
編《解放戰爭時期的安東根據地》(北京，中共黨史出版社，1993)、

王新革〈解放戰爭時期黑龍江地區根據地的建設〉(《學術交流》1985年2期)、劉萬山〈抗戰勝利後吉林解放區貨幣及其對敵鬥爭〉(《中國錢幣》1985年1期);何明春〈略論解放戰爭時期合江根據地的歷史地位和作用〉(《龍江黨史》1994年4、5期)、張廷友〈解放戰爭時期牡丹江根據地的建設及作用〉(《牡丹江師院學報》1992年3期)、尹吉堂〈解放戰爭時期哈爾濱根據地建設及其作用〉(《龍江黨史》1990年5期)、趙德玖〈哈爾濱解放區與蘇聯貿易初探〉(《學習與探索》1995年1期)、習學藝、范業祥〈東安根據地解放戰爭中的戰略地位和歷史作用〉(《龍江黨史》1994年1期)、梁恩寶〈旅順口:特殊的解放區隱蔽的根據地〉(《黨史文匯》1996年3期)、榆樹縣史志辦公室〈解放戰爭時期榆樹縣根據地的建設〉(《長春史志》1986年6期)、王彤〈東蒙解放區紙幣發行概況-1945.9-1948.12〉(《中國錢幣》1986年4期)。李冬春〈論劉鄧大軍重建大別山根據地的歷史經驗〉(《阜陽師專學報》1988年4期)、李德生〈偉大的決策--重建大別山根據地紀實〉(《時代的報告》1982年4期)、任濤〈略述豫西解放區的土改運動〉(《河南黨史研究》1987年4期)、王之玉〈解放戰爭時期豫北解放區的合作社〉(《中州今古》1984年1期);〈解放戰爭時期河南各解放區簡介〉(《河南黨史研究》1988年6期)、任濤〈解放戰爭時期河南各解放區的土地改革運動〉(同上,1988年2、3期)、王宏坤〈回憶桐柏解放區的鬥爭歷程〉(《地方革命史研究》1990年4期)、程少明〈鄂豫解放區的建立與發展〉(《江漢論壇》1995年1期)及〈略論鄂豫解放區的地位與作用〉(《華中師大學報》1994年3期)、段紀明〈試論江漢解放區的歷史作用〉(《地方革命史研究》1990年4期)、戢詳成〈江漢解放區的重建及歷史地位〉(同上,1990年5期)、郭曉平〈豫皖蘇解放區的建立與發展〉(《軍史資料》1989年2期)、姜志良〈蘇北解放區經濟工作述略〉(《學海》1991年4期)、戴伯韜編《解放戰爭初期蘇皖邊區教育》(北京，人民教育出版社，1983)、荀德麟、郭家寧〈解放戰爭前兩年蘇皖邊區黨政軍機構的沿革及其工作情況概述〉(《淮陰師專學報》1985年2期)、安閩〈論解放戰爭時期閩粵贛邊區黨的報刊活動〉(《黨史資料與研究》1987年5期)、陳永潘〈粵桂邊區軍民的武裝鬥爭在解放戰爭中的戰績是不可磨滅的〉(《雷州師專學報》1981年1期)、王治芳〈1947年鄂陝根據地急性土改的歷史教訓〉(《黨史資料通訊》1988年6、7期)、羅道維〈解放戰爭時期陝南解放區軍事鬥爭的若干特點〉(《湖北黨校學報》1987年3期)、田酉如〈解放戰爭時期太原區（晉中區）組織概況〉(《山西革命根據地》1985年1期)、李冬春〈論劉鄧大軍重建大別山根據地的歷史經驗〉(《阜陽師院學報》1989年4期)、雷和平、雷甲平〈解放戰爭時期西北解放區貨幣發行與貨幣政策初探〉(《延安大學學報》1992年4期)、鄭波〈試論隴東解放區新聞傳媒的"三性"〉(《科學·經濟·社會》1995年4期)、韓志宇〈晉綏邊區工商稅政策的演變〉(《近代史研究》1986年4期)、饒華〈滇東南革命根據地記略〉(《雲南黨史通訊》1987年4期)、袁用之〈思普游擊根據地的江城事件〉(《雲南現代史料叢刊》1985年4輯)、楊希榮〈中原突圍時的保康根據地〉(《地方革命史研究》1986年6期)、陳延琪〈新疆三區政府農牧業生產的發展〉(《西域研究》1996年1期)、立見章三〈江北中共地區の農業勞働者對策〉(《中國研究所所報》第6、7號，1947年9、10月)、吳明剛〈江南游擊區在全國解放戰爭中的戰略地位與作用〉(《中共黨史研究》1991年5期)。

(三)國共的和戰

1. 和談與調處

　　以戰後國共「和談（或談判）」為題的論著和資料有王建科〈抗戰勝利初期國共和談述論〉(《學海》1994年6期)、何平〈關於戰後國共談判有關問題的探討〉(同上，1991年3期)、《近代中國》資料室〈「戰後國民政府與中共和談的教訓」史料選輯〉(《近代中國》57期，民76年2月)、王沛〈全國解放戰爭時期國共談判述略〉(《中共黨史研究》1992年4期)、廖蓋隆〈從抗戰勝利談判到爭取第三次國共合作〉(《民國檔案》1985年1期)、吳昆財《戰後國共談判與國家政權重建之關係(1945年8月至1946年5月)－－兼論孫中山與張君勱之憲政理論》(臺灣師範大學三民主義研究所碩士論文，民83)及《政權之爭－－戰後國共談判(1945.8～1946.5)》(臺北，唐山出版社，民83)、馬德茂等〈抗戰勝利後國共和談中共產黨的十次讓步〉(《黨史研究資料》1988年5期)、劉煉〈解放戰爭初期的國共談判和爭取中間勢力〉(《歷史教學》1981年12期)、中國共產黨代表團梅園新村紀念館編《國共談判文獻資料選輯：1945.8～1947.3》(南京，江蘇人民出版社，1981)、林孝玉等編纂《和談紀實》(2冊，臺北，國防部史政局，民60)、天地出版社編印《和談內幕》(上海，民38)、王思誠《中共戰和的兩手策略－－國共和談的歷史經驗》(臺北，天人版公司，民72年3版)、李新市〈國共和談之外的密談〉(《黨史文苑》1995年6期)及〈和談之外的秘談：南京－北京另有秘使〉(《黨史縱橫》1996年4期)、顧清怡〈張治中與國共談判〉(《歷史教學問題》(1989年1期)、張九如《和談覆轍在中國：知難行易在美國》(臺北，撰者印行，民57)、沈雲龍〈抗戰前後國共商談的歷史教訓〉(《傳記文學》34卷4期，民68年4月)、邵宗海《美國介入國共和談之角色》(臺北，五南圖書出版公司，民84)、張玉法〈美蘇兩國與戰後國共談判〉(《歷史月刊》89期，民84年6月)、李分健〈試述抗戰勝利後美蘇冷戰對國共談判影響〉(《許昌師專學報》1994年3期)、草野文男〈講和の相手は中共か國府か〉(《再建》5卷9號，1951年11月)、田子渝〈中原突圍前後的談判鬥爭述評〉(《湖北大學學報》1987年6期)、趙春生〈周恩來縱論1946年國共談判－－讀周恩來《關於國共談判》、《談判使黨贏得了人心》〉(《黨的文獻》1996年1期)、楊奎松《消失的戰場－－回到國共談判歷史桌上》(臺北，日臻出版社，民84)、John Chung Kuan（關中），The Kuomintang-Communist Party Negotiations, 1944-1946: The Failure of Effort to Avoid Civil War. (Ph. D. Dissertation, Fletcher School of Law and Diplomacy, 1974)。

　　關於重慶會談（或談判。1945年8月27日，美國駐華大使赫爾利、國民政府代表張治中抵延安，次日，陪同毛澤東抵重慶，周恩來同行。8月29日晚國府代表張群、張治中、王世杰、邵力子與中共代表周恩來、王若飛開始會談，至10月10日，雙方簽訂三個《會談紀要》，中共稱之《雙十協定》。同日，毛澤東等離重慶回返延安)有中共重慶市委黨史工作委員會、重慶市政協文史資料研究委員會、紅岩革命紀念館編《重慶談判紀實(1945年8～10月)》(重慶，重慶出版社，1983)、卓兆恒等編《重慶談判資料》(成都，四川人民出版社，1980)、黃濟人《重慶談判》(臺北，致良出版社，民84)、鄭德榮等《重慶談判》(長春，吉林人民出版社，1979)、李勇

編寫《重慶談判》(北京,新華出版社,1990)、元春編著《重慶談判》
(北京,中國青年出版社,1994)、陳自現《國共重慶會談始末》(政治
作戰學校政治研究所碩士論文,民62)、陳長源《國共重慶談判研究:
中共談判策略之運用》(中國文化大學大陸問題研究所碩士論文,民
77)、陳景彪、黃錦華《黑霧紅塵:國共重慶談判的前前後後》(北
京,中國人民大學出版社,1992)、紅岩革命紀念館編寫組編《毛主席
赴重慶談判》(成都,四川人民出版社,1979)、吳玉章等《毛主席在
重慶》(北京,解放軍文藝社,1961)、國際出版社編《政府與中共代
表會談紀要(附英文譯本)》(上海,編者印行,民34)。黃友嵐〈抗
戰勝利後的國共重慶談判述論〉(《近代史研究》1985年2期)、安井三
吉〈中國革命における戰爭と和平――「重慶會談」の內と外〉(《歷
史學教學》560號,1986年10月)、陳慶〈重慶會談(1945年8月至
10月)――蔣中正先生於戰後和平統一中國的首次努力〉(《近代中
國》57期,民76年2月)、陳新銘〈抗戰勝利後國共衝突與重慶會談〉
(《復興崗學報》26期,民70年12月)、張小滿〈論促成國共重慶談判
的四個方面〉(《南都學壇》1992年4期)、章百家〈對重慶談判一些問
題的探討〉(《近代史研究》1993年5期)、彭承福、梁平〈重慶談判的
歷史經驗及其現實意義〉(《重慶社會科學》1985年3期)、紅岩革命紀
念館〈重慶談判前後記事(一九四五年八至十月)〉(《重慶黨史研究資
料》1983年12期)、子岡〈"和為貴"(重慶談判)〉(同上)、陳少
牧〈試論重慶談判的主流〉(《黨史研究與教學》1995年6期)、余湛邦
〈重慶談判雜憶――為紀念毛主席誕辰九十周年而作〉(同上,1984
年1期)、劉力〈試析促進重慶談判的諸種因素〉(《鞍山師專學報》1989
年4期)、蔡國裕〈重慶會談與政治協商會議(1945~1946)〉(《共

黨問題研究》15卷2、3期，民78年2、3月）、吳安家〈重慶會談與政協會議之研究〉（《東亞季刊》14卷3期，民72年1月）、林能士〈國民黨內派系之爭與國共和談－－以「重慶會談」為例〉（《歷史月刊》89期，民84年6月）、鑒古〈重慶談判期間國民黨兵眼中的共產黨人〉（《黨史博採》1996年1期）、張先領、張偉〈重慶談判中黨的鬥爭策略述論〉（《毛澤東思想研究》1996年4期）、包顯寧〈中國共產黨在"重慶"談判中的方針和策略〉（《理論學習月刊》1991年10期）、孟慶春〈我黨在重慶談判期間的多邊統戰特點及其影響〉（《齊齊哈爾師院學報》1988年1期）、杜建國〈淺談中國共產黨在重慶談判期間的公關工作經驗〉（《鄭州大學學報》1989年6期）。丁永隆〈國民黨蔣介石關於重慶談判的方針〉（《揚州師院學報》1985年2期）、陳瑞峰〈蔣介石重慶談判動機新論〉（《廣西黨校學報》1991年1期）、顏天錫、顏圻〈毛澤東與重慶談判〉（《長白學刊》1996年2期）、齊衛平〈一次為毛澤東重慶之行埋下伏筆的國共談判（上）〉（《黨史縱覽》1995年6期）、段澤源、明二將〈一次為毛澤東重慶之行埋下伏筆的國共談判（下）〉（同上，1996年1期）、陸建洪〈毛澤東重慶談判策略初探〉（《蘇州大學學報》1993年4期）及〈論毛澤東的重慶談判藝術〉（《史學月刊》1994年1期）、彭承福〈論毛澤東同志赴重慶談判的歷史意義〉（《西南師院學報》1984年2期）、鄒一青〈毛匪澤東赴渝及雙十會談〉（《共黨問題研究》6卷3期，民69年3月）、陸建洪〈論周恩來在重慶談判中靈活運用讓步策略的鬥爭藝術〉（《南京政治學院學報》1995年1期）、陳一客〈縱橫舌下鼓風雷，談笑胸中換星斗：周恩來重慶談判藝術略論〉（《文史雜志》1996年3期）、李美子〈王若飛與重慶談判〉（《石油大學學報》1992年4期）。吳廷俊〈評重慶談判期間《大公報》的立場〉(《華中理工大學學報》1996年4期)、牛軍〈淺析重慶談判的國際背景〉(《歷史教學》1986年6期)、艾曉寧〈蘇聯對國共重慶談判的態度及其影響〉(《蘇聯問題研究資料》1988年5期)、焦連三〈淺析蘇聯對重慶談判的影響〉(《西安政治學院學報》1990年1期)、李道華〈雅爾塔會議與重慶談判〉(《南充師院學報》1988年2期)。劉秋平〈略論民盟在重慶談判時期的歷史作用及其局限性〉(《上饒師專學報》1986年3期)、楊小川〈《中華民國重要史料初編》和《重慶談判紀實》對讀有感〉(《近代史研究》1990年5期)、閻秀英〈重慶談判中的鬥爭〉(《北京郵電學院學報》1985年度)、趙權璧〈重慶談判與戰後中國政治走向〉(《天府新論(1994年1期)》。丁永隆〈重慶談判和雙十協定的簽定〉(《社會科學研究》1985年1期)、張小滿〈國民黨與《雙十協定》的簽訂〉(《史學月刊》1994年4期)及〈《雙十協定》本名辨析〉(《南都學壇》1995年2期)、嚴志才〈《雙十協定》並沒有否定我軍的地位〉(《黨史研究》1984年4期)。

　　民國三十五年(1946)一月十日在重慶揭幕的政治協商會議，係由國民黨代表8人、中共代表7人、民主同盟代表9人、中國青年黨代表5人、社會賢達代表9人，合共38人所組成的會議，以「雙十會談紀要」為討論的基礎，進行協商，至一月三十一日閉幕。有關這方面的論著和資料有郭蔭棠編著《政治協商會議》(廈門，星光日報社，民35)，介紹該會議的意義、組織、提案、討論經過及決議等；國際出版社編《政治協商會議》(2冊，上海，編者印行，民35)，上輯收錄有《國民政府召開政治協商會議辦法》及其他有關文件、參考資料，下輯則收錄會議報告及決議案全文；新華書店編輯部編《政治協商會議》(黎城，華北新華書店，民35)，收錄有關

該會議的文件、評述及解放日報社論，其中包括周恩來在會議上的
講話，並附蔣中正的致詞和張群的報告等；嚶鳴、慈正《政治協商
會議始末記》(廣州，中心出版社，民35)，全書共7篇，除敘述當時
政治形勢外，還介紹了會場花絮、各界輿論，並有各方代表36人
的小傳，文中有攻擊中共和民主黨派之處；東北書店編印《政治協
商會議文獻》(民35年3月出版)，共收錄〈政治協商會議決議案〉、
〈國共雙方停戰協定〉、〈毛主席停戰命令〉、〈延安權威人士評
論政治協商會議〉、〈中共中央和平建國綱領草案〉、〈中共代表
對政府所提擴大國府組織方案的不同意見〉等文6篇；立華編《政
治協商會議文獻》(上海，中外出版社，民35)，全書分政治協商會議
召開辦法、開會詞、國共兩黨代表關於停止軍事衝突之會同聲明、
國共會談經過報告、決議案、閉幕詞等7部分；其中有蔣中正、周
恩來、張瀾、張群、邵力子等人報告；書後附貝爾納斯致安德遜
函、貝爾納斯在參議院外委會上的聲明、杜魯門總統的聲明、莫斯
科三國外長會議公報關於中國部分及國共會談紀要；歷史文獻社編
選《政協文獻》(編選者印行，民35)，全書分政治協商會議經過、
五項協議、為保衛政協決議而奮鬥等3編；哈爾濱日報社出版部編
《政治協商會議文獻》(哈爾濱，編者印行，民35)，共收錄〈蔣主席
元旦演說與政治協商會議〉、〈解放日報社論〉、〈政協召開前蔣
主席聘請與會人員〉、〈一月十日政協隆重開幕〉、〈政協二次會
上政府代表張群報告國共談判經過〉等22篇有關文獻；新時代印
刷出版工業生產合作社編輯《劃時代的會議－－政治協商會議》(桂
林，編輯者印行，民35)，全書分各黨派會員名單、國共商談報告、
新聞報導、會議決議案、附錄等5部分；華中新華書店編印《和平

民主建設的新階段(政治協商會議的經過及其成果)》(民35年5月出版),全書分為和平民主的新階段、和平實現政協會議經過、決議及其他、外國輿論等6章;大陸圖書雜誌出版公司時事資料編撰委員會編輯《政治協商會議》(上海,大陸圖書雜誌出版公司,民35),介紹該會議始末,並有各黨派代表略歷;李旭編《政治協商會議之檢討》(南京,時代出版社,民35),為政協會議經過情況介紹、協議文件、中外有關論文文章的匯編;學習出版社編印《政治協商會議文彙》(廣州,民35年印行)、晉冀魯豫邊區政府秘書處編印《中國政治協商會議問題文件彙編》(民35年印行);《政治協商會議側寫(第1部)》(廣州,文匯出版社,民35)。卓兆恒、丁金平等選編《政治協商會議資料》(成都,四川人民出版社,1981),收錄1945年12月至1946年4月間有關政治協商會議的文件、講話、電報、評論、文章和回憶錄共122篇,其中多數是公開發表過的,少數為未公開發表者,頗值參考;新時代印刷出版工業生產合作社編輯《劃時代的會議-政治協商會議》(桂林,編輯者印行,民35)、歷史文獻社編選《政協文獻》(民35年7月印行)、哈爾濱日報社出版部編印《政治協商會議文獻》(民35年印行)、大陸圖書雜誌出版公司時事資料撰委員會編輯《政治協商會議》(上海,民35)、李旭編《政治協商會議之檢討》(南京,時代出版社,民35)、王干國《中國政治協商會議史略》(成都,成都出版社,1991)、重慶市政協文史資料研究委員會、中共重慶市委黨校編(孟廣涵主編)《政治協商會議紀實》(重慶,重慶出版社,1989)、李炳南《政治協商會議之研究》(政治大學三民主義研究所博士論文,民79)及《政治協商會議與國共談判》(臺北,永業出版社,民82)、宋轅田《政治協商會議之研究》(政治作戰學校政治研究

所碩士論文，民69年7月）、齊光裕《政治協商會議與我國民主憲政
之發展》（同上，民74）。李起民〈簡述政治協商會議的由來〉（《歷
史教學》1987年6期）、王干國〈試論政治協商會議的由來〉（《四川大
學學報》1984年1期）、李炳南〈中共與政治協商會議的起源〉（《共黨
問題研究》16卷3-5期，民79年3-5月）及〈中共與政治協商會議的延
期〉（同上，16卷10-12期，民79年10-12月）、丁金平等〈1946年政
治協商會議紀略（1945年12月～1946年4月）〉（同上，1980年4期）、
陳儀深〈民國卅五年政治協商會議的面面觀〉（《傳記文學》34卷6期，
民68年6月）、黃大受〈政治協商會議始末〉（《法商學報》21期，民75
年12月）、植田捷雄〈中國政治協商會議〉（《國際法外交雜誌》45卷
3、4號，1946年3月）及〈中國政治協商會議の成果〉（同上，45卷5、
6號，1946年5月）、陳新銘〈政治協商會議之研究〉（《復興岡學報》31
期，民73年6月）、顧關林〈評舊政協決議〉（《黨史研究》1984年5期）、
李起民〈舊政協述論〉（《北京師大學報》1987年4期）、江英〈舊政協
關於停戰問題的鬥爭〉（《軍事歷史》1993年4期）、汪受善〈舊政協採
訪散記〉（《新聞研究資料》1980年5期）、劉誠〈試述舊政協會議期間
中國共產黨和民主黨派團結奮鬥的歷史經驗〉（《揚州師院學報》1987
年4期）、張模超〈民主黨派在重慶政治協商會議外的鬥爭〉（《四川
黨史月刊》1989年7期）、小林知己〈政治協商會議（1946年）と中
國民主同盟〉（《東アジア》第3號，1994年3月）、林祥庚〈政治協商
會議與多黨合作〉（《黨史研究與教學》1992年4期）、青柳純一〈重慶
政治協商會議期の和平民主運動と中國第三勢力〉（《歷史研究》21
號，1990年2月）、李宏吉〈關於政治協商會議上存在三種政治主張
的一點質疑：兼談民盟在政治協商會議上的基本主張〉（《瀋陽師院學

報》1988年1期)、王雲五〈政治協商會議追記(1)～(5)〉(《自由談》16卷5～8期，民54年5～8月)、鄒一清〈共匪破壞政治協商會議〉(《共黨問題研究》6卷5期，民69年5月)、馬兆〈一九四六年政協的中共代表中有董必武而無秦邦憲〉(《四川大學學報》1980年1期)、清慶瑞〈關於一九四六年中共參加政協的代表團成員問題的通訊二則〉(同上，1980年3期)、李寶東〈試析兩次政協會議兩種不同前途〉(《齊齊哈爾師院學報》1990年5期)、齊光裕〈政治協商會議與我國憲政發展之研究〉(《國防管理學院學報》13卷2期，民81年8月)、葉青〈政治協商會議修改憲草之批判〉(收於三民主義憲法促成會編印之《憲草修改原則批判集》，民35年5月印行)、松野光伸〈中國革命と1946年の政治協商會議〉(《社會勞働研究》22卷1・2號，1976年2月)、伊原澤周〈政治協商會議と人民中國の誕生〉(《東洋文化科學年報(追手門大學文學部)》第9號，1994年11月)。

　　關於民國三十八年(1949)的國共和談(含北平和談)有孫禮明〈李宗仁與1949年國共和談〉(《江西大學學報》1989年3期)、朱順佐〈致力於北平和談的邵力子〉(《紹興師專學報》1985年3期)、蕭甡〈渡江作戰日期的變更與北平和談〉(《黨史研究資料》1993年11期)、鐙屋一〈1949年北平和平交涉における章士釗〉(《東洋史研究》55卷3號，1996年12月)、余湛邦〈張治中三赴延安與北平和談〉(《中國青年》1984年12期、1985年1期)、劉俊民〈1949年國共和談始末〉(《齊齊哈爾師院學報》1986年2期)、邵黎黎〈1949年春國共和談側記〉(《南京史志》1990年3期)、危漣漪〈這次和談讓歷史裁判〉(《新聞天地》64期，民38年3月)、公孫望〈和談會出現奇蹟嗎？〉(同上，65期，民38年4月)、施芬舞〈和談代表團的成敗〉(同上)、劉遐齡〈一九四九年國共和談的中共策略〉（《近代中國》57期，民76年2月）；
〈1949年國共和談的一些內部情況〉（《黨史資料通訊》1982年7期）、
李明華〈1949年國共雙方代表關於停止軍事衝突協定的商定經過〉
（《黨史研究》1983年3期）、孫禮明〈李宗仁為何拒紹和平協定〉（《福
建黨史月刊》1988年12期）、季雲飛〈傳統政治心理約制與李宗仁拒
簽國內和平協定〉（《學術論壇》1993年4期）。其他如抗戰勝利後1946
年的南京談判有中共代表梅園新村紀念館編《中共代表團南京談判
大事記（1946年5月3日～1947年3月7日）》（南京，南京出版社，
1987）、江英〈南京談判辨析〉（《黨史研究與教學》1994年5期）、呂
振羽〈南京談判始末〉（《群眾論叢》1980年3期）、江英〈解放戰爭時
期南京談判在軍事上的作用〉（《軍事歷史》1991年2期）、〈論解放戰
爭初期中共南京談判代表團對美鬥爭策略方針〉（《中共黨史研究》
1992年6期）、〈周恩來與南京談判中的情報工作〉（《軍事史林》1992
年6期）及〈周恩來在1946年南京談判中的統戰工作〉（《歷史教學》
1996年6期）、史平〈周恩來南京談判與中原之行〉（《南京史志》1989
年1期）、中國共產黨代表團駐滬辦事處紀念館編《上海周公館：中
共代表團在滬活動史料》（上海，上海人民出版社，1994）。此外，尚
有李仲元〈解放戰爭初期李先念赴武漢的一次談判〉（《湖北檔案》1990
年1期）、中國第二歷史檔案館〈解放戰爭時期白崇禧等策動"和平
運動"情報〉（《民國檔案》1989年3期）、張廣立〈解放戰爭後期湖
北"和平運動"淺析〉（《武漢師院學報》1984年1期）、李亞飛〈一九
四九年國民黨的求和與中國共產黨的策略方針〉（《教學與研究》1986
年6期）、季雲飛〈南京國民政府"求和"問題研究的再思考〉（《江
海學刊》1993年6期）。

外人調處國共的論著和資料有陳敬堂《國共和談中軍事調處之經過與檢討》（〔香港〕珠海大學中國歷史研究所博士論文，1985）、牛軍《內戰前夕－－美國調處國共矛盾始末》（臺北，巴比倫出版社，民82）、蔡國裕〈美國調處國共關係之經過與來檢討－－從赫爾利到馬歇爾的調處〉（《近代中國》33、34期，民72年2、4月）及〈馬歇爾來華調處國共關係之經過〉（同上，79期，民79年10月）、王成勉〈馬歇爾使華（1945.12～1947.1）研究之回顧與展望〉（載《六十年來的中國近代史研究》上冊，臺北，中央研究院近代史研究所，民77）及〈馬歇爾使華的材料、研究與未來〉（《近代中國》61期，民76年10月）、吳劍雄《馬歇爾使華的研究（1945～1947）》（臺灣大學歷史研究所碩士論文，民59）、汪誕平《馬歇爾使華的探討》（輔仁大學歷史研究所碩士論文，民69年6月）、張力行《馬歇爾使華紀實》（臺北，戰鬥青年出版社，民44）、Wesley Carlton Wilson, 1946: General George C. Marshall and the United States Army Mediate Chinese Civil War.（Ph. D. Dissertation, University of Colorado, 1965）、John Robinson Beal, Marshall in China.（Gardan City, New York: Doubleday, 1970）、Wu Jiajing, Marshall Mission and the KMT-CCP Negotiations After World War Two.（Ph. D. Dissertation, Michigan State University, 1984）、李鴻鈞《馬歇爾與國共和談》（〔香港〕珠海大學中國歷史研究所博士論文，1985）、王成勉《馬歇爾使華調處日誌（1945年11月～1947年1月）》（臺北，國史館，民85）、袁小倫《馬歇爾－－失去中國》（北京，光明日報出版社，1995）、Lyman P. Van Slyke, ed., Marshall Mission to China, December 1945-January 1947: The Report and Appended Documents.（2 Vols., Arlington, Virginia: University Publications of America,

1976）、Harry Charles Shallcross, The Marshall Mission to China, December 1945-January 1947: A Study of US Foreign Policy Decision. (Ph. D. Dissertation, Florida State University, 1984 ）、Cordell Audivell Smith, The Marshall Mission: Its Impact Upon American Foreign Policy Toward China, 1945～1949.(Ph. D. Dissertation, University of Oklahoma, 1963)、王成勉《馬歇爾使華策略之研究》(中國文化學院中美關係研究所碩士論文，民66年7月）、馬歇爾（George C. Marshall）著、中國社會科學院近代史研究所翻譯室譯《馬歇爾使華：美國特使馬歇爾出使中國報告書》(北京，中華書局，1981)、梁敬錞譯注《馬歇爾使華報告書箋註》(臺北，中央研究院近代史研究所，民83）、屠傳德《美國特使在中國：一九四五年十二月－－九四七年一月》(上海，復旦大學出版社，1988)；《從赫爾利到馬歇爾》(香港，大千印刷出版社，出版年份不詳)、牛軍《從赫爾利到馬歇爾》(福州，福建人民出版社，1992)。郭序〈評馬歇爾使華〉(《北京大學研究生學刊》1988年2期)、Wei Liang-tsai(魏良才)、"George C. Marshall and American Mediation in China." (《美國研究》12卷4期，民71年12月)、Herbert J. Chancy, "The Marshall Mission." (同上，10卷4期，民69年12月)、陳新銘〈民國三十五年馬歇爾調停國共衝突之經過〉(載《史政學術講演專輯（三）》，臺北，國防部史政編譯局，民78)、梁敬錞〈馬歇爾使華〉(同上（二），民73) 及〈馬歇爾奉使來華（初稿）〉(《傳記文學》29卷4、5期，民65年10、11月)、葛麟〈馬歇爾來到中國：一位中國人的觀點〉(載《中華民國建國八十年學術討論集》第2冊，臺北，民80)、邵玉銘〈馬歇爾使華再評估〉(載《中華民國歷史與文化討論集》第2冊，臺北，民73)、周建言〈馬歇爾與中國〉(《三民主義半月

刊》10卷8期，民36年7月）、孫其明〈對馬歇爾使華若干問題的再
認識〉（《安徽黨史研究》1989年3期）、 Illoyna Homeyard, "Another
Look at the Marshall Mission to China."（The Journal of American-East
Asian Relations, Vol. 1, No. 2, 1992）、鄒一清〈美國馬歇爾特使之調處
經過〉（《共黨問題研究》7卷1期，民70年1月）、楊奎松〈1946年國
共兩黨鬥爭與馬歇爾調處〉（《歷史研究》1990年5期）、王成勉〈馬歇
爾使華調處－－第一階段之研究（民國三十四年十二月至三十五年
三月）〉（載《中華民國史專題論文集：第一屆討論會》，臺北，國史館，民
81）及〈從和平到戰爭－－馬歇爾使華調處第二階段之研究（民國
35年3-6月）〉（載《國父建黨革命一百周年學術討論集》第3冊，民84）、
威廉‧斯圖克〈馬歇爾與魏德邁使華〉（《國外中國近代史研究》12輯，
1988）、岳克基〈馬歇爾到濟南〉（《新聞天地》11期，民35年3月）、
瞿海莉〈從馬歇爾調處看戰後美國旳對華政策〉（《青海師大學報》1993
年4期）、包愛芹〈馬歇爾使華與國共停戰談判〉（《山東師大學報》1994
年4期）、魏良才〈馬歇爾與國共和談〉（載《中華民國歷史與文化討論
集》第2冊，臺北，民73）、牛軍〈馬歇爾來華調處與東北內戰〉（《中
共黨史研究》1989年1期）、葛麟〈蔣介石與馬歇爾－四平街的悲慘結
局〉（載《國父建黨革命一百周年學術討論集》第3冊，臺北，民84）、Steven
I. Levine, "A New Look at American Mediation in the Chinese Civil
War: The Marshall Mission and Manchuria,"（Diplomatic History, Vol.
3, No. 4, 1979）、王成勉〈馬歇爾與中國第三黨派－－馬歇爾使華調
處新探〉（載《中華民國建國八十年學術討論集》第2冊，臺北，近代中國出
版社，民81）、國防部史政局編撰《三人會議商談經過概要》（臺北，
編撰者印行，民49）、許朗軒〈三人會議商談經過概要〉（載《中國現

代史專題研究報告》第4輯，民63）、蔡國裕〈戰後「三人小組」會談
的經過與檢討〉（《共黨問題研究》9卷2、3期，民72年2、3月）、符浩
〈憶三人小組在德州（1946年2月至6月）〉（《世界知識》1984年15期）、
費侃如〈三人軍事指揮小組探源〉（《黨史通訊》1984年5期）、李逸民
〈軍調三人小組第26小組鬥爭記〉（《革命史資料》1981年2輯）、廖顯
樹《三人小組與政治協商會議》（〔香港〕珠海大學中國歷史研究所博士
論文，1984）、孫宅巍〈三人小組·軍調部·軍事小組〉（《史學月刊》
1986年1期）、郭羽〈軍事調處執行部及其主要活動〉（《軍事歷史》1992
年5期）、謝端堯主編《軍調處在徐州》（北京，中共黨史出版社，
1996）、謝瑞堯〈軍調部徐州執行小組始末〉（《江蘇黨史文萃》1991年
5期）、柳宏為、孫麗君〈軍調部淮陰執行小組始末〉（《黨史研究資
料》1990年1期）、Robert R. Kehoe, The Cease-Fire in China, 1946:
The Operation of the Peiping Executive Headquarters and the Truce
Team During the Marshall Mission. (Ph. D. Dissertation, The American
University, 1970）、李聚奎〈在北平軍調部〉（《黨史資料徵集通訊》1985
年6期）、新鄉市委黨史辦公室〈國共軍調部新鄉執行小組的軍調活
動〉（同上）、段蘇權〈調處是美蔣合演的"文明戲"——回憶赤峰、
承德執行小組的鬥爭〉（《傳記文學》1986年4期）、陳新銘〈馬歇爾來
華與國共第一次停戰〉（《復興崗學報》28期，民71年12月）、王琪〈關
於"停戰協定"簽定的時間問題〉（《黨史研究》1981年6期）、丁家琪
〈再談"停戰協定"的時間問題〉（同上，1983年1期）、卓兆恒〈"
停戰協定"是1月10日簽定的〉（同上，1982年2期）、卓兆恒等編
《停戰談判資料》（成都，四川人民出版社，1981）、胡玉海〈一九四六
年國共停戰談判述評〉（《遼寧大學學報》1983年3期）、李明華〈一九

四六年國共雙方代表關於停止軍事衝突協定的商定經過〉(《黨史研究》1983年3期)、陳新銘〈東北停戰後國共衝突復起與美國調處遇挫〉(《復興岡學報》29期，民72年6月)及〈美國退出調處與國共和談之檢討〉(同上，30期，民72年12月)、中共中央委員會編印《中共中央公佈中共、蔣介石、馬歇爾三方來往文件》(民35年印行)、李雲漢〈馬歇爾及其使華任務的失敗〉(《幼獅月刊》39卷3期，民63年3月)、包愛芹〈論馬歇爾"調處"失敗的原因〉(《山東師大學報》1991年增刊)。與其相關的尚有 Forrest C. Pogue, George C. Marshall: Stateman, 1945 ～ 1959, (New York: Viking Press, 1987)，其中譯本為波格著、施旅譯《馬歇爾傳(1945～1959)》(北京，世界知識出版社，1992)、波格著、魏翠萍等譯《馬歇爾傳(1943～1945)》(同上)、Mark A. Stoler, George C. Marshall: Soldier-Stateman of the American Century. (Boston: Twayne Pwayne Publishers, 1989)、Ed Cray, General of the Army George C. Marshall: Soldier and Stateman. (New York: Sience & Schuster, 1990)、Leonard Mosley, Marshall: Hero for Our Times. (New York: Hearst Books, 1982)、現實社編譯《馬歇爾失敗的悲劇》(編譯者印行，民35)、陳立夫〈我與馬歇爾將軍〉(《傳記文學》31卷6期，民66年12月，亦載《近代中國》第4期，民66年12月)、大千印刷出版社編輯《從赫爾利到馬歇爾》(編輯者印行，民35)、郭德權〈我所認識的馬歇爾將軍〉(《傳記文學》30卷1期，民66年1月)、趙效沂〈隨馬歇爾飛臨延安－－報壇浮沉四十五年之久〉(同上，20卷6期，民61年6月)、章文晉〈周恩來與馬歇爾使華〉(《黨的文獻》1889年1期)、Thomas B. Lee（李本京），"The Marshall Plan: A Reappraisal of Its Practical Effects."(《美國研究》4卷1、2期合刊，民

63 年 6 月）、Grace M. Hawes, The Marshall Plan for China: Economic Cooperation Administration, 1948 ～ 1949.(Cambridge, Mass.: Schenkman Pub. Co., Inc., 1977)。林立樹《司徒雷登調解國共衝突之理念與實踐》(淡江大學美國研究所博士論文，民 81)、William W. Stueck, Jr., The Wedemeyer Mission: American Politics and Foreign Policy During the Cold War. (Athens: University of Georgia Press, 1984)、辛苹《魏德邁來華內幕》(上海，森林出版社，民 36)、烏特萊(Freda Utley)著、華君剛譯《美國人在華的最後關頭》(上海，民治出版社，民 37)，收短文 16 篇，記馬歇爾、魏德邁於國共內戰時期在華之活動等；艾德華〈第二次世界大戰後國共鬥爭中的美國角色〉(載《中華民國建國八十年學術討論集》第 2 冊，臺北，近代中國出版社，民 81)。董霖〈1949 年政府洽商友邦調停內戰經過〉(《傳記文學》48 卷 3 期，民 75 年 3 月)、Lu Yan, The Third Force and America's Mediation of Chinese Civil War, 1946. (M. A. Thesis, Michigan State University, 1989)。

其他如郭健軍〈略論抗戰勝利初期國共兩黨關係的歷史特點〉(《龍江黨史》1996 年 11 期)、徐報喜、吳竹標〈抗戰勝利前後美國處理國共關係的政策及其演變〉(《鹽城師專學報》1991 年 3 期)、井上久士〈中國の戰後構想－－中國國民黨と中國共產黨〉(《近きに在りて》30 號，1996 年 11 月)、張波〈試述解放戰爭時期的國共關係〉(《吉林師院學報》1993 年 4 期)、廣谷豐〈カイロ會談以後の國共交涉〉(《中國評論》2 卷 1 號，1947 年 1 月)、孫其明《和談、內戰交響曲：毛澤東和蔣介石在抗戰勝利初期》(上海，上海人民出版社，1992)、李爽、朱揚桂、高新生〈張治中與新疆三區革命代表的和平談判〉

（《新疆大學學報》1989年1期）、施惠政〈"和平將軍"張治中〉（《黨史縱覽》1994年4期）、張治中《張治中回憶錄》（北京，文史資料出版社，1985）及〈北平和談〉（《集萃》1981年6期）、余湛邦《張治中與中國共產黨－－張治中機要秘書回憶錄》（北京，中共中央黨校出版社，1993）、蔣勻田《中國近代史轉捩點》（香港，友聯出版社，1976）。

2. 慘烈的內戰

以戰後國共「內戰」為題的論著和資料有森下修《國共內戰史》（東京，三州書房，1970）、楊默夫編著《毛蔣大決戰－－國共內戰史》（臺北，克寧出版社，民82）、上別府親志〈戰後の國共內戰〉（《新日本》8卷8號，1973年8月）、杜聿明等《國共內戰秘錄》（臺北，巴比倫出版社，民80）、Suzanne Peeper, Civil War in China : The Political Struggle, 1945-1949. (Berkeley and Los Angeles: University of California Press, 1970)、Lionel Max Chassin, The Communist Conquest of China: A History of Civil War, 1945～1949.(Cambridge, Mass.: Harvard University Press, 1965)、John F. Melby, The Mandate of Heaven: Record of Civil war, China, 1945 ～ 1949.(Toronto: University of Toronto Press, 1968; New York: Expopsition Press, 1977)、陳舜臣《中國の歷史近・現代篇・第10卷：大江は東に流る－－內戰と解放》（東京，平凡社，1986）、大久保泰《共產中國出現の推移：戰後の內戰と國民政府の自壞》（2冊，東京，朝日新聞社，1969），為作者慶應大學法學研究所之博士論文；E. R. Hooton, The Greatest Tumult: The Chinese Civil War, 1936 ～ 1949.(Macmillan Publishing Company, Inc.,

1991）、吳其全〈抗戰勝利時的國民黨與戰後內戰〉（《鹽城師專學報》
1995 年 3 期）、石橋秀雄〈內戰の發展と中國の前途〉（《朝日評論》4
卷 1 號，1949 月 1 月）、魏宏運〈1947 年中國內戰的驚人發展〉（《歷
史教學》1988 年 5 期）、田所義行〈中國內戰と世界史の流れ〉（《桃
源》4 卷 2 號，1949 年 2 月）、岩村三千夫〈國共內戰の制止力〉（《中
國評論》1 卷 4 號，1946 年 12 月）、Odd Arne Wested, "Rivals and Allies:
Stalin, Mao, and the Chinese Civil War, January 1949." （Cold War
International History Project Bulletin, No. 6-7, Winter 1995-96）。中國大陸
方面對於戰後的國共內戰則多以「解放戰爭」或「第三次國內革命
戰爭」稱之，以此為題的論著和資料有姚天等《解放戰爭紀事
（1945～1950）》（北京，解放軍出版社，1987）、張平等《解放戰爭史
話》（北京，中國青年出版社，1987）、陳士榘《天翻地覆三年間：解
放戰爭回憶錄》（北京，中共中央黨校出版社，1995）、冷杰甫編著《三
年解放戰爭》（北京，旅遊教育出版社，1988）、黃友嵐《中國人民解
放戰爭史》（北京，檔案出版社，1992）、宗澤《中國人民解放戰爭史》
（北京，雲海出版社，1951）、解力夫《解放戰爭實錄：兩種命運的決
戰》（石家莊，河北人民出版社，1990）、軍事科學院軍事歷史研究部
編著《中國人民解放軍全國解放戰爭史》（1-3 卷，共 3 冊，北京，軍事
科學出版社，1996）、廖蓋隆《中國人民解放戰爭簡史》（北京，人民
教育出版社，1953）及《全國解放戰爭簡史》（上海，上海人民出版社，
1984）、張駿英《革命與反革命的決戰：中國人民解放戰爭簡史》（北
京，中國青年出版社，1961）、江蘇人民出版社《解放戰爭（中國現代
革命運動故事之五）》（南京，撰者印行，1961）、安徽省政協文史資
料研究委員會編《解放戰爭》（合肥，安徽人民出版社，1987）、廖蓋

隆編《中國人民解放戰爭和新中國五年簡史》（北京，人民教育出版
社，1955年5版）、李春生、楊元正《解放戰爭的碩果》（長春，吉林
人民出版社，1991）、楊冰安《中國人民解放戰爭中的歷史故事》（上
海，華東人民出版社，1954）、田為本《全國解放戰爭史專題研究》（西
安，陝西人民出版社，1989）、劉武生主編《從延安到北京：解放戰爭
重大戰役軍事文獻和研究文章專題選集》（北京，中央文獻出版社，
1993）、軍事科學院歷史研究部編著《中國人民解放軍戰史・第三
卷：全國解放時期》（北京，軍事科學出版社，1987）、中國人民解放
軍總部編印《中國人民解放戰爭四年戰績》（1950年印行）、中國人
民解放軍總部《中國人民解放戰爭軍事文集（1-5）》（5冊，東北軍區
司令部印刷，1949年10月）、丸山昇等《國共分裂から解放戰爭（《原
典中國近代思想史》第6卷）》（東京，岩波書店，1976）、舒麥德編著《將
帥縱橫錄：解放戰爭重要戰役紀實》（成都，四川文藝出版社，
1994）、高屋亞希〈笑劇としての「解放戰爭」〉（《中國文學研究》20
號，1994年12月）。人民出版社編《第三次國內革命戰爭概況》（北
京，編者印行，1954；修訂本，1983）、何明編《第三次國內革命戰爭》
（北京，通俗讀物出版社，1957）、張駿英騙著《第三次國內革命戰爭》
（北京，中國青年出版社，1964）、人民出版社《第三次國內革命戰爭
大事月表（1945.7～1949.10）》（北京，編者印行，1961）、浙江人民
出版社編《第三次國內革命戰爭大事記（1945～1949）》（杭州，編
者印行，1961）、中國人民革命軍事博物館編《第三次國內革命戰爭
戰略防禦形勢圖（1946年7月～1947年6月）》（北京，地圖出版社，1980）
及《第三次國內革命戰爭戰略進攻及解放全國大陸形勢圖（1947年
7月～1951年12月）》（同上）。張廷貴〈解放戰爭概述〉（《黨史資料

與研究》1987年4期）、張駿英〈偉大的中國人民解放戰爭簡史〉（《中國青年》1960年23、24期、1961年1、2期）、田為本〈全國解放戰爭史研究述評〉（《社科信息》1989年5期）、放之〈解放戰爭史研究的深化與開拓：訪田為本同志〉（同上，1989年3期）、徐修宜〈人民解放戰爭開始和結束時間問題〉（《阜陽師院學報》1992年3期）、周軍〈"三年解放戰爭"的提法不準確〉（《教學與研究》1990年4期）、廖蓋隆〈一年來的人民解放戰爭〉（《中國青年》第4期，民38年2月）、吳冷西〈人民解放戰爭一年回顧〉（同上，30期，1950年1月）、李繼華〈對抗日戰爭和解放戰爭的比較研究〉（《軍史資料》1987年3期）、田為本〈全國解放戰爭中的"南北朝"〉（《黨史資料通訊》1982年1期）、林干〈中國人民人民解放戰爭教學的目的和重點〉（《歷史教學》1951年5期）、戴知賢〈如何講授中國人民解放戰爭簡史〉（同上，1956年2期）、宋國柱〈如何講授解放戰爭和新中國五年簡史〉（《人民教育》1956年2期）、李稚甫〈關於講授中國人民解放戰爭簡史的一些建議〉（《中學歷史教學》1958年5期）、馮治〈關於解放戰爭史的幾個熱點問題〉（《黨史文匯》1990年5期）、李繼華〈解放戰爭戰史研究三題〉（《濱州師專學報》1989年1期）、吳建新〈要注意區分解放戰爭的兩種含義〉（《中共黨史研究》1988年3期）、野村浩一等〈國共分裂から解放戰爭まで〉（載《原典中國近代思想史》第2卷，東京，岩波書店，1977）、藤田正典〈人民解放戰爭－－中國近代史研究の手引き〉（《大安》5卷6號，1959年6月）、畢建忠〈全國解放戰爭戰略指導新探〉（《中共黨史研究》1990年4期）、楊學軍〈關於解放戰爭戰略方針問題研究綜述〉（《黨史研究資料》1992年9期）、胡玉海〈論解放戰爭時期黨的戰略方針〉（《東北地方史研究》1990年2期）、姚旭〈解放戰爭初期戰略計畫的演變〉(《黨史研究資料》1986年12期)、河沁〈講授解放戰爭時期我軍作戰方針的體會〉(《教學與研究》1984年5期)、中國人民解放軍歷史資料叢書編審委員會編《解放戰爭戰略防禦：回憶史料》(北京，解放軍出版社，1994)、宏苑編寫《解放戰爭時期的戰略防禦》(北京，新華出版社，1991)、禹宛瑩〈解放戰爭初期內線戰略防禦方針的形成〉(《南都學壇》1993年1期)、姚杰〈論解放戰爭時期我軍積極防禦的作戰方針〉(《軍事歷史》1988年3期)、李繼華〈解放戰爭戰略退卻階段初探〉(《山東師大學報》1989年6期)及〈對抗日戰爭和解放戰爭的比較研究－解放戰爭戰略相持階段初探〉(《軍史資料》1987年3期)、王宗榮〈略述解放戰爭初期"向北發展向南防禦"的戰略方針〉、(《中州學刊》1985年5期)、姚立新、黨少博〈論"向北發展，向南防禦"戰略方針的確定及其重大歷史意義〉(《新疆師大學報》1988年4期)、張小滿〈試析解放戰爭初期"向北發展向南防禦"的戰略方針〉(《南都學壇》1989年2期)、鄭學鳳〈抗戰勝利後我黨"向北發展向南防禦"的戰略方針是怎樣產生的〉(《黨史通訊》1983年20、21期)、姚旭〈抗戰勝利後我黨"向北發展向南防禦"戰略方針的產生問題〉(同上，1984年4期)、沈路逸〈"向北發展，向南防禦"戰略方針的形成和影響：解放戰爭時期我黨在東北戰場上的策略〉(《電大教學》1994年6期)、王森〈淺談解放戰爭時期"向北發展向南防禦"的戰略方針〉(《鄭州工學院學報》1985年3期)、郭金雲〈關於向北發展方針的一點史實〉(《黨史縱橫》1990年3期)、劉國語〈談"以發展求鞏固"戰略方針的確立和實行〉(《黨史通訊》1987年3期)、畢建忠〈試論解放戰爭中我軍轉入戰略進攻的時機、方針、特點及其他〉(《軍事史料》1987年2期)、《解放戰爭戰略進攻》

編寫委員會編《解放戰爭戰略進攻。回憶史料》(北京，解放軍出版社，1996)、田越英〈人民解放戰爭戰略進攻特點淺論〉(《軍事歷史研究》1994年2期)、余子道〈毛澤東指導解放戰爭戰略進攻的傑出貢獻〉(《復旦學報》1982年5期)、李繼華〈試論戰略反攻是解放戰爭戰略轉變的過渡環節〉(《軍事歷史》1986年3期)、〈解放戰爭戰略反攻有關資料試析〉(《黨史研究資料》1987年11期)及〈論解放戰爭戰略反攻的終點〉(《軍事史林》1987年2期)、畢建忠〈論解放戰爭戰略決戰決心的形成〉(《黨史通訊》1987年8期)、牛興華、楊延虎〈關於解放戰爭戰略決戰決策過程的探討〉(《延安大學學報》1989年1期)、萬興憲、張杰整理〈解放戰爭時期戰略決戰縱橫談〉(《軍事史林》1989年2、3期)、陳元考〈對解放戰爭的戰略決戰起止時間之我見〉(《國防大學學報》1990年1期)、王晉林〈解放戰爭戰略決戰的起止時間到底如何劃分〉(《軍事歷史》1991年6期)、禹宛瑩〈試論解放戰爭後期南線戰略方針的形成與實施〉(《南都學壇》1994年1期)、宮田修〈中國解放戰爭と毛澤東〉(《新しい世界》10、11號，1948年4、5月)、李慶豐〈建立正確的指揮關係是奪取勝利的重要環節：學習毛澤東在解放戰爭中的指揮藝術的一點體會〉(《軍事史林》1987年2期)、戴其萼、彭一坤《陳賡大將在解放戰爭中》(北京，解放軍出版社，1985)、汪維懋〈一代名將，功盡千秋：談粟裕在解放戰爭中的偉大軍事實踐〉(《國防大學學報》1995年10期)、王春芳〈粟裕在解放戰爭中的四次重大倡議〉(《毛澤東軍事思想研究》1994年2期)、楊明清〈圍繞黃河的較量——解放戰爭時期中共打破國民黨"黃河戰略"的鬥爭及決策藝術〉(《理論學刊》1996年5期)、趙俊芳〈民眾反蔣心理與解放戰爭的勝利〉(《吉林師院學報》1996年4期)、鞠景奇〈粟裕在解放戰爭中的主要功績〉(《鎮江師專學報》1995年3期)、李彩鑾〈談解放戰爭時期的工程兵〉(收入《中國軍事史論文集》,開封,河南大學出版社,1989)、澤田瑞穂〈解放戰爭中の宗教結社と解放後の宗教政策〉(《中國文化叢書6‧宗教》,東京,大修館書店,1967)、榮孟源〈第三次國內革命戰爭〉(《歷史教學》1953年6月號)。臺灣方面多稱戰後國共內戰為「戡亂戰爭」,以此為題的有國防部史政編譯局編《戡亂戰史》(15冊,編者印行,民69)及《戡亂戰役大事紀要》(同上,民73)、三軍大學戰史編纂委員會編纂(林培植主編)《國民革命軍戰役史第五部――戡亂》(共9冊,臺北,國防部史政編譯局,民78)、《國民革命軍建軍史》編纂委員會撰述《國民革命軍建軍史‧第三部:八年抗戰與戡亂》(2冊,臺北,國防部史政編譯局,民82)、耿若天《中國剿匪戡亂戰史研究》(臺北,陸軍總司令部,民61)及《中國剿匪戡亂史研究(第2、3集)》(2冊,臺北,撰者印行,民61)、國防部史政局編《戡亂簡史》(4冊,臺北,編者印行,民51)、《戡亂壯烈戰史》(4冊,臺北,國防部史政局,民48)、《國民革命六大戰史輯要:戡亂戰史》(同上,民50)及《中華民國大事紀要:戡亂戰史》(同上,民51)、秦孝儀〈戡亂簡史〉(載《中國戰史論集》第2集,臺北,民43)、空軍總司令部編印《空軍戡亂戰史》(臺北,出版年份不詳)、杜文芳〈戡亂作戰三大關鍵性的戰略作為探討〉(《軍事史評論》第2期,民84年6月)、曾濟群〈中國國民黨與動員戡亂〉(《政治文化》創刊號,民74年4月)、鄒―清〈國民政府之動員戡亂〉(《共黨問題研究》8卷3、4、6、7、9、12期,9卷1、4、7期;民71年3、4、6、7、9、12月,民72年1、4、7月)、張秉鈞《中國現代歷次重要戰役之研究―戡亂戰役述評》(臺北,國防部史政局,民77)、秦孝儀〈戡亂戰爭中共對唯物辯證法的應用〉(載《紀念抗戰勝利五十週年－回顧與前瞻學術研討會論文集》,鳳山,陸軍官校文史系主辦,民84年6月)、邵玉銘〈抗戰勝利後戡亂失利的檢討〉(《近代中國》44期,民74年2月)。其他相關者尚有鈴江言一《中國解放鬥爭史》(東京,石崎書店,1953);《天翻地覆慨而慷:國共戰爭紀實,一九四五至一九四九》(香港,盤古出版社,1975)、龔選舞《國共戰爭見聞錄－－龔選舞回憶(2)》(臺北,時報文化出版公司,民84)、鄒一清〈抗戰勝利後共匪的初期叛亂〉(《共黨問題研究》6卷11期,民69年11月)及〈中共叛亂期中的各種破壞行動〉(同上,9卷11、12期,民72年11、12月)、蔡國裕〈戰後中共的軍事行動和談陰謀〉(《同上,15卷7、9期,民79年7、9月)、袁學凱等《英明的預見》(北京,解放軍文藝社,1961),編選了9篇文章,內容為記述「解放」戰爭第一年(1946年7月－1947年6月)解放區共軍如何運用毛澤東十大軍事原則向國軍進行反擊戰的歷程。張晴光《血戰餘生》(臺北,臺灣商務印書館,民74)、上別府親志〈國共對決の微妙な變化〉(《外交時報》1107號,1973年7月)、蔡小洪、孫明明《戰略大決戰:國共兩大統帥部的生死搏鬥》(北京,警官教育出版社,1993)、溫應州、徐世華編寫《光明與黑暗的決戰》(蘭州,甘肅教育出版社,1993)、王道平等《震撼世界的大決戰》(北京,解放軍出版社,1990)、張永通、蘇仲波主編《兩種命運的決戰和新中國的建立》(徐州,中國礦業大學出版社,1990)、Seymour Topping, Journey Between Two China.(New York: Harper & Row, Publishers, 1972),作者為美國人,業新聞記者,戰後國共內戰時期,在中國採訪,曾親歷1949年4月共軍渡江入南京,21年多之後(1971年),他再度走訪中國大陸,該書為其二十餘年間所見所聞的述論，共分為四個部分，其中第一個部分從1948年11月23日之南京述起，至中共據有中國大陸為止，約占全書四分之一的篇幅。趙怡《美國新聞界對中國戡亂戰爭報導之研究》(臺北，黎明文化事業公司，民74)，以美國《紐約時報》、《芝加哥論壇報》、《基督教科學箴言報》、《聖路易郵報》四家報紙的1949年12月1日至31日的報導，來分析美國新聞媒體對戰後國共內戰變局的反應。

抗戰勝利後的十個月間（1945年8月至1946年6月），國共雖有衝突，但內戰並未全面爆發，共軍迅速北向進入東北，托庇於蘇軍發展勢力，在華北、華中則採退守方針。至民國三十四年（1945）九月十九日，中共正式定名此種戰略為「向北發展，向南防禦」。次年六月，國共之間的戰爭全面爆發，此後一年間（至1947年6月），共軍以防守為主，是為「戰略防禦」。民國三十六年（1947）六月至三十七年（1948）六月，共軍改採攻擊戰略，是為「戰略進攻」。三十七年六月，共軍在數量上，已逐漸與國軍接近，乃準備與國軍進行決戰，國共內戰自此進入「戰略決戰」階段。關於戰略決戰之前的內戰（1945年8月至1948年6月）其論著和資料，茲分述如下：

(1)東北戰場：有劉白羽《東北戰場通訊選》(北京，新華出版社，1986)，共收錄作者戰場通訊14篇，其中有〈進入東北〉、〈英雄的四平保衛戰〉、〈錦州之戰一角〉、〈光明照耀著瀋陽〉等，白玉、武等〈論全國解放戰爭中的東北戰場〉(《長白學刊》1988年4期)、羅光達主編、晉察冀文藝研究會編《東北解放戰爭》(瀋陽，遼寧美術出版社，1992)、朱建華《東北解放戰爭史》(哈爾濱，黑龍江人民出

版社，1987）、王迪康等編寫《東北解放戰爭紀實》（北京，長征出版
社，1989）、楊美瑩、凌雲主編《血色黎明－－東北解放戰爭紀實》
（瀋陽，遼寧大學出版社，1991）、李有洪《血戰遼東－－東北戡亂實
戰紀要》（臺北，撰者印行，民69）、唐洪森《東北解放戰爭研究》（瀋
陽，遼寧大學出版社，1994）、丁曉春、戈福祿、王世英編《東北解放
戰爭大事記》（北京，中共黨史資料出版社，1987），大事記起自1945
年8月，止於1948年11月，書後附錄「東北解放戰爭時期敵我雙
方戰鬥序列」、「東北解放戰爭時期地市級以上黨政主要負責人名
單」、「東北解放戰爭重要資料統計表」；沈兆璜等〈東北解放戰
爭大事記〉（《東北地方史研究》1988年1-3期）、陳炎、柳金銘、沈兆
璜〈艱苦的戰略防禦－－東北解放戰爭研究（二）〉（同上，1988年2
期）及〈勝利的戰略進攻－－東北解放戰爭研究（三）〉（同上，1988
年3期）、郭永學〈東北解放戰爭史研究綜述〉（《中共黨史研究1991年
2期》）、司亞民〈東北解放戰爭的戰略防禦〉（《松遼學刊》1984年3期）
及〈東北解放戰爭的戰略進攻〉（《四平師院學報》1982年4期）、劉信
君〈略述東北解放戰爭初期我黨戰略重心的轉變〉（《東北地方史研究》
1991年3期）、李繼華〈試論解放戰爭東北戰場的戰略發展過程〉（《黨
史研究資料》1986年9期）。蔡國裕〈蘇聯進軍東北與支援中共叛亂－
－大陸淪陷因素探討之一〉（《歷史教學》1卷6期，民78年5月）、董彥
平《蘇俄據東北》（臺北，反攻出版社，民54；中華文化事業出版委員會，
民54）、唐允編《東北問題之真象》（南京，時代出版社，民35）、學
習知識社編《東北問題》（香港，編者印行，1946）、李雲漢〈經國先
生與戰後中俄東北交涉〉（《近代中國》63期，民77年2月）、齊藤弼州
〈ソ連軍侵入と國共紛爭〉（載《滿洲建國の夢と現實》，東京，國際善鄰

協會，1975）、姜天明、王雲鵬〈蘇聯紅軍與阜新的解放〉（《遼寧大學學報》1995年4期）、崔國璽〈光復後蘇軍與長春政局〉（《外國問題研究》1995年1期）、牛大勇〈影響中國前途的一次空運〉（《歷史研究》1995年6期）、劉宏〈試析戰後中共率先進入東北的原因〉）（《社會科學輯刊》1996年1期）、張化東〈八路軍先遣縱隊挺進東北記〉（《黨的文獻》1995年4期）、李欣〈改變中國歷史的一頁－第一軍挺進東北〉（《傳記文學》1995年8期）、魏蒲〈關於十萬大軍進軍東北的幾點認識〉（《四川黨史月刊》1990年9期）、湯從列〈進軍東北始末〉（《軍史資料》1985年6期）、梁必業《東北解放戰爭中的第一縱隊》（北京，軍事科學出版社，1994）、李耀奎〈關於抗戰勝利後我參加接收鞍山、遼南的片斷回憶〉（《黨史資料通訊》1982年20期）、吳克華〈三進鞍山〉（《星火燎原》1982年4期）、盧廷楨〈清除匪患收復哈爾濱〉（《長白學刊》1995年4期）、孫堂厚〈戰後國共東北之爭及其對兩黨關係的影響〉（《社會科學輯刊》1996年1期）、O. Edmund Clubb, "Manchuria in the Balance, 1945-1946."（Pacific Historical Review, Vol. 26, No. 4, November 1957）。李達人《東北戡亂回憶》（臺北，博學出版，民68）；〈羅榮桓談東北解放戰爭〉（《軍事史林》1988年5期）、張德良等整理〈羅舜初同志對東北解放戰爭的回憶〉（《社會科學輯刊》1981年4期）、李運昌等《雪野雄風－－留在東北戰場的記憶》（白山出版社，1988）。梅金銘〈東北解放戰爭的序幕－－山海關阻擊戰〉（《東北地方史研究》1985年3期）、袁偉主編、方明等編寫《山海關之戰》（北京，軍事科學出版社，1988）、湯從列〈出關第一仗攻克山海關〉（《軍史資料》1985年7期）、方明〈爭奪東三省第一仗－－山海關之戰〉（《黨史研究資料》1995年9期）、唐凱〈解放和保衛山海關之戰的重大意義〉(《黨史通訊》1987年8期)。國防部史政局編《四平保衛戰》(臺北，編者印行，民51)、中共吉林省委黨史工作委員會編《四戰四平》(長春，吉林文史出版社，1988)、柳金銘〈四平保衛戰〉(《東北地方史研究》1986年3期)、丁曉春、戈福祿〈四平保衛戰的價值得重新研究〉(《龍江黨史》1990年1期)、陳守林〈評價四平保衛戰必須正確認識和處理好幾個關係〉(《長白學刊》1996年6期)、傅忠明〈關於四平保衛戰評價的初步探討〉(《學習與研究》1982年4期)、唐繼革〈試析四平保衛戰的失著〉(《中共長春市委黨校學報》1987年1期)、畢建忠〈對四平保衛戰的沉思〉(《軍事歷史》1996年3期)、胡哲峰〈關於四平保衛戰的一些問題〉(《黨史研究資料》1996年9期)及〈試論四平保衛戰中的毛澤東與林彪〉(《軍事歷史研究》1996年4期)、韓清濤〈四平的戰鬥〉(《新聞天地》26期，民36年8月)、翦光中〈評"化四平為馬德里"〉(《學習與研究》1982年4期)、李英〈略述四平戰役〉(《歷史教學》1983年9期)、簡明〈四平戰役概況〉(《學習與研究》1982年4期)、楊洪鈞〈四平攻堅戰得失談〉(《社會科學輯刊》1995年6期、1996年1期)、姜漢卿〈四平街解圍戰役回憶〉(《戰史彙刊》15期，民72)、馮兆光等〈四平戰史英雄譜〉(《博物館研究》1984年2期)、耿若天〈戰史講座第21講：戡亂戰史－－「四平保衛及解圍戰鬥」〉(《陸軍學術月刊》5卷49期，民58年10月)、長江文藝出版社編《解放四平街》(武漢，編者印行，1991)。白玉武等〈扭轉東北戰局的臨江保衛戰〉(《吉林史志》1985年3期)、耿若天〈戰史講座第82講：戡亂戰史－－東北戰場對臨江四次攻勢作戰〉(《陸軍學術月刊》12卷131期，民65年6月)、孫世杰〈"四保臨江"及其歷史作用〉(《松遼學刊》1985年2期)、曾克林〈四保臨江〉(《博物館研究》1984年1期)；

〈曾克林談進軍東北和四保臨江的有關問題〉(《黨史通訊》1984年2期)、趙夙聲〈論四保臨江關係地位與三下江南的關係〉(《東北地方史研究》1988年1期)、孫景隆〈試論四保臨江三下江南戰役的歷史意義〉(《長白學刊》1985年2期)、唐繼革等〈三下江南戰役中的靠山屯攻殲戰〉(《博物館研究》1985年3期)。邱鳳鳴〈試論鞍海戰役對東北解放戰爭的影響〉(《東北地方史研究》1991年3期)、王家彰〈摩天嶺戰鬥經過及檢討〉(《陸軍學術月刊》12卷128期,民65年5月)、耿若天〈戰史講座第81講:戡亂戰史——東北戰場吉長松花江地區作戰〉(同上,11卷120期,民64年9月)、王家彰〈東北劉二堡作戰述評〉(同上,14卷152期,民67年4月)及〈營口戰鬥經過和得失〉(同上,14卷154期,民67年6月)、張慶斌文編、中共營口市委黨史研究室編《黎明鏖戰:解放營口之戰》(北京,中共黨史出版社,1994)、耿若天〈戰史講座第23講:戡亂戰史——「靉陽邊門戰鬥」〉(《陸軍學術月刊》5卷51期,民58年12月)、張晴光〈安東會戰陸軍第二十五師於靉陽邊門覆沒記〉(《戰史彙刊》22期,民80)、陳嘉驥〈傅作義、楚溪春與安春山——記察綏國軍出援東北之役〉(《傳記文學》26卷1期,民64年1月)及〈傅作義與東北之戰——東北壯遊之16〉(《中外雜誌》32卷2期,民71年8月)、耿若天〈戡亂戰史——東北戰場公主屯會戰〉(《陸軍學術月刊》18卷196期,民71年1月)、范廣杰〈論中長路作戰的戰略地位與作用〉(《博物館研究》1982年創刊號)、王仲儒〈錦州北郊外圍戰〉(《黨史縱橫》1990年3期)、耿若天〈戡亂戰史——遼南會戰中之錦州戰鬥〉(《陸軍學術月刊》19卷208期,民72年1月)及〈戡亂戰史——遼南會戰中之遼西戰鬥〉(同上,19卷209期,民72年2月)、于衡〈遼西會戰的失敗——採訪二十五年之六〉(《傳記文學》20卷6期，民61年6月）、李達人〈遼西之戰〉(《雲南文獻》21期，民80年12月）、舒適存〈遼西恨〉(《傳記文學》40卷5期，民71年5月）、臧群〈遼西秀水河子戰鬥紀實〉(《陸軍學術月刊》11卷119期，民64年8月）、韓清濤〈零下卅度東北之戰〉(《新聞天地》34期，民37年2月）、戈福錄、陳寶勤等編《東北戰場風雲錄》(北京，中共黨史資料出版社，1988）、王笑竺〈12倍空職的填補：東北解放戰爭中的軍隊幹部隊伍來源〉(《黨史縱橫》1995年6期）、任希貴〈淺談東北解放戰爭初期新建部隊叛變原因及鞏固部隊的經驗〉(《龍江黨史》1992年2期）、畢建忠〈試論東北夏季攻勢的戰略性質與地位〉(《黨史研究資料》1989年7、8期）、徐焰〈"讓開大路占領兩廂"是解放全東北的必由之路〉(《文獻和研究》1987年5期）、王建新〈關於"讓開大路占領兩廂"東北工作方針的幾個問題〉(《東北師大學報》1990年4期）、鄧海文〈"讓開大路，占領兩廂"方針的形成與發展〉(《遼寧大學學報》1994年4期）、廖鋒〈1946年初東北民主聯軍主力作戰方向問題芻議〉(《軍事史林》1988年2期、丸山綱二〈中國共產黨"滿洲戰略"の第一次轉換――滿洲における"大都市奪取"戰略の復活〉(《アジア研究》39卷1號，1992年12月）、褚光明〈衛立煌出長東北剿匪總司令全盤戰略的新部署〉(《觀察》3卷23期，民37年1月）、管輝、張其昂〈東北解放戰爭的戰略先遣隊：試論抗聯對東北解放戰爭的貢獻〉(《阜新社會科學》1994年1期）、劉轉連〈東北解放戰爭中的三五九旅〉(《遼寧大學學報》1980年2期）、長野廣生〈林彪の戰爭――東北の內戰〉(《中國》70、71號，1969年9、10月）、余子道〈從東北解放戰爭看林彪的右傾軍事路線〉(《學習與批判》1974年9期）、余學軍〈東北解放戰爭中兩條軍事路線的鬥爭――批判林彪在東北解放戰爭中的右傾軍事路線〉(同上，1974年9期)、張慶峰〈毛澤東與東北解放戰爭〉(《松遼學刊》1994年4期)、劉信君〈毛澤東與東北解放戰爭〉(《社會科學戰線》1993年6期)、任慶國〈東北解放戰爭與張聞天的經濟思想〉(《東北地方史研究》1989年4期)、劉信君〈陳雲在東北解放戰爭中的三大貢獻〉(《社會科學戰線》1996年1期)、魏子揚、趙曉光〈陳雲在東北解放戰爭初期戰略轉變中的特殊貢獻〉(《理論探討》1996年1期)、朱祥豐、魏子揚〈陳雲在東北解放戰爭中〉(《東北地方史研究》1989年4期)、朱元石〈劉少奇與抗戰結束後爭奪東北的鬥爭〉(《近代史研究》1988年5期)、楊國慶、白刃編《羅榮桓在東北解放戰爭中》(北京，解放軍出版社，1986)、李雪山、石瑛等〈高瞻遠矚功垂青史：追憶東北人民解放戰爭中的黃克誠同志〉(《大江南北》1993年3期)。李洪〈東北解放戰爭與遼東省委黨校〉(《東北地方史研究》1989年4期)、白玉武〈東北解放戰爭中的"七道江會議"〉(《中共長春市委黨校學報》1987年2期)、劉品榮〈論七道江會議的歷史作用－－兼論陳雲對毛澤東軍事思想的運用和發展〉(《遼寧大學學報》1995年3期)。賈立臣〈東北解放戰爭對全國戰局的影響〉(《大慶師專學報》1985年2期)、史殿榮〈東北農業與東北解放戰爭〉(《東北地方史研究》1988年2期)、劉德貴〈東北戰場國民黨軍隊起義活動述評〉(《遼寧大學學報》1988年6期)、潘啟貴、魯新周〈解放戰爭中遼寧國民黨軍隊的起義〉(《遼寧師大學報》1993年1期)；〈國民黨第184師海城起義史實綜述〉(《雲南文史叢刊》1990年3期)、宋祥門等〈潘朔端率部揭義旗：記解放戰爭中的海城起義〉(《文物天地》1984年6期)、、白玉武〈東北解放戰爭的勝利是毛澤東軍事思想的勝利〉(《毛澤東軍事思想研究》1993年2期)、鄒一清〈東北淪陷經過〉(《共黨問題研究》7卷12期，民70年12月)、〈共匪如何佔據東北〉(同上，6卷7期，民69年7月)及〈共匪佔據東北的各項措施〉(同上，6卷9期，民69年9月)、寧承恩〈東北失敗的總檢討〉(《傳記文學》66卷1-3期，民84年1-3月)、王續添〈國民黨派系矛盾與其在東北統治的覆滅〉(《東北地方史研究》1992年2、3期)。陳嘉驥《白山黑水的悲歌》(臺北，撰者印行，民64)及《廢帝·英雄·淚》(臺北，南京出版公司，民65)，作者抗戰勝利後任中央社記者，前往東北採訪新聞，前後約兩三年，曾獨得一些機密新聞，該二書共收錄作者散篇文章數十篇，其中不乏關於國共內戰在東北的憶述和看法。此外，屬於東北戰場，也是東北解放戰爭最後部分的「遼瀋戰役」，因已進入解放戰爭之戰略決戰階段，稍後當另行舉述。

(2)中原戰場：關於1946年夏的中原突圍(中原解放軍司令員李先念、政委鄭位三遭國軍圍攻，所部突圍，後又建立了鄂豫皖根據地和豫西根據地)有湖北省鄂豫邊區革命史編輯部、湖北省軍區中原突圍專題編纂室編《中原突圍史》(北京，軍事科學出版社，1996)、中共信陽地委黨史資料徵編委員會、河南大學黨史研究室編《中原突圍史》(開封，河南大學出版社，1990)、李少瑜等編著《中原突圍紀事》(北京，解放軍出版社，1992)、孔厥等《中原突圍記》(中國出版社，民36)、中共河南省委黨史工作委員會編《中原突圍前後》(鄭州，河南人民出版社，1988)、鄂豫邊區革命史編輯部編《中原突圍(1-3輯)》(3冊，武漢，湖北人民出版社，1983、1984、1986)及〈紀念中原突圍40周年〉(《地方革命史研究》1986年3期)、王星祿〈突圍勝利，再建奇功－－紀念中原突圍勝利四十周年〉(《軍事史林》1986年2期)及〈光輝的勝利，巨大的貢獻－－紀念中原突圍

四十周年〉(《地方革命史研究》1986年3期)、鄂豫邊區革命史編輯部
〈紀念中原突圍四十周年〉(同上)、畢建忠等〈揭開解放戰爭的帷
幕──為中原我軍勝利突圍40周年而作〉(《軍事史林》1986年2期)、
孫少衡、彭劍青執筆〈精神文明的不朽壯歌:紀念中原突圍50周
年〉(《湖北社會科學》1996年8期)、王首道〈中原突圍(一九四六年)〉
(《革命史資料》1981年4期)、王宗榮〈中原突圍述略〉(《史學月刊》1993
年2期)、王定烈〈憶中原突圍前夜〉(《地方革命史研究》1986年1期)、
趙凌雲〈中原突圍散記:李先念在豫鄂陝邊區〉(《黨史縱橫》1993年
3期)、鄂豫邊區革命史編輯部、湖北省軍區中原突圍史編纂室〈全
面勝利的中原突圍戰役〉(《中共黨史研究》1992年1期)、孫少衡〈中
原突圍戰役簡論〉(《軍事歷史》1995年3期)、孫友三〈三路大軍突出
重圍〉(《學習論壇》1992年2期)、孫少衡〈論中原軍區在中原突圍前
後的歷史功績〉(《中共黨史研究》1996年3期)、任質斌〈關於編寫中
原突圍史的幾個問題〉(《地方革命史研究》1985年2期)、栗在山〈中
原突圍是黨中央的重大戰略決策──聆聽黨中央領導同志關於中原
突圍部署的談話〉(同上,1985年創刊號)、李少瑜〈簡析部分史書對
中原突圍的論述〉(同上,1986年1期)、何浩〈寫在中原突圍路上〉
(《地方史研究》1986年3期)、任質斌〈中原突圍的戰鬥歷程及其戰
略作用〉(同上,1986年5期;亦載《黨史通訊》1986年8期)、夏牧原等
〈試述中原突圍我軍戰略態勢的形成〉(《湖北黨史通訊》1986年3期)、
禾火等〈歷史的壯歌:記中原突圍中的三旅七團〉(同上,1986年2
期)、何德慶〈中原突圍的三旅七團〉(《地方革命史研究》1986年5期)、
曾煥雄〈試論鄂東獨二旅在中原突圍中的戰略作用〉(同上,1989年
6期)、李文實〈關山度若飛:記王震率中原突圍部隊回延安〉(《軍

事資料》1989年3期）、張翼翔〈中原突圍〉（《星火燎原》1982年1期）、
周宏雁〈關於中原突圍前後的幾個問題〉（《黨史通訊》1986年6期）、
許德厚〈中原軍區部隊東路突圍偵察記實〉（《軍事史林》1986年4期）、
《鐵流千里－－中原東路突圍紀事》編寫組編寫《鐵流千里－－中
原東路突圍紀事》（成都，四川人民出版社，1986）、中共陝西省委黨
史資料徵集研究委員會編《中原解放軍北路突圍與豫陝甘革命根據
地》（2冊，西安，陝西人民出版社，1988）、汪鋒〈堅持戰略要地－－
中原突圍〉（《中華英烈》1987年2期）、蕭健章〈宣化店的鬥爭與中原
突圍〉（《星火燎原》1982年4期）、臺運行〈皮旅中原突圍紀實〉（《江
淮文史》1994年5期）、徐－朋〈解決全局與局部關係的範例－－"皮
旅"中原突圍〉（《軍事史林》1986年2期）、曾言等〈試述中原突圍的
主要成就和戰略作用〉（《湖北黨史通訊》1986年2期）、劉濟普等〈淺
談中原突圍的得與失〉（《地方革命史研究》1986年3期）及〈試論中原
突圍的得與失〉（《武漢黨史通訊》1989年1期）、田子渝〈中原突圍前
後的談判鬥爭述評〉（《湖北大學學報》1987年6期）、何光耀〈中原突
圍後的談判鬥爭〉（《黨史天地》1996年6期）、王亂記等〈中原突圍後
的鄂中游擊支隊〉（《地方革命史研究》1987年2期）、閔學勝〈勝利突
圍與回師中原〉（同上，1989年3期）。皮定鈞《鐵流千里》（北京，解
放軍文藝出版社，1980），為撰者的回憶錄，分為「中岳狂飆」及「鐵
流千里」兩個部分，其中後者為記述中原突圍的經過。

　　關於1947年8月劉伯承（晉冀魯豫解放區司令員）、鄧小平
（政委）指揮所部共軍自魯西南下向豫鄂皖邊區（大別山）發展的
論著和資料有王世根《劉鄧大軍挺進大別山》（上海，上海人民出版
社，1987）、曾克《挺進大別山》（北京，新華書店，1950）、李勇編

寫《進軍大別山》（同上，1990）、駱榮勛、鄭明新主編《挺進大別
山》（鄭州，河南人民出版社，1987）、中共黃岡地委黨史資料徵集編
研委員會辦公室編《偉大的歷史轉折－－記劉鄧大軍挺進大別山的
戰鬥歷程》（武漢，湖北人民出版社，1987）、張明等《千里躍進大別
山（革命回憶錄）》（昆明，雲南人民出版社，1959）、胡哲峰〈關於挺
進中原、躍進大別山的若干問題〉（《近代史研究》1989年1期）、易任
先〈劉鄧大軍轉戰大別山幾個問題的探討〉（《中共黨史研究》1989年
6期）、楊振寶〈劉鄧大軍千里躍進大別山的歷史經驗〉（《南都學壇》
1993年2期）、劉永彪〈劉鄧大軍挺進大別山的歷史功績〉（《中州學
刊》1987年5期）、胡哲峰〈關於劉鄧大軍挺進大別山的考證〉（《黨
史文匯》1992年2期）、袁偉等〈進軍大別山綜述〉（《黨史研究資料》1987
年5期）及〈劉鄧大軍進軍大別山綜述〉（《黨史資料與研究》1987年2
期）、地方革命史研究編輯部〈從中原突圍到千里躍進大別山〉（《地
方革命史研究》1987年3期）、穰明德〈劉鄧大軍挺進大別山的片斷回
憶〉（《河南黨史研究》1988年2、3期）、馬同增〈淺析劉鄧大軍千里
躍進大別山的歷史特點〉（《河南大學學報》1984年6期）、王如良〈劉
鄧大軍挺進大別山的偉大意義〉（《軍事歷史研究》1987年4期）、楊振
寶〈簡論千里躍進大別山的重大意義〉（《南都學壇》1987年1期）、張
立功等〈沿著劉鄧大軍千里躍進的足跡〉（《瞭望》1987年40、41期）、
劉昌毅〈千里回師大別山〉（《地方革命史研究》1986年3期）、尹萍〈千
里躍進，挺進中原〉（同上，1990年4期）、八〇二－部隊黨史資料徵
集小組〈晉冀魯豫野戰軍第一縱隊千里躍進大別山紀實〉（《軍史資
料》1986年2期）、安維春〈偉大的南征，矚目的壯舉：論劉鄧大軍
挺進大別山的意義〉（《錦州師院學報》1985年1期）、李健英〈論劉鄧

大軍挺進大別山的戰略意義〉(《毛澤東思想研究》1987年3期)、黃少群等〈試述劉鄧大軍開闢大別山根據地的鬥爭及其戰略意義〉(《江西社會科學》1983年2期)、李冬春〈論劉鄧大軍重建大別山根據地的歷史經驗〉(《阜陽師院學報》1988年4期)、孫子文〈千里躍進中的關鍵一戰:兼談劉鄧大軍從何處渡汝河〉(《河南黨史研究》1991年5、6期)及〈劉鄧大軍躍進大別山關鍵性的一戰〉(《中共黨史研究》1991年2期)

蔣玉懷、徐金洲〈麾軍占中原,經略大別山〉(《軍事歷史》1995年5期)、苡莎〈劉伯承南下記－－大別山戰鬥紀實〉(《觀察》3卷7期,民36年10月)、鄂豫邊區革命史編輯部〈千里躍進大別山的豐功偉績〉(《地方革命史研究》1987年3期)、蕭永銀〈"兩軍相逢勇者勝"－－憶劉鄧大軍千里躍進〉(《萌芽》1959年7月號)、張生華〈審慎、果斷、堅定、遠謀－－回憶劉伯承元帥定下千里躍進大別山的決心〉(《奔流》1981年7期);〈關於粉碎敵人對大別山圍攻的六份電報(1947年12月－－1948年2月)〉(《黨的文獻》1989年2期)、唐平鑄等〈千里躍進逐鹿中原－－劉鄧大軍南征記〉(《中國青年》1960年21期)、柯崗、曾克、薛洪興《劉伯承中原逐鹿》(北京,解放軍出版社,1983)、陳斐琴等主編《劉鄧大軍征戰記新聞編》(北京,新華出版社,1987)及《劉鄧大軍征戰記文學編》(4冊,北京,軍事譯文出版社,1986-87)、楊國宇、陳斐琴主編《劉鄧大軍南征記》(鄭州,河南人民出版社,1982)、田曉光、韋敏士主編《劉鄧大軍南征記(第2集)》(鄭州,河南人民出版社,1985)、粟裕、陳士榘等《陳粟大軍戰中原》(同上,1984)、《陳粟大軍征戰記》編輯委員會編《陳粟大軍征戰記》(北京,新華出版社,1987)、季音《轉戰中原》(鄭州,河南人民出版社，1951），係作者以記者身份隨華東野戰軍在中原作戰的實地報告。與其相關者尚有楊國宇編《劉鄧大軍風雲錄》（2冊，北京，人民日報出版社，1989）、溫瑞茂〈三軍挺進中原對《兩區戰略計劃》的繼承關係及其他：與畢建忠同志商榷〉（《軍事史林》1988年6期）、楊國宇等編《劉鄧大軍征戰記（第1、2、3卷）》（3冊，昆明，雲南人民出版社，1984）、陳斐琴等編《劉鄧大軍征戰記（第4卷）》（同上，1990）、李新市〈鄧小平與劉鄧大軍向西戰略的實施〉（《安徽史學》1995年2期）、王化雲〈回憶劉鄧大軍渡河片斷〉（《黃河史志資料》1983年1期）、丁福五〈聲援劉鄧大軍強渡黃河：憶在范縣黃河河防指揮部的工作〉（同上，1985年1期）、鄒作盛〈殺出重圍、飛渡黃河〉（《地方革命史研究》9186年3期）、丁永隆〈三路解放大軍過黃河〉（《中學歷史》1987年2期）、苗冰舒〈劉鄧揮師巧渡黃河〉（《名人傳記》1987年6期）、李海英〈劉鄧大軍強渡黃河的戰略意義〉（《聊城師院學報》1995年1期）、李冬春〈劉鄧大軍強渡黃河勝利的原因及其歷史地位〉（《阜陽師院學報》1987年4期）、陳伯強〈黃河問題的鬥爭與劉鄧大軍在冀魯豫戰場的自衛戰爭〉（《黨史研究》1985年1期）。

其他如王硯泉〈憶解放豫西之戰〉（《河南黨史研究》1988年2、3期）、李天佑〈豫西牽牛〉（同上）、陳康〈豫西牽牛〉（《解放軍文藝》1960年9期）、穆欣編《陳賡兵團在豫西》（鄭州，河南人民出版社，1981）、賴文樓〈桐柏山戰役〉（《軍事史林》1986年2期）及〈對桐柏山戰役的幾點淺見〉（《地方革命史研究》1986年3期）、李彥升〈中原我軍占領南陽：紀念南陽解放41周年〉（《中州今古》1990年2期）、耿若天〈戰史講座64講：戡亂戰史－－豫北第一階段作戰〉（《陸軍

學術月刊》9卷92期，民62年5月）及〈戰史講座第65講：戡亂戰史
－－豫北第二階段作戰〉（同上，9卷93期，民62年6月）、孫天銀〈中
原突圍部隊轉戰鄂西北時期的統戰工作〉（《統一戰線》1993年4期）、
柳茂坤〈沁源圍困戰〉（《軍事史林》1986年試刊1期）、王世根〈試論
魯西南戰役〉（《軍事歷史研究》1996年3期）、呂仿松〈魯西南戰役述
論〉（《黃淮學刊》1991年2期）、李體煜等〈論魯西南戰役的戰略地
位〉（《荷澤師專學報》1988年1期）、趙錫榮〈魯西南戰役勝利的原因
及其歷史意義〉（《聊城師院學報》1988年1期）、曾光〈無敵的力量－
－憶魯西南戰役〉（《人民文學》1960年12期）。胡景平〈革命戰爭史
上的偉大創舉：論經略中原戰略構想的提出和發展〉（《地方革命史研
究》1989年4期）、郭曉平〈經略中原的若干史實辨析〉（《軍事歷史》
1996年1期）、李新市〈中原三軍戰略優勢地位的確立〉（《黨史研究
與教學》1995年1期）、溫瑞茂〈解放戰爭中我軍奪取中原戰略部署
形成之研究〉（《軍史資料》1985年7期）及〈集兵江北與奪取中原〉（《近
代史研究》1986年5期）、張才千《中原逐鹿》（昆明，雲南人民出版社，
1984）、朱宗震〈試論解放軍挺進中原的戰略地位〉（《近代史研究》
1993年4期）、楊學軍〈近年來國內對"三路大軍挺進中原"問題研
究的綜述〉（《軍事歷史》1991年3期）、溫瑞茂〈三軍挺進中原對《兩
區戰略計劃》的繼承關係及其他：與畢建忠同志商榷〉（《軍事史林》
1988年6期）、畢建忠〈堅持實際出發研究問題：答溫瑞茂同志的《商
榷》〉（同上）；〈中共中央關於挺進中原的戰略方針的一組電報
（1947年1月－－10月）〉（《黨的文獻》1989年3期）、孔方〈五十萬
人中原大會戰〉（《新聞天地》44期，民37年7月）、傅振剛〈試析挺進
中原時的劉鄧指揮藝術〉（《鄭州大學學報》1987年3期）、李福昌〈劉

鄧陳粟大軍逐鹿中原記略〉(《中州今古》1990年5期)、曹一凡〈中原逐鹿〉(《學習論壇》1992年3期)。任兆銘、程祥主編《豫北戰役》(鄭州，河南人民出版社，1988)、劉繼賢主編《鏖戰湯陰》(北京，中國城市經濟社會出版社，1988)、鄭州軍分區《鄭州軍事志》編輯室編《九縱在河南》(鄭州，河南人民出版社，1986)及《鄭州戰役資料選編》(同上，1985)。郝晏華〈豫東戰役在全國解放戰爭中的戰略地位〉(《外交學院學報》1992年4期)、中共開封市委黨史辦公室、中共商丘地委黨史辦公室編《豫東戰役》(鄭州，河南人民出版社，1988)、鞠景奇〈豫東戰役是戰略決戰序幕的開始〉(《鎮江師專學報》1993年3期)、方世紅〈大將粟裕和豫東大戰〉(《商丘師專學報》1988年1期)、耿若天〈戡亂戰史——華東戰場豫東（黃氾區）會戰〉(《陸軍學術月刊》18卷198期，民71年3月)、禹宛瑩〈宛東戰役述論〉(《南都學壇》1996年5期)、鳳釗、明彥〈宛東戰役〉(《中州今古》1991年5期)、浩〈宛西烽火與鄂中江漢之間的潰瘍〉(《觀察》4卷16期，民37年6月)、劉照璞〈照八垛狙擊戰〉(《中州今古》1992年1期)、開封市博物館編《開封戰役資料選編》(鄭州，河南人民出版社，1980)、李田〈解放戰爭戰略決戰的序幕是怎樣揭開的：試論開封、睢杞戰役的歷史意義〉(《貴州民族學院學報》1989年2期)、粟裕〈豫東之戰——回憶開封、睢杞戰役〉(《黨史通訊》1983年4期)、中共漣水縣委黨史辦公室《漣水保衛戰》(南京，江蘇人民出版社，1989)、漣水縣縣志辦公室編《漣水保衛戰》(南京，南京大學出版社，1986)、李昌華〈漣水戰役不應包含出擊隴海路東段和眾興作戰〉(《軍事歷史》1996年1期)。

(3)華北戰場：楊成武《戰華北》(北京，人民出版社，1986)，記述「解放戰爭」時期華北戰場的任務和作用。上黨戰役（1945年8

月底，閻錫山派兵攻擊山西省上黨地區共軍的戰役）有李其煌〈上黨戰役〉（《思想戰線》1984年6期）、趙路英〈上黨戰役〉（《革命文物》1980年5期）、劉忠〈回憶上黨戰役〉（《黨史研究資料》1985年11期）、喬希章〈上黨戰役〉（同上，1987年2期）、陳再道〈上黨戰役〉（《縱橫》1989年4期）、丁則勤、李友剛〈上黨戰役意義述略〉（《軍事歷史研究》1988年1期）、梁正〈心願已明功告成：上黨戰役的一份重要情報〉（《黨史縱橫》1994年11期）、李懷珠〈上黨戰役與重慶談判〉（《黨史文匯》1985年4期）、杜忠德〈上黨戰役中的地下尖兵〉（同上）及〈上黨戰役中晉冀魯豫軍區司令部駐地〉（同上）；〈毛澤東關於上黨戰役的論述〉（同上）、謝武申〈"長于機動奇制勝"：談劉伯承鄧小平在上黨戰役中的指揮藝術〉（《領導藝術》1985年3期）；〈關於上黨戰役的總結〉（《黨史文匯》1985年4期）。他如李繼華〈解放戰爭中晉察冀戰場的戰略過程〉（《山西革命根據地》1988年3期）、耿若天〈戡亂戰史：華北戰場——晉冀察綏邊區及冀東平原作戰〉（《陸軍學術月刊》18卷201期，民71年6月）、田酉如〈論全國解放戰爭中的山西戰局〉（《學術論壇》1991年2期）、段士樸〈解放戰爭中的晉南戰役〉（《山西師院學報》1982年3期）、都愛國〈徐向前擘劃晉中戰役〉（《黨史文匯》1991年11期）、喬錫章〈謀略的較量：回憶徐向前指揮晉中戰役〉（《革命史資料》1982年9輯）、張帆〈6萬兵殲敵10萬：徐向前與晉中戰役〉（《瞭望》1989年30期）、《在徐帥指揮下》編輯組編《在徐帥指揮下》（北京，解放軍出版社，1984）、耿若天〈戡亂戰史——晉綏（大同、集寧）邊區作戰〉（《戰史彙刊》第5期，民62）、張萬學〈臨汾戰役史綱〉（《山西師大學報》1986年4期）、中共山西省委黨史研究室編《臨汾攻堅》（太原，山西人民出版社，1987）、王連昌〈運城戰役在解放戰爭中的軍事地位〉(《運城師專學報》1988年2期)、耿若天〈戰史講座第73講：戡亂戰史－－晉南汾水以南三角地帶作戰〉(《陸軍學術月刊》10卷102期，民63年3月)及〈戰史講座第74講：戡亂戰史－－晉西鄉寧戰鬥〉(同上，10卷103期，民63年4月)；〈老爺山閻軍戰敗後的慘狀〉(《黨史文匯》1985年4期)、金德〈徐帥與山西解放〉(《山西老年》1990年12期)、楊先義編《張家口收復記》(人民出版社，民36)、李永清〈正定攻堅城〉(《星火燎原》1984年4期)、中共邢臺市委黨史研究室編《曙光初照臥牛城：紀念邢臺解放50周年》(北京，中共黨史出版社，1995)、《邯鄲城市接管與改造》編委會編《邯鄲城市接管與改造》(北京，中國檔案出版社，1995)、華北新華書店編輯《高樹勛將軍邯鄲起義特輯》(編輯者印行，民34年12月)、任佩瑜主編《邯鄲起義》(石家莊，河北人民出版社，1991)、李信〈兩破"邯鄲夢"：平漢、滑縣戰役紀實〉(《黨史縱橫》1996年4期)、李其煌〈平漢戰役〉(《思想戰線》1984年8期)、劉本厚〈戡亂時期－平漢鐵路北段綏靖作戰〉(《戰史彙刊》20期，民78)、蕭全文〈津南突破〉(《軍史資料》1985年7期)、王海廷〈攻克石家庄〉(《星火燎原》1983年6期)、中共石家庄市委黨史研究室主編《解放石家庄：紀念石家庄解放45周年》(北京，中共黨史出版社，1992)、河北省檔案館〈解放石家庄：紀念石家庄解放40周年〉(《河北檔案》1987年5期)、王獻民〈略述石家庄戰役及其意義〉(《石家庄教育學院學報》1987年3期)、黨福民〈攻堅戰術開新面：朱德總司令與石家庄戰役〉(《黨史博採》1996年12期)、凌華〈石家莊之役結束以後〉(《時與文》2卷11期，民36年11月)、耿若天〈戰史講座第80講：戡亂戰史：平津路北段石門、徐水間地區作戰〉(《陸軍學術月刊》11卷114期，民64年3月）、秦萬奎〈徐水阻擊戰〉（《保定師專學報》1990年1、2期）、馬瑛、張震川〈大決戰的前奏：記華北野戰軍配合東北決戰的"牽牛鼻子"戰役〉（《黨史縱橫》1996年11期）、劉本厚〈抗戰後華北剿匪保定防守戰紀錄〉（《戰史彙刊》第7期，民64）及〈華北剿匪保定防守戰「滿城爭奪戰」史錄〉（同上，第3期，民60；亦載《河北平津文獻》1卷3期，民61年2月）。趙俊〈黨領導商丘人民解放鬥爭：紀念商丘解放40周年〉（《黃淮學刊》1989年1期）、觀察特約記者〈熱河之戰〉（《觀察》4卷15期，民37年6月）、趙豔玲等〈兩次隆化攻堅戰始末：紀念隆化解放40周年〉（《承德師專學報》1989年1期）、王植彬〈承德保衛戰述評〉（同上，1988年1期）、張帆《長城內外》（2冊，北京，中國青年出版社，1990），為報導文學性質，作者曾任新華社記者，參加過1946年軍調部執行小組的採訪工作，本書係敘述國共內戰期間長城內外之戰役經過。至於華北戰場中的「平津戰役」，因已進入「解放戰爭」戰略決戰階段，稍後再行舉述。

(4)華東戰場：有黃兆康〈論華東戰場在解放戰爭中的地位與作用〉（《學海》1996年4期）、王德著、吳詩虹整理《華東戰場參謀筆記》（上海，上海文藝出版社，1996）、米運昌〈解放戰爭勝利發展中的山東戰場〉（《泰安師專學報》1991年1期）、王東溟〈論山東地區在解放戰爭時期的戰略地位〉（《中共黨史研究》1993年1期）、國防部史政局編《魯中會戰》（臺北，編者印行，民44）、丁履樞〈魯中烽火看濟南〉（《新聞天地》39期，民37年5月）、棗莊市出版辦公室編《魯南戰役資料選》（濟南，山東人民出版社，1982）、劉廉一〈戡亂戰役中魯東作戰之回憶〉（《戰史彙刊》第3期，民60）、中國人民革命軍事博物館編《定陶戰役要圖（1946年9月3日～8日）》（北京，地圖出版社，1980）、畢建忠〈析定陶戰役的組織指揮藝術〉（《黨史研究資料》1993年6期）、中共萊蕪縣委宣傳部編《萊蕪戰役資料選》（濟南，山東人民出版社，1982）、山東省政協文史資料委員會編《萊蕪戰役紀實》（北京，中國文史出版社，1995）、馮治〈簡論萊蕪戰役〉（《青島師專學報》1988年4期）、中國人民革命博物館編《萊蕪戰役要圖（1947年2月20日～23日）》（北京，地圖出版社，1980）、王德〈萊蕪戰役〉（《黨史資料叢刊》1983年2輯）、何魯編著、辰生繪《萊蕪之戰：革命歷史故事》（北京，通俗讀物出版社，1957）、中共萊蕪市委黨史資料徵集研究委員會編《萊蕪戰役中的萊蕪人民》（濟南，山東人民出版社，1986）、耿若天〈戰史講座第19講：戡亂戰史－－南麻突破作戰〉（《陸軍學術月刊》5卷47期，民58年8月）、〈戰史講座第20講：戡亂戰史－－南麻解圍戰〉（同上，5卷48期，民58年9月）、〈戰史講座第60講：戡亂戰史－－魯中沂蒙山區第三次圍剿第一階段（南麻突破）作戰〉（同上，9卷88期，民62年1月）及〈戰史講座第61講：戡亂戰史－－魯中沂蒙山區第三次圍剿第二階段作戰〉（同上，9卷89期，民62年2月）、羅春茂〈膠東之役序幕戰：1947年蔣介石青島活動刺探紀實〉（《黨史縱橫》1995年1期）、中共山東省委黨史資料徵集研究委員會等編《膠東保衛戰》（濟南，山東人民出版社，1991）、金冶〈膠東保衛戰中的山東兵團〉（《軍史資料》1985年1期）、耿若天〈戰史講座第62講：戡亂戰史－－膠東半島第一階段作戰〉（《陸軍學術月刊》9卷90期，民62年3月）、〈戰史講座第63講：戡亂戰史－－膠東半島第二階段作戰〉（同上，9卷91期，民62年4月）及〈戡亂戰史－－華東戰場－－膠濟沿線（周村、濰縣）作戰〉（同上，

18卷197期，民71年2月）、陳希棟〈濰縣戰役簡介〉（《昌濰師專學報》
1988年2期）、蘇洞國〈昌濰失守·魯局鳥瞰〉（《觀察》4卷11期，民
37年5月）、萬里山〈慘痛失昌濰〉（《新聞天地》41期，民37年6月）、
濰坊地區出版辦公室編《濰縣戰役資料選》（濟南，山東人民出版社，
1982）、鹿說之〈煙台解放經過及其意義〉（《黨史資料徵集通訊》1985
年10期）、吳一知〈煙台撤退的悲劇〉（《新聞天地》51期，民37年11
月）、傅金清〈斷敵咽喉之戰－－袞州城攻堅戰〉（《大江南北》1993
年3期）、山東省政協文史資料委員會、兗州市政協文史資料委員會
編《兗州戰役親歷記》（濟南，山東人民出版社，1992）、中共山東省
委黨史資料徵集研究委員會、中共臨沂地委黨史資料徵集委員會編
《孟良崮戰役》（濟南，山東人民出版社，1987）、臨沂行署出版辦公室
編《孟良崮戰役資料選》（同上，1980）、王德〈孟良崮戰役〉（《黨
史資料叢刊》1983年2輯）、劉冰〈孟良崮戰役〉（同上，1984年5輯）、
馮德文〈孟良崮戰役〉（《歷史教學》1985年8期）、天津人民出版社編
輯《大戰孟良崮》（天津，編輯者印行，1959）、陳大明〈孟良崮作戰
之研究〉（《陸軍學術月刊》18卷196期，民71年1月）、楔子〈飛兵激
戰孟良崮〉（《黨史天地》1996年1期）、劉克剛〈張靈甫將軍喋血孟良
崮〉（《政治評論》13卷1期，民53年9月）、周子信〈蔣軍王牌主力整
編第74師的覆滅－－孟良崮戰役簡介〉（《新鄉師院學報》1985年1期）、
趙建中〈"萬馬軍中取上將首級"：論粟裕在孟良崮戰役中的指揮
藝術〉（《南京政治學院學報》1994年4期）、徐樹貴〈運籌帷幄，出奇
制勝：紀念孟良崮大捷四十周年〉（《山東師大學報》1987年3期）。王
東溟《山東人民支援解放戰爭史》（濟南，山東人民出版社，1991）、
〈論山東人民支援解放戰爭的經濟基礎〉（《東岳論叢》1988年3期）及

〈試述山東人民支援解放戰爭的特點與經驗〉（《軍史資料》1989年2期）。許世友《在山東十六年》（濟南，山東人民出版社，1981），作者從1939年至1954年，曾在山東工作、戰鬥了16年，其中11年是在抗戰及國共內戰的烽火中度過，本書記述了他在山東16年的經歷；許世友《許世友回憶錄》（北京，解放軍出版社，1986）。

姜志良〈略論江蘇解放戰爭的特點〉（《黨史資料通訊》1988年2期）、《蘇中七戰七捷》編寫組編《蘇中七戰七捷》（南京，江蘇人民出版社，1986）、戴聞編著《七戰七捷》（南昌，江西人民出版社，1956）、粟裕〈回憶蘇中戰役〉（《黨史通訊》1984年3期；亦載《中華英烈》1986年4期）、魏永祜〈蘇中戰役〉（《黨史研究資料》1985年2期）、吉光〈論蘇中戰役的戰略意義〉（《史林》1996年2期）及〈再論蘇中戰役的戰略意義〉（《大江南北》1996年7期）、李田〈蘇中戰役與十大軍事原則〉（《貴州師大學報》1992年4期）、賈曉光〈蘇中戰役籌劃過程評介〉（《軍事史林》1991年6期）、高建中〈粟裕對手李默庵談"七戰七捷"〉（《炎黃春秋》1996年5期）、魯榮順〈靈活運用毛澤東軍事思想的光輝戰役：紀念蘇中戰役40周年〉（《鎮江師專學報》1986年4期）。思訓〈論宿北戰役〉（《工農兵評論》1975年4期）、胡茂功〈淺談宿北戰役的勝利對重返淮北的作用〉（《安徽黨史研究》1989年3期）、陳建洲〈試論宿北戰役的勝利及其重要意義〉（《淮陰師專學報》1985年3期）、王志增〈鹽城攻堅戰〉（《群眾》1981年10期）、林燁之〈「恐怖五月」煙消雲散－共軍渡江攻勢中看蘇北戰場〉（《新聞天地》41期，民37年6月）。張衡〈試論解放戰爭初期華中戰場的縱深作戰〉（《大江南北》1996年12期）、曾振〈卅四年（一九四五年）浙江剿共戰作戰紀實〉（《戰史彙刊》第4期，民61）。至於華東戰場中的濟南戰役及淮海戰役，稍後再行舉述。

(5)西北戰場：有全國政協文史資料研究委員會等編《解放戰爭中的西北戰場：原國民黨將領的回憶》（北京，中國文史出版社，1992）、李志民〈決戰西北戰場〉（《黨史研究與教學》1993年6期、1994年1期）、張俊彪《鏖兵西北》（北京，解放軍出版社，1989）、鄭維山《從華北到西北：憶解放戰爭》（同上，1985）、王政柱口述、李太友整理《彭總在西北戰場－－前西北野戰軍副參謀長王政柱回憶》（西安，陝西人民出版社，1981）、陳海涵《在彭總指揮下》（北京，解放軍出版社，1984）、劉克東口述、龐大異等整理《在彭總指揮下戰鬥》（蘭州，甘肅人民出版社，1985）、羅元俊《戰鬥在大西北》（烏魯木齊，新疆人民出版社，1983）、吳序光〈彭總與西北大捷：紀念彭德懷同志逝世十周年〉（《星火燎原》1984年6期）、華國富〈關於進軍西北的作戰方針〉（《黨的文獻》1990年5期）、鄭炳起、李新市〈略論西北人民解放軍的戰略反攻〉（《淮海文匯》1996年12期）、寇占杰整理〈延安保衛戰〉（《陝西地方志通訊》1987年5期）、天津人民出版社編輯《延安保衛戰（革命鬥爭故事）》（天津，編輯者印行，1968）、劉冰〈延安保衛戰始末〉（《黨史通訊》1986年4期）、劉萬發〈長纓在手縛蒼龍：紀念保衛延安戰鬥勝利40周年〉（《政法學習》1987年3期）、李壯〈關於中央決定放棄延安時間問題的商榷〉（《黨史研究》1982年3期）、莫訶薩〈延安之戰五天六夜〉（《新聞天地》23期，民36年5月）、泰保民〈延安光復之役追記〉（《陝西文獻》49期，民71年4月）。陝西省軍區黨史資料徵集辦公室編《解放戰爭中的陝南戰場》（西安，西陝人民出版社，1988）、榆林地區《毛主席轉戰陝北》編寫組編《毛主席轉戰陝北》（西安，陝西人民出版社，1979）、徐乃杰等〈黨中央

毛主席轉戰陝北幾個史實的訂正〉（《黨史研究》1981年6期）、郭洛夫
〈黨中央轉戰陝北幾個史實的考證〉（同上，1984年1期）、葉子龍〈轉
戰陝北〉（《中華英烈》1986年5期）、田為本〈轉戰陝北是解放戰爭由
防禦轉入進攻的關鍵〉（《黨史文匯》1987年5期）、晉中釗〈艱難的一
九四七年：毛澤東率崑崙縱隊轉戰陝北〉（同上，1986年4、5期）、
中國人民革命軍事博物館編《陝北三戰三捷作戰經過要圖（1947年
3月25日－－5月4日）》（北京，地圖出版社，1980）、田為本〈黨
中央在轉戰陝北中召開的小河會議〉（《黨史資料通訊》1987年7期）。
觀察特約記者〈陝北密雲將雨〉（《觀察》4卷9期，民37年2月）、耿
若天〈戰史講座第75講：戡亂戰史－－陝北第一次圍剿作戰〉（《陸
軍學術月刊》10卷104期，民63年5月）、〈戰史講座第76講：戡亂戰
史－－陝北第二次圍剿作戰〉（同上，10卷105期，民63年6月）及〈戰
史講座第77講：戡亂戰史－－陝北第三次圍剿作戰〉（同上，10卷
106期，民63年7月）、程藩斌〈國民黨空軍進犯延安〉（《縱橫》1993
年1期）、觀察記者〈陝北榆林之戰〉（《觀察》3卷15期，民36年12月）、
耿若天〈戰史講座第17講：戡亂戰史－－榆林解圍戰鬥〉（《陸軍學
術月刊》5卷45期，民58年6月）。陝西省軍區黨史資料徵集辦公室《解
放戰爭中的陝南戰場》（西安，陝西人民出版社，1988）、袁偉〈清風
店戰役〉（《黨史研究資料》1984年9期）、周泉海〈清風店戰役〉（《保
寧師專學報》1990年1、2期）、謝榮斌、張全省〈西府、扶眉戰役與
寶雞的兩次解放〉（《寶雞師院學報》1989年4期）、蔡田夫〈改變西北
戰場形勢的一仗：宜川戰役〉（《黨史資料通訊》1988年2期）。薛立〈西
北野戰軍粉碎國民黨軍的重點進攻〉（《歷史教學》1984年12期）、潘
旭瀾〈蔣胡軍進攻陝北及其潰敗的一些情況〉（《西北史地》1983年3

期）、王華興、王新民〈進攻延安：胡宗南全軍覆沒記〉（《山西革命根據地》1991年4期）、耿若天〈戡亂戰史－－西北戰場－－黃河洛河囊形地區作戰〉（《陸軍學術月刊》18卷202期，民71年6月）、〈戡亂戰史－－西北戰場洛、涇、渭河谷地區作戰〉（同上，18卷200期，民71年5月）及〈戡亂戰史－－渭河盆地作戰〉（同上，19卷210期，民72年3月）。李文乾、張學彥〈解放戰爭時期固原地區敵我鬥爭簡況〉（《固原師專學報》1985年3、4期）、觀察特約記者〈隴東之戰結束以後〉（《觀察》4卷16期，民37年6月）、李榮珍〈簡論解放戰爭時期國民黨在甘部隊的起義及投誠〉（《社科縱橫》1992年5期）、李志民〈橫掃綏遠三千里〉（《黨史研究與教學》1993年4期）、王立民等主編《西線末戰》（蘭州，蘭州大學出版社，1991）、解放軍烏魯木齊部隊政治部宣傳部編《戰旗映天山》（烏魯木齊，新疆人民出版社，1981），共收錄14篇回憶錄和17篇通訊、報告文學，敘述共軍進軍新疆、解放新疆，以及進駐新疆後的戰鬥歷程；新疆生產建設兵團政治部編《紅旗漫捲西風》（同上，1962），為反映西北解放戰爭的回憶錄，共收錄文章19篇；龍飛虎《西北高原帥旗飄》（北京，解放軍文藝出版社，1978），記1946～1947年國共內戰期間，中共黨中央和毛澤東、周恩來等人堅持在陝北指揮全國解放戰爭的一些情況。

　　戰略決戰階段的國共內戰（1948年6月以後），以濟南戰役、遼瀋戰役、淮海戰役、平津戰役、渡江戰役等最為重要，茲分別舉述其有關的論著和資料如下：

　　(1)濟南戰役（1948年9月16日～24日）：有中共山東省委黨史資料徵集研究委員會等編《濟南戰役》（濟南，山東人民出版社，1988）、叢正里《虎嘯泉城》（中國革命鬥爭報告文學叢書濟南戰役卷；

北京，解放軍出版社，1990）、王宗榮〈偉大戰略決戰的序幕：濟南戰役〉（《歷史教學》1990年7期）、濟南市博物館〈偉大戰略決戰的序幕－－濟南戰役簡介〉（《革命文物》1978年4期）、山東省政協濟南市《濟南戰役親歷記》編輯組編《濟南戰役親歷記：原國民黨將校的回憶》（濟南，山東人民出版社，1988）、李田貴〈解放戰爭戰略決戰的序幕是怎樣揭開的〉（《貴州民族學院學報》1989年2期）、盧立人、張繼國〈濟南戰役揭開了解放戰爭戰略決戰的序幕〉（《青島師專學報》1991年1期）、劉廣志〈濟南戰役在戰略決戰中的地位－－"揭開戰略決戰序幕"說商榷〉（《開封大學學報》1990年2、3期）、王忠志〈濟南戰役標誌著戰略決戰條件的成熟〉（《遼寧教育學院學報》1992年3期）、畢建忠〈為什麼說濟南戰役是三大戰役的序幕〉（《軍事歷史》1984年1期）、中國人民革命軍事博物館編《濟南戰役要圖（1948年9月16日～24日）》（北京，地圖出版社，1980）、山東人民出版社編輯《打開濟南府》（濟南，編輯者印行，1962），收錄許世友等之回憶錄14篇，其中有萊蕪戰役、孟良崮戰役、兗州戰役、濟南戰役等；耿若天〈戡亂戰史－－華東戰場－－濟南保衛戰〉（《陸軍學術月刊》18卷199期，民71年4月）、于沛東〈濟南解放戰役〉（《山東省志資料》1960年1期）、盧立人、方世平〈試論濟南戰役及其歷史意義〉（《青島師專學報》1984年1期）、盧立人、張繼國〈動搖蔣介石政權根基之戰－－紀念濟南戰役勝利40周年〉（同上，1988年4期）、冷本生〈濟南戰役在解放戰爭中的地位和作用：紀念濟南戰役四十周年〉（《山東醫科大學學報》1988年4期）、盧立人等〈濟南戰役大事記〉（《青島師專學報》1989年2期）、初維真〈誰是濟南戰役的指揮員？〉（《山東社會科學》1993年6期）、王長根〈從濟南戰役得到的啟示〉（《軍事歷史》1990年2期）、伍邊際〈濟南慘敗的教訓〉（《新聞天地》51期，民37年11月）、禹宛瑩〈淺論“攻濟打援”原則的若干問題〉（《南都學壇》1992年2期）、濟南市博物館〈英雄的軍隊偉大的人民——濟南戰役文物選刊〉（《革命文物》1978年4期）、《正論》特約記者〈從濟南失守到歸綏之戰(北平通訊)〉（《正論》新10號，民37年10月）。單東仁〈魯局滄桑論英雄－王耀武會垮臺嗎？〉（《新聞天地》41期，民37年6月）、厲玉巖〈王耀武棄甲曳兵〉（《山東文獻》10卷3期，民73年12月）、王珠發〈王耀武被俘經過〉（《檔案與歷史》1990年3期）、劉文煥〈略談王耀武〉（《山東文獻》1卷2期，民64年9月）、王昭建、郭天佑〈王耀武浮沉記〉（《民國春秋》1992年1、2期）、柳達仁〈濟南·山東·王耀斌·吳化文·及其他〉（《新聞天地》50期，民37年10月）、中國人民解放軍濟南軍區政治部《濟南戰役中吳化文起義》編寫組《濟南戰役中吳化文起義》（濟南，山東人民出版社，1987）、王一民〈吳化文將軍起義記〉（《文史集萃》總第1期，1983）、葉家林、劉致中編著《決戰開始的義舉》（北京，華藝出版社，1988），記述濟南戰役中吳化文率部「起義」經過及渡江戰役中江陰要塞「起義」始末。徐金城〈濟南戰役前夕的華東野戰軍曲阜會議〉（《齊魯學刊》1984年4期）。

(2)遼瀋戰役（1948年9月12日～11月2日）：遼瀋戰役與淮海戰役、平津戰役合稱「三大戰役」，以此為題的有李勇等編《三大戰役》（北京，新華出版社，1991）、劉廣志〈略論遼瀋、淮海、平津三大戰役的偉大歷史意義〉（《河南師大學報》1979年5期）、姚杰〈論遼瀋、淮海、平津三大戰役的指揮藝術〉（《黨史通訊》1987年8期）、張亦民〈論三大戰役的指揮藝術－－紀念遼瀋、淮海、平津戰役40

周年〉(《中共浙江省委黨校學報》1988年4期)、董石竹〈三大戰役決策的創造性及現實意義〉(《領導科學》1988年11期)、盛平瀚〈解放戰爭中三大戰役的戰略方針與戰術指導〉(《史學月刊》1988年6期)、王道平〈關於戰略決戰的理論與實踐：紀念遼瀋、淮海、平津戰役勝利40周年〉(《軍事歷史》1988年6期)、李遠清、鄧大華〈從"三大戰役"談科學決策〉(《毛澤東思想研究》1991年3期)、俞中明、盧周來〈三大戰役的系統分析——毛澤東的系統觀〉(《軍事歷史研究》1994年2期)、耿麗華〈試論遼瀋、淮海、平津三大戰役中毛澤東的軍事戰略思想〉(《遼寧教育學院學報》1989年3期)、何明〈遼瀋、淮海、平津戰略決戰的偉大勝利〉(《黨史研究與教學》1988年6期)、陶中亮〈試論三大戰役中的第二戰場：關於解放軍政治瓦解工作〉(《中共浙江省委黨校學報》1990年4期)、董石竹〈蔣介石在三大戰役中是怎樣敗北的〉(《領導科學》1989年6期。朱少軍《決定中國命運之戰》(北京，華夏出版社，1992)，全書共分四章，第一章述濟南戰役，第二章述遼瀋戰役，第三章述淮海大戰，第四章述平津決戰。

遼瀋戰役有陳釗《遼瀋戰役：中國人民解放戰爭之一》(上海，上海人民出版社，1958)、張安主編《遼瀋大決戰》(瀋陽，遼寧大學出版社，1987)，收錄當年參加該戰役者撰寫的回憶文字（含序言）共52篇；鍾羽飛《遼瀋戰役》(北京，中國青年出版社，1964)、中共中央黨史資料徵集委員會、中國人民解放軍遼瀋戰役紀念館建館委員會、《遼瀋決戰》編審小組編《遼瀋決戰》(2冊，北京，人民出版社，1988)，全書上、下兩冊，分為十一編：第一編為重要歷史文件和電報，第二編為概述，第三編為進軍東北，第四編為從防禦到進攻，第五編為決戰篇，第六編為後勤與支援，第七編為剿匪和根據地建設，第八編為堅持敵後游擊戰和新區工作，第九編為黨政群工作，第十編為原國民黨將領的回憶，第十一編為附錄（「東北解放戰爭大事記」等；其續集於1992年出版；中國人民解放軍歷史資料叢書編審委員會編《遼瀋戰役》(北京，解放軍出版社，1993)、梁延倫、宋祥門編著《遼瀋戰役史》(瀋陽，遼寧人民出版社，1992)、毛敏修等主編《新編遼瀋戰役史》(瀋陽，遼寧古籍出版社，1994)、全國政協文史資料研究委員會《遼瀋戰役親歷記》編審組編《遼瀋戰役親歷記：原國民黨將領的回憶》(北京，文史資料出版社，1985)、遼瀋戰役紀念館編《遼瀋戰役圖片集》(上海，上海教育出版社，1979)、中國人民革命軍事博物館編《遼瀋戰役要圖（1948年9月～11月）》(北京，地圖出版社，1980)、陳少校〈關內遼東－局棋〉(金陵夕照記之二，香港，致誠出版社，1974)。孫琦〈遼瀋戰役〉(《軍史資料》1987年2期)、陳炎、沈兆璜、柳金銘〈偉大的遼瀋決戰－－東北人民解放戰爭研究〉(《東北地方史研究》1987年6期、1988年1～3期)、安維春〈英明的決策偉大的勝利:試論遼瀋決戰的重大歷史意義〉(《遼寧商專學報》1985年3期)、袁偉〈論遼瀋戰役的作戰方針〉(《黨史通訊》1984年12期)、唐洪森〈揮灑自如的遼瀋戰役作戰方針縱橫談〉(《黨史縱橫》1996年1期)、戰辛〈遼瀋戰役是具有重大歷史意義的戰略決戰〉(《東北地方史研究》1986年3期)、畢建忠〈科學的預見致勝的決策：遼瀋戰役戰略決策評析〉(《軍事史林》1989年4期)、崔兆全〈從"遼瀋戰役"的重大勝利看毛澤東同志的用人藝術〉(《人才與現代化》1993年1期)、周宏雁〈遼瀋決戰方針的確立〉(《黨的文獻》1989年5期)、毛敏修〈遼瀋戰役勝利原因及偉大意義：

紀念遼瀋戰役勝利原因及偉大意義：紀念遼瀋戰役紀念館落成開館〉(《錦州師院學報》1990年1期)、鄂明書〈略論遼瀋戰役勝利的主要原因〉(同上，1995年2期)、周宏雁〈遼瀋戰役國民黨失敗的一個重要原因：評蔣介石指揮方面的嚴重錯誤〉(《軍事史林》1988年4期)、韓先楚〈遼瀋戰役與東北戰場〉(《黨史研究資料》1986年1、2期)、姚杰〈論遼瀋戰役中的林彪〉(《中共黨史研究》1990年4期)、王永林〈遼瀋戰役中林彪為何對南下北寧線作戰遲疑不決？〉(《軍事史林》1994年2期)、譚雲鵬〈遼瀋戰役中我所目睹的林彪〉(《江淮文史》1995年1期)、官森林〈遼瀋戰役是貫徹毛澤東戰略思想的傑出戰例〉(《理論探討》1985年1期)、崔兆全〈從"遼瀋戰役"的重大勝利看毛澤東同志的用人藝術〉(《人才與現代化》1993年1期)、楊成武〈在決戰的日子裏：憶華北野戰軍對遼瀋戰役的配合〉(《福建黨史月刊》1988年11、12期)、中共中央黨史資料研究委員會、中國人民解放軍檔案館編《(東北人民解放軍司令部)陣中日記(1946.11～1948.11)》(2冊，中共黨史資料出版社，1987)、程子華〈第二兵團在遼瀋戰役中〉(《軍事史料》1989年1期)、王海山等〈遼瀋戰役中的內蒙古騎兵－師〉〉(《法國研究》1988年9期)、瀋陽軍區司令部通信部通信兵史編寫委員會編《遼瀋決戰中通信兵》(瀋陽，白山出版社，1994)、金志橫〈車輪滾滾：遼西人民支持遼瀋戰役紀略〉(《黨史縱橫》1994年11期)；〈駭浪中的隱蔽之舟：遼瀋戰役的"方濤"地工小組〉(《黨史縱橫》1995年1期)。〈關於遼瀋戰役的文獻十四篇(一九四八年二月七日－－十一月十一日)〉(《黨的文獻》1989年5期)、毛敏修〈塔山阻擊戰的始末：紀念遼瀋戰役勝利四十周年〉(《錦州師院學報》1988年3期)、闞金山等編著《血紅的黑土地：錦州戰役紀實》(瀋陽，瀋陽出版社，1995)、宋祥門〈錦州戰役〉(《東北地方史研究》1985年3期)、孫志成〈錦州戰役在解放戰爭中的歷史地位和意義〉(《錦州師院學報》1985年2期)、華地〈錦州在遼瀋戰役中的地位〉(《地理知識》1974年6期)；〈突破錦州〉(《解放軍文藝》1958年10期)；〈錦州外圍封鎖戰〉(同上)、李以劻〈范漢傑的崢嶸歲月與鋒鏑餘生〉(《傳記文學》65卷3期，民83年9月)、瀋陽軍區《圍困長春》編委會編《圍困長春：一個特殊類型的戰役》(長春，吉林文史出版社，1988)、賀慶積〈1949年爭奪長春之戰〉(《軍史資料》1985年7期)、耿若天〈戡亂戰史——東北戰場——長春保衛戰〉(《陸軍學術月刊》18卷204期，民71年9月)、沈兆璜〈圍困長春〉(《東北地方史研究》1986年3期)、于衡〈被圍困的長春城——採訪二十五年之五〉(《傳記文學》20卷5期，民61年5月)、松柏〈長春圍困戰役淺談〉(《錦州師專學報》1991年2期)、劉浩〈爭取國民黨六十軍起義記〉(《星火燎原》1984年6期)、蕭勁光〈我軍歷史上第一個大的圍城戰役〉(《人物》1986年1期)及〈解放長春〉(《雲南文史叢刊》1985年2期)、曹里懷等〈首次攻克長春〉(《博物館研究》1985年1期)、嘉聲〈開展秘密鬥爭配合解放長春〉(《長春史志》1989年4期)、劉浩〈奉派進城〉(《人物》1986年1期)、鄭洞國〈放下武器（長春起義）〉(《人物》1986年1期)、曾澤生〈起義紀實〉(同上)、吉林市政協文史資料研究委員會編《長春起義紀實》(長春，吉林人民出版社，1987)、韋明、葉家林《長春起義紀實》(北京，華藝出版社，1990)、吉林省軍區政治部《長春國民黨軍投誠》編寫組編《走向光明——長春國民黨軍投誠史料》(長春，吉林教育出版社，1990)、曾澤生〈長春起義紀實〉(《解放軍文藝》1957年5期)、鄭洞國《我的戎馬生涯》(北京，團結出版社，

1992）、張正隆《雪白雪紅》(北京，解放軍出版社，1989)、為中國
革命鬥爭報告文學叢書遼瀋戰役卷，述長春圍城戰役甚詳；田孝德
〈錦州、長春失陷〉(《新聞天地》51期，民37年11月)。孫景隆〈淺論
新開嶺戰役〉(《東北地方史研究》1985年2期)、胡奇才〈回憶新開嶺
戰役〉(《軍事歷史》1988年1期)、彭嘉慶〈新開嶺全殲"千里駒"〉
(《革命史資料》1981年4期)、王渤光〈略論東北解放戰爭最後勝利的
關鍵之戰－－撫順之戰在遼瀋戰役後期的作用〉(《東北地方史研究》
1992年2、3期；亦載《撫順社會科學》1992年10期)、中共撫順市委黨
史工作委員會編著《撫順解放之戰》(瀋陽，遼寧人民出版社，1988)、
王渤光〈略論獨立10師攻占撫順的入城紀律〉(《撫順社會科學》1988
年10期)、于衡〈遼西會戰的失敗－採訪二十五年之六〉(《傳記文學》
20卷6期，民61年6月)、楊迪〈堵截廖耀湘兵團〉(《中華英烈》1989
年4期)、于衡〈「瀋陽末日」記－－採訪二十五年之七〉(《傳記文學》
21卷1期，民61年7月)、程光烈〈另一場戰鬥：解放瀋陽情報工作
回憶〉(《社會科學戰線》1985年1期)、觀察特約記者〈瀋陽失守的尖
銳報告〉(《觀察》5卷13期，民37年11月)、《星火燎原》編輯部編
《星火燎原叢書》叢書之九(北京，解放軍出版社，1987)，為遼瀋戰
役專輯，共收回憶文章63篇。白玉武〈東北全境解放日期辨〉(《黨
校學報》1991年1期)、陳嘉驥〈東北變色記〉(《中外雜誌》47卷1～6
期、48卷1～6期，民79年1～12月)、勞施仁〈東北沉入鐵幕裏〉(《新
聞天地》79期，民38年8月)、于乃衡〈哀東北〉(同上，90期，民38年
11月)。

　　(3)淮海戰役(1948年11月～1949年1月)：臺灣方面稱之為
徐蚌會戰，如國防部史政處編《徐蚌會戰》(臺北，編者印行，民44)、

張建昌〈徐蚌會戰紀要〉(《戰史彙刊》第4期，民61)、懷冰《徐蚌會戰》(臺北，躍昇出版社，民82)、劉翊伯《徐蚌大會戰》(臺北，護幼社，民79)、董佳木〈徐蚌會戰經緯〉(《新聞天地》54期，民37年12月)、劉毅夫〈徐蚌會戰與首都淪陷〉(《傳記文學》35卷1期，民68年7月)、劉翊伯〈徐蚌剿匪作戰之檢討〉(《戰史彙刊》19～21期，民76～78)、張建昌〈徐東剿匪會戰概述〉(同上，第7期，民64)、耿若天〈戡亂戰史——徐蚌會戰中之碾莊戰鬥〉(《陸軍學術月刊》8卷207期，民71年12月)、馮亦魯《徐蚌戰役見聞錄》(香港，春秋雜誌社，1963)。全國政協文史資料研究委員會《徐州會戰》編審組編《徐州會戰》(北京，中國文史出版社，1985)、全國政協文史資料研究委員會編《淮海戰役親歷記：原國民黨將領的回憶》(北京，文史資料出版社，1983)，共收文63篇(含杜聿明文)，附錄有淮海戰役國民黨軍大事記、淮海戰役國民黨徐州剿總參戰部隊戰鬥序列表、徐州剿總直轄部隊及有關單位表、淮海戰役國民黨參戰和被殲部隊軍、師番號及附圖11幅；中國人民解放軍歷史資料叢書編審委員會編《淮海戰役：回憶史料》(北京，解放軍出版社，1988)、冷杰甫編寫《淮海戰役》(福州，福建人民出版社，1982)、江深、陳道闊《淮海之戰》(北京，解放軍出版社，1989)、《大決戰(淮海之戰·徐蚌會戰)—上局：驚濤》(臺北，風雲時代出版公司，民80)及《大決戰(淮海之戰·徐蚌會戰)—下局：裂岸》(同上)、中共中央黨史資料徵集委員會主編《淮海戰役》(3冊，北京，中共黨史資料出版社，1988)、劉廣志《淮海戰役》(合肥，安徽人民出版社，1979)、徐州市《淮海戰役》編寫組編《淮海戰役》(上海，上海人民出版社，1979)、穆欣編著《淮海戰役》(北京，中國青年出版社，1957)、中國青年出版社編《淮海戰役》(北京，編者印行，1991)、徐州市《淮海戰役史》編寫組編寫、何曉璟、傅繼俊等執筆《淮海戰役史》(上海，上海人民出版社，1983)、中國人民解放軍南京部隊政治部文化部決戰淮海徵文組編《決戰淮海》(南京，江蘇人民出版社，1979)，為革命鬥爭回憶錄，共收文40多篇，撰者均係當年淮海戰役的親身參加者；南京軍區司令部編研室編《淮海戰役研究》(南京，南京出版社，1989)、淮海戰役烈士紀念塔管理處編《淮海戰役圖片集》(上海，上海教育出版社，1979)、中國人民革命軍事博物館編《淮海戰役要圖(1948年11月～1949年1月)》(北京，地圖出版社，1980)、《淮海戰役圖冊》編輯委員會編《淮海戰役圖冊》(上海，上海人民美術出版社，1990)、淮海戰役紀念館《淮海戰役資料選》(濟南，山東人民出版社，1978)、夏寧《淮海大戰》(北京，新華出版社，1980)，為通俗演義性質；寒風《淮海大戰》(太原，山西人民出版社，1980)、曹釗良編著《淮海戰役紀事》(南京，江蘇人民出版社，1993)、劉瑞龍《我的日記(淮海、渡江戰役支前部分)》(北京，解放軍出版社，1985)，作者曾任華東五省支前辦公室主任，此為他當年之日記。星火燎原編輯部編《星火燎原・叢書之7(淮海戰役專輯)》(北京，解放軍出版社，1987)。

宋學文、周蘇烽〈淮海戰役學術討論會綜述〉(《大江南北》1989年1期)，係綜述1989年10月24日至29日為慶祝淮海戰役40周年在徐州舉行之該討論會的過程和情況；董連翔、馮治〈淮海戰役研究綜述〉(《徐州師院學報》1988年4期)、丁可〈淮海戰役的由來〉(《河池師專學報》1984年1期)、O. Edmund Clubb, "Chiang Kai-Shek's Waterloo: The Battle of the Hwai-Hai,"(Pacific Historical Review, Vol. 25,

No. 4, 1956）、畢建中〈激烈複雜的淮海決戰〉(《黨的文獻》1989年6期)、鮑嘉禮(Gary J. Bjorge)〈太平洋彼岸看中國的淮海戰役〉(《軍事歷史》1989年2期)、徐州市《淮海戰役史》編寫組〈淮海戰役大事記〉(《黨史資料叢刊》1982年3輯)、武鳴亭等〈淮海戰役：前沿和指揮部等7篇〉(《解放軍文藝》1958年11月號)、萬興憲〈會師淮海決戰中原〉(《軍事史林》1986年試刊1期)、黃烽〈淮海戰場一角〉(《黨史月刊》1989年2期)、戈力〈回憶向淮海戰場進軍〉(《河南黨史研究》1988年6期)、魯榮順〈試論淮海戰役的特點：紀念淮海戰役勝利40周年〉(《鎮江師專學報》1988年4期)、姚杰〈淮海戰役的主要特點及指揮藝術〉(《軍事歷史》1988年5期)、袁偉〈論淮海戰役的作戰方針〉(《黨史通訊》1985年6期)、金冶〈淮海戰役方針的演變及其勝利原因〉(《安徽黨史研究》1989年1期)、周宏雁等〈對淮海戰役作戰方針幾個問題的探討〉(《黨史通訊》1985年4期)、徐燕、姚旭〈淮海戰役作戰方針的演變〉(《黨史研究資料》1982年12期)、姚旭〈《關於淮海戰役的作戰方針》一文的考辨和研究〉(同上，1988年3期)、費春〈評淮海戰役前國民黨的戰略方針〉(《徐州師院學報》1989年1期)、殷相國〈淮海戰役總體戰略布局的形成及其演變〉(《東北師大學報》1992年6期)、徐金城〈淮海戰役中初戰理論的勝利〉(《濟寧師專學報》1986年3期)、謝魯海〈淮海戰役第二階段的重要作用及其啟示〉(《淮海論壇》1992年6期)、傅紅、王宏榮〈簡析淮海戰役第三階段中的政治攻勢〉(《淮海文匯》1994年2期)、姚杰〈論淮海戰役第三階段打黃維兵團方針之形成〉(《中共黨史研究》1989年2期)、向守志〈試論戰略會戰戰役的整體作戰效能：紀念淮海戰役勝利四十周年〉(《國防大學學報》1988年12期)、王春芳〈試論淮海戰役的決策指揮藝術〉(《大江南北》1989年1期)、王俊〈簡論淮海戰役中我軍政治攻勢的特色〉(《軍事史林》1989年1期)、宮煥玉、〈掌握軍心所向披靡：黨在淮海戰役中政治動員的領導藝術〉(《軍事歷史研究》1989年2期)、王建科〈淮海戰役中國民黨軍的諸多失誤〉(《南京社會科學》1992年4期)、侯宜嶺〈試析淮海戰役中國民黨戰術的失策〉(《連雲港教育學院學報》1994年3期)、傅光中〈蔣介石在淮海戰役準備階段的戰略失誤〉(《淮海論壇》1991年1期)、夏德輝〈淮海戰役國民黨失敗的軍事原因剖析〉(《軍事歷史研究》1996年1期)、應爾玉〈國民黨淮海戰役失敗的經濟因素〉(《唯實》1992年4期；亦載《歷史教學》1992年10期)、呂仿松〈國民黨軍隊起義與淮海戰役〉(《安徽史學》1996年3期)、葉青〈略論淮海戰役的偉大勝利：紀念淮海戰役勝利三十五周年〉(《徐州師院學報》1984年1期)。韓進海〈淮海戰役中的兩著要旗：奪取宿縣與搶占永城〉(《黨史文匯》1994年9期)、張明莉〈英雄偉績在，光照後來人－記淮海戰役中的宿縣戰鬥〉(《文物天地》1984年4期)、胡炳雲〈淮海大戰的日日夜夜〉(《軍史資料》1985年20期)、謝雪疇〈血戰大王庄〉(《軍事史料》1989年2期)、溫池京、萬吉榕、劉祥鋒、李淑姿〈雙堆集苦戰〉(《軍事史評論》第2期，民84年6月)、湯勝利〈地下決戰在雙堆集〉(《安徽黨史》1993年1期)、江上青〈餓垮凍垮拖垮－碾莊集雙堆集青龍集三大戰役〉(《新聞天地》57期，民38年2月)。于光〈濉溪口在淮海戰役中的戰略地位〉(《淮北煤師院學報》1989年4期)、劉廣志〈淮海戰役與河南〉(《開封大學學報》1991年1期)、程守明〈宿懷人民在淮海戰役中的貢獻〉(《淮北煤師院學報》1989年4期)、齊進〈商丘人民支援淮海戰役述略〉(《中州今古》1987年3期)、韓哲一〈回憶冀魯豫邊區人民在淮海戰役中

的支前工作〉(《河南黨史研究》1988年2、3期)、史成〈河南人民對
淮海戰役的巨大貢獻〉(《許昌師專學報》1989年1期)、李一清〈人民
戰爭人民支援：憶豫西人民支援淮海戰役〉(同上)、張勁夫〈民兵
是勝利之本：回憶山東人民對淮海戰役的支援〉(《軍史資料》1986年
6期)、徐州地委宣傳部〈真正的銅牆鐵壁——淮海戰役中群眾支前
紀事〉(《工農兵評論》1977年8期)。王如良〈淮海戰役中的中原野戰
軍〉(《軍事歷史研究》1989年3期)、李達〈回顧淮海戰役中的中原野
戰軍〉(《軍史資料》1987年1期)、秦基偉〈中原九縱在淮海戰場〉(《軍
史資料》1985年8期)、張震〈華東野戰軍在淮海戰役中的作戰行動〉
(《軍事史料》1986年3期)、張光庭〈淮海戰役中的地方武裝〉(《軍史
資料》1987年3期)。黃兆康〈淮海戰役中黨的策反工作及其歷史作
用〉(《黨史研究與教學》1989年1期)、張雲生〈優良黨風的輝煌成果：
紀念淮海戰役勝利四十周年〉(《淮海論壇》1988年4期)、傅光中〈中
共秘密工作對淮海戰役的影響〉(《軍事史林》1994年2期)、胡慶雲
〈政治工作保證了淮海戰役的勝利〉(《黨史研究資料》1995年10期)、
胡兆才等〈鄧小平為書記的淮海前線總前委〉(《軍事史林》1987年4
期)、劉順良、喬保富〈總前委在淮海戰役中〉(《淮北煤師院學報》1989
年4期)、許世雲〈淮海戰場上的總前委〉(《淮海文匯》1996年4、5
期)、王成斌〈談淮海戰役總前委的指揮藝術〉(南京軍區司令部編研
室、《史學月刊》編輯部編《中國軍事史論文集》，開封，河南大學出版社，
1989)、寧志一〈劉伯承、陳毅、鄧小平與淮海戰役〉(《四川黨史》
1996年2期)、胡兆才〈劉伯承陳毅談淮海戰役〉(《軍事史料》1987年
2期)、湯勝利〈鄧小平與淮海大戰〉(《黨史天地》1995年4期)、楚
青整理〈粟裕談淮海戰役〉(《軍史資料》1989年6期)、鞠景奇〈粟裕

和淮海戰役的一個重要作戰方法〉(《鎮江師專學報》1992年3期)、黃辛〈粟裕在淮海戰役決策中的貢獻〉(《毛澤東思想研究》1992年3期)、胡兆才〈從蘇中、豫東、淮海三次戰役看粟裕對毛澤東軍事思想的貢獻〉(收入《中國軍事史論文集》，開封，河南大學出版社，1989)、高狪、席富群〈淺論毛澤東對淮海戰役的貢獻〉(《黃淮學刊》1989年4期)、傅繼俊〈試論毛澤東《關於淮海戰役的作戰方針》在淮海戰役中的應用〉(《淮海論壇》1988年4期)。牛慶泉〈杜聿明與淮海戰役〉(《淮海文匯》1995年4期)、鄭洞國《杜聿民傳》(北京，中國文史出版社，1986)、王昭全〈杜聿明將軍的一點遺憾〈《南京史志》1995年4期)、杜文芳〈龍爭虎鬥－－邱清泉上將和劉伯承〉(《軍事史評論》創刊號，民83年6月)、張建昌〈邱清泉將軍蘇魯豫地區挺進縱隊作戰紀要〉(《戰史彙刊》14期，民71)、陳家驤〈傑出將才邱清泉上將〉(同上)、劉紹邦〈悼念邱清泉將軍〉(同上，21期，民79)、郭汝瑰〈淮海戰役中我所知道的蔣軍關鍵性決策〉(《軍事歷史》1989年1期)、徐金城、宋繼孔〈首殲黃伯韜兵團是淮海戰役的中心目標〉(《荷澤師專學報》1990年2期)；〈殲滅黃維兵團作戰的初步總結〉(《軍事史林》1986年試刊1期)、黃維〈十二兵團覆滅記〉(《縱橫》1983年1期)、滕海清〈孫良誠部第107軍淮海戰役被殲經過〉(《軍事史林》1986年4期)、張治富口述〈我所親歷的淮海戰役中的賈汪起義及其前後〉(《許昌師專學報》1986年4期)、石征先〈無畏兩將軍－－記淮海戰役中的賈汪起義〉(《雨花》1981年12期)、傅光中〈淮海決戰中的蔣桂內訌〉(《民國春秋》1994年2期)。王德〈"奇迹，真是奇迹"－－回憶向尤金大使介紹淮海戰役〉(《大江南北》1988年6期)、李興民等整理〈王德向尤金大使介紹淮海戰役〉(《軍事史林》1987年

6期）、徐巴金等〈淮海戰役中的毒氣戰〉(《歷史大觀園》1990年4期)、
王爭〈澮河出擊——淮海戰役手記摘錄〉(《滇池》1981年5月號)、
劉瑞龍《我的日記：淮海、渡江戰役支前部分》(北京，解放軍出版
社，1985)；〈騎兵追坦克——淮海戰役中的幾個小故事〉(《革命接
班人》1977年11期)、（南京部隊政治部歌舞團）張銳〈淮海戰役中
的火線文藝生活〉(《人民音樂》1977年4期)、曹傳弟〈淮海戰役火線
文藝活動日記〉(《雨花》1962年5期)。許克杰〈繼承和發揚我軍優
良的戰鬥作風——紀念淮海戰役三十周年〉(《徐州師院學報》1978年
4期)；〈紀念淮海戰役三十周年〉(《東海民兵》1978年12期)、徐州
市委宣傳部寫作組〈人民勝利的光輝篇章——介紹淮海戰役的幾件
文物和有關事迹〉(《革命文物》1977年1期)、吳克斌等〈訪昔日淮海
戰役〉(同上，1978年6期)；〈人民的勝利——淮海戰役紀念館巡
禮〉(《革命接班人》1977年11期)、彭海〈淮海戰役紀念館巡禮〉(《革
命文物》1978年6期)。又《星火燎原》編輯部編《星火燎原叢書》叢
書之七(北京，解放軍出版社，1987)，為淮海戰役專輯，所收均為當
年參加是役者的回憶文章。另如林燁之〈都門之戰〉(《新聞天地》53
期，民37年12月)及〈都門之戰第二回合〉(同上，54期，民37年12
月)，均為有關淮海戰役的片斷報導。

　　(4)平津戰役（1948年1月～1949年1月）：1947年11月，
國民政府撤銷北平行轅（主任為李宗仁）及保定綏靖公署（主任為
孫連仲）、張垣綏靖公署（主任為傅作義），於北平成立華北剿匪
總司令部，任傅作義為總司令，總綰華北五省（河北、察哈爾、熱
河、綏遠、山西）兵符。傅為抗日名將，此後一年間，華北局面尚
能勉強維持。及至遼瀋戰役結束，林彪之東北野戰軍大舉入關，與

聶榮臻之華北野戰軍東西夾擊，進逼平、津，傅氏坐困北平危城，
終於1948年1月19日與共軍達成協議，1月21日宣布「北平局部
和平」，1月31日，共軍開入北平，是為「北平方式」的「解放」。
關於這方面的論著和資料有竇文宏〈傅作義總縮華北五省兵符〉
(《新聞天地》33期，民37年2月)、袁澄〈傅作義何如人也〉(同上，27
期，民36年9月)，正論特約記者〈傅作義上臺前後〉(《正論》新1號，
民37年1月)、馬達〈華北長城傅作義將軍〉(《中央周刊》10卷16期，
民37年4月)、葉南人〈傅作義救得了華北嗎？〉(《新聞天地》35期，
民37年3月)、岳克基〈東北·華北·傅作義及其他〉(同上，36期，
民37年3月)、譚松平〈誰毀了傅作義〉(同上，47期，民37年9月)、
觀察記者〈傅作義的困惑與北方局勢〉(《觀察》4卷9期，民37年4月)、
正論特約記者〈鬥法，運動戰，華北戰局〉(《正論》新6號，民37年
6月)、〈貓鼠之鬥的華北戰局〉(同上，新7號，民37年7月)及〈華
北戰火在延燒（北平通訊）〉(《正論》新9號，民37年9月)、觀察特
約記者〈游剿制面與冀東戰事〉(《觀察》5卷5期，民37年9月)、季
明〈華北山雨欲來〉(同上，5卷15期，民37年12月)、柏至偉〈傅作
義寂寞守危城〉(《新聞天地》56期，民38年1月)、文劍、曉天、小奕
《平津決戰中的傅作義將軍》(北京，中國文史出版社，1993)、黃易宇
〈平津戰役期間中國共產黨同傅作義的談判〉(《黨史通訊》1987年3
期)、張遐民〈傅作義失足恨－－北平「和談」與綏遠淪陷真相〉(《綏
遠文獻》第6、7期，民71年12月、72年12月)、王宗仁、史慶冉《傅
作義將軍與北平和談》(北京，華藝出版社，1991)、陳立華《上將的
抉擇：傅作義背叛蔣介石的內幕紀實》(吉林，三環出版社，1992)、
張慧俠〈蔣介石企圖騙殺傅作義將軍的經過〉(《文史通訊》1983年3

期）、曾常寧〈回憶爭取傅作義起義和軍情調查工作的幾件事〉（《青
運史研究》1981年9期）、黃兆康〈傅作義起義主要原因探秘〉（《黨史
文匯》1989年4期）、趙友慈〈女兒・老師・摯友－－促使傅作義接
受北平和平解放的三位重要人物〉（《人物》1995年1期）、王宗榮〈傅
作義與北平和平解放〉（《晉陽學刊》1991年2期）、王禹廷〈華北之收
復與陷落〉（《傳記文學》38卷3、5期，民70年3、5月）及〈傅作義崛
起與奮戰－－華北之收復與陷落之三〉（同上，38卷6期、39卷1期，
民70年6、7月）、崔月犁〈憶爭取傅作義將軍起義和平解放北平〉
（《革命史資料》1983年11期）、趙玉珍〈淺談傅作義將軍起義的經過
及意義〉（《錦州師院學報》1986年1期）、羅伯特〈傅作義負義〉（《新
聞天地》85期，民38年10月）、張遐民〈傅作義失足恨〉（《中外雜誌》
19卷4、5期，民65年4、5月）、于衡〈陳長捷奮戰傅作義附逆－－
採訪二十五年之九〉（《傳記文學》21卷3期，民61年9月）。

　　中國人民解放軍歷史資料叢書編審委員會《平津戰役》（北京，
解放軍出版社，1991），全書包括綜述、文獻、回憶史料、大事記、
表冊五個部分，約80萬字，書前附有有關的照片59張，以及1948
年秋戰略形勢示意圖、平津戰役前敵我態勢圖（1948年11月28
日）、平津戰役第一階段經過要圖（1948年11月29日～12月20
日）、平津戰役第二階段經過要圖（1948年12月21日～1949年
1月15日）、國民黨軍受編位置和解放軍部署圖（1949年1月22
日～31日），極具參考價值。劉廣志編著《平津戰役史》（開封，河
南大學出版社，1994），全書分為六章，第一章為平津戰役前的全國
戰局和華北軍事態勢，第二章為平津戰役第一階段（1948年11月
29日至12月20日），第三章為平津戰役第二階段（1948年12月

21日至1949年1月15日），第四章為平津戰役第三階段（1948年
12月21日至1949年1月15日），第四章為平津戰役第三階段（1949
年1月16日至31日），第五章為北平和平解放的續篇－－綏遠起
義，第六章為平津戰役勝利的原因和歷史意義。蘇祖鳳編著《京津
戰役》(上海，上海人民出版社，1959)、中國青年出版社編《平津戰
役》(北京，編者印行，1991)、夏寧《解放平津：解放戰爭通俗演義》
（北京，新華出版社，1985)、全國政協文史資料研究委員會《平津戰
役親歷記》編審組編《平津戰役親歷記：原國民黨將領的回憶》(北
京，中國文史出版社，1989)、北京出版社編輯《平津戰役回憶錄》(北
京，編輯者印行，1961)，全書共收文五篇，依序為劉亞樓（時任東
北野戰軍參謀長)〈平津戰役的勝利閃耀著毛澤東思想的光輝〉、
吳克華（東北野戰軍第四縱隊司令員)〈戰鬥在平綏路上〉、曾思
玉（華北野戰軍第四縱隊司令員)〈新保安之戰〉、江擁輝（東北
野戰軍師長)〈砍掉蛇頭〉、吳瑞林（東北野戰軍第四十二軍副軍
長)〈搶占豐台〉，前四篇曾分別在《八－雜誌》、《解放軍文藝》、
《北京日報》上發表過；星火燎原編輯部編《星火燎原・叢書之8(平
津戰役專輯)》(北京，解放軍出版社，1987)、曉洲編寫《平津張戰役
（革命歷史故事)》(北京，通俗讀物出版社，1956)、中共河北省委黨
史研究室等編《一切為了前線：平津戰役支前資料匯編》(北京，中
共黨史出版社，1992)、天津市歷史博物館編《平津戰役圖片集》(上
海，上海教育出版社，1979)、中國人民革命軍事博物館編《平津戰役
要圖（1948年12月～1949年1月)》(北京，地圖出版社，1980)、
Joseph K. S. Yick, Making Urban Revolution in China: The CCP-GMD
Struggle for Beiping-Tianjin, 1945-1949.(New York: M. E. Sharpe,

1995)、陳恭澍《平津地區綏靖戡亂》(臺北,傳記文學出版社,民78)、
張守四〈評《平津戰役史》〉(《史學月刊》1995年3期)、王緒周〈勝
利的華北大決戰－－試論平津戰役〉(《天津師大學報》1982年6期)、
孫琦〈平津戰役〉(《軍史資料》1988年3期);〈平津戰役作戰電報選
載(1948年10月～12月)〉(《黨的文獻》1990年3期)、陳明顯〈平
津戰役的發起問題〉(《北京檔案史料》1988年4期)、鄭淮三〈戰役分
割和戰略包圍:憶平津戰役〉(《軍史資料》1985年3期)、周宏雁等
〈平津戰役作戰方針的探討〉(《黨史通訊》1985年2期)、傅國禎〈淺
談平津戰役的軍事指揮藝術〉(《軍事史料》1985年8期)、遲礫〈平津
戰役大事紀事〉(《北京檔案史料》1988年4期)、安維春〈論平津戰役
的重大歷史意義〉(《錦州師專學報》1986年3期)、曉天〈平津戰役初
期打密雲一戰不應肯定－－與《歷史·在北平拐彎》作者商榷〉(《黨
的文獻》1992年3期)、耿若天〈戰史講座第79講:戡亂戰史－－平、
津、保間地區作戰〉(《陸軍學術月刊》11卷113期,民64年2月)、張
潤生〈平張戰役的戰略地位初探〉(《北京黨史研究》1992年6期)、陳
宜貴〈新保安戰鬥散記〉(《解放軍文藝》1958年12期)、劉廣志〈新
保安之戰述論〉(《開封大學學報》1990年1期)、袁旭〈平津戰役〉(《黨
史研究資料》1986年9期)、李天佑〈平津戰役回憶〉(《解放軍文藝》1961
年3期)、空軍司令部〈有關平津戰役的重要資料〉(《北國春秋》1959
年創刊號)、傅國禎〈解放天津之戰〉(《軍史資料》1986年6期)及〈平
津戰役若干問題初考〉(同上,1986年3期)、陳德仁〈知道前後紀
事〉(《天津史志》1988年3期)、畢建忠〈不攻塘沽先打平津決策是怎
樣形成的?〉(《軍事歷史》1994年6期);〈平津戰役總結(節錄)(1949
年4月)〉(《黨史資料,研究》1989年1期)、楊玲、謝燕〈天津戰役中

的蔣介石和傅作義〉（同上）；〈劉亞樓關於天津戰役的談話〉（同上）、劉景泉等〈試論平津戰役中的"天津談判"〉（同上）、陳德仁〈辨析"天津談判"中的幾個問題〉（《天津史志》1992年3期）、姚葛民〈華北之災難與天津保衛戰〉（《戰史彙刊》第8期，民65）、耿若天〈戡亂戰史－－平津會戰中之天津戰鬥〉（《陸軍學術月刊》18卷206期，民71年11月）、林偉儔〈"固若金湯"，－朝成灰－－平津守城被殲記〉（《縱橫》1995年1期）、曹里懷〈鐵馬金戈戰猶酣：憶解放天津〉（《星火燎原》1984年5期）、中國人民解放軍天津警備區編《解放天津》（天津，天津人民出版社，1989）、王緒周〈紅旗插上天津城頭〉（《文物天地》1982年5期）、天津人民出版社編輯《天津城上紅旗飄：解放天津的戰鬥故事》（天津，編輯者印行，1962）、鄭常等《紅旗插上天津城垣》（讀者書店，出版年份不詳）、楊大辛、方兆麟編《天津歷史的轉折：原國民黨軍政人員的回憶》（天津大港華康印刷廠印刷，1988）、中共天津市委黨史資料徵集委員會、天津檔案館編《天津接管史錄》（2冊，北京，中共黨史出版社，1991）。徐盈著，中共北京市委黨史研究室編注《北平圍城兩月記》（北京，北京出版社，1993），作者原名徐緒桓，平津戰役時任天津《大公報》駐北平辦事處主任，他以日記的形式，記錄了當時北平的各方面狀況，日記始於1948年12月12日，終於1949年1月30日，極具史料價值，且文筆生動，可讀性高。董世桂、張彥之《北平和談紀實》（北京，文化藝術出版社，1991），作者參閱了大量史料、回憶錄，並走訪了中共黨軍方面親歷此－和談者（如蘇靜、戎子和、方亨、傅冬菊……）及傅作義的舊屬（如王克俊、周北峰、靳文科、劉瑤章……），全書共十五章，依序為「軍委要作大文章」、「戎馬半生的傅作義」、「策反傅作義」、「秘密醞釀和談」、「和談閣淺」、「風雲突變」、「第二條戰線」、「二次和談」、「打與談」、「攻津迫傅」、「古都黎明」、「踐約」、「歡騰吧，北平」、「交接城市與改編部隊」、「功不可沒」。王軍、相國棟〈運籌帷幄‧決勝華北：淺談平津戰役中毛澤東的指揮藝術〉(《國防大學學報》1992年1、2期)、楊成武〈華北第三兵團在平津戰役的日子裏〉(《軍史資料》1988年4期)、裴周玉〈平津戰役中的八縱隊〉(《縱橫》1993年1期)、莫文驊〈壯志行－－回憶平津役中的41軍〉(《北京檔案史料》1994年1期)。崔月犁〈為了和平解放北平〉(《縱橫》1995年1期)、于澤俊〈我黨在和平解放北平過程中的鬥爭策略〉(《蘭州大學學報》1995年4期)、黃永康〈探討北平和平解放的若干問題〉(《黨史研究與教學》1988年6期)、寶坤〈北平和平解放原因初探〉(《北京檔案史料》1991年4期)、顧關林〈北平和平解放析因〉(同上，1988年1期)、郁曉航〈關於和平解放北平的三次談判〉(《歷史教學》1990年8期)、陳明顯〈北平和平解放紀略〉(《學習與研究》1982年1期)；《北京黨史通訊》1989年1期－－紀念北平和平解放40周年專號；溫常宏〈傅冬對北平和平解放的重大貢獻〉(《太原師專學報》1990年1期)、梅佳〈秋毫無犯仁義之師：北平和平解放45周年前夕訪莫文驊將軍〉(《北京檔案史料》1994年1期)、莫文驊《回憶解放北平前後》(北京，北京出版社，1982)，記述平津戰役中中共第四野戰軍第四縱隊在「解放」北平前後的一段戰鬥歷程；北京市檔案館編《北平和平解放前後》(北京，北京出版社，1988)，為紀念北平和平「解放」四十周年而編，全書分為迎接解放、和平談判、和平接管、改編軍隊、建立政權、整頓治安、安定民生、整理市容、恢復生產九個部

分，書前有有關照片 29 幅，書末則附有北平和平解放前後大事
記。中共北京市委黨史研究室、北京市檔案館編《北平的和平接
管》（北京，北京出版社，1993），係上述《北平和平解放前後》一書
的續篇，全書分為五個部分，第一部分為和平接管北平重要領導人
的講話及重要文件，第二至第五部分，則根據系統接管的原則，按
原軍管會、物管會、文管會、市政府系統排列，所輯史料多為珍貴
的檔案文件，且儘量保持其原貌，展現於世；馬句〈北平和平接管
的歷史經驗〉（《北京黨史研究》1993 年 1 期）、王瑞堂〈北平散兵游勇
處理委員會〉（《星火燎原》1985 年 6 期）、趙家鼎選編〈北平和平解放
改編國民黨軍隊過程中發生的問題〉（《北京檔案史料》1988 年 4 期）、
何東、陳明顯《北平和平解放始末》（北京，解放軍出版社，1985）、
王其銀、袁金官〈愛國民主人士與北平和平解放〉（《黨史文匯》1994
年 11 期）。又《星火燎原》編輯部編《星火燎原叢書》叢書之八（北
京，解放軍出版社，1987），為平津戰役專輯，共收回憶文章 51 篇；
舒雲《天安門下的握手：北平和平解放內幕》（濟南，濟南出版社，
1992），為紀實文學性質；任志〈北平和平解放的背後〉（《民國春秋》
1989 年 1 期）。周宏雁〈北平方式的產生及其作用〉（《軍事歷史》1992
年 3 期）、黃丕基〈"北平方式"的產生及歷史意義〉（同上，1988 年
6 期）、成一〈北平解放與北平方式〉（《中國記者》1993 年 11 期）、Derk
Bodde, Peking Diary, 1948-1949：A Year of Revolution.（New York：
Henry Schuman, 1950）

(5)渡江戰役（1949 年 4 月 21 日～5 月 27 日）：有冷杰甫《渡
江戰役》（福州，福建人民出版社，1985）、江蘇省檔案館等編《渡江
戰役》（北京，檔案出版社，1989）、中國人民解放軍歷史資料叢書編

審委員會編《渡江戰役》(北京，解放軍出版社，1995)、李玉《渡江戰役大寫真》(北京，中共中央黨校出版社，1995)、江蘇人民出版社編輯《百萬雄獅下江南（革命鬥爭回憶錄）》(南京，編輯者印行，1969)，是一本反映渡江戰役的革命鬥爭回憶錄，所收文章分渡江前的準備、強渡長江、解放南京、追殲逃敵和解放上海幾個部份來編排；《渡江和解放南京》編寫組編《渡江和解放南京》(上海，上海人民出版社，1979)、中國人民革命軍事博物館編《渡江戰役要圖（1949年4月21日～5月27日）》(北京，地圖出版社，1980)、陳漫遠主編《從南昌起義到渡江戰役：中國革命主要歷程概述》(南寧，廣西人民出版社，1985)、中國人民解放軍南京部隊政治部宣傳部編《突破長江天險》(南京，江蘇文出版社，1959)，共收有15篇作品，其中包括10篇渡江戰役十週年紀念的文章。何克希〈打過長江，解放南京〉(《解放軍文藝》1959年4期)、華國富〈渡江戰役〉(《黨史研究資料》1984年12期)、林樺之〈從政略戰略看「渡江」〉(《新聞天地》65期，民38年4月)、施芬舞〈渡江是和談一結〉(《同上，67期，民38年4月》)、朱子文、梁連吉〈渡江戰役的偉大決策：紀念渡江戰役勝利四十周年〉(《南京史志》1989年2期)、黃從澔〈渡江戰役時間質疑〉(《安慶師專學報》1983年3期)、葉永堅〈渡江戰役的日期是如何確定的〉(《檔案與建設》1989年2期)、劉守仁〈關於渡江戰役發起時間的演變〉(《江海學刊》1989年4期)、陳標〈關於渡江戰役發起時間的變更次數問題〉(《黨史研究資料》1994年4期)、冷溶〈深思熟慮慎重選擇：談渡江戰役發起時間的數次更動〉(《文獻和研究》1986年2期)、程漢林〈渡江戰役中集團軍為什麼提前一天渡江〉(《安徽史學》1989年2期)、陳廉〈關於渡江作戰任務、時間、部署的確定〉

（《中共黨史研究》1991年6期）、張國星〈關於渡江戰役中的幾個問題〉
（《黨史研究資料》1992年1期）、劉峰〈對渡江戰役有關提法之我見〉
（《求實》1990年2期）、吳克斌〈渡江戰役大事記〉（《南京史志》1984
年2期）、郝晏華〈解放戰爭中渡江計劃的演變〉（《黨史研究資料》1990
年2期）；〈渡江戰役的目的是如何確定的〉（《江海學刊》1989年4期）、
劉建新口述〈軍隊攜手過大江：我所知道的渡江作戰片斷〉（《歷史
知識》1983年1期）、徐慶儒〈軍民齊心協力，保障渡江戰役〉（《軍
事歷史研究》1989年3期）、李德源〈歷史上的偉大壯舉：紀念渡江戰
役35周年〉（《南京史志》1984年2期）、畢建忠〈史無前例的江河進
攻戰役－－渡江戰役若干問題研究〉（《黨的文獻》1989年4期）、李繼
華〈關於解放戰爭渡江戰役的戰略地位問題〉（《黨史研究資料》1989
年6期）及〈關於"渡江戰役屬於戰略決戰階段"研究綜述〉（《山東
社會科學》1994年4期）、史海霞〈黎明前的篝火〔渡江戰役〕〉（《黨
史博採》1995年4期）、陳廣相〈血染登步離：「渡江戰役」〉（《黨史
縱橫》1995年1期）；〈中央和軍委關於渡江戰役方針的電報十七件
（1948年12月～1949年5月）〉（《黨的文獻》1989年4期）、姚杰〈總
前委是怎樣組織指揮渡江戰役的？－－析《京滬杭戰役實施綱要》
及其他有關渡江作戰文電〉（同上）、向守志〈略論總前委在渡江戰
役中的高超指揮藝術－－紀念渡江戰役勝利四十周年〉（《軍事史林》
1989年2期）、陳廣相〈關於渡江戰役總前委幾個問題的探討〉（《黨
史研究資料》1994年6期）、辛建〈渡江戰役總前委何時進駐瑤崗村〉
（《安徽史學》1995年1期）、葉惠南〈大軍強渡長江與龍川解放〉（《廣
東黨史》1995年1期）、關幼清等〈"渡江第一船"是哪條船？〉（《志
苑》1988年1期）、黃家琳〈"渡江第一船"考〉（《軍史資料》1989年

6期）、張曉林等〈渡江戰役與人民海軍的創建〉(《軍事歷史研究》1989年2期）、張震〈第三野戰軍的渡江戰役〉(《中共黨史研究》1990年30輯）、陳鶴橋〈回憶劉鄧首長指揮二野渡江作戰和準備向大西南進軍〉(《黨的文獻》1994年4期）、溫瑞茂〈第四野戰軍先遣兵團的渡江行動不屬於渡江戰役〉(《軍事歷史》1994年3期）、周聖亮〈試論渡江戰役支前工作的歷史經驗〉(《安徽史學》1994年3期）、夏勛成〈憶十兵團在渡江戰役中後勤保障工作〉(《福建黨史通訊》1985年10期）、張道生選編〈渡江戰役蘇北支前檔案一組〉(《檔案與歷史》1989年3期）。耿若天〈戡亂戰史－－長江下游江防作戰〉(《陸軍學術月刊》19卷211期，民72年4月）、唐秉煜〈江陰要塞起義的始末〉(《檔案與歷史》1989年2、3期）、曾振〈卅八年長江守備戰皖南地區作戰紀實〉(《戰史彙刊》第3期，民60）、曹劍浪〈國民黨軍的長江防線為什麼會迅速崩潰？〉(《軍事史林》1889年6期）、胡念恭〈國民黨獅子山炮臺為何未開炮〉(《南京史志》1984年2期）、宋獻璋〈紅旗插上南京城〉(《群眾》1979年4期）、陳少校《金陵殘照記》(香港，致誠出版社，1963）、南京市檔案館編《南京解放》(南京，江蘇古籍出版社，1990）、張紹安〈解放南京的日日夜夜〉(《南京史志》1984年2期）、張壽春〈南京解放中的策反工作〉(《唯實》1988年5期）、耿若天〈戡亂戰史－淞滬保衛戰〉(《陸軍學術月刊》19卷212期，民72年5月）、蕭家驤〈戡亂戰役淞滬保衛戰之所見〉(同上，12卷124期，民65年1月）、國防部史政局編《淞滬保衛戰》(臺北，編者印行，民50）、汪大銘〈渡江作戰：解放上海〉(《福建黨史月刊》1989年4、5期）、方曉升、張雲編寫《解放上海》(上海，上海人民出版社，1981）、上海市政協文史資料委員會編《上海解放三十五周年》(上海，上海人民出版社，

1987）、陳伯強〈趙祖康與上海解放〉（《武漢大學學報》1986年1期）、楊剛〈解放上海的片段回憶〉（《安徽省委黨校學報》1989年3期）、王致冰等〈對《解放上海之戰》若干史實的考證〉（《上海黨史》1990年2期）、蔣立〈接管上海親歷記〉（《檔案與史學》1996年6期）、李新市〈奪取敵占區的全新方式－上海〉（《黨史天地》1995年12期）、陳家驥〈略論渡江戰役勝利的偉大意義〉（《安徽教育學院學報》1989年3期）。

(四)「解放」與「遷臺」

1.大陸的「解放」

有袁東琬〈全國解放是民族團結的凱歌〉（《四川教育學院學報》1995年1期）、解大遠編著《鮮血換來的豐碑－－全國各市縣（旗）歷次解放時間資料匯編》（西安，陝西師大出版社，1986）。以下茲分華北、華中（含華東）、華南、西北、西南的「解放」，來舉述國共內戰末期的有關論著和資料。

　　(1)華北的「解放」：有吳文蔚《太原保衛戰》（臺中，文洲印刷，民68）、王志健《齊烈留芳：太原五百完人傳》（臺北，近代中國出版社，民70）、中華民國各界紀念太原五百完人成仁二十週年籌備會編印《太原五百完人成仁與太原保衛戰史輯》（臺北，民58）、山西文獻社編《太原五百完人成仁三十週年紀念》（臺北，編者印行，民68）、王其平〈五百完人〉（《山西文獻》第8期，民65年7月）。陳永

階〈試論太原戰役〉(《山西大學學報》1989年3期)、山西文史資料編
輯部編《從上黨戰役到解放太原》(太原,山西高校聯合出版社,
1992)、彭飛編《太原之戰》(北京,通俗讀物出版社,出版年份不詳)、
程秀龍、呂福利《解放太原之戰》(太原,山西人民出版社,1982)、
閻平雲〈太原戰役在全國解放戰爭中的地位和作用〉(《城市研究》1994
年4期)、帥海貌、楊西海〈太原解放紀實〉(同上,1989年1期)、
諸葛水〈閻錫山和太原保衛戰〉(《新聞天地》45期,民37年8月)、張
山川〈太原孤城面臨秋季包圍戰〉(《觀察》3卷22期,民37年9月)、
王家進〈記太原戰役中的幾位地下黨員〉(《山西革命根據地》1989年2
期)、劉海清〈解放太原戰役中的統戰工作〉(《文史研究》1994年3
期)、姚寅虎〈兩位元帥指揮解放太原〉(同上)、張春旬〈彭德懷
指揮太原戰役總攻〉(《黨史文匯》1989年2期)、關志超〈從閻匪"親
訓師"的覆滅說起〉(《南京政治學校校刊》1984年2期)、耿若天〈戰
史講座第18講:戡亂戰史－－平漢路北段正太路西段作戰〉(《陸軍
學術月刊》10卷109期,民63年10月)、黃乃管主編《解放運城》(北
京,中共黨史出版社,1993)、中國人民解放軍歷史資料叢書編審委員
會編《解放戰爭時期國民黨軍起義投誠:魯豫地區》(北京,解放軍
出版社,1995)、鄭州軍分區《鄭州軍事志》編輯室編《鄭州戰役資
料選編》(鄭州,河南人民出版社,1985)、李憲科〈解放鄭州(1948
年10月22日)〉(《四川黨史》1996年4期)、徐連山主編、鄭州市委
黨史工委編《解放鄭州:紀念鄭州解放45周年》(鄭州,河南人民出
版社,1993)、朱貴強、張書琴〈解放戰爭時期華北最後一戰:安
〔陽〕新〔鄉〕戰役〉(《中州今古》1992年4期)。

　　(2)華中、華東的「解放」:有黃辰〈一個態勢・兩種演變－華

中大會戰的預測〉(《新聞天地》75期，民38年7月)、劉端秤〈解放戰爭在江西概述〉(《江西黨史研究》1988年5期)、堅毅〈解放戰爭在江西概況〉(《江西大學學報》1984年8期)、張興華〈贛南追殲戰〉(《革命史資料》1989年13輯)、鄭傳雲〈南昌解放紀實〉(《江西黨史研究》1989年3期)；毛德傳〈40年前紅旗漫捲：記江蘇省境的完全解放〉(《南京史志》1989年5期)、中共江蘇省委黨史工作委員會編《江蘇解放風雲錄》(北京，中共黨史資料出版社，1989)、孫宅巍〈江蘇城市接管紀實〉(《江蘇歷史檔案》1996年5期)、郭繼榮〈解放戰爭中的南通：紀念南通解放四十周年〉(《南通社會科學》1989年1期)；〈紀念松江解放四十周年專輯〉(《松江文史》1989年11期)；胡駿〈兩次進軍浙東〉(《黨史資料叢刊》1983年4期)、李德齋〈中國人民解放軍解放浙江記述〉(《浙江師大學報》1987年3期)、諸敏〈血染浙東戰旗紅〉(《上海黨史研究》1996年6期)、包曉峰〈解放前夕國民黨軍政人員在浙江起義概述〉(《浙江檔案》1992年11期)、徐承倫〈胡允恭策動陳儀浙江起義前後〉(《黨史縱覽》1996年4期)、陳輝漢〈一次威脅蔣家王朝的起義－－國民政府青年救國團第二總隊一部寧波起義〉(《武漢春秋》1996年3期)、王位龍〈試析三門成為浙江第一個解放縣的原因〉(《臺州師專學報》1988年3期)、中國人民解放軍84810部隊政治部編《解放杭州》(杭州，浙江人民出版社，1989)、仇楊均〈溫州的和平解放〉(《浙江學刊》1989年1期)、余龍貴〈攻城打援的重大勝利：泰順戰鬥紀實〉(《浙南革命鬥爭史資料》1984年24期)；賴文樓〈湖北各市縣解放日期一覽表〉(《湖北黨史通訊》1986年1期)、武漢市社會科學研究所〈紅旗漫捲武漢：紀念武漢解放三十五周年〉(《學習與實踐》1984年3期)、張廣立〈武漢解放戰爭時期大事簡記〉(《湖北

大學學報》1986年6期）及〈武漢解放經過述略〉（《武漢師院學報》1984
年3期）、岳喜樂〈"3130"情報官與武漢解放〉（《黨史博覽》1993年
2期）、吳仲炎〈武漢解放的特點及其形成因素〉（《江漢大學學報》1989
年2期）、張平化〈接管武漢前後〉（《春秋》1989年2期）、黃振亞〈萬
山海戰和武漢海員〉（《武漢春秋》1984年6期）、楊殿魁〈戰鬥在江漢
三角洲〉（《湖北黨史通訊》1985年2期）、耿若天〈戰史講座第18講：
戡亂戰史－整編29軍解圍宜昌戰鬥〉（《陸軍學術月刊》5卷46期，民
58年7月）、陳建林等〈荊門戰役史實辨正〉（《荊門大學學報》1988年
3期）及〈簡論解放荊門之戰〉（同上，1988年2期）、吳笑梅〈試析
荊門戰役的戰術指揮特點〉（同上，1989年4期）、蕭本新〈解放沙市
戰役〉（《地方革命史研究》1986年1期）、徐少岩〈堅持黃梅、廣濟革
命鬥爭的回憶〉（《中南民族學院學報》1987年2期）、耿若天〈勘亂戰
史－長江中游作戰〉（《陸軍學術月刊》19卷214期，民72年6月）；蔡
志強〈湖南全境解放大事記〉（《閩南革命史研究》1986年1期）、張海
蒲〈運用統－戰線實現湖南和平解放的歷史啟示〉（《湖湘論壇》1991
年4期）、陳先初〈湖南和平解放述略〉（《湖南師大社會科學學報》1989
年3期）、熊淑媛〈論湖南和平解放的歷史必然性〉（《衡陽師專學報》
1992年1期）、張孟旭〈湖南和平解放和接管工作紀略〉（《湖南黨史
通訊》1986年1期）、鍾德燦等〈毛澤東與湖南和平解放〉（《瞭望》1989
年34期）、黎風〈略談長沙和平解放的特點〉（《湖南黨史月刊》1988
年8期）、鍾德燦主編《義旗高舉長沙城》（北京，華藝出版社，1991）、
喻岳衡〈程潛、陳明仁將軍起義〉（《年輕人》1981年1期）、唐伯固
〈解放戰爭後期程潛政治立場的轉變〉（《求索》1991年4期）、朱季強
〈程潛失足恨〉（《中外雜誌》40卷4期，民75年10月）、吳相湘〈程潛

晚節不堅〉(載氏著《民國百人傳》第3冊，臺北，傳記文學出版社，民60)、
大庸縣委黨史辦公室〈解放大庸之役〉(《湖南黨史通訊》1986年1期)、
黃辰〈八方風雨會長衡－華中已入於決戰態勢〉(《新聞天地》76期，
民38年7月)、節文華《逝水滄桑－－長沙起義與衡寶戰役紀實》(瀟
湘戰史紀實文學；長沙，湖南文藝出版社，1993)、唐義路〈衡寶戰役〉
(《黨史研究資料》1985年10期)、栗在山〈也談衡寶戰役的勝利〉(《湖
南社會科學》1994年6期)、蕭公聞〈論衡寶戰役在解放戰爭中的歷史
地位〉(《衡陽師專學報》1990年2期)及〈衡寶戰役與新桂系的覆亡〉
(同上，1992年2期)。

(3)華南的「解放」：有余亦云〈華南殘局〉(《新聞天地》79期，
民38年8月)、唐聞觀〈進軍福建解放福建〉(《福建史志》1988年4期)；
〈關於進軍福建的文獻八篇(1949年5月～10月)〉(《黨的文獻》1990
年2期)、石玉山〈一次攻擊作戰的重大戰略行動－－進軍福建概
述〉(同上)、胡哲峰〈進軍福建時間三種說法之辨析〉(《黨的文獻》
1992年3期)、陳本亮〈福建解放經過綜述〉(《福建黨史月刊》1989年
10期)、葉飛〈解放福建和福建前線的鬥爭〉(同上，1989年8～11期)、
夏勛成〈吃飽飯打勝仗，解放全福建〉(同上，1989年10期)、濤聲
〈福州周圍戰鬥述評〉(《黨史研究資料》1982年4期)、齊玉堂等〈千
里進軍福建和解放福州〉(《福建史志》1989年5期)、黃烽〈進軍福建
解放福州：參加福州戰役回憶〉(《福建黨史通訊》1987年8期)、陳景
三〈福州戰役〉(《黨史月刊》1989年2期)、朱紹清〈憶福州戰役〉(《福
建黨史月刊》1989年8期)、梁靈光〈三路進軍追殲逃敵迂迴包圍解放
福州〉(同上，1996年8期)、王村民〈福州解放後對國民黨省市政權
的接管〉(同上，1989年10期)、林拓〈攻克廈門之戰〉(《福建文藝》

1979年8期）、張魯閩、吳龍海《廈門之役》(海峽文藝出版社，1985)、
國防部史政局編《廈門保衛戰》(臺北，編者印行，民51)、朱雲謙〈回
憶解放廈門之戰〉(《黨史文匯》1990年8期)、吳森亞〈渡海殲敵直搗
廈門：回憶29軍85師在解放廈門中的戰鬥〉(《福建黨史月刊》1990
年2期)、胡冠中〈解放廈門紀實〉(同上，1989年8期)、蔣學道〈解
放連江的戰鬥經過〉(同上)、何強〈寧德解放過程述略〉(同上)、
張金錠〈秦基偉與崇安解放〉(《福建黨史月刊》1994年11期)、洪新
榮〈順應歷史潮流的抉擇：中共泉州中心縣委策動國民黨325師起
義紀實〉(同上，1990年6期)、霞浦縣委黨史辦公室〈關於解放三都
羅源等地的時間問題〉(《福建黨史通訊》1986年7期)、柴裕興〈解放
平潭島之戰〉(同上，1986年4期)及〈憶解放平潭島之戰〉(《黨史資
料與研究》1986年2期)、耿若天〈戡亂戰史－－福州及平潭島作戰〉
(《陸軍學術月刊》19卷213期，民72年6月)、朱紹清〈平潭戰役回憶〉
(《福建黨史月刊》1989年1期)、何可彭〈平潭勝利解放原因探析〉(同
上，1990年1期)、馬鳳元〈黎明前的槍聲－－泰寧縣解放前後的戰
鬥〉(同上，1995年5期)、陳金謀〈關於閩北全境解放時間的質疑〉
(同上，1989年6期)、范書聲等〈1949年閩西反蔣起義經過〉(《福建
史志》1990年4期)；黎進榮〈廣東戰役〉(《黨史研究資料》1985年4期)、
羅茂繁〈廣東解放概述〉(《軍事資料》1989年5期)、張俊棉〈葉劍英
與廣東解放〉(《廣東黨史通訊》1989年5期)、常工等《廣東的解放》
(北京，新華書店，1950)、王東保等〈解放廣州第一仗：解放佛岡縣
城的戰鬥〉(《廣東黨史通訊》1899年6期)、羅柏特〈廣州大門之戰〉
(《新聞天地》87期，民38年10月)、寶升貴〈大軍兵臨廣州城〉(《廣
東黨史》1991年3期)、李門〈國民黨炸毀海珠橋是在廣州解放前夕〉

《新文學史料》1981年1期）、陳立平〈廣州解放對實現毛澤東西南作戰方針的意義〉（《廣東黨史通訊》1989年5期）、耿若天〈戡亂戰史－－廣州會戰〉（《陸軍學術月刊》19卷215期，民72年7月）、重慶市檔案館胡懿選編〈國民黨廣州戰役失敗經過報告書（1949年10月）〉（《檔案史料與研究》1996年2期）、董新濟〈廣州為什麼要撤守〉（《新聞天地》88期，民38年10月）、楊清〈贛州會議對解放廣東的歷史作用〉（《嶺南學刊》1989年4期）、陳立平〈方方對解放廣東及華南的貢獻〉（《廣東黨史通訊》1989年4期）、陳建春等〈棉湖之戰〉（《軍事史林》1986年3期）、丘逸〈解放大埔城〉（《廣東當史通訊》1989年5期）、張華光〈解放陽光縣的經過〉（同上）、廖輝煌、羅祖寧〈黨對興梅起義的策動及其影響〉（《廣東黨史》1994年1期）、史久遠等〈興梅起義述評〉（《廣東黨史通訊》1988年6期）；歐陽文〈進軍南疆，追殲殘敵〉（《廣西黨史研究通訊》1989年5期）、覃光航〈論解放戰爭中廣西戰役勝利的主要原因〉（《廣西黨校學報》1990年4、5期），唐義路〈殲滅戰思想的新發展：廣西戰役介紹〉（《廣西黨史研究通訊》1984年1期）、〈廣西戰役具有決定意義的一仗〉（同上，1989年5期）及〈廣西戰役〉（《黨史研究資料》1984年9期）、耿若天〈戡亂戰史－－廣西作戰〉（《陸軍學術月刊》19卷216期，民72年8月）、廣西壯族自治區通志館編《廣西解放紀實》（南寧，廣西人民出版社，1989）、江虹〈廣西地下黨及游擊隊在廣西戰役中的貢獻〉（《軍事歷史》1995年2期）、余亦云〈惡戰在桂柳之間〉（《新聞天地》89期，民38年10月）、黃中樞〈利沖坳伏擊戰〉（《廣西黨史研究通訊》1994年14期）、賴慧鵬〈靖西和平起義始末〉（同上，1994年2期）、龐朝彬、吳瑞武〈解放大軍桂東南殲滅戰〉（《玉林師專學報》1989年1、2期）、唐義路〈試談陳賡在兩廣作戰中的指揮特點〉(《軍事史林》1987年2期)。

(4)西北的「解放」：有〈解放大西北作戰電報選載（1949年4
月～9月)〉(《黨的文獻》1990年5期)、黃江海、李玉泰編《解放大
西北》(西寧，青海人民出版社，1990)、陳郎宇〈西北戰場在冷寂中
變色〉(《新聞天地》88期，民38年10月)、吳叔蒼〈西北失，未來何？〉
(同上，87期，民38年10月)。中國人民解放軍歷史資料叢書編審委
員會編《解放戰爭時期國民黨軍起義投誠：陝甘寧青新地區》(北
京，解放軍出版社，1995)、賈巨川〈荔北人民解放的勝利序曲：國
民黨朝邑地方武裝起義紀實〉(《渭南師專學報》1994年2期)、劉振乾
〈西安解放史料輯實：慶祝西安解放四十周年〉(《西安檔案》1994年2
期)、西安市檔案館編《西安解放檔案史料選輯》(西安，陝西人民出
版社，1989)、陝西省委黨史研究室、銅川市委黨史研究室主編《解
放銅川》(西安，陝西人民出版社，1995)、錢雨階〈西北戡亂最後之
戰概述〉(《陝西文獻》49期，民71年4月)。高錦純〈從鏖戰關中到蘭
州大捷〉(《社會科學（甘肅)》1982年1期)、蘭州部隊黨史資料徵集
委員會辦公室、甘肅人民出版社革命回憶錄編輯室編《蘭州戰役》
(蘭州，甘肅人民出版社，1983)，共收錄有關回憶文章57篇；蘭州軍
區黨史辦公室〈解放西北的最後決戰：蘭州戰役〉(《軍史資料》1986
年6期)、李力〈蘭州戰役〉(《黨史研究資料》1984年11期)、高錦純
〈蘭州攻克七晝夜〉(《星火燎原》1983年1期)、桑維軍〈蘭州戰役的
地位及其特點〉(《軍事歷史》1992年6期)、公世雄〈簡述蘭州戰役及
其在西北解放戰場上的歷史作用〉(《甘肅理論學刊》1989年4期)、張
紹武〈試論蘭州戰役與青海解放的密切關係〉(《青海社會科學》1989
年5期；亦載《攀登》1989年5期)、李民效〈武都起義述評〉(《甘肅社

會科學》1995年1期）。裴周玉《綏遠方式的勝利》（太原，山西人民出版社，1985），為回憶錄性質，述1949年9月19日綏遠省主席董其武（傅作義舊部）通電「和平起義」的經過；內蒙古自治區檔案館編《綏遠"九－九"和平起義檔案史料選編》（呼和浩特，內蒙古人民出版社，1987）、內蒙古政協文史會編《綏遠"九－九"起義紀念畫冊》（同上）、董克敏〈綏遠"九‧一九"起義述評〉（《內蒙古師大學報》1990年3期）及〈論綏遠方式的提出〉（同上1998年2期）、劉發林《綏遠演義》（呼和浩特，內蒙古人民出版社，1984）、馬建國〈解放戰爭中的"綏遠方式"〉（《軍事歷史》1992年2期）、關國煊〈領導綏遠「起義」的董其武〉（《傳記文學》54卷5期，民78年5月）、張季光〈董其武出賣綏遠秘聞〉（《中國邊政》17期，民56年3月）、董其武《戎馬春秋》（北京，中國文史出版社，1986）。蘭州軍區黨史辦公室〈寧夏戰役綜述〉（《軍史資料》1985年7期）、劉繼雲〈爭取寧夏馬家軍起義紀實〉（《文史精華》1996年2期）、郭全忠〈芻議馬鴻逵為何自取滅亡〉（《寧夏大學學報》1994年2期）、戎生靈〈略論寧夏解放始末及其經驗〉（同上，1988年3期）、張宏志〈寧夏和平解放始末：紀念寧夏解放三十三周年〉（同上，1982年3期）、吳忠禮〈寧夏人民的新生：紀念寧夏解放三十五周年〉（《寧夏社會科學》1984年3期）、陳宜貴〈紀念寧夏解放三十五周年〉（同上）、寧夏區政協文史資料研究委員會等編《寧夏文史資料‧第16輯－－解放寧夏回憶錄》（銀川，寧夏人民出版社，1986）。青海省委黨史資料徵集委員會、青海省軍區政治部編《解放青海》（西寧，青海人民出版社，1989）、梁瑞林主編《解放青海畫冊》（同上，1989）、張博〈毛澤東關於解放青海的戰略決策及實施概況〉（《青海師大學報》1994年4期）、中共新疆維吾爾自治區委員會黨史工作委員會、中國人民解放軍新疆軍區政治部編《新疆和平解放》(烏魯木齊，新疆人民出版社，1989)。張志安〈新疆和平解放原因淺析〉(《實事求是》1988年1期)、朱培民〈新疆和平解放幾個問題的探討〉(《新疆社會科學》1989年5期)及〈新疆和平解放始末〉(《喀什師院學報》1989年4期)、包爾漢〈新疆和平解放〉(《新疆社會科學》1984年2期)及〈新疆的和平解放〉(《縱橫》1984年1期)、鄧力群〈新疆和平解放前後〉(《近代史研究》1989年5期)、笠原正明〈新疆解放前後〉(《神戶外大論叢》11卷2號，1960年9月)、張克安〈新疆和平解放原因淺析〉(《實事求是》1988年1期)、朱培民等〈中共中央的決策與新疆和平解放〉(同上，1989年5期)、張安志〈三區革命與新疆和平解放〉(同上)、笠原正明〈新疆解放前後〉(《神戶外大論叢》11卷2號，1960年9月)、蔡錦松〈張治中與新疆和平解放〉(《新疆社會科學》1989年6期)、劉喜發〈張治中將軍與新疆和平解放〉(《山東醫科大學學報》1990年2期)及〈張治中與新疆和平解放〉(《東北師大學報》1991年1期)、任伊臨〈張治中在新疆歷史大轉變中的活動〉(《西域研究》1996年4期)、田中圩〈論張治中在和平解放新疆中的貢獻〉(《實事求是》1989年5期)、李惠興〈屈武：實現新疆和平解放的重要一員〉(《黨史文匯》1994年12期)、朱培養〈屈武與新疆和平解放〉(《實事求是》1992年4期)、紀大椿〈一場和平的戰鬥：紀念陶峙岳、包爾漢領導新疆和平起義四十周年〉(《新疆社會科學》1989年5期)、楊辛、王曉偉〈毛澤東與新疆和平解放〉(同上，1991年2期)、王大剛〈蘇聯與1949年新疆的和平解放〉(《人文學報(中國人文科學研究會》3卷20期，民85年7月)、吳子杰〈奉王震之命進軍新疆的60天〉(《春秋》1989年4、5期)、郭岐《黃沙碧血戰新疆》(臺北，聖文書局，民75）、堯樂博士〈最後衛土之戰－撤離天山記〉（《中國邊政》第1期，民52年6月）、秦正非〈揮別天山〉（《新聞天地》98期，民38年12月）、張大軍《齧雪飛渡帕米爾》（臺北，中央文物供應社，民42）、陶峙岳（新疆警備總司令）《陶峙岳自述》（長沙，湖南人民出版社，1985）。

(5)西南的「解放」：有韋敏士、田曉光編《劉鄧大軍進軍西南（重慶，重慶出版社，1989）、中國人民解放軍成都軍區《當代中國》叢書軍事工作卷昆明編輯部編《劉鄧大軍解放西南》（昆明，雲南人民出版社，1988）、楊平〈解放西南紀略〉（《四川黨史研究資料》1983年3期）、唐啟鈞〈進軍西南大事記〉（《四川黨史月刊》1989年2期）、吳志超〈猛追窮寇：回憶80師進軍西南片斷〉（《南京政治學校校刊》1983年3期）；〈進軍西南作戰電報十四封（1949年6～12月）〉（《黨的文獻》1990年4期）、唐義路〈也談進軍西南大迂回、大包圍的作戰方針〉（同上）、元江〈進軍西南戰略方針的若干特點〉（《成都大學學報》1990年1期）、吳齊仁〈解放西南大事記〉（《軍史資料》1987年3期）、鄭國仲《從太行席捲西南》（北京，海軍出版社，1989）、鄧禮峰〈西南戰役〉（《黨史研究資料》1987年1期）、大華〈論毛澤東解放西南的戰略指導藝術〉（《田川黨史月刊》1990年4期）、李兆榮〈高瞻遠矚，實事求是－試論進軍西南的戰略決策〉（《北京農業工程大學學報》1995年1、2期合刊）、查景生〈劉鄧指揮藝術是大西南進軍勝利的關鍵〉（《貴州文史叢刊》1989年2期）、余淵〈西南戰役中大批國民黨軍起義原因初探〉（《軍史資料》1989年6期）、杜澤江、高盛發〈西南戰役結束時間初探〉（《成都黨史》1993年1期）。陳盛年等《解放雲南之戰（雲南革命鬥爭回憶錄之一）》（昆明，雲南人民出版社，

1980）、龍躍生〈千里激進戰滇南戰役：論解放戰爭後期的滇南戰役〉（《昆明社科》1994年5期）、陳廉〈憶滇南戰役〉（《雲南黨史通訊》1987年4期）、王永春〈滇南戰役紀實〉（《雲南現代史料叢刊》1986年7輯）、楊治平〈回師雲南〉（同上，1986年6輯）、趙西〈滇西行〉（同上，1980年1輯）、王永春〈解放滇南的六次激戰〉（《雲南現代史研究資料》1981年5輯）、陳佩坤〈回憶滇南追殲國民黨殘匪的三次戰鬥〉（同上，1981年4輯）、晨光編著《昆明和平起義》（昆明，雲南大學出版社，1991））、中共昆明市委黨史研究室編《昆明解放》（同上）、周濤等〈一九四九年昆明起義述論〉（《思想戰線》1989年5期）；《昆明起義史料選輯》（《雲南文史叢刊》1988年1期）、陳盛年〈爭取昆明解放的1949年〉（《雲南黨史通訊》1989年4期）；〈紀念昆明起義四十周年〉（《雲南黨史通訊》1989年4期）、郭佩珊〈昆明空軍起義的前前後後〉（《雲南現代史研究資料》1982年10輯）、周君亮〈滇變身歷記〉（《新聞天地》102期，民39年1月；《四川文獻》53期，民56年1月）、李志正〈雲南起義散記〉（《雲南文史叢刊》1985年4期）、謝崇文〈雲南起義的前前後後〉（《雲南文史叢刊》1988年2期）、林南園〈雲南起義紀實〉（同上，1988年3期）、卓立〈回憶雲南起義片斷〉（同上，1988年4期）、龍澤匯〈雲南和平解放前後〉（同上，1988年1期）、李永順〈雲南和平解放的歷史啟示〉（《雲南師大學報》1990年5、6期合刊）、楊中平〈回顧與希望：紀念雲南和平解放四十周年〉（《雲南文史叢刊》1989年4期）、趙康節〈對盧漢和雲南起義的點滴回憶〉（同上，1988年4期）、趙榮玉〈中國共產黨領導與盧漢將軍起義〉（同上，1988年1期）、鄭伯克〈盧漢將軍起義概略〉（同上）、劉浩〈淨取滇軍和盧漢起義的工作〉（《雲南文史叢刊》1987年4期）、朱家璧〈盧漢起義的前前後後〉（同上）及〈爭取盧漢起義中我參與的部分工作〉（《雲南黨史通訊》1989年4期）；〈盧漢起義通電〉（同上）、歐之德《盧漢起義紀實》（北京，中國華僑出版公司，1991）、田布衣〈盧漢「解放」記〉（《新聞天地》105、106期，民39年2月）、鄢朝敏、李可〈論盧漢起義在西南解放戰爭中的地位和作用〉（《昆明師專學報》1990年4期）、成都軍區政治部聯絡部李玉等編《西南義舉——盧漢劉文輝起義紀實》（成都，四川人民出版社，1988）；李翔編著《春城春曉》（北京，華藝出版社，1991），係以盧漢「起義」為主要線索的記述。貴州省政協文史資料研究委員會、貴州省軍區黨史資料徵集辦公室編《回顧貴州解放（一）－（四）》－－貴州人民出版社出版的《貴州文史資料選輯》第11輯（1982年9月）、14輯（1983年8月）、16輯（1984年6月）、19輯（1985年8月）均為此一主題之專輯；楊建光〈中共貴州地下黨在迎接貴州解放鬥爭中的作用〉（《黔東南社會科學》1989年4期）、中共貴陽市委黨史研究委員會、貴陽市政協文史資料研究委員會編《回顧貴陽解放》（貴陽，編者印行，1984）、楊光義〈國民黨貴州保安獨立第三師在貞豐起義整訓的情況〉（《貴州檔案史料》1990年2期）。裴田夫等〈第18兵團入川紀實〉（《成都黨史月刊》1990年4、5期；亦載《成都黨史通訊》1990年3、4期）、四川省政協文史資料研究委員會、成都軍區軍事百科全書編審室編《回憶四川解放》（成都，四川人民出版社，1988），其續編則於1989年由四川教育出版社出版；曹里懷〈鏖戰川東解放重慶〉（《中華英烈》1987年1期）、高原〈重慶外圍解放目擊記〉（《重慶黨史研究資料》1987年3期）、朱增祿〈解放重慶第一戰〉（同上，1985年10期）、林向北〈在迎接重慶解放的日子裏〉（同上，1986年6期）、任白戈〈重慶的解放與接管〉(同上，1986年7期)、陳錫聯〈重慶解放與接管的回憶〉(《重慶黨史研究資料》1986年6期)、高雄輝〈重慶解放簡況〉(同上，1987年3期)、中共重慶市委黨史工作會編《重慶的解放》(重慶，重慶出版社，1989)、李欽哲〈重慶解放瑣記〉(《四川黨史月刊》1989年11期)、陳全〈略述重慶的解放〉(《重慶黨史研究資料》1989年4期)、段大明等〈重慶解放四十周年紀念專輯〉(同上)、朱聿來〈進軍西南解放重慶的回憶〉(同上)、侯旭東〈保護兵工廠迎接重慶解放〉(同上)、毛翼鵬〈重慶解放在解放大西南戰役中的戰略地位〉(《重慶黨史研究資料》1990年1期)、中共重慶市委黨史工作委員會編《接管重慶》(重慶，重慶出版社，1995)、中共四川省委組織部紅岩英烈編寫組編寫《黨沒有忘記他們－－紅岩英烈》(2冊，成都，四川人民出版社，1984及1986)，所述60位中共革命烈士，大部分殉難在1949年重慶「解放」前夕"11月27日"大屠殺中，這60人，從1983年起先後被追認為「烈士」；袁海濱《1949：大屠殺》(南寧，廣西人民出版社，1996)；蕭慶雲〈跟隨賀龍挺進四川〉(《四川黨史研究資料》1987年12期)、戴白君〈解放長寧記實〉(同上，1987年5期)、程德輝、朱世興主編、中共忠縣縣委黨史研究室等編《忠縣和平解放》(成都，成都科技大學出版社，1993)、杜之祥〈歷盡風雨豔陽照：記萬縣地區的和平解放〉(《重慶黨史研究資料》1987年4期)、魯瑞林〈解放涼山紀略〉(《文史天地》1996年3期)、冉光海〈劉鄧出奇兵解放川東南〉(《四川黨史研究資料》1986年5期)、蕭永銀等《成都平原上的圍殲戰》(成都，四川人民出版社，1961)、李憲科〈解放成都〉(《四川黨史》1995年5期)、G. William Skinner, "Aftermath of communist Liberation in the Chengtu Plain."(Pacific Affairs, Vol. 24, No. 1, 1951)、

楊平〈試論成都戰役與四川的解放〉(《四川黨史月刊》1989年3、4期)、
鍾樹楠〈成都淪陷目擊記〉(《四川文獻》16期，民52年12月)、中共
成都市委黨史工作委員會編《接管成都》(成都，成都出版社，1996)、
舒厚欽等〈宜賓解放前夕的"役社"和"民江縱隊"〉(《四川黨史研
究資料》1984年10期)、蕭明陽〈戎城干戈化玉帛：解放宜賓的日日
夜夜〉(《四川黨史月刊》1988年11期)、何蜀〈川南六縣保安部隊起
義軼事〉(《紅岩春秋》1989年3期)、徐祥瑤〈由重慶計劃發動的奉大
巫起義〉(《重慶黨史研究資料》1990年1期)、胡克林〈我參加策動劉、
鄧、潘彭縣起義片斷〉(同上，1982年6期)、周述烈〈劉、鄧、潘起
義地址：彭縣龍興寺〉(《成都文物》1990年1期)、張文奇〈劉文輝、
鄧錫侯、潘文華反蔣投共的一筆賬賬〉(《傳記文學》57卷4期，民79年
10月)、李懷榮〈四川省主席王陵基被俘記〉(《傳記文學》68卷2期，
民85年2月)、陳少校《逐鹿陝川康》(香港，致誠出版社，1965)、周
開慶編著《川康淪陷經過》(臺北，四川文獻月刊社，民61)、劉錦《川
康易守前後；崩潰的結幕》(香港，自由出版社，1956)、古江〈轟炸
西昌機場紀實〉(《雲南文史叢刊》1989年3期)、向守志〈大陸殲滅國
民黨軍的最後一戰：回憶西昌戰役〉(《大江南北》1996年11期)、賀
國光〈大陸最後據點西昌淪陷前後〉(《藝文誌》30期，民57年3月)、
應蓀〈西昌變色的痛苦回憶〉(同上，33期，民57年6月)。楊明〈滇
桂黔邊縱隊為三省區的解放建立了歷史功勛〉(《雲南黨史通訊》1989
年3期)、莊田《逐鹿南疆(革命回憶錄)》(廣州，廣東人民出版社，
1983)、林田《大軍西南行：一個記者的隨軍日記》(北京，新華出版
社，1990)、魏仲雲〈鐵流七千里：記隨劉鄧大軍挺進大西南的西
南服務團〉(《紅岩春秋》1989年3期)、汪作民〈金陵匯群英，進軍大

西南：西南服務團進軍滇黔桂紀實〉(《南京史志》1986年3期)、梁家盛〈解放大西南的第一功臣劉宗寬〉(《文史精華》1996年7期)、任全才〈西南人民在西南戰役中的作用和貢獻〉(《新時代論壇》1990年4期)、易周瑞〈中國西南的悲劇〉(《新聞天地》96期，民38年12月)。楊延楷〈16軍與劉文輝部的會師及阻擊胡宗南部竄康經過〉(《四川黨史月刊》1990年2期)、經盛鴻〈胡宗南兵敗大西南〉(《民國春秋》1996年1期)、重遠〈胡宗南軍事集團的覆滅〉(《黨史天地》1994年9期)。

　　其他的「解放」或「起義」有中國人民解放軍歷史資料叢書編審委員會編《解放戰爭時期國民黨軍起義投誠・鄂湘粵桂地區》(北京，解放軍出版社，1994)、《解放戰爭時期國民黨軍起義投誠・滬蘇皖浙贛閩地區》(同上)及《解放戰爭時期國民黨軍起義投誠・川黔滇康藏地區》(同上，1996)、馮治、董連翔〈解放戰爭時期國民黨將領起義投誠述論〉(《山東醫科大學學報》1985年6期)1990年2期)、江紹貞主編《國民黨起義將領》(鄭州，河南人民出版社，1989)、江紹貞〈解放戰爭時期國民黨軍起義述論〉(《近代史研究》1993年4期)、長舜等編《百萬國民黨軍起義投誠紀實》(北京，中國文史出版社，1991)、蕭南海〈解放戰爭時期國民黨部隊起義的幾個特點〉(《廣州教育學院學報》1994年3期)、蔡惠霖〈戰火硝煙的背後——記解放戰爭中爭取國民黨軍起義〉(《軍事史林》1990年2～4期)、劉喜發、王懷守〈試論解放戰爭時期國民黨將領率部起義問題〉(《長白學刊》1994年2期)、伍旭〈策動國民黨軍隊武裝起義的隱蔽鬥爭〉(《廣東黨史》1991年3期)、姜廷玉〈解放戰爭中被俘的國民黨軍上將和中將〉(《黨史研究資料》1989年12期)、蔡惠霖、孫唯吼編《光榮的抉擇：原國民黨軍起義將領回憶錄》(2冊，北京，國防大學出版社，1986)、宋毅軍〈劉伯承、鄧小平與高樹勛起義〉(《中共黨史研究》1995年2期)；〈我所知道的國民黨傘兵三團起義〉(《中共黨史研究》1995年2期)、莊曙明〈中國傘兵之成軍及第三團叛變經過〉(《傳記文學》68卷3期，民85年3月)；〈我所知道的國民黨傘兵三團起義〉(《統一戰線》1989年6期)、楊明訓〈震驚豫東的王繼賢起義〉(《黃淮學刊》1990年4期)、田德洲〈任廉儒與郭當瑰起義〉(《四川黨史月刊》1990年10期)、陳運章〈求索：譚漢洲駕機起義前後〉(《主人翁》1982年12期)、張仲田等《起義風雲錄》(太原，山西人民出版社，1992)、中國人民解放軍歷史資料叢書編審委員會編《解放戰爭時期國民黨軍起義投誠：空軍》(北京，解放軍出版社，1995)及《解放戰爭時期國民黨軍起義投誠：海軍》(同上)，越劍〈解放前夕國共爭奪海軍紀實〉(《福建黨史月刊》1995年5期)、鍾建英〈解放前夕我黨對在閩國民黨海軍人員的策反工作〉(《軍事史林》1990年1期)、弋勝、樊志彪〈義壯江天：記林遵與國民黨海軍第二艦隊南京起義〉(《黨史縱橫》1996年4期)、張鴻基〈大江義舉－－林遵率國民黨第二艦隊起義紀實〉(《名人傳記》1990年1期)、何茂昌、陳旭初〈南京江面上的壯舉〉(《軍事歷史研究》1996年2期)、戈今、陸其明編著《南京江面上的壯舉－－記林遵將軍率國民黨第二艦隊起義》(北京，海洋出版社，1986)、陳務篤〈南京江面上的壯舉－－國民黨軍第二艦隊起義前後〉(《縱橫》1983年1期)、孫克驤〈策動林遵起義瑣記〉(《黨史文匯》1990年8期)、張淑香、張麗秋〈"重慶號"起義原因初探〉(《遼寧大學學報》1996年4期)、陳文明〈第一艘人民軍艦的誕生：重慶號起義紀實〉(《紅岩春秋》1989年3期)、沙思存〈黎明前的秘密行動：重慶號起義內幕〉(《東方青年》1988年5期)、張啟鈺〈茫茫人生路，學是北斗星：寫在重慶巡洋艦起義四十周年〉(《四川黨史月刊》1989年2期)、李積恩、鄧思源整理〈"重慶"號起義的前前後後〉(《黨史天地》1995年11期)、伍修權〈關於"重慶號"巡洋艦起義的一點回憶〉(《新觀察》1982年1期)、孫新華〈重慶號起義〉(《艦船知識》1981年5、6期)、胡思升〈一個埋沒了三十二年的故事:"重慶號"巡洋艦起義〉(《新觀察》1981年16～18期)、袁泮〈重慶號的教訓〉(《新聞天地》61期，民38年3月)、王內修〈郝穴艦起義後〉(《縱橫》1993年1期)、汪世喜〈永明艦官兵香港起義始末〉(《春秋》1988年6期)、李靜〈波濤壯闊的"兩航"起義〉(《黨史文匯》1993年5期)、北溟、應春〈"令蔣介石為之吐血"的義舉:"兩航起義紀實"〉(同上，1996年8期)、陶英惠〈王世杰與兩案航真相－－王雪艇先生百年冥誕紀念〉(《傳記文學》56卷4期，民79年4月)、朱臨慶主編《招商局海員起義》編審委員會編《招商局海員起義》(北京，人民交通出版社，1995)。李欣〈憶對國民黨第五師的整編〉(《星火燎原》1984年3期)、裴田夫等〈對起義部隊95軍的改造〉(《成都黨史通訊》1990年2期)、吳雪亞〈周鎬策反孫良誠：國民黨第一〇七軍投誠始末〉(《南京史志》1992年1、2期)、趙卓如〈參加策動郝鵬舉部起義的經過〉(《河南黨史研究》1991年5、6期)、張秀山〈記改造鄧寶珊部隊〉(《革命史資料》1983年11輯)、馬世弘〈貳臣－鄧寶珊〉(《西北雜誌》22期，民79年6月)、姜志良〈韓德勤全軍覆滅原因淺析〉(《歷史教學》1985年7期)、溫瑞茂、孫學敏〈追殲白崇禧，三次大較量〉(《軍事歷史》1995年5期)、永春〈大陸上的最後25天追殲戰〉(《中華英烈》1988年3期)、陳宗舜《造魂－國民黨戰犯秘錄》(臺北，克寧出版社，民82)。中國人民革命軍事博物館編《奪取全國勝利：圖片集》(上海，上海教育出版社，1979)、Anna Louise Strong, The Chinese Conquer China. (New York: Doubleday & Co., 1949)，其中譯本為安娜‧路易斯‧斯特朗著、劉維寧等譯《中國人征服中國》(北京，北京出版社，1984)，作者曾於戰後中國內戰期間來華採訪，而以其所見所聞為素材寫成這本紀實性的作品，對中共解放區及國共的爭鬥等均有所論述。A. Doak Barnett, China on the Eve of Communist Takeover. (New York: Frederick A. praeger, Inc., Publisher, 1963)。至於沿海島嶼(如東山島、舟山群島、海南島等)的「解放」，均為 1950 年及其以後的戰役，是時國府已遷至臺北，故將於「中華民國在臺灣」單元中再行舉述。

2. 國府的「遷臺」

(1)臺灣的光復：潘長發等著、潘長發主編《抗戰勝利暨臺灣光復紀念專輯》(高雄，大海洋文藝雜誌社，民85)、何應欽《八年抗戰與臺灣光復》(臺北，何氏宗親會，民58)、臺灣省文獻委員會編(魏永竹主編)《抗戰與臺灣光復史料輯要》(南投，編者印行，民84)、蔣子駿〈抗日戰爭與臺灣光復的關係〉(載《紀念抗戰勝利五十周年－回顧與前瞻學術研討會論文集》，鳳山，陸軍官校文史系主辦，民84年6月)、俞歌春、史習培〈抗戰時期國民政府抗日復臺策略論析〉(《福建師大學報》1996年3期)、左雙文〈國民政府與臺灣光復〉(《歷史研究》1996年5期)、鄭梓〈國民政府對於「收復臺灣」之設計－－臺灣接管計劃之草擬、爭議與定案〉(《東海歷史學報》第9期，民77年7月)、柯偉林〈規劃戰後臺灣：工業政策和計劃與實施〉(載《國父

建黨革命一百周年學術討論集》，臺北，民84）、張瑞成編輯《抗戰時期
收復臺灣之重要言論》（臺北，近代中國出版社，民80）、薛軍力、徐
魯杭〈回顧抗戰時期我國收復臺灣的鬥爭〉（《中共黨史研究》1995年
6期）、呂芳上〈抗戰時期在祖國的臺灣光復運動〉（《新知雜誌》第1
年5期，民60年10月）、潘銀良〈中共與抗戰時期的臺灣光復運動〉
（《黨史文苑》1996年6期）、陳三井〈臺灣光復的序曲：復臺準備與接
收〉（載《孫中山先生與近代中國學術討論集》第4冊，臺北，民74）、洪
桂己〈從開羅會議到臺灣光復〉（同上）、陳三井〈蔣中正先生與臺
灣光復〉（《珠海學報》16期，1988年10月）、呂芳上〈蔣中正先生與
臺灣光復〉（《近代中國》79期，民79年7月）、連震東編《蔣總統與臺
灣省的光復重建》（2冊，臺北，中央文物供應社，民56）、毛一波〈辛
亥革命與臺灣光復〉（《臺灣風物》16卷5期，民55年10月）、李雲漢
《國民革命與臺灣光復的歷史淵源》（臺北，幼獅文化公司，民69）、呂
芳上〈臺灣革命同盟會與臺灣光復運動：1940～1945〉（《中國現代
史專題研究報告》第3輯，臺北，中華民國史料研究中心，民62）及〈抗戰
與臺灣光復〉（收入《抗戰勝利暨臺灣光復五十週年專輯》，臺北，民84年
9月）、王關興〈從抗日到臺灣光復——紀念抗日戰爭勝利五十周
年〉（《安徽大學學報》1995年5期）、戴國煇〈試論抗戰勝利及臺灣光
復之新定位〉（胡春惠主編《紀念抗日戰爭勝利五十周年學術討論會論文
集》，香港，珠海書院亞洲研究中心，1996）、張瑞成編輯《光復臺灣
之籌劃與受降接收》（臺北，國民黨黨史會，民79）、李銘、宋學銘〈戰
後初期臺灣回歸祖國的實現〉（《外交學院學報》1992年1期）、王萬得
〈臺灣光復散憶〉（《臺聲》1983年5期）、陳鳴鐘、陳興唐主編《臺灣
光復和光復後五年省情》（2冊，南京，南京出版社，1989）、謝康編著

《臺灣光復》（上海，大成出版公司，民37）、沈雲龍〈臺灣光復與外抗強權〉（《民主潮》1卷2期，民39年10月）、睦雲章〈臺灣光復與國民革命〉（《國魂》191期，民50年4月）、中國第二歷史檔案館〈抗戰勝利後臺灣日軍投降及南京國民政府軍事接收檔案資料選〉（《民國檔案》1988年4期、1989年1期）、鄭梓《戰後臺灣的接收與重建》（臺北，新化圖書公司，民83）、何鳳嬌編《政府接收臺灣史料彙編》（2冊，臺北，國史館，民79）、林忠《臺灣光復前後史料概述》（臺北，皇極出版社，民72）。

　　(2)戰後初期的臺灣（含二二八事變）：有陳漢光〈光復後之臺灣〉（載《臺灣文化論集》第2集，民43）、賴澤涵主編《臺灣光復初期歷史》（臺北，中央研究院中山人文社會科學研究所，民82）、陳鳴鐘、陳興唐主編《臺灣光復和光復後五年省情》（南京，南京出版社，1989）、黎中光《國民政府與臺灣終戰初期的政治經濟》（東吳大學社會研究所碩士論文，民81）、呂芳上〈光復後的政治建設－民主政治制度的建立〉（《臺灣近代史－政治篇》，臺中，臺灣省文獻會，民84）、鄧孔昭〈光復初期臺灣的行政長官公署制〉（《臺灣研究集刊》1994年1期）及〈光復初期的臺灣行政長官公署〉（《民國檔案》1992年1期）、臺灣省行政長官公署編《臺灣省行政長官公署公報》（臺北，編者印行，民34年9月～36年3月）、《臺灣參議會第一屆第一次大會－－臺灣省行政長官公署施政報告》（同上，民35年6月）及《省參議會第一屆第二次大會－－臺灣省行政長官公署施政報告〉（同上，民35年12月）、薛月順編《臺灣省政府檔案史料彙編：臺灣省行政長官公署時期（一）》（臺北，國史館，民85）、鄭梓〈戰後臺灣行政體系的接收與重建－－以行政長官公署為中心之分析〉（《思與言》29卷4

期，民80年12月；亦載《史聯雜誌》19期，民80年12月）及〈戰後臺灣
省制之變革——從行政長官公署到臺灣省政府(1945～1947)〉（《思
與言》26卷1期，民77年5月）、許禎庭《戰後初鉤臺灣省行政長官公
署與省參議會的關係(1945～1947)》（東海大學歷史研究所碩士論文，
民83）、臺灣省參議會秘書處編《臺灣省參議會第一屆第一次大會
特輯》（臺北，編者印行，民35）、鄭梓《戰後臺灣議會運動史研究—
本土精英與議會政治(1946～1951)》（臺北，華世出版社，民77）、
李筱峰《臺灣戰後初期的民意代表》（臺北，自立晚報社，民75）、臺
灣省行政長官公署人事室編《臺灣省各機關職員錄》（臺北，編者印
行，民35）及《臺灣一年來之人事行政》（同上）、湯熙勇〈臺灣光
復初期的公教人員任用方法：留用臺籍、羅致外省籍徵用日人
(1945.10～1947.5)〉（《人文及社會科學集刊》4卷1，臺北，中央研究院
中山人文社會科學研究所，民80年11月）、鄭梓〈試探戰後初期國府之
治臺策略—以用人政策與省籍岐視為中心的討論〉（載二二八民間研究
小組等編《二二八學術研討會論文集1991》，臺北，民81）、閩臺通訊社
編《臺灣政治現狀報告書》（編者印行，民35年3月）、鄭梓〈光復元
年臺灣政治圖像之一——以戰後「臺灣廣播電臺」為中心的探討〉（胡
春惠主編《紀念抗戰勝利五十周年學術討論會論文集》，香港，1996）、湯
熙勇〈戰後初期臺灣省氣象局的設立與改組〉（《臺灣風物》43卷4期，
民82年12月）、洪喜美〈光復前後中國國民黨臺灣黨務的發展(1940
～1947)〉（載《中華民國史專題論文集：第三屆討論會》，臺北，國史館，
民83）、李南海〈臺灣省制憲國民大會代表之選舉〉（同上）、臺灣
省行政長官公署宣傳委員會編《臺灣一年來之宣傳》（臺北，編者印
行，民35年12月）及《臺灣現況參考資料》（同上，民35年8月）、臺

灣省物資調節委員會編《臺灣省政紀要－－物資調節》(臺北，編者印行，民38)、劉阿榮〈戰後臺灣政商關係演變之研究〉(《近代中國》111、112期，民85年2、4月)、陳純瑩《臺灣光復初期之警政(1945～1953)》(臺灣師大歷史研究所博士論文，民83年6月)、林真〈抗戰勝利後閩臺交流的恢復與發展〉(《福建論壇》1989年5期)。李非《戰後臺灣經濟發展史》(廈門，鷺江出版社，1992)、劉進慶《臺灣戰後經濟分析》(臺北，人間出版社，民81)、劉進慶著、張正修譯〈戰後臺灣經濟的發展過程〉(《臺灣風物》34卷4期，民73年12月)、顏清梅〈戰後臺灣之經濟發展及其影響〉(《朝陽學報》第1期，民85年6月)、臺灣銀行研究室編〈臺灣光復後之經濟日誌〉(《臺灣銀行季刊》1卷1～4期，民36年6月～37年3月)、臺灣銀行季刊調查室編〈長官公署時期之臺灣經濟〉(同上，1卷2期，民36年9月)、朱高影〈行政長官公署時期臺灣經濟之探討(1945～1947)〉(《臺灣風物》42卷1期，民81年3月)、張公權遺著、姚崧齡譯〈臺灣光復初期與大陸之經濟關係〉(《傳記文學》37卷6期，民69年12月)、劉士永《光復初期臺灣經濟政策的檢討(1945～1952)》(臺灣大學歷史研究所碩士論文，民80)及〈戰後初期臺灣工業政策與生產概況(1945～1952)〉(《臺灣風物》41卷3期，民80年9月)、吳生賢《臺灣光復初期土地改革實錄專集》(臺北，內政部，民81)、黃俊傑〈光復初期臺灣土地改革過程中的幾個問題：雷正琪函件解讀〉(《中山人文社會科學研究所人文及社會科學集刊》5卷1期，民81年11月)、宗立水〈戰後臺灣工業化過程における研究開發〉(《立命館經濟學》45卷1·2號，1996年6月)、林長華〈戰後臺灣"公營"經濟及其民營化的性質剖析〉(《臺灣研究集刊》1996年4期)、薛月順〈資源委員會與戰後臺灣公營事業的建

立〉(載《中華民國史專題論文集：第三屆討論會》，臺北，國史館，民85)、
吳若予《戰後臺灣公營事業之政經分析》(臺北，國家政策研究中心，
民81)、陳兆偉〈從混亂到統一－光復後臺灣公營事業經營機關之
演進〉(《中國現代史專題研究報告》17輯，民84)、潘志奇《光復初期
臺灣通貨膨脹的分析》(臺北，聯經出版事業公司，民74)、王宏仁《戰
後臺灣私人獨佔資本之發展》(臺灣大學社會研究所碩士論文，民77)、
臺灣省行政長官公署糧食局《臺灣一年來之糧政》(臺北，撰者印行，
民35)、顏清梅〈光復初期臺灣米荒問題初探〉(載《臺灣光復初期歷
史》，臺北，中央研究院中山人文社會科學研究所，民82)、薛月順編《資
源委員會檔案資料彙編：光復初期臺灣經濟建設》(2冊，臺北，國史
館，民83)。花逸文《國共內戰中的臺灣兵－－臺籍國軍回憶錄》(臺
北，巴比倫出版社，民80)、鄭麗玲《國共戰爭下的悲劇－－臺灣軍
人回憶錄》(板橋，臺北縣立文化中心，民85)、卓文義〈光復後中國
空軍在臺灣整軍（1945～1949）－－中國空軍在臺灣受降接收與
轉進臺灣》(載《第一屆三軍官校基礎暨中山學術研討會·人文社會類論文
集》，民83年6月)、高維民口述、福蜀濤整理〈臺灣光復初期的軍
紀〉(《中華雜誌》283期，民76年2月)、簡笙簧〈光復後政府接運旅
日臺胞返籍之探討〉(載《中華民國史專題論文集：第三屆討論會》，臺
北，國史館，民85)、黃嘉謨〈白崇禧宣慰臺灣紀實〉(《廣西文獻季刊》
單行本，民85年6月)及〈白崇禧與臺政改進〉(《廣西文獻季刊》74期，
民85年10月)、John Walter Huebner, The Genesis of China's Tai-
wan Problem, 1945-1955. (Ph. D. Dissertation, New York University,
1979)、趙綺娜〈一九四〇年代美國外交政策中的臺灣戰略地位〉
(《美國研究》12卷1期，民71年3月)、蘇格〈戰後初期美國對臺灣政

策的形成〉(《外交學院學報》1993年2期)、袁成亮〈解放戰爭末期美
國分離臺灣陰謀及其破產〉(《鐵道師院學報》1996年6期)、張國興〈戰
後臺灣における勞動組合の結合過程(3)〉(《久留米大學法學》23-25
號，1994年10月、1995年2月及5月)、謝國興〈由商而工：光復初期
臺南幫的蛻變〉(收入《臺灣光復初期歷史》，臺北，中央研究院中山人文
社會科學研究所，民82年8月)、湯熙勇〈戰後初期臺灣中小學教師的
任用與培訓〉(《人文及社會科學集刊》8卷1期，民85年3月)。黃英哲
〈戰後初期臺灣における文化構築〉(《現代中國》69號，1995年7月)及
〈戰後初期臺灣における文化再構築－臺灣省編譯館とめくって〉
(《立命館文學》537號，1994年12月)、黨鴻樞〈歷史的抉擇：紀念臺
灣抗日民族解放文化運動勝利五十周年〉(《甘肅社會科學》1996年1
期)、黃富三〈日據經驗與戰後臺灣的文化衝突〉(《光復後臺灣地區
發展經驗研討會》論文，臺北，民79年6月)、李筱峰〈二二八事件前
的文化衝突〉(《思與言》29卷4期，民80年12月；亦載《史聯雜誌》19期，
民80年12月)、曾士榮《戰後臺灣之文化重編與族群關係－－兼以
「臺灣大學」為討論例案，1945～1950》(臺灣大學歷史研究所研士論
文，民83)、陳君愷〈光復之疫：臺灣光復初期衛生與文化問題的
鉅視性觀察〉(《思與言》31卷1期，民82年3月)、楊聰榮《文化建構
與國民認同－－戰後臺灣的中國化》(清華大學社會人類研究所碩士論
文，民81)、蔡其昌《戰後1945～1959臺灣文學發展與國家角色》
(東海大學歷史研究所碩士論文，民85)、國分直一〈戰後初期臺灣に於
ける史學民族學界－主として中國內地系學者の動きについて〉
(《東洋史研究》11卷2號，1951年3月)、黃英哲〈魯迅思想在臺灣的
傳播，1945-49：試論戰後初期臺灣的文化重建與國家認同〉(中央

研究院近代史研究所編印《認同與國家：「近代中西歷史的比較」論文集》，
臺北，民83年6月）、葉振富《臺灣光復初期的戲劇》（中國文化大學
史學研究所碩士論文，民78）、查時傑〈臺灣光復前後的基督教會
（1940～1948）〉（載《中華民國史專題論文集：第三屆討論會》，臺北，
國史館，民85）及〈光復初期臺灣基督教長老會的一個家族－以臺南
高長家族之發展為例〉（《臺大歷史學系學報》18期，民83年12月）。其
他如薛化元主編《臺灣歷史年表終戰篇 I（1945～1965）》（臺北，
張榮發基金會國家政策資料研究中心，民79）、臺灣新生報編印《臺灣
年鑑－－民國三十六年度》（臺北，民36年6月）、徐子為等《今日
之臺灣》（上海，中國科學圖書儀器公司，民34年11月）、張帆編《新生
的臺灣》（福州，華聲通訊社，民35年6月）、許介鱗《戰後臺灣史記》
（臺北，文英堂出版社，民85）。

　　至於發生於民國三十六年（1947）的「二二八事件（變）」，
這方面的論和資料不少，尤其是民國七十六年（1987）臺灣宣布
「解嚴」後，這類出版品更形充斥於臺灣坊間，茲舉其要者如下：
陳翠蓮《二二八事件研究》（臺灣大學政治研究所博士論文，民83年6
月），是臺灣第一本以「二二八」為題材的學位論文，由許介鱗教
授指導，論述尚稱持平，引用資料甚為豐富，是其特色，尤其是曾
參閱國民黨黨史會、司法行政部、國家安全局、國防部情報局所珍
藏的檔案資料，以及蔣渭川家屬提供的書函文年等，都極具其史料
價值。Lai Tse-ham、Romon H. Myers、and Weiwou, A Tragic
Begining: The Taiwan Uprising of February 28, 1947.（Stanford, Calif.:
Stanford University press, 1991）；其中譯本為賴澤涵、馬若孟、魏萼
著、羅珞珈譯《悲劇性的開端－－臺灣二二八事變》（臺北，時報文

化出版公司，民82)、中央研究院近代史研究所編《二二八事件資料選輯》(4冊，臺北，編者印行，民81～82)、中國第二歷史檔案館編(陳興唐主編)《臺灣"二‧二八"事件檔案史料》(2冊，北京，檔案出版社，1991；臺北，人間出版社翻印，民81)、行政院二二八研究小組編(賴澤涵總主筆)《二二八事件研究報告》(臺北，時報文化出版公司，民83)、臺灣省文獻委員會編《二二八事件文獻輯錄》(南投，編者印行，民80)、《二二八事件文獻續錄》(同上，民81)及《二二八事件文獻補錄》(同上，民83)、馬起華編《二二八研究》(臺北，中華民國公共秩序事務委員會，民76)、李敖編著《二二八研究》(臺北，李敖出版社，民78)、《二二八研究續集》(同上)及《二二八研究三集》(同上)、林啟旭《二二八事件綜合研究》(東京，二二八出版社，1988)、楊碧川編著《二二八探索》(臺北，克寧出版社，民82)、陳木杉《二二八真相探討》(臺北，博遠出版社，民79)；《二二八事件真相》(臺北，風雲出版社，民76)、韋名編《臺灣的二‧二八事件》(香港，七十年代雜誌社，1975)、掃蕩週報社編《二二八事變始末記》(臺中，編者印行，民36)、廈門大學臺灣研究所編印《二‧二八起義資料集》(2冊，廈門，1981)、鄧孔昭編《二二八事件資料集》(臺北，稻香出版社，民80)、蔣渭川遺稿《二二八事變始末記》(臺北，撰者家屬印行，民80)、勁雨《臺灣事件真相與內幕》(上海，建設書局，民36年4月)、唐賢龍《臺灣事變內幕記》(又名《臺灣事變面面觀》))《(南京，中國新聞社，民36)、董存厚《臺灣事變記－二二八臺灣事變實錄》(重慶，經緯書局，民36)、臺灣省行政長官公署編《臺灣省二二八暴動事件紀要》(臺北，編者印行，民36)、烏耳《臺灣二二八事件始末紀實》(民36年出版)、臺灣省旅平同鄉會等編《臺灣二二八大慘案》(北平，編者印行，民36)、臺灣省行政長官公署新聞室編印《臺灣暴動事件紀實》(臺北，民36)、旅京滬臺灣七團體二二八慘案聯合後援會編印《臺灣大慘案報告書》(民36年4月出版)、臺灣正義出版社編印《臺灣二二八事件親歷記》(臺北，民36)、陳芳明編《臺灣戰後史資料選：二二八事件專輯》(臺北，二二八和平日促進會，民80)、林德龍輯注、陳芳明導讀《二二八官方機密史料》(臺北，自立晚報社文化出版部，民81)、張炎憲、李筱峰編《二二八事件回憶集》(臺北，稻鄉出版社，民78)、中央研究院近代史研究所「口述歷史」編輯委員會《口述歷史(4)－－二二八事件專號》(臺北，民82年2月)、陳琰玉、胡慧玲編輯《二二八學術研討會論文集》(臺北，二二八民間研究小組、臺美文化交流基金會、現代學術研究基金會，民81)、陳俐甫編《二二八事件研討會論文集》(臺北，思辨社，民77)、陳芳明編《二二八事件學術論文集：臺灣人國殤事件的歷史回顧》(臺北，前衛出版社，民78)；《痛心何忍話當年：二二八事件》(香港，新文化事業供應公司，1978)、二二八和平日促進會編《走出二二八的陰影：二二八事件四十週年紀念專輯》(東京，二二八出版社，1988)、中國國民黨中央政策會政策研究工作會編《「二二八事變」處理(善後)問題公聽會紀實》(臺北，編者印行，民83)、葉芸芸編寫《證言二‧二八》(臺北，人間出版社，民79)、戴國煇、葉芸芸《愛憎二二八－－神話與史實：解開歷史之謎》(臺北，遠流出版公司，民81)、李筱峰《從終戰到二二八－島嶼新胎記》(臺北，自立晚報社文化出版部，民82)、林書揚《從二二八到五〇年代白色恐怖》(臺北，時報文化出版公司，民81)、陳翠蓮《派系鬥爭與權謀政治－－二二八悲劇的另一面相》(同上，民84)、楊逸舟著、張良澤等譯《二二八民變：臺灣與蔣介石》(臺北，前衛出版社，民80)、林木順編《臺灣二月革命》(民37年印行；臺北，前衛出版社翻印，民79)、王建生、陳婉真、陳湧泉《一九四七臺灣二二八革命》(臺北，前衛出版社，民79)、夏榮和、林偉盛、陳俐甫譯《臺灣·中國·二二八》(臺北，稻鄉出版社，民81)、陳俐甫《禁忌·原罪·悲劇：新生代看二二八事件》(同上)、藍博洲《沉屍·流亡·二二八》(臺北，時報文化出版公司，民80)、李筱峰〈二二八消失的臺灣菁英〉(臺北，自立晚報社文化出版部，民79)、林樹枝著、平岩－雄譯《臺灣事件簿：國民黨政權下の彈壓秘史》(東京，社會評論社，1995)、林淑瑤《「光復」前後·臺灣の光と陰－二·二八事件と省籍矛盾》(立命館大學史學科碩士論文，1994)；臺灣月刊社編印《臺灣月刊·第6期－臺灣二二八事變專輯》(臺北，民36年4月)、黃金島口述、王世勛筆記《站在第一線：二二八事件中最激烈的一戰「烏牛欄之役」始末》(臺中，撰者印行，民77)、張炎憲、胡慧玲、高淑媛採訪紀錄《悲情車站二二八》(臺北，自立晚報社文化出版部，民82)、陳美珠《幽暗角落的泣聲：尋訪二二八散落的遺族》(臺北，前衛出版社，民81)、張炎憲等《臺北都會二二八》(臺北，吳三連臺灣史料基金會，民83)及《臺北·南港·二二八》(同上，民84)及《淡水河域二二八》(同上，民85)、許雪姬、方惠芳訪問、吳美慧等紀錄《高雄市二二八相關人物訪問紀錄》(3冊，臺北，中央研究院近代史研究所，民84)、張炎憲等採訪紀錄《基隆雨港二二八》(臺北，自立晚報社文化出版部，民82)、《嘉義北回二二八》(同上)、《嘉義·驛前·二二八》(臺北，吳三連臺灣史料基金會，民84)及《嘉雲·平野·二二八》(同上)及《諸羅山城二二八》(同上)、沈秀華等《噶瑪蘭二二八》(臺北，自立晚報社文化出版部，民81）。

　　期刊論文則有陳弱水〈歷史上的「二二八事變」〉（《歷史月刊》17期，民78年6月）、蔣順興〈臺灣二二八起義〉（《江海學刊》1984年2期）、中村ふじいる〈臺灣"二·二八"事件とその背景〉（《季刊中國研究》24號，1992年7月）、張旭成〈二二八事件的政治背景及其影響〉（收於《二二八事件學術論文集》，臺北，前衛出版社，民78）、蕭聖鐵〈臺灣二二八事件的經濟與文化背景〉（收於《二二八學術研討會論文集》，臺北，民81）、丁果〈臺灣"二·二八"事件的起因〉（《上海師大學報》1991年3鉶）、陳儀深〈臺灣二二八事件的原因〉（載《二二八學術研討會論文集》，臺北，臺美文化交流基金會，民81）、楊鵬〈臺灣受降與二二八事件〉（收入李敖編著《二二八研究三集》，臺北，李敖出版社，民78）、市古尚三〈臺灣秘史「二·二八」事件〉（《海外事情》15卷5號，1967年5月）、陳曉清〈陳儀治臺與臺灣"二·二八"起義〉（《學海》1992年6期）、沈雲龍遺稿〈陳儀其人與二二八事變〉（《傳記文學》54卷2期，民78年2月）、賴澤涵〈陳儀和「二二八」事件〉（《臺灣風物》40卷2期，民79年6月）、葉明勳〈後世忠邪自有評－－從陳治公主閩主臺談到二二八事件〉（《傳記文學》52卷5期，民77年5月）、古怡青〈陳儀治臺與二二八事變〉（《史苑》55期，民83年12月）、丁果〈臺灣「2·28」事件の一考察－陳儀と臺灣行政長官公署を中心に〉（《近代中國研究彙報》11號，1989年3月），其中譯文為陳俐甫、夏榮和譯，譯文載《臺灣風物》41卷1期，民80年3月，王世慶〈三民主義青年團與二二八事件（初稿）〉（《史聯雜誌》21期，民82年6月）、鄧孔昭〈從二二八事件看民主與地方自治的要求〉（《當代》34期，民78年2月）、賴澤涵〈二二八事件與當代臺灣的發展〉

（同上）、吳密察〈臺灣人的夢與二二八事件－臺灣的脫殖民地化〉
（同上，87期，民82年7月）、路人〈臺灣二二八真相〉（《新聞天地》23
期，民36年6月）、梁辛仁〈我們對不起臺灣－二二八民變的分析〉
（同上，22期，民36年5月）、純青〈臺灣民變真象鈎沉〉（《觀察》2卷
4期，民36）、吳世昌〈論臺灣的動亂〉（同上）、君君〈臺灣暴動紀
實〉（同上，2卷5期，民36）、觀察特約記者〈臺灣事件的分析〉（《觀
察》2卷5期，民36年3月）、侯坤宏〈二二八事件研究－以國史館藏
相關檔案史料為中心之探討〉（載《中華民國史論文集：第三屆討論會》，
臺北，國史館，民85）、陳俐甫〈二二八事件與臺灣民族意識〉（收於
《臺灣‧中國‧二二八》，臺北，稻鄉出版社，民81）、程大學〈臺灣二
二八事件の分析と再檢討－二二八事件の後遺症と今後の政治展
望〉（《臺灣史研究》10號，1993年12月）、張富美〈在血痕中讀史－
二二八事件研究資料註介〉（收於《二二八事件學術論文集》，臺北，前
衛出版社，民78）、侯坤宏〈「二二八事件」有關史料與研究之分析〉
（《國史館館刊》復刊16期，民83年6月）、蔡其達輯〈二二八出版品一
覽表〉（《中國論壇》31卷5期，民80年2月）、楊家宜編製〈「二二八」
的官方說法〉（同上）、陳少廷〈評中共對臺灣二二八事件的解釋〉
（載《現代學術研究》專刊之2，臺北，現代學術基金會，民79年5月）、陳
芳明〈中共對二二八事件史觀的政策性轉變〉（《中國論壇》31卷5期，
民80年2月）、林宗光〈美國人眼中的二二八事件〉（收於陳芳明編《二
二八事件學術論文集》，臺北，前衛出版社，民78）、龐恩〈臺灣學者對"
二‧二八事件研究報告"的評論〉（《福建社科情報》1992年8期）、張
肇祥〈"二二八事件"的導火線－臺北太平町緝煙事件的探討〉（《史
學通訊》25期，民81年5月）、許雪姬〈臺灣光復初期的語言問題－

以二二八事件為例〉（《史聯雜誌》19期，民80年12月）、吳克泰〈剖析光輝的二・二八起義〉（《臺聲》1987年2期）、史津〈臺灣人民"二・二八"武裝起義〉（《歷史教學》1966年2期）、葉紀東〈"二・二八"事件的是非與評說〉（《臺聲》1989年4期）、周青〈二・二八是臺灣人民一次沉痛的歷史轉折〉（同上，1988年4期）、志賀勝〈臺灣二・二八革命史稿－－臺北・臺中を中心に〉（《季刊中國研究》24號，1992年7月）、丁果〈二二八事件：臺中和嘉義地區個案研究〉（《當代》47期，民79年3月）、〈臺灣"二・二八"事件と臺中嘉義地區〉（《季刊中國研究》24號，1992年7月）及〈"二二八事件"與臺中嘉義地區人民起義〉（《臺灣研究》1991年2期）、許雪姬〈臺灣光復初期的民變－以嘉義三二事件為例〉（收入《臺灣光復初期歷史》，臺北，中央研究院社會科學研究所，民82年12月）、〈二二八事件時高雄市的綏靖〉（收入黃俊傑主編《高雄歷史與文化》，民83年4月）及〈二二八事變在澎湖〉（《西瀛風物》創刊號，民85年6月）、蔡子民〈前事不忘後事之師－－紀念二・二八」〉（《臺聲》1991年3期）、林臺中〈紀念"二・二八"，做好更希望于人民的工作〉（同上，1990年5期）、吳克泰〈惡夢的驅除：紀念"二・二八"有感〉（同上，1991年3期）、葉紀東〈"二・二八"感言〉（《臺聲》1991年3期）、蔡子民〈紀念二・二八起義四十周年〉（同上，1987年3期）、王致遠〈共同的方向，獨特的風貌：紀念"二・二八"起義四十二周年〉（同上，1989年4期）、游欣榮〈在京臺胞隆重紀念"二・二八"起義四十四周年〉（同上，1991年2期）;〈首都臺胞隆重紀念二・二八起義四十五周年〉（《臺聲》1992年4期）、甘基〈紀念"二・二八"積極向前看：在京臺胞紀念"二・二八"起義48周年〉（同上，1995年4期）、周青〈二

·二八暴動的原始形態〉（同上，1987年2期）、陳正卿〈試析臺灣二·二八起義前的四大經濟矛盾〉（《民國檔案》1987年2期）、王育德〈二·二八の臺灣史的意義〉（《臺灣青年》162號，1974年4月）、周青〈"二·二八"對臺灣政局的影響〉（《臺灣研究》1992年1期）、李筱峰〈二二八事件中臺灣社會名流遇害因素初探——以三十個個案為研究對象〉（載《現代學術研究》專刊之2，臺北，現代學術研究基金會，民79年5月）、盧信昌、胡春田〈"二二八事件"罹難人數之推估〉（《社會科學論叢（臺灣大學法學院）》42輯，民83年12月）、周青〈"二·二八"的菁英「含冤不眠」〉（《臺聲》1991年3期）、李何林〈我所見的"二·二八"大起義〉（同上，1987年2期）、柯秀英〈"二·二八"起義前後的所見所聞〉（同上）、李霽野〈臺灣"二·二八"起義點滴〉（同上）、蕭鐵〈我在臺灣228事件中〉（《新聞天地》24期，民36年6月）、周青〈我所參加的臺灣二·二八暴動〉（《中華英烈》1987年3期）、葉明勳〈二二八事件親歷的感受〉（《傳記文學》52卷3期，民77年3月）及〈不容青史盡成灰－二二八事件親歷的感受〉（《華僑雜誌》22卷2期，民77年2月）、林衡道口述、陳三井、許雪姬訪問〈二二八事變的回憶－林衡道先生訪問紀錄〉（《口述歷史》第2期，民80年10月）、林衡道〈二二八的見聞〉（《臺灣風物》42卷4期，民81年12月）、林衡哲〈從吳濁流的文學作品看二二八事件〉（收於陳芳明編《二二八事件學術論文集》，臺北，前衛出版社，民78）、謝里法〈從二二八事件看臺灣智識份子的歷史盲點〉（同上）、江濃〈前瞻性地探討臺灣二·二八事件〉（《瞭望（海外版）》1987年18期）、王曉波〈歷史問題必須歷史解決－二二八四十週年論其與共產黨的關係〉（《中華雜誌》283號，民76年2月）及〈走出二二八事件的歷史陰影〉（同上，272號，民75年3月；亦載《臺聲》1987年3期）、丁果〈「二・二八事件〉と新聞報道—「華商報」を通じて〉（《東洋學報》71卷1、2號，1989年12月）、吳克泰〈比較、分析、去偽存真——在南京看到"二・二八"檔案後之感想〉（《民國檔案》1992年1期）、張國興〈二二八事件前後的勞資爭議事例〉（載《現代學術研究》專刊之2，臺北，民79年5月）、陳翠蓮〈二二八事變與美國〉（《法政學報（淡江大學公共行政學系）》第5期，民85年1月）、林彥君譯〈獨家披露美國國務院「二二八事件」機密檔案〉（《新新聞》208期，民80年3月4日）、葉梗紅〈二二八事變中的王添燈〉（《臺灣思潮》第2期，民80）、蔡子民〈憶二・二八與王添燈〉（《臺聲》1987年2期）、金波〈「二二八事件」與謝雪紅〉（《動向》114期，民84年2月）、葉芸芸〈二二八事件中的謝雪紅——訪周明談謝雪紅、二七部隊、吳振武和鍾逸人〉（收入氏著《證言228》，臺北，人間出版社，民78）、林宗義〈林茂生與二二八——他的處境與苦悶〉（收於陳芳明編《二二八事件學術論文集》，臺北，前衛出版社，民78）、張克輝〈故鄉的火車站〔二・二八事件〕〉（同上）、陳碧笙〈參加臺灣旅京滬七團體赴臺調查二・二八事變的經過〉（同上）、蔣永敬〈楊亮功先生與「二二八事件」〉（《傳記文學》60卷2期，民81年2月）、陳三井〈白崇禧與二二八事件〉（載《中華民國史專題論文集：第一屆討論會》，臺北，國史館，民81）；撰者另有同名的文章，發表於《中外雜誌》52卷4期（民81年10月）。

其他與「二・二八」事件相關者有莊嘉農（蘇新）《憤怒的臺灣》（香港，智源書局，1949）、胡慧玲等編《走出二二八的陰影——二二八和平日促進運動實錄（1987～1990）》（臺北，二二八和平日促進會，民80）、黃昭堂編譯《臺灣情勢報告書—2.28事件に關する

米駐華大使館の報告》（東京，臺灣現代史研究會，1973）、澀谷司〈「二
・二八事」前夜の臺灣》（《拓殖大學海外事情研究所報告》，27號，1993
年3月）、觀察特約記者〈二二八事件後的臺灣〉（《觀察》2卷6期，
民36）、臺灣省旅平同鄉會、天津市臺灣同鄉會合編《二二八周年
志》（民37年3月印行）、鍾逸人《辛酸六十年：二二八事件二七部
隊隊長鍾逸人回憶錄》（臺北，自由時代出版社，民77；臺北，前衛出版
社，民81）、松田昌治〈臺灣をめぐる諸問題－臺灣の「歷史」「二
・二八事件」，張學良「臺灣獨立」〉（《近きに在りて》22號，1992年
11月）、阮美姝《幽暗角落的泣聲－尋訪二二八散落的遺族》（臺北，
前衛出版社，民81）、蔣永敬、李雲漢、許師慎編《楊亮功先生年譜》
（臺北，聯經出版事業公司，民77）、楊肇嘉《楊肇嘉回憶錄》（臺北，
三民書局，民56）、許雪姬〈鍾逸人先生訪問錄〉（《口述歷史》第3期，
臺北，中央研究院近代史研究所，民81）、國防部總政治部《謝雪紅的
悲劇》（臺北，撰者印行，民47）、陳芳明《謝雪紅評傳》（臺北，前衛
出版社，民80）、林銘章〈謝雪紅閃亮而坎坷的一生〉（《傳記文學》61
卷2期，民81年8月）、金波〈我所知道的臺共領袖謝雪紅〉（《動向》
109期，民83年9月）、野百合〈謝雪紅的歷史不容歪曲〉（《臺獨》102
期，1980年8月）、陳芳明〈陳儀與謝雪紅：二二八人物的再評價〉
（收入氏編《二二八事件學術論文集》，臺北，前衛出版社，民77）、〈謝
雪紅及其周邊〉（《新聞學研究》51期，民84年7月）、〈臺共領袖謝雪
紅的俄國經驗〉（《中國論壇》362期，民79年11月）、〈潔白的火花－
緬懷臺灣民族鬥士謝雪紅〉（收入氏著《臺灣人的歷史與意識》，臺北，
敦理出版社，民77）及〈尋找謝雪紅的蹤跡〉（收入氏著《鞭傷之島》，
（臺北，自立晚報社文化出版部，民78）、周明《臺中的風雲－跟謝雪紅

在一起的日子裡》(臺北，人間出版社，民79)、亞平〈臺灣第一奇女
子謝雪紅〉(《臺灣內幕》第2、3輯，民37年2月)、周明〈謝雪紅與
二七部隊〉(《臺灣文化》11期，1987年4月)。孫彩霞〈陳儀與臺灣〉
(《臺灣研究集刊》1996年2期)、陳明通〈政治派系與陳儀治臺論〉(《臺
灣光復初期歷史學術研討會》，臺北，民81)及〈從陳儀治臺談中共的
一國兩制〉(《中山學術論叢》12期，民83年6月)、賴澤涵〈陳儀與閩、
臺、浙三省省政〉(載《中華民國建國八十年學術討論集》第4冊，臺北，
民80)及〈陳儀在閩、臺的施政措施〉(《中國論壇》31卷5期，民80年
2月)、蕭鐵〈陳儀管理臺灣〉(《新聞天地》16期，民35年9月)、招
麥漢《陳儀大鬧臺灣》(香港，風雨書屋，1947)、葉明勳〈記取歷史
的教訓－臺灣光復後陳儀下錯了一著棋〉(《傳記文學》55卷5期，民78
年11月)、汪彝定〈陳儀印象記〉(同上，57卷4期，民79年10月)、
余鐘民〈陳儀槍殺張超的前前後後〉(同上，52卷6期，民77年2月)、
陳能南〈陳儀主閩期間功過述評〉(《福建師大學報》1989年2期)、劉
士永〈陳儀的經濟思想及其政策〉(《臺灣風物》40卷2期，民79年6月)、
全國政協文史資料研究委員會等編《陳儀生平及被害內幕》(北京，
中國文史出版社，1987)、丁名楠〈臺灣報刊發表《陳儀致湯恩伯影
印親筆信件原件》辨正〉(《近代史研究》1991年3期)、張文奇〈陳儀
誘降湯恩伯經過〉(《傳記文學》52卷1期，民77年1月)、毛森〈陳儀
迫湯投共始末〉(同上，52卷4期，民77年4月)及〈補釋「陳儀迫湯
投共始末」〉(同上，53卷1期，民77年7月)、鈴木正夫〈陳儀につい
ての覺え書－－魯迅、許壽裳、郁達夫との關わりにおいて〉(《橫
濱市立大學論叢》40卷人文科學系列·第2號，1990年3月)、寶石山〈陳
儀休養之謎〉(《新聞天地》65期，民38年4月)、孫宅巍〈關於陳儀準

備起義和遇害的歷史考察〉(《學海》1990年5、6期)、駱志伊〈陳儀的悲劇〉(《中外雜誌》37卷2期，民74年2月)。

(3)「遷臺」始末：丁永隆、孫宅巍《南京政府的覆亡》(鄭州，河南人民出版社，1987)，引用海內外大量的檔案資料，以事件為主軸，將當時政治、經濟、軍事、社會各方面發生的重大事件——敘述，歸納出國民黨在中國大陸失敗的原因；臺北之巴比倫出版社予以翻印出版(民81年，1992年)，易名為《南京政府崩潰始末》。張益民〈論南京國民黨政權崩潰的歷史必然性〉(《南京大學學報》1989年3期)、璞玉〈南京國民政府反動統治的迅速崩潰，為什麼說是歷史的必然？〉(《唯實》1992年4期)、忻平〈南京國民黨政權崩潰原因探析〉(《近代史研究》1992年2期)、郭永學、吳祖鯤〈海內外學者關於大陸國民黨政權崩潰原因的研究綜述〉(《吉林大學社會科學學學報》1991年2期)。Pichon P. Y. Loh（陸培湧）, The Kuomintang Debacle of 1949 Conquest or Collapse?（Lexington, Mass.: D. C. Heath & Company, 1965)、容齋等《金陵舊夢》(香港，致誠出版社，1984)、陳馳《金陵夕照夢》(北京，中國華僑出版社，1994)、陳少校《酒畔談兵錄》(金陵殘照記之一，香港，致誠出版社，1963)、曾振《蔣介石總統在中國大陸成敗記》(2冊，臺北，撰者印行，民82)、璩忠友〈論蔣介石在歷史上的第三次下野〉(《南京政治學院學報》1990年2期)、張瑞祺〈民國三十八年蔣介石下野之探討〉(《史繹》25期，民83年5月)、張廣立〈冬天飲寒水、雪衣渡斷橋－論蔣介石之「引退」〉(《湖北大學學報》1988年6期)、宮崎世龍〈蔣介石下野の後に來るもの〉(《新星》2卷6號，1949年2月)、黃偉〈大軍壓境日惆悵別長洲：蔣介石南逃廣州在黃埔的活動〉(《嶺南文史》1994年3期)、秦棟、李政

《蔣介石在大陸的最後日子》(南京，江蘇人民出版社，1985)、秦棟、
羅炭《魂斷武嶺－－蔣介石在大陸的最後日子》(北京，黃河文藝出版
社，1985)、秦彤軍編《蔣介石在大陸的最後時刻》(廣州，南海出版
社，1992)、陳宇〈蔣介石在大陸最後一百天〉(臺北，巴比倫出版社，
民84)；吳志明〈桂系三巨頭在南京政府覆亡前的抉擇〉(《民國春秋》
1992年4期)。Lloyd Eastman, "Who Lost China? Chiang Kai-shek
Testifies.(The China Quarterly, No. 88, December 1981)、李松林〈蔣介
石談國民黨在大陸失敗的原因及相應對策〉(《國外社會科學情況》1990
年6期)、陸衛明〈國民黨統治垮臺與中國革命勝利探因〉(《寶雞師
院學報》1991年2期)、方正群〈國民黨的腐敗與在大陸統治的失敗〉
(《雲南學術探索》1995年4期)、李松林〈簡析國民黨在大陸失敗的真
正原因〉(《首都師大學報》1996年6期)、王作坤、宋繼孔〈論解放戰
爭中國民黨軍事失敗的必然性〉(《荷澤師專學報》1990年4期)、邵玉
銘〈抗戰勝利後戡亂失利的檢討〉(《近代中國》44期，民74年2月)、
葛麟〈間諜與叛徒：大陸戡亂失敗原因之一項探討(1945～1949)〉
(載《蔣中正先生與現代中國學術討論集》第2冊，臺北，民75)、平成編
《兵敗大陸》(北京，團結出版社，1996)、黃愛軍〈人民解放戰爭殲
滅國民黨軍隊知多少〉(《黨史縱橫》1996年1期)、宋健《輝煌與罪
惡：國民黨"五大王牌主力"征戰秘史》(廣州，廣州出版社，1996)、
林武編著《蔣介石五大"王牌軍"的覆滅》(北京，中國友誼出版社，
1994)。陳孝威《為什麼失去大陸》(2冊，臺北，中國美術印刷廠印行，
民53；臺北，躍昇文化出版公司，民77)、翟志成〈國民黨是怎樣丟掉
大陸的？〉(《當代》58、59期，民80年2、3月)、曾振〈中國大陸淪
陷原因的研究〉(《戰史彙刊》10期，民67)、柯遠芬《暴風雨－大陸

撤守與胡璉兵團轉戰紀實》(臺北，撰者印行，民72)、黃廣年、施泉平選〈解放前夕國民黨政權搶運上海戰略物資去臺史料選（1949年5月）〉(《檔案與歷史》1989年2期)、中國第二歷史檔案館〈國民黨政府撤離大陸前向臺北廈門密運現金－組資料〉(《民國檔案》1989年1期)、李光裕〈大陸撤守四十年的省思－－從海峽兩岸敵意消失談到－廂情願的大陸政策〉(《傳記文學》54卷1期，民78年1月)。王唯石〈國府遷台內幕〉(《中外雜誌》52卷3期，民81年9月)、李曉明〈蔣介石退保臺灣的方針與政策措施簡析〉(《湖北師院學報》1990年1期)、苗生〈一根"稻草"的命運：國民黨偏安臺灣始末〉(《黨史縱橫》1995年10期)、蔡子民〈近代臺灣的歷程（二）：國民黨退據臺灣〉(《臺聲》1994年3期)、唐繼革〈論國共隔海對峙格局的形成〉(《社會科學戰線》1993年3期)。

　　至於民國三十八年（1949）十月的金門戰役，臺灣方面稱之為金門大捷或古寧頭大捷，此－戰役，對正在臺灣部署「遷臺」的蔣介石，以及離開廣州向四川轉進的國府行政院而言，均有不小的鼓舞作用，「遷臺」事宜亦得以賡續進行。關於此－役戰及稍後的登步（屬舟山群島）爭奪戰的論著和資料有國史館史料處編《金門古寧頭舟山登步島之戰史料初輯》(臺北，國史館，民68)，其續輯（2冊）則於民71年出版；國防部史政編譯局編《古寧頭大捷卅週年紀念特刊》(臺北，編者印行，民68)、劉獻鈞等《金門之戰》(臺北，新中國出版社，民43)、叢樂天等主編《回顧金門登陸戰》(北京，人民出版社，1994)、陳惠方《海漩：兵進金門全景紀實》(北京，華文出版社，1994)、徐焰《金門之戰，1949－1959》(北京，中國廣播電視出版社，1992)、張火木《金門古今戰史》(臺北，稻田出版社，民

85）、胡璉編著、王禹廷校對《泛述古寧頭之戰》（臺北，國防部印製廠印刷，民64）、齊茂吉《由古寧頭戰役到八二三戰役》（臺北，黎明文化出版公司，民80）、賴暋〈臺海戰爭述略－－從民國三十八年由古寧頭戰役到四十七年金門砲戰〉（載《中華民國史專題論文集：第一屆討論會》，臺北，國史館，民81）、柯遠芬〈記古寧頭戰役〉（《傳記文學》33卷5期，民67年11月）、劉雲瀚〈紀金門古寧頭之役〉（《戰史彙刊》第6期，民63）、孫宅巍〈金門作戰失利述評〉（《軍事史林》1989年2期）、陳宜淳〈金門戰鬥失利原因芻議〉（《福建黨史月刊》1996年7期）、宋毅軍〈淺談我軍攻打金門、海南等沿海島嶼戰鬥得失〉（《軍事史林》1989年6期）、鄭遠釗〈上海保衛戰與古寧頭大捷〉（《傳記文學》33卷5期，民67年11月）、李守孔〈金門古寧頭奏捷三十週年〉（同上，35卷4期，民68年10月）、劉毅夫〈細說古寧頭大捷〉（同上）、王禹廷〈旋乾轉坤的古寧頭大捷〉（同上）、卜幼夫〈金門古寧頭大捷採訪追記〉（同上）、鄒興軍、溫曉霜〈關於金門之戰中的兩個問題〉（《軍事史林》1995年4期）；國防部史政局《登步爭奪戰》（臺北，撰者印行，民48）、白萬祥〈登步戰役－－並論戰地政治作戰的作為〉（載《中華民國歷史與文化討論集》第1冊，臺北，民73年6月）、及〈登步作戰政治作戰配合運用檢評〉（《傳記文學》35卷5期，民68年11月）、劉毅夫〈登步大捷三十周年紀念〉（同上）、孫宅巍〈登步島作戰失利初探〉（《學海》1992年3期）、朱致一〈登步島殲匪記要〉（《江西文獻》第5期，民55年8月）、蕭宏毅〈登步勝利意義和價值的研究〉（《戰史彙刊》11期，民69年12月）、張昭然〈大陸逆轉前後國軍在浙江沿海島嶼的經營〉（載《中華民國建國八十年學術討論集》第1冊，臺北，近代中國出版社，民81）。

國家圖書館出版品預行編目資料

中國現代史書籍論文資料舉要（四）

胡平生編著. – 初版. – 臺北市：臺灣學生，
2005[民 94]
面；公分

ISBN 957-15-1244-3(第四冊；精裝)
ISBN 957-15-1245-1(第四冊；平裝)

1. 中國 – 歷史 – 現代（1900-　）– 目錄
2. 中國 – 歷史 – 現代（1900-　）– 專題研究

016.628　　　　　　　　　　　　　　88000805

中國現代史書籍論文資料舉要（四）

編　著　者：胡　　　　平　　　　生
出　版　者：臺　灣　學　生　書　局　有　限　公　司
發　行　人：盧　　　　保　　　　宏
發　行　所：臺　灣　學　生　書　局　有　限　公　司
　　　　　　臺北市和平東路一段一九八號
　　　　　　郵　政　劃　撥　帳　號：00024668
　　　　　　電　話：（02）23634156
　　　　　　傳　眞：（02）23636334
　　　　　　E-mail：student.book@msa.hinet.net
　　　　　　http://www.studentbooks.com.tw

本書局登
記證字號：行政院新聞局局版北市業字第玖捌壹號

印　刷　所：長　欣　彩　色　印　刷　公　司
　　　　　　中和市永和路三六三巷四二號
　　　　　　電　話：（02）22268853

定價：精裝新臺幣九八〇元
　　　平裝新臺幣八八〇元

西　元　二　〇　〇　五　年　三　月　初　版

臺灣 學生書局 出版

史學叢刊（叢書）